图书在版编目（CIP）数据

资治通鉴全本全注全译. 第十二册 / （宋）司马光编著 ; 张大可等注译. -- 杭州 : 浙江人民出版社, 2024. 10（2025. 6重印）. -- ISBN 978-7-213-11677-3

Ⅰ. K204. 3

中国国家版本馆CIP数据核字第2024A2H951号

资治通鉴全本全注全译　第十二册

ZIZHI TONGJIAN QUANBEN QUANZHU QUANYI

［宋］司马光　编著　　张大可　韩兆琦　等　注译

出版发行：浙江人民出版社（杭州市环城北路 177 号　邮编　310006）
市场部电话：（0571）85061682　85176516
选题策划：胡俊生
项目统筹：潘海林　魏　力
责任编辑：陈　源
特约编辑：于玲玲
营销编辑：陈芊如
责任校对：陈　春　杨　帆　马　玉　何培玉
责任印务：程　琳　幸天骄
封面设计：北京之江文化传媒有限公司
电脑制版：北京之江文化传媒有限公司
印　　刷：浙江新华数码印务有限公司
开　　本：710 毫米 ×1000 毫米　1/16　　印　　张：38.5
字　　数：750 千字　　插　　页：4
版　　次：2024 年 10 月第 1 版　　印　　次：2025 年 6 月第 2 次印刷
书　　号：ISBN 978-7-213-11677-3
定　　价：124.00 元

经纬度·原典系列

资治通鉴

全本全注全译

第十二册

宋纪

［宋］司马光　编著
张大可　韩兆琦　等　注译

浙江人民出版社

目　录

卷第一百二十五　宋纪七

起强圉大渊献（丁亥，公元四四七年），尽上章摄提格（庚寅，公元四五〇年），凡四年。

【题解】

本卷写宋文帝刘义隆元嘉二十四年（公元四四七年）至二十七年共四年间刘宋与北魏等国的大事。写了魏将万度归与唐和西讨焉耆、龟兹，平定西域；魏主拓跋焘几次出兵讨柔然，柔然屡为魏将拓跋那等所败，乃逾穹隆岭而逃，从此柔然衰弱，不敢犯魏塞。写了沔北诸蛮叛乱，进攻雍州，刘宋政权派沈庆之、柳元景将其平定，悉迁之建康以为营户。写了魏主拓跋焘率兵南侵，宋将陈宪奉命守悬瓠，奋勇抵抗，艰苦卓绝；又有臧质、刘康祖率兵救悬瓠，遂破魏兵，魏兵退去。写了魏国谋臣崔浩专制朝权，又主编魏国国史，因宠用奸小闵湛、郗标，二人吹捧崔浩，怂恿刻国史于石，结果触怒魏国权贵，致使崔浩被杀，家族被灭。写了崔浩的下属高允有先见之明，又能如实承担自己写史的责任，并能坦直向魏主进言，从而获魏主信任，高允公正地评价崔浩为“以私欲没其廉洁，爱憎蔽其公直，此浩之责也。至于书朝廷起居，言国家得失，此为史之大体，未为多违”，魏主后来亦悔之曰“崔司徒可惜”。写了刘宋的佞臣王玄谟以及用事者徐湛之、江湛等迎合、怂恿刘义隆北伐中原，宋文帝刘义隆遂飘飘然，不听沈庆之等

【原文】

太祖文皇帝中之下

元嘉二十四年（丁亥，公元四四七年）

春，正月甲戌①，大赦。

魏吐京胡②及山胡曹仆浑③等反。二月，征东将军武昌王提④等讨平之。

癸未⑤，魏主如中山⑥。

魏师之克姑臧⑦[1]也，沮渠牧犍使人斫⑧开府库，取金玉及宝器。因不复闭⑨，小民争入盗取之，有司索盗不获。至是⑩，牧犍所亲

人的坚决反对而以王玄谟为前锋，出齐、鲁入黄河，进攻滑台，徐州的武陵王刘骏、寿春的南平王刘铄，亦东西并举。开始时，魏军自动退出了一些城镇，王玄谟等遂进围滑台，由于王玄谟优柔无断，坐失机宜，致使滑台久攻不克。其后魏主率大军救滑台，王玄谟张皇溃逃，全军丧亡殆尽。这时从襄阳北出的宋将柳元景、薛安都等经由卢氏北攻弘农，俘其太守，又攻陕城、潼关，皆克之，关中豪杰所在蜂起响应，形势一片大好，但因东线的王玄谟已经惨败，故柳元景等只好撤回。写了刘义恭本欲弃彭城南逃，多亏部将张畅坚持，始据城坚守。写了魏主拓跋焘攻彭城不克，派李孝伯出使彭城，刘义恭、刘骏派张畅出面接待，双方互逞辞令，张畅以辞令爱国，有学问、有勇气，可敬亦复可怜，因为南朝所剩的也就是这么一点可怜的“斗嘴”了。此外还写了臧质、沈璞的合作守盱眙，勇敢坦诚，公而无私。写了魏主拓跋焘兵临长江，登瓜步山，与宋帝刘义隆相互馈赠，建议南北分治，互通婚姻，结好息民，而刘宋内部意见不一，未能表态等。

【语译】

太祖文皇帝中之下

元嘉二十四年（丁亥，公元四四七年）

春季，正月二十六日甲戌，宋国实行大赦。

生活在北魏吐京郡一带的匈奴人和山胡族的首领曹仆浑等起兵造反。二月，担任征东将军的武昌王拓跋提等人率军将这场叛乱镇压下去。

初五日癸未，北魏太武帝拓跋焘前往中山郡巡视。

当初，北魏的军队攻克北凉都城姑臧的时候，北凉河西王沮渠牧犍派人砍开府库的门锁，取走了里面的金银财宝和各种宝器。取完后就没有再关闭上锁，当地的平民百姓于是争相进入府库偷盗里面剩余的财物，有关部门进行抓捕却一无所获。

及守藏者⑪告之，且言牧犍父子多蓄毒药，潜⑫杀人前后以百数，姊妹[2]皆学左道⑬。有司索牧犍家⑭，得所匿物。魏主大怒，赐沮渠昭仪⑮死，并诛其宗族，唯沮渠祖以先降得免⑯。又有告牧犍犹与故臣民交通谋反者，三月，魏主遣崔浩就第⑰赐牧犍死，谥曰哀王。

魏人徙定州丁零⑱三千家于平城。

六月，魏西征诸将⑲扶风公处真⑳等八人，坐盗没军资㉑及虏掠赃㉒各千万计，并斩之。

初，上以货重物轻㉓，改铸四铢钱㉔。民多翦凿古钱㉕，取铜盗铸，上患之。录尚书事江夏王义恭建议，请以大钱一当两。右仆射何尚之议曰："夫泉贝㉖之兴，以估货为本，㉗事存交易，㉘岂假多铸㉙？数少则币重㉚，数多则物重。多少虽异，济用不殊㉛。况复以一当两，徒崇虚价㉜者邪？若今制遂行㉝，富人之赀自倍，㉞贫者弥增其困，㉟惧非所以使之均壹㊱也。"上卒从义恭议㊲。

秋，八月乙未㊳，徐州刺史衡阳文王义季㊴卒。义季自彭城王义康之贬，遂纵酒不事事㊵。帝以书诮责㊶且戒㊷之，义季犹酣饮自若，以至成疾而终。

魏乐安宣王范㊸卒。

冬，十月壬午㊹，胡藩之子诞世㊺杀豫章太守桓隆之，据郡反㊻，欲奉前彭城王义康为主。前交州刺史檀和之去官归㊼，过豫章，击斩之。

十一月甲寅㊽，封皇子浑㊾为汝阴王㊿。

十二月，魏晋王伏罗[51]卒。

杨文德据葭芦城[52]招诱氐、羌，武都等五郡氐[53]皆应[3]之。

到现在，沮渠牧犍的亲信以及仓库的看守人员才向北魏太武帝报告，并说沮渠牧犍父子储存大量的毒药，前前后后暗中毒杀上百人，他的姐妹们又都学习了一些歪门邪道。有关部门于是查抄沮渠牧犍的家，果真从他家中搜出了从北凉国库中盗取的财物。太武帝不禁勃然大怒，立即下诏逼令沮渠昭仪自杀，并且将沮渠牧犍的族人全部诛杀，只有沮渠祖因为先向魏国投降而免死。又有人告发沮渠牧犍还在与他过去的属臣、百姓交往，图谋造反，三月，北魏太武帝派遣担任司徒的崔浩到沮渠牧犍家中宣读令沮渠牧犍自杀的诏令，沮渠牧犍死后，谥为哀王。

北魏把居住在定州郡的三千户丁零族人强制搬迁到都城平城。

六月，魏国西征诸将领扶风公拓跋处真等八人，因为盗窃、侵吞了上千万的军用物资和掠夺敌方仓库、百姓的资财并占为己有而获罪，全部被处死。

当初，宋文帝刘义隆认为货币的重量过大，与所要购买的物品相比，显得有些不值，于是将以前使用的四铢钱销毁，另行铸造质轻而面额小的铜钱。民间于是就有许多人把旧有的四铢钱磨薄磨小，利用磨下来的铜屑偷偷地铸造小钱，宋文帝对此事非常担忧。担任录尚书事的江夏王刘义恭建议，把一个大钱当作两个小钱使用。担任右仆射的何尚之议论说："货币的兴起，原本是为了买东西时使用方便，应该由进行交易的双方量情而定，哪里用得着多铸钱币呢？货币的数量少了，价值自然就提高了，而一旦货币的数量多了，货物的价格自然就贵了。货币数量的多少虽然不同，在满足市场需要方面所起的作用却是一样的。何况又要以一个大钱当作两个小钱，这岂不是白白地提高了货币的价值吗？如果'以一当二'的政策得到施行，那么有钱人的家产就会凭空翻了一番，而穷人的日子就会更加贫困，恐怕这不是缩小贫富差距的好方法。"然而宋文帝最终还是采纳了刘义恭"以一当二"的建议。

秋季，八月二十日乙未，宋国担任徐州刺史的衡阳文王刘义季去世。刘义季自从彭城王刘义康遭到流放、被贬为平民以后，遂终日沉湎于醉乡，不再过问政事。宋文帝亲自写信给刘义季，对他严加责备，并且劝告他不要整日沉湎于醉乡，然而刘义季仍然照样纵情畅饮，我行我素，以至于引发疾病而死。

北魏乐安宣王拓跋范去世。

冬季，十月初八日壬午，胡藩的儿子胡诞世杀死了豫章太守桓隆之，占据豫章郡造反，想要拥戴前彭城王刘义康为皇帝。前任交州刺史檀和之离开交州刺史任所返回都城建康的时候，路过豫章郡，袭击了胡诞世，把胡诞世斩首。

十一月初十日甲寅，宋文帝封皇子刘浑为汝阴王。

十二月，北魏的晋王拓跋伏罗去世。

杨文德占据着葭芦城，他招集引诱那些氐族人、羌族人，武都等五个郡中的氐族人全都响应杨文德。

二十五年（戊子，公元四四八年）

春，正月，魏仇池镇将皮豹子[54]帅诸军击之[55]。文德兵败，弃城奔汉中。豹子收[56]其妻子、僚属、军资及杨保宗[57]所尚魏公主而还。

初，保宗将叛[58]，公主劝之[59]。或曰："奈何叛父母之国[60]？"公主曰："事成，为一国之母，岂比小县公主哉？"魏主赐之死[61]。

杨文德坐失守，免官，削爵土。[62]

二月癸卯[63]，魏主如定州，罢塞围役者[64]。遂如上党[65]，诛潞县[66]叛民二千余家，徙西河[4]离石[67]民五千余家于平城。

闰月己酉[68]，帝大搜于宣武场[69]。

初，刘湛既诛[70]，庾炳之[71]遂见宠任，累迁[72]吏部尚书，势倾朝野。炳之无文学[73]，性强急轻浅[74]。既居选部[75]，好诟詈[76]宾客，且多纳货赂[77]，士大夫皆恶[78]之。炳之留令史二人[79]宿于私宅[80]，为有司所纠[81]。上薄其过[82]，欲不问。仆射何尚之因极陈炳之之短曰："炳之见人有烛盘[83]、佳驴，无不乞丐[84]；选用不平[85]，不可一二[86]；交结朋党，构扇[87]是非，乱俗伤风，过于范晔，所少贼一事耳[88]。纵不加罪，故宜出之[89]。"上欲以炳之为丹杨尹[90]。尚之曰："炳之蹈罪负恩[91]，方复有尹京赫赫之授，[92]乃更成其形势[93]也。古人云：'无赏无罚，虽尧、舜不能为治。'臣昔启范晔[94]，亦惧犯颜[95]，苟白愚怀[96]，九死不悔。历观古今，未有众过藉藉[97]，受货数百万，更得高官厚禄如炳之者也！"上乃免炳之之官，以徐湛之为丹杨尹。

彭城太守王玄谟[98]上言："彭城要兼水陆[99]，请以皇子抚临州事[100]。"夏，四月乙卯[101]，以武陵王骏[102]为安北将军、徐州刺史。

二十五年（戊子，公元四四八年）

春季，正月，北魏担任仇池镇将的征西将军皮豹子率领各军袭击武都王杨文德。杨文德被皮豹子率领的魏军打败之后，便抛弃葭芦城逃奔汉中。皮豹子逮捕杨文德的妻儿和僚属，收缴了他的军用物资以及杨保宗所娶的魏国公主而后班师。

当初，杨保宗准备背叛魏国而自立的时候，魏国公主也劝杨保宗叛魏自立。有人对魏公主说："你为什么要背叛父母所在的国家呢？"魏公主答复说："事情如果能够成功，我就成了一国的国母，岂能和一个小县公主相提并论呢？"北魏太武帝下令让魏公主自杀。

杨文德因为丧师、失地之罪，被宋文帝免去官职，撤销了他武都王的爵位和封土。

闰二月初一日癸卯，北魏太武帝前往定州视察，撤回了在那里修筑塞围的役夫。随后又前往上党郡，诛杀了潞县参与叛变的两千多家，把西河郡离石县的五千多户居民迁徙到京师平城。

闰二月初七日己酉，宋文帝在建康城的宣武场举行大规模的阅兵仪式。

当初，刘湛被诛杀后，庾炳之便日渐受到宋文帝刘义隆的宠信，一路升迁到吏部尚书的职位，他的势力倾动朝野。庾炳之不懂得儒学，没有什么说话艺术，却又性情强横急躁，说话随便。他获得选拔任用官吏的大权后，就喜欢经常辱骂宾客，而且大量收受财物贿赂，士大夫因此都非常憎恶、讨厌他。庾炳之曾经让两位担任尚书令史的小官吏在自己的私宅留宿，结果遭到有关部门的弹劾。宋文帝认为庾炳之所犯的这种过失很小，就不想加以过问。担任仆射的何尚之却借这个机会极力揭发庾炳之的短处，他说："庾炳之如果看见别人有一个插蜡烛的铜盘，或是有一头好驴，他都要向人家讨要；他选拔任用官吏，不公正的事情很多，绝非一件两件；他结交朋党，煽动是非，扰乱民俗，败坏了社会风气，比起范晔来有过之而无不及。在他所犯的罪行中，就差谋反这一件事情了。纵然不加罪于他，也应当把他逐出朝廷，改派到地方上去做官。"宋文帝想任用庾炳之为丹杨尹。何尚之说："庾炳之犯有罪过，辜负了皇恩，结果反倒任用他为京兆尹这样显赫的大官，那岂不就更给他壮大声势了吗？古人说：'没有奖赏、没有惩罚，即使是唐尧、虞舜那样的圣主贤君也不能治理好国家。'当年上奏弹劾范晔的时候，我也曾经担心触怒陛下，如果能够全部说出自己的心里话，即使死上九次我也不感到后悔。历观古今，从来没有罪行累累，接受贿赂数百万，却反而像庾炳之这样得到高官厚禄的人！"宋文帝这才免去庾炳之的官职，任命徐湛之为丹杨尹。

宋国担任彭城太守的王玄谟上书给宋文帝说："彭城地势重要，位居水路、陆路两种交通要冲，请求陛下任用皇子为徐州刺史比较稳妥。"

夏季，四月十四日乙卯，宋文帝任命武陵王刘骏为安北将军、徐州刺史。

五月甲戌[103]，魏以交趾公[104]韩拔为鄯善王，镇鄯善，赋役其民，比之郡县。[105]

当两大钱行之经时[106]，公私不以为便。己卯[107]，罢之。

六月丙寅[108]，荆州刺史南谯王义宣[109]进位司空。

辛酉[110]，魏主如广德宫[111]。

秋，八月甲子[112]，封皇子彧[113]为淮阳王。

西域悦般国[114][5]去平城万有余里，遣使诣魏，请与魏东西合击柔然。魏主许之，中外戒严[115]。

九月辛未[116]，以尚书右仆射何尚之为左仆射，领军将军沈演之为吏部尚书。

丙戌[117]，魏主如阴山。

魏成周公万度归[118]击焉耆[119]，大破之，焉耆王鸠尸卑那奔龟兹[120]。魏主诏唐和[121]与前部王车伊洛[122]帅所部兵会度归讨西域。和说降柳驴[123]等六城，因共击波居罗城[124]，拔之。

冬，十月辛丑[125]，魏弘农昭王奚斤[126]卒，子它观[6]袭。魏主曰："斤关西之败[127]，罪固当死，朕以斤佐命先朝，复其爵邑[128]，使得终天年，君臣之分[129]亦足矣。"乃降它观爵为公。

癸亥[130]，魏大赦。

十二月，魏万度归自焉耆西讨龟兹，留唐和镇焉耆。柳驴戍主[131]乙直伽谋叛，和击斩之，由是诸胡咸服[132][7]，西域复平。

魏太子朝于行宫[133]，遂从伐柔然。至受降城[134]，不见柔然，因积粮于城内，置戍而还。

二十六年（己丑，公元四四九年）

春，正月戊辰朔[135]，魏主飨[136]群臣于漠南。甲戌[137]，复伐柔然。高凉王那出东道，略阳王羯兒[138]出西道，魏主与太子出涿邪山[139]，行数千里。柔然处罗可汗恐惧远遁。

二月己亥[140]，上如丹徒[141]，谒京陵[142]。三月丁巳[143]，大赦。募诸州乐

五月初四日甲戌，北魏太武帝任命交趾公韩拔为鄯善王，镇守鄯善，向鄯善国的人民征收赋税，让他们服劳役，把鄯善国与魏国治下的郡县同等对待。

宋国把一枚大钱当作两枚小钱使用的做法推行一段时间以后，无论公家还是私人，都感到很不方便。五月初九日己卯，废除了这项制度。

六月二十六日丙寅，宋国担任荆州刺史的南谯王刘义宣被提升为司空。

六月二十一日辛酉，北魏太武帝前往广德行宫。

秋季，八月二十五日甲子，宋文帝封皇子刘彧为淮阳王。

西域的悦般国距离魏国的都城平城有一万多里，悦般国派遣使节前往魏国，请求与魏国分别从东、西两个方向联合攻击柔然。北魏太武帝答应了悦般国的请求，下令京城内外一律进入紧急战备状态。

九月初二日辛未，宋文帝任命担任尚书右仆射的何尚之为左仆射，任命担任领军将军的沈演之为吏部尚书。

九月十七日丙戌，北魏太武帝前往阴山一带视察。

魏国被封为成周公的万度归率领魏军前往袭击西域的焉耆国，把焉耆打得大败，焉耆国王鸠尸卑那逃往龟兹国。北魏太武帝下诏令唐和与车师前部王车伊洛各自率领属下的军队与成周公万度归会合后一同讨伐西域。唐和说服柳驴等六个城投降了北魏，趁机共同袭击波居罗城，将波居罗城攻克。

冬季，十月初三日辛丑，魏国的弘农昭王奚斤去世，由奚斤的儿子奚它观继承了奚斤的爵位。北魏太武帝说："当初弘农王奚斤关西之败，按照他的败军辱国之罪，本来应当被处死，我因为奚斤曾经辅佐先朝有功，所以才恢复了他的爵位和采邑，使他能够颐养天年，君臣的情分已经足够了。"遂把奚它观的爵位降为公爵。

十月二十五日癸亥，魏国实行大赦。

十二月，魏国的成周公万度归率军从焉耆出发向西讨伐龟兹，他留下唐和镇守焉耆。柳驴城的守将乙直伽谋反，唐和立即率军袭击柳驴城，杀死了乙直伽，于是，胡人全都归顺降服，西域再次被平定。

魏国皇太子拓跋晃到太武帝的行宫朝见自己的父皇，遂跟随太武帝一起讨伐柔然。到达当年汉武帝所筑的受降城，却没有看到柔然人的影子，于是便把粮食储存在受降城之内，并在受降城设置了守卫的军队后回师。

二十六年（己丑，公元四四九年）

春季，正月初一日戊辰，北魏太武帝在大漠以南摆宴招待群臣。初七日甲戌，再次讨伐柔然。北魏高凉王拓跋那率领魏军从东路进兵，略阳王拓跋羯兒率领一支魏军从西路进兵，太武帝与皇太子拓跋晃率军穿过涿邪山，前进了好几千里。柔然处罗可汗郁久闾吐贺真恐惧魏军的强大，便远远地逃遁了。

二月初三日己亥，宋文帝前往丹徒县，拜谒京陵。三月丁巳日，宋国实行大赦。

移者⑭数千家以实京口⑮。

庚寅⑯，魏主还平城。

夏，五月壬午⑰，帝还建康。

庚寅⑱，魏主如阴山。

帝欲经略⑲中原，群臣争献策以迎合取宠。彭城太守王玄谟尤好进言⑳，帝谓侍臣曰："观玄谟所陈，令人有封狼居胥[8]意㉑。"御史中丞袁淑㉒言于上，曰："陛下今当席卷赵、魏㉓，检玉岱宗㉔，臣逢千载之会，愿上封禅书㉕。"上悦。淑，耽㉖之曾孙也。

秋，七月辛未㉗，以广陵王诞㉘为雍州刺史㉙。上以襄阳外接关、河㉚，欲广其资力㉛，乃罢江州军府㉜，文武悉配雍州㉝，湘州入台租税㉞悉给襄阳㉟。

九月，魏主伐柔然，高凉王那出东道，略阳王羯兒出中道。柔然处罗可汗悉国内精兵围那数十重，那掘堑坚守，相持数日[9]。处罗数挑战，辄为那所败。以那众少而坚，疑大军将至，解围夜去。那引兵追之九日九夜。处罗益惧，弃辎重，逾穹隆岭㊱远遁。那收其辎重，引军还，与魏主会于广泽㊲。略阳王羯兒收柔然民畜凡百余万。自是柔然衰弱，屏迹㊳不敢犯魏塞。

冬，十二月戊申㊴，魏主还平城。

沔北诸山蛮㊵寇雍州，建威将军沈庆之帅后军中兵参军㊶柳元景、随郡太守宗悫等二万人讨之，八道俱进。先是，诸将讨蛮者皆营于山下以迫㊷之，蛮得据山发矢石㊸以击，官军多不利。庆之曰："去岁蛮田大稔㊹，积谷重岩㊺，不可与之旷日相守㊻也。不若出其不意，

从各州中招募了数千家愿意搬迁的迁移到京口地区，以充实那里的人口。

二十四日庚寅，北魏太武帝返回魏国的都城平城。

夏季，五月十七日壬午，宋文帝从丹徒县返回到京师建康。

二十五日庚寅，北魏太武帝前往阴山一带视察。

宋文帝准备攻取、收复中原地区，群臣全都争先恐后地贡献攻取中原的策略以迎合宋文帝，希望以此获取宠信。担任彭城太守的王玄谟尤其喜欢推波助澜地谈论这方面的事情，宋文帝于是便对侍奉在自己身边的近臣说："观看了王玄谟的奏章之后，我立即产生一种要像当年霍去病那样，大破匈奴，登上狼居胥山，祭天以告胜利的豪情壮志。"担任御史中丞的袁淑进言宋文帝，说："如今陛下应当首先攻取、收复古代属于赵国、魏国的广大地区，然后登上泰山举行封禅大典。对于我来说，这是千载难逢的好机会，我愿意为陛下撰写一篇封禅大典的文章，歌颂陛下的功德。"宋文帝听了非常喜悦。袁淑，是袁耽的曾孙。

秋季，七月初七日辛未，宋文帝任命广陵王刘诞为雍州刺史。宋文帝认为襄阳挨近函谷关、黄河，与北魏接壤，想要充实襄阳的备战物资，增强襄阳的军事实力，遂撤销了设在江州的都督府，把江州都督府的文武官员全都划归雍州都督府，湘州本应向朝廷缴纳的租税也全部缴纳给雍州刺史府。

九月，北魏太武帝出兵讨伐柔然，高凉王拓跋那仍然率军从东路进发，略阳王拓跋羯兒从中路进发。柔然处罗可汗郁久闾吐贺真调集了全国的精兵把高凉王拓跋那里里外外包围了数十重，拓跋那令军士挖掘壕沟进行坚守，双方相持了好几天。处罗可汗屡次出兵进行挑战，但每次都被拓跋那率领的魏军打败。处罗可汗因为拓跋那所率领的军队人数很少却能坚守，遂怀疑魏国的大军即将到来，于是就解除了对拓跋那的包围，连夜撤离。拓跋那率领军队随后紧追，一直追赶了九天九夜。处罗可汗更加恐惧，便抛弃辎重，翻越过穹隆岭，远远地逃走了。高凉王拓跋那缴获了处罗可汗所遗弃的辎重，率领军队得胜而回，与北魏太武帝率领的军队在广泽会师。略阳王拓跋羯兒缴获了柔然大约一百多万的人口和牲畜。从此以后，柔然国的势力逐渐衰落，远远地躲避起来，再也不敢来侵犯魏国的边塞。

冬季，十二月十七日戊申，北魏太武帝返回京师平城。

居住在沔水以北山区里的各少数民族人到雍州地区进行劫掠，宋国担任建威将军的沈庆之率领着担任后军中兵参军的柳元景、担任随郡太守的宗悫等总计两万人讨伐这些少数民族人，他们兵分八路同时进军。先前，各将领在讨伐这些不安分的少数民族人的时候，都是在山下安营扎寨，逐步逼近他们，使得这些少数民族人得以占据山头的制高点，向下放箭、投掷石块等进行反击，导致大多数情况下官军都作战失利。建威将军沈庆之对属下的诸将说："去年这里的这些少数民族人所种的庄稼全都获得了大丰收，他们把收获的粮食全都储存在深山里，我们不能与他们展开

冲其腹心，破之必矣。”乃命诸军斩木[177]登山，鼓噪而前。群蛮震恐，因[178]其恐而击之，所向奔溃。

【段旨】

以上为第一段，写宋文帝刘义隆元嘉二十四年（公元四四七年）至二十六年共三年间的大事。主要写了魏主杀前已降魏的北凉主沮渠牧犍，灭其族；写了魏将万度归与唐和讨焉耆、龟兹，平定西域；写了魏主拓跋焘几次出兵讨柔然，柔然可汗屡为魏将拓跋那所败，逾穹隆岭而逃，从此柔然衰弱，不敢犯塞；写了仇池氐帅杨文德据葭芦城反魏，诸郡氐附之，被魏将皮豹子击败，逃奔汉中；写了宋主刘义隆因“货重物轻”，另铸质轻而面额小的铜钱，百姓多盗铸，而令百姓将大钱一以当二，用之一年，上下均以为不便，又废止此令；写了刘宋庾炳之受宠专政，贪污暴戾，被何尚之弹劾免官；写了刘义季因刘义康被贬，终日醉酒而卒；写了胡藩之子欲立刘义康为帝，杀豫州刺史据郡反，被檀和之讨平；写了刘宋王玄谟怂恿刘义隆北伐中原，刘义隆闻之飘飘然，并加强襄阳兵力，以做准备，而袁淑亦称愿上封禅书，以迎合刘义隆之欲登封泰山；另外写了沔北诸蛮叛乱，进攻雍州，朝廷派沈庆之、柳元景进兵征讨等。

【注释】

①正月甲戌：正月二十六。②吐京胡：生活在吐京郡（郡治即今山西石楼）一带的少数民族，是匈奴族的一个分支。③山胡曹仆浑：山胡族的头领名叫曹仆浑。山胡是北魏治下的少数民族，是匈奴的一个分支。④武昌王提：拓跋提，拓跋珪之孙，拓跋曜之子。传见《魏书》卷十六。⑤癸未：二月初五。⑥中山：郡名，郡治即今河北定州。⑦魏师之克姑臧：魏军攻克姑臧，沮渠牧犍投降，北凉灭，事在元嘉十六年（公元四三九年），拓跋焘太延五年。事见本书卷第一百二十三。⑧斫：砍开；砸开。⑨因不复闭：取完后不再关闭上锁。因，接着、而后。⑩至是：到今天。⑪守藏者：珍宝仓库的看守人。⑫潜：暗中；私下。⑬左道：歪门邪术，指僧人昙无谶所玩弄的妖术。事见本书卷第一百二十元嘉元年。⑭索牧犍家：查抄沮渠牧犍之家。沮渠牧犍被俘后，魏主释放之，妻以己妹，封以徒有虚名的高官，居住在魏国的国都平城。⑮沮渠昭仪：沮渠牧犍之妹。魏太武帝拓跋焘在灭北凉前，曾娶沮渠牧犍之妹为嫔妃，封之为右昭仪。事见本书卷第一百二十二元嘉十年。昭仪，帝王嫔妃的位号名，级别仅在皇后之下。⑯沮渠祖以先降得免：沮渠祖是沮渠蒙逊之子，沮渠牧犍之弟，因先向魏国投降而免死。沮渠祖降魏事

旷日持久的交战。不如采取出其不意的战术，直接进攻他们的心脏地区，一定能够将他们打败。”于是命令各军砍伐树木、开辟道路，进入山中，一面擂鼓呐喊一面奋勇前进。那些少数民族人看到这种阵势，都感到非常的震惊和恐惧，沈庆之等便趁着他们恐惧的机会大举进攻，军队所到之处，那些少数民族人全部四散而逃。

见本书卷第一百二十三元嘉十六年。⑰就第：到沮渠牧犍家。不逮捕法办，而是派大臣到府宣令让沮渠牧犍自杀，这是让他保全身份、面子。⑱徙定州丁零：强制居住在今河北定州境内的丁零族人搬迁。丁零，古民族名，又称铁勒。⑲西征诸将：指到关中地区讨伐盖吴等叛乱势力的魏国将领。⑳扶风公处真：烈帝拓跋翳槐的后代。传见《魏书》卷十四。㉑坐盗没军资：因盗窃侵吞军中的物资而获罪。坐，因……而获罪。㉒虏掠赃：掠夺敌方仓库或百姓的资财而据为己有。㉓货重物轻：货币的重量过大，显得要买的物品不值。㉔改铸四铢钱：把以前使用的元嘉七年所铸的四铢钱销毁，另铸质轻而面额小的铜钱。当年刘宋铸四铢钱事，见本书卷第一百二十一。㉕翦凿古钱：指把旧用的四铢铜钱磨薄磨小。㉖泉贝：泛称货币。远古时代的货币或称“泉”，或称“贝”，或称“布”，或称“刀”，等等，名称甚多。㉗以估货为本：目的就是为了买东西使用方便。估货，估量货物的贵贱以定钱数多少。㉘事存交易：由进行交易的双方量情而定。㉙岂假多铸：哪里用得着铸得更多。假，借、需要。㉚币重：货币值钱。㉛济用不殊：在满足市场需要上区别不大。㉜徒崇虚价：白白地提高了货币的价值。㉝今制遂行：这“以一当两”的章程一旦施行。㉞富人之赀自倍：有钱人的家产凭空翻了一番。赀，家产、资本。㉟贫者弥增其困：穷人的日子更加困难。弥，更加。㊱非所以使之均壹：这不是缩小贫富距离的办法。均壹，平均，缩小贫富距离。㊲卒从义恭议：最终还是采纳了刘义恭“以一当两”的建议。㊳八月乙未：八月二十。㊴衡阳文王义季：刘义季，刘义隆之弟，被封为衡阳王，文是其死后封的谥号。㊵遂纵酒不事事：刘义季任荆州刺史，甚有业绩，是刘裕诸子中之佼佼者。因兄义康之贬，遂害怕刘义隆猜疑，终日沉湎于醉乡，以至于死，令人悲慨。㊶诮责：责备。诮，讥、责。㊷戒：劝告，不让他醉于酒乡。㊸乐安宣王范：拓跋范，拓跋嗣之子，被封为乐安王，宣字是谥号。传见《魏书》卷十七。㊹十月壬午：十月初八。㊺胡藩之子诞世：胡藩是刘裕的忠实部将，刘裕篡晋的积极支持者。传见《宋书》卷五十。胡诞世是胡藩的第十六子。㊻据郡反：占据豫章郡造反。胡藩的家在豫章郡。㊼去官归：离开交州刺史任回都城建康。㊽十一月甲寅：十一月初十。㊾皇子浑：刘浑，刘义隆的第十子。㊿汝阴王：封地汝阴郡，郡治即今安徽阜阳。(51)晋王伏罗：拓跋伏罗，拓跋焘之子。传见《魏书》卷十八。(52)葭芦城：在今甘肃陇南市武都区东南的白龙江东岸。(53)五郡氐：五个郡的氐族人。杨文德是氐族人，其家族世代为这一

带的氐族头领，此时受刘宋政权的封赏，故其号召力甚大。㉔仇池镇将皮豹子：镇守仇池郡的将军名叫皮豹子。仇池郡的郡治在今甘肃成县西，这一带历来属杨氏家族控制，此前不久被魏国占据。皮豹子是拓跋焘时代的名将。传见《魏书》卷五十一。㉕击之：攻击杨文德。此句乃接上一年的“杨文德据葭芦城招诱氐、羌，武都等五郡氐皆应之”而言。㉖收：收聚；拘管。㉗杨保宗：前一任氐族头领杨玄之子，杨文德之兄。因其政权被其叔杨难当夺取而逃奔于魏，拓跋焘任之为将军，妻之以公主。㉘保宗将叛：事见本书卷第一百二十四元嘉二十年。魏军打败刘宋军占据仇池地区后，杨保宗与魏将拓跋齐共同镇守骆谷，杨文德劝其兄杨保宗反魏自立，杨保宗心神不定。㉙公主劝之：嫁给杨保宗为妻的魏国公主劝杨保宗叛魏自立。㉚叛父母之国：背叛父母所在的魏国。㉛赐之死：命令这个公主自杀。㉜免官二句：指免去刘宋前所任命的征西大将军、北秦州刺史、武都王等。㉝二月癸卯：闰二月初一。㉞罢塞围役者：遣回修筑塞围的役夫。修筑塞围事见本书卷第一百二十四元嘉二十三年。㉟上党：郡名，郡治即今山西长治。㊱潞县：在当时上党郡的城东。㊲西河离石：西河郡的离石县，县治即今山西吕梁市离石区。西河是郡名，郡治即今山西临汾。㊳闰月己酉：闰二月初七。㊴大搜于宣武场：在建康城的宣武场举行大规模的阅兵式。大搜，原意是打猎，这里指阅兵。宣武场，在刘宋国都建康城的城北。㊵刘湛既诛：刘湛图谋杀害刘义隆，改立刘义康而被杀事，见本书卷第一百二十三元嘉十七年。㊶庾炳之：庾冰的曾孙，庾登之之弟，曾悠游于刘湛与殷景仁两政敌之间，而受刘义隆亲信。传见《宋书》卷五十三。㊷累迁：一路升到。㊸无文学：不懂儒学理论，不工于说话艺术。㊹强急轻浅：性情急躁，说话随便。㊺选部：主管官吏的选拔任用和考核等。㊻诟詈：辱骂。㊼货赂：贿赂。货，钱币、财宝。㊽恶：憎恶；讨厌。㊾令史二人：两个管理文书的小吏。令史是文办小吏中的最低者，不入品级。㊿宿于私宅：留宿于庾炳之的私家。尚书令史是掌管尚书省文书档案的人，不应在尚书省长官的私家留宿，以避嫌疑。(81)所纠：所检举；所弹劾。(82)薄其过：认为他这种过失很小。(83)烛盘：插烛承蜡的铜盘。(84)乞丐：乞求；向人讨要。指爱占小便宜，贪人财物。(85)不平：不公正。(86)不可一二：极言其多，不可以用一二数。(87)构扇：编造、煽动。(88)所少贼一事耳：所差的就是造反这一件事了。贼，作乱、谋反。(89)出之：逐出朝廷，改派到地方上去为官。(90)丹杨尹：丹杨郡的最高行政长官。丹杨郡为京城建康所在之郡，其最高长官名高权大，特别称尹，不称太守，如汉代之有京兆尹是也。(91)蹈罪负恩：犯下罪过，辜负皇恩。(92)方复有尹京赫赫之授：欲让他当上京兆尹这样显赫的大官。尹京，为京兆尹。“尹”字用作动词。(93)乃更成其形势：岂不是更给他壮大了声势吗？(94)昔启范晔：当年弹劾范晔的时候。何尚之弹劾范晔，见本书卷第一百二十三元嘉十七年。启，启奏、举报。(95)亦惧犯颜：也曾担心惹您动怒。(96)苟白愚怀：如果能让我说出心里话。(97)众过藉藉：罪行累累。藉藉，纵横杂乱的样子，极言其罪过之多。(98)王玄谟：一个纸上谈兵，如战国时赵括一样的人。传见《宋书》卷七十六。(99)要兼水陆：

地势重要，位居水陆交通要冲。⑩ 抚临州事：指出任徐州刺史。⑩ 四月乙卯：四月十四。⑩ 武陵王骏：刘骏，刘义隆之子，即日后的宋孝武帝。传见《宋书》卷六。⑩ 五月甲戌：五月初四。⑩ 交趾公：交趾郡的郡公。交趾郡的郡治龙编，在今越南河内的东北方，当时属于刘宋。魏封韩拔的领地于此，可谓望梅止渴。⑩ 赋役其民二句：向鄯善国的居民征收赋税，让他们服劳役，与魏国治下的郡县同样对待。⑩ 行之经时：推行了一段时间。⑩ 己卯：五月初九。⑩ 六月丙寅：六月二十六。⑩ 南谯王义宣：刘义宣，刘裕之子，刘义隆之弟。传见《宋书》卷六十八。⑩ 辛酉：六月二十一。⑪ 广德宫：魏国皇帝的行宫，在今内蒙古的阴山北。⑫ 八月甲子：八月二十五。⑬ 皇子彧：刘彧，即日后的宋明帝。传见《宋书》卷八。⑭ 悦般国：西域国名，约当今新疆伊宁一带以及与其临近的哈萨克斯坦一带的伊犁河流域地区。⑮ 中外戒严：京城与京城外各地一律进入紧急状态。⑯ 九月辛未：九月初二。⑰ 丙戌：九月十七日。⑱ 成周公万度归：成周公姓万名度归。成周是封地名，在今河南洛阳的东北部。⑲ 焉耆：西域国名，国都在今新疆焉耆回族自治县西南四十里。⑳ 龟兹：西域国名，国都在今新疆库车东郊皮郎旧城。㉑ 唐和：原是西凉主李暠的部下，西凉为北凉灭后，逃到西域之伊吾城，与车师前部王共灭沮渠安周等，受到魏主之封赏。传见《魏书》卷四十三。㉒ 前部王车伊洛：车师前部王姓车名伊洛，当时归附于魏国。西域有车师前部与车师后部两个国家。车师前部国的国都交河城，在今新疆吐鲁番西北；车师后国的都城务涂谷，在今新疆奇台西南。㉓ 柳驴：西域古城名，方位不详。㉔ 波居罗城：西域古城名，方位不详。㉕ 十月辛丑：十月初三。㉖ 弘农昭王奚斤：拓跋珪、拓跋嗣、拓跋焘三朝的名将。传见《魏书》卷二十九。弘农是封地名，在今河南三门峡西南。㉗ 关西之败：指奚斤率军讨伐夏主赫连定于平凉（今甘肃平凉西南），被赫连定打败被俘事。见本书卷第一百二十一元嘉五年。关西，函谷关以西，这里实指关中地区以西，今之陕西、甘肃邻近地区。㉘ 复其爵邑：奚斤原被封为宜城王，因关西之败被降为庶民，后又起用，先封为公，又封为弘农王。㉙ 君臣之分：君臣之间的情谊。分，情谊、情分。㉚ 癸亥：十月二十五。㉛ 柳驴戍主：柳驴城的守将。戍主，军事据点的长官。㉜ 诸胡咸服：各个番邦小国全都归顺降服。㉝ 朝于行宫：魏太子拓跋晃到拓跋焘的行宫朝见父皇。行宫，今内蒙古阴山以北的行宫。㉞ 受降城：当年汉武帝所筑的受降城，在今内蒙古乌拉特中旗东阴山北。㉟ 正月戊辰朔：正月初一是戊辰日。㊱ 飨：宴请；举行宴会招待众人。㊲ 甲戌：正月初七。㊳ 略阳王羯兒：拓跋珪之孙，拓跋焘的堂兄弟。传见《魏书》卷十六。㊴ 涿邪山：一作涿涂山，约在今蒙古国阿尔泰山脉的东南部一带。㊵ 二月己亥：二月初三。㊶ 丹徒：县名，今为江苏镇江市辖区。㊷ 京陵：兴宁陵，宋武帝刘裕之母孝懿萧皇后之墓，在当时的丹徒县城东南。㊸ 三月丁巳：三月丁卯朔，无丁巳日。此处应为二月丁巳，即二月二十一。㊹ 乐移者：愿意搬迁的人家。㊺ 以实京口：以充实京口，京口即今江苏镇江。㊻ 庚寅：三月二十四。㊼ 五月壬午：五月十七。㊽ 庚寅：五月二十五。㊾ 经略：经营、料理，这里指攻取、收复。⑩尤好进言：尤其喜欢推波助澜地谈这方面的事。⑮令人有封狼居胥意：使人产生一种要像当年霍去病大破匈奴，登狼居胥山，祭天以告胜利的感觉。霍去病大破匈奴，封狼居胥山以告胜利的事情在汉武帝元狩四年（公元前一一九年）。详见《史记·卫将军骠骑列传》。封，筑土为坛以祭天。狼居胥山，在今蒙古国乌兰巴托东南方。⑫袁淑：字阳原，以文学著称于时。传见《宋书》卷三十。⑬席卷赵、魏：席卷，极言攻取、收复之轻而易举。赵、魏，约指今河北的中部、南部，以及与之邻近的山西南部、河南北部一带地区。⑭检玉岱宗：到泰山祭天。古代帝王祭天的文告写在玉片串联的简册上，祭天后埋藏起来。检，在这里是收敛、埋藏的意思。岱宗，即泰山。⑮愿上封禅书：愿意写一篇歌颂您完成封禅大典的文章。秦汉时代把封禅说成是有道德、有功业的帝王所举行的一种庄严大典。封是指登泰山筑台祭天，禅是指在泰山南面的梁父山上拓场祭地。汉武帝搞这一套则是为了祈求长生不死。今天袁淑又来蛊惑刘义隆搞这一套。汉代司马相如一生怀才不遇，临死前悄悄地写了一篇《封禅文》留在家里，与如今袁淑的意思相同。文见《史记·司马相如列传》。⑯耽：袁耽，晋代历史学家袁忆松的后代，曾为历阳太守，以轻举妄报被免官。传见《晋书》卷八十三。⑰七月辛未：七月初七。⑱广陵王诞：刘诞，刘义隆之子。传见《宋书》卷四十一。⑲雍州刺史：刘宋的雍州州治襄阳，即今湖北襄阳市襄州区。当时割襄阳、南阳、新野、顺阳、随五郡给雍州。⑯外接关、河：指与北方的魏国邻境。关、河，函谷关与黄河。当时皆在魏国境内，离襄阳不远。⑯广其资力：充实这里的备战物资与军事实力。广，扩大、增强。⑯罢江州军府：撤销江州都督府。罢，撤销。⑯文武悉配雍州：将江州都督府的文武官员都配给雍州都督府。⑯入台租税：应向朝廷交纳的租税。⑯悉给襄阳：全部交纳给雍州刺史

【原文】

二十七年（庚寅，公元四五〇年）

春，正月乙酉[179]，魏主如洛阳。

沈庆之自冬至春，屡破雍州蛮，因[180]蛮所聚谷以充军食，前后斩首三千级，虏二万八千余口，降者二万五千余户。幸诸山犬羊蛮[181][10]凭险筑城，守御甚固。庆之击之，命诸军连营于山中，开门[182]相通，各穿池于营内，朝夕不外汲[183]。顷之，风甚[184]，蛮潜兵夜来烧营，诸军以池水沃火[185]，多出弓弩夹射[186]之，蛮兵散走。蛮所据险固，不可攻，庆之

府。⑯穹隆岭：山名，方位不详。⑯广泽：地名，方位不详。⑱屏迹：躲避起来，不再显露形迹。⑯十二月戊申：十二月十七。⑰沔北诸山蛮：居住在汉水以北山区的诸少数民族部众。沔，沔水，即今之汉水。此“沔北”应指今湖北与河南交界一带的汉水以北地区。⑰后军中兵参军：后军将军属下的中兵参军。⑰迫：逼近。⑰发矢石：射箭与抛掷石块。⑰大稔：获得大丰收。⑰积谷重岩：在深山里囤积了许多粮食。⑰相守：相持；对阵。⑰斩木：砍树，即所谓披荆斩棘，开辟道路。⑰因：趁着。

【校记】

［1］姑臧：原误作“敦煌”。今据严衍《通鉴补》改作“姑臧”。［2］姊妹：“姊”上原有“况复”二字。据章钰校，十二行本、乙十一行本、孔天胤本皆无此二字，张敦仁《通鉴刊本识误》同，今据删。［3］应：原作“附”。据章钰校，十二行本、乙十一行本、孔天胤本皆作“应”，今据改。［4］西河：原作“河西”。胡三省注云：“‘河西’当作‘西河’。”当是，今据校正。［5］悦般国：原作“般悦国”。胡三省注云：“据《北史》，‘般悦’当作‘悦般’。”当是，今据校正。［6］它观：据张敦仁《通鉴刊本识误》，“观”下脱“应”字。〖按〗下文魏主降它观爵为公，可知它观袭爵为既成事实，并非“应”袭。［7］咸服：据章钰校，十二行本、乙十一行本、孔天胤本皆作“咸附”。〖按〗诸胡应指各少数民族，上文有讨龟兹事，可知并非都归附，用“服”字义长。［8］狼居胥：据章钰校，十二行本、乙十一行本、孔天胤本皆作“狼居湏”。〖按〗《史记·卫将军骠骑列传》有“封狼居胥山，禅于姑衍，登临翰海”。［9］相持数日：原无此四字。据章钰校，十二行本、乙十一行本、孔天胤本皆有此四字，张敦仁《通鉴刊本识误》、张瑛《通鉴校勘记》同，今据补。

【语译】

二十七年（庚寅，公元四五〇年）

春季，正月二十四日乙酉，北魏太武帝拓跋焘前往洛阳巡视。

宋国建威将军沈庆之从去年冬季到今年春季这段时间里，屡次打败到雍州劫掠的各少数民族，并把他们储存在深山里的粮食充作自己部队的军粮，前后共斩杀三千多人，俘虏两万八千多人，向朝廷军投降的还有两万五千多户。幸诸山上的犬羊族蛮人凭借着山上的险要地势修筑起城池，防守非常坚固。沈庆之指挥军队向犬羊蛮发起进攻，他命令各军将山中所安的营寨全部连接起来，凿通门户之后可以互相联通，各营中都挖有水池，早晚用水的时候不必到兵营以外去取水。过了不久，刮起大风，犬羊族派遣士兵趁黑夜偷偷前来烧营，各营的士卒就用军营中水池里的

乃置六戍[187]以守[188]之。久之，蛮食尽，稍稍[189]请降，悉迁于建康以为营户[190]。

魏主将入寇[191]，二月甲午[192]，大猎于梁川[193]。帝闻之，敕淮、泗诸郡[194]：“若魏寇小至，则各坚守；大至，则拔民归寿阳[195]。”边戍侦候不明，[196]辛亥[197]，魏主自将步骑十万奄至[198]。南顿[199]太守郑琨、颍川[200]太守郭道隐[11]并弃城走。

是时，豫州刺史南平王铄[201]镇寿阳，遣左军行参军[202]陈宪行汝南郡事[203]，守悬瓠[204]，城中战士不满千人，魏主围之。

三月，以军兴[205]，减内外百官俸三分之一。

魏人昼夜攻悬瓠，多作高楼[206]，临城以射之。矢下如雨，城中负户以汲[207]，施大钩于冲车之端[208]以牵楼堞[209]，坏其南城。陈宪内设女墙[210]，外立木栅[211]以拒之。魏人填堑[212]，肉薄[213]登城，宪督厉将士苦战，积尸[12]与城等[214]。魏人乘尸上城[215]，短兵相接，宪锐气愈奋，战士无不一当百，杀伤万计，城中死者亦过半。

魏主遣永昌王仁将步骑万余，驱所掠六郡生口[216]北屯汝阳[217]。时徐州刺史武陵王骏镇彭城，帝遣间使[218]命骏发骑[219]，赍[220]三日粮袭之。骏发百里内马得千五百匹，分为五军，遣参军刘泰之帅安北骑兵行参军[221]垣谦之、田曹行参军[222]臧肇之、集曹行参军[223]尹定、武陵左常侍[224]杜幼文、殿中将军程天祚等将之[225]，直趋汝阳。魏人唯虑救兵自寿阳来，

水将火浇灭。各军营的士兵大多都出来用弓弩从各个方向放箭射向蛮兵，蛮兵立即四散逃走。然而因为山蛮所占据的地势险要坚固，仍然无法将其攻克，沈庆之于是设置了六个防守据点守候在那里，牢牢地困住他们。时间一长，山蛮的粮食吃完了，遂陆续出来向宋军请求投降，沈庆之把他们全部迁徙到建康，作为归属于军队管辖的居民户。

北魏太武帝准备出兵向南进犯宋国，二月初三日甲午，北魏军在梁川进行了一次大规模的狩猎活动。宋文帝刘义隆听说后，立即下令给淮河与泗水流域的各郡，说："如果有少量的魏国军队进犯边界，你们就各自坚守；如果魏国派大军前来侵犯，你们就把这些沿边诸郡县的百姓向南迁移到寿阳一带。"守卫边境的军人没有清楚、准确地侦查到敌人的情况，二十日辛亥，北魏太武帝亲自率领十万步兵和骑兵突然而至。担任南顿郡太守的郑琨、担任颍川郡太守的郭道隐仓皇之间全都弃城逃走。

当时，担任豫州刺史的南平王刘铄正在镇守寿阳，他派遣担任左军行参军的陈宪前去代理汝南郡的行政事务，镇守悬瓠，悬瓠城中的战士还不足一千人，北魏太武帝率军包围了悬瓠城。

三月，宋国由于实行军事动员，全国进入紧急军事状态，因而将朝廷内外文武百官的薪俸减少了三分之一。

魏军不分白天黑夜地进攻悬瓠城，还建造了很多用来攻城的楼车，将这些楼车推近城下，士兵在楼车上居高临下地向悬瓠城内射箭。箭如雨下，城内的人为了躲避楼车上放的箭，只能背着门板去取水，魏军还在楼车的顶上系上大铁钩，再把大铁钩抛到悬瓠城的堞墙上使劲拉动，以拽倒城墙上的望楼与垛口，魏军利用这个办法攻破了南城。陈宪就率人在南城墙倒塌的地方又建造起一道小墙，在小墙以外又竖立起一道木制的栅栏以阻挡魏军的进攻。魏军填平了城外的护城河，然后不顾性命地拥上城墙，陈宪督促、激励战士艰苦作战、奋勇杀敌，城墙外的尸体堆积得与城墙一样高。魏军就踩着这些尸体登上城墙，双方短兵相接，陈宪勇气倍增，越战越勇，战士们也无不以一当百，杀死、杀伤的魏军数以万计，城中守军死、伤的人数也超过了一半。

北魏太武帝派遣永昌王拓跋仁率领着一万多步兵、骑兵，驱赶着六个郡中劫掠去的俘虏屯扎在北边的汝阳。当时担任徐州刺史的武陵王刘骏正在镇守彭城，宋文帝派遣秘密使者前往彭城，命令武陵王刘骏出动骑兵，携带着三天的干粮奔赴汝阳袭击北魏的军队。刘骏立即向距离彭城一百里以内的地区征集战马，总计征集到一千五百匹马，他把这些马匹分成五队，然后派遣担任参军的刘泰之率领着担任安北骑兵行参军的垣谦之、担任田曹行参军的臧肇之、担任集曹行参军的尹定、在武陵王刘骏身边担任左常侍的杜幼文、担任殿中将军的程天祚等人分别统领这五支骑兵，径直奔赴汝阳。魏国人只担心宋国的援军会从寿阳方向来，没有防备会从彭城

不备彭城。丁酉㉖，泰之等潜进击之，杀三千余人，烧其辎重，魏人奔散[13]，诸生口悉得东走㉗。魏人侦知泰之等兵无后继㉘[14]，复引兵击之。垣谦之先退，士卒惊乱，弃仗走㉙。泰之为魏人所杀，肇之溺死，天祚为魏所擒，谦之、定、幼文及士卒免者九百余人，马还者四百匹。

魏主攻悬瓠四十二日，帝遣南平内史臧质㉚诣寿阳，与安蛮司马㉛刘康祖㉜共将兵救悬瓠。魏主遣殿中尚书任城公乞地真将兵[15]逆拒㉝之，质等击斩乞地真。康祖，道锡之从兄㉞也。

夏，四月，魏主引兵还，癸卯㉟，至平城。

壬子㊱，安北将军武陵王骏降号镇军将军，垣谦之伏诛，尹定、杜幼文付尚方㊲[16]，以陈宪为龙骧将军，汝南、新蔡二郡太守㊳。

魏主遗帝书㊴曰："前盖吴反逆，扇动关、陇，彼㊵复使人就而诱之㊶。丈夫遗以弓矢，妇人遗以环钏。㊷是曹㊸正欲谲诳取赂㊹，岂有远相服从之理㊺？为大丈夫，何不自来取之，而以货诱我边民？募往者㊻复除七年㊼，是赏奸㊽也。我今来至此土所得多少㊾，孰与彼前后得我民邪㊿？

"彼若欲存刘氏血食(51)者，当割江以北输之，(52)摄守南渡，(53)如此[17]当释江南使彼居之(54)。不然，可善敕(55)方镇(56)、刺史、守宰(57)严供帐之具(58)，来秋当往取扬州(59)。大势已至，终不相纵(60)。彼往日北通蠕蠕，西结赫连、沮渠、吐谷浑，东连冯弘、高丽，凡此数国，我皆灭之。以此而观，彼岂能独立(61)？

"蠕蠕吴提、吐贺真(62)皆已死，我今北征，先除有足之寇(63)。彼若不从命，来秋当复往取之。以彼无足，故不先讨耳。我往之日，彼作

方面赶来。四月初七日丁酉，宋国参军刘泰之等人率军悄悄靠近魏军，并对魏军发动突然袭击，杀死三千多名魏军，并烧毁了魏军的辎重，魏军四处奔走逃散，被魏军劫掠的众多宋国人才得以向东逃回自己的老家。魏军侦察到刘泰之等人没有后援部队，于是又重新率领军队攻击刘泰之率领的宋军。垣谦之首先率军退却，士卒立即惊慌失措，他们扔下手中的武器逃走。结果参军刘泰之被魏军杀死，田曹行参军臧肇之被水淹死，殿中将军程天祚被魏军俘虏，垣谦之和尹定、杜幼文以及士卒活着逃回来的只有九百多人，带回的战马只有四百匹。

北魏太武帝率领魏军围攻悬瓠四十二天，宋文帝派遣担任南平内史的臧质前往寿阳，与担任安蛮司马的刘康祖一同率军救援悬瓠城。北魏太武帝派遣担任殿中尚书的任城公乞地真率军迎击宋国的援军，臧质等人杀死了乞地真。刘康祖，是刘道锡的堂兄。

夏季，四月，北魏太武帝率领魏军撤回魏国，十三日癸卯，回到魏国的都城平城。

四月二十二日壬子，宋国担任安北将军的武陵王刘骏被降职为镇军将军，安北骑兵行参军垣谦之被杀，集曹行参军尹定、左常侍杜幼文被送往尚方罚做苦力，擢升陈宪为龙骧将军，汝南郡、新蔡郡二郡太守。

北魏太武帝写信给宋文帝，说："以前胡人盖吴起兵背叛魏国的时候，煽动关中、陇西之人叛乱，你们宋国又派人到那里拉拢引诱他们。对他们的男人，你们赠送弓矢；对他们的女人，你们赠送簪子与耳环。盖吴这类人正想趁机诓骗一些财物，哪里有大老远地真心归服你们的道理呢？你既然身为男子汉大丈夫，为什么不亲自率军前来攻取、收复中原，却用财物来引诱我的边民背叛呢？你们曾经悬赏招募我方的边民投奔你方，说要免除他们七年的赋税和徭役，这是公开奖赏叛主私逃的坏人。我这一次南来进攻，所取得的土地与人口数量，与你们宋国历次用狡猾手段骗过去的魏国百姓数量相比较，看看哪个更多更值得呢？

"你们如果还想要维持刘氏那个苟延残喘的政权，使刘氏的宗庙能够继续享受到祭祀，就应当把长江以北的土地全部割让给魏国，把长江以北的守军全部撤回江南，如果能够这样做，我也就放弃江南不要，让你们刘氏长期在那里待下去好了。不然的话，你可要好好嘱咐你们各州的都督、刺史、郡太守和县令，让他们准备好接待客人生活住宿所需要的各种物品，明年秋天我就要率领大军前去夺取扬州。大势已经如此，我绝对不会再轻易地放过你们。你们以前和北边的蠕蠕互通声气，在西边与赫连氏、沮渠氏、吐谷浑互相勾结，在东边和冯弘、高丽联合，以上这几个国家，我都已经把它们消灭。从这点来看，你们又怎么能单独地存在下去？

"柔然国的敕连可汗郁久闾吴提、处罗可汗郁久闾吐贺真都已经死去，如今我即将率军北征，首先要消灭的是骑马的贼寇。如果不肯听从我的命令，明年秋天我一定再去攻打你们。因为你们不骑马，所以我不先征讨你们。我前往攻取北方的时候，

何计㉖④？为掘堑自守，为筑垣以自障也？我当显然㉖⑤往取扬州，不若彼翳行窃步㉖⑥也。彼来侦谍㉖⑦，我已擒之，复纵还。其人目所尽见，委曲善问之㉖⑧。

“彼前使裴方明取仇池㉖⑨，既得之，疾其勇功㉗⓪，已不能容。有臣如此尚杀之，乌得与我校邪㉗①？彼非我敌也。彼常欲与我一交战，我亦不痴，复非苻坚㉗②，何时与彼交战？昼则遣骑围绕，夜则离彼百里外宿。吴人正有斫营伎㉗③，彼募人以来，不过行五十里，天已明矣。彼募人之首，岂得不为我有哉！

“彼公㉗④时旧臣虽老，犹有智策，知今已杀尽㉗⑤，岂非天资我邪㉗⑥？取彼亦不须我兵刃，此有善咒婆罗门㉗⑦，当使鬼缚以来耳。”

侍中、左卫将军江湛㉗⑧迁吏部尚书。湛性公廉，与仆射徐湛之并为上[18]所宠信，时称江、徐。

魏司徒崔浩，自恃才略及魏主所宠任，专制朝权，尝荐冀、定、相、幽、并五州之士数十人，皆起家为郡守㉗⑨。太子晃曰：“先征之人㉘⓪，亦州郡之选㉘①也，在职已久㉘②，勤劳未答㉘③。宜先补郡县㉘④，以新征者代为郎吏㉘⑤。且守令治民，宜得更事者㉘⑥。”浩固争而遣之㉘⑦。中书侍郎、领著作郎㉘⑧高允闻之，谓东宫博士㉘⑨管恬曰：“崔公其不免㉙⓪乎？苟遂其非㉙①而校胜于上㉙②，将何以堪之㉙③？”

魏主以浩监秘书事㉙④，使与高允等共撰《国记》㉙⑤，曰务从实录㉙⑥。著作令史㉙⑦闵湛、郗标，性巧佞㉙⑧，为浩所宠信。浩尝注《易》及《论语》《诗》《书》，湛、标上疏㉙⑨言马、郑、王、贾㉚⓪不如浩之精微，乞收境内诸书，班㉚①浩所注，令天下习业㉚②。并求敕浩㉚③注《礼传》㉚④，

你们准备做些什么呢？是挖掘沟堑自守，还是修筑城垣作为屏障呢？我一定会堂而皇之地去攻取扬州，不会像你们那样遮遮掩掩、偷偷摸摸地搞一些小动作。你们派出的谍报人员，我已经将他们全部擒获，现在我又把他们放了回去。他们亲眼看到我们的情况，要想了解我方的详细情况，你只要好好地询问他们就行了。

“你以前曾经派遣裴方明攻取仇池，裴方明已经得到了仇池，你却嫉恨他的勇敢和军功，而不能兼容。有如此忠勇的臣属尚且把他杀掉，你还拿什么与我较量呢？你绝不是我的对手。你经常想要与我决一雌雄，我既不是白痴，又不是当年的苻坚，什么时候与你们开战？在白天我就派遣骑兵包围你们，到了夜晚，我就在距离你们一百里以外的地方宿营。即使你们吴地人有善于半夜偷袭敌营的伎俩，你们招募的军队来偷袭我的营寨，前进了才不过五十里，天就已经亮了，哪里还能够偷袭成功呢。而你们所招募的军人的脑袋，岂能不为我所有呢！

“你老子刘裕时期的旧臣虽然年纪已老，还是有些智谋计策的，但我知道，现在你已经把他们全部杀光了，这岂不是老天爷在帮助我吗？取你的脑袋也不需要我动刀动枪，我这里有善于诅咒的婆罗门教徒，只要他们念动咒语真言，就会驱使鬼神把你绑缚过来。”

宋国担任侍中、左卫将军的江湛被擢升为吏部尚书。江湛秉性公正廉洁，他与担任仆射的徐湛之同时受到宋文帝的宠爱与信任，当时人把他们合称为“江徐”。

北魏担任司徒的崔浩，依仗着自己的才能谋略以及太武帝对自己的宠爱信任，遂专擅朝政，他曾经推荐冀州、定州、相州、幽州、并州五个州中的几十人担任官职，这些人都是由一介平民直接被任命为太守。皇太子拓跋晃说：“在此之前征聘的人员，也都是出任刺史、太守的合适人选，他们在朝廷各部门担任小官吏的时间已经很长了，他们的功劳与苦劳还没有得到报答。应当首先让他们去补充郡、县职位的空缺，担任太守、县令，让新征聘的人员接替他们到朝廷的各部门担任下属官吏。况且太守、县令直接治理人民，应该由有经验、有阅历的人去担任。”司徒崔浩坚持己见，最终还是派遣了他举荐的人去担任太守、县令。担任中书侍郎、兼任著作郎的高允听说此事之后，便对在皇太子身边担任博士官的管恬说：“崔公将要大祸临头了吗？他坚持错误的说法、做法而不肯改，还要与自己的上司争强斗胜，谁能受得了呢？”

北魏太武帝任命崔浩监秘书事，让他与高允等人共同编写魏国的国史《国记》。太武帝叮嘱他们一定要真实地记录历史。担任著作令史的闵湛、郗标，性情乖巧伶俐，善于逢迎，深受崔浩的宠爱与信任。崔浩曾经注释过《易经》，以及《论语》《诗经》《书经》，闵湛、郗标于是上疏给太武帝说汉魏时期著名的经学家马融、郑玄、王肃、贾逵所注释的经书都不如崔浩注释的精微详尽，请收缴国内所有的各种书籍，以朝廷的命令将崔浩所注释的经书颁布全国，让天下所有想研习儒家经典的读书人都以崔浩的注本为标准。并请求陛下命令崔浩再新注一本《礼传》，让后代的人能够

令后生得观正义[305]。浩亦荐湛、标有著述才。湛、标又劝浩刊所撰国史于石[306]，以彰直笔[307]。高允闻之，谓著作郎宗钦曰："湛、标所营，分寸之间，[308]恐为崔门万世之祸，吾徒[309]亦无噍类[310]矣!"浩竟用湛、标议，刊石立于郊坛[311]东，方百步，用功三百万[312]。浩书魏之先世，事皆详实，列于衢路[313]，往来见者咸以为言[314]。北人[315]无不忿恚[316]，相与谮浩于帝，以为暴扬国恶。帝大怒，使有司按[317]浩及秘书郎吏等罪状。

初，辽东公翟黑子有宠于帝，奉使并州[318]，受布千匹。事觉，黑子谋于高允曰："主上问我，当以实告为，当讳之[319]?"允曰："公帷幄宠臣[320]，有罪首实[321]，庶或见原[322]，不可重为欺罔[323]也。"中书侍郎崔览、公孙质曰："若首实，罪不可测，不如讳之。"黑子怨允曰："君奈何诱人就死地[324]!"入见帝，不以实对，帝怒，杀之。帝使允授太子经。

及崔浩被收，太子召允至东宫，因留宿。明旦，与俱入朝，至宫门，谓允曰："入见至尊[325]，吾自导卿[326]脱，至尊有问[327]，但依吾语。"允曰："为何等事也?"太子曰："入自知之。"太子见帝，言："高允小心慎密，且微贱[328]，制由崔浩[329]，请赦其死。"帝召允，问曰："《国书》[330]皆浩所为乎?"对曰："《太祖记》[331]，前著作郎邓渊所为。《先帝记》[332]及《今记》[333]，臣与浩共为之。然浩所领事多，总裁[334]而已，至于著述，臣多于浩。"帝怒曰："允罪甚于浩，何以得生?"太子惧曰："天威严重，允小臣，迷乱失次[335]耳。臣向问[336]，皆云浩所为。"帝问允："信如东宫所言乎[337]?"对曰："臣罪当灭族，不敢虚妄。殿下以臣侍讲日久，

看到有关《礼经》的正确解释。崔浩也向太武帝推荐闵湛、郗标，说他们有著书立说的才能。闵湛、郗标又劝说崔浩把编写的国史刊刻在石碑上，以此来表彰崔浩等人敢于秉笔直书的精神。高允听说后，便对另一个担任著作郎的宗钦说："闵湛、郗标在编写《国记》的过程中所做的不过是言辞方面偏高偏低、偏好偏差而已，他们的建议恐怕会为崔家带来万劫不复的灾祸，我们这些人恐怕也会遭到满门抄斩，不会留下一个活人在世上了！"崔浩竟然真的采纳了闵湛、郗标的建议，把自己领衔编著的《国记》刊刻在石碑上，并把石碑竖立在皇帝郊外祭天所用的坛台东面，石碑有一百步见方，整个工程花费了三百万铜钱。崔浩在撰写太武帝祖先的时候，事情都非常详尽真实，这些书籍就摆在大街小巷出售，过往的行人看过之后都在谈论这部国史中所记载的事情。先世跟随拓跋氏从北方过来的人无不感到愤怒与怨恨，他们遂接连不断地在太武帝面前说崔浩的坏话，认为崔浩是在故意暴露宣扬祖先的罪恶。太武帝于是大怒，立即下令有关部门查办崔浩以及秘书郎吏等人的罪状。

当初，辽东公翟黑子深受北魏太武帝的宠信，他奉命出使并州，在并州接受了当地官员贿赂的一千匹布。事情败露以后，翟黑子便找高允商议说："如果皇帝向我问起这件事，我是以实相告好呢，还是隐瞒不报好呢？"高允对翟黑子说："你是皇帝身边的宠臣，有罪过就应当自己主动讲出实情，或许能够得到宽宥，不可以再去干欺骗蒙蔽皇帝的事情。"担任中书侍郎的崔览、公孙质则对翟黑子说："如果主动讲出实情，进行自首，将会被判处什么样的罪是不可预测的，不如隐瞒不报。"翟黑子遂埋怨高允说："你为什么要引诱我往死路上走呢！"翟黑子入宫面见太武帝的时候，便没有如实地将事情的真相告诉太武帝，太武帝大怒，遂杀死了翟黑子。太武帝派高允教授皇太子拓跋晃学习经书。

等到崔浩被逮捕以后，皇太子拓跋晃把高允召到东宫，趁机留高允在东宫过夜。第二天一早，皇太子拓跋晃与高允一同入朝，当走到宫门口的时候，皇太子对高允说："入宫晋见皇上的时候，我自会为你开导脱身，万一皇上问你什么问题，你只管依照我的暗示回答就可以了。"高允说："出了什么大事吗？"皇太子说："入宫以后你自然就知道了。"皇太子见了太武帝之后，便对太武帝说："高允一向小心谨慎，办事周密，而且他的官职小、地位低，陛下的一切旨意都是通过崔浩下达的，请陛下赦免高允的死罪。"太武帝召见高允，问高允说："《国书》都是崔浩撰写的吗？"高允回答说："《太祖记》，是前著作郎邓渊编写。《先帝记》以及《今记》，是我和崔浩共同编写的。然而崔浩所管的事情较多，只不过总揽大纲，裁决可否而已；至于具体著述，我编写的要比崔浩编写的多。"太武帝大怒，说："高允的罪过超过了崔浩，怎么能够赦免呢？"皇太子拓跋晃感到非常恐惧，说："陛下威严庄重，高允只是一个小臣，因为受到惊吓而说话乱了套。臣刚才还问高允，高允说都是崔浩撰写的。"太武帝又问高允说："确实像皇太子所说的那样吗？"高允回答说："我的罪过应当满门抄斩，我不敢心存妄想而说谎。

哀臣[338]，欲丐其生[339]耳。实不问臣，臣亦无此言，不敢迷乱。”帝顾太子曰：“直哉！此人情所难，而允能为之。临死不易辞[340]，信也[341]；为臣不欺君，贞也[342]。宜特除其罪以旌之。”遂赦之。

于是召浩前，临诘[343]之，浩惶惑不能对。允事事申明，皆有条理。帝命允为诏，诛浩及僚属宗钦、段承根等，下至僮吏[344]，凡百二十八人，皆夷五族[345]。允持疑不为[346]，帝频使催切[347]，允乞更一见，然后为诏。帝引使前，允曰：“浩之所坐，若更有余衅[348]，非臣敢知。若直以触犯[349]，罪不至死。”帝怒，命武士执允。太子为之拜请，帝意解[350]，乃曰：“无斯人[351]，当更[19]有数千口死矣。”

六月己亥[352]，诏诛清河崔氏与浩同宗者无远近[353]及浩姻家范阳卢氏、太原郭氏、河东柳氏，并夷其族，余皆止诛其身[354]。縶浩置槛内[355]，送城南[356]，卫士数十人溲其上[357]，呼声嗷嗷，闻于行路。宗钦临刑叹曰：“高允其殆圣乎[358]！”

他日，太子让允曰：“人亦当知机[359]。吾欲为卿脱死[360]，既开端绪[361]，而卿终不从[362]，激怒帝如此。每念之，使人心悸。”允曰：“夫史者，所以记人主善恶，为将来劝戒[363]，故人主有所畏忌，慎其举措[364]。崔浩孤负[365]圣恩，以私欲没其廉洁[366]，爱憎蔽其公直[367]，此浩之责也。至于书朝廷起居[368]，言国家得失[369]，此为史之大体[370]，未为多违[371]。臣与浩实同其事，死生荣辱，义无独殊[372]。诚荷[373]殿下再造之慈[374]，违心苟免[375]，非臣所愿也。”太子动容称叹。允退，谓人曰：“我不奉东宫指导者[376]，恐负翟黑子[377]故也。”

初，冀州刺史崔赜，武城男崔模[378]，与浩同宗而别族[379]，浩常轻侮

太子殿下因为我为他讲解经书时间很久，所以怜悯我，想要请求陛下放我一条生路罢了。刚才太子确实没有问过我，我也没有说过那样的话，我不敢胡言乱语。”太武帝环顾了一下太子，说：“正直不阿！这是人情很难做到的，然而高允却能够做到。死到临头都不改变自己的说法，确实是一个守信义的人；作为一个臣子能够坚持不欺瞒国君，就是坚守正道。应当特别赦免他的罪过予以褒奖。”竟然赦免了高允的死罪。

太武帝又把崔浩召到自己的跟前，亲自询问他，崔浩竟然惊慌失措得不能应对。高允对每件事情都申述得明明白白，有条有理。太武帝遂命令高允起草诏书，诛杀崔浩及其僚属宗钦、段承根等人，往下一直牵连到那些从事勤杂工作的小吏，共计一百二十八人，都被诛灭五族。高允因为心存疑问而没有动笔草拟诏书，太武帝不断派人来催促责备，高允请求再次面见太武帝，然后再起草诏书。太武帝遂把高允叫到面前，高允说：“崔浩所犯的罪行，如果还有其他方面的，当然不是我敢打听的。如果是因为撰写国史触犯了皇室，其罪过还不至于被判处死刑。”太武帝立即大怒，马上命令武士逮捕了高允。太子拓跋晃给太武帝下拜为高允求情，太武帝的怒气才得以消解，于是说：“如果没有高允，就要多几千人被杀死了。”

六月初十日己亥，北魏太武帝下诏：清河崔姓中凡是与崔浩同宗，不论亲缘关系的远近，以及与崔浩有姻亲关系的范阳卢氏、太原郭氏、河东柳氏，一律诛灭全族，其余的罪犯只诛杀犯罪者本人，不牵连他们的宗族。把崔浩捆绑起来放入囚车内，押送到平城城南，几十个卫士向崔浩的头上、身上撒尿，崔浩嗷嗷乱叫，行路的人都听得清清楚楚。宗钦在临刑的时候叹息地说：“高允差不多可以称为圣人了！”

有一天，北魏皇太子拓跋晃责备高允说：“人也应当懂得随机应变。我想为你开脱罪责躲过一死，已经说开了头，而你却始终不按照我开出的路子走，以至于把皇上激怒成那个样子。每当回想起此事，我都感到心惊胆战。”高允说：“史书，所以要如实地记载君主的善行与恶行，是为了鼓励未来的君主应该做什么，警告他们不应该做什么，使他们有所畏惧忌惮，行为举措更加谨慎小心。崔浩辜负了皇帝的厚恩，放纵他个人的欲望而放弃了廉洁奉公的品质，放任个人的爱憎而忽视了客观的公道正直，这是崔浩自己的责任。至于记录某个皇帝的日常生活，记载国家大事的成败得失，这是历史应该书写的主要内容，没有过多违背历史的地方。我与崔浩确实共同撰写《国书》，死生荣辱应该是一样的，没有道理对我特别宽大。实在感谢太子殿下为我开脱罪责，免我一死的好心，然而违背良心苟求免罪，这不是我希望的。”皇太子拓跋晃脸色改变，连声称赞叹息。高允退出去以后，对人说：“我没有按太子指引的路子向皇帝回话，是因为害怕对不起翟黑子。”

当初，魏国担任冀州刺史的崔赜，被封为武城男爵的崔模，与崔浩虽然是同一

之，由是[380]不睦。及浩诛，二家独得免。赜，逞[381]之子也。

辛丑[382]，魏主北巡阴山。魏主既诛崔浩而悔之。会[383]北部尚书宣城公[20]李孝伯[384]病笃，或传已卒。魏主悼之曰：“李宣城[385]可惜！”既而曰：“朕失言，崔司徒可惜，李宣城可哀！”孝伯，顺[386]之从父弟[387]也，自浩之诛，军国谋议皆出孝伯，宠眷亚于浩[388]。

初，车师大帅车伊洛世服于魏，魏拜伊洛平西将军，封前部王。伊洛将入朝，沮渠无讳断其路[389]，伊洛屡与无讳战，破之。无讳卒[390]，弟安周夺其子乾寿兵，伊洛遣人说乾寿[391]，乾寿遂帅其民五百余家奔魏。伊洛又说李宝弟钦[392]等五十余人下之[393]，皆送于魏。伊洛西击焉耆，留其子歇守城[394]，沮渠安周引柔然兵间道[395]袭之，攻拔其城。歇走就伊洛，共收余众，保焉耆镇[396]，遣使上书于魏主，言：“为沮渠氏所攻，首尾八年[397]，百姓饥穷，无以自存。臣今弃国出奔[398]，得免者[399]仅[21]三分之一，已至焉耆东境，乞垂赈救！”魏主诏开焉耆仓以赈之。

吐谷浑王慕利延为魏所逼，上表求入保越嶲[400]，上许之。慕利延竟不至。

上欲伐魏，丹杨尹徐湛之、吏部尚书江湛、彭城太守王玄谟等并劝[401]之。左军将军刘康祖[402]以为岁月已晚，请待明年。上曰：“北方苦虏虐政，义徒[403]并起。顿兵一周[404]，沮向义之心[405]，不可。”

太子步兵校尉[406]沈庆之谏曰：“我步彼骑，其势不敌。檀道济再行无功[407]，到彦之失利而返[408]。今料王玄谟等，未逾两将[409]，六军[410]之盛，不过往时，恐重辱王师。”上曰：“王师再屈[411]，别自有由[412]，道济养寇

个族姓，却不属于同一个支派，崔浩总是看不起、侮辱他们，因此相互之间很不和睦。等到崔浩被灭族时，只有崔赜、崔模两家得以免死。崔赜，是崔逞的儿子。

六月十二日辛丑，北魏太武帝到北方去巡视阴山一带。太武帝诛杀崔浩之后又感到很后悔。恰逢担任北部尚书的宣城公李孝伯病重，有人传说李孝伯已经死了。太武帝追悼他说："宣城公李孝伯死了实在可惜！"过后又说："我说错了话，是司徒崔浩死了可惜，宣城公李孝伯死了可哀！"李孝伯，是李顺的远房兄弟，自从崔浩被诛杀以后，军国大政方针全都出自李孝伯，太武帝对李孝伯的信任与眷顾仅次于崔浩。

当初，车师大帅车伊洛世代服从魏国，魏国封车伊洛为平西将军，封前部王。车伊洛将要到魏国的都城平城来朝拜太武帝，却被沮渠无讳截断了前往魏国的通道，车伊洛屡次与沮渠无讳交战，最终打败了沮渠无讳。沮渠无讳去世以后，他的弟弟沮渠安周夺取了无讳儿子沮渠乾寿的军队，车伊洛趁机派人劝说沮渠乾寿，沮渠乾寿便率领他的五百多家部众投降了魏国。车伊洛又劝说李宝的弟弟李钦等五十多人投降，并把他们全都送给了魏国。车伊洛于是率领自己的部众向西攻打焉耆，留下自己的儿子车伊歇镇守车师前部城，沮渠安周带领柔然的军队抄小路前往袭击车伊歇，攻陷了车伊歇所镇守的车师前部城。车伊歇逃到他父亲车伊洛那里，他们共同召集起残余的部众，一面据守住焉耆镇，一面派使者前往北魏向太武帝上书求救，他在求救书中说："车师前部遭受沮渠氏的攻击，前后长达八年，百姓饥饿贫穷，已经到了无法生存的地步。我现在已经丢弃了自己的车师前部国逃亡在外，从沮渠安周袭击下逃脱出来的人仅有三分之一，现在已经到达焉耆的东部边境，恳请陛下垂怜救济！"太武帝下诏打开焉耆镇的仓库放粮赈济车伊洛的部众。

吐谷浑王慕利延屡次遭受魏国大军的逼迫，遂向宋文帝上表请求准许他们搬迁到宋国统治下的越嶲郡居住，宋文帝答应了他们的请求。而慕利延竟然没有率领他的部众迁往越嶲郡。

宋文帝想要讨伐魏国，担任丹杨尹的徐湛之、担任吏部尚书的江湛以及担任彭城太守的王玄谟等人全都赞成，担任左军将军的刘康祖却认为今年已经过了一半，请等待明年再进行北伐。宋文帝说："北方沦陷区的人民深受胡虏虐政的摧残，起兵反魏的义士蜂拥而起。如果我们在一年的时间里停顿不前，就会让那些盼望官军早日到达的人民感到灰心和失望，我们不可以那样做。"

担任太子步兵校尉的沈庆之劝谏宋文帝说："我们是步兵而魏国是骑兵，敌我双方的军事力量并非势均力敌。檀道济出兵伐魏，前后两次都是无功而返，到彦之等率军北伐魏国，遭遇惨败，损兵折将而回。现在比较王玄谟等人的才能，还赶不上檀道济、到彦之两位将领，朝廷武装部队的强盛，也没有超过以往，如果北伐，恐怕会再次使王师受到羞辱。"宋文帝说："檀道济和到彦之的两次失败，都有他们各自自资[413]，彦之中涂疾动[414]。虏所恃者唯马，今夏水浩汗[415]，河道流通，泛舟北下，碻磝[416]必走，滑台[417]小戍，易可覆拔[418]。克此二城，馆谷吊民[419]，虎牢[420]、洛阳，自然不固。比及冬初[421]，城守相接[422]，虏马过河即成擒[423]也。"庆之又固陈不可，上使徐湛之、江湛难之[424]。庆之曰："治国譬如治家，耕当问奴，织当访婢。陛下今欲伐国，而与白面书生辈谋之，事何由济[425]！"上大笑。太子劭[426]及护军将军萧思话[427]亦谏，上皆不从。

魏主闻上将北伐，复与上书曰[428]："彼此和好日久，而彼志无厌[429]，诱我边民。今春南巡[430]，聊省我民[431]，驱之使[22]还[432]。今闻彼欲自来，设能至中山[433]及桑乾川[434]，随意而行，来亦不迎，去亦不送。若厌其区宇[435]者，可来平城居，我亦往扬州，相与易地[436]。彼年已五十，未尝出户，虽自力[437]而来，如三岁婴儿，与[438]我鲜卑生长马上者果如何哉[439]？更无余物可以相与，今送猎马十二匹并毡、药等物。彼来道远，马力不足，可乘。或不服水土，药可自[23]疗也。"

【段旨】

以上为第二段，写宋文帝元嘉二十七年（公元四五〇年）上半年的大事。主要写了沈庆之、柳元景平定沔北诸蛮，悉迁之建康以为营户。写了魏主南侵，宋将陈宪奉命守悬瓠，奋勇抵抗，艰苦卓绝；又有臧质、刘康祖率兵救悬瓠，遂破魏兵。写了武陵王刘骏自徐州派兵袭魏军于汝阳，初战获胜，后因无后续跟进而败，武陵王被降职。写了魏国谋臣崔浩专制朝权，魏太子亦奈何不得；崔浩主编魏国国史，宠用奸小闵湛、郗标，二人吹捧崔浩，怂恿刻国史于石，结果触怒魏国权贵，致使崔浩被杀。写了崔浩的下属高允有先见之明，又能如实承担自己写史的责任，并能坦直向魏主进言，从而获魏主信任，高允公正地评价崔浩为"以的原因，檀道济畏惧魏兵强大，眼看着敌兵不打，以求保存自己的实力，到彦之是因为在行军作战的途中眼病发作。胡虏所倚仗的只是战马，今年夏季水势浩大，河道通畅无阻，如果我军乘船北上，碻磝津的魏国守军一定会逃走，魏国在滑台只有一支小部队驻守，很容易被我们再夺过来。攻克了这两座城池之后，我军就可以就地取用敌人积聚起来的粮食，同时安慰当地百姓所遭受的悲苦，虎牢关、洛阳，胡虏自然就守不住。等到冬季来临，被我们攻克的城市已经连成一体，胡虏的骑兵如果渡过黄河就会成为我们的俘虏。”沈庆之还是极力陈述不可以攻打魏国的理由，宋文帝让丹杨尹徐湛之、吏部尚书江湛与沈庆之进行辩论。沈庆之说：“治理国家就像治理家庭一样，如何耕种田地应当询问耕种的奴隶，怎样纺纱织布应当询问纺纱织布的奴婢。如今陛下想要讨伐魏国，却与白面书生商议，事情怎么会办得成功呢！”宋文帝听后不禁大笑起来。宋国皇太子刘劭以及担任护军将军的萧思话也都劝谏宋文帝不要北伐，宋文帝不肯听从。

北魏太武帝听说宋文帝将要出兵北伐，就又给宋文帝写信说：“我们两国和平友好相处已经很久了，而你的贪心却没有满足的时候，你引诱我国边境的居民逃入你们宋国的边境。今年春天我曾经南下巡视，顺便看看我的子民们现在的生活状况，我们只是把宋军赶走了，使你们收兵而回。现在听说你准备亲自率军前来，如果你能够到达中山郡以及桑干河流域，那就任凭你随意采取行动。你来我们不欢迎，离开我们也不欢送。如果你在自己统治的地区住腻烦了，还可以到我的首都平城来居住，我也可以到扬州去，我们可以互相交换一下国土。你的年纪已经五十岁了，未曾出过门，虽然你已经长大成人，凭借自己的力量而来，却仍然像三岁的婴儿一样，与我生长在马背上的鲜卑人相比究竟怎么样呢？除此以外再也没有其他的东西可以送给你，现在我送给你十二匹猎马和毛毡、药等物品。你来的时候路途遥远，马力不足，可以乘坐我送给你的这些马。如果水土不服，你可以用我送给你的这些药物自己治疗。”

私欲没其廉洁，爱憎蔽其公直，此浩之责也。至于书朝廷起居，言国家得失，此为史之大体，未为多违”，魏主后来亦悔之曰“崔司徒可惜”。写了王玄谟、徐湛之、江湛等怂恿刘义隆北伐，沈庆之坚决反对，刘义隆不听。本段还录入了魏主致宋文帝之二书，夸叙了魏国的破柔然之功，威胁刘宋应自动退缩于长江以南，又讥讽刘义隆有裴方明这一将才而不能用，反将其杀害，如此忌功害能尚痴言北伐云云。

【注释】

⑰⑨正月乙酉：正月二十四。⑱⓪因：凭借；依仗。⑱①幸诸山犬羊蛮：幸诸山上的犬羊族蛮人。幸诸山是山名，在当时的雍州境内。犬羊是沔北山区少数民族中的一种。⑱②开门：凿出许多门户。⑱③不外汲：用不着到兵营以外去取水，意思是不会受到山中蛮族的狙击。⑱④风甚：风刮得很大。⑱⑤沃火：浇火使之熄灭。⑱⑥夹射：因宋军的兵营彼此呼应相连，故一旦蛮人来到，前后、左右的营盘都可以朝着蛮人放箭。⑱⑦六戍：六个防守据点。⑱⑧守：守候，等机会，盯着他们出来。⑱⑨稍稍：渐渐。⑲⓪营户：附属于军队受其管辖的一些居民，全家跟随军队活动，不受地方政府管辖。⑲①将入寇：准备进攻刘宋王朝。⑲②二月甲午：二月初三。⑲③梁川：地区名，也就是当时魏国的凉城郡，在今内蒙古的凉城东北。胡三省曰："后魏天平二年（公元五三五年）置梁城郡于其地，领参合（今内蒙古凉城西南）、旋鸿（今内蒙古丰镇东北）二县。"⑲④淮、泗诸郡：淮河与泗水流域的各郡，此指今江苏西北部、安徽北部、河南东南部、山东西南的四省邻近地区。当时设有彭城郡、淮阳郡、济阴郡、谯郡、汝阴郡、义阳郡，以及下文提到的南顿郡、颍川郡等。⑲⑤拔民归寿阳：把这些沿边郡县的百姓都向南迁移到今安徽寿县一带。寿阳，也称寿春，即今安徽寿县。⑲⑥边戍侦候不明：边防据点侦察敌情不仔细。边戍，边防据点。侦候，侦察。⑲⑦辛亥：二月二十。⑲⑧奄至：突然来到。⑲⑨南顿：郡名，郡治在今河南项城西。⑳⓪颍川：郡名，郡治在今河南漯河东北。⑳①南平王铄：刘铄，刘义隆之子，被封为南平王。传见《宋书》卷七十二。⑳②左军行参军：左军将军属下的代理参军。行，代理、试用。⑳③行汝南郡事：暂时代理汝南郡太守的职务。汝南郡的郡治即今河南汝南。⑳④悬瓠：古城名，即今河南汝南，当时汝南郡的郡治。⑳⑤军兴：军事动员，全国进入紧急状态。⑳⑥高楼：攻城用的楼车。⑳⑦负户以汲：以门板为遮蔽出门汲水，以避楼车上放出的箭。⑳⑧冲车之端：楼车之顶。冲车，攻城之车，即楼车。⑳⑨以牵楼堞：以拽倒城墙上的望楼与垛口。堞，大城上的小墙。㉑⓪内设女墙：在城倒之处又筑起一道小墙。女墙，即堞，原指城墙上的垛口，这里指新筑的小墙。㉑①外立木栅：在小墙之外又立起一些木制的栅栏。㉑②填堑：填平了护城河。堑，为防守所挖的壕沟。㉑③肉薄：不顾性命地拥上。薄，逼、拥上。㉑④与城等：与城墙一样高。㉑⑤乘尸上城：踩着尸体登上城墙。乘，踩、踏着。㉑⑥所掠六郡生口：指元嘉二十三年（公元四四六年）拓跋仁等侵犯兖、青、冀三州，大肆掠夺北边所俘获去的居民。生口，活人。㉑⑦汝阳：郡名，郡治在今河南商水西南。㉑⑧间使：秘密使者。㉑⑨发骑：征调骑兵。㉒⓪赍：携带。㉒①安北骑兵行参军：安北将军武陵王刘骏手下临时掌管骑兵的参谋。㉒②田曹行参军：临时主管营田的参谋。㉒③集曹行参军：临时主管安抚流散的参谋。集，收合、安抚。㉒④武陵左常侍：武陵王刘骏的左常侍。胡三省曰："晋制：王国置左右常侍各一人。宋沿置。"㉒⑤将之：分别统领这五支骑兵。㉒⑥丁酉：四月初七。㉒⑦东走：向东逃回老家，即兖州、青州、冀州

一带。㉘无后继：没有后续部队。㉙弃仗走：扔掉武器逃跑。仗，刀枪等长兵器的总名。㉚南平内史臧质：南平国的行政长官臧质。南平王是刘义隆的儿子刘铄的封号。内史是诸侯王国的行政长官，其级别相当于郡太守。臧质是刘义隆的表兄弟。传见《宋书》卷七十四。㉛安蛮司马：安蛮将军属下的司马官。胡三省曰："时南平王铄领（兼任）安蛮校尉，以康祖为司马。"㉜刘康祖：刘裕功臣刘虔之之子，刘义隆时期的名将。传见《宋书》卷五十。㉝逆拒：迎头拦截。㉞道锡之从兄：刘道锡的堂兄。刘道锡事见本书卷第一百二十三元嘉十八年。㉟癸卯：四月十三。㊱壬子：四月二十二。㊲付尚方：交给尚方做苦力。尚方，官署名，主管给宫廷制造器物，其下有许多犯人、奴隶从事劳动。㊳汝南、新蔡二郡太守：当时刘宋的汝南、新蔡二郡合并为一个衙门，由一个太守统管，郡治即今河南汝南。㊴遗帝书：给刘义隆写信说。㊵彼：此处犹言"尔""尔等"，指刘宋朝廷。㊶就而诱之：前去拉拢引诱他们。就，往，去找。㊷丈夫遗以弓矢二句：对他们的男人，你们赠送弓矢；对他们的女人，你们赠送簪环。遗，赠。环钏，耳环与簪子。宋与盖吴相互沟通事，见本书卷第一百二十四元嘉二十二年、二十三年。㊸是曹：这类人，指盖吴等叛魏势力。㊹正欲谲诳取赂：正想趁机骗取一些财物。㊺岂有远相服从之理：怎么能大老远地真心归顺你们呢？㊻募往者：你们曾悬赏招募我方的边民逃到你方。㊼复除七年：免除他们七年的赋税与徭役。㊽赏奸：奖赏叛主私逃的坏人。㊾今来至此土所得多少：这一次我进攻所得的土地与人口数量。㊿孰与彼前后得我民邪：和你们历次用狡猾手段骗过去的人数相比，看看哪个更多更值呢？(251)彼若欲存刘氏血食：你们要是还想维持你们刘氏那个苟延残喘的政权。血食，指宗庙能享受祭祀，代指国家政权没有灭亡。古时祭祀宗庙要杀牛、羊、猪做供品，故神鬼享受祭祀叫"血食"。(252)当割江以北输之：应割长江以北的全部土地送给魏国。(253)摄守南渡：把你们长江以北的守兵撤回江南，能用心守好江南也就不错了。(254)如此当释江南使彼居之：如果你们能这样做，我也放弃江南不要，让你们去居住算了。(255)善敕：好好嘱咐。(256)方镇：各州的都督。(257)守宰：郡太守与县令。(258)严供帐之具：准备好接待客人生活住宿的一切需要。严，事先准备好。供帐之具，也可以简称"治具"，即接待客人的筵席。(259)扬州：刘宋时的扬州大体为今之江苏南部与浙江一带地区。这里泛指刘宋占据的全部地盘。(260)终不相纵：绝对不会再放过你们。纵，放、饶过。(261)彼岂能独立：你们怎么能单独地存在下去？(262)蠕蠕吴提、吐贺真：柔然族的头领吴提与吐贺真。吴提是大檀之子，号敕连可汗，死于公元四四四年；吐贺真是吴提之子，号处罗可汗，死于公元四六四年。(263)有足之寇：指骑马的柔然等民族。(264)彼作何计：你们将做何打算？(265)显然：公开地；堂而皇之地。(266)翳行窃步：遮遮掩掩、偷偷摸摸地行动。翳，隐蔽。(267)彼来侦谍：你们派出的谍报人员。(268)委曲善问之：我方的详细情况，你仔细地问他们就行了。(269)裴方明取仇池：事在元嘉二十年，见本书卷第一百二十四。(270)疾其勇功：你们嫉恨他的勇敢与军功。疾，嫉恨。(271)乌得与我校邪：你们还怎么能与我较量呢？校，较量。(272)复非苻坚：我可不是当年的苻坚，意思是不会被你们南方人玩的那种小把戏哄骗。㉗③ 正有斫营伎：即使你们有半夜偷袭敌营的本领。正，即使。伎，伎俩、本事。㉗④ 彼公：你老子，指刘裕。㉗⑤ 今已杀尽：如谢晦、檀道济等。㉗⑥ 岂非天资我邪：这不就像老天爷在帮着我们一样吗？资，助。㉗⑦ 善咒婆罗门：天竺国有婆罗门教徒，善搞念咒驱鬼等迷信活动。㉗⑧ 江湛：字徽渊，曾任彭城王义康、随王诞等属官，后征为侍中，迁左卫将军。传见《宋书》卷七十一。㉗⑨ 起家为郡守：由平民直接被任为太守。㉘⓪ 先征之人：胡三省曰“谓游雅、李灵、高允等”。㉘① 州郡之选：出任刺史、太守的合适人选。㉘② 在职已久：在朝廷各省任小吏已经多年。㉘③ 勤劳未答：他们的功劳苦劳还没有得到报答。㉘④ 先补郡县：先让他们去任太守、县令。㉘⑤ 代为郎吏：接替他们任各省的下属官员。郎吏，郎中、侍郎一级的各省属官。㉘⑥ 宜得更事者：应该让有经验、有阅历的人去。更事，经历过世事的磨难。更，此处的意思同“经”。㉘⑦ 固争而遣之：坚持己见而派了出去。㉘⑧ 领著作郎：兼任著作郎。著作郎是秘书省属官。㉘⑨ 东宫博士：太子身边的博士官。葛晓音引唐长孺《读史释词》，以为北朝“博士”是对儒生学究的一种泛称。凡是被引荐给太子讲经或侍书的儒生，都可称东宫博士。㉙⓪ 不免：难逃一死，不会有好下场。㉙① 遂其非：坚持错误的说法、做法而不改。㉙② 校胜于上：与自己的上司争强夺胜。㉙③ 何以堪之：谁能受得了。㉙④ 监秘书事：为秘书省的长官，即为秘书监。㉙⑤ 共撰《国记》：共同编写魏国的国史。撰，著述、编写。㉙⑥ 务从实录：一定要实话实说。㉙⑦ 著作令史：秘书省的基层小吏，掌管国史资料的搜集与注释工作。㉙⑧ 巧佞：乖巧善逢迎。佞，伶牙俐齿而心术不正。㉙⑨ 上疏：给皇帝上表。疏，文体名，指古代臣子向帝王分条陈述的意见书。因要罗列申说，故称“疏”。㉚⓪ 马、郑、王、贾：马融、郑玄、王肃、贾逵，汉、魏时代的四位经学家。马融，东汉人，著《三传异同说》，注《孝经》《论语》《诗》《易》《尚书》《列女传》《老子》《淮南子》《离骚》等书。传见《后汉书》卷六十上。郑玄，东汉人，曾师事马融。遍注五经，著有《天文七政论》等书。传见《后汉书》卷三十五。王肃，三国时人，精通贾逵、马融的经学，遍为诸家经籍作注。凭女婿司马炎（晋武帝）的地位，所作注、传立于学官。传见《三国志》卷十三。贾逵，东汉人，著有《经传义诂》《论难》等。传见《后汉书》卷三十六。㉚① 班：通“颁”。以朝廷的命令颁布全国。㉚② 令天下习业：让天下所有想研习儒家经典的人都以崔浩的注本为标准。习业，学习的标准，传家的事业。㉚③ 求敕浩：请求皇帝命令崔浩。敕，命令、委托。㉚④ 注《礼传》：再新注一本《礼传》。㉚⑤ 令后生得观正义：让后代人能够看到有关《礼经》的正确解释。㉚⑥ 刊所撰国史于石：把崔浩所撰写的魏国国史刻在石碑上。刊，刻。㉚⑦ 以彰直笔：以表彰崔浩敢于据实写史的行为。㉚⑧ 湛、标所营二句：闵湛、郗标所做的不过是言辞方面偏高偏低、偏好偏差而已。㉚⑨ 吾徒：我辈；我们这些人。㉛⓪ 无噍类：满门抄斩，留不下一个活人。㉛① 郊坛：皇帝在郊外祭天所用的坛台。胡三省曰：“据《水经注》，平城西郭外有郊天坛。”㉛② 用功三百万：整个工程花费了三百万铜钱。㉛③ 列于衢路：指刊印魏国历史的书摆在大街小巷出卖。衢路，四通八达的大路。㉞咸以为言：都在谈论这部国史中所说的事情。㉟北人：胡三省曰，“指先世跟随拓跋氏从北方来的人”。主要指鲜卑人。㊱无不忿恚：因为里面写了许多传说中荒诞、虚妄，不够庄严神圣的东西。忿恚，愤怒、怨恨。㊲按：查办。㊳奉使并州：奉命出使到并州。并州的州治晋阳，在今山西太原西南。㊴当讳之：还是隐瞒不报。㊵帷幄宠臣：皇帝身边的宠臣。帷幄，宫室里的寝帐，这里喻指皇帝身边。㉑首实：自己主动讲出实情。首，自动、自首。㉒庶或见原：或许能得到宽赦。庶，或许。见原，被宽赦。㉓重为欺罔：再干欺骗皇上的事。欺罔，欺骗蒙蔽。㉔诱人就死地：引诱人往死路上走。㉕入见至尊：进去见到皇上后。㉖吾自导卿：我来引导你说话与行事。意即你一切都按我的意思做。㉗至尊有问：万一皇上问到你什么。㉘微贱：官小，地位低。㉙制由崔浩：您的一切旨意都是通过崔浩下达的。意思是都是崔浩一手遮天。㉚《国书》：前文所说的《国记》，也就是魏国的历史。㉛《太祖记》：叙述拓跋珪生平始末的篇章。㉜《先帝记》：叙述拓跋焘之父拓跋嗣的篇章。㉝《今记》：当今皇帝的本纪，写拓跋焘的篇章。㉞总裁：总揽其事，从大体上进行管理。㉟迷乱失次：因吓傻了而说话乱了套。㊱臣向问：刚才我还问他。向，前者、刚才。㊲信如东宫所言乎：真是像太子所说的那种样子吗？信，的确。东宫，指太子。㊳哀臣：可怜我。㊴欲丐其生：想为我乞求一条活命。㊵不易辞：不改变自己的说法。㊶信也：是一个有信义的人。㊷贞也：坚守正道。㊸临诘：亲临询问。㊹僮吏：从事勤杂工作的小吏。㊺夷五族：灭其五族。五族指大父族、父族、己族、子族、妻族。㊻持疑不为：心有疑问，不为之拟诏书。㊼频使催切：不断派人去催促责备。㊽更有余衅：还有其他别的罪过。㊾若直以触犯：如果只是因为写书触犯了皇室。直，只是。㊿意解：怒气消解。㉛无斯人：如果没有高允出来说情。㉜六月己亥：六月初十。㉝无远近：不论亲缘关系的远近。㉞余皆止诛其身：其余罪犯只杀犯罪者本人，不牵连家族。㉟絷浩置槛内：捆绑起崔浩，将其装入囚车。槛，有如运送野兽般装有栅栏的车子。㊱送城南：胡三省曰，“后魏刑人必于城南”。㊲溲其上：向着崔浩身上撒尿。溲，撒尿。㊳其殆圣乎：差不多可以称为圣人了。叹服他有先见之明。㊴知机：这里的意思是懂得随机应变。机，征兆、机会。㊵脱死：开脱死罪。㉑既开端绪：已经说开了话头。㉒终不从：不按我开出的路子走。㉓劝戒：鼓励人做什么，与警告人不做什么。劝，鼓励。㉔慎其举措：一举一动都小心谨慎。举措，行为举动。㉕孤负：通“辜负”。孤，背。㉖以私欲没其廉洁：放纵个人的欲望，放弃了廉洁奉公的品质。㉗爱憎蔽其公直：放任个人的爱憎，而忽视了客观的公道正直。㉘书朝廷起居：记录某位皇帝的日常生活。㉙言国家得失：记载国家大事的成败。㉚此为史之大体：这是历史应书写的主要内容。㉛未为多违：没有更多违背事实的地方。㉜义无独殊：没有道理对我特别宽大。㉝诚荷：实在是感谢您。㉞再造之慈：想给我开脱罪责，免我一死的好心。㉟违心苟免：违背个人心意苟求免罪。㊱不奉东宫指导者：没有按太子晃的指导给皇帝回话的原因。㊲恐负翟黑子：怕对不起翟黑子。因翟黑子犯罪时，高允出主意令其主动自首；

如今自己遭罪，如不坦诚对待，那就是对别人、对自己各有一套了。㊳78武城男崔模：崔模，被封为男爵，封地是武城县（今山东费县西南）。传见《魏书》卷五十六。㊳79同宗而别族：同一个族姓，但不是同一个支派。㊳80由是：因此。㊳81逞：崔逞，三国时名人崔琰的后代，曾先后在前秦、东晋、后燕等国为官，后投归魏国，因说话含讥讽之意，被道武帝拓跋珪杀死。传见《魏书》卷三十二。㊳82辛丑：六月十二。㊳83会：恰逢。㊳84北部尚书宣城公李孝伯：北魏初有殿中、乐部、驾部、南部、北部五个尚书。北部尚书掌北边州郡事务。李孝伯，李顺的远房兄弟。传见《魏书》卷五十三。㊳85李宣城：李孝伯。李孝伯被魏主封为宣城公。㊳86顺：李顺，魏国的谋臣。传见《魏书》卷三十六。㊳87从父弟：堂弟；叔伯之家的兄弟。㊳88亚于浩：仅次于崔浩。㊳89沮渠无讳断其路：沮渠无讳是沮渠蒙逊之子，沮渠牧犍之弟。沮渠牧犍被俘，北凉被魏灭后，率领残余势力逃入西域，活动于高昌（今新疆吐鲁番一带地区），阻断了魏与西域的交通。㊳90无讳卒：事在宋文帝元嘉二十一年（公元四四四年）。㊳91说乾寿：劝说乾寿。㊳92李宝弟钦：李宝与其弟李钦，二人乃西凉主李暠的孙子，西凉被北凉灭后，李宝等逃往西域，对魏国叛服不定。㊳93下之：被说服。㊳94守城：镇守车师前部城。㊳95间道：抄小道。㊳96保焉耆镇：据焉耆镇而守之。胡三省曰："魏破焉耆以为镇。"意思是魏国灭掉焉耆后，在焉耆设立了一个军镇。㊳97首尾八年：从元嘉十九年（公元四四二年）起，无讳即占据高昌，与车师互相攻伐，至此已八年。㊳98弃国出奔：丢弃了车师前部国，西逃到焉耆。㊳99得免者：指从沮渠安周袭击下逃脱出来的人。㊵00求入保越巂：请求搬迁到刘宋治下的越巂郡居住。越巂郡的郡治在今四川西昌东南。㊵01劝：鼓励；赞成。㊵02刘康祖：刘义隆时期的名将。传见《宋书》卷五十。㊵03义徒：起兵反魏的义士。㊵04顿兵一周：在一年的时间里停止不前。㊵05沮向义之心：让那些盼望官军早日到达的人们灰心失望。沮，涣散、瓦解。㊵06太子步兵校尉：皇太子属下的武官名。宋高祖永初二年始置东宫屯骑、步兵、翊军三校尉。㊵07檀道济再行无功：檀道济出师北伐，前后两次都没成功。第一次在营阳王景平元年（公元四二三年），魏军攻青州刺史于东阳（今山东青州），檀道济率军救之，敌退去，檀无功而返；第二次在宋文帝元嘉八年（公元四三一年），宋军与魏军战于黄河、济水一线，到彦之等大败，檀道济仅全师而还。㊵08到彦之失利而返：事在宋文帝元嘉七年（公元四三〇年），时到彦之等率军北伐，魏军主动将防守据点都撤退到黄河以北，使到彦之轻易地获得这些地盘；不久魏军反攻，宋军惨败，到彦之等狼狈逃回。事见本书卷第一百二十一。㊵09未逾两将：他们的能力不超过檀道济与到彦之。㊵10六军：敬指刘宋朝廷的武装力量。㊵11王师再屈：檀道济与到彦之的两次失败。㊵12别自有由：都有他们各自的原因。㊵13养寇自资：眼看着敌兵不打，以求保存自己的实力。指檀道济在景平元年（公元四二三年）屯军湖陆，畏魏兵强，不敢进击。㊵14彦之中涂疾动：在行军作战的过程中，到彦之眼病发作。㊵15浩汗：水势巨大的样子。㊵16碻磝：古代的军事要地名，也叫卢县，在今山东东阿西北，聊城的东南。当时属魏。㊵17滑台：古城名，即今河南滑县城东的旧滑县，北临古黄河，是北魏在河南设立的四镇之一。⑱ 易可覆拔：容易被我们再夺过来。⑲ 馆谷吊民：让我们的军队取用敌人积聚起来的粮食，同时安抚慰问当地百姓所受的悲苦。馆谷，住敌人的房子，吃敌人的粮食，以休整我们的军队。⑳ 虎牢：关塞名，在今河南荥阳西北的古汜水镇西，挨近其北侧的古成皋城遗址。此时亦属魏国。㉑ 比及冬初：等到初冬来临。比，及、等到。㉒ 城守相接：被我们攻克的城市相连一体。㉓ 成擒：现成的俘虏。极言其白来送死。㉔ 难之：与之辩论。㉕ 事何由济：事情怎能获得成功。㉖ 太子劭：刘劭，即日后所说的"元凶劭"。传见《宋书》卷九十九。㉗ 萧思话：刘宋时代的著名将领。传见《宋书》卷七十八。㉘ 复与上书曰：又给刘义隆写信说。上，指宋文帝刘义隆。㉙ 彼志无厌：你的贪心没有个满足。厌，通"餍"，饱、满足。㉚ 今春南巡：指二三月间的魏军进攻悬瓠，又与宋军战于汝阳等。㉛ 聊省我民：我是来看看我的子民的生活状况。省，视察。㉜ 驱之使还：只要把宋军赶走，让我们收兵回来。㉝ 中山：郡名，郡治即今河北定州。㉞ 桑乾川：今山西东北部和与之相邻的河北西北部的桑干河流域。北魏置桑乾郡，郡治在今山西山阴南。㉟ 若厌其区宇：如果你厌烦了你的江南地区。㊱ 相与易地：彼此交换一下国土。㊲ 自力：指长大成人，能独立生活。㊳ 与：与……相比。㊴ 果如何哉：究竟怎么样呢？胡三省曰："观魏主与帝二书，诚有惮江南之心；大明以后，北不复惮南矣。"

【校记】

［10］犬羊蛮：原作"大羊蛮"。据章钰校，孔天胤本作"犬羊蛮"，《宋书·沈庆之传》载："庆之复率众军讨幸诸山犬羊蛮，缘险筑重城。"今据改。［11］郭道隐：原作"郑隐道"。据章钰校，十二行本、乙十一行本、孔天胤本皆作"郭道隐"，张敦仁《通鉴刊本识误》同，今据改。〖按〗《宋书·文帝纪》载"汝阳颍川二郡太守郭道隐委守走"。［12］尸：据章钰校，十二行本、乙十一行本、孔天胤本皆作"尸"，下同。［13］奔散：原作"失散"。据章钰校，十二行本、乙十一行本、孔天胤本皆作"奔散"，张敦仁《通鉴刊本识误》、张瑛《通鉴校勘记》同，今据改。［14］无后继：原无"后"字。据章钰校，十二行本、乙十一行本、孔天胤本皆有"后"字，今据补。［15］将兵：据章钰校，十二行本、乙十一行本、孔天胤本皆无此二字。〖按〗前文刘康祖救悬瓠有"将兵"二字，此处应亦有。［16］尚方：原作"上方"。据章钰校，十二行本、乙十一行本、孔天胤本皆作"尚方"，今据改。［17］如此：原无此二字。据章钰校，十二行本、乙十一行本、孔天胤本皆有此二字，张敦仁《通鉴刊本识误》同，今据补。［18］上：原作"主上"。据章钰校，十二行本、乙十一行本、孔天胤本皆无"主"字，熊罗宿《胡刻资治通鉴校字记》同，今据删。［19］更：原无此字。据章钰校，十二行本、乙十一行本、孔天胤本皆有此字，张敦仁《通鉴刊本识误》同，今据补。［20］宣城公：原无此三字。据章钰校，十二行本、乙十一行本、孔天胤本皆有此三字，张敦仁《通鉴刊本识误》同，今据补。〖按〗后文魏主言"李宣城可惜"，可

知李孝伯确为宣城公。[21]仅：据章钰校，十二行本、乙十一行本、孔天胤本皆作“才”。[22]使：原作“使”。据章钰校，十二行本、乙十一行本、孔天胤本皆作“使”，今据改。[23]可自：据章钰校，孔天胤本二字互乙。

【原文】

秋，七月庚午㊵，诏曰：“虏近虽摧挫㊶，兽心靡革㊷。比㊸得河朔、秦、雍㊹华戎㊺表疏，归诉困棘㊻，跂望绥拯㊼，潜相纠结㊽以候王师。芮芮㊾亦遣间使远输诚款㊿，誓为掎角(451)，经略之会(452)，实在兹日。可遣宁朔将军王玄谟帅太子步兵校尉沈庆之、镇军谘议参军申坦水军入河，受督于青、冀二州刺史萧斌(453)。太子左卫率臧质、骁骑将军王方回径造许、洛(454)，徐、兖二州刺史武陵王骏、豫州刺史南平王铄各勒所部(455)，东西齐举。梁、南北秦三州刺史刘秀之(456)震荡汧、陇(457)。太尉、江夏王义恭出次彭城(458)，为众军节度(459)。”坦，锺(460)之曾孙也。

是时军旅大起，王公、妃主及朝士、牧守，下至富民，各献金帛、杂物以助国用。又以兵力不足，悉发青、冀、徐、豫、二兖(461)六州三五民丁(462)，倩使暂行(463)，符到十日装束(464)，缘江五郡集广陵(465)，缘淮三郡集盱眙(466)。又募中外(467)有马步众艺武力之士应科者(468)，皆加厚赏。有司又奏军用不充，扬、南徐、兖、江(469)四州富民家赀(470)满五十万，僧尼满二十万，并四分借一(471)，事息即还。

建武司马(472)申元吉引兵趋碻磝。乙亥(473)，魏济州(474)刺史王买德弃城走。萧斌遣将军崔猛攻乐安(475)，魏青州(476)刺史张淮之亦弃城走。斌与沈

【语译】

秋季，七月十二日庚午，宋文帝刘义隆下诏说："胡虏最近虽然遭受了挫折，但他们吞并江南的狼子野心并没有改变。近来一连接收到河朔地区、秦州、雍州的汉民和少数民族送来的表章，向我们诉说他们的困苦和危急，正在踮起脚跟急切地盼望我们早日前去安抚他们、拯救他们，他们暗中互相联合，等待我们的王者之师进行北伐。柔然国也暗中派遣使者远道而来向我们表示归服的诚意，发誓要与我们联盟，结成彼此互相呼应、联络的战线，以牵制、夹击魏军，攻取、收复黄河以北地区的时机，确实就在今天。可以派遣担任宁朔将军的王玄谟率领担任太子步兵校尉的沈庆之、担任镇军谘议参军的申坦所统领的水军进入黄河，接受担任青州、冀州二州刺史的萧斌指挥。担任太子左卫率的臧质、担任骁骑将军的王方回径直前往攻取许昌、洛阳，担任徐州、兖州二州刺史的武陵王刘骏、担任豫州刺史的南平王刘铄各自率领自己的部下，从东、西两翼同时进兵。担任梁州、南秦州、北秦州三州刺史的刘秀之在汧、陇一带大肆展开活动，制造声势；担任太尉的江夏王刘义恭离开建康，把指挥部设在彭城，为各路人马的总指挥。"申坦，是申锺的曾孙。

当时因为大规模调动军旅进行北伐，所以王公、王妃、公主以及朝廷中的大臣，各郡的太守、各县的县令，下到富裕的百姓，分别向国家贡献金银、布帛以及各种物品，用来支援国家出兵北伐。又因为兵力不足，遂把青州、冀州、徐州、豫州、南兖州、北兖州六个州中的男丁，按照每户如果有三个男丁就征调一个、如果一家有五个男丁就征调两个的比例全部征召入伍，朝廷派使者晓谕各地要临时实行三五丁制度，从接到征兵符书的那天算起，给出十天的时间作为准备行装的时间，十天以后就要启程，规定长江沿岸五个郡的丁勇都到广陵集中，淮河沿岸三个郡的丁勇都到盱眙郡集合。不论朝廷内外，凡是擅长骑马、奔跑或有其他各种特殊技能，按照招收的科目前来应募的人，全都给以丰厚的奖赏。有关部门又奏报军费不足，于是扬州、南徐州、南兖州、江州四个州中凡是家财超过五十万的富户，僧尼财产满二十万钱的，一律借用他们资产的四分之一，等到战争结束立即偿还。

宋国担任建武司马的申元吉率领一支宋军径直奔赴黄河的碻磝城。七月十七日乙亥，魏国担任济州刺史的王买德放弃了碻磝城逃走。担任青、冀二州刺史的萧斌派遣将军崔猛率军前往攻打乐安郡，魏国担任青州刺史的张淮之也弃城逃走。萧斌

庆之留守碻磝，使王玄谟进围滑台。雍州刺史随王诞[477]遣中兵参军柳元景、振威将军尹显祖、奋武将军鲁方平[24]、建武将军薛安都、略阳太守庞法起将兵出弘农[478]。后军外兵参军[479]庞季明，年七十余，自以关中豪右[480]，请入长安招合夷、夏[481]，诞许之，乃自赀谷入卢氏[482]，卢氏民赵难纳之[483]。季明遂诱说士民，应之者甚众，安都等因之[484]，自熊耳山出[485]，元景引兵继进。豫州刺史南平王铄遣中兵参军胡盛之出汝南，梁坦出上蔡向长社[486]，魏荆州刺史鲁爽[487]镇长社，弃城走。爽，轨之子也。幢主[488]王阳兒击魏豫州刺史仆兰，破之，仆兰奔虎牢[489]。铄又遣安蛮司马刘康祖将兵助坦，进逼虎牢。

魏群臣初闻有宋师，言于魏主，请遣兵救缘河谷帛[490]。魏主曰："马今未肥，天时尚热，速出必无功。若兵来不止，且还阴山避之。国人[491]本著[492]羊皮袴，何用绵帛？展至十月[493]，吾无忧矣。"

九月辛卯[494]，魏主引兵南救滑台，命太子晃屯漠南以备柔然，吴王余[495]守平城。庚子[496]，魏发州郡兵五万分给[497]诸军。

王玄谟士众甚盛，器械精严，而玄谟贪愎好杀。初围滑台，城中多茅屋，众请以火箭[498]烧之。玄谟曰："彼，吾财也，何遽[499]烧之！"城中即撤屋穴处[500]。时河、洛之民竞出租谷[501]，操兵[502]来赴者日以千数，玄谟不即其长帅[503]而以配私昵[504]。家付匹布，责[505]大梨八百，由是众心失望。攻城数月不下，闻魏救将至，众请发车为营[506]，玄谟不从。

冬，十月癸亥[507]，魏主至枋头[508]，使关内侯代人陆真[509]夜与数人犯围[510]，潜入滑台，抚慰城中，且登城视玄谟营曲折[511]还报。乙丑[512]，

与太子步兵校尉沈庆之留守碻磝城，派遣宁朔将军王玄谟继续进军围攻滑台。担任雍州刺史的随王刘诞派遣担任中兵参军的柳元景、担任振威将军的尹显祖、担任奋武将军的鲁方平、担任建武将军的薛安都、担任略阳太守的庞法起率领军队前往进攻弘农。担任后军外兵参军的庞季明，当时已经七十多岁了，认为自己是关中的豪门大族，便请求进入长安城去招集、联合关中地区的汉人与少数民族前来归降，随王刘诞批准了他的请求，庞季明便从赀谷县进入卢氏县，卢氏县人士赵难将他接进城中。庞季明于是就诱导劝说那里的士民，响应庞季明号召的人很多，建武将军薛安都等人趁着有利形势，从熊耳山出兵杀向洛阳，中兵参军柳元景率领军队继续前进。担任豫州刺史的南平王刘铄派遣担任中兵参军的胡盛之从汝南出兵，梁坦经由上蔡县杀向长社县，魏国担任荆州刺史的鲁爽镇守长社，他听到宋军前来进攻的消息便弃城逃走。鲁爽，是鲁轨的儿子。担任幢主的王阳兒率领自己手下的数百人袭击魏国担任豫州刺史的仆兰，将仆兰打败，仆兰逃奔虎牢。随王刘铄又派遣担任安蛮司马的刘康祖率领一部分兵力去协助梁坦，进逼虎牢。

魏国群臣刚听到有宋军进犯边境的消息时，就奏报了北魏太武帝拓跋焘，请求派遣军队保护或抢收黄河沿岸的庄稼和制作衣服的原料。太武帝说：“如今我们的马匹还没有肥壮，天气还很炎热，快速出兵肯定会劳而无功。如果宋国的军队继续前进，我们就暂且到阴山一带去躲一躲。我国的人民本来穿羊皮裤，绵帛对我们来说有什么用呢？只要拖延到十月份，我就没有忧虑了。”

九月初四日辛卯，北魏太武帝亲自率领魏军南下救援滑台，他命令皇太子拓跋晃率军驻扎在大漠以南防备柔然乘虚进攻魏国的边境，留下吴王拓跋余镇守都城平城。十三日庚子，魏国从各州郡调集了五万士兵分别补充给各军。

宋国宁朔将军王玄谟所率领的宋军不仅数量庞大、士气旺盛，而且器械精良，但王玄谟这个人为人贪婪，刚愎自用而且嗜好杀戮。刚开始围困滑台的时候，滑台城中有很多茅草房，众人请求用火箭射入城中，将城中的茅草屋烧掉。王玄谟说：“城中所有的东西，将来都是我们的财物，怎么能这样白白地把它烧掉呢！”城中的人随即撤出茅草屋住进了洞穴。当时，黄河、洛水一带的民众全都争先恐后地向宋军交纳粮食财物，手拿兵器赶来参战的每天都有上千人，王玄谟没有任用他们原来的长帅作为该部将领，而是把他们原来的编制拆开，分别派给与自己关系亲密的人率领。发给每家一匹布，却索要八百个大梨作为补偿，因为这些原因，众人大失所望。攻打滑台城一连攻了几个月都没有攻下，听说魏军的救兵将到，众人请求征用百姓家的车辆围成营垒，凭借这些营垒作战，王玄谟又不肯听从。

冬季，十月初七日癸亥，北魏太武帝率领魏军到达枋头，他派遣关内侯代郡人陆真率领几个人在夜间突破宋军的包围圈，悄悄地进入滑台城，安抚慰问城中的军民，陆真还登上滑台城楼观看城下王玄谟军营内部的详细情况，回去后向太武帝

魏主渡河，众号百万[513]，鞞鼓[514]之声，震动天地。玄谟惧，退走。魏人追击之，死者万余人，麾下[515]散亡略尽，委弃[516]军资器械山积[517]。

先是，玄谟遣钟离[518]太守垣护之[519]以百舸为前锋，据石济[520]，在滑台西南百二十里。护之闻魏兵将至，驰书劝玄谟急攻，曰："昔武皇攻广固[521]，死没者甚众。况今事迫于曩日[522]，岂得计[523]士众伤疲？愿以屠城为急[524]。"玄谟不从。及玄谟败退，不暇报护之[525]。魏人以所得玄谟战舰连以铁锁三重，断河以绝护之还路[526]。河水迅急，护之中流而下，每至铁锁，以长柯斧[527]断之，魏不能禁，唯失一舸，余皆完备而返。

萧斌遣沈庆之将五千人救玄谟，庆之曰："玄谟士众疲老，寇虏已逼[528]，得数万人乃可进，小军轻往，无益也。"斌固遣之。会玄谟遁还[529]，斌将斩之，庆之固谏曰："佛狸[530]威震天下，控弦百万，岂玄谟所能当？且杀战将以自弱，非良计也。"斌乃止。

斌欲固守碻磝，庆之曰："今青、冀虚弱而坐守穷城，若虏众东过[531]，清东[532]非国家有也。碻磝孤绝[533]，复作朱脩之滑台[534]耳。"会诏使[535]至，不听[536]斌等退师。斌复召诸将议之，并谓宜留。庆之曰："阃外之事[537]，将军得以专之[538]。诏从远来，不知事势。节下[539]有一范增不能用[540]，空议何施[541]！"斌及坐者并笑曰："沈公乃更学问[542]。"庆之厉声曰："众人虽知古今，不如下官耳学[543]也。"斌乃使王玄谟戍碻磝，申坦、垣护之据清口[544]，自帅诸军还历城[545]。

闰月[546]，庞法起等诸军入卢氏，斩县令李封，以赵难为卢氏令，使

做了详细的汇报。初九日乙丑，北魏太武帝率领魏军渡过黄河，号称自己的军队是百万之众，战鼓之声，震天动地。王玄谟非常恐惧，立即率军撤退。魏军随后追击，宋军死了一万多人，受王玄谟指挥的军队四散逃亡，差不多都跑光了，丢弃的军用物资、器械堆积如山。

先前，宁朔将军王玄谟派遣担任钟离郡太守的垣护之率领一百艘战船为前锋，占据石济渡口，处在距离滑台西南一百二十里的位置。垣护之听到北魏的军队即将到达的消息，立即飞马传书劝说王玄谟急速进攻滑台，他说："过去武皇刘裕率领晋军攻打广固城消灭南燕的战役中，军队伤亡惨重。何况今日的情势比当初的形势还要紧急得多，哪里还能顾得上士卒的伤势与疲劳呢？希望你能不顾一切地迅速攻下滑台。"王玄谟没有采纳垣护之的意见。等到王玄谟兵败撤退的时候，又没有来得及通知垣护之。魏军把从王玄谟手里缴获的战舰用铁锁连接起来，一连设置了三重障碍，封锁河道，断绝了垣护之的退路。黄河水流湍急，垣护之顺流而下，每当遇到魏军设置的铁链，就用长柄大斧将铁链砍断，魏军根本无法禁止，垣护之率领的一百艘战船只损失一艘，其余的全都完好无损地返回了江南。

萧斌派遣太子步兵校尉沈庆之率领五千人前往救援王玄谟，沈庆之说："王玄谟的军队士气低落，身体疲劳，而且贼寇已经逼近我军，除非有几万人才可以前去救援，如果只带领少量军队轻易前往，一点好处也没有。"而萧斌却坚持要他率军前去。恰逢王玄谟此时兵败逃回，萧斌就要杀掉王玄谟，沈庆之坚决劝阻说："魏太武帝拓跋焘威震天下，他亲自率领百万雄兵前来迎战，岂是王玄谟所能抵挡得了的？而且杀掉战将就会削弱自己的力量，这可不是好办法。"萧斌这才打消杀死王玄谟的念头。

萧斌想要固守碻磝城，沈庆之说："如今我们的后方青州、冀州防务空虚，而我们坐在这里固守一座穷城，如果魏军越过碻磝向东进入青州、冀州，那么清水以东的广大地区将不再属于我们宋国所有。碻磝城目前已经成为一座孤城，与其他城池的守军不能呼应相援，元嘉八年朱脩之固守滑台，因为无人救援，致使城破被俘的悲剧又会重演。"正巧宣布皇帝诏令的使者来到，不允许萧斌等人退师。萧斌只得又召集起各位将领重新商议，大家都认为应当留守碻磝城。只有沈庆之说："战场上的事情，将军有权力做出决定。皇帝的诏书是从远方送来，皇帝并不知道这里的具体情形。你的部下现在有像范增一样的人物却不能用，白白地议论半天有什么用！"萧斌以及在座的各位将领都笑着说："沈公您倒是更有学问。"沈庆之厉声说："你们这些人虽然读了很多书，博古通今，却不如我依靠耳朵学到的东西多。"萧斌于是命令王玄谟守卫碻磝城，派镇军谘议参军申坦、钟离太守垣护之据守清口，自己则率领其他各军返回历城。

闰十月，宋国略阳太守庞法起等各军进入卢氏县，杀死了卢氏县县令李封，任

帅其众为乡导[547]。柳元景自百丈崖[548]从诸军于卢氏。法起等进攻弘农，辛未[549]，拔之，擒魏弘农太守李初古拔[25]。薛安都留屯弘农，丙戌[550]，庞法起进向潼关。

魏主命诸将分道并进[551]：永昌王仁自洛阳趋寿阳，尚书长孙真[552]趣马头[553]，楚王建趣钟离[554]，高凉王那自青州趣下邳[555]，魏主自东平[556]趣邹山[557]。

十一月辛卯[558]，魏主至邹山，鲁郡[559]太守崔邪利为魏所擒。魏主见秦始皇石刻[560]，使人排而仆之[561]，以太牢祠孔子[562]。

楚王建自清[563]西进，屯萧城[564]；步尼公[565]自清东进，屯留城[566]。武陵王骏遣参军马文恭将兵向萧城，江夏王义恭遣军主[567]嵇玄敬将兵向留城。文恭为魏所败。步尼公遇玄敬，引兵趣苞桥[568]，欲渡清西。沛县民烧苞桥，夜于林中击鼓，魏以为宋兵大至，争渡苞水[569]，溺死者殆半。

诏以柳元景为弘农太守。元景使薛安都[570]、尹显祖先引兵就[571]庞法起等于陕[572]，元景于后督租[573]。陕城险固，诸军攻之不拔。魏洛州刺史张是连提[574]帅众二万度崤[575]救陕，安都等与战于城南，魏人纵突骑，诸军不能敌。安都怒，脱兜鍪[576]，解铠，唯著绛纳两当衫[577]，马亦去具装[578]，瞋目横矛[579]，单骑突陈[580]，所向无前，魏人夹射不能中。如是数四[581]，杀伤不可胜数。会日暮，别将鲁元保引兵自函谷关至，魏兵乃退。元景遣军副[582]柳元怙[583]将步骑二千救安都等，夜至，魏人不之知[584]。明日，安都等陈[585]于城西南，鲁方平谓安都曰："今勍敌[586]在前，坚城在后[587]，是吾取死之日[588]。卿若不进，我当斩卿；我若不进，卿斩我[26]也！"安都曰："善，卿言是也！"遂合战。元怙引兵自南门[589]鼓噪直出，旌旗甚盛，魏众惊骇。安都挺身奋击，流血凝肘，

命赵难为卢氏县令，让他率领自己的部下为大军充当向导。担任中兵参军的柳元景率军从百丈崖到达卢氏县与诸军相会。庞法起等人进攻弘农，十五日辛未，将弘农攻克，活捉了魏国担任弘农郡太守的李初古拔。建武将军薛安都留下镇守弘农，三十日丙戌，庞法起率军向潼关进发。

北魏太武帝命令东部战线的各路兵马分路长驱直进：永昌王拓跋仁率领一支人马从洛阳向寿阳进发，尚书长孙真率领一支魏军进攻马头郡，楚王拓跋建率领一支魏军向着钟离郡进军，高凉王拓跋那率领一支魏军从青州赶往下邳郡，北魏太武帝亲自率军从东平郡向邹山进军。

十一月初五日辛卯，北魏太武帝抵达邹山，宋国担任鲁郡太守的崔邪利被魏军俘虏。北魏太武帝看到秦始皇所立的峄山碑，便命人将石碑推倒，用太牢的供品祭祀孔子。

魏国的楚王拓跋建率军从清水出发向西挺进，驻扎在萧城；将军步尼公从清水出发向东挺进，屯扎在留城。宋国武陵王刘骏派遣担任参军的马文恭率领军队增援萧城，江夏王刘义恭派遣担任军队统领的嵇玄敬率领一支宋军增援留城。增援萧城的马文恭参军被魏军打败。魏国的将领步尼公在向东挺进的途中与嵇玄敬遭遇，他赶紧率领军队赶往苞桥，想向西渡过清水。沛县人放火烧毁了苞桥，并于夜间在树林中大声击鼓，魏军以为是宋国的大军突然来到，便都争相抢渡苞水逃命，结果被挤入水中淹死的人差不多有一半。

宋文帝下诏，任命柳元景为弘农郡太守。柳元景派遣建武将军薛安都、振威将军尹显祖先率领军队前往陕县与略阳太守庞法起等人会合，柳元景在后面搜集粮草。陕县县城地形险要，魏军防守坚固，宋军久攻不下。魏国担任洛州刺史的张是连提率领两万军队越过崤山来救援陕县，宋国建武将军薛安都在陕县城南与张是连提所率领的魏军展开激战，魏军派出突击骑兵前来踹营，宋军无法抵挡。薛安都一见大怒，他扔掉头盔，脱去铠甲，只穿着一件深红色的两片衫，同时卸掉战马身上的防护披挂，瞪圆双眼，挺起长矛，单人独骑冲向敌人的军阵，所向披靡，魏军从两边开弓向他射击，都没有能够将他射中。像这样连续冲杀了好几趟，杀死杀伤的魏军不计其数。此时天色已晚，另外一支军队的将领鲁元保率军从函谷关赶来，魏军看见宋国援军已到，这才撤退。柳元景派遣担任副将的柳元怙率领两千步骑兵赶来救援薛安都，由于是在夜间到达，魏军竟然没有发觉宋军有援军到来。第二天，薛安都等人在陕县县城西南摆开阵势，鲁方平对薛安都说："如今我们面前是强大的敌军，背后有魏军坚守的陕城，这是我们死里求生的日子。您如果不向前冲，我会把您斩首；我如果不前进，您也把我斩首！"薛安都说："好！您说得很对！"于是联合起来一起应战。柳元怙率领宋军从陕城南门的方向擂鼓呐喊径直冲杀过来，队伍中旌旗招展，魏军一见非常惊骇。薛安都也挺身挥矛，奋勇冲杀，流出的鲜血都凝固在胳膊肘上，

矛折，易之[590]更人，诸军齐奋。自旦至日昃[591]，魏众大溃，斩张是连提及将卒三千余级，其余赴河堑[592]，死者甚众，生降二千余人。明日，元景至，让[593]降者曰："汝辈本中国民，今为虏尽力，力屈乃降，何也？"皆曰："虏驱民使战，后出者灭族，以骑蹙步[594]，未战先死，此将军所亲见也。"诸将欲尽杀之，元景曰："今王旗北指[595]，当使仁声先路[596]。"尽释而遣之，皆称万岁而去。甲午[597]，克陕城。

庞法起等进攻潼关，魏戍主娄须弃城走，法起等据之。关中豪桀[598]所在蜂起[599]，及四山羌、胡皆来送款[600]。

上以王玄谟败退，魏兵深入，柳元景等不宜独进，皆召还。元景使薛安都断后[601]，引兵归襄阳。诏以元景为襄阳太守。

魏永昌王仁攻悬瓠、项城[602]，拔之。帝恐魏兵至寿阳，召刘康祖使还。癸卯[603]，仁将八万骑追及康祖于尉武[604]。康祖有众八千人，军副胡盛之欲依山险间行取至[605]，康祖怒曰："临河求敌，遂无所见，幸其自送[606]，奈何避之！"乃结车营[607]而进，下令军中曰："顾望[608]者斩首，转步者斩足。"魏人四面攻之，将士皆殊死战。自旦至晡[609]，杀魏兵万余人，流血没踝[610]，康祖身被十创[611]，意气弥厉[612]。魏分其众为三，且休且战。会日暮风急，魏以骑负草烧车营[27]，康祖随补其阙[613]。有流矢贯康祖颈，坠马死，余众不能战，遂溃，魏人掩杀殆尽[614]。

南平王铄使左军行参军王罗汉以三百人戍尉武。魏兵至，众欲南[28]依卑林[615]以自固，罗汉以受命居此，不去[616]。魏人攻而擒之，锁其颈，使三郎将[617]掌[618]之。罗汉夜断三郎将首，抱锁亡奔盱眙。

矛也折断了，他就换一把长矛又冲入敌阵，宋国各路军马一齐奋勇拼杀。从天亮一直拼杀到日头偏西，魏军大败，宋军斩杀了魏国洛阳刺史张是连提以及魏军将卒三千多人，其他的魏军跳入河水与沟渠中，淹死的也很多，被俘虏的魏军有两千多人。第二天，弘农太守柳元景到来，他责备投降的魏人说："你们这些人原本都来自中原，现在却为胡虏效力，直到失败了才来投降，这是为什么呢?"俘虏都说："胡虏驱赶我们前来作战，如果出来晚了就要被灭族，他们用骑兵在后边驱赶着我们这些步兵，有的人还没有等到交战，就被骑兵践踏死了，这是将军亲眼所见的。"诸将都想把他们全部杀掉，柳元景说："如今宋军北伐，应当让仁义之声为我军开路。"于是全部释放这些俘虏，打发他们回去，这些人都高呼万岁，兴高采烈地离开了宋营。十一月初八日甲午，宋军攻克了陕城。

宋国略阳太守庞法起等率领宋军进攻潼关，魏国守将娄须弃城逃跑，庞法起等人遂占领了潼关。关中到处都有英雄豪杰之士纷纷起兵以响应宋军，就连四周山中的羌人、胡人也都纷纷前来敬献忠心，表示拥戴的诚意。

因为宁朔将军王玄谟兵败而退，魏军深入国境，弘农太守柳元景不应该孤军前进，于是宋文帝便把他们全部召回。柳元景派遣薛安都在后面掩护大军撤退，自己则率军回到襄阳。宋文帝下诏任命柳元景为襄阳太守。

魏国永昌王拓跋仁率领魏军进攻宋国管辖之下的悬瓠、项城，将悬瓠、项城全部占领。宋文帝担心魏军抵达寿阳，于是就将刘康祖召回。十一月十七日癸卯，拓跋仁率领八万骑兵追赶刘康祖，在尉武亭将刘康祖追上。刘康祖身边只有八千人马，为他担任军副的中兵参军胡盛之建议沿着山间小路平安返回，刘康祖大怒，说："我们来到黄河边上寻找敌人作战，都没有遇到，幸好敌人自己主动送上门来，我们为什么倒要躲避他们呢!"于是便把战车连接成营垒的样子一边继续前进，他向军中下令说："瞻前顾后，不肯奋勇杀敌的一律斩首，后退的一律砍掉双脚。"魏军从四面向他们展开围攻，宋军将士全都拼死作战。从早晨一直战斗到日头偏西，杀死一万多魏军，地上的鲜血都没过脚踝，刘康祖身上有十多处受伤，然而他的斗志更加激昂。魏军把自己的军队分成三部分，轮番休息轮番作战。赶上天黑风大，魏军就利用骑兵驮来柴草焚烧刘康祖的车营寨，刘康祖则及时补上被烧坏的缺口。有一支流矢恰好射穿了刘康祖的脖颈，刘康祖坠马而死，剩下的人因为失去指挥无法作战，遂溃不成军，魏军趁机攻杀，刘康祖率领的八千人几乎被杀了个一干二净。

宋国担任豫州刺史的南平王刘铄派遣担任左军行参军的王罗汉带领三百人戍守尉武亭。魏军来了以后，众人都想向南转移到附近的矮树林中以便更好地保护自己，而王罗汉认为自己接受命令守卫尉武亭，所以坚决不肯离开尉武亭。魏军攻下尉武亭，活捉了王罗汉，他们用铁链锁住王罗汉的脖子，并派武士负责看管他。王罗汉趁黑夜勒断武士的脖子，抱着铁索链逃奔盱眙。

魏永昌王仁进逼寿阳，焚掠马头、钟离，南平王铄婴城固守[619]。

魏军[29]在萧城，去彭城十余里。彭城兵虽多而食少，太尉江夏王义恭欲弃彭城南归。安北中兵参军[620]沈庆之以为历城兵少食多，欲为函箱车陈[621]，以精兵为外翼，奉二王及妃女直趋历城；分兵配护军萧思话，使留守彭城。太尉长史[622]何勖欲席卷奔郁洲[623]，自海道还京师。义恭去意已判[624]，惟二议[625]弥日未决。安北长史、沛郡[626]太守张畅[627]曰："若历城、郁洲有可至之理，下官敢不高赞[628]？今城中乏食，百姓咸有走志，但以关扃严固[629]，欲去莫从[630]耳。一旦动足，则各自逃散，欲至所在[631]，何由可得？今军食虽寡，朝夕犹未窘罄[632]，岂有舍万安之术而就危亡之道？若此计必行，下官请以颈血污公马蹄。"武陵王骏谓义恭曰："阿父[633]既为总统[634]，去留非所敢干[635]。道民[636]忝为城主[637]，而委镇[638]奔逃，实无颜复奉朝廷[639]，必与此城共其存没，张长史言不可异[640]也。"义恭乃止。

壬子[641]，魏主至彭城，立毡屋于戏马台[642]以望城中。

马文恭之败也，队主[643]蒯应没于魏[644]。魏主遣应至小市门[645]求酒及甘蔗，武陵王骏与之，仍就求橐驼[646]。明日，魏主使尚书李孝伯至南门[647]，饷[648]义恭貂裘，饷骏橐驼及骡，且曰："魏主致意安北[649]，可暂出见我[650]。我亦不攻此城，何为劳苦将士，备守如此！"骏使张畅开门出见之曰："安北致意魏主，常迟面写[651]，但以人臣无境外之交[652]，恨不暂悉[653]。备守乃边镇之常，悦以使之[654]，则劳而无怨[655]耳。"魏主求甘橘及借博具[656]，皆与之，复饷毡及九种盐[657]、胡豉[658]。又借乐器，义恭应之曰："受任戎行[659]，不赍乐具。"孝伯问畅："何为匆匆闭门绝桥？"

魏国永昌王拓跋仁率军进逼宋国的寿阳，沿途焚烧、抢掠了马头、钟离，南平王刘铄四面迎敌，坚守孤城。

魏军所在的萧城，距离彭城只有十多里路。彭城的守军虽然数量很多却缺少粮食，担任太尉的江夏王刘义恭想要丢弃彭城向南返回京师建康。担任安北中兵参军的沈庆之认为历城兵少粮多，就想用战车连接成方阵，把精兵布置在方阵以外，像鸟的翅膀一样护卫着方阵，护送二王以及王妃、公主们直接前往历城躲避战争；分出一部分军队配给担任护军的萧思话，让他留守彭城。担任太尉长史的何勖建议席卷彭城的所有物资、珍宝逃往东海的郁洲，然后从海路返回京城。刘义恭撤离彭城的决心已定，只是对沈庆之护送去历城与何勖席卷彭城逃入海岛这两种方案哪个更好，讨论了一整天都没有得出结论。担任安北长史、沛郡太守的张畅说："如果有可能到达历城、郁洲的话，我哪敢不高声赞成？如今彭城中缺乏粮食，百姓都有逃离的念头，只是因为城门紧锁，想逃走也逃走不了罢了。一旦我们撤离，百姓就会各自逃散，我们即使想要到达目的地，又怎么能够呢？如今军队的粮食虽然很少，但也不是一天两天就会断炊的，岂能舍弃万无一失而去自取灭亡呢？如果一定要撤离彭城，就请用我脖颈里流出的鲜血玷污您的马蹄。"武陵王刘骏对江夏王刘义恭说："叔父在彭城负责调度指挥各路军马，至于您个人是离开还是留下，不是我能管得了的。然而我作为彭城的守将，如果扔下自己所镇守的彭城逃走，实在是没有颜面再回到朝廷，我一定要与此城共存亡，对于张长史的意见不允许再有异议。"江夏王刘义恭这才不再坚持撤离彭城。

十一月二十六日壬子，北魏太武帝拓跋焘抵达彭城，他把自己的毡房安置在彭城南面的戏马台上，以便于眺望、观察彭城之内的情况。

马文恭被魏军打败的时候，担任队主的蒯应被魏军俘虏。魏太武帝派蒯应到彭城小市场的门口索要美酒以及甘蔗，武陵王刘骏便将酒和甘蔗送给了他，顺便向太武帝请求以骆驼作为回报。第二天，魏太武帝派遣担任尚书的李孝伯到彭城的南门，赠送给刘义恭貂皮大衣，赠送给武陵王刘骏骆驼和骡子，并转达太武帝的话说："魏国皇帝向担任安北将军的武陵王刘骏致以问候，希望能够出来与我会个面。我也不准备攻打这个彭城，你们何必劳苦将士，如此戒备森严地固守此城呢！"武陵王刘骏遂派遣张畅打开城门出去会见魏国的使者李孝伯，并说："我们的安北将军、武陵王刘骏向魏国皇帝拓跋焘致以问候，他经常盼望能有见面聊一聊的机会，只是作为臣子，没有权力擅自与其他政权进行谈判，所以很遗憾没有机会见面细谈。戒备防守乃是边镇日常的工作，只要守将能使人乐意去做，虽然辛劳也没有怨言。"魏太武帝又来索要柑橘并借用赌博用的棋盘与棋子，武陵王刘骏也全部满足了他，魏太武帝又回赠给武陵王刘骏一些毛毡、九种盐以及用豆类制作的胡豉。又向宋国借用乐器，江夏王刘义恭回答说："我接受朝廷命令，率军出征，没有携带乐器。"李孝伯问张畅说：

畅曰："二王以魏主营垒未立，将士疲劳，此精甲十万，恐轻相陵践[660]，故闭城耳。待休息士马，然后共治战场，刻日交戏[661]。"孝伯曰："宾有礼，主则择之。"[662]畅曰："昨见众宾至门，未为有礼。"魏主使人来言曰："致意太尉、安北，何不遣人来至我所？彼此之情[663]，虽不可尽[664]，要须[665]见我小大，知我老少，观我为人。若诸佐[666]不可遣，亦可使僮干[667]来。"畅以二王命[668]对曰："魏主形状才力[669]，久为来往所具[670]。李尚书亲自衔命[671]，不患彼此不尽[672]，故不复遣使。"孝伯又曰："王玄谟亦常才[673]耳，南国何意作如此任使[674]，以致奔败？自入此境七百余里，主人竟不能一相拒逆[675]。邹山之险，君家所凭，前锋始接，崔邪利遽藏入穴[676]，诸将倒曳出之。魏主赐其余生，今从在此[677]。"畅曰："王玄谟南土偏将，不谓为才，但以之为前驱[678]。大军未至[679]，河冰向合[680]，玄谟因夜还军，致戎马小乱耳。崔邪利陷没，何损于国！魏主自以[681]数十万众制一崔邪利，乃足言邪[682]？知入境七百里无相拒者，此自太尉神算，镇军圣略，[683]用兵有机，不用相语。[684]"孝伯曰："魏主当不围此城，自帅众军直造瓜步[685]。南事若办[686]，彭城不待围[687]；若其不捷，彭城亦非所须[688]也。我今当南饮江湖[689]以疗渴耳。"畅曰："去留之事，自适彼怀[690]。若虏马遂得饮江，便为无复天道。[691]"先是童谣云[692]："虏马饮江水，佛狸死卯年。"[693]故畅云然。[694]畅音容雅丽，孝伯与左右皆叹息。孝伯亦辩赡[695]，且去[696]，谓畅曰："长史深自爱[697]，相去步武[698]，恨不执手。"畅曰："君善自爱，冀荡定有期[699]，相见无远[700][30]，君若得还宋朝，今为相识之始。"

“你们为何要匆匆忙忙关闭城门拉起吊桥呢?”张畅回答说:“二位王爷因为魏国皇帝的营垒还没有建好,魏国将士远来疲惫,而我们这里有十万全副武装的精兵,担心他们会有些违背军令,对贵军动手动脚,所以才关闭了城门。等你们的将士马匹休整好之后,再摆开战场,约定好时间,正式开战。”李孝伯说:“客人表现得很有礼貌,主人就要好好地接待他们。”张畅说:“昨日看见你们有很多人到达城门,算不上有礼貌。”北魏太武帝派人来到城下说:“魏国皇帝问候宋国担任太尉的江夏王刘义恭、担任安北将军的武陵王刘骏,你们何不派人到我的住所来?双方的军事实力与各种具体情况,虽然不一定就能因此而完全了解,毕竟还是可以借此观看我军实力的大小,知道我军士气是衰弱还是强盛,了解我的为人。如果不便派遣高级僚属,也可以派遣像僮仆一般受指使的小官吏前来。”张畅遂以江夏王刘义恭、武陵王刘骏的名义回答说:“魏国皇帝的相貌与才干,早已经被双方往来的使者们详细地介绍过了。李孝伯尚书又奉命亲自前来,因而不必担心彼此之间的心思不被充分了解,所以不准备再派遣使者前去。”李孝伯又说:“你们的宁朔将军王玄谟,不过是个庸才罢了,南方的宋国为什么要任用他来担任如此重要的职务,而导致兵败逃奔呢?魏军自从深入南朝国境七百多里,而这里的主人竟然没有做出一点轻微的抵抗。邹山的险要地势,是你们宋国军队的依靠,然而双方的前锋刚一接触,担任鲁郡太守的崔邪利就吓得急忙钻进山中的洞穴,被我国诸将从洞穴中倒着拽了出来。我们魏国皇帝饶他不死,如今他也跟随魏国大军来到了这里。”张畅说:“王玄谟只是南朝的一个偏将,说不上有什么才能,只不过让他担任一个开路的前锋罢了。因为那时贵国的大军还没有到来,黄河之水眼看就要封冻,王玄谟趁着黑夜退军,才导致军马发生了小小的混乱。崔邪利城陷被俘,对于我国有什么损失呢!魏国皇帝拓跋焘亲自指挥几十万大军却只制服了一个崔邪利,难道还值得吹嘘吗?你们知道侵入我国境内七百多里没有遇到反抗,这正是太尉刘义恭的神机妙算,是镇军将军刘骏的战略战术,至于这里边的神机妙算,当然就不能再告诉你了。”李孝伯说:“魏国皇帝应当不会围困此城,而是要亲自统率大军直达长江边上的瓜步山。这次南下的事情如果办得好,到那时也就用不着再对彭城进行围困了;如果不能取胜,彭城也不是我们特别想要的。我现在就要到南边的长江、太湖去喝上几口水,聊以解除一下干渴。”张畅说:“是去是留,随你们的便。如果你们这些胡虏的战马能够到达长江饮水,那也就真的没有天道鬼神了。”早先曾经有童谣预言说:“胡虏的战马到长江边饮水,佛貍死在卯年。”所以张畅才这样说。张畅容貌端庄秀丽,言语文辞优雅,李孝伯以及随从的人员对此都赞叹不已。李孝伯也很有口才,有学问,临走的时候,李孝伯对张畅说:“长史要多多自我珍重,相距不过一步之遥,恨不能握手言欢。”张畅说:“先生也要善自保重,我希望宋王朝统一天下的日子不会太远,下次会面的日子不会太远,如果先生能够回到宋朝,今天就是你我相识的开始。”

上起[701]杨文德为辅国将军，引兵自汉中西入，摇动[702]汧、陇。文德宗人杨高帅阴平、平武群氐[703]拒之，文德击高，斩之，阴平、平武悉平。梁、南秦二州刺史刘秀之遣文德伐啖提氐[704]，不克，执送荆州[705]，使文德从祖兄头戍葭芦。

丁未[706]，大赦[707]。

魏主攻彭城，不克。十二月丙辰朔[708]，引兵南下，使中书郎鲁秀[709]出广陵[710]，高凉王那出山阳[711]，永昌王仁出横江[712]，所过无不残灭[713]，城邑皆望风奔溃。戊午[714]，建康纂严[715]。己未[716]，魏兵至淮上[717]。

上使辅国将军臧质将万人救彭城，至盱眙，魏主已过淮。质使冗从仆射[718]胡崇之、积弩将军[719]臧澄之营东山[720]，建威将军[721]毛熙祚据前浦[722]，质营于城南。乙丑[723]，魏燕王谭[724]攻崇之等，三营皆败没，质按兵不敢救。澄之，焘[725]之孙；熙祚，脩之[726]之兄子也。是夕[727]，质军亦溃，质弃辎重器械，单将七百人赴城[728]。

初，盱眙太守沈璞[729]到官，王玄谟犹在滑台，江、淮无警[730]。璞以郡当冲要[731]，乃缮城浚隍[732]，积财谷，储矢石，为城守之备。僚属皆非之[733]，朝廷亦以为过[734]。及魏兵南向，守宰[735]多弃城走。或[736]劝璞宜还建康，璞曰："虏若以城小不顾[737]，夫复何惧！若肉薄来攻，此乃吾报国之秋，诸君封侯之日也，奈何去之！诸君尝见数十万人聚于小城之下而不败者乎？昆阳[738]、合肥[739]，前事之明验也。"众心稍定。璞收集得二千精兵，曰："足矣。"及臧质向城，众谓璞曰："虏若不攻城，则无所事众[740]；若其攻城，则城中止可容见力[741]耳。地狭人多，鲜不为患[742]。且敌众我寡，人所共知。若以质众能退敌完城[743]者，则全功不在我[744]；若避罪归都[745]，会资舟楫[746]，必更相蹂践[747]，正足为患[748]，不若闭

宋文帝刘义隆起用杨文德为辅国将军，杨文德率领军队从汉中向西进入魏国的边境，在汧、陇一带，造成人心恐慌。杨文德的族人杨高率领阴平与平武两县的诸氐族人抵抗杨文德的到来，杨文德袭击杨高，将其杀死，阴平县、平武县一带的反抗全部平定。宋国担任梁州、南秦州二州刺史的刘秀之派遣杨文德率领自己的部众前往讨伐啖提地区的氐族人，杨文德作战失利，被刘秀之逮捕并押送到荆州，派杨文德的堂兄杨头戍守葭芦。

十一月二十一日丁未，宋国实行大赦。

北魏太武帝指挥魏军攻打彭城，却久攻不下。十二月初一日丙辰，太武帝亲自率领大军南下，他派遣担任中书郎的鲁秀率领一支部队进攻广陵，令高凉王拓跋那率军进攻山阳，令永昌王拓跋仁率军进攻横江城，魏军所过之处或是仅有残存，或是全部被杀灭，所有城邑全都望风逃散。初三日戊午，宋国的都城建康实行戒严。初四日己未，魏军到达淮河边上。

宋文帝派遣辅国将军臧质率领一万军队前去解救彭城，到达盱眙时，北魏太武帝已经率领大军渡过淮河。臧质派遣担任冗从仆射的胡崇之、担任积弩将军的臧澄之在东山扎下营寨，建威将军毛熙祚据守前浦，臧质在盱眙城南扎营。十二月初十日乙丑，魏国燕王拓跋谭率领魏军向胡崇之等人的营寨发起进攻，三个大营全都战败、覆没，而臧质按兵不动，不敢前去救援。臧澄之，是臧焘的孙子；毛熙祚，是毛脩之哥哥的儿子。这天夜间，臧质所率领的宋军也全部溃散，臧质抛弃辎重器械，独自带领七百人逃向盱眙城。

当初，盱眙郡太守沈璞到任的时候，宁朔将军王玄谟还在滑台作战，江、淮一带没有敌情。沈璞认为郡城盱眙位于交通要道，于是就修缮城墙，疏浚护城河，蓄积钱财谷物，储备箭弩石块，为守城做好准备。僚属都不赞成他的做法，朝廷也认为他做得有些过分。等到魏军南下，郡守、县令大多都弃城逃跑。有人劝说沈璞也应该放弃盱眙返回建康，沈璞说："如果胡虏因为盱眙城小而不屑一顾，不来进攻，又有什么可值得恐惧的呢？如果他们靠近城墙强行攻城，这就是我以身报国的日子，也是各位建功立业获取封侯的机会，为什么要离去呢？各位可曾见过几十万大军围攻一个小城，而小城竟然能够立于不败之地的吗？以前刘秀破王莽的昆阳之战、曹魏时期司马师大破吴将诸葛恪的合肥之战，就是以少胜多的最好验证。"众人之心这才逐渐安定下来。沈璞召集到两千精兵，他说："有这些就足够了。"等到辅国将军臧质来盱眙城投奔，众人遂对沈璞说："如果胡虏不来进攻盱眙城，就不需要用更多的人，如果敌人前来进攻此城，那么城中只能容纳得下现有的这些兵力。地方狭小，人数众多，很少不酿成祸患的。再说敌众我寡，这是人人都知道的事实。如果凭借臧质所率领的这些人能够打退敌人保住盱眙城，那么保全盱眙城的功劳就归不到我们头上；如果为了避开战败之罪而返回都城，就需要借助舟船，必然会因为船少人多而产生拥

门勿受。”璞叹曰：“虏必不能登城，敢为诸君保之。舟楫之计，固已久息[749]。虏之残害，古今未有，屠剥之苦，众所共见，其中幸者，不过得[31]驱还北国作奴婢耳。彼虽乌合[750]，宁不惮此邪[751]？所谓‘同舟而济，胡越一心’[752]者也。今兵多则虏退速，少则退缓。吾宁可[753]欲专功而留虏[754]乎？”乃开门纳质。质见城中丰实，大喜，众皆称万岁，因与璞共守。

魏人之南寇也，不赍粮用[755]，唯以抄掠为资[756]。及过淮，民多窜匿[757]，抄掠无所得，人马饥乏。闻盱眙有积粟，欲以为北归之资。既破崇之等，一攻城不拔，即留其将韩元兴以数千人守盱眙[758]，自帅大众南向。由是盱眙得益完守备[759]。

庚午[760]，魏主至瓜步，坏民庐舍[761]及伐苇为筏，声言欲渡江。建康震惧，民皆荷担而立[762]。壬午[763]，内外戒严。丹杨统内[764]尽户发丁[765]，王公以下子弟[766]皆从役[767]。命领军将军刘遵考[768]等将兵分守津要[769]，游逻[770]上接于湖[771]，下至蔡洲[772]，陈舰列营，周亘江滨[773]，自采石[774]至于暨阳[775]六七百里。太子劭出镇石头[776]，总统水军，丹杨尹徐湛之守石头仓城[777]，吏部尚书江湛兼领军[778]，军事处置悉以委焉[779]。

上登石头城，有忧色，谓江湛曰：“北伐之计，同议者少。今日士民劳怨，不得无惭，贻大夫之忧[780]，予之过也。”又曰：“檀道济若在，岂使胡马至此？”上又登莫府山[781]，观望形势，购魏主及王公首[782]，许以封爵、金帛。又募人赍野葛酒[783]置空村中，欲以毒魏人，竟不能伤。

魏主凿瓜步山为蟠道[784]，于其上设毡屋[785]，魏主不饮河南水，以橐驼负河北水自随。饷上[786]橐驼、名马，并求和，请婚。上遣奉朝

挤，造成互相践踏，这些都足以构成祸患，不如关闭城门，不要接纳臧质进城。”沈璞长叹了一声说：“胡虏必然不能登上盱眙城，这一点我敢向诸位保证。至于乘坐舟船撤回建康的意见，早就被否决了。胡虏的凶暴残忍，是从古至今从未有过的，屠杀劫掠的苦难，是众人亲眼看见的，其中最侥幸的，不过是有机会被驱赶到北国去充作奴婢而已。臧质率领的这些人即使是乌合之众，难道就不害怕这些吗？俗话说‘同舟共济，即使是北方的胡人、南方的越人，在生死关头也会同心合力’。如果我们的兵多，那么胡虏就撤退得快，我们的兵少，那么敌人就撤退得缓慢。我怎么能够因为想要把功劳全部归于自己而使魏军滞留不去呢？”于是，打开城门接纳了臧质。臧质看到城中物资丰富，不禁喜出望外，众人都高呼万岁，臧质遂与沈璞同心协力共同守卫盱眙城。

魏军向南侵略的时候，并没有携带粮食和物品，完全靠抢劫掠夺为生。等到他们渡过淮河，百姓大多数都逃跑躲藏起来，魏军抢掠不到任何东西，人马因此饥饿乏食。他们听说盱眙城内存储有大量的粮食，就想掠夺过来作为返回北方时的军用物资。魏军在盱眙城外打败胡崇之等人之后，便向盱眙城发动了一次进攻，没能将盱眙城攻下，于是便留下其将领韩元兴带领几千人围困盱眙城，魏太武帝则亲自率领大军继续南下。盱眙城内遂利用这个机会，进一步完备守城事宜。

十二月十五日庚午，魏太武帝率领大军抵达瓜步山，他们拆毁民房、砍伐芦苇，利用拆下来的木料和芦苇制成筏子，扬言要渡过长江。宋国的都城建康一片震恐，老百姓都准备好行李随时准备出逃。二十七日壬午，京城内外实行戒严。丹杨尹管辖的区域内，各家各户所有的壮丁全部都被征调入伍守城，王爵、公爵及以下所有贵族官僚之家的子弟，一律参加服役。命令领军将军刘遵考等人率领军队分别防守沿江的各个渡口，巡逻的船只沿长江向上一直巡逻到于湖县，向下一直巡逻到蔡洲，江上的战舰都排列成营寨，沿着江岸接连不断，从采石矶一直到暨阳，全长六七百里。皇太子刘劭离开京师，前往镇守石头城，作为水军的总指挥，丹杨尹徐湛之负责守卫石头城区域内储藏粮食的城堡，担任吏部尚书的江湛兼任中领军，负责统领护卫宫廷的军队，各种军事全部都委托给江湛负责。

宋文帝登上石头城，面露忧愁之色，他对江湛说：“北伐的计划，赞成的人很少。如今士民劳苦怨恨，我怎能不感到惭愧，给你们诸位造成很大的麻烦，这是我的过错。”又说：“如果檀道济还活着，怎么能让胡人的战马到达这里？”宋文帝又登上莫府山，观看形势，他悬赏购买魏国皇帝拓跋焘以及北魏王公大臣的首级，许诺封给爵位、赏赐金银财帛。又招募人员携带用野葛泡制的药酒放置在无人的村子里，想利用毒酒来毒死魏军，然而魏军一点也没有受到伤害。

北魏太武帝在瓜步山上开凿出曲折盘旋的山道，又在瓜步山上搭建起帐篷，拓跋焘不喝黄河以南的水，他用骆驼驮着黄河以北的水跟随着自己。拓跋焘还向宋文帝刘义隆赠送骆驼、名马，请求讲和，请求与宋室缔结婚姻。宋文帝派遣担任奉朝

请[787]田奇饷以珍羞[788]、异味。魏主得黄甘[789]，即啖之[790]，并大进酃酒[791]。左右有附耳语者，疑食中有毒。魏主不应，举手指天，以其孙示奇曰："吾远来至此，非欲为功名[792]，实欲继好息民[793]，永结姻援[794]。宋若能以女妻此孙，我以女妻武陵王，自今匹马不复南顾。"

奇还，上召太子劭及群臣议之，众并谓宜许，江湛曰："戎狄无亲，许之无益。"劭怒，谓湛曰："今三王在厄[795]，讵宜苟执异议[796]！"声色甚厉。坐散，俱出，劭使班剑[797]及左右排[798]湛，湛几至僵仆[799]。

劭又言于上曰："北伐败辱，数州沦破，独有斩江湛、徐湛之可以谢天下[800]。"上曰："北伐自是我意，江、徐但不异[801]耳。"由是太子与江、徐不平[802]，魏亦竟不成婚。

【段旨】

以上为第三段，写宋文帝元嘉二十七年（公元四五〇年）下半年的大事。主要写了宋文帝刘义隆下诏兴师北伐，以王玄谟为前锋，出齐、鲁入黄河，进攻滑台，臧质、王方回等向许昌、洛阳，徐州的武陵王刘骏、寿春的南平王刘铄，亦东西并举，太尉刘义恭为众军节度。此外，还有襄阳的随王刘诞派柳元景进攻关、陕；汉中的刘秀之出兵秦州，以震动汧、陇。开始时，魏军收缩，自动退出了一些城镇，王玄谟等遂进围滑台，由于王玄谟优柔寡断，坐失机宜，致使滑台久久不能攻克；十月变冷后，魏主率大军救滑台，王玄谟张皇溃逃，全军丧亡殆尽，只有垣护之一部全军而回；这时从襄阳北出的宋将柳元景、薛安都等经由卢氏北攻弘农，俘其太守；又攻陕城、潼关，皆克之，关中豪杰所在蜂起响应，形势一片大好，但因王玄谟已经惨败，故柳元景等只好撤回。写了刘义恭欲弃彭城南逃，多亏部将张畅的坚持，才留下坚守。写了魏主拓跋焘攻彭城不克，派李孝伯出使彭城，刘义恭、刘骏派张畅出面接待，双方互逞辞令，张畅以辞令爱国，有学问、有勇气、有仪容，可敬亦复可怜，南朝所剩的也就是这一点了。写了臧请的田奇赠送给太武帝拓跋焘珍贵的食物、特殊的美味。太武帝得到金黄色的柑橘，拿过来就吃，并大口地喝着酃县人用酃湖水酿成的酒。左右侍奉的人附在太武帝耳边小声地提醒他，小心食物中有毒。太武帝根本没有理睬，他举起手来指了指天，并把他的孙子叫到跟前让田奇看，说："我远道来到此地，并不是想要立什么功、扬什么名，确实是为了和你们继续发展友好关系，让两国的百姓得到和平、休息，永远保持一种通婚的关系、盟友的关系。如果宋文帝能够把女儿嫁给我这个孙子为妻，我也把女儿嫁给武陵王刘骏为妻，从今以后就不会再有一匹战马南下。"

田奇回来以后，宋文帝召集太子刘劭以及群臣商议此事，众臣都说应该答应魏主联姻的请求，只有吏部尚书江湛持反对意见，他说："戎狄之人根本就不懂得亲情，答应他联姻也没有什么好处。"太子刘劭大怒，对江湛说："如今江夏王刘义恭、武陵王刘骏在彭城，南平王刘铄在寿阳，都处在魏军的攻击之下，岂能随便地发表不同的意见！"声音、神色都非常严厉。散会以后，众人相继离去，太子刘劭命令带剑的侍卫以及左右侍从用手去推江湛，江湛被推得几乎跌倒在地。

太子刘劭又对宋文帝说："北伐失败受辱，数州沦陷破败，只有杀了江湛、徐湛之才能向天下人谢罪。"宋文帝说："出师北伐原本是我的主意，江湛、徐湛之二人只是没有提出反对意见罢了。"从这件事开始，太子刘劭与江湛、徐湛之不和，魏国最终也没有实现与宋国联姻。

质、沈璞合作守护盱眙，勇敢坦诚，公而无私，与日后唐代守睢阳的张巡、许远精神相同，可歌可泣。写了魏主拓跋焘兵临长江，登瓜步山，与宋帝刘义隆相互馈赠，建议南北分治，互通婚姻，结好息民，刘宋内部意见不一，竟未能表态等。

【注释】

㊵七月庚午：七月十二。㊶摧挫：受挫折，指魏军攻悬瓠未克而退。㊷靡革：没有改变。革，改变。㊸比：近来。㊹河朔、秦、雍：河朔泛指黄河流域的内蒙古、山西等北部地区。秦、雍都是州名，秦州约当今之甘肃东部和与之邻近的陕西、青海等地区，雍州约指今之陕西关中地区。㊺华戎：汉民和少数民族。㊻归诉困棘：向我们诉说他们的困苦与危急。棘，急。㊼跂望绥拯：急切地盼望着我们去安抚、拯救。跂望，踮起脚跟盼望。㊽潜相纠结：暗中互相联合。㊾芮芮：也写作"蠕蠕"，即柔然。㊿远输诚款：远远地向我们表示归服之意。(451)誓为掎角：宣誓要与我们联盟，结成彼此呼应联络的战线，以牵制或夹击敌人。(452)经略之会：经营收复河北地区的时机。(453)萧斌：当时名将萧

思话的堂兄弟。传见《宋书》卷七十八。㊹径造许、洛：直取许昌、洛阳。造，到。许昌是古都名，在今河南许昌东。㊺各勒所部：各自率领自己的部下。勒，控制，这里指带领。㊻梁、南北秦三州刺史刘秀之：刘秀之一个人担任梁州与南秦、北秦三州的刺史，因为这三州的地盘只有梁州在刘宋的管辖下，其他都在魏国的占领下。这三州的州治即今陕西汉中，经常处于双方拉锯的状态。㊼震荡汧、陇：在汧、陇一带大肆活动，大造声势。汧、陇分别是汧水、陇山的简称，汧水流经陇县城南汇入渭水，陇山是陇县西侧南北走向的大山。这一带当时都属于魏国。㊽出次彭城：离开建康，把指挥部设立在彭城，即今徐州。次，住宿、驻扎。㊾为众军节度：为各路兵马的总指挥，负责协调、调度。㊿锺：申锺，曾在石虎手下为司徒。事见本书卷第九十五咸和九年。(461)二兖：南兖州和北兖州。(462)三五民丁：胡三省曰，“三五者，三丁发其一，五丁发其二”。(463)倩使暂行：朝廷派使者晓谕各地要临时实行三五丁制度。(464)符到十日装束：胡三省曰，“自符到之日，以十日为装束，过此期即行”。(465)缘江五郡集广陵：指沿江五郡的丁勇都到广陵集中。沿江五郡指南东海、南兰陵、南琅琊、南东莞、晋陵。广陵即今江苏扬州。(466)缘淮三郡集盱眙：沿淮水三郡的丁勇都到盱眙集中。沿淮三郡为临淮、淮陵、下邳。盱眙，郡名，郡治在今江苏盱眙东北。(467)中外：朝中朝外。(468)有马步众艺武力之士应科者：有以各种特殊技能报名应募者。应科，按招收的科目应募。(469)兖、江：这里指南兖州、江州。南兖州的州治即今江苏扬州，江州的州治即今江西九江。(470)家赀：家产折合的钱数。(471)并四分借一：一律借用他们的四分之一。(472)建武司马：建武将军的司马。司马是在将军属下主管司法的官。(473)乙亥：七月十七。(474)济州：魏国当时的济州州治就在碻磝城。(475)乐安：郡名，郡治在今山东广饶北。当时属魏。(476)青州：州名，州治即今山东青州，当时属魏。乐安郡当时属青州管辖。(477)随王诞：刘诞，刘义隆之子，被封为随王。(478)出弘农：自襄阳出兵杀向弘农。弘农郡的郡治在今河南三门峡西，当时属魏。(479)后军外兵参军：后军将军属下的外兵参军，掌管外兵曹。(480)关中豪右：关中地区的豪门大族。(481)招合夷、夏：招集联合关中地区的汉人与少数民族前来归降。(482)自赀谷入卢氏：经由赀谷杀向卢氏。赀谷，县名，在卢氏县南的大山以南。卢氏，即今河南卢氏，在河南西部的洛水上游，灵宝市的正南偏东。(483)纳之：开门接其进城。(484)因之：趁着这种形势。(485)自熊耳山出：出熊耳山杀向洛阳。熊耳山在卢氏县东。(486)出上蔡向长社：经由上蔡县杀向长社县。上蔡县在今河南上蔡西南，长社县在今河南长葛东北，北离今郑州不远。(487)魏荆州刺史鲁爽：鲁爽是晋将鲁宗之之孙，鲁轨之子。鲁宗之与鲁轨是东晋宋末期的杰出将领，有功于国，因怀疑不为刘裕所容而逃归魏国。鲁爽生长于魏，被封为将军、荆州刺史。传见《宋书》卷七十四。(488)幢主：原是魏国的低级军官名，后来也被南朝采用，低于校尉，略相当于曲长或屯长，统领五百人。幢是古代的布制仪仗，形状如伞盖而细长。幢主即一幢之主，领此数百人而以一幢为标志。(489)虎牢：关塞名，在今河南荥阳西北的汜水镇西，北挨古成皋城遗址，当时为北魏的豫州州治所在地。(490)救缘河谷帛：保护或抢收黄河沿岸的庄稼与制衣原料。㊾国人：以鲜卑为主、从北方来的各族之人。㊾著：穿。㊾展至十月：拖延到十月。㊾九月辛卯：按《元嘉历》，是十月初四；按北魏《景初历》，则是九月初四。这里称九月，是照抄《魏书》文字的结果。㊾吴王余：拓跋余，拓跋焘的少子。传见《魏书》卷十八。㊾庚子：按《元嘉历》是十月十三，按北魏《景初历》为九月十三。㊾分给：分别补充。给，供应。㊾火箭：胡三省引杜佑曰，"以小瓢盛油置于矢端，射城楼橹板木上，瓢败油散，因烧矢内竿中射油散处，火立燃。复以油瓢续之，则楼橹尽焚，谓之火箭"。㊾何遽：怎么能就这样。500撤屋穴处：拆掉房子，住在洞穴中。501竞出租谷：争先恐后地向刘宋军队交纳粮食财物。租谷，政府以借贷的名义向百姓征收粮食。502操兵：拿着兵器。503不即其长帅：语略不顺，疑"即"下应增"任"字。意即不随即任命他们的领兵官为该部将领。504以配私昵：把他们原来的编制拆开，分别派给与自己关系亲密的人。505责：讨要；收取。506发车为营：征用百姓家的车辆以围成营垒，凭以作战。507十月癸亥：按《元嘉历》是十一月初七，按北魏《景初历》是十月初七。508枋头：今河南浚县西南的淇门渡。历东晋、南北朝，一直为军事要地。509代人陆真：代郡人姓陆名真。代郡的郡治即魏国的国都平城，今山西大同东北。陆真是拓跋焘后期的名将。传见《魏书》卷三十。510犯围：冲破宋军的包围圈。511玄谟营曲折：城下王玄谟军营内部的详情。512乙丑：按《元嘉历》是十一月初九，按北魏《景初历》是十月初九。513众号百万：号称百万之众。514鞞鼓：军中乐器。鞞，小鼓。515麾下：部下。麾，将军的指挥旗。516委弃：扔下。517山积：堆积如山。518钟离：郡名，属南兖州，郡治在今安徽凤阳东北。519垣护之：刘宋前期的名将，可惜因主帅无能，未能建大功。传见《宋书》卷五十。520石济：一名棘津、南津，古黄河上的渡口名，旧址在今河南滑县西南。521武皇攻广固：刘裕攻广固城灭南燕。广固城即今山东青州。事见本书卷第一百十五义熙五年、六年。522迫于曩日：比当初的形势还要紧急得多。523计：考虑；顾及。524以屠城为急：不惜一切地迅速攻下滑台。胡三省曰："使玄谟从护之计，急攻而得滑台，魏兵随至，固无以善其后也。"525不暇报护之：来不及通知垣护之迅速撤退。526还路：退路。527长柯斧：长柄大斧。柯，斧柄。528已逼：已经到达我们跟前。逼，迫近。529遁还：逃回。530佛狸：魏太武帝拓跋焘的小字。531东过：越过碻磝东下，进入山东地区。532清东：清水以东，今之山东半岛地区。清水为古济水下游的别名，故道起自今山东梁山，东北经东阿、平阴、长清、历城、济阳、博兴等县，流入渤海。533孤绝：孤立于前，与其他城池的守军不能呼应相援。534朱脩之滑台：指元嘉八年（公元四三一年），宋军与魏军作战，沿线诸军或败或逃，只有朱脩之固守滑台，无人援救，致使城破被俘。事见本书卷第一百二十二。535诏使：宣布皇帝诏令的使者。536不听：不同意；不允许。537阃外之事：这里指战场上的事务。阃外，城门以外。古代命将出师，帝王送行到城外，对将军说"阃外之事"将军自决之，不必更遥相请示。〖按〗阃外有时又指"宫门"以外，"家门"以外，视上下文而定。538得以专之：有权力做出决定。539节下：犹言“麾下”，您的手下、部下。节，旌节，皇帝赐予镇守一方的军政大员的信物。其形制是以竹为之，以旄牛尾为之饰，三重。540 有一范增不能用：指不能听取唯一有见解的、像当年范增一样的谋士的建议。范增是楚汉战争时项羽部下的谋士。刘邦在打败项羽后总结自己胜利的原因，说他手下有韩信、张良、萧何，三人都是天才，刘邦能充分发挥他们的作用，而项羽部下有才干的只有一个范增，项羽还不听他的话，所以项羽的失败是理所当然的。这里沈庆之是以范增自比。541 空议何施：白议论半天有什么用。542 沈公乃更学问：沈先生您倒是更有学问。反语相讥，蔑视之也。543 耳学：指自己虽未读过书，但靠耳朵也能学来许多真正有用的东西。544 清口：古汶水入济水之口，在今山东梁山东南，从此以下的济水通称清水。545 历城：县名，县治即今山东济南。546 闰月：按《元嘉历》，这一年闰十月。547 乡导："向导"。548 百丈崖：在今河南卢氏南。549 辛未：闰十月十五。550 丙戌：闰十月三十。551 分道并进：此指东部战线的各路兵马，分道沿着扬州方向，向着刘宋都城长驱进攻。552 长孙真：魏国名将长孙肥的侄孙。传见《魏书》卷二十六。553 趣马头：进攻马头郡，马头郡的郡治在今安徽怀远南淮河南岸的马头城，当时属于刘宋。554 钟离：郡名，郡治在今安徽凤阳东北，当时属刘宋。555 下邳：郡名，郡治在今江苏睢宁西北的古邳镇东，当时属于刘宋。556 东平：郡名，郡治无盐，在今山东东平东北，当时属魏。557 邹山：又名峄山，在今山东邹城东南，当时属于刘宋。558 十一月辛卯：十一月初五。559 鲁郡：郡治原即今山东曲阜，但刘宋时改在邹山，故其太守崔邪利遂因城破被俘于邹山。560 秦始皇石刻：秦始皇二十八年（公元前二一九年），曾上邹峄山立碑颂德，即今著名的峄山碑。561 排而仆之：推而倒之。排，用双手推。562 以太牢祠孔子：用一太牢的供品祭祀孔子。太牢，使用的祭品为牛羊猪各一头，是祭品规格之最高者。如果只有羊、猪而无牛，则称“少牢”。563 清：指清水。564 萧城：在今安徽萧县西北。565 步尼公：其人不详。566 留城：留县，即今江苏沛县东南。567 军主：一支部队的统领。568 苞桥：在今江苏沛县城西的古苞水上。569 苞水：又名丰水，源出今山东单县东南的获水，东流会丰水，经今江苏丰、沛二县之北，入于泗水，今已堙。570 薛安都：刘宋的名将，河东汾阴（今山西万荣西南）人，少以勇武、善骑射闻名。曾仕北魏，后归宋，屡建军功。明帝时，拥晋安王刘子勋为帝，兵败归魏。571 就：前往。572 陕：陕县，在今河南三门峡西。573 督租：搜集军粮。574 张是连提：人名，他处也写作“张氏连提”。575 度崤：翻越崤山。崤山在今河南洛宁西北，陕州的南方。576 兜鍪：头盔。577 著绛纳两当衫：身穿深红色的背心。纳，通“衲”。两当衫，前后两片布，腋下用布条加以连缀的背心。北方农民常穿。578 去具装：卸去战马身上的防护披挂。具装，装具。579 瞋目横矛：瞪着眼睛，挺起长矛。580 单骑突陈：单枪匹马向着敌军的军阵冲去。陈，通“阵”。581 如是数四：像这样连续冲杀了好几趟。582 军副：一支部队的副将。583 柳元怙：柳元景的堂兄。传见《宋书》卷七十七。584 不之知：不知宋军有援军来到。585 陈：列阵；结阵。586 勍敌：强大的敌军。587 坚城在后：魏军坚守的陕城在我军背后。588 是吾取死之日：是我们死里求生之日。如果不胜则只有死路一条。589 自南门：从陕城南门的方向，此时陕城仍被魏军占据。590 易之：又换了一柄长矛。591 日昃：太阳偏西。592 河堑：河水与沟壑。593 让：责备。594 以骑蹙步：用骑兵驱赶着步兵。骑兵主要是鲜卑人。595 王旗北指：指宋军北伐。596 仁声先路：让仁义之声为我军开路。意即放这些俘虏回去给我们做宣传。597 甲午：十一月初八。598 豪桀：有势力、有影响的代表人物。599 所在蜂起：到处都纷纷起义，响应宋军。600 送款：敬献忠心，表示拥护。601 断后：在后面掩护军队撤退。602 项城：项县县城，即今河南沈丘。603 癸卯：十一月十七。604 尉武：亭名，在今安徽寿县城北数十里处。具体方位不详。《北史·拓跋仑传》载："武，亭名，刘康祖战死于此。" 605 依山险间行取至：走山间小路以求平安返回。606 自送：自己送上门来。607 结车营：将战车联结为营垒，意即随时准备战斗。608 顾望：环顾张望，指三心二意，不坚决作战。609 自旦至晡：从早晨打到午后申时。申时指下午的三时至五时。610 流血没踝：地上的鲜血可以淹过足踝。611 身被十创：身上有十多处受伤。创，兵器造成的伤害。612 弥厉：更加激昂。613 随补其阙：随时补上烧坏的缺口。阙，这里通"缺"。614 掩杀殆尽：趁机攻杀，几乎被杀了个一干二净。掩杀，杀了个措手不及。殆，几乎。615 依卑林：凭借矮树林。616 不去：不离开尉武。617 三郎将：胡三省曰，"魏谓卫士曰三郎将"。618 掌：把守；看管。619 婴城固守：四面迎敌，坚守孤城。婴城，环城，沿着四周的城墙。620 安北中兵参军：安北将军刘骏的中兵参军。中兵参军在将军手下掌管中兵曹。621 函箱车陈：用车结成方阵。其状如箱，使需要保护的人居于当中。622 太尉长史：刘义恭属下的长史。长史是国家三公及方镇大员属下的诸吏之长，权力甚大。623 席卷奔郁洲：席卷徐州城的一切物资珍宝逃上东海的田横岛。郁洲即田横岛，当时在今江苏东的大海中，今已与大陆相连。624 已判：已经决定。625 二议：沈庆之送刘义恭去历城之议，与何勖席卷逃跑入海之议。626 沛郡：郡治在今安徽萧县西北。627 张畅：刘宋的有义有勇之士。传见《宋书》卷五十九。628 高赞：高声赞成。629 关扃严固：城门锁得紧紧的。关，大门里面的门闩，闩门以防外人进入。扃，大门外面的锁，锁门以防里面的人员外出。630 欲去莫从：想逃走而无法离去。631 欲至所在：想要达到你的目的地。632 朝夕犹未窘罄：也不是一天两天就会断炊的。窘罄，短缺、用尽。633 阿父：刘义恭是刘义隆的亲兄弟，是刘骏的亲叔叔。634 总统：全军的总指挥。刘义恭当时在彭城调度各军。635 去留非所敢干：您个人的去与留，不是我能管得了的。干，干涉、过问。636 道民：武陵王刘骏的小名，说话时称自己的小名是表示对别人的恭敬。637 忝为城主：作为徐州一城的守将，当时刘骏任徐州刺史。忝，谦辞，意思是说自己任此职不够格，于心有愧。638 委镇：扔下自己镇守的城池。639 复奉朝廷：重回朝廷，再见皇帝。640 不可异：不可改变；不容再有异议。641 壬子：十一月二十六。642 戏马台：在当时的徐州城南，台高十丈，长宽各百步，相传为当年项羽所筑。现在随着徐州市区的扩大，戏马台公园已经成为徐州市内的重要一景。643 队主：低级军官名，犹今所谓队长。644 没于魏：被魏军俘获。没，陷于敌。645 小市门：徐州城的小市场之门。646 仍就求橐驼：于是顺便向魏人要骆驼。仍，乃。橐驼，骆驼。㊽647南门：徐州城的南门。648饷：赠送。649安北：指安北将军武陵王刘骏。650可暂出见我：可以出来一下与我见个面。暂，片刻。651常迟面写：很久以来就盼着能有个见面聊聊的机会。迟，等待。面写，当面谈心。写，抒发、宣泄。652人臣无境外之交：做臣子的没有权力擅自与其他政权进行谈判。653恨不暂悉：很遗憾没有机会见面细谈。恨，遗憾。654悦以使之：只要守将能让人乐意去做。655则劳而无怨：那么付出了辛劳的人也就不会怨恨了。《周易·兑卦》有云："悦以劳民，民忘其劳。"656博具：博弈用的棋盘与棋子。657九种盐：据《魏书·李孝伯传》有白盐、黑盐、胡盐、戎盐、赤盐等。658胡豉：胡人用豆类制作的一种调味品。659受任戎行：奉命率军而出。660恐轻相陵践：担心他们会违背军令，动手动脚。陵践，侵陵、践踏，隐指攻城。661刻日交戏：订好时间，正式开战。662宾有礼二句：二语见《左传》隐公十一年。原文作："山有木，工则度之；宾有礼，主则择之。"大意是说客人表现得有礼貌，主人就要好好地接待他。663彼此之情：双方的军事实力与各种具体情况。664虽不可尽：虽然不一定就能完全了解。665要须：毕竟还是可以。666诸佐：各位高级僚属。667僮干：像僮仆一般受指使的小吏。668以二王命：以刘义恭、刘骏的名义。669形状才力：相貌与才干。670久为来往所具：早已被双方往来的使者们详细介绍过了。671亲自衔命：奉命亲自前来。672不患彼此不尽：不必担心不能充分理解对方的心思。尽，充分了解。673常才：庸才，才干平平，无出众之处。674任使：任命、使用。675一相拒逆：做出一点些微的抵抗。拒逆，迎击。676遽藏入穴：立刻就钻进了窟窿。胡三省曰："邹山多石穴，土人谓穴为峄，相率入保藏以避兵，故孝伯云然。"677今从在此：如今也跟着到这儿来了。678但以之为前驱：也只不过是让他当了个开路的尖兵。但，只。679大军未至：那时贵国的军队尚未到达。680河冰向合：黄河眼看就要封冻。向，眼看、很快。681自以：亲自指挥。682乃足言邪：还值得吹嘘吗？683太尉神算二句：这都是我们的太尉刘义恭与镇军将军刘骏预先策划好的。镇军，武陵王骏此时降号镇军将军。684用兵有机二句：至于这里边的神机妙算，就不能再跟你说了。685直造瓜步：直达长江边上的瓜步山。瓜步山在今江苏南京市六合区东南的长江边上。造，抵达。686南事若办：这次南下的事情如果办好，指顺利地灭了刘宋朝廷。687彭城不待围：到那时也就不用再对徐州进行围困了。688亦非所须：也不是我们特别想要的。689南饮江湖：到长江、太湖喝几口水。690自适彼怀：随你的便。691若虏马遂得饮江二句：如果这群胡子真的喝上了长江水，那可真是没有天地鬼神了。意思是说那是天理不容的事。〖按〗张畅说这话的时候，还是估计刘宋有力量抵抗，不会让敌寇临江。692先是童谣云：在此以前有童谣预言之说。先是，在此之前。693虏马饮江水二句：这童谣所云，自然是北兵退走，第二年又正好拓跋焘病死，之后产生于刘宋王朝的一种阿Q式的侥幸苟免而又幸灾乐祸的编造。694故畅云然：历史上有些话只要稍一颠倒时间顺序，往往就能使是非黑白顿时变换，也能造出许多天才的预言家。像司马光这样的历史家居然也于此未能免俗。但这种写法绝不是给张畅其人添光增彩。㊆㊇㊅ 辩赡：有口才，有学问。赡，富，学问渊博。⑥⑨⑥ 且去：临走前。⑥⑨⑦ 自爱：自我珍重。⑥⑨⑧ 相去步武：相距不过是一步之遥。古代以六尺为步，半步为武。这里指挨得很近。⑥⑨⑨ 冀荡定有期：我希望宋王朝统一天下的日子不会太远。荡定，平定。⑦⓪⓪ 相见无远：下次见面的日子不会太远了。⑦⓪① 起：起用。在此之前杨文德曾因兵败被免去官职，事在本卷前文元嘉二十五年。⑦⓪② 摇动：动摇，指造成人心恐慌。⑦⓪③ 阴平、平武群氐：阴平与平武两县的氐族人。阴平县在今甘肃文县西北，平武县在今四川平武东北。⑦⓪④ 啖提氐：啖提地区的氐族人。啖提的方位不详。⑦⓪⑤ 执送荆州：将杨文德逮捕押送到荆州。⑦⓪⑥ 丁未：十一月二十一。⑦⓪⑦ 大赦：指刘宋朝廷。因魏兵临江，国人惶恐，故大赦以取悦于人。⑦⓪⑧ 十二月丙辰朔：十二月初一是丙辰日。⑦⓪⑨ 鲁秀：鲁爽之弟。传见《宋书》卷七十四。⑦①⓪ 出广陵：杀向广陵。广陵即今江苏扬州。⑦①① 出山阳：杀向山阳郡。山阳郡郡治即今江苏淮安。⑦①② 横江：古城名，在今安徽和县东南的长江北岸，与牛渚隔江相对。⑦①③ 残灭：或仅残存，或全部消灭。⑦①④ 戊午：十二月初三。⑦①⑤ 纂严：戒严。⑦①⑥ 己未：十二月初四。⑦①⑦ 淮上：淮河边上。⑦①⑧ 冗从仆射：散职侍从官，担任宫廷宿卫、值守门户，以及皇帝出行时任骑从。⑦①⑨ 积弩将军：杂号将军名。⑦②⓪ 营东山：扎营于东山。东山在当时的盱眙城东南。⑦②① 建威将军：杂号将军名。⑦②② 前浦：地名，在盱眙城附近。⑦②③ 乙丑：十二月初十。⑦②④ 燕王谭：拓跋焘之子。传见《魏书》卷十八。⑦②⑤ 焘：臧焘，宋武帝刘裕的敬皇后之兄。传见《宋书》卷五十五。⑦②⑥ 脩之：晋代末期的名将，随刘裕灭后秦有功。刘裕弃关中，毛脩之被魏俘获。传见《魏书》卷四十三。⑦②⑦ 是夕：这天夜间。⑦②⑧ 赴城：逃向盱眙城。⑦②⑨ 沈璞：宋初名将沈林子的后代。传见《宋书》卷一百。⑦③⓪ 无警：没有敌情。⑦③① 郡当冲要：郡城正对着交通要道。⑦③② 缮城浚隍：修缮城墙，疏浚护城河。隍，护城河。⑦③③ 非之：不赞成他的做法。⑦③④ 过：过分。⑦③⑤ 守宰：郡守与县令。⑦③⑥ 或：有人。⑦③⑦ 不顾：不屑一顾，不来攻击。⑦③⑧ 昆阳：指刘秀破王莽的昆阳之战。昆阳即今河南叶县，反王莽的起义军被王莽的大军四十余万围困于此。刘秀一方面令城中坚守，自己率数千人在城外，与城里的守军内外夹攻，大破王莽军。事见《后汉书·光武纪》。⑦③⑨ 合肥：指魏将司马师大破吴将诸葛恪于合肥事。公元二五三年，吴国诸葛恪用二十万大军围困合肥新城，司马师令城中魏军坚守，令毌丘俭、文钦击其外，大破之。见本书卷第七十六嘉平五年。⑦④⓪ 无所事众：不需要用更多的人。⑦④① 止可容见力：只能容得下现有的兵力。见，意思同“现”。⑦④② 鲜不为患：很少不造成麻烦。鲜不，很少不。⑦④③ 退敌完城：打退敌人，保住城池。⑦④④ 全功不在我：完完整整的功劳我们就得不到了。⑦④⑤ 避罪归都：避开战败之罪，及早撤回京城。⑦④⑥ 会资舟楫：那时就得需要船只。资，凭借、依靠。⑦④⑦ 更相蹂践：必然会因为人多船少而相互拥挤、相互践踏。⑦④⑧ 正足为患：给我们增加更多麻烦。⑦④⑨ 固已久息：根本就用不着提了。⑦⑤⓪ 彼虽乌合：臧质的士兵即使是乌合之众。⑦⑤① 宁不惮此邪：难道他们就不怕这个吗？指非杀即虏。⑦⑤② 同舟而济二句：指在生死关头，容易通力合作。⑦⑤③ 宁可：怎么能；难道可以。⑦⑤④ 欲专功而留虏：为了让功劳归于自己，而不惜让敌军停留不去。⑮不赍粮用：不携带粮食用品。⑯唯以抄掠为资：完全靠抢劫掠夺为生。⑰窜匿：逃跑躲藏。⑱守盱眙：围困盱眙。守，看守。⑲益完守备：将守城事宜进行得更加完备。⑳庚午：十二月十五。㉑坏民庐舍：拆毁百姓的房子，收取其木材。㉒荷担而立：言其装好行李，随时出逃。㉓壬午：十二月二十七。㉔丹杨统内：丹杨尹的管辖区内。丹杨是刘宋都城建康所在的郡，其行政长官称作尹。㉕尽户发丁：各家各户所有的壮丁，都一律被征调入伍守城。㉖王公以下子弟：上起王爵公爵所有贵族官僚之家的年轻人。㉗皆从役：一律参加服役。㉘刘遵考：刘裕的同族兄弟，自刘裕起事一直追随王室，多有军功。传见《宋书》卷五十一。㉙津要：沿江的各个渡口。㉚游逻：驾船巡逻。㉛上接于湖：向上巡逻到于湖县。于湖县的县治即今安徽当涂。㉜蔡洲：长江中的沙洲，在今江苏南京西南，已与江岸连接。㉝周亘江滨：在江边连续不断。㉞采石：采石矶，在今安徽马鞍山西南，山形陡入江中，是长江上的险要地段之一。㉟暨阳：县名，县治在今江苏江阴东南。㊱石头：石头城，在当时建康城西南侧的秦淮河边，离长江不远，是建康的重要军事要地。㊲石头仓城：石头城区域贮藏粮食的城堡。㊳兼领军：兼任中领军，统领护卫宫廷的军队。㊴悉以委焉：全部都委托江湛负责。㊵贻大夫之忧：给你们诸位添了麻烦，造成了困扰。贻，带来、造成。大夫，以称其面前的众官。㊶莫府山：幕府山，在今江苏南京城北。㊷购魏主及王公首：悬赏收买魏主及各王公的人头。刘义隆的这些举动简直都是儿戏、笑柄！㊸野葛酒：用野葛泡制的药酒。野葛是一种有毒的植物，可以泡酒毒人。㊹蟠道：曲折盘旋的山道。㊺设毡屋：搭起帐篷。㊻饷上：送给刘义隆。㊼奉朝请：给退职官员的一种赏官名称，让他们还可以参加重要的朝廷会典，以示荣耀。古代诸侯春季朝见天子叫朝，秋季朝见叫请。㊽珍羞：珍贵的食物。羞，通"馐"。㊾黄甘：柑橘的一种。甘，此处通"柑"。㊿即啖之：拿过来就吃。⑴酃酒：用湖南酃县（今湖南炎陵）酃湖水酿的酒，味道甘美。⑵非欲为功名：并不是想要立什么功、扬什么名，如灭掉刘宋、统一天下等。⑶实欲继好息民：实在是为了继续发展友好关系，让两国的百姓得以休生养息。⑷永结姻援：永远保持一种通婚的关系、盟友的关系。⑸三王在厄：指江夏王义恭、武陵王骏在彭城，南平王铄在寿阳，都处于魏兵的攻击之下。厄，受困。⑹讵宜苟执异议：怎能随便发表不同意见。⑺班剑：侍卫中的一种人。胡三省曰："班剑，持剑为班，列在车前。"⑻排：用手推。⑼僵仆：跌倒。向后仰倒曰僵，向前扑倒曰仆。⑽谢天下：告慰天下；求得天下人的宽容。⑾但不异：只是没提反对意见。⑿不平：不和睦。

【校记】

［24］鲁方平：原作"曾平方"。胡三省注云："《南史》作'鲁方平'，参考《水经》，作'鲁'为是。"今据改。［25］拔：据章钰校，孔天胤本作"使"，张敦仁《通鉴刊本识误》、张瑛《通鉴校勘记》同。［26］卿斩我：原作"卿当斩我"。据章钰校，十二行

本、乙十一行本、孔天胤本皆无“当”字，今据删。［27］车营：原作“军营”。据章钰校，十二行本、乙十一行本、孔天胤本皆作“车营”，张瑛《通鉴校勘记》同，今据改。［28］南：原无此字。据章钰校，十二行本、乙十一行本、孔天胤本皆有此字，今据补。［29］魏军：原作“魏兵”。据章钰校，十二行本、乙十一行本、孔天胤本皆作“魏军”，今据改。［30］相见无远：原无此四字。据章钰校，十二行本、乙十一行本、孔天胤本皆有此四字，张敦仁《通鉴刊本识误》、张瑛《通鉴校勘记》同，今据补。［31］得：原无此字。据章钰校，十二行本、乙十一行本、孔天胤本皆有此字，今据补。

【研析】

本卷写宋文帝刘义隆元嘉二十四年（公元四四七年）至二十七年（公元四五〇年）共四年间刘宋与北魏的大事，其中最引人注目与最引人思考的事件是刘宋的王玄谟等发动北伐，并以荒诞、可耻的失败而告终，其次是北魏的谋臣崔浩因撰写国史而触怒权贵，被拓跋氏政权灭族。

早在二十年前，刘义隆就曾支使到彦之等大举北伐，结果因刘义隆与到彦之等人的腐朽无能而失败，但刘义隆并未总结失败的原因，于是二十年后又几乎重演了二十年前的可耻失败，真令读史者为之愤慨不已。

范文澜《中国通史简编》分析这次北伐的原因说：“长江流域在宋文帝统治的三十年中，呈现东晋以来未曾有的繁荣气象。宋文帝凭借富强的国力，经常出兵击魏，想收复黄河以南的土地，魏太武帝勇武善战，统一黄河流域后，有吞并江南的奢望，公元四五〇年，南北两个全盛的国家爆发了决存亡的大战争。”

说是“大战争”，其实双方的主力并未开战，刘宋的前锋主将王玄谟就像惊弓之鸟一样望风而逃了。历史记载王玄谟进攻魏军所占据滑台的情景说：“王玄谟士众甚盛，器械精严，而玄谟贪愎好杀……时河、洛之民竞出租谷，操兵来赴者日以千数，玄谟不即其长帅而以配私昵……由是众心失望。攻城数月不下，闻魏救将至，众请发车为营，玄谟不从。冬，十月癸亥，魏主至枋头……乙丑，魏主渡河，众号百万，鞞鼓之声，震动天地。玄谟惧，退走。魏人追击之，死者万余人，麾下散亡略尽，委弃军资器械山积。”这就是声名狼藉的“王玄谟北伐”！如此腐朽的败军之将难道不应该明正典刑？但王玄谟竟安然无恙，未受任何惩处！读者可以回翻一下元嘉五年到彦之于北伐中的可耻表现，前后简直如出一辙！

历史家在写王玄谟腐朽怯懦的同时，夹写了王玄谟的部将垣护之：“先是，玄谟遣钟离太守垣护之以百舸为前锋，据石济，在滑台西南百二十里。护之闻魏兵将至，驰书劝玄谟急攻，曰：‘昔武皇攻广固，死没者甚众。况今事迫于曩日，岂得计士众伤疲？愿以屠城为急。’玄谟不从。及玄谟败退，不暇报护之。魏人以所得玄谟战舰连以铁锁三重，断河以绝护之还路。河水迅急，护之中流而下，每至铁锁，以长柯斧断之，魏不能禁，唯失一舸，余皆完备而返。”相比之下，垣护之的表现又是何等的令人提神！对此胡三省写道：“使玄谟从护之计，急攻而得滑台，魏兵虽至，固无以善其后也。”尤其可恨的是王玄谟自己决定逃跑时，竟不通知深入敌区的垣护之，公然舍弃这支军队于不顾；而垣护之等全是凭着一种不忘家国的情怀，硬是冲破敌兵的重重防线而杀了回来，王玄谟等还有什么颜面再见这一群义勇之士?!

历史家在写王玄谟北伐主力的同时，还写了从襄阳北出，经由卢氏进攻关、陕的柳元景、薛安都等所率领的一支小部队。当时魏军占据陕城，宋军攻之未下；这时又有魏将率军两万来救陕城，形势与东路王玄谟所遇的情景完全相同，但这支小部队的战斗精神却截然不同：“安都等与战于城南，魏人纵突骑，诸军不能敌。安都怒，脱兜鍪，解铠，唯著绛纳两当衫，马亦去具装，瞋目横矛，单骑突陈，所向无前，魏人夹射不能中。如是数四，杀伤不可胜数。会日暮，别将鲁元保引兵自函谷关至，魏兵乃退。元景遣军副柳元怙将步骑二千救安都等，夜至，魏人不之知。明日，安都等陈于城西南，鲁方平谓安都曰：‘今勍敌在前，坚城在后，是吾取死之日。卿若不进，我当斩卿；我若不进，卿斩我也！’安都曰：‘善，卿言是也！’遂合战。元怙引兵自南门鼓噪直出，旌旗甚盛，魏众惊骇。安都挺身奋击，流血凝肘，矛折，易之更入，诸军齐奋。自旦至日昃，魏众大溃，斩张是连提及将卒三千余级，其余赴河堑，死者甚众，生降二千余人……甲午，克陕城。庞法起等进攻潼关，魏戍主娄须弃城走，法起等据之。关中豪桀所在蜂起，及四山羌、胡皆来送款。”形势一片大好，但被王玄谟之败吓昏头的刘义隆已经不敢再言战，于是下令让这支高歌猛进中的小部队放弃关、陕，撤回了襄阳。

明代王世贞评以上二事说：“王玄谟首建北伐之谋，亲将大军，望风逃走，柳元景偏裨别将，破敌成功，宋主不能显加赏戮，此佛貍之所望而侮者，尚可与之较胜负哉?”清代王夫之《读通鉴论》评刘宋之北伐说：“王玄谟北伐之败也，弗待沈庆之以老成宿将而知之也，今从千余岁以下，由其言论风旨而观之，知其未有不败者也。文帝曰：‘观玄谟所陈，令人有封狼居胥意。’坐谈而动远略之雄心，不败何待焉？兵之所取胜者，谋也，勇也，二者尽之矣。以勇，则锋镝雨集车驰骑骤之下，一与一相当，而后勇怯见焉。薛安都之攻关、陕而胜也，鲁方平谓安都曰：‘卿不进，我斩卿；我不进，卿斩我。’流血凝肘而不退，兵是以胜。武陵王之守彭城而固也，张畅谓江夏王义恭曰：‘若欲弃城，下官请以颈血污公马蹄！’骏听之，誓与城存亡，城以是全。由此观之，拓跋氏岂果有不可当之势哉？勇奋于生死之交，谋决于安危之倾，武帝之所以灭慕容、俘姚泓，骂姚兴而兴不敢动，夺拓跋嗣之城以济师而嗣不敢遏，亦此而已矣。若谋，则疑可以豫筹者也；而豫筹者，进退之大纲而已。两相敌而两相谋，扼吭抵虚，声左击右，阳进阴退之术，皎然于心目者，皆不可恃前定以为用，惟夫呼吸之顷，或敛或纵，或虚或实，念有其萌芽，而机操于转眄，非沈潜审固，凝神聚气以内营，则目荧而心不及动，辨起而智不能决。故善谋者，未有能言其谋者也。”

这次宋军败逃，魏军追击，一直追到当时建康东北侧长江北岸的瓜步山。小名“佛貍”的魏主拓跋焘，在瓜步山顶搭起帐篷，喝着产自湖南的酒，吃着宋主刘义隆给他送去的珍馐异味，高谈阔论，指着他的孙子对刘宋的使臣田奇说：“吾远来至此，非欲为功名，实欲继好息民，永结姻援。宋若能以女妻此孙，我以女妻武陵王，自今匹马不复南顾。”从形势看，是有点结城下之盟的屈辱；但从实际条件看，也还不是不可以接受。但张皇失措、内部意见存在分歧的刘宋王朝竟没敢说出个行还是不行。

这次南北两国交兵，刘宋可耻失败的过程中还有一个奇特而又滑稽的故事，这就是张畅的“以口舌爱国”。张畅本有武略，刘宋的徐州军镇最终之所以未致溃败，原因就是张畅以他的志节与义正词严感动了武陵王刘骏与江夏王刘义恭。待至魏主拓跋焘兵临徐州城下时，两国进行了一场饶有趣味的心理战与外交战。魏主向武陵王刘骏要酒，武陵王给了，转而向魏主要骆驼，魏主也给了，同时派使臣李孝伯前往徐州，要求与武陵王刘骏会见，说：“魏主致意安北，可暂出见我。我亦不攻此城，何为劳苦将士，备守如此！”于是刘骏派张畅出城见之说：“安北致意魏主，常迟面写，但以人臣无境外之交，恨不暂悉。备守乃边镇之常，悦以使之，则劳而无怨耳。”当李孝伯问张畅：“何为匆匆闭门绝桥？”张畅说：“二王以魏主营垒未立，将士疲劳，此精甲十万，恐轻相陵践，故闭城耳。待休息士马，然后共治战场，刻日交戏。”把徐州守将的怯懦闭城反说得从容不迫、大义凛然。李孝伯又对张畅说：“王玄谟亦常才耳，南国何意作如此任使，以致奔败？……邹山之险，君家所凭，前锋始接，崔邪利遽藏入穴，诸将倒曳出之。魏主赐其余生，今从在此。”张畅强自解嘲地说：“王玄谟南土偏将，不谓为才，但以之为前驱。大军未至，河冰向合，玄谟因夜还军，致戎马小乱耳。崔邪利陷没，何损于国！魏主自以数十万众制一崔邪利，乃足言邪？”为了在敌国面前不丢面子，竟至不得不为自己的败军之将粉饰回护。迫使张畅说出如此违心的言辞，也真是够为难他的了！李孝伯又说：“魏主当不围此城，自帅众军直造瓜步。南事若办，彭城不待围；若其不捷，彭城亦非所须也。我今当南饮江湖以疗渴耳。”张畅说：“去留之事，自适彼怀。若虏马遂得饮江，便为无复天道。”这最后的两句，我想是张畅最怕，但也是最无法预测的事，所以他既不能断然否定魏军能够如此，也不能泄气地承认真有可能，他只是听天由命地说：“如果你们这伙人真要是喝到了长江水，那老天爷可就真是瞎了眼啦！”没想到拓跋焘真的是登上了长江边的瓜步山，以俯瞰隔岸的建康城！

张畅的其人其事，绝对是可歌可泣的。通常人们都说“弱国无外交”，但张畅硬是凭着他的勇敢与智慧，在拓跋焘的南下大军面前给刘宋王朝挣足了面子。但历史毕竟不是吹出来的，在强大的入侵者面前没有别的抵抗能力而只能靠着耍嘴皮，这不能不令人为这个王朝感到可耻与悲哀。一只烧熟了的鸭子，所剩的也就是嘴硬了。

魏主拓跋焘杀其谋臣崔浩，并对崔氏与其亲属大肆屠戮的事情，是令人惊异而又十分感慨的。崔浩是魏国拓跋珪、拓跋嗣、拓跋焘三朝的元老，三朝的大功臣。我们在本书前文《宋纪三》的“研析”里曾专门做过评论。在那里，拓跋焘曾推心置腹地对崔浩说：“卿才智渊博，事朕祖考，着忠三世，故朕引卿以自近。卿宜尽忠规谏，勿有所隐。朕虽或时忿恚，不从卿言，然终久深思卿言也。”拓跋焘又指着崔浩对新投降的高车人说：“汝曹视此人尪纤懦弱，不能弯弓持矛，然其胸中所怀，乃过于兵甲。朕虽有征伐之志而不能自决，前后有功，皆此人所教也。”又告诉尚省说：“凡军国大计，汝曹所不能决者，皆当咨浩，然后施行。”像这样的君臣知遇，即使如刘邦之与张良，刘备之与诸葛亮，苻坚之与王猛，恐怕都难以超过。怎么到这一卷里只因为写作国史一事触怒权贵，就引起拓跋焘如此动怒而大张杀伐呢？他“诛浩及僚属宗钦、段承根等，下至僮吏，凡百二十八人，皆夷五族”，又“诛清河崔氏与浩同宗者无远近及浩姻家范阳卢氏、太原郭氏、河东柳氏，并夷其族，余皆止诛其身。縶浩置槛内，送城南，卫士数十人溲其上，呼声嗷嗷，闻于行路”。如此残暴的行为到底是出于一种什么心理？明代尹起莘说：“《周官·司寇》‘八议’有议故、议贤、议功、议贵之典，崔浩自其父宏仕魏，实为世臣。浩历事三朝，身为上公，才略独优，运筹制胜，屡有成绩，自‘八议’言之，浩居其四。而乃一触忌讳，遽赤其族，凶暴之国，尚可立其朝哉？拓跋本夷狄，进于中国，而未能纯乎中国，故其所为如此，书‘杀司徒崔浩，夷其族’，盖甚之也。”“甚之”是显然的，关键是到底为了什么？方孝孺解释说：“崔浩尝自谓才可拟子房，而稽古过之。浩信多智矣，浩之主夷狄之雄，猜暴之虏耳，而浩之术又皆出乎推步占验、谲怪恍忽之说，参之以揣摩纵横之辩，智术盖于其国，权势行乎群臣之上，使主忌其志，同列畏其威，固有致祸之道矣；况重之以专，挟之以私，触其所甚讳者，暴之于外，而身不知退，卒取族灭，岂足异也哉？”说出了一些原因，但还是不能令人满意。尤其是这场屠杀所杀的“清河崔氏”“范阳卢氏”“太原郭氏”“河东柳氏”等，都是魏国统治下的汉族世家大族，分明有着民族矛盾，又特别指向世家大族的性质。

清代王夫之歌颂崔浩写史的贡献时说：“于崔浩以史被杀而重有感焉。浩以不周身之智为索虏用，乃欲伸直笔于狼子野心之庭，以速其死，其愚固矣。然浩死而后世之史益秽，则浩存直笔于天壤，亦未可没也。浩虽杀，魏收继之，李延寿继之，撰述虽秽，而诘汾、力微秽迹犹有传者，皆浩之追叙仅存者也。”

卷第一百二十六　宋纪八

起重光单阏（辛卯，公元四五一年），尽玄黓执徐（壬辰，公元四五二年），凡二年。

【题解】

本卷写宋文帝元嘉二十八（公元四五一年）、二十九年共两年间刘宋与北魏等国的大事。主要写了魏主拓跋焘在瓜步山举酒封赏群臣后，烧庐舍、掠居民北撤，返程中路过盱眙与宋将臧质、沈璞等发生激战，魏军攻打盱眙三旬不下，烧攻具退走；魏军经过彭城时，刘义恭竟眼看魏军北走，不让诸将出击，刘义恭甚至被拓跋焘的大言吓破胆，几个月后竟荒唐得真要"芟麦翦苗，移民堡聚"，以躲避魏军，结果为部下诸将佐所驳，整个过程表现了刘义恭的昏庸怯懦，令人痛恨；写了此役给宋国的青、冀、徐、兖、豫、南兖六州带来的深重灾难，以及宋国所以失败的原因；写了魏太子晃与中常侍宗爱关系紧张，宗爱先构杀了太子晃的属官与亲近之臣，致使太子晃"以忧卒"，其后魏主知太子晃无罪，又立太子晃之子拓跋濬为储，宗爱遂杀死魏帝拓跋焘，矫称赫连皇后之命立皇子拓跋余为皇帝，拓跋余腐败无能，欲夺宗爱之权，又被宗爱杀死，羽林郎中刘尼、殿中尚书源贺、南部尚书陆丽等定议杀宗爱、贾周等，立皇孙拓跋濬，是为高宗文成

【原文】

太祖文皇帝下之上

元嘉二十八年（辛卯，公元四五一年）

春，正月丙戌朔①，魏主大会群臣于瓜步山上，班爵②行赏有差③。魏人缘江举火，太子右[1]卫率④尹弘言于上曰："六夷如此⑤，必走⑥。"丁亥⑦，魏掠居民，焚庐舍而去。

胡诞世之反⑧也，江夏王义恭等奏彭城王义康⑨数有怨言⑩，摇动民听⑪，故不逞之族⑫因以生心⑬，请徙⑭义康广州。上将徙义康，

帝；拓跋濬即位后，法律严酷，元老大臣拓跋寿乐、长孙渴侯、古弼、张黎、周忸等皆以罪连续被杀，唯对陆丽、刘尼、源贺等格外宠用，陆丽、源贺皆极力谦退，推辞不受；写了宋帝刘义隆乘魏主拓跋焘死而兴兵北伐，萧思话率张永等向碻磝，鲁爽、程天祚等出荆州向许昌、洛阳，臧质派柳元景率雍州军向潼关，梁州刘秀之派马汪、萧道成等向长安，几路进军，结果东路攻碻磝不下，退屯历城，其他三路也相继退兵；写了刘宋的太子刘劭和异母弟刘濬利用奴婢陈天与、王鹦鹉、巫者严道育等造作巫蛊以害其父刘义隆，当有人告密而事泄，刘义隆尚犹豫未决，没有立即诛除二逆，为二逆作乱留下祸根。此外还写了刘宋政权担心于战乱之际有人拥立被贬斥的刘义康，遂将刘义康杀死；写了刘义隆宠用王昙首之子王僧绰，“朝政大小，皆与参焉”；写了西阳五水群蛮反，自淮、汝至江、沔咸被其患，沈庆之督江、豫、荆、雍四州兵讨平之等。

【语译】

太祖文皇帝下之上

元嘉二十八年（辛卯，公元四五一年）

春季，正月初一日丙戌，北魏皇帝拓跋焘在瓜步山上举行盛大活动，召见文武百官，给有功之臣颁赐爵位，根据他们各自功劳的大小，所受的爵赏也各有不同。魏军沿着长江燃起火把，宋国担任太子右卫率的尹弘对宋文帝刘义隆说：“鲜卑人沿着长江举火示威这一举动，表明他们一定是想要撤兵了。”初二日丁亥，魏军大肆抢掠居民，并烧毁大片房屋之后撤军而去。

胡诞世造反，江夏王刘义恭等人便向朝廷奏报，说彭城王刘义康曾经多次发表不满言论，扰乱百姓的视听，所以那些对朝廷心怀不满，自感不得志、不得意的家族遂借着刘义康的名义制造事端，请求把彭城王刘义康流放到广州。宋文帝便准备

先遣使语之。义康曰："人生会死⑮，吾岂爱生？必为乱阶⑯，虽远何益？请死于此，耻复屡迁。"竟未及往⑰，魏师之[2]瓜步，人情恟惧⑱，上虑不逞之人复奉义康为乱。太子劭及武陵王骏、尚书左仆射何尚之屡启宜早为之所⑲。上乃遣中书舍人⑳严龙赍药㉑赐义康死。义康不肯服，曰："佛教不许自杀，愿随宜处分㉒。"使者以被掩杀之㉓。

江夏王义恭以碻磝不可守，召王玄谟还历城。魏人追击败之，遂取碻磝。

初，上闻魏将入寇，命广陵太守刘怀之逆烧城府、船乘㉔，尽帅其民渡江。山阳㉕太守萧僧珍悉敛其民入城，台㉖送粮仗㉗诣盱眙及滑台者，以路不通，皆留山阳。蓄陂水令满㉘，须㉙魏人至，决以灌之。魏人过山阳，不敢留，因攻盱眙。

魏主就臧质求酒，质封溲便㉚与之。魏主怒，筑长围㉛，一夕而合。运东山土石以填堑㉜，作浮桥于君山㉝，绝水陆道。魏主遗质书㉞曰："吾今所遣斗兵，尽非我国人㉟，城东北是丁零与胡，南是氐、羌。设使丁零死，正可减常山、赵郡贼㊱；胡死，减并州贼；㊲氐、羌死，减关中贼。㊳卿若杀之，无所不利㊴。"质复书曰："省示㊵，具悉奸怀㊶。尔自恃四足㊷，屡犯边境[3]。王玄谟退于东，申坦散于西㊸，尔知其所以然邪？尔独不闻童谣之言㊹乎？盖卯年未至㊺，故以二军开饮江之路㊻耳。冥期使然㊼，非复人事。寡人受命相灭㊽，期之白登㊾，师行未远㊿，尔自送死，岂容复令尔生全，飨有桑干哉(51)？尔有幸得为乱兵所杀，不幸则生相锁缚(52)，载以一驴，直送都市(53)耳。我本不图全(54)，

把刘义康放逐到广州，事先派使者去通知刘义康。刘义康对使者说："人活在世上，或早或晚都会死去，我难道是贪生怕死之人吗？如果下定决心要造反，即使把我远远地放逐又有什么用处呢？就请让我死在这里吧，我对屡次被迁徙感到耻辱。"就在刘义康还没有动身前往广州的时候，魏国的军队已经到达瓜步山，此时人心惶恐不安，宋文帝非常担心那些对朝廷心怀不满的人会借这个机会再次拥戴刘义康为帝进行叛乱。皇太子刘劭以及武陵王刘骏、担任尚书左仆射的何尚之等人屡次奏请宋文帝应该及早把刘义康安置到一个合适的地方。宋文帝于是派遣担任中书舍人的严龙携带毒药逼迫刘义康喝毒药自杀。刘义康不肯喝，他说："佛教教义不允许自杀，你们可以用任何手段处死我。"使者就用被子把刘义康蒙住，活活地把他闷死了。

江夏王刘义恭认为守不住碻磝城，便通知宁朔将军王玄谟等人返回历城。王玄谟等人撤退的时候，魏军趁机随后追击，把王玄谟等人打败，魏军遂占领了碻磝城。

当初，宋文帝听说魏军要来入侵的消息，就命令担任广陵郡太守的刘怀之在魏军没有到达之前，将一切城墙府署以及船只车辆全部烧毁，率领辖区之内所有的人渡过长江躲避魏军。担任山阳郡太守的萧僧珍则把山阳郡的所有居民全部迁入城内，朝廷内负责为盱眙以及滑台运送粮食与兵器的人员，因为道路中断无法前进，便都留在了山阳郡。萧僧珍把山阳城周围的水塘全部蓄满水，等到魏军到达的时候，掘开池水淹灌魏军。魏军经过山阳郡的时候，不敢停留，便径直去攻打盱眙城。

北魏太武帝向臧质索取美酒，臧质便把小便封存起来送给拓跋焘。拓跋焘恼羞成怒，立即下令围着盱眙城筑起土墙，隔断了盱眙城与外界的联系，只用了一个晚上的时间就把盱眙城合围起来。魏军又从东山运来土石填平了盱眙城外的护城河，又在君山上搭建起浮桥，断绝了盱眙的水陆交通。魏太武帝写信给臧质说："如今我派遣的作战士兵，全都不是我的国民，城东北的是丁零人和匈奴人，城南的是氐族人和羌族人。假如丁零人全都死光了，正好可以减少常山郡、赵郡的异己势力；如果那些匈奴人都死了，正好可以减少并州一带的异己势力；如果那些氐族人、羌族人都被你们杀死了，就可以为我减少关中一带的异己势力。你如果把他们都杀光了，对魏国来说并没有什么不好。"臧质在给拓跋焘的回信中说："看了你的来信，我已经全部准确地了解了你的奸诈内心。你仗恃着你们有的是战马，因而屡次侵犯我国的边境。宁朔将军王玄谟在东边撤退，镇军谘议参军申坦在西边溃败，你知道他们为什么失败吗？难道你就没有听到童谣吗？那是因为卯年还没有到来，你的死期未到，所以就让王玄谟、申坦二位将军给魏国的军队让开了一条通往长江边喝水的道路。这是老天爷在冥冥之中安排好的一种局面，并不是人为的原因。我是秉承天命来消灭你，预定计划要把你们消灭于白登，没想到我们的军队北行不远就遇到你，这可是你自己前来送死，难道还能再允许你活着回去，再去享受桑椹干的滋味吗？如果你走运的话就会被乱军杀死，如果不幸的话则会被我们生擒活捉，让你披枷戴锁，然后用一头驴子驮着，径直把你送到我国都城建康的闹市中斩首示众。至于我本人，

若天地无灵，力屈于尔，齑之，粉之，[55]屠之，裂之，犹未足以谢本朝[56]。尔智识及众力，岂能胜苻坚邪[57]？今春雨已降，兵方四集，尔但安意攻城[58]，勿遽走[59]！粮食乏者可见语[60]，当出廪相贻[61]。得所送剑刀〔4〕，欲令我挥之尔身邪？”魏主大怒，作铁床，于其上施铁镵[62]，曰：“破城得质，当坐之此上[63]。”质又与魏众书曰：“尔语虏中诸士庶[64]：佛狸见〔5〕与书，相待如此[65]。尔等正朔之民[66]，何为自取糜灭[67]，岂可不知转祸为福[68]邪！”并写台格[69]以与之云：“斩佛狸首，封万户侯，赐布、绢各万匹。”

魏人以钩车钩城楼，城内系以驱絙[70]，数百人唱〔6〕呼引之，车不能退。既夜，缒桶悬卒出[71]，截其钩，获之[72]。明日〔7〕，又以冲车[73]攻城，城土坚密，每至，颓落不过数升。魏人乃肉薄登城，分番相代[74]，坠而复升[75]，莫有退者，杀伤万计，尸与城平。凡攻之三旬，不拔。会魏军中多疾疫，或告以建康遣水军自海入淮[76]，又敕彭城断其归路[77]。二月丙辰朔[78]，魏主烧攻具退走。盱眙人欲追之，沈璞曰：“今兵不多，虽可固守，不可出战。但整舟楫，示若欲北渡者[79]，以速其走[80]，计不须实行[81]也。”

臧质以璞城主，使之上露版[82]，璞固辞，归功于质。上闻，益嘉之[83]。

魏师过彭城，江夏王义恭震惧不敢击。或告虏驱南口[84]万余，夕应宿安王陂，去城数十里[85]，今追之[86]，可悉得[87]。诸将皆请行，义恭

本来就没有打算活着回去，如果天地神祇没有灵验，我被你击败，你就是把我剁成肉末，研成细粉，屠杀了，车裂了，也不足以使我报答朝廷的大恩于万一。你的智慧和兵力，难道能够强过当年的秦王苻坚吗？如今已经下起春雨，我们的兵力正在从四面八方集结起来，你尽管安下心来一心一意进攻盱眙城，千万不要忙着撤走！如果你们军队中的粮食缺乏了，你尽管对我说一声，我一定会打开仓库提取粮食赠送给你。我得到了你送给我的这些剑和刀，是不是想让我用它来砍断你的身体呀？”魏太武帝看了臧质的回信后怒不可遏，他命令士兵制造了一架铁床，在铁床上面布满了铁针、铁刺。拓跋焘说：“攻破盱眙城，捉住臧质，就让他坐在这张铁床上尝尝滋味。”臧质又写信给全体魏军将士说：“请你们转告拓跋焘队伍中的士大夫和庶民，在佛狸写给我的书信中，他是如此残暴地对待你们。你们原本都是奉行中原历法的百姓，为什么要跟随拓跋氏自取灭亡呢，难道你们不知道可以转祸为福的道理吗？”并将朝廷所颁布的悬赏购买拓跋焘以及魏国王公首级的赏赐规格写出来送给他们，说：“砍下佛狸的脑袋，封万户侯，赏赐布匹、绸缎各一万匹。”

魏军运用钩车企图钩倒盱眙城的城楼，城内的守军就用粗大的绳索拉住魏军的钩车，好几百人一起喊着口号拉住大绳，魏军的钩车既拉不倒城墙又无法退回。到了夜间，城内的宋军便用吊桶把士兵从城墙上放下去，截断钩车的钩子，缴获了魏军的钩车。第二天，魏军又用冲车撞击城墙，因为盱眙城的城墙筑得十分坚固致密，冲车每次撞击城墙的时候，城墙只不过被撞掉几升的泥土。魏军于是手持短兵器强行攻城，他们分成几批轮番进攻，这个刚掉下来，那个又爬了上来，没有一个人退缩，被宋军杀死的魏军成千上万，魏军的尸体堆积得与城墙一样高。魏军猛攻了三十天，却始终攻不下盱眙城。又赶上魏军中很多人得了瘟疫，又有人向魏太武帝报告说：宋国朝廷已经派遣水军从海上进入淮河，还命令彭城的守军截断了魏军的退路。二月丙辰朔，北魏太武帝烧毁了攻城的器械后率军撤退。盱眙城内的宋军想要出城追击魏军，担任盱眙郡太守的沈璞说：“如今盱眙城内的士兵不多，虽然可以坚守，却不可以出城作战。我们只需修整舟船，向魏军做出一种像是要向北渡过淮水追击他们的样子就行了，以此来促使他们早日撤走，肯定用不着我们真的去追击。”

辅国将军臧质因为沈璞是盱眙郡太守，于是就让沈璞给朝廷写一封报告盱眙战况的公开信，沈璞坚决推辞，他把守卫盱眙的功劳归于臧质。宋文帝得知这个消息后，更加称道臧质与沈璞的彼此谦让精神。

魏军撤退时经过彭城，镇守彭城的江夏王刘义恭被魏军吓破了胆，根本不敢出兵攻击魏军。有人向刘义恭报告说魏军驱赶着从南方抓来的一万多名百姓，估计他们晚上会住宿在安王陂，安王陂距离彭城只有几十里的路程，如果出兵追击，就可以把被驱赶的一万多人解救回来。诸将也都向刘义恭请求出兵，而刘义恭严加禁止，

禁不许。明日，驿使至[88]，上敕义恭悉力急追[89]。魏师已远，义恭乃遣镇军司马檀和之向萧城[90]。魏人先已闻之，尽杀所驱者而去。程天祚[91]逃归。

魏人凡破南兖、徐、兖、豫、青、冀[92]六州，杀掠[8]不可胜计，丁壮者即加斩截，婴儿贯于槊上[93]，盘舞[94]以为戏。所过郡县，赤地[95]无余，春燕归，巢于林木[96]。魏之士马死伤亦过半，国人皆尤之[97]。

上每命将出师，常授以成律[98]，交战日时亦待中诏[99]，是以将帅趑趄[100]，莫敢自决。又江南白丁[101]，轻进易[9]退[102]，此其所以败也。自是邑里萧条[103]，元嘉之政衰矣。

癸酉[104]，诏赈恤[105]郡县民遭寇者，蠲其税调[106]。

甲戌[107]，降太尉义恭为骠骑将军、开府仪同三司[108]。

戊寅[109]，魏主济河[110]。

辛巳[111]，降镇军将军武陵王骏为北中郎将。

壬午[112]，上如瓜步。是日解严[113]。

初，魏中书学生[114]卢度世[115]，玄之子也，坐崔浩事亡命[116]，匿高阳[117]郑罴家。吏囚罴子，掠治[118]之。罴戒其子曰："君子杀身成仁[119]，虽死不可言。"其子奉父命[120]，吏以火爇[121]其体，终不言而死。及魏主临江，上遣殿上将军[122]黄延年使于魏，魏主问曰："卢度世亡命，已应至彼[123]。"延年曰："都下[124]不闻有度世也。"魏主乃赦度世及其族逃亡籍没者[125]，度世自出，魏主以为中书侍郎[126]。度世为其弟娶郑罴妹以报德。

坚决不许他们追击。第二天，朝廷通过驿站派来的使者到来，宋文帝命令刘义恭竭尽全力紧急追击魏军。而魏军此时已经远去，刘义恭遂派遣担任镇军司马的檀和之率军向萧城的方向追赶魏军。魏军事先已经得到消息，他们把所驱赶的一万多人全部杀死之后离去。只有程天祚侥幸逃回。

魏军此次南侵，攻破了宋国所属的南兖州、徐州、兖州、豫州、青州、冀州六个州，杀伤军民与抢掠物资无法计数，魏军把宋国的青壮年男子一律斩杀，婴儿则被穿在长矛尖上挑着在空中旋转，看着惨叫的婴儿挣扎扭动作为娱乐游戏。魏军所经过的郡县，到处都遭到疯狂的烧杀抢掠，除去被烧焦的土地以外已经一无所有，春燕飞回来都找不到屋梁可以筑巢，只好把巢搭在林木之上。魏军的士兵马匹也死伤过半，魏国的百姓也都在责骂太武帝拓跋焘。

宋文帝每次命令将领率军出征，总是给他们规定好作战的地点、具体的战略战术等，就连与敌人交战的日期、钟点也都要等待从宫中发出的命令，所以将帅们临阵都迟疑不进，没有人敢自己做出决定。而且江南那些非正规士兵的壮丁，容易冒进和轻易退军，这也是南朝作战失败的原因。经过这次战争之后，宋国的城乡一片破败，经济萧条，元嘉时代的政治日趋衰落了。

二月十九日癸酉，宋文帝下诏救济、抚恤那些遭受敌寇侵略的郡县的百姓，免除他们的各项赋税。

二十日甲戌，宋文帝免去了江夏王刘义恭的太尉职务，将他降职为骠骑将军、开府仪同三司。

二十四日戊寅，北魏太武帝向北渡过黄河。

二十七日辛巳，宋文帝免去了武陵王刘骏的镇军将军职务，将他降职为北中郎将。

二十八日壬午，宋文帝前往瓜步山。这一天，宋国解除了戒严令。

当初，魏国被称为中书学生的卢度世，是卢玄的儿子，因为崔浩编著国史被杀事件的牵连而获罪，他便改换名姓潜逃出京师，藏匿在高阳郡郑罴的家中。官吏得到风声便囚禁了郑罴的儿子，对其严刑拷打，逼问口供。郑罴告诫他的儿子说：“君子杀身成仁，即使被打死了也不能招供。”郑罴的儿子坚持遵守父亲的嘱咐，拒不招供，狱吏就用火烧灼他的身体，郑罴的儿子始终没有招供，最后竟然被拷打致死。等到北魏太武帝到达长江边上的时候，宋文帝派遣担任殿上将军的黄延年作为使者出使魏国，魏太武帝问黄延年：“卢度世畏罪潜逃，应该已经逃到你们宋国。”黄延年回答说：“在我国的都城建康，没有人听说过卢度世这个人。”魏太武帝遂赦免了卢度世以及卢度世的族人中那些隐姓埋名逃跑的、被逮捕收入各部门充当奴婢的，卢度世遂主动出现，魏太武帝任命卢度世为中书侍郎。卢度世为了报答郑罴的恩德，就为自己的弟弟聘娶了郑罴的妹妹为妻。

三月乙酉[127]，帝还宫。

己亥[128]，魏主还平城，饮至告庙[129]，以降民五万余家分置近畿[130]。

初，魏主过彭城，遣人语城中曰："食尽且去[131]，须麦熟更来[132]。"及期[133]，江夏王义恭议欲芟麦翦苗[134]，移民堡聚[135]。镇军录事参军[136]王孝孙曰："虏不能复来，既自可保[137]，如其更至[138]，此议亦不可立[139]。百姓闭在内城，饥馑日久，方春之月，野采自资[140]；一入堡聚，饿死立至[141]。民知必死，何可制邪[142]？虏若必来，芟麦无晚。"四坐默然，莫之敢对。长史张畅曰："孝孙之议，实有可寻[143]。"镇军府典签[144]董元嗣侍武陵王骏之侧，进曰："王录事议不可夺。"别驾[145]王子夏曰："此论诚然。"畅敛版[146]白骏曰："下官欲命孝孙弹子夏[147]。"骏曰："王别驾有何事[148]邪?"畅曰："芟麦移民，可谓大议，[149]一方安危，事系于此。子夏亲为州端[150]，曾无同异[151]。及闻元嗣之言，则欢笑酬答。[152]阿意左右[153]，何以事君[154]！"子夏、元嗣皆大惭，义恭之议遂寝[155]。

初，鲁宗之奔魏[156]，其子轨为魏荆州刺史、襄阳公，镇长社[157]，常思南归，以昔杀刘康祖及徐湛之之[10]父[158]，故不敢来。轨卒，子爽袭父官爵。爽少有武干[159]，与弟秀皆有宠于魏主，秀为中书郎[11]。既而兄弟各有罪[160]，魏主诘责之。爽、秀惧诛，从魏主自瓜步还，至湖陆[161]，请曰："奴与南有仇，每兵来，常恐祸及坟墓[162]，乞共迎丧还葬平城。"魏主许之。爽至长社，杀魏戍兵数百人，帅部曲[163]及愿从者千余家奔汝南[164]。夏四月，爽遣秀诣寿阳，奉书于南平王铄[165]以请降。上闻之，

三月初一日乙酉，宋文帝从瓜步山回到皇宫。

十五日己亥，北魏太武帝回到平城，他在宗庙中设宴招待族人一同饮酒，把胜利的消息祭告祖先，把投降过来的五万多户宋国百姓分别安置在魏国都城附近的郊区。

当初，北魏太武帝经过彭城的时候，曾经派人告诉城内的百姓："我们因为军中的粮食已经吃完，所以暂时回去，等小麦成熟的时候还会再回来。"等到了小麦成熟的季节，江夏王刘义恭就准备把成熟的麦子与尚未成熟的青苗全部收割起来，让散居的百姓全都迁移到城堡里居住。担任镇军录事参军的王孝孙说："如果胡虏不再前来进犯，那些散居在城外的百姓完全可以保护好自己，如果魏军真的又来了，这个说法也不能成立，不可采取。百姓被关闭在城堡内，遭受饥馑的时间已经很久，现在正是春暖花开的时候，百姓本来可以到野外采集可食之物来养活自己；城外的百姓一旦再进入城堡，大家聚集在一起，只有眼巴巴地等着饿死。百姓如果知道必死无疑，你又怎么能够控制得住他们呢？如果胡虏一定要来，到时候再割麦也为时不晚。"在座的人都默不作声，没有人敢反驳。担任长史的张畅说："王孝孙的建议，实在值得深思。"担任镇军府典签的董元嗣正侍奉在武陵王刘骏的身边，他上前说道："录事参军王孝孙的建议不可以改变。"担任别驾的王子夏说："这个见解确实是对的。"张畅拱手持着手版对武陵王刘骏说："我想让王孝孙质问王子夏几句。"刘骏说："难道别驾王子夏有什么过错吗？"张畅说："收割小麦、迁移百姓，这可是一个重大的问题，关系着一方百姓的生死安危。王子夏作为一州的幕僚之首，在听到割麦移民的主张时竟然不肯发表赞成或是反对的意见。等到听了典签董元嗣的意见之后，他才欢声笑语地顺着董元嗣的口气说了话。像这种专门向藩王左右的僚属阿谀讨好的人，又怎么能够做到忠心事主呢！"王子夏、董元嗣都感到非常惭愧，江夏王刘义恭的建议遂被彻底否决。

当初，鲁宗之投奔魏国以后，他的儿子鲁轨遂担任了魏国的荆州刺史，被封为襄阳公，负责镇守长社县。鲁轨经常想回归江南的宋国，只是因为过去曾经杀死刘裕部将刘康祖的父亲刘虔之和徐湛之的父亲徐逵之，所以不敢南归。鲁轨死了以后，鲁轨的儿子鲁爽继承了父亲的官职和爵位。鲁爽年纪很小的时候就有武艺、有谋略，他和自己的弟弟鲁秀都受到魏太武帝的宠信，鲁秀担任中书郎。不久，兄弟二人分别获罪，受到太武帝的诘责。鲁爽、鲁秀便时刻担心自己会被太武帝诛杀，他们跟随太武帝从瓜步向北撤退，到湖陆县的时候，便向太武帝请求说："奴才与南朝刘宋有深仇大恨，每次宋国的军队前来，我们都会忐忑不安，总是担心祖父鲁宗之与父亲鲁轨的坟墓被宋军挖掘，请允许我们把祖先的灵柩迎回平城安葬吧。"太武帝答应了他们的请求。鲁爽来到长社，杀死几百名魏国的守军，然后率领自己的私人武装以及愿意跟随他们南归的一千多家逃奔汝南。夏季，四月，鲁爽派自己的弟弟鲁秀前往宋国所属的寿阳，上书镇守寿阳的南平王刘铄，请求投降。宋文帝听到消息后，

大喜，以爽为司州⑯刺史，镇义阳；秀为颍川⑰太守，余弟侄并授官爵，赏赐甚厚。魏人毁其坟墓。徐湛之以为庙算远图⑱，特所奖纳⑲，不敢苟申私怨⑳，乞屏居田里㉑，不许。

青州民司马顺则自称晋室近属，聚众号齐王。梁邹戍主㉒崔勋之诣州㉓，五月乙酉㉔，顺则乘虚袭[12]梁邹城。又有沙门㉕自称司马百年，亦聚众号安定王以应之。

壬寅㉖，魏大赦。

己巳㉗，以江夏王义恭领南兖州刺史㉘，徙镇盱眙㉙，增督十二州诸军事。

戊申㉚，以尚书左仆射何尚之为尚书令㉛，太子詹事徐湛之为仆射、护军将军，尚之以湛之国戚㉜，任遇隆重㉝，每事推之㉞。诏湛之与尚之并受辞诉㉟。尚之虽为令，而朝事㊱悉归湛之。

六月壬戌㊲，魏改元正平㊳。

魏主命太子少傅游雅㊴、中书侍郎胡方回㊵等更定律令㊶，多所增损，凡三百九十一条㊷。

魏太子晃监国，颇信任左右，又营园田㊸，收其利，高允谏曰："天地无私，故能覆载㊹；王者无私，故能容养㊺。今殿下国之储贰㊻，万方所则㊼，而营立私田，畜养鸡犬，乃至酤贩市廛㊽，与民争利，谤声流布㊾，不可追掩㊿。夫天下者，殿下之天下，富有四海，何求而无？乃与贩夫、贩妇竞此尺寸之利乎！昔虢之将亡，神赐之土田，(201)汉灵帝私立府藏(202)，皆有颠覆之祸(203)。前鉴若此，甚可畏也！武王爱周、邵、齐、毕(204)，所以王天下；殷纣爱飞廉、恶来(205)，所以丧其国。今东宫俊乂(206)不少，顷来(207)侍御左右者，恐非在朝之选(208)。愿殿下斥去(209)佞邪，亲近忠良；所在田园(210)，分给贫下；贩卖之物，以时收散(211)。如此，则

非常高兴，马上任命鲁爽为司州刺史，镇守义阳，任命鲁秀为颍川太守，其他的子侄全都授予官爵，对他们的赏赐也非常的优厚。魏国人毁坏了鲁爽长社的祖坟。徐湛之认为朝廷从长远考虑，对投降过来的鲁爽、鲁秀予以接纳并委以官职，因此不敢再提报私仇的事情，便请求退居乡里为民，不愿意与鲁氏同朝为官，宋文帝没有批准他的请求。

青州人司马顺则自称是晋朝皇室的宗亲，他聚众起兵造反，自称齐王。梁邹县的驻军头领崔勋之到青州城里办事，五月初二日乙酉，自称齐王的司马顺则乘崔勋之不在的机会袭击了梁邹县城。又有一个和尚自称是司马百年，也聚集众人起兵响应司马顺则，他自称安定王。

五月十九日壬寅，魏国实行大赦。

己巳日，宋文帝任命江夏王刘义恭兼任南兖州刺史，将其都督的军部从彭城迁移到盱眙城，加授刘义恭都督十二州诸军事。

五月二十五日戊申，宋文帝任命担任尚书左仆射的何尚之为尚书令，任命担任太子詹事的徐湛之为仆射、护军将军，何尚之因为徐湛之是皇亲国戚，深受皇帝的宠信和重用，所以遇到事情总是让徐湛之做主。宋文帝下诏令徐湛之与何尚之共同听取下面的奏事。何尚之虽然是尚书令，但向皇帝禀报、奏请事务等全部交给徐湛之。

六月初九日壬戌，魏国将年号改为正平。

北魏太武帝命令担任太子少傅的游雅、中书侍郎的胡方回等人修订法律条文，他们在旧有律令的基础上做了许多改动，修改后的法律条文总计有三百九十一条。

魏国皇太子拓跋晃在监国的时候，很信任、重用自己身边的人，又经营农田，以收其利，高允劝谏拓跋晃说："天地是没有私情的，所以天能够覆盖大地，大地能够承载万物；称王天下的人也应该是没有私心的，所以他才能够收容、养育天下的臣民。现在殿下是国家皇位的继承人、未来的君主，是普天之下学习的榜样，然而殿下竟然经营私人田产，畜养鸡犬，甚至到集市上去摆摊买卖物品，与百姓争利，怨恨、诽谤殿下的声音到处流传，既无法追回也无法掩盖。天下，本来就是殿下的天下，殿下富有四海，想要什么能得不到呢？何至于与那些贩夫、贩妇来争这点蝇头小利呢！从前虢国将要灭亡的时候，神便赐给它土地，汉灵帝刘宏在西邸的库房中储存私有钱财，他们都为自己招来了国破家亡的灾祸。以前的借鉴就是如此明显，那是多么可怕的事情啊！周武王能够亲近、任用周公姬旦、邵公姬奭、齐公吕望、毕公姬高这样的贤臣，所以周武王能够取得天下；殷纣王喜欢、信任飞廉、恶来那样的恶人，所以他丧失了国家。现在东宫之中有才干的人原本不少，而近来侍奉在殿下身边的人，恐怕都不是朝廷上的拔尖人才。希望殿下把那些奸佞邪恶的小人驱逐出去，亲近忠臣良将；将自己在各处经营的土地，全都拿出来分给那些贫苦的下层百姓；殿下在集市上贩卖的各种物品，要赶紧收摊，或分给众人。这样的话，赞美殿下的声音就会天天听得到，

休声[212]日至，谤议可除矣。”不听。

太子为政精察[213]，而中常侍宗爱[214]，性险暴，多不法，太子恶之。给事中[215]仇尼道盛[216]、侍郎[217]任平城有宠于太子，颇用事[218]，皆与爱不协。爱恐为道盛等所纠[219]，遂构告[220]其罪。魏主怒，斩道盛等于都街[221]，东宫官属[222]多坐死[223]，帝怒甚。戊辰[224]，太子以忧卒[225]。壬申[226]，葬金陵[227]，谥曰景穆。帝徐知[228]太子无罪，甚悔之。

秋，七月丁亥[229]，魏主如阴山[230]。

青、冀二州刺史萧斌遣振武将军刘武之等击司马顺则、司马百年，皆斩之。癸亥[231]，梁邹平。

萧斌、王玄谟皆坐退败免官[232]。上问沈庆之曰：“斌欲斩玄谟而卿止之，何也？”对曰：“诸将奔退，莫不惧罪，自归而死[233]，将至逃散[234]，故止之。”

九月癸巳[235]，魏主还平城。

冬，十月庚申[236]，复如阴山。

上遣使至魏，魏遣殿中将军郎法祐来修好[237]。

己巳[238]，魏上党靖王长孙道生[239]卒。

十二月丁丑[240]，魏主封景穆太子之子濬[241]为高阳王。既而以皇孙世嫡[242]，不当为藩王[243]，乃止。时濬生四年，聪达[244]过人，魏主爱之，常置左右。徙秦王翰为东平王，燕王谭为临淮王，楚王建为广阳王，吴王余[245]为南安王。

帝使沈庆之徙彭城流民数千家于瓜步，征北参军[246]程天祚徙江西流民数千家于姑孰[247]。

帝以吏部郎王僧绰[248]为侍中[249]。僧绰，昙首[250]之子也，幼有大成[251]之度，众皆以国器许之[252]。好学，有思理[253]，练悉朝典[254]。尚[255]帝女东阳献公主[256]。在吏部，谙悉人物[257]，举拔咸得其分[258]。及为侍中，年二十九，

而诽谤殿下的议论就会自然消除了。”皇太子拓跋晃没有听从高允的规劝。

魏国皇太子拓跋晃处理政务十分精明，能够洞察秋毫，然而担任中常侍的宗爱却为人阴险、性情残暴，有很多违法乱纪的行为，皇太子对他非常厌恶。担任给事中的仇尼道盛、担任给事黄门侍郎的任平城都很受太子的宠信，因此也很有权势，他们都与中常侍宗爱不和。宗爱担心仇尼道盛等人会揭发他的罪恶，于是就采取先发制人的策略，给仇尼道盛罗织了许多罪名进行诬告。北魏太武帝因此大怒，就在都城的街道上将仇尼道盛等人斩首，太子属下的官员有许多人受到牵连被处死，太武帝仍然怒气不消。六月十五日戊辰，皇太子拓跋晃看到自己属下的官员被杀，担心灾祸会迁延到自己，忧惧而死。十九日壬申，将皇太子拓跋晃安葬在金陵，谥号为景穆。太武帝后来逐渐明白了太子原本无罪，心里感到非常后悔。

秋季，七月初五日丁亥，北魏太武帝前往阴山一带巡视。

宋国担任青州、冀州二州刺史的萧斌派遣担任振武将军的刘武之等人攻打司马顺则和司马百年，把他们全部斩杀。八月十一日癸亥，梁邹地区的叛乱被平息。

宋国青、冀二州刺史萧斌和宁朔将军王玄谟都因为作战退缩导致失败而被罢免了官职。宋文帝询问担任太子步兵校尉的沈庆之：“萧斌想要杀死王玄谟而你却阻止了他，这是为什么呢？”沈庆之回答说：“诸将当中凡是临阵退却的，没有人不惧怕被判罪处死，王玄谟兵败之后自己逃回，如果把他处死，那他们以后再打了败仗就不会再回来了，所以我制止了他。”

九月十二日癸巳，北魏太武帝从阴山返回平城。

冬季，十月初九日庚申，北魏太武帝再次前往阴山一带。

宋文帝派遣使者到魏国进行访问，魏主拓跋焘遂派担任殿中将军的郎法祐回访宋国，重修过去安边友好的关系。

十月十八日己巳，魏国上党靖王长孙道生去世。

十二月二十七日丁丑，北魏太武帝封景穆太子拓跋晃的儿子拓跋濬为高阳王。不久又觉得嫡皇孙不应该封为藩王成为国家的诸侯，遂又撤销了拓跋濬高阳王的封号。当时拓跋濬只有四岁，聪明懂事超过了一般的同龄人，太武帝非常喜爱他，经常把他带在自己身边。魏太武帝改封秦王拓跋翰为东平王，燕王拓跋谭为临淮王，楚王拓跋建为广阳王，吴王拓跋余为南安王。

宋文帝派太子步兵校尉沈庆之将彭城的几千家流民迁移到瓜步居住，派担任征北参军的程天祚把江西的几千家流民迁移到姑孰居住。

宋文帝任命担任吏部郎的王僧绰为侍中。王僧绰，是王昙首的儿子，年幼时就显现出了宏伟远大的志向和老成持重的气度，众人都认为他将来一定是治国安邦的好人才。王僧绰喜欢学习，分析问题有条理，对朝廷的各种典章制度都很熟悉。他娶了宋文帝的女儿东阳献公主为妻。王僧绰在吏部任职，熟知、了解国家的人才，凡是他所举荐提拔的人都能人尽其才。王僧绰被任命为侍中的时候，年仅二十九岁，

沈深有局度㉕⑨，不以才能高人㉖⓪。帝颇以后事为念㉖①，以其年少，欲大相付托㉖②，朝政大小，皆与参㉖③焉。帝之始亲政事也，委任王华、王昙首、殷景仁、谢弘微、刘湛；次则范晔、沈演之、庾炳之；最后江湛、徐湛之、何尚之[13]及僧绰，凡十二人。

唐和㉖④入朝于魏，魏主厚礼之。

【段旨】

以上为第一段，写宋文帝元嘉二十八年（公元四五一年）一年间的大事。主要写了魏主拓跋焘在瓜步山举酒封赏群臣后，大肆烧庐舍、掠居民而北撤，返程中路过盱眙的时候，与宋将臧质、沈璞等发生激战，盱眙城坚粮足，士众勇敢，魏军攻之三旬不下，最后只好烧攻具而走；在向朝廷上报战果时，臧质与沈璞相互谦让推功，表现了高尚的美德；写了魏军经过彭城时，刘义恭不让诸将出击，待至朝廷遣使催其截击魏军，以救被掠的百姓时，魏人遂尽杀所掠之人而去；接着又写了徐州军主刘义恭为拓跋焘北撤时的大言所震，其后竟荒唐得真要“芟麦翦苗，移民堡聚”以躲避魏军，结果被部下诸将佐反驳，前后整个过程表现了刘义恭的昏庸怯懦，令人痛恨；写了此役给宋国的青、冀、徐、兖、豫、南兖六州造成的深重灾难，以及宋国失败的原因；写了魏太子晃与中常侍宗爱关系紧张，宗爱先构杀了太子晃的属官与亲近之臣，致使太子晃“以忧卒”，其后魏主知太子晃无罪，又立太子晃之子濬为储，常置左右，为宗爱的作乱弑君埋下伏笔；此外还写了刘宋政权担心于战乱之际有人拥立刘义康闹事，而杀了罪臣刘义康；写了因不满刘裕而降魏的晋末名将鲁轨之子鲁爽乘魏军北撤之际回到南朝；写了宋帝刘义隆宠用王昙首之子王僧绰，“朝政大小，皆与参焉”等。

【注释】

①正月丙戌朔：正月初一是丙戌日。②班爵：给有功之臣颁赐爵位。班，这里的意思同“颁”，发给，赏给。③有差：随着各自的功劳大小，所受的爵赏也有所不同。④太子右卫率：太子的属官，有左右二人，分别掌管保卫太子的禁卫军。⑤六夷如此：鲜卑人做如此的举动，指缘江举火。六夷，泛指当时的北方少数民族，如匈奴、羯、氐、羌等，这里指鲜卑族的拓跋焘统治集团。⑥必走：一定是想要撤兵。胡三省曰：“北兵欲退，虑南兵之追截，故举火以示威。尹弘习知北人军情，因言于上。”⑦丁亥：正月初二。⑧胡诞世之反：刘宋的开国功臣胡藩之子胡诞世杀豫章太守据郡反，欲立被贬斥的

为人深沉而有度量，并不显示自己的才干、本领以超过别人。宋文帝刘义隆非常操心自己的身后之事，因为王僧绰很年轻，就想把自己身后的大事都托付给他，于是朝中政务无论大小，都让王僧绰参与、过问。宋文帝登基称帝之初，最早宠信的是王华、王昙首、殷景仁、谢弘微、刘湛，稍后是范晔、沈演之、庾炳之，最后是江湛、徐湛之、何尚之以及王僧绰，总计十二人。

镇守焉耆的唐和到魏国的都城平城朝见太武帝，太武帝对唐和优礼相待。

刘义康为帝，被檀和之削平事。见本书卷第一百二十五元嘉二十四年。⑨彭城王义康：刘裕之子，刘义隆之弟，因专制朝权，其党羽又欲拥立之为帝，故被刘义隆废黜。事见本书卷第一百二十三元嘉十七年。⑩数有怨言：屡屡发表不满言论。数，屡屡。⑪摇动民听：扰乱百姓的视听。民听，民心，百姓的心理情绪，指不断有人为刘义康鸣不平，甚至打着拥立刘义康为帝的旗号造反等。⑫不逞之族：心怀不满，自感不得志、怀才不遇的分子。不逞，不得意、不得志。⑬因以生心：借着刘义康的名义制造事端。生心，生叛逆之心。⑭徙：调动，这里指流放、发配。⑮人生会死：人总是要死的。会，一定、必然。⑯必为乱阶：如果一个人下定决心要造反。乱阶，犹言“祸根”“乱源”。⑰竟未及往：在还没有离开京城前往广州的时候。⑱恼惧：恐慌；恐惧。⑲宜早为之所：应及早把他安置到一个合适的地方，意即把他杀死。⑳中书舍人：中书省的官员，主管起草诏令，传达旨意等。㉑赍药：携带毒药。㉒随宜处分：你们可以使用任何手段。㉓以被掩杀之：用被子把他闷死了。〖按〗当年刘裕杀晋恭帝使用的就是这种手段。㉔逆烧城府、船乘：预先烧掉一切城墙府署及船只车辆。逆，预先、事先。㉕山阳：郡名，郡治即今江苏淮安。㉖台：这里指刘宋朝廷。㉗粮仗：粮食与兵器。㉘蓄陂水令满：把山阳城周围的湖水都贮存得满满的。陂水，由堤岸蓄积起来的水塘。㉙须：待。㉚溲便：小便，即尿。㉛筑长围：围绕盱眙城筑起土墙，隔断其内外联系。㉜填堑：填平盱眙城外的护城河。㉝君山：也作“军山”，在今江苏盱眙东北。㉞遗质书：给臧质写信说。㉟我国人：我们鲜卑族以及与拓跋族同出于北荒的旧魏国其他族子民。㊱减常山、赵郡贼：减少常山、赵郡的异己势力。常山，魏郡名，郡治在今河北石家庄东北。赵郡，魏郡名，郡治即今河北赵县。丁零族在五胡乱华时期也曾强盛一时，自从翟真被后燕慕容垂击败后，余众都退聚到今河北南部的太行山一带。㊲胡死二句：匈奴族人都死了，倒可以减少并州一带的异己势力。并州的州治在今山西太原西南，匈奴族自东汉时起便居住在今山西的西北部，五胡乱华时期，刘渊、刘聪等更在今山西临汾建立了强大的国家政权。故而在魏国占据山西后，这一带仍有许多匈奴族的百姓居住。㊳氐、羌死二句：前秦的君主苻坚是氐族人，后秦的君主姚苌是羌族人，他们在五胡乱华时期都先后在今陕西西

安建立了强大一时的前秦与后秦政权，故而在魏国占据关中后，这一带仍有很多氐族、羌族的百姓居住。㊴无所不利：没有什么不好。㊵省示：看了你的来信。省，看。示，所示，即来信。㊶具悉奸怀：准确地看清了你的狼子野心。㊷自恃四足：仰仗着你们有的是战马。㊸申坦散于西：此句与史实不合。胡三省曰："王玄谟自滑台败退，萧斌使申坦据清口，其地不在滑台之西；此当谓梁坦出上蔡之师，至虎牢溃散耳。"㊹童谣之言：上卷所载的"虏马饮江水，佛貍死卯年"。㊺卯年未至：去年还不是卯年。㊻以二军开饮江之路：让王、申二军给北魏军队让开了一条去喝长江水的路。㊼冥期使然：这是老天爷在冥冥之中安排好的一种局面。㊽寡人受命相灭：我秉承天命来消灭你。寡人，臧质自称。有人认为古代诸侯自称寡人，臧质自以为身当藩镇重任，故而如此自称。此说不对。魏晋南北朝时分明有些士大夫自称"寡人"。《世说新语·文学》记王衍与众人有所谓"君辈勿尔，将受困寡人女婿"。㊾期之白登：预定计划是把你们消灭于白登。〖按〗白登是山名，在魏都平城的东北方。这句话的意思是说我们本来的计划是要到平城去消灭你们。㊿师行未远：意思是没想到我们的军队北行不远，就碰上你们自己前来送死了。(51)飨有桑干哉：（岂能还放你活着回去）让你再去吃桑干呢。桑干，桑椹之干。以桑干河之名代桑椹之干，用作调侃。(52)生相锁缚：活捉你，让你披枷戴锁。(53)都市：指刘宋的都城建康。(54)本不图全：本来就没有打算活着回去。(55)齑之二句：你把我剁成肉末，研成细粉。胡三省曰："细切姜蒜谓之齑。"(56)未足以谢本朝：也不能报答朝廷的大恩于万一。(57)岂能胜苻坚邪：难道还强得过当年的苻坚吗？(58)尔但安意攻城：希望你留下来安心一意地攻城。(59)勿遽走：不要忙着撤走。遽，立即。(60)可见语：可以告诉我。(61)当出廪相贻：我将打开仓库供应你粮食。廪，仓库。贻，赠、供应。(62)铁镵：铁针、铁刺。(63)坐之此上：让他坐在这个上面。(64)尔语虏中诸士庶：你们告诉拓跋焘队伍中的士大夫和庶民。(65)相待如此：他是如此残暴地对待你们。(66)尔等正朔之民：你们原本都是奉行中原历法的百姓。正朔，这里指历法。"正"是每年开始的第一个月，"朔"是每个月的第一天。古时每个新王朝的建立，都要改正朔，施行新历法。(67)自取縻灭：跟着拓跋氏自取灭亡。(68)转祸为福：比喻弃暗投明，投降刘宋。(69)台格：刘宋朝廷所立的赏格。(70)系以彄絙：用大绳拉住了魏军的钩车。彄絙，粗大的绳索。(71)縋桶悬卒出：用吊桶把战士放下城去。縋桶，吊桶。(72)获之：缴获了这辆钩车。(73)冲车：撞击城墙，可使城墙坍塌的车。(74)分番相代：轮流替换。(75)坠而复升：这个刚掉下，那个又爬了上来。(76)自海入淮：从东海进入淮河，再逆淮河西上。(77)断其归路：截断魏军的退路。(78)二月丙辰朔：此处记载有误，元嘉二十八年的二月初一应是"乙卯"，"丙辰"应是初二。(79)示若欲北渡者：做出一种像是要渡淮水追击魏兵的样子。(80)以速其走：以促使他们早日逃走。(81)计不须实行：肯定是用不着我们真的追他。(82)使之上露版：让沈璞给朝廷写一封报告盱眙战况的公开信。让沈璞个人写，而不采取两个人联名的方式，表明臧质想推功给沈璞。露版，也称露布文，即不封口的公开信，意思就是要让全国都知道胜利的消息与沈璞的功勋。⑧③ 益嘉之：更加称道臧质与沈璞的彼此谦让。⑧④ 虏驱南口：魏兵驱赶着从南方抓来的百姓。⑧⑤ 去城数十里：离徐州城只有几十里地。⑧⑥ 今追之：如果我们对他们发动追击。⑧⑦ 可悉得：可以把这被驱赶的一万多人都救回来。悉，尽、全部。⑧⑧ 驿使至：朝廷通过驿站派来的使者。⑧⑨ 悉力急追：尽全力紧紧追赶。⑨⓪ 向萧城：向着萧县的方向追赶魏军。萧县县城在当时彭城的西侧，相隔约六七十里。⑨① 程天祚：原是徐州军镇的将领，前年奉命率兵袭击汝阳的魏军，先已取胜，终因无后续援助而为魏军所俘。事见本书上卷元嘉二十六年。⑨② 南兖、徐、兖、豫、青、冀：当时属于刘宋的六个州名，南兖州的州治在广陵，即今江苏扬州，徐州的州治彭城，即今江苏徐州，兖州的州治瑕丘，在今山东济宁市兖州区的西北侧，豫州的州治寿县，即今安徽寿县，青、冀二州的州治东阳，即今山东青州。⑨③ 婴儿贯于槊上：把小孩穿在长矛尖上。贯，穿。⑨④ 盘舞：用长矛挑着小孩在空中旋转。⑨⑤ 赤地：到处被破坏、践踏得一片精光。⑨⑥ 巢于林木：指找不到屋梁可以筑巢。⑨⑦ 国人皆尤之：魏国的百姓也都责骂魏主拓跋焘。尤，怨恨、责骂。⑨⑧ 成律：预定好的章程，如作战的地点、战略、战术等。⑨⑨ 交战日时亦待中诏：连作战的日期、钟点也都由朝廷规定。中诏，宫中发出的命令。⑩⓪ 赵趄：迟疑不进，进退无主的样子。⑩① 白丁：非正规士兵的壮丁。⑩② 轻进易退：想进就进，想退就退，不服从长官的命令。⑩③ 邑里萧条：城乡一片破败。邑，城镇。里，街巷。⑩④ 癸酉：二月十九。⑩⑤ 赈恤：救济、抚恤。⑩⑥ 蠲其税调：免除他们的各项赋税。蠲，免除。调，一种征收纺织品的户税。⑩⑦ 甲戌：二月二十。⑩⑧ 开府仪同三司：加官名，只享用国家三公的仪仗，而没有任何实权。⑩⑨ 戊寅：二月二十四。⑪⓪ 济河：向北渡过黄河。⑪① 辛巳：二月二十七。⑪② 壬午：二月二十八。⑪③ 解严：解除紧急状态。⑪④ 中书学生：官名。据陈琳国《北魏前期中央官制述略》（载于《中华文史论丛》一九八五年第二辑）：北魏选拔一批汉族门阀子弟进入中书省，参与修史，学写官场应酬文章，称为中书学生。⑪⑤ 卢度世：晋代刘琨的僚属卢谌的后代，其父卢玄，曾反对崔浩"整齐人伦，分别族姓"。传见《魏书》卷四十七。⑪⑥ 坐崔浩事亡命：因崔浩修史被杀之事牵连，改名换姓潜逃。坐，因……牵连受罪。亡命，隐姓埋名。崔浩被杀事见本书上卷元嘉二十七年。⑪⑦ 高阳：郡名，郡治即今河北高阳东之旧城。⑪⑧ 掠治：严刑拷打，逼问口供。⑪⑨ 君子杀身成仁：语出《论语·卫灵公》，原文为"志士仁人，无求生以害人，有杀身以成仁"。⑫⓪ 奉父命：坚持遵守父命。奉，秉承、坚持。⑫① 爇：灼；烧。⑫② 殿上将军：在殿上值勤以担任警卫之职。⑫③ 已应至彼：应该是逃到了你们宋国。彼，你、你处。⑫④ 都下：在我们都城，指建康。⑫⑤ 逃亡籍没者：隐姓埋名逃跑的，与被逮捕收入某个部门充当奴婢的。⑫⑥ 中书侍郎：中书省的官员，在中书令、中书仆射之下。⑫⑦ 三月乙酉：三月初一。⑫⑧ 己亥：三月十五。⑫⑨ 饮至告庙：古时征伐获胜归来，在宗庙张筵合饮以告慰祖先，称为"饮至"，或称"告庙"。《左传》："凡公行，告于庙；反行，饮至，舍爵策勋焉，礼也。"杜预注："饮于庙，以数车徒器械及所获也。"⑬⓪ 分置近畿：分别安置在魏国都城附近的郊区。畿，国家都城的郊区。⑬① 且去：暂时回去。⑬② 须麦熟更来：等麦子成熟时我再回来。须，等候。更，再、重新。⑬③ 及期：到了预订的日期，即麦子成熟的时候。⑬④ 芟麦翦苗：准备把成熟的麦子与尚未成熟的青苗全部收割起来。⑬⑤ 移民堡聚：让散居的百姓都入住城堡。⑬⑥ 镇军录事参军：镇军将军刘骏属下主管军中犯令与掌管符印的参谋官员。⑬⑦ 既自可保：这些散居城外的百姓可以保护好自己。⑬⑧ 如其更至：即使魏军真的又来了。⑬⑨ 此议亦不可立：你的这种说法也不能成立、不可采取。⑭⓪ 野采自资：本来是可以到野外采集可食之物以养活自己的。⑭① 饿死立至：眼巴巴地等着饿死。⑭② 何可制邪：你还怎么控制得了呢。⑭③ 实有可寻：实在值得深思。可寻，可思、可用。⑭④ 镇军府典签：镇军将军刘骏的僚属。典签本来只是掌握文书的小吏，但南朝宋、齐两代凡任刺史、督军的诸王，因其自身年龄幼小，朝廷都为之设长史、典签两职，这些职务多由皇帝的亲信充任，于是郡内、军内的大权遂逐渐都落入长史、典签之手。⑭⑤ 别驾：刺史属下的高级僚属，因其随刺史出行时能单独自乘一辆车而得名。⑭⑥ 敛版：拱手持手版。胡三省曰："版，手版。僚佐于府公之前敛版白事，崇敬也。"⑭⑦ 欲命孝孙弹子夏：想让王孝孙质问王子夏几句。弹，弹劾，这里指质问。王孝孙是录事参军，有纠弹之权。⑭⑧ 有何事：有何该谴责之处。⑭⑨ 芟麦移民二句：江夏王义恭提出芟麦移民的主张，是个关系重大的问题。⑮⓪ 亲为州端：他作为一州最高的大吏。别驾是刺史的助手，位居群僚佐之上，故张畅称之"州端"。⑮① 曾无同异：在听到"芟麦移民"的主张时，竟然不发表赞成或是反对的意见。⑮② 及闻元嗣之言二句：等到听了典签董元嗣的表态后，这才顺着董元嗣的口气说了话。⑮③ 阿意左右：这种专门向藩王的僚属阿谀讨好的人。⑮④ 何以事君：怎能做到忠心事主。事，为……服务。⑮⑤ 遂寝：遂被彻底否定。寝，搁起、放在一边。⑮⑥ 鲁宗之奔魏：鲁宗之原是晋朝名将，任雍州刺史，因反对刘裕篡晋，被刘裕打败，与荆州刺史司马休之一同投归后秦；两年后，后秦被刘裕灭亡，鲁宗之等遂又投归魏国。事见本书卷第一百十七。⑮⑦ 长社：县名，县治在今河南长葛东北。⑮⑧ 杀刘康祖及徐湛之之父：刘康祖之父刘虔之和徐湛之之父徐逵之，都是刘裕的部将。义熙十一年（公元四一五年），刘裕进剿司马休之与鲁宗之于荆州，被鲁宗之之子鲁轨打败杀死。事见本书卷第一百十七。⑮⑨ 少有武干：很小就有武艺、有谋略。〖按〗鲁爽及其祖鲁宗之、其父鲁轨事，见《宋书》卷七十四。⑯⓪ 兄弟各有罪：胡三省曰，"爽粗中使酒，多过失；秀以检校郏人谋反事，因病还迟，并为魏主所诘责"。⑯① 至湖陆：撤退到湖陆县时。湖陆县的县治在今山东鱼台东南。⑯② 祸及坟墓：担心祖父鲁宗之与父亲鲁轨的坟墓为宋军所刨。鲁宗之、鲁轨的坟墓都在长社。⑯③ 部曲：部下的私家武装，包括家奴、荫户等。⑯④ 奔汝南：汝南是魏郡名，郡治即今河南汝南。自长社至汝南不到三百里。⑯⑤ 南平王铄：刘铄，刘义隆之子，被封为南平王，此时镇守寿阳，即今安徽寿县。⑯⑥ 司州：原来的司州州治在洛阳，管辖今河南洛阳周围的大片地区，此时已在魏国境内，故而刘宋又在今河南的南端侨立了司州，州治义阳，即今河南信阳。⑯⑦ 颍川：刘宋的侨置郡名，郡治在今安徽巢湖东南。⑯⑧ 庙算远图：朝廷从长远考虑。⑯奖纳：指接受鲁氏归来并委以官职。⑰不敢苟申私怨：不能再提报私仇的事情。⑰屏居田里：退居乡村为民，意即不能与鲁氏同朝为官，以表示孝道。⑰梁邹戍主：梁邹镇的驻军头领。梁邹是县名，县治在今山东邹平东北，是平原郡的郡治所在地，当时属于刘宋。戍，军事据点。⑰诣州：到州里办事。当时的梁邹戍上属于青州。⑰五月乙酉：五月初二。⑰沙门：和尚。⑰壬寅：五月十九。⑰己巳：梁晓音曰，“疑为‘乙巳’之误。乙巳为五月二十二，五月内无‘己巳’”。⑰领南兖州刺史：兼任南兖州刺史。南兖州的州治广陵，即今江苏扬州。领，兼任。⑰徙镇盱眙：将其都督的军部由徐州迁到盱眙县。⑱戊申：五月二十五。⑱尚书令：尚书省的最高长官，相当于今之国务院总理。其副职有尚书仆射二人。⑱湛之国戚：徐湛之是刘氏皇室的亲戚。〖按〗徐湛之之父徐逵之娶刘裕之长女会稽公主为妻，故徐湛之是刘裕的外孙，是宋文帝刘义隆的外甥。⑱任遇隆重：受皇帝的信任宠爱。⑱每事推之：遇事总是让徐湛之做主。⑱并受辞诉：共同听取下面的奏事，意即让他们共同商量处理。⑱朝事：向皇帝禀报、请示事务。⑱六月壬戌：六月初九。⑱改元正平：在此之前拓跋焘的年号是太平真君（公元四四〇至四五〇年）。⑱游雅：北魏朝廷上的显耀汉族文人，与高允齐名，作过《太华殿赋》。传见《魏书》卷五十四。⑲胡方回：北魏朝廷上的显耀汉族文人，先仕于赫连勃勃，作过《统万城铭》，夏灭后归魏。传见《魏书》卷五十二。⑲更定律令：修订法律条文。更定，改定。⑲凡三百九十一条：最后制定出的法律条文共有三百九十一条。凡，总共。⑲营园田：经营农田，以收其利。⑲覆载：天能覆盖，地能承载，以喻其广大、包容。⑲容养：收容、养育。⑲国之储贰：皇位的继承人。储贰，未来的君主，当今皇帝的副手。⑲万方所则：是普天下学习的榜样。则，榜样。⑲酤贩市廛：到市场上摆摊做买卖。酤，买酒或卖酒，这里指卖。市廛，市场。廛，市中的空地。⑲谤声流布：到处流传着一片怨恨之声。⑳不可追掩：不可追回，不可掩盖。⑳虢之将亡二句：虢是春秋时期的诸侯国名。《左传》庄公三十二年有所谓“神赐虢公以土田”。史嚚曰：“虢其亡乎，吾闻之，国将兴，听于民，将亡，听于神。神，聪明正直而壹者也，依人而行。虢多凉德，其何土之能得？”不久，虢国果然被晋国灭亡。⑳汉灵帝私立府藏：汉灵帝光和元年（公元一七八年），在西园开邸舍卖官，将所得的钱财贮存在西邸的库房中，作为私有财产。事见本书卷第五十七。⑳皆有颠覆之祸：汉灵帝贪得无厌，后来引发黄巾起义，东汉王朝从此名存实亡。⑳武王爱周、邵、齐、毕：周武王能亲近并任用周公、邵公、太公、毕公。周公名旦，是武王之弟，后来被封为周公，事见《史记·鲁周公世家》。邵公名奭，亦武王之弟，后被封为邵公，事见《史记·燕召公世家》。太公名望，为文王、武王之师，后来被封为齐国诸侯，事见《史记·齐太公世家》。毕公名高，周文王的庶子，因食邑于毕（在今陕西咸阳东），故称毕公。以上四人被古人称为圣明的辅弼良臣。⑳飞廉、恶来：都是殷纣宠信的恶人，据说飞廉力大，其子恶来善走，父子二人都以特殊的本事讨好殷纣王，帮着殷纣王做坏事。详情见《史记·殷本纪》。⑳俊义：有才干的人。㉗顷来：近来。㉘在朝之选：朝廷上的拔尖人才。选，出类拔萃。㉙斥去：排除；驱逐。㉚所在田园：你在各处经营的土地。㉛以时收散：赶紧收摊，或分给众人。以时，及时、迅即。㉜休声：赞美的声音。休，美。㉝精察：精明。㉞中常侍宗爱：皇帝的侍从官姓宗名爱。中常侍，在宫廷侍从皇帝的人员。东汉时由宦官专任，魏以后与散骑常侍合并，不再由宦官专任。宗爱，事迹见《魏书·阉官传》。㉟给事中：官名，也是皇帝身边的侍从人员，以备参谋顾问等事，属于门下省。㊱仇尼道盛：复姓仇尼，名道盛。㊲侍郎：指给事黄门侍郎，属门下省，也是皇帝的侍从官员。㊳颇用事：很是有些专权。用事，管事、掌权。㊴所纠：所罗织陷害。纠，相当于今之"揪辫子"，抓取其罪以陷之。㊵构告：罗织罪名以诬告。㊶都街：都城中的街道。㊷东宫官属：太子属下的官员。㊸坐死：牵连被杀。㊹戊辰：六月十五。㊺以忧卒：见自己的属下官员被杀，担心祸延及己，因而忧惧致死。〖按〗司马光在《考异》中说："《宋索虏传》云：'焘至汝南瓜步，晃私遣取诸营卤获甚众。焘归闻知，大加搜检，晃惧，谋杀焘，焘乃诈死，使其近习召晃迎丧，于道执之。及国，罩以铁笼，寻杀之。'萧子显《齐书》亦云：'晃谋杀佛狸，见杀。'《宋略》曰：'焘既南侵，晃淫于内，谋欲杀焘。焘知之，归而诈死，召晃迎丧。晃至，执之，罩以铁笼，捶之三百，曳于丛棘以杀焉。'"盖皆南方传说之辞。㊻壬申：六月十九。㊼金陵：北方民族对帝王陵墓的敬称，极称其尊贵与牢固。后世称元人成吉思汗之墓亦曰"金陵"。㊽徐知：渐渐明白了。㊾七月丁亥：七月初五。㊿阴山：横亘于今内蒙古包头、呼和浩特北的东西走向的大山，其地有魏国皇帝的行宫。㉛癸亥：八月十一。㉜皆坐退败免官：王玄谟狂妄畏怯取败，死有余辜。王世贞曰："王玄谟首建北伐之谋，亲将大军望风退走；柳元景偏裨别将，破敌成功，宋主不能显加赏戮，此固佛狸之所望而侮者，尚可与之校胜负哉？"㉝自归而死：他自己逃回如果还被处死。㉞将至逃散：那他们以后再打了败仗就不会再回来了。㉟九月癸巳：九月十二。㊱十月庚申：十月初九。㊲修好：重修过去安边友好的关系。㊳己巳：十月十八。㊴上党靖王长孙道生：长孙道生是魏国三朝的名将，被封为上党王，死后谥曰靖。传见《魏书》卷二十五。㊵十二月丁丑：十二月二十七。㊶景穆太子之子濬：拓跋濬，不久前"以忧卒"的太子晃之子，亦即日后的文成帝。传见《魏书》卷五。㊷皇孙世嫡：拓跋晃的嫡子，拓跋焘的嫡孙。㊸不当为藩王：不应当封之为王，成为国家的诸侯，他是日后要成为皇帝的。㊹聪达：聪明懂事。㊺吴王余：此吴王拓跋余，与上述的东平王拓跋翰、临淮王拓跋谭、广阳王拓跋建，都是太武帝拓跋焘之子。传见《魏书》卷十八。㊻征北参军：征北将军刘濬的参谋人员。刘濬是刘义隆之子，被封为始兴王。传见《宋书》卷九十九。㊼姑孰：南豫州的州治，即今安徽当涂。㊽吏部郎王僧绰：吏部郎是尚书省中分管吏部的长官，掌管选任官吏，有如后来的吏部尚书。王僧绰是宋文帝初期的权臣王昙首之子，娶文帝刘义隆长女为妻。传见《宋书》卷七十一。㉔⑨侍中：门下省的长官，总管枢密机要，是事实上的宰相之一，受宠信的程度远远超过三公、尚书令及中书令。㉕⓪昙首：王昙首，元嘉初期的辅政大臣之一，与王华、殷景仁等共掌朝政。传见《宋书》卷六十三。㉕①大成：宏伟远大，老成持重。㉕②皆以国器许之：都认为他将来一定是治国安邦的好材料。许，认为、以为是。㉕③有思理：分析问题有条理。㉕④练悉朝典：熟悉朝廷的典章制度。㉕⑤尚：高攀，“娶”字的庄重运用。㉕⑥东阳献公主：东阳公主，刘义隆的长女。“献”字是其死后的谥。㉕⑦谙悉人物：熟知、了解国家的人才。㉕⑧咸得其分：都能人尽其才。㉕⑨沈深有局度：深沉而有度量。㉖⓪不以才能高人：不显示自己的才干本领以超过别人。高，超过、压倒。㉖①以后事为念：为自己身后的事情操心。念，忧虑、放心不下。㉖②欲大相付托：把身后的大事都托付给他。㉖③与参：参与；过问。㉖④唐和：原是西凉李暠的旧部，西凉被北凉灭后，唐和率残部躲入西域之焉耆，后佐助魏将万度归平定西域，遂为魏国功臣，并继续为魏国镇守西域。传见《魏书》卷四十三。

【校记】

［1］右：原作“左”。据章钰校，十二行本、乙十一行本皆作“右”，张瑛《通鉴校勘记》同，今据改。［2］之：原作“至”。据章钰校，十二行本、乙十一行本皆作“之”，今据改。［3］境：原无此字。据章钰校，十二行本、乙十一行本、孔天胤本皆有此字，今据补。［4］刀：原作“刃”。据章钰校，十二行本、乙十一行本皆作“刀”，张敦仁《通鉴刊本识误》同，今据改。〖按〗张敦仁《通鉴刊本识误》云：“无注本亦作‘刃’。”［5］见：原作“所”。据章钰校，十二行本、乙十一行本皆作“见”，今从改。［6］唱：原作“叫”。据章钰校，十二行本、乙十一行本皆作“唱”，今从改。［7］日：原作“旦”。据章钰校，十二行本、乙十一行本皆作“日”，今从改。［8］掠：原作“伤”。据章钰校，十二行本、乙十一行本、孔天胤本皆作“掠”，张敦仁《通鉴刊本识误》同，今据改。［9］进易：原作“易进”。据章钰校，十二行本、乙十一行本、孔天胤本二字皆互乙，今从改。［10］之：此字原不重。据章钰校，十二行本、乙十一行本、孔天胤本此字皆重，张敦仁《通鉴刊本识误》同，今据补。［11］秀为中书郎：原无此五字。据章钰校，十二行本、乙十一行本、孔天胤本皆有此五字，张敦仁《通鉴刊本识误》、张瑛《通鉴校勘记》同，今据补。［12］袭：据章钰校，十二行本、乙十一行本、孔天胤本此下皆有“据”字。［13］何尚之：原作“何瑀之”。胡三省注云：“‘何瑀之’恐当作‘何尚之’。”严衍《通鉴补》亦云：“《宋书》无‘何瑀之’，其为‘尚之’无疑。”今据以校正。

【原文】

二十九年（壬辰，公元四五二年）

春，正月，魏所得宋民五千余家在中山[265]者谋叛，州军[266]讨诛之。冀州刺史张掖王沮渠万年[267]坐与叛者通谋[268]，赐死。

魏世祖追悼景穆太子不已，中常侍宗爱惧诛[269]，二月甲寅[270]，弑帝[271]，尚书左仆射兰延、侍中和延疋[14]、薛提[272]等秘不发丧[273]。延疋以皇孙濬冲幼[274]，欲立长君，征秦王翰，置之秘室。提以濬嫡皇孙，不可废，议久不决。宗爱知之，自以得罪于景穆太子，而素恶[275]秦王翰，善[276]南安王余，乃密迎余自中宫便门入禁中，矫称赫连皇后令[277]召延等。延等以爱素贱，不以为疑，皆随入。爱先使宦者三十人持兵伏于禁中，延等入，以次收缚[278]，斩之；杀秦王翰于永巷[279]而立余。大赦，改元承平[280]，尊皇后为皇太后，以爱为大司马、大将军、太师、都督中外诸军事、领中秘书[281]，封冯翊王。

庚午[282]，立皇子休仁[283]为建安王。

三月辛卯[284]，魏葬太武皇帝于金陵[285]，庙号世祖[286]。

上闻魏世祖殂[287]，更谋北伐，鲁爽等复劝之。上访于群臣，太子中庶子何偃以为淮、泗数州[288]疮痍未复，不宜轻动。上不从。偃，尚之之子也。

夏，五月丙申[289]，诏曰："虐虏穷凶[290]，著于自昔[291]，未劳资斧[292]，已伏天诛。拯溺荡秽[293]，今其会[294]也。可符[295]骠骑、司空二府[296]，各部分[297]所统，东西应接。归义建绩[298]者，随劳酬奖[299]。"于是遣抚军将军萧思话[300]督冀州刺史张永[301]等向碻磝，鲁爽、鲁秀、程天祚将荆州甲士四万出许、洛[302]，雍州[303]刺史臧质帅所领趣潼关[304]。永，茂度之子也。

【语译】

二十九年（壬辰，公元四五二年）

春季，正月，被魏军俘虏并安置在中山郡的五千多家宋国的百姓密谋叛乱，被驻扎在定州的魏军残酷地镇压了。担任冀州刺史的张掖王沮渠万年被指控与叛变的宋国人互相勾结，被魏太武帝拓跋焘赐令自杀。

魏太武帝非常想念景穆太子拓跋晃，一直不能忘怀，担任中常侍的宗爱惧怕自己被太武帝诛杀，遂于二月初五日甲寅，刺杀了太武帝，担任尚书左仆射的兰延、担任侍中的和延疋、薛提等人担心天下因此大乱，没有对外宣布太武帝死亡的消息。和延疋因为嫡皇孙拓跋濬还很年幼，就想拥立年纪较大的皇子为皇帝，他把秦王拓跋翰召入宫中，安置在一间密室之中。而薛提则认为拓跋濬是嫡皇孙，必须由他来继承皇位，商议了很久都没有决定下来。中常侍宗爱知道消息以后，因为自己得罪了景穆太子拓跋晃，又一向厌恶秦王拓跋翰，却和南安王拓跋余关系密切，于是就秘密地把南安王拓跋余从中宫的便门迎进宫中，然后诈称是奉了赫连皇后的命令，将兰延等人召入宫中。兰延等人因为宗爱的地位一向卑贱，没有对他传达的命令产生怀疑，便都随着宗爱进入宫中。宗爱预先派了三十名宦官手执兵器埋伏在后宫之中，兰延等人进入宫中以后，被埋伏的宦官逮捕、杀害；宗爱又在永巷之内杀死了秦王拓跋翰，拥立南安王拓跋余为皇帝。大赦天下，改年号为承平元年，尊皇后为皇太后，拓跋余任命宗爱为大司马、大将军、太师、都督中外诸军事、兼任中秘书，封为冯翊王。

二月二十一日庚午，宋文帝刘义隆封皇子刘休仁为建安王。

三月十三日辛卯，魏国将太武帝拓跋焘安葬在金陵，庙号世祖。

宋文帝听说魏国皇帝拓跋焘去世的消息，就再次考虑出兵北伐之事，鲁爽等人也赞同宋文帝。宋文帝征求文武群臣的意见，担任太子中庶子的何偃认为淮河、泗水流域的几个州因为战争所造成的创伤目前还没有平复，不应该轻易用兵。宋文帝没有听取他的意见。何偃，是何尚之的儿子。

夏季，五月十九日丙申，宋文帝下诏说："残暴的胡虏穷凶极恶，从过去到现在一直如此，还没等我们动用斧钺去讨伐他，就已经被上天诛杀。拯救那些深陷水深火热之中的百姓，荡涤人世间的一切污秽，现在正是一个千载难逢的好机会。可以下命令给骠骑将军府、司空府，命令他们分别部署、率领自己的部下，东西互相接应。凡是归顺投诚以及建立战功的人，按照他们功劳的大小分别给以酬劳和奖赏。"于是派遣担任抚军将军的萧思话率领冀州刺史张永等向碻磝城进发，司州刺史鲁爽、颍川太守鲁秀、征北参军程天祚率领荆州四万披甲持械的士兵向着许昌、洛阳的方向进军，雍州刺史臧质率领自己的部下向着潼关的方向进军。张永，是张茂度的儿子。

沈庆之固谏北伐，上以其异议，不使行。

青州刺史刘兴祖上言，以为："河南阻饥㉚，野无所掠。脱㉛诸城固守，非旬月可拔。稽留大众㉜，转输方劳㉝；应机乘势㉞，事存急速㉟。今伪帅㊱始死，兼逼暑时㊲，国内猜扰，不暇远赴㊳。愚谓宜长驱中山，据其关要㊴。冀州以北㊵，民人尚丰㊶，兼麦已向熟，因资为易㊷，尚[15]义之徒㊸，必应响赴㊹。若中州㊺震动，黄河以南，自当消溃㊻。臣请发青、冀㊼七千兵，遣将领之，直入其心腹。若前驱克胜，张永及河南众军，宜一时济河，使声实㊽兼举，并建司牧㊾，抚柔初附㊿，西拒太行(326)，北塞军都(327)，因事指挥(328)[16]，随宜加授(329)，畏威欣宠(330)，人百其怀(331)。若能成功，清壹可待(332)；若不克捷，不为大伤。并催促装束(333)，伏听敕旨(334)。"上意止存河南(335)，亦不从。上又使员外散骑侍郎琅邪徐爰随军向碻磝，衔中旨(336)授诸将方略(337)，临时宣示(338)。

尚书令何尚之以老请致[17]仕(339)，退居方山(340)。议者咸谓(341)尚之不能固志(342)。既而诏书敦谕(343)[18]数四，六月戊申朔(344)，尚之复起视事(345)。御史中丞袁淑录自古隐士有迹无名者(346)为《真隐传》以嗤(347)之。

秋，七月，张永等至碻磝，引兵围之。

壬辰(348)，徙汝阴王浑(349)为武昌王，淮阳王彧(350)为湘东王。

初，潘淑妃生始兴王濬(351)。元皇后(352)性妒，以淑妃有宠于上，恚恨(353)而殂，淑妃专总内政(354)。由是太子劭深恶淑妃及濬。濬惧为将来之祸(355)，乃曲意事劭(356)，劭更与之善(357)。

吴兴巫(358)严道育，自言能辟谷服食(359)，役使鬼物(360)，因(361)东阳公主

太子步兵校尉沈庆之坚决劝阻宋文帝出兵北伐，宋文帝因为沈庆之与自己意见不同，所以没有派他出征。

担任青州刺史的刘兴祖上书给宋文帝，认为："黄河以南的大片地区正在遭受饥荒，在野外我们什么东西也抢不到。假如各城的魏军坚持固守，我们在十天半月之内是无法将其攻克的。几十万大军一旦滞留在那里，粮草供应将会成为一个大伤脑筋的问题；利用机会奔袭敌人，关键在于要能够速战速决。如今北魏的头领拓跋焘新死，盛夏又将很快到来，魏国内部正处在互相猜疑、人情纷扰的时期，根本无暇顾及出兵远征。我认为应当长驱直入攻取中山，占据那里的冲要之地。冀州以北地区，人民生活还算富裕，再加上小麦就要成熟，就地掠取敌人的物资较为容易，而那些心向正义的人，一定会群起响应，前来趋附。如果中山一带被我军攻占，必然会造成很大的影响，黄河以南地区，敌人的势力必然会瓦解崩溃。我请求从青州、冀州征调七千士兵，派遣将领率领他们，直接插入敌人的心脏地区。如果前锋克敌制胜，冀州刺史张永以及黄河以南的所有军队，应当同时渡过黄河，使虚张声势和实际进攻同时并举，同时在新攻占的地方普遍设置州郡等地方官，负责安抚、笼络那些新归附的百姓，向西据守住太行山，向北堵塞住军都山口，根据实际情况指挥作战，根据需要委派新的官员。无论是因为害怕我们的军威，还是因为喜欢我们的封赏，他们的感恩戴德、愿意为我军效力之心都会超过平时的一百倍。如果这个计划能够获得成功，那么距离肃清胡虏、统一天下的日子就不远了；如果不能获得战争的胜利，也不会给我国造成很大的损失。我已经命令部下做好准备，静待朝廷的旨意下达。"宋文帝只想收复黄河以南地区，所以对刘兴祖的建议也没有采纳。宋文帝又派担任员外散骑侍郎的琅邪郡人徐爰跟随大军进攻碻磝，带着皇帝的旨意，告诉前方诸将领此仗该如何打，但要等到临近开战时才向他们宣布。

担任尚书令的何尚之以自己年老体衰为由请求辞职退休，准备退休后隐居于方山。舆论全都认为何尚之不可能坚持过退休隐居的生活。后来，宋文帝多次下诏敦促、晓谕何尚之还朝，六月初一日戊申，何尚之再次出山重新理政。担任御史中丞的袁淑搜集了从古至今有隐居事迹而未留下姓名的人撰写成一部《真隐传》，以此来耻笑何尚之沽名钓誉的行为。

秋季，七月，冀州刺史张永等人抵达碻磝城，率军包围了碻磝城。

十六日壬辰，宋文帝改封汝阴王刘浑为武昌王，淮阳王刘彧为湘东王。

当初，潘淑妃生下始兴王刘濬。元皇后天性妒忌，因为潘淑妃深受宋文帝的宠爱，就心怀怨恨而死，潘淑妃便总揽了宫廷以内的各种事务。皇太子刘劭因此深恨潘淑妃以及始兴王刘濬。刘濬害怕日后被皇太子刘劭杀害，就违心地极力向皇太子刘劭讨好，刘劭遂改变了对刘濬的态度，而且对刘濬很友好。

吴兴郡有一个女巫，名叫严道育，自称只服用丹药而不吃五谷，还能够驱使鬼

婢王鹦鹉[362]出入主家[363]。道育谓主曰："神将有符[364]赐主。"主夜卧，见流光若萤，飞入书笥[365]。开视，得二青珠，由是主与劭、濬皆信惑之。劭、濬并多过失，数为上所诘责，使道育祈请[366]，欲令过不上闻[367]。道育曰："我已为上天陈请，必不泄露。"劭等敬事之，号曰天师。其后遂与道育、鹦鹉及东阳主奴陈天与、黄门陈庆国共为巫蛊[368]，琢玉为上形像[369]，埋于含章殿[370]前。劭补天与为队主[371]。

东阳主卒，鹦鹉应出嫁，劭、濬恐语泄[372]，濬府佐[373]吴兴沈怀远，素为濬所厚，以鹦鹉嫁之为妾。

上闻天与领队[374]，以让[375]劭曰："汝所用队主副[376]，并是奴邪[377]？"劭惧，以书告濬。濬复书曰："彼人[378]若所为不已[379]，正可促其余命[380]，或是大庆之渐[381]耳。"劭、濬相与往来书疏，常谓上为"彼人"，或曰"其人"，谓江夏王义恭为"佞人"[382]。

鹦鹉先与天与私通，既适[383]怀远，恐事泄，白劭使密杀之[384]。陈庆国惧，曰："巫蛊事，惟我与天与宣传往来[385]。今天与死，我其危哉！"乃具以其事白上[386]。上大惊，即遣收鹦鹉[387]，封籍其家[388]，得劭、濬书数百纸，皆咒咀[389]巫蛊之言。又得所埋玉人，命有司穷治[390]其事。道育亡命，捕之不获。

先是，濬自扬州刺史[19]出镇京口[391]，及庐陵王绍[392]以疾解扬州[393]，意谓[394]己必复得之。既而上用南谯王义宣[395]，濬殊不乐，乃求镇江陵[396]，上许之。濬入朝，遣还京口，为行留处分[397]，至京口数日而巫蛊

怪精灵，她通过东阳公主的婢女王鹦鹉的关系得以随意出入东阳公主的府邸。严道育对东阳公主说："神仙准备把符箓赐给公主。"公主夜里躺在床上，看见一道流光像萤火虫一样飞入书箱。东阳公主打开书箱一看，里面有两颗青珠，因为这件事，东阳公主与皇太子刘劭、始兴王刘濬都对女巫严道育深信不疑，并被她迷惑。刘劭、刘濬全都犯有很多过失，多次受到宋文帝的诘责，刘劭、刘濬遂让严道育替他们祈求上天，请上天保佑别让宋文帝知道他们所干的坏事。严道育说："我已经向上天陈述请求过了，上天答应一定不把你们的过错泄露给皇上。"刘劭等对严道育非常尊敬，称严道育为天师。后来刘劭、刘濬就与女巫严道育、东阳公主的婢女王鹦鹉以及东阳公主的奴仆陈天与、担任黄门侍郎的陈庆国一起运用巫蛊的手段祈求鬼怪置宋文帝于死地，他们把玉雕琢成宋文帝的形象，偷偷地埋在含章殿前面，诅咒宋文帝早死。刘劭还让陈天与做自己卫队的头领。

东阳公主去世，婢女王鹦鹉理应出嫁，皇太子刘劭、始兴王刘濬恐怕王鹦鹉嫁出去以后泄露了他们的秘密，始兴王刘濬府中的僚属吴兴人沈怀远一向受到刘濬的厚爱，刘濬就把王鹦鹉嫁给沈怀远为妾。

宋文帝听说皇太子任命陈天与统领太子宫的卫队，就责备刘劭说："你所任用的正队主、副队主，怎么都是奴才呢?"刘劭很恐惧，就写信将此事告诉了始兴王刘濬。刘濬回信说："如果皇帝依然无休止地干涉我们，正好可以促使他早点死，这或许是我们的盛大庆典即将到来的征兆吧。"皇太子刘劭与始兴王刘濬在互相往来的书信中，经常称宋文帝为"彼人"，或者是"其人"，称江夏王刘义恭为"佞人"。

王鹦鹉先前就与陈天与私通，后来嫁给沈怀远以后，恐怕自己私通的事情泄露，就告诉了皇太子刘劭，请刘劭杀死陈天与灭口。陈庆国看到陈天与被杀感到很害怕，他说："运用巫蛊的手段祈求鬼怪害死宋文帝的事情，只有我和陈天与往来传递消息。如今陈天与死了，我大概也危险了!"于是就把巫蛊事情的详细经过告诉了宋文帝。宋文帝听了以后大吃一惊，立即派人逮捕王鹦鹉，封门、查抄了王鹦鹉的家，查获太子刘劭、始兴王刘濬的往来书信几百封，内容都是诅咒巫蛊的言语。又搜查含章殿前面的地面，找到了所埋的玉人，宋文帝命令司法部门对这件事的有关人员严加审讯，彻底追查。女巫严道育闻讯后逃走，宋文帝虽然派人四处搜捕却没有抓到。

先前，始兴王刘濬由扬州刺史被宋文帝改任为南徐州、兖州二州刺史，征北将军，驻军于京口，等到庐陵王刘绍因为患病而被解除扬州刺史职务时，刘濬以为自己必定会再次得到扬州刺史这一职位。后来，宋文帝任命南谯王刘义宣为扬州刺史，刘濬因此非常不高兴，就向宋文帝请求任命自己为荆州刺史去镇守江陵，宋文帝批准了他的请求。刘濬从京口入朝拜见宋文帝，宋文帝让刘濬返回京口，做好前往江陵或是继续留在京口两种准备，刘濬回到京口没有几天，他与太子刘劭合谋搞巫蛊

事发。上惋叹弥日[398]，谓潘淑妃曰：“太子图富贵[399]，更是一理[400]；虎头复如此[401]，非复思虑所及[402]。汝母子岂可一日无我邪[403]！”遣中使[404]切责[405]劭、濬，劭、濬惶惧无辞，惟陈谢[406]而已。上虽怒甚，犹未忍罪[407]也。

诸军攻碻磝，治三攻道[408]：张永等当东道，济南太守申坦等当西道，扬武司马[409]崔训当南道。攻之累旬[410]，不拔。八月辛亥[411]夜，魏人自地道潜出，烧崔训营及攻具，癸丑[412]夜，又烧东围[413]及攻具，寻[414]复毁崔训攻道。张永夜撤围退军，不告诸将，士卒惊扰，魏人乘之[415]，死伤涂地[416]。萧思话自往，增兵力攻，旬余不拔。是时，青、徐不稔[417]，军食乏。丁卯[418]，思话命诸军皆退屯历城[419]，斩崔训，系张永、申坦于狱。

鲁爽至长社，魏戍主秃发幡〔20〕弃城走[420]。臧质顿兵近郊[421]，不以时发[422]，独遣冠军司马[423]柳元景帅后军行参军[424]薛安都等向潼关，元景等〔21〕进据洪关[425]。梁州[426]刺史刘秀之遣司马马汪[427]与左军中兵参军萧道成[428]将兵向长安。道成，承之[429]之子也。魏冠军将军封礼自洹津[430]南渡，赴弘农[431]。九月，司空高平公兒乌干[432]屯潼关，平南将军黎公辽屯河内[433]。

吐谷浑王慕利延[434]卒，树洛干[435]之子拾寅立，始居伏罗川[436]，遣使来请命[437]，亦请命〔22〕于魏[438]。丁亥[439]，以拾寅为安西将军、西秦、河、沙[440]三州刺史、河南王，魏以拾寅为镇西大将军、沙州刺史、西平王。

庚寅[441]，鲁爽与魏豫州刺史拓跋仆兰战于大索[442]，破之，进攻虎牢[443]。闻碻磝败退，与柳元景皆引兵还。萧道成、马汪等闻魏救兵将至，还趣仇池[444]。己丑[445]，诏解萧思话徐州[446]，更领冀州刺史[447]，镇历城[448]。

上以诸将屡出无功，不可专责张永等，赐思话诏曰：“虏既乘利[449]，方向盛冬[450]，若脱敢送死[451]，兄弟父子自共当之[452]耳。言及增愤[453]！

的事情就被揭发出来了。宋文帝为此惋惜慨叹了一整天，他对潘淑妃说：“太子贪图富贵想抢班夺权，还可以理解；而虎头刘濬也跟在里头搅和，真是让人意想不到。你们母子二人如果没有了我的庇护，恐怕一天也活不了吧！”派遣宫中的宦官为使者严厉地斥责了皇太子刘劭、始兴王刘濬，太子刘劭、始兴王刘濬惶恐忧惧，却无话可说，只是一个劲地表示认罪而已。宋文帝虽然非常恼怒，还是不忍心将他们处死。

宋国北伐的各路人马进攻碻磝城，分成三条路线：冀州刺史张永等人从东路进攻，济南太守申坦等人从西路进攻，扬武司马崔训从南路进攻。三路人马一连进攻了数十天也没有攻下碻磝城。八月初五日辛亥夜间，魏军从地道里偷偷出城，烧毁了崔训的军营以及攻城的器具，初七日癸丑夜间，又烧毁了东路张永的军营和攻城器械，不久又摧毁了崔训的攻城道路。张永连夜率领他的东路军撤退，事先没有通知其他将领，士卒惊慌扰乱，魏军乘机出击，宋军死伤遍地。萧思话亲自率军前往，虽然增加兵力极力进攻，但攻了十多天还是没有攻克。而此时，青州、徐州由于粮食歉收，军中缺乏粮食。二十一日丁卯，萧思话只得命令各军全部撤退到历城屯扎，斩杀了崔训，把张永、申坦逮捕入狱。

宋国司州刺史鲁爽到达长社，魏国守卫长社的军事头领秃发幡弃城逃走。雍州刺史臧质将军队驻扎在襄阳近郊，没有按时发兵北上，只是派遣属下担任冠军司马的柳元景率领担任后军行参军的薛安都等人前往潼关，柳元景等攻占洪关。梁州刺史刘秀之派遣担任司马的马汪与担任左军中兵参军的萧道成率领军队进攻长安。萧道成，是萧承之的儿子。魏国冠军将军封礼从洹津向南渡过黄河，直赴弘农县。九月，担任司空的高平公兒乌干屯兵于潼关，平南将军黎公辽把军队屯扎在河内郡。

吐谷浑王慕利延去世，故吐谷浑王慕容树洛干的儿子慕容拾寅继位，开始在伏罗川居住，他派遣使者来到建康向宋国请求臣服，但同时也派遣使者前往魏国称臣。七月十一日丁亥，宋文帝刘义隆任命慕容拾寅为安西将军，西秦州、河州、沙州三州刺史，河南王，魏国任命慕容拾寅为镇西大将军、沙州刺史、西平王。

七月十四日庚寅，宋国担任司州刺史的鲁爽与魏国担任豫州刺史的拓跋仆兰大战于大索城，鲁爽所率领的宋军打败了拓跋仆兰所率领的魏军，并乘胜进攻虎牢。鲁爽等听到进攻碻磝城的宋军已经战败撤退的消息，遂与柳元景全都率领军队撤回。左军中兵参军萧道成、司马马汪等人听到魏国救兵即将到达的消息，也率领军队向仇池方向撤退。十三日己丑，宋文帝下诏免去萧思话徐州刺史的职务，令萧思话另外兼任冀州刺史，镇守历城。

宋文帝因为诸将领屡次出征北伐都没有建立功劳，所以不应当只责备张永等人，于是颁布诏令给萧思话说：“胡虏已经乘胜前进，正在得意的势头上，眼下又将进入严寒的冬季，如果他们胆敢前来送死，我们刘氏一门上上下下自然会挺身而出与其

可以示张永、申坦[454]。”又与江夏王义恭书曰：“早知诸将辈如此，恨不以白刃驱之。今者悔何所及！”义恭寻[455]奏免[456]思话官，从之。

魏南安隐王余[457]自以违次而立[458]，厚赐群下，欲以收众心，旬月之间，府藏虚竭。又好酣饮及声乐、畋猎，不恤[459]政事。宗爱为宰相，录三省[460]，总宿卫[461]，坐召公卿[462]，专恣[463]日甚。余患之，谋夺其权，爱愤怒。冬，十月丙午朔[464]，余夜祭东庙[465]，爱使小黄门[466]贾周等就弑余[467]而秘之，惟羽林郎中代人刘尼[468]知之。尼劝爱立皇孙濬，爱惊曰：“君大痴人！皇孙若立，岂忘正平时事[469]乎！”尼曰：“若尔[470]，今当立谁？”爱曰：“待还宫，当择诸王贤者立之。”

尼恐爱为变，密以状告殿中尚书源贺[471]。贺时与尼俱典兵宿卫[472]，乃与南部尚书[473]陆丽[474]谋曰：“宗爱既立南安，还复杀之。今又不立皇孙，将不利于社稷。”遂与丽定谋，共立皇孙。丽，俟之子也。

戊申[475]，贺与尚书长孙渴侯[476]严兵守卫宫禁，使尼、丽迎皇孙于苑[477]中。丽抱皇孙于马上，入平城，贺、渴侯开门纳之。尼驰还东庙，大呼曰：“宗爱弑南安王，大逆不道，[478]皇孙已登大位，有诏，宿卫之士皆还宫。”众咸呼万岁，遂执宗爱、贾周等，勒兵而入，奉皇孙即皇帝位。登永安殿[479]，大赦，改元兴安[480]。杀爱、周，皆具五刑[481]，夷三族[482]。

西阳五水群蛮[483]反，自淮、汝至于江、沔[484]，咸被其患。诏太尉中兵参军[485]沈庆之督江、豫、荆、雍四州兵讨之。

拼命。说到这里令人不由得感到愤慨！你可以将诏书拿给张永、申坦观看。”又写信给江夏王刘义恭说：“如果早点知道各位将领如此无能，我真恨不得手拿兵刃在他们背后督战。如今后悔也来不及了！”不久，江夏王刘义恭便上疏奏请罢免萧思话的官职，宋文帝批准了他的奏请。

魏国南安隐王拓跋余认为自己被立为魏国的皇帝违背了长幼次序，就对文武群臣厚加赏赐，想以此来收买人心，只用了十天半月的时间，就把国家府库中的财物储备耗费光了。拓跋余又喜好饮酒以及声乐、狩猎，却不关心朝廷政事。宗爱担任宰相，总揽尚书、侍中、中秘书三省大权，还总管皇家的警卫部队。他坐在那里召见公卿大臣，对三公九卿呼来唤去，专横跋扈，为所欲为，一天比一天厉害。拓跋余担忧宗爱早晚会给自己带来祸患，就谋划剥夺他的权力，宗爱知道后非常愤怒。冬季，十月初一日丙午，拓跋余在夜间前往平城东部的白登山祭祀先祖庙，宗爱派遣小太监贾周等人前往白登山拓跋余所在的地方杀死拓跋余，并封锁消息，只有担任羽林郎中的代郡人刘尼知道此事。刘尼劝说宗爱立太武帝拓跋焘的嫡皇孙拓跋濬为皇帝，宗爱吃惊地说：“你简直就是一个大白痴！如果立了嫡皇孙拓跋濬为皇帝，他难道会忘记正平年间他父亲被我等逼迫而忧惧死的事情吗？”刘尼说：“照你的看法，现在立谁为皇帝才好呢？”宗爱说：“等回到皇宫之后，再从亲王中挑选一个贤能的人立为皇帝。”

刘尼担心宗爱谋乱，就偷偷地把情况告诉了担任殿中尚书的源贺。当时源贺与刘尼都统领禁卫军负责保卫宫廷的安全，源贺与担任南部尚书的陆丽密谋说：“宗爱已经拥立南安王拓跋余为帝，还要把他杀掉。现在又不肯立嫡皇孙拓跋濬为帝，恐怕将对国家不利。”于是与陆丽定下计谋，共同拥戴嫡皇孙拓跋濬为皇帝。陆丽，是陆俟的儿子。

十月初三日戊申，殿中尚书源贺与担任尚书的长孙渴侯率领禁卫军严密守卫宫廷，派羽林郎中刘尼、南部尚书陆丽前往平城城外的鹿苑迎接嫡皇孙拓跋濬入宫。陆丽把嫡皇孙拓跋濬抱上马，进入都城平城，源贺、长孙渴侯打开城门将嫡皇孙拓跋濬接入城中。刘尼骑马奔回平城东部白登山上的皇家祖庙，大声呼喊说：“宗爱杀死南安王，犯下大逆不道之罪，嫡皇孙拓跋濬已经登上宝座即位为皇帝，新皇帝有诏在此，命令所有宿卫之士全部回宫。”众人全都高呼万岁，他们逮捕了宗爱、贾周等人，刘尼整顿军队进入皇宫，拥戴嫡皇孙拓跋濬即皇帝位。拓跋濬登上永安殿，大赦天下，改年号为兴安。动用五种残酷的刑法，处死了宗爱、贾周，灭了他们的三族。

西阳郡内五条河流一带的各个蛮族一同起兵造反，东起淮河、汝水流域，西至长江、沔水流域都深受其害。宋文帝下诏给担任太尉中兵参军的沈庆之，令他统领江州、豫州、荆州、雍州四个州的兵力前去镇压各蛮族的叛乱。

魏以骠骑大将军拓跋寿乐[486]为太宰、都督中外诸军、录尚书事[487]，长孙渴侯为尚书令，加仪同三司[488]。十一月，寿乐、渴侯坐争权，并赐死。

癸未[489]，魏广阳简王建、临淮宣王谭[490]皆卒。

甲申[491]，魏主母闾氏[492]卒。

魏南安王余之立也，以古弼[493]为司徒，张黎[494]为太尉。及高宗[495]立，弼、黎议不合旨[496]，黜为外都大官，坐有怨言，且家人告其为巫蛊，皆被诛。

壬寅[497]，庐陵昭王绍[498]卒。

魏追尊景穆太子为景穆皇帝，皇妣闾氏为恭皇后，尊乳母常氏为保太后[499]。

陇西屠各王景文[500]叛魏，署置[501]王侯。魏统万镇将[502]南阳王惠寿[503]、外都大官于洛拔[504]督四州[505]之众讨平之，徙其党三千余家于赵、魏[506]。

十二月戊申[507]，魏葬恭皇后于金陵[508]。

魏世祖[509]晚年，佛禁稍弛[510]，民间往往有私习者。及高宗即位，群臣多请复[511]之。乙卯[512]，诏州郡县众居之所，各听建佛图一区[513]；民欲为沙门者，听出家，大州五十人，小州四十人。于是向[514]所毁佛图，率皆修复[515]。魏主亲为沙门师贤[516]等五人下发[517]，以师贤为道人统[518]。

丁巳[519]，魏以乐陵王周忸[520]为太尉，南部尚书陆丽为司徒，镇西将军杜元宝为司空。丽以迎立之功，受心膂之寄[521]，朝臣无出其右者。赐爵平原王，丽辞曰："陛下，国之正统[522]，当承基绪[523]，效顺奉迎[524]，臣子常职[525]，不敢慆天之功[526]以干大赏[527]。"再三不受，魏主不许。丽曰："臣父奉事先朝，忠勤著效[528]。今年逼桑榆[529]，愿以臣爵授之[530]。"帝曰："朕为天下主，岂不能使卿父子为二王邪！"戊午[531]，进其父建业公俟爵为东平王。又命丽妻为妃，复其子孙[532]，丽力辞不受，帝益嘉之。

魏国任命担任骠骑大将军的拓跋寿乐为太宰、都督中外诸军、录尚书事，任命长孙渴侯为尚书令，加授仪同三司。十一月，拓跋寿乐与长孙渴侯因为争夺权力而获罪，全都被赐死。

十一月初八日癸未，魏国广阳简王拓跋建、临淮宣王拓跋谭全都逝世。

初九日甲申，魏国皇帝拓跋濬的母亲郁久闾氏去世。

魏国南安王拓跋余被宗爱立为皇帝的时候，任命古弼为司徒，张黎为太尉。等到高宗魏文成帝拓跋濬继位之后，因为古弼、张黎所发表的意见不符合拓跋濬的心意，便免去古弼的司徒与张黎的太尉职务，降职为外都大官，而古弼、张黎因为口出怨言，他们的家人又控告他们从事巫蛊活动，所以二人都被诛杀。

十一月二十七日壬寅，宋国庐陵昭王刘绍去世。

魏文成帝拓跋濬追尊自己的父亲景穆太子拓跋晃为景穆皇帝，追尊自己的母亲郁久闾氏为恭皇后，尊称自己的乳母常氏为保太后。

居住在陇西郡的屠各小王景文背叛魏国，开始自己设置王侯爵位并任命官职。魏国担任统万镇将的南阳王拓跋惠寿、担任外都大官的于洛拔统领四个州的兵力前往镇压屠各人的叛乱，把景文的三千多家党羽强行迁徙到战国时期属于赵国、魏国的那片土地上。

十二月初四日戊申，魏国把恭皇后郁久闾氏安葬于金陵。

魏世祖拓跋焘晚年，禁止魏国官民信奉佛教的禁令稍稍放松，民间往往有人私下里供奉佛像、诵习佛经。等到高宗皇帝拓跋濬即位之后，很多大臣都请求解除禁止信奉佛教的命令。十二月十一日乙卯，文成帝拓跋濬下诏，凡是各州、郡、县百姓集中居住的地方，允许建立一所佛寺，人们愿意出家当和尚、尼姑的，听任出家，但要限定名额：大州允许五十人出家，小州只允许四十人出家。于是从前所毁坏的佛寺、佛像，又都重新修复起来。文成皇帝拓跋濬还亲自为和尚师贤等五人剃去头发，任命师贤为众和尚的头领。

十二月十三日丁巳，魏国任命乐陵王周忸为太尉，任命南部尚书陆丽为司徒，镇西将军杜元宝为司空。陆丽因为迎接拥戴拓跋濬为皇帝立了大功，所以受到文成帝视为心腹与肱股一般的信任与依赖，满朝文武大臣中没有人能超过他。文成帝封陆丽为平原王，陆丽推辞说：“陛下是国家权力的嫡系继承人，理所应当地继承皇帝之位。效忠于顺应天心民意的人，拥戴他为皇帝，这是我们做臣子理所当然的职责，我不敢贪天之功以求得如此重大的奖赏。”陆丽再三推辞不肯接受封赏，而文成帝就是不肯批准。陆丽说：“我父亲陆俟侍奉先朝皇帝的时候，忠诚勤勉，功效卓著。如今已经年近老迈，希望陛下把授予我的爵位授给我的父亲。”文成帝说：“如今我是天下的主宰，难道我就不能把你们父子二人都封为王爵吗?!”十四日戊午，文成帝晋封陆丽的父亲建业公陆俟为东平王。又封陆丽的妻子为王妃，同时免除了陆丽子孙应该承担的赋税和劳役，陆丽极力推辞不肯接受封赏，文成帝就越加赞赏他。

以东安公刘尼为尚书仆射，西平公源贺为征北将军，并进爵为王。帝班赐群臣，谓源贺曰："卿任意取之。"贺辞曰："南北未宾[533]，府库不可虚也。"固与之，乃取戎马一匹[534]。高宗之立也，高允预其谋[535]，陆丽等皆受重赏，而不及允，允终身不言[536]。

甲子[537]，周忸坐事，赐死。时魏法深峻，源贺奏："谋反之家，男子十三以下本不预谋者，宜免死没官[538]。"从之。

江夏王义恭还朝。辛未[539]，以义恭为大将军、南徐州刺史，录尚书如故。

初，魏入中原[540]，用《景初历》[541]。世祖克沮渠氏[542]，得赵敺《玄始历》[543]，时人以为密[544]，是岁始行之[545]。

【段旨】

以上为第二段，写宋文帝元嘉二十九年（公元四五一年）一年间的大事。主要写了魏国的中常侍宗爱杀死魏帝拓跋焘，又矫称赫连皇后令立皇子拓跋余为皇帝，杀皇子拓跋翰及执政者兰延、和延疋、薛提等；写了宋帝刘义隆乘魏主拓跋焘死而兴兵北伐，派萧思话率张永等向碻磝，鲁爽、程天祚等出荆州向许、洛，臧质派柳元景率雍州军向潼关，梁州刘秀之派马汪、萧道成等向长安，兵分几路进攻，结果东路攻碻磝不下，退屯历城，其他三路也相继退兵；写了魏主拓跋余欲夺宗爱之权，宗爱发动政变又杀了拓跋余，羽林郎中刘尼、殿中尚书源贺、南部尚书陆丽等定议杀宗爱、贾周等，立皇孙拓跋濬，是为高宗文成帝，拓跋濬即位后，法律严酷，元老大臣拓跋寿乐、长孙渴侯、古弼、张黎、周忸等皆以罪连续被杀，唯对陆丽、刘尼、源贺等格外宠用，陆丽、源贺皆极力谦退，推辞不受；写了刘宋的太子刘劭与其异母弟刘濬利用奴婢陈天与、王鹦鹉、巫者严道育等造作巫蛊以害其父刘义隆，结果因有人告密而事泄，但刘义隆犹未决心诛除二逆；写了西阳五水群蛮反，自淮、汝至江、沔咸被其患，沈庆之督江、豫、荆、雍四州兵讨平之；此外还写了刘宋的宠臣何尚之已请求退休而又应诏复出，招致有人编《真隐传》以讽刺何尚之的贪权等。

北魏文成帝任命东安公刘尼为尚书仆射，任命西平公源贺为征北将军，二人都晋封为王爵。文成帝陈列了很多奖品，对群臣按照次序进行赏赐，他对源贺说："你想要什么就任意拿什么。"源贺推辞说："南北两方的敌人都还没有平定，国库不能空虚啊。"文成帝坚持让他挑选奖品，源贺才牵走了一匹战马。北魏高宗皇帝拓跋濬被拥立为皇帝的时候，高允也参与了大计的谋划，陆丽等人都受到重赏，而高允却没有得到任何赏赐，高允终其一生都没有谈及此事。

十二月二十日甲子，北魏乐陵王周忸因为受到牵连而获罪，被文成帝赐令自杀。当时魏国的刑法残酷苛刻，源贺奏请说："谋反的人家，十三岁以下的男子本来没有参与阴谋的，就应该免除其死罪，财物要没收入官，男女要没入官府为奴婢。"文成帝批准了源贺的奏请。

江夏王刘义恭回到朝廷。十二月二十七日辛未，宋文帝任命刘义恭为大将军、南徐州刺史，仍旧保留录尚书的职务。

当初，魏国拓跋氏占据中原的时候，使用的是《景初历》。魏世祖拓跋焘灭掉北凉的沮渠氏之后，得到赵敺编制的《玄始历》，当时的人们认为《玄始历》比以前的历法更为精密，于是从本年度开始使用《玄始历》。

【注释】

㉖⑤中山：郡名，郡治在今河北定州。定州也是魏国定州的州治所在地。㉖⑥州军：定州的魏国驻军。㉖⑦张掖王沮渠万年：沮渠万年是北凉主沮渠蒙逊之子，以其能及早降魏，被魏封为张掖王，并任为冀州刺史。传见《魏书》卷九十九。㉖⑧坐与叛者通谋：当时沮渠万年任冀州刺史，驻兵于今河北衡水市冀州区，与谋叛的中山郡人只相隔数百里，故被说成"与叛者通谋"。㉖⑨宗爱惧诛：太子晃平素憎恶宗爱，太子的属官被杀以及太子晃的"以忧卒"应与宗爱的进谗有关，今魏主悼念太子，故宗爱惧诛。㉗⓪二月甲寅：二月初五。㉗①弑帝：拓跋焘死年四十五岁，共在位二十八年。㉗②薛提：魏政权中的正直官僚。传见《魏书》卷三十三。㉗③秘不发丧：不宣布皇帝死的消息，担心天下大乱。㉗④冲幼：幼小不懂事。㉗⑤素恶：一向憎恶。㉗⑥善：喜欢；与……关系好。㉗⑦矫称赫连皇后令：假说是奉赫连皇后的命令。矫，假、诈。赫连皇后，拓跋焘的皇后，西夏主赫连勃勃之女。传见《魏书》卷十三。㉗⑧以次收缚：进门一个捆一个。㉗⑨永巷：宫廷中关押犯人之所。㉘⓪改元承平：在此之前是拓跋焘的年号正平。㉘①领中秘书：兼管秘书省的事务。秘书省是给皇帝起草诏令的部门，因为是在宫廷之中，故也称"中秘书"，其长官称秘书令。㉘②庚午：二月二十一日。㉘③皇子休仁：刘休仁，刘义隆的第十二子。传见《宋书》卷七十二。㉘④三月辛卯：三月十三。㉘⑤金陵：拓跋焘的坟墓在云中郡。云中郡的郡治即

今内蒙古和林格尔西北的土城子。㉘⑥庙号世祖：拓跋焘的庙号称作世祖。庙号是帝王死后，灵牌供入宗庙里的称号，通常都叫某祖或某宗等。㉘⑦魏世祖殂：魏主拓跋焘死了。殂，死。㉘⑧淮、泗数州：淮河、泗水流域的几个州，指青州、冀州、徐州、兖州、司州、豫州等。㉘⑨五月丙申：五月十九。㉙⓪虐虏穷凶：残暴的胡虏穷凶极恶。虐虏，指魏主。㉙①著于自昔：自古以来一贯如此。著，显明、为世人所共知。㉙②未劳资斧：用不着我们动用斧钺。资，凭借、动用。㉙③拯溺荡秽：拯救落水的百姓，推翻敌人的统治。溺，落水。荡秽，清扫垃圾，以喻推翻敌人政权。㉙④今其会：现在正是千载难逢的时机。会，关键时刻。㉙⑤可符：可以下命令给……。符，令，这里用作动词。㉙⑥骠骑、司空二府：指骠骑将军府与司空府。当时江夏王刘义恭被降号为骠骑将军，镇守盱眙；南谯王刘义宣进位司空，镇守江陵。㉙⑦部分：部署；统率。㉙⑧归义建绩：归顺投诚，与立有战功。归义，归向正义，即前来投降于己。㉙⑨随劳酬奖：按照其功劳大小，给予奖励。㉚⓪萧思话：刘宋时期的名将，刘裕萧皇后之侄，刘义隆的表兄弟。传见《宋书》卷七十八。㉚①张永：刘裕的旧部张茂度之子，有巧艺，善诗文。传见《宋书》卷五十三。㉚②出许、洛：向着许昌、洛阳的方向进军。㉚③雍州：刘宋雍州的州治襄阳，在今湖北襄阳市襄州区。㉚④趣潼关：杀向潼关。趣，意思同“趋”，向着……前进。潼关，古关塞名，在今陕西潼关。㉚⑤河南阻饥：黄河以南的大片地区正闹饥荒。河南，黄河以南，大体相当于今之河南省的黄河以南地区，当时宋魏战争的主要战场。阻，恰逢、正在经受。㉚⑥脱：假如；一旦。㉚⑦稽留大众：几十万大军一旦停留在那里。稽留，滞留。㉚⑧转输方劳：到那时粮食供应将成为大问题。方劳，将会成为伤脑筋的大问题。㉚⑨应机乘势：利用时机以奔袭敌人。㉛⓪事存急速：关键问题在于速战速决。事存，关键在于。㉛①伪帅：指魏主拓跋焘。㉛②兼逼暑时：夏天又将很快到来。㉛③不暇远赴：来不及派兵出征。㉛④据其关要：占领他们的冲要之地。胡三省曰：“自中山至代，有倒马关、飞狐关。”㉛⑤冀州以北：魏国的冀州，即今河北衡水市冀州区，在石德铁路以南。上文所说的中山，即在冀州以北。㉛⑥民人尚丰：因为上年的两国战争没有波及这一带。㉛⑦因资为易：便于掠取以为食。因资，因而取以为资。㉛⑧尚义之徒：心向刘宋的人们。㉛⑨必应响赴：一定会群起响应，趋附前来。㉜⓪中州：本来是指洛阳一带，这里指中山郡所处的定州地区。㉜①消溃：瓦解崩溃。㉜②青、冀：刘宋的青、冀二州州治即今山东青州，当时称作东阳。㉜③声实：虚张声势与实际进攻。㉜④并建司牧：在新攻下的地方普遍设立地方官。司牧，州郡的行政官员。㉜⑤抚柔初附：安抚笼络新归附的百姓。㉜⑥西拒太行：向西据守太行山。太行山是今河北与山西两省交界的大山。㉜⑦北塞军都：向北堵塞军都山。军都山也叫居庸山，在今北京市昌平区西北。㉜⑧因事指挥：根据实际情况进行指挥，意即朝廷不要从中多加干预。㉜⑨随宜加授：根据需要委派新的官职。㉝⓪畏威欣宠：既害怕我们的军威，又喜欢我们的封赏。宠，优待，此指封赏。㉝①人百其怀：其感恩戴德、愿为之效力之情百倍于平时。㉝②清壹可待：统一天下的日子也就不远了。㉝③并催促装束：我已经命令部下做好准备。㉞伏听敕旨：静听朝廷的旨意下达。伏，谦辞。〖按〗刘兴祖的主要意思是集中力量进攻太行山以东的今河北一带地区。虽“西拒太行，北塞军都”，尤其“清壹可待”云云不无夸大妄想之嫌，而其集中一路，突然袭击之意不无可取。㉟止存河南：只想收复河南。㊱衔中旨：带着皇帝的旨意。㊲授诸将方略：告诉诸将此仗该如何打。㊳临时宣示：到开战前才对他们宣布。㊴请致仕：请求退休。㊵方山：山名，在今江苏南京东北。㊶咸谓：都说；都估计。㊷不能固志：不可能坚持退休的想法。㊸敦谕：敦促、晓谕，意思是挽留他，让他不要退休。㊹六月戊申朔：六月初一是戊申日。㊺复起视事：又出来主持政事。视事，过问、处理政事。㊻有迹无名者：有事迹，但不知其姓字为谁，如晨门、荷蒉、野王二老、汉阴丈人之类。这样的人才是真正的隐士，而大量的出名隐士则都徒有其名，实际上是一群虚张声势的沽名钓誉之徒。㊼嗤：耻笑；嘲弄。㊽壬辰：七月十六。㊾汝阴王浑：刘浑，刘义隆的第十子。传见《宋书》卷七十九。㊿淮阳王彧：刘彧，刘义隆的第十一子，即日后的宋明帝。事迹见《宋书》卷八。351始兴王濬：刘濬，刘义隆之子。传见《宋书》卷九十九。352元皇后：刘义隆的皇后，姓袁，死后谥曰元，太子刘劭之母。传见《宋书》卷四十一。353恚恨：怨恨。恚，怨。354内政：宫廷内的各种事务。355惧为将来之祸：害怕日后为太子所害。356曲意事劭：违心地极力向太子劭讨好。357更与之善：改变态度与之友好起来。358吴兴巫：吴兴郡的巫婆。吴兴郡的郡治即今浙江湖州南的下菰城。359辟谷服食：不吃五谷，只服用丹药。360役使鬼物：支使鬼怪精灵。物，具有特异功能的精灵。361因：通过；依靠。362东阳公主婢王鹦鹉：东阳公主的婢女姓王名鹦鹉。东阳公主是宋文帝刘义隆之女。363出入主家：在东阳公主家出出进进，极言其受东阳公主宠信。364符：符箓，道士、方士用以骗人的东西，假说可以驱妖、避邪云云。365书笥：装书的箱子。笥，方形竹器。366使道育祈请：让严道育替他们祈求上天。367欲令过不上闻：保佑他们别让其父知道他们所干的坏事。不上闻，别让皇上知道。368共为巫蛊：一起用巫蛊的手段祈求鬼怪置宋文帝于死地。巫蛊，古代骗子所用的一种据说可以支使鬼怪置人于死地的妖术，如《红楼梦》中马道婆、赵姨娘陷害凤姐、宝玉之所为。369琢玉为上形像：用玉雕刻成一个宋文帝模样的小人。370含章殿：刘宋宫廷中皇帝会见群臣议事的主要场所。371补天与为队主：任命陈天与为自己卫队的头领。补，任命。队主，队长，一队的管事人，但不是正式官名。372恐语泄：怕王鹦鹉出嫁后泄漏巫蛊之事。373濬府佐：始兴王刘濬府的僚属。佐，助手。374领队：统领太子宫的卫队。375让：责备。376队主副：正队主与副队主。377并是奴邪：竟然用的都是奴才吗？378彼人：那个人，指其父刘义隆。379所为不已：再对我们干涉不休。已，休止。380正可促其余命：正好让他快点死。381或是大庆之渐：也许是我们的好日子即将到来。大庆，指刘劭登基做皇帝。渐，开始、开头。胡三省曰：“据此，则弑逆之谋濬实启之。劭在都，濬在京口，故以书往来。详察书意，则劭、濬逆谋岂一朝一夕之故哉？其所由来者渐矣。此书乃赞决其逆谋，非启之也。”382佞人：甜言蜜语讨好人的人。383适：嫁；嫁给。384杀之：杀掉陈天与灭口。㊸⑤宣传往来：来回传递消息。宣传，传递、传达。㊸⑥白上：告诉皇上。㊸⑦遣收鹦鹉：派人逮捕王鹦鹉。㊸⑧封籍其家：将王鹦鹉家封门查抄。籍，查抄、登记。㊸⑨咒咀：诅咒。咀，通“诅”。㊹⓪穷治：严厉审讯，彻底追查。㊹①自扬州刺史出镇京口：刘濬由扬州刺史改任南徐、兖二州刺史，征北将军，驻兵于京口，事在元嘉二十六年。扬州刺史的州治在建康城内，京口即今江苏镇江。离开京城到京口，故曰“出”。㊹②庐陵王绍：刘绍，刘义隆的第五子，过继于庐陵王刘义真为后。传见《宋书》卷六十一。㊹③以疾解扬州：因病免去扬州刺史之职。㊹④意谓：以为；估计。㊹⑤义宣：刘义宣，刘裕之子，刘义隆之弟。传见《宋书》卷六十八。㊹⑥镇江陵：任荆州刺史。荆州的州治江陵，即今湖北江陵西北的纪南城。㊹⑦为行留处分：做走和留的准备。㊹⑧惋叹弥日：惋惜地慨叹了一整天，表现了深深的遗憾之情。㊹⑨图富贵：指迫不及待地抢班夺权。㊺⓪更是一理：可以理解，有他的道理。㊺①虎头复如此：刘濬也跟在里头搅和。虎头，始兴王刘濬的小字。㊺②非复思虑所及：让人想象不到。㊺③岂可一日无我邪：胡三省曰，“言一日无帝，则淑妃及濬将为劭所杀也”。㊺④中使：来自皇帝身边的使者。㊺⑤切责：严厉谴责。㊺⑥陈谢：认罪；服罪。㊺⑦未忍罪：没有决心要杀他们。罪，加罪、处死。胡三省曰：“‘当断不断，反受其乱’，文帝之谓也。”㊺⑧三攻道：三条攻城的路线。㊺⑨扬武司马：扬武将军的司马官。司马是将军的高级僚属，在军中主管司法。㊻⓪累旬：数旬；几十天。一旬十日。㊻①八月辛亥：八月初五。㊻②癸丑：八月初七。㊻③东围：东道攻宋军的兵营。㊻④寻：不久。㊻⑤乘之：趁机发起攻击。㊻⑥涂地：犹言遍地。死者之脑与伤者之血染遍大地。㊻⑦不稔：歉收；年景不好。㊻⑧丁卯：八月二十一。㊻⑨历城：县名，县治即今山东济南。㊼⓪弃城走：胡三省曰，“鲁爽父子兄弟先居长社，以南兵来，声势既盛，秃发幡恐其有内应，故不能守而走。”㊼①顿兵近郊：驻兵于襄阳近郊。顿，留、驻扎。㊼②不以时发：不按时发兵北上。㊼③冠军司马：冠军将军臧质属下的司马官。㊼④后军行参军：后军将军的代理参军。行，临时代理。㊼⑤洪关：又作“鸿关”，在今河南灵宝西南。㊼⑥梁州：刘宋的梁州州治即今陕西汉中。㊼⑦司马马汪：刘秀之属下的司马官名叫马汪。㊼⑧萧道成：日后齐王朝的创建者，此时为刘宋政权下左军将军的中兵参军。事迹详见《齐书·武帝纪》。㊼⑨承之：萧承之，刘宋王朝的名将，曾有收复汉中之功。事见本书卷第一百二十二元嘉十年。㊽⓪洹津：渡口名，在今河南灵宝东北的黄河上。㊽①弘农：县名，县治即今河南灵宝东北的故函谷关城。㊽②兒乌干：姓兒，名乌干，被封为高平公。㊽③河内：魏郡名，郡治在今河南武陟西南。㊽④慕利延：刘宋元嘉时期的吐谷浑王，树洛干之母弟。传见《魏书》卷一百一。㊽⑤树洛干：晋朝末期的吐谷浑王，卒于晋安帝义熙十三年（公元四一七年），谥武王。传见《魏书》卷一百一。㊽⑥伏罗川：地名，具体方位不详，在今青海境内，大约离白兰山不远。㊽⑦来请命：来向刘宋请求旨意，意即向刘宋称臣。㊽⑧亦请命于魏：同时也听命于魏国，即所谓“两属”，两边都不得罪。吐谷浑对东方的强大政权历来采取这种态度。㊽⑨丁亥：七月十一。㊾⓪西秦、河、沙：三州名，刘宋遥指地名而封之，实际地盘都在魏国的管辖下。西秦即所谓秦州，州治即今甘肃天水，河州的州治枹罕，在今甘肃临夏东北，沙州的州治敦煌，即今甘肃敦煌西。㊶庚寅：七月十四。㊷大索：古城名，即今河南荥阳。㊸虎牢：关塞名，在今河南荥阳西北的古汜水镇，其北侧即秦汉时代的成皋城。㊹还趣仇池：退向仇池。趣，通“趋”，向。仇池，郡名，郡治骆谷，在今甘肃西和东南，成县之西，㊺己丑：七月十三。㊻解萧思话徐州：免去萧思话的徐州刺史职务。㊼更领冀州刺史：另兼任冀州刺史。领，兼任。㊽镇历城：刘宋的冀州州治侨设在历城，真正的冀州在今河北境内，当时属于魏国。㊾乘利：乘胜前进，正在得意的势头上。㊿方向盛冬：严冷的冬天就要到来。方向，就要到来。冬天到来对北方民族的军事行动有利，意思是如今正是敌人可能向我们发动进攻的时刻。(451)若脱敢送死：假如敌人胆敢前来进攻我国。脱，竟然。送死，指敌人来攻。(452)兄弟父子自共当之：我们刘氏一门上上下下会挺身而出与之拼命。言外之意是你们这些外姓人不是都打不过人家吗？对诸将有讥讽之意。(453)言及增愤：说到这里令人不由得愤慨。既恨敌人的猖狂，又恨自家诸将的不争气。(454)可以示张永、申坦：可将诏书给张永、申坦看。(455)寻：不久。(456)奏免：请求罢免。(457)南安隐王余：拓跋余，被封为南安王，“隐”字是死后的谥。(458)违次而立：违反长幼次序，被立为国君。拓跋余在拓跋焘诸子中年齿最幼。(459)不恤：不关心；不思考。(460)录三省：总领三省的大权。录，总管。胡三省曰：“魏盖以尚书、侍中、中秘书为三省，亦犹今以尚书、门下、中书为三省也。”(461)总宿卫：总统皇家的警卫部队。(462)坐召公卿：坐在那里对三公九卿呼来唤去，极言其自傲尊大。(463)专恣：专权而放纵，为所欲为。(464)十月丙午朔：十月初一是丙午日。(465)东庙：白登山上的先祖之庙。胡三省曰：“《魏书》：明元帝（拓跋嗣）永兴四年，立太祖道武（拓跋珪）庙于白登山，岁一祭，具太牢，无常月；又于白登山西太祖旧游之处，立昭成（什翼犍）、献明（拓跋珪之父）、太祖（拓跋珪）庙，常以九月、十月之交，帝亲祭，牲用马牛羊。白登在平城东，故曰东庙。”(466)小黄门：小太监。(467)就弑余：到拓跋余所在之处而弑之。〖按〗拓跋余为帝仅二百二十多天。(468)羽林郎中代人刘尼：皇帝卫队中的郎中代郡人姓刘名尼。郎中原是皇帝的侍从人员，秩六百石。胡三省曰：“魏以刘尼为羽林郎中，与殿中尚书俱典兵宿卫，则其位任盖重于汉朝也。”代人，代郡人。魏国的代郡郡治就在平城，今山西大同的东北侧。此外又有东代郡，郡治即今河北蔚县东北的代王城。(469)正平时事：指皇孙濬之父景穆太子拓跋晃，因受宗爱等所逼而“以忧卒”，时为拓跋焘正平元年（公元四五一年）。(470)若尔：依你说；按你的想法。(471)源贺：南凉政权的统治者秃发傉檀之子，因及早投降魏国，又能引导魏军灭北凉，而受魏主宠信。传见《魏书》卷四十一。(472)典兵宿卫：统领禁卫军以护卫宫廷。(473)南部尚书：北魏所设的五部尚书之一，分掌南部州郡。(474)陆丽：魏国名将陆俟之子。其父子的事迹详见《魏书》卷四十。(475)戊申：十月初三。(476)长孙渴侯：姓长孙，名渴侯。(477)苑：魏都平城城外的鹿苑。(478)弑南安王二句：胡三省曰，“刘尼仅以弑南安王为宗爱罪，不能正其弑世祖之罪也”。〖按〗此亦大怪事，魏国群臣与拓跋焘诸子亦无人提出此议，其故竟何哉？⑷永安殿：胡三省曰，“《北史》：魏太武帝始光二年（公元四二五年），改东宫为万寿宫，起永安、安乐二殿”。⑷改元兴安：此前为拓跋余的年号承平。⑷具五刑：用遍五种残酷的刑法。历代对五刑的说法不同，《汉书·刑法志》云：“当三族者，皆先黥、劓，斩左右趾，笞杀之，枭其首，菹其骨肉于市；其诽谤詈诅者，又先断舌，故谓之具五刑。”相传舜时的五刑是墨（黥）、劓（割鼻）、刖（断小腿）、宫（割生殖器）、大辟（斩头）；汉则为黥、劓、斩趾、笞杀、菹骨肉。⑷夷三族：灭掉三族。三族有曰父族、母族、妻族，有曰指父母、兄弟、妻子。其他不录。⑷西阳五水群蛮：西阳郡内五条河流一带的各个蛮族一齐造反。西阳郡的郡治在今湖北黄冈东。所谓“五水”即今湖北东部长江北岸的巴水、蕲水、浠水、倒水（古名西归水）、举水（古名赤亭水）。⑷自淮、汝至于江、沔：东起淮河、汝水流域，西至于长江、汉水流域，亦即东起河南东南部，西至湖北中部的广大地区。⑷太尉中兵参军：太尉刘义宣的中兵参军。刘义宣是文帝刘义隆之弟。⑷拓跋寿乐：章帝拓跋悉鹿的后代。传见《魏书》卷十四。⑷录尚书事：总管尚书省的事务。录，总领。虽然没有尚书令之名，但有尚书令之实权。位同宰相。⑷仪同三司：加官名，享有三公的礼遇和各种仪仗，但没有三公之实权。所以任长孙渴侯为尚书令，并加仪同三司，乃赏其参与定策之功。⑷癸未：十一月初八。⑷广阳简王建、临淮宣王谭：广阳王建与临淮王谭都是拓跋焘之子，简、宣是其死后的谥。⑷甲申：十一月初九。⑷魏主母闾氏：魏主拓跋濬之母，故太子拓跋晃之妻郁久闾氏。传见《魏书》卷十三。“郁久闾”,汉化后简称姓“闾”。⑷古弼：拓跋珪时期以来的魏国元勋。传见《魏书》卷二十八。⑷张黎：拓跋珪时期以来的魏国名臣。传见《魏书》卷二十八。⑷高宗：故太子之子拓跋濬。⑷议不合旨：发表的意见不合拓跋濬的心思。实则是因为他们在拓跋余被立为帝时接受了宗爱集团的官爵。⑷壬寅：十一月二十七。⑷庐陵昭王绍：拓跋绍，拓跋珪之子，被封为庐陵王，昭字是谥。传见《魏书》卷十六。⑷尊乳母常氏为保太后：事见《魏书》卷十三。〖按〗常氏乃一乳母，厚赐之、封赏之无所不可，而乃封之为“太后”，写入《魏书》之《皇后传》，不亦过乎？可见历史上的事情无奇不有。⑸陇西屠各王景文：居住在陇西郡的屠各小王，名叫景文。陇西是魏郡名，郡治在今甘肃陇西南。屠各是匈奴族的一支，晋宋时期居住在今陕西与甘肃交界地区，归属于魏国。⑸署置：设置官爵和封任臣僚。⑸统万镇将：镇守统万的军事首脑。统万是当初赫连勃勃的夏国都城，在今陕西榆林西，内蒙古乌审旗南，是当时魏国夏州的州治所在地。⑸南阳王惠寿：拓跋惠寿。⑸于洛拔：魏国名将于栗磾之子，父子历事魏国拓跋珪以来的四朝，卓有勋绩。传见《魏书》卷三十一。⑸四州：胡三省曰，“谓秦、雍、河、凉四州”。⑸赵、魏：胡三省曰，“此言战国时赵、魏大界”。约当今之河北南部、山西南部与河南中北部一带地区。⑸十二月戊申：十二月初四。⑸金陵：此金陵指太子晃之墓。⑸魏世祖：太武帝拓跋焘，公元四二四至四五一年在位。⑸佛禁稍弛：禁止魏国官民信佛的命令稍稍放松。魏国残暴灭佛事，见本书卷第一百二十四元嘉二十三年。⑤11 复：恢复；开禁。⑤12 乙卯：十二月十一。⑤13 听建佛图一区：允许建立佛教寺庙一所。听，听任，允许。佛图，也写作“浮屠”，原指佛塔，这里指庙宇。⑤14 向：从前。⑤15 率皆修复：大致又都重建起来。率，大体，一般。⑤16 沙门师贤：一个名叫师贤的和尚。胡三省曰：“沙门师贤，本罽宾国王种人，少入道，东游凉州，凉平赴代。罢佛法时，师贤假为医术还俗，而守道不改。于修复日，即返沙门，为道人统。和平初，师贤卒。”⑤17 下发：剃下头发。⑤18 为道人统：为众和尚的头领。道人统，官名，总管所有僧尼，刘宋称之为都僧录，魏人称之为僧总摄。⑤19 丁巳：十二月十三。⑤20 乐陵王周忸：原被封为宋子侯，前不久被封为王，任太尉之职。⑤21 受心膂之寄：受到心腹与肱股一般的信任与依赖。膂，脊椎。⑤22 国之正统：国家的嫡系继承人。⑤23 当承基绪：理所当然地应该继承皇帝之位。⑤24 效顺奉迎：效忠于应该为皇帝的人，拥立他为皇帝。⑤25 臣子常职：是我们做臣子理所当然的职责。⑤26 慆天之功：把老天爷的功劳占为己有。慆，这里的意思同“叨”，贪占。⑤27 以干大赏：以获得如此重大之赏。干，求、获取。⑤28 著效：卓著而有效。胡三省曰：“陆俟事世祖，威行北镇，功著关中。”详见《魏书》卷四十。⑤29 年逼桑榆：年近老迈。桑榆，指日落西方的桑榆之上，以喻人的年迈。⑤30 愿以臣爵授之：希望把您想封给我的爵位转而封赏给他。⑤31 戊午：十二月十四。⑤32 复其子孙：免除其子孙应承担的赋税和劳役。⑤33 南北未宾：南北两方的敌人都还尚未平定。南方的敌人指刘宋，北方的敌人指柔然。宾，服从。⑤34 取戎马一匹：表示自己愿为国家效力于战场。戎马，战马。⑤35 预其谋：参与了确定大计。⑤36 允终身不言：高允颇似《左传》中跟随过公子重耳的介子推，但和介子推不同，高允不发牢骚。⑤37 甲子：十二月二十。⑤38 没官：财物没收入官，男女没入为奴婢。⑤39 辛未：十二月二十七。⑤40 魏入中原：拓跋氏占据中原。胡三省曰：“晋孝武帝太元二十一年（公元三九六年）魏伐燕，至安帝隆安二年（公元三九八年）克中山，始得中原。”⑤41《景初历》：三国时魏国的杨伟所造，因明帝景初元年（公元二三七年）开始施用而得名。其后西晋、东晋至刘宋初期皆用之，直至元嘉二十一年（公元四四四年）改用《元嘉历》。北方则从五胡时期至北魏拓跋焘皆沿用此历。⑤42 克沮渠氏：灭掉北凉的沮渠牧犍。事见本书卷第一百二十三元嘉十六年。⑤43《玄始历》：北凉人赵𣪺所造的一种历法。玄始是北凉沮渠蒙逊的年号（公元四一二至四二七年）。⑤44 以为密：以为比以前的历法更为精密。⑤45 是岁始行之：从高宗文成帝拓跋濬兴安元年（公元四五二年）开始使用。

【校记】

［14］延𨒅：原无“延”字。据章钰校，十二行本、乙十一行本、孔天胤本皆有“延”字，张敦仁《通鉴刊本识误》同，今据补。下同补。［15］尚：原作“向”。据章钰校，十二行本作“尚”，乙十一行本、孔天胤本皆作“向”。“尚”字义长，今据改。［16］挥：据章钰校，十二行本、乙十一行本、孔天胤本皆作“麾”。［17］致：原作“置”。据章钰

校，十二行本、乙十一行本、孔天胤本皆作“致”，今据改。[18] 谕：“谕”下原有“者”字。据章钰校，十二行本、乙十一行本、孔天胤本皆无“者”字，今据删。[19] 刺史：原无此二字。据章钰校，十二行本、乙十一行本、孔天胤本皆有此二字，张敦仁《通鉴刊本识误》同，今据补。[20] 秃发幡：原作“秃髪幡”。胡三省注云：“‘秃髪’恐当作‘秃发’。”据章钰校，十二行本、孔天胤本皆作“秃发幡”，张敦仁《通鉴刊本识误》同，今据改。[21] 向潼关，元景等：原无此六字。据章钰校，十二行本、乙十一行本、孔天胤本皆有此六字，张敦仁《通鉴刊本识误》、张瑛《通鉴校勘记》同，今据补。[22] 亦请命：据章钰校，十二行本、乙十一行本皆无此三字。〖按〗有此三字义长。

【研析】

本卷写宋文帝元嘉二十八（公元四五一年）、二十九年共两年间刘宋与北魏等国的大事，其中最重要的有两件：一是刘宋连续发动两次伐魏均遭可耻失败，二是魏主拓跋焘为其身边宦者所弑，魏国政权连续动荡。

刘宋由王玄谟迎合刘义隆而贸然北伐，以其攻滑台不克，随即又在魏国大军的进攻下狼狈溃逃，招致魏主大举临江的情形见于本书上卷。本卷写了魏主知其不可久支，于是掠夺大量财宝、驱赶大批百姓向北撤退。路经盱眙时与臧质、沈璞的守军发生激战，但当魏军久攻盱眙不克，烧攻具北返时，臧质、沈璞却不敢跟踪追击；其后路经徐州时，刘义恭不敢出兵截击，致使魏军竟喜出望外地安然脱险而去。刘义恭不敢截击是可以理解的，而且这个腐败怯懦的家伙还被魏主临走时扬言再来吓破了胆，待几个月过后竟然自己就要“芟麦翦苗，移民堡聚”，以躲避魏军，结果被部下诸将佐驳斥，前后整个过程表现了刘义恭的昏庸怯懦，令人憎恨。比较奇怪的是臧质、沈璞在盱眙的表现，此二人在魏军过此南下时就表现得很勇敢，虽未正面开战，但对入侵者表现了凛然正气，不失英雄本色。待至魏军力尽撤回，路经盱眙向臧质要酒时，臧质给了他一壶尿。魏主气急败坏地向盱眙猛烈进攻，臧质针锋相对，随机应付：“魏人以钩车钩城楼，城内系以驱絙，数百人唱呼引之，车不能退。既夜，缒桶悬卒出，截其钩，获之……魏人乃肉薄登城，分番相代，坠而复升，莫有退者，杀伤万计，尸与城平。”当魏人攻之三旬不能得，无奈烧攻具北走时，“盱眙人欲追之，沈璞曰：‘今兵不多，虽可固守，不可出战。但整舟楫，示若欲北渡者，以速其走，计不须实行也。’”明代袁俊德对于这种情形说：“魏师力尽退走，而沈璞、臧质不敢蹑其后，刘义恭复不敢邀其前，南朝恇怯如此，宜魏之往来如入无人之境也。”这话说刘义恭自然是再对不过，但以之说臧质，岂不是对大英雄的一种无理指责！盱眙坚战的始终是臧质，说“虽可固守，不可出战”的始终是沈璞。沈璞是《宋书》作者沈约的爷爷，是不是在造成盱眙守军明知魏军力屈而退，自己却全然收摄不出的问题上负有更大的责任，以至于连臧质也无可奈何，而沈约出于“为长者讳”

的缘故，遂为之涵容？

历史家写刘宋这次北伐取败的损失之惨时说：“魏人凡破南兖、徐、兖、豫、青、冀六州，杀掠不可胜计，丁壮者即加斩截，婴儿贯于槊上，盘舞以为戏。所过郡县，赤地无余，春燕归，巢于林木。魏之士马死伤亦过半，国人皆尤之。”说到刘宋失败的原因时，历史家写道：“上每命将出师，常授以成律，交战日时亦待中诏，是以将帅趑趄，莫敢自决。又江南白丁，轻进易退，此其所以败也。自是邑里萧条，元嘉之政衰矣。”明代袁俊德对此情形说：“轻进易退，固致败之由；交战时日必待中诏，实乖制胜之道。而将帅迟回观望，轻得借以为口实，欲以集事，难矣。”谁承想过了五百年，赵匡胤建立下一个“宋”王朝时，这种朝廷的枢密院为前方将领画战图、定作战方略与开战时日的做法，再次出现了。于是三百年的宋王朝又是依次地给女真人、西夏人、蒙古人进供不绝，直到被彻底消灭为止。悲夫！

话又说回来，这上一年的宋军数路北出伐魏，并不是各路都像王玄谟那么腐朽怯懦，当时由襄阳北出的柳元景、薛安都诸将，先是大破魏军于陕县城南，占据陕县，接着“庞法起等进攻潼关，魏戍主娄须弃城走，法起等据之。关中豪杰所在蜂起，及四山羌、胡皆来送款”。可惜自以为是的宋帝刘义隆先是盲目轻敌，后见王玄谟之败又胆战心惊，而愚蠢地下令将柳元景等这支胜利之师无端召回了。明代熊尚文《读史日记》对此惋惜地说：“柳元景斩魏二将，进据潼关，关中豪杰所在响应。当时若不召还，复听其乘胜长驱，即未必建恢复之业，而魏主闻败自生内顾之忧，岂敢浩然南下，略无沮丧？轻用于王玄谟，而重发于柳元景，致使胡马南嘶，直窥江上，所过抄掠。沈庆之言犹在耳，‘节下有一范增不能用，而徒追悔若檀道济若在岂使至此’，亦可叹矣！”

当北方传来拓跋焘为其臣下所弑的消息时，刘义隆又动趁乱伐人之心，他派萧思话率张永等向碻磝，派鲁爽、程天祚等出荆州向许、洛，派臧质、柳元景率雍州军向潼关，梁州刘秀之派马汪、萧道成等向长安，分几路出去，结果因东路攻碻磝不下，退屯历城，其他三路也相继退兵。轻举妄动，草草收场，又一次北伐闹剧宣告结束。从此，刘宋再也不敢叫嚷北伐了。

魏主拓跋焘从瓜步退兵的第二年二月，为其臣下宗爱所弑，接着宗爱又假传皇后旨依次杀了拓跋焘的儿子拓跋翰与几个执政大臣，立拓跋焘的小儿子拓跋余为皇帝。不久因与宗爱产生矛盾，拓跋余又为宗爱所杀。这时皇宫卫队的头领刘尼与殿中尚书源贺发起，与魏国大臣陆丽等定议，诛灭宗爱等乱党，拥立故太子之子拓跋濬为皇帝。拓跋濬即位后，推行严刑酷法，先后杀了元老重臣拓跋寿乐、长孙渴侯、古弼、张黎、周忸等，而拓跋焘的儿子拓跋建、拓跋谭以及他们的叔叔拓跋绍又不知为什么一个接一个地死去。应该说魏国统治集团内部的这场残杀是非常严重的，但奇怪的是它居然没有引起国内上下的剧烈震动，从头至尾没有一个朝廷大臣、没有一个拓跋氏的亲王、没有一股军镇的势力起来伸张正义，讨伐逆乱分子。拓跋余是既得利益者，封宗爱为大司马，此不待言，而拓跋濬即位后，光声讨宗爱杀害拓跋余，竟没有一个人提出要清算宗爱集团杀害拓跋焘的罪行，真是令人百思不得其解。应该说，拓跋焘是魏国建国以来无与伦比的民族英雄，由于他，魏国才被建设得如此雄武辉煌。历史家魏收赞扬拓跋焘的功业:“世祖聪明雄断，威灵杰立，借二世之资，奋征伐之气，遂戎轩四出，周旋险夷，扫统万，平秦陇，翦辽海，荡河源，南夷荷担，北蠕削迹，廓定四表，混一戎华，其为功也大矣。遂使有魏之业，光迈百王。”拓跋焘的死是令人惋惜的，不知为什么历史上缺少对此事的评论。

本卷还写了在宋魏战争期间，宋主刘义隆杀死其弟刘义康的事情。对于此事，有人为刘义康鸣不平，如朱熹说:“熙先笺义康，陈图谶而已，未尝与闻反计也。而废徙之，且绝属籍，甚矣，况杀之乎?”但就事实而论，应该说刘义康是咎由自取。司马光对此说:“文帝之于义康，兄弟之情，其始非不隆也。终于失兄弟之欢，亏君臣之义，迹其乱阶，正由刘湛权利之心无有厌已。《诗》云:‘贪人败类。’其是之谓乎!”刘湛等人的疯狂作恶自是刘义康受病之因，但刘义康自己荒悖的行为表现帝王又如何能容忍?明代王世贞说:“论者谓义康‘但知兄弟之亲，未识君臣之义’。以臣观之，义康亦未能尽兄弟之理者也。何则?义康于义为臣，于亲为弟，岂有‘生杀大事或以录命断之’；至于‘四方献馈，皆以上品自奉，而以次者供御’，其不恭其兄，不以甚乎?”刘义康被贬斥后，并无愧悔的表现，而许多反朝廷的势力又往往以为刘义康鸣不平为口实，甚至当年为刘裕篡晋立下汗马功劳的勋臣胡藩的儿子胡诞世在江州发动造反时，竟也是打着拥立刘义康的旗号。别说刘义康本身正对朝廷愤愤不满，即使刘义康对朝廷服服帖帖，百般恭顺，其下场也难以变好，正是这些同情刘义康、为刘义康“鸣不平”的人加速了刘义康的死亡。稍有历史知识的人都会明白这一点。

卷第一百二十七　宋纪九

昭阳大荒落（癸巳，公元四五三年），一年。

【题解】

本卷写宋文帝元嘉三十年（公元四五三年）一年间刘宋与北魏等国的大事。主要写了宋主刘义隆捕得巫者严道育的党羽，得知太子刘劭与始兴王刘濬仍在继续其罪恶活动，遂与信臣王僧绰、徐湛之等密谋废太子、杀刘濬，但迟迟未决，又将此事泄于刘濬之母潘淑妃。潘淑妃闻讯遂告知刘濬，刘濬告知太子刘劭，刘劭遂倚仗自己的部属萧斌与刘义隆身边的侍卫头目陈叔兒、张超之等发动政变，杀了文帝刘义隆与其近臣江湛、徐湛之、王僧绰，控制与收罗权臣刘义恭、何尚之等草草组成朝廷班底。写了武陵王刘骏的部将沈庆之、柳元景等佐助刘骏在西阳誓师，号召讨伐元凶刘劭，而南谯王刘义宣、雍州刺史臧质、司州刺史鲁爽、兖冀刺史萧思话、青州刺史张永等皆举兵响应，会州刺史、随王刘诞的部属沈正、顾琛，亦劝刘诞举义于浙东。写了武陵王刘骏与其将领沈庆之等率大军东下，元凶刘劭的谋主萧斌提出守梁山，又有人提出守石头，刘劭皆不听，只顾收缩退守台城，成消极待毙之势。写刘骏的部将柳元景率兵登岸步行，使薛安都曜兵于秦淮河上，而刘骏随即亦到新亭，台城一方的官僚庞秀之、刘义恭、宣

【原文】

太祖文皇帝下之下

元嘉三十年（癸巳，公元四五三年）

春，正月戊寅[①]，以南谯王义宣为司徒、扬州刺史[②]。

萧道成等帅氐、羌攻魏武都[③]，魏高平镇将苟莫于[④]将突骑二千救之。道成等引还南郑[⑤]。

壬午[⑥]，以征北将军始兴王濬为荆州刺史。帝怒未解[⑦]，故濬久留京口[⑧]，既除荆州，乃听入朝。

戊子[⑨]，诏江州刺史武陵王骏统诸军讨西阳蛮[⑩]，军于五洲[⑪]。

城太守王僧达等皆投向刘骏，而刘骏遂在刘义恭等劝导下即皇帝位，搭起新朝廷的班底。写了竟陵王刘诞所率的东方军破台城军于曲阿的奔牛塘，台城军只好栅秦淮河以守，写诸军攻克台城，刘劭与刘濬及其亲党分别被捕杀示众，刘骏拜墓进宫，大行封赏，大肆改变元嘉时的制度，以讨好于有功之臣；写了周朗给刘骏上书进言皇帝应行三年丧，应禁宫廷与贵族奢侈，王侯不应强仕等，周朗辞官而去，又有谢庄上书反对贵族、高官与民争利，刘骏不理睬；写了萧简因其兄萧斌被杀而据广州反，被沈法系讨平，以及宋帝刘骏杀其弟南平王刘铄，刘骏又接受元凶刘劭的教训，将立太子而先削减太子官属等。此外还写了刘骏自起兵便卧病在船，而群臣、诸将的请示报告，一切军务、政务，以及各种往来书檄的应答，皆由颜竣代为处理得滴水不漏，颇有当年刘裕手下总管刘穆之的风采；写了功臣臧质与刘骏所存在的矛盾，先欲抽回柳元景军，后又阻止柳元景出任雍州刺史，从而使矛盾进一步发展，为日后的冲突埋下伏笔等。

【语译】

太祖文皇帝下之下

元嘉三十年（癸巳，公元四五三年）

春季，正月初四日戊寅，宋文帝刘义隆任命南谯王刘义宣为司徒、扬州刺史。

萧道成等人率领由氐族人、羌族人组成的一支军队进攻魏国所属的武都，魏国负责镇守高平军镇的苟莫于将军率领两千名突击骑兵赶往武都救援，萧道成等人只好率军返回宋国所属的南郑。

正月初八日壬午，宋文帝任命担任征北将军的始兴王刘濬为荆州刺史。宋文帝因为皇太子刘劭、始兴王刘濬曾经以巫蛊谋害自己之事，怒气至今仍然没有消除，所以始兴王刘濬才被留在京口很长时间，直到宋文帝正式任命刘濬为荆州刺史之后，才准许他入朝。

正月十四日戊子，宋文帝下诏，命令担任江州刺史的武陵王刘骏率领各路人马讨伐西阳郡内的蛮人，武陵王刘骏将军队驻扎在五洲。

严道育之亡命[12]也，上分遣使者搜捕甚急。道育变服为尼，匿于东宫[13]。又随始兴王濬至京口，或出止[14]民张旿家。濬入朝，复载还东宫，欲与俱往江陵。丁巳[15]，上临轩[16]，濬入受拜[17]。是日，有告道育在张旿家者，上遣掩捕[18]，得其二婢，云道育随征北[19]还都。上谓[20]濬与太子劭已斥遣道育，而闻其犹与往来，惆怅惋骇[21]，乃命京口送二婢，须至检覆[22]，乃治劭、濬之罪。

潘淑妃抱濬泣曰："汝前祝诅事发[23]，犹冀[24]能刻意思愆[25]，何意更藏[26]严道育！上怒甚，我叩头乞恩不能解，今何用生为[27]！可送药来，当先自取尽[28]，不忍见汝祸败[29]也。"濬奋衣起曰："天下事寻自当判[30]，愿小宽虑[31]，必不上累[32]！"

己未[33]，魏京兆王杜元宝坐谋反诛，建宁王崇[34]及其子济南王丽皆为元宝所引，赐死。

帝欲废太子劭，赐始兴王濬死。先与侍中王僧绰[35]谋之，使僧绰寻汉魏以来废太子、诸王典故[36]，送尚书仆射徐湛之[37]及吏部尚书江湛[38]。

武陵王骏[39]素无宠，故屡出外藩[40]，不得留建康[41]，南平王铄、建平王宏[42]皆为帝所爱。铄妃，江湛之妹；随王诞[43]妃，徐湛之之女也。湛劝帝立铄，湛之意欲立诞。僧绰曰："建立之事[44]，仰由圣怀[45]。臣谓唯宜速断，不可稽缓[46]。'当断不断，反受其乱。'[47]愿以义割恩[48]，略小不忍[49]。不尔[50]，便应坦怀如初[51]，无烦疑论[52]。事机虽密，易致宣广[53]，不可使难生虑表[54]，取笑千载。"帝曰："卿可谓能断大事。然此事至重，不可不殷勤[55]三思。且彭城始亡[56]，人将谓我无复慈爱之道。"

巫婆严道育逃亡，宋文帝分别派遣使者到各处紧急搜捕。严道育便改换服装，装扮成一个尼姑，躲藏在皇太子刘劭所在的东宫里。又跟随始兴王刘濬来到京口，有时候出去就住宿在百姓张旿的家中。刘濬被允许入朝之后，就又把严道育带回东宫，并准备带着严道育一起前往江陵。二月十四日丁巳，宋文帝出坐在殿旁的游廊中，刘濬入宫接受荆州刺史的任命。就在当天，有人向宋文帝奏报严道育就住在张旿的家里，宋文帝立即派人前往搜捕，逮住严道育的两个婢女，婢女供出严道育已经跟随征北将军刘濬回到都城建康。宋文帝原本以为刘濬与皇太子刘劭已经对严道育严加斥责，并把她赶出府邸，现在听说他们仍然与严道育往来，心情十分复杂，既感到惆怅惋惜又很震惊，遂命令京口的官员把严道育的两个婢女送到京城来，等到婢女来到京城之后，对其进行推问追查，搞清事实之后再决定如何处置刘劭、刘濬的罪行。

潘淑妃抱着自己的儿子刘濬哭泣说："你上次搞巫蛊诅咒皇帝的事情被告发以后，我还希望你能深刻地反省自己的罪过，痛改前非，哪里想到你竟敢把严道育窝藏起来！皇帝非常恼怒，我跪下磕头乞求皇帝开恩饶恕你，但皇帝的怒气无论如何都不能消除，如今我还活着做什么！把毒药送过来，让我赶紧先喝下毒药自杀了吧，我不忍心看着你大祸临头。"刘濬挣脱母亲的怀抱站起身说："天下的事情我们不久就会做出决定，希望母亲稍微放宽心，我们一定不会连累母亲受罪！"

二月十六日己未，魏国京兆王杜元宝被指控犯有谋反罪而被诛杀，建宁王拓跋崇和他的儿子济南王拓跋丽都因为杜元宝一案的牵连，被魏国文成皇帝拓跋濬赐令自杀。

宋文帝准备废掉皇太子刘劭，赐始兴王刘濬自杀。他先与担任侍中的王僧绰商议此事，让王僧绰负责搜集汉魏以来废黜皇太子以及诸侯王的事例，送给担任尚书仆射的徐湛之和担任吏部尚书的江湛看。

宋国担任江州刺史的武陵王刘骏一向不受宋文帝宠爱，所以屡次被派往各地担任刺史之职，不能留在建康朝廷中任职，南平王刘铄、建平王刘宏都受到宋文帝的宠爱。南平王刘铄的王妃，是吏部尚书江湛的妹妹；随王刘诞的王妃，是尚书仆射徐湛之的女儿。所以江湛想劝说宋文帝立南平王刘铄为继承人，徐湛之想让宋文帝立随王刘诞为继承人。侍中王僧绰对宋文帝说："立哪个皇子为太子的事情，应当一切按照皇上您自己的心思。但我认为这件事情必须赶紧做出决断，绝不能再迟疑不定。'当断不断，反受其乱。'希望陛下能够坚持大义，割舍私情，放弃狭隘的不忍之心。如果不打算这么做的话，就应当仍然像当初那样与皇太子和始兴王坦诚相待，不要再做这种不信任的讨论了。事情虽然机密，但还是很容易泄露外传，不能让意想不到的灾祸发生，而受到千载之后后人的耻笑。"宋文帝说："你可以称得上是能够决断大事之人。然而此事关系重大，不能不反复思考。况且彭城王刘义康才死不久，

僧绰曰："臣恐千载之后，言陛下惟能裁㊼弟，不能裁儿。"帝默然。江湛同侍坐，出阁㊽[1]，谓僧绰曰："卿向言㊾将不太伤切直㊿？"僧绰曰："弟亦恨君不直㊿①！"

铄自寿阳入朝，既至，失旨㊿②。帝欲立宏，嫌其非次㊿③，是以议久不决。每夜与湛之屏人语㊿④，或连日累夕㊿⑤。常使湛之自秉烛，绕壁检行㊿⑥，虑有窃听者。帝以其谋告潘淑妃，淑妃以告濬，濬驰报劭。㊿⑦劭乃密与腹心队主㊿⑧陈叔兒、斋帅㊿⑨张超之等谋为逆。

初，帝以宗室强盛，虑有内难⑦⓪，特加东宫兵，使与羽林相若⑦①，至有实甲⑦②万人。劭性黠⑦③而刚猛，帝深倚⑦④之。及将作乱，每夜飨将士，或亲自行酒⑦⑤，王僧绰密以启闻⑦⑥。会严道育婢将至⑦⑦，癸亥⑦⑧夜，劭诈为帝诏云："鲁秀谋反⑦⑨，汝⑧⓪可平明守阙⑧①，帅众入。"因使张超之等集素所畜养兵士⑧②二千余人，皆被甲⑧③；召内外幢队主副⑧④，豫加部勒⑧⑤，云有所讨⑧⑥。夜，呼前中庶子右军长史萧斌⑧⑦、左卫率⑧⑧袁淑、中舍人⑧⑨殷仲素、左积弩将军⑨⓪王正见并入宫。劭流涕谓曰："主上信谗，将见罪废⑨①。内省无过⑨②，不能受枉⑨③。明旦当行大事⑨④，望相与戮力⑨⑤。"因起，遍拜之，众惊愕，莫能[2]对，久之[3]，淑、斌皆曰："自古无此，愿加善思⑨⑥。"劭怒，变色。斌惧，与众俱曰："当竭身奉令⑨⑦。"淑叱之曰："卿便谓殿下真有是邪⑨⑧？殿下幼尝患风⑨⑨，或是疾动⑩⓪耳。"劭愈怒，因眄⑩①淑曰："事当克不⑩②？"淑曰："居不疑之地⑩③，何患不克？但恐既克之后，不为天地所容，大祸亦旋

人们将会说我没有慈爱之心。”王僧绰说：“我担心千载之后，人们会说陛下只能制裁自己的弟弟，而不能制裁自己的儿子。”宋文帝默然无语。当时江湛也同时在座，走出斋阁之后，江湛对王僧绰说：“你刚才对皇上所说的话是不是过于直接坦率了？”王僧绰回答说：“我对你的有话不能直说也感到很遗憾！”

宋国南平王刘铄从寿阳入朝，到了都城建康之后，他所说的话非常不合宋文帝的心意；宋文帝此时虽然心里想立建平王刘宏为太子，又觉得这样做不符合兄弟长幼的次序，所以废立太子之事讨论了很久都没有决定下来。宋文帝每天夜里都把侍从人员支开而单独与尚书仆射徐湛之秘密商议，有时候一连几天几夜都是如此。宋文帝经常让徐湛之亲自手持烛台，围着屋子四处检查巡视，担心有人窃听。宋文帝把自己的想法告诉了潘淑妃，潘淑妃又告诉了刘濬，刘濬立即派人骑马火速报告皇太子刘劭。刘劭遂秘密地与自己的心腹，在宋文帝身边担任卫队队长的陈叔兒以及在宋文帝卧室内负责各种服务工作的小头目张超之等，密谋发动宫廷政变。

当初，宋文帝因为皇帝宗室势力强盛，担心家族内部会发生篡夺的祸乱，所以特地增加了太子宫中的守卫力量，令东宫的守卫力量与皇帝的禁卫军不相上下，以至于东宫太子拥有一万名身穿铠甲的士兵。皇太子刘劭性情狡猾而又刚强勇猛，宋文帝非常倚重他。等到刘劭准备谋乱的时候，每天夜里都犒赏东宫中的将士，有时甚至亲自依次给将士敬酒，侍中王僧绰把皇太子刘劭的这一举动秘密地报告给宋文帝。恰逢巫婆严道育的两个婢女此时即将从京口押解到京城，二月二十日癸亥的夜间，皇太子刘劭遂假传皇帝的诏命说：“鲁秀谋反，你可以在天明时分把守宫门，统帅众人进入。”刘劭假传皇帝的诏命之后，便派遣自己的心腹张超之等人把平时被他们收买、豢养的两千多名亲信士兵集合起来，让这些士兵全都身披铠甲，又召集内外仪仗队中负责掌管幢的队长和队副，事先把他们组织起来，只告诉他们将要去执行一项讨伐的任务。夜间，太子刘劭将曾经担任过太子中庶子的右军长史萧斌、在太子宫担任左卫率的袁淑、担任中舍人的殷仲素、担任左积弩将军的王正见等几个人全部召入东宫。刘劭痛哭流涕地对他们说：“皇上听信谗言，我将要被治罪，被废掉太子地位。我反省自己并没有什么过错，不能忍受这不白之冤。明天早晨我准备办一件大事，希望你们同心协力帮助我。”于是从座位上站起来，向众人一一跪拜，众人全都惊愕不已，没有人能够回话，很久之后，左卫率袁淑、右军长史萧斌都说：“从古到今没有人做过这样的事情，希望殿下再好好考虑考虑。”刘劭立即勃然大怒，脸色都改变了。萧斌非常害怕，遂与众人一齐说：“我们定当豁出身家性命去执行殿下的命令。”袁淑怒斥他们说：“你们当真以为殿下会那样做吗？殿下年幼的时候曾经患有中风病，现在可能是旧病复发了。”刘劭更加恼怒，便两眼斜视着袁淑问：“你看我的事情能够成功吗？”袁淑说：“你占据着绝对不会被人怀疑的太子地位，难道还担心不会成功吗？只怕你的事情成功之后，将不为天地容，大祸立即就会降临到你的

至[104]耳。假有此谋[105]，犹将可息[106]。”左右引淑出[107]，曰：“此何事，而云可罢乎[108]！”淑还省[109]，绕床行，至四更乃寝。

甲子[110]，宫门未开，劭以朱衣加戎服上[111]，乘画轮车[112]，与萧斌同[4]载，卫从[113]如常入朝之仪。呼袁淑甚急，淑眠不起，劭停车奉化门[114]，催之相续[115]。淑徐起，至车后，劭使登车，又辞不上，劭命左右杀之。守门开[116]，从万春门[117]入。旧制，东宫队不得入城[118]。劭以伪诏示门卫曰：“受敕[119]，有所收讨[120]。”令后队[121]速来。张超之等数十人驰入云龙门[122]及斋阁[123][5]，拔刃[6]径上合殿[124]。帝其夜与徐湛之屏人语至旦，烛犹未灭，门阶户席直卫兵[125]尚寝未起。帝见超之入，举几捍之[126]，五指皆落，遂弑之[127]。湛之惊起，趣北户[128]，未及开，兵人杀之。劭进至合殿中阁，闻帝已殂，出坐东堂[129]。萧斌执刀侍直[130]，呼中书舍人[131]顾嘏，嘏震惧，不时出[132]。既至，问曰[133]：“欲共见废[134]，何不早启[135]？”嘏未及答，即于前斩之。江湛直上省[136]，闻喧噪声，叹曰：“不用王僧绰言，以至于此！”乃匿傍小屋中，劭遣兵就杀之。宿卫旧将罗训、徐罕皆望风屈附[137]。左细仗主[138]、广威将军吴兴、卜天与不暇被甲，执刀持弓，疾呼左右出战。徐罕曰：“殿下入，汝欲何为？”天与骂曰：“殿下常来，云何于今乃作此语？只汝是贼[139]！”手射劭于东堂，几中之[140]。劭党击之，断臂而死，队将张泓之、朱道钦、陈满与天与俱战死。左卫将军尹弘惶怖通启[141]，求受处分[142]。劭使人从东阁入[143]，杀潘淑妃及太祖亲信左右数十人，急召始兴王濬使帅众屯中堂[144]。

濬时在西州[145]，府舍人[146]朱法瑜奔告濬曰：“台内[147]喧噪，宫门皆

头上。假如殿下真有谋乱的打算，现在打消念头也还来得及。”左右的人把袁淑拉出去，对他说：“这是何等重大的事情，到现在还能说劝他住手的话吗?!”袁淑回到太子左卫率的官署，围着床徘徊了许久，一直到四更天才上床休息。

二月二十一日甲子，皇宫的门还没有打开，皇太子刘劭就在铠甲外面套上一件红色的朝服，和萧斌一同乘坐在一辆用彩漆画做装饰的牛车上，所带的侍卫仪仗和平时入朝的时候一模一样。刘劭非常着急地呼叫左卫率袁淑随他一同入朝，而袁淑却熟睡不起，刘劭把自己乘坐的画轮车停在奉化门前，接连不断地派人催促袁淑赶紧出来。袁淑慢慢地穿好衣服之后，来到刘劭的车后，刘劭让袁淑上车，袁淑又坚决推辞不肯上车，刘劭命令左右的侍从杀死了袁淑。等到宫城的门打开之后，刘劭从万春门进入宫城。依照旧有的制度，东宫的卫队是不允许进入宫城的。刘劭一面拿出一张伪造的诏书让门卫看，一面说：“我奉皇帝之命，要逮捕一些犯罪的人。”刘劭命令后面的队伍赶紧跟上来。太子心腹张超之等数十人便飞快地进入云龙门和斋阁，拔出刀剑径直冲入宋文帝所寝息的合殿。宋文帝因为当天夜里与尚书仆射徐湛之屏退众人一直密谈到天亮，蜡烛还没有熄灭，门口、台阶、内室、床帐等各处值勤的卫兵还在睡觉没有起床。宋文帝看见张超之冲了进来，赶紧抓起一张小桌子自卫，他的五个手指都被张超之砍掉，张超之遂杀死宋文帝。尚书仆射徐湛之被惊起，赶紧向合殿的北门逃去，还没有来得及打开门，就被那些冲进来的叛军杀死了。刘劭进入合殿的中阁，听到皇帝已经被杀死，就走出合殿中阁，在东堂里坐下。右军长史萧斌手执钢刀在刘劭的身边充当侍卫值勤，他招呼担任中书舍人的顾嘏，顾嘏因为非常惊恐惧怕，没有及时出来。等他来到以后，刘劭问他说：“他们都想废掉我的太子位，你为什么不早说呢?”顾嘏还没有来得及回答，就被杀死在刘劭的面前。吏部尚书江湛正在上省值勤，他听到合殿一片喧噪声，便叹息着说：“不听王僧绰的建议，终于导致了今日的灾祸!”遂藏进旁边的一间小屋子里，刘劭派士兵进入小屋中杀死了江湛。在皇宫中担任宿卫的皇太子的旧僚属罗训、徐罕看见大势已经如此，于是全都向刘劭屈膝归附。左细仗主、广威将军的吴兴人卜天与顾不上披上铠甲，便手执刀剑弓弩，大声呼叫自己的属下出战。徐罕说：“殿下已经入宫，你想干什么?”卜天与大骂徐罕说：“殿下经常来，为什么今天你竟说出这种话?你们这种样子就是逆贼!”他搭上箭拉开弓就向坐在东堂里的刘劭射去，差一点就射中刘劭。刘劭的党羽冲上去攻击卜天与，卜天与被砍断手臂而死，队将张泓之、朱道钦、陈满全都战死。担任左卫将军的尹弘惊恐地求人禀告太子刘劭，请求分配给自己一项任务。刘劭派人从东阁门进入后妃所居之处，杀死潘淑妃和太祖刘义隆的左右亲信数十人，然后紧急召请始兴王刘濬率领军队屯驻于中堂。

当时刘濬正在西州城中，在始兴王府担任舍人的朱法瑜飞快地跑来告诉刘濬说：“宫城之内一片喧噪，所有的宫门都已经关闭，路上的人到处都在传说皇太子谋反，

闭，道上传太子反，未测祸变所至[148]。”濬阳惊[149]曰：“今当奈何？”法瑜劝入据石头[150]。濬未得劭信，不知事之济不[151]，骚扰[152]不知所为。将军王庆曰：“今宫内有变，未知主上安危，凡在臣子，当投袂赴难[153]，凭城自守，非臣节也。”濬不听，乃从南门出，径向石头，文武从者千余人。时南平王铄戍石头，兵士亦千余人[154]。俄而[155]劭遣张超之驰马召濬，濬屏人问状，即戎服乘马而去。朱法瑜固止濬，濬不从。出中门[156]，王庆又谏曰：“太子反逆，天下怨愤。明公但当坚闭城门[157]，坐食积粟，不过三日，凶党自离。公情事如此[158]，今岂宜去？”濬曰：“皇太子令，敢有复言者斩！”既入，见劭，劭谓濬[7]曰：“潘淑妃遂为乱兵所害。”濬曰：“此是下情[159]，由来所愿[160]。”

劭诈以太祖诏召大将军义恭、尚书令何尚之入，拘于内[161]；并召百官，至者才数十人。劭遽即位[162]，下诏曰：“徐湛之、江湛弑逆无状[163]，吾勒兵入殿，已无所及[164]，号惋崩衄[165]，肝心破裂。今罪人斯得[166]，元凶克殄[167]，可大赦，改元太初。”

即位毕，亟称疾[168]还永福省[169]，不敢临丧[170]，以白刃自守，夜则列灯以防左右。以萧斌为尚书仆射、领军将军，以何尚之为司空，前右卫率檀和之戍石头，征虏将军营道侯义綦镇京口。义綦，义庆[171]之弟也。乙丑[172]，悉收先给诸处兵[173]还武库，杀江、徐亲党尚书左丞荀赤松、右丞臧凝之等。凝之，焘[174]之孙也。以殷仲素为黄门侍郎，王正见为左军将军，张超之、陈叔兒等[8]皆拜官、赏赐有差[175]。辅国将军鲁秀在建康，劭谓秀曰：“徐湛之常欲相危[176]，我已为卿除之矣。”使秀与屯骑校尉庞秀之对掌军队[177]。劭不知王僧绰之谋，以僧绰为吏部尚书，司徒左长史何偃[178]为侍中。

武陵王骏屯五洲，沈庆之自巴水[179]来，咨受军略[180]。三月乙亥[181]，

搞不清楚现在祸变已经发展到了什么程度。”刘濬假装吃惊地说:“如今应当怎么办?”朱法瑜劝说刘濬进入石头城据守。刘濬还没有得到刘劭是否成功的确切消息，不知道皇太子政变成功了没有，因此着急得手足无措，不知道自己该怎么办才好。将军王庆说:“如今宫城之内发生政变，不知道皇上的处境是安全还是危险，凡是做臣子的，都应当拂袖而起，奔向事发现场去解救君主之难，如果只知道倚靠城池保护自己，那不是臣子所应有的节操和行为。”刘濬没有听从王庆的劝告，竟然从西州城的南门出去，径直奔向石头城，跟随他的文武官员有上千人。当时南平王刘铄正在戍守石头城，手下也有一千多名士兵。不久，皇太子刘劭派遣张超之飞马来召请刘濬，刘濬屏退众人向张超之大体了解情况之后，就立即全副武装地骑马离开石头城赶往皇城。朱法瑜坚决劝刘濬不要去，刘濬不听。刘濬走出中门的时候，王庆又劝谏刘濬说:“太子谋反，实属大逆不道，必将引起天下人的公愤。明公只应紧闭城门，待在这里尽管吃粮等候，不超过三天，凶党就会自行瓦解。对您来说事实既然如此，现在您怎么能离开这里呢?”刘濬说:“这是皇太子的命令，有人再敢劝谏，一律斩首!”刘濬入宫之后，见到刘劭，刘劭对刘濬说:“潘淑妃已经被乱兵杀死。”刘濬说:“这是我个人的私情，也是我由来已久的心愿。”

刘劭伪造太祖刘义隆的诏书召请大将军刘义恭、尚书令何尚之入宫，入宫之后就将他们扣押在宫中；刘劭又召见文武百官，来的只有几十个人。刘劭匆匆忙忙地即位做了皇帝，他下诏说:“尚书仆射徐湛之、吏部尚书江湛谋反，他们残酷地杀害了父王，我闻讯后立即率军进入宫城救援，但是已经来不及抢救，对于父皇之死我号哭惋惜，肝肠寸断。如今犯罪的人都已经被抓获，罪魁祸首已经被消灭，可以大赦天下，改年号为太初。”

刘劭即皇帝位的仪式刚刚完毕，就急忙推说有病，回到永福省自己的住所，不敢到父亲的灵堂哭丧，白天手持利刃自卫，夜间则灯火通明，防备左右的人对自己行刺。刘劭任命右军长史萧斌为尚书仆射、领军将军，任命尚书令何尚之为司空，令曾经担任过右卫率的檀和之守卫石头城，令担任征虏将军的营道侯刘义綦镇守京口。刘义綦，是临川王刘义庆的弟弟。二月二十二日乙丑，刘劭把先前发放给各处的兵器全部收缴送回武库，诛杀了江湛、徐湛之的亲近党羽担任尚书左丞的荀赤松、担任尚书右丞的臧凝之等人。臧凝之，是臧焘的孙子。任命中舍人殷仲素为黄门侍郎，左积弩将军王正见为左军将军，心腹张超之、陈叔兒等都封官，奖赏则根据其功劳的大小而各有不同。辅国将军鲁秀当时也在建康，刘劭对鲁秀说:“徐湛之经常想要害死你，我已经为你把他除掉了。”刘劭派鲁秀与担任屯骑校尉的庞秀之共同掌握军队。刘劭不知道侍中王僧绰参与了太祖刘义隆准备废立太子的密谋，他任命王僧绰为吏部尚书，任命担任司徒左长史的何偃为侍中。

担任江州刺史的武陵王刘骏正率军驻扎在五洲，担任太尉中兵参军的沈庆之从巴水来，准备向武陵王刘骏请示、接受用兵的方针策略。三月初二日乙亥，担任典

典签[182]董元嗣自建康至五洲，具言太子弑[9]逆，骏使元嗣以告僚佐。沈庆之密谓腹心曰："萧斌妇人[183]，其余将帅，皆易与[184]耳。东宫同恶[185]，不过三十人，此外屈逼[186]，必不为用[187]。今辅顺讨逆，不忧不济[188]也。"

壬午[189]，魏主[10]尊保太后为皇太后[190]，追赠祖考[191]，官爵兄弟[192]，皆如外戚[193]。

太子劭分浙东五郡为会州[194]，省扬州，立司隶校尉，[195]以其妃父殷冲[196]为司隶校尉。冲，融[197]之曾孙也。以大将军义恭为太保[198]，荆州刺史南谯王义宣为太尉[199]，始兴王濬为骠骑将军，雍州刺史臧质为丹杨尹[200]，会稽太守随王诞为会州刺史。

劭料检[201]文帝巾箱[202]及江湛家书疏，得王僧绰所启飨士[203]并前代故事[204]，甲申[205]，收僧绰，杀之。僧绰弟僧虔为司徒左西属[206]，所亲咸劝之逃，僧虔泣曰："吾兄奉国以忠贞，抚我以慈爱，今日之事[207]，苦不见及[208]耳，若得同归九泉，犹羽化[209]也。"劭因诬北第诸王侯[210]，云与僧绰谋反，杀长沙悼王瑾[211]、瑾弟楷[11]、临川哀王烨[212]、桂阳孝侯觊、新渝怀侯玠[213]，皆劭素[12]所恶也。瑾，义欣之子。烨，义庆[214]之子。觊、玠，义庆之弟子也。

劭密与沈庆之手书，令杀武陵王骏。庆之求见王，王惧，辞以疾[215]。庆之突入[216]，以劭书示王，王泣求入内与母诀[217]，庆之曰："下官受先帝厚恩，今日之事，惟力是视[218]，殿下何见疑[219]之深！"王起再拜曰："家国安危，皆在将军。"庆之即命内外勒兵[220]。府主簿颜竣[221]曰："今四方未知义师[222]之举，劭据有天府[223]，若首尾不相应[224]，此危道[225]也。宜待诸镇协谋[226]，然后举事。"庆之厉声曰："今举大事，而黄头小儿[227]皆得

签的董元嗣从都城建康来到五洲，详细地向武陵王刘骏报告了太子刘劭弑杀皇帝的叛逆罪行，武陵王刘骏让董元嗣把这个情况告诉给自己的僚佐。沈庆之秘密地对自己的亲信说："萧斌就像妇女一样怯懦无能，其他的将帅都很容易对付。真正死心塌地跟随东宫一道做坏事的不超过三十人，其余的都是被人胁迫，一定不肯为太子卖力。如果我们辅佐着顺应人心的主子去讨伐叛逆，不用担忧不会成功。"

三月初九日壬午，魏文成皇帝拓跋濬尊奉自己的乳母保太后常氏为皇太后，追封保太后常氏的祖父和父亲，保太后的兄弟也都封官晋爵，让保太后的所有亲属都享受皇亲国戚一样的待遇。

宋太子刘劭把原本属于扬州的五个郡划分出来，另成立会州，撤销扬州刺史的名称，设立司隶校尉以管理原来扬州刺史所管辖的除去浙东五郡以外的其他诸郡，任命太子妃的父亲殷冲为司隶校尉。殷冲，是殷融的曾孙。刘劭任命担任大将军的江夏王刘义恭为太保，任命担任荆州刺史的南谯王刘义宣为太尉，任命始兴王刘濬为骠骑将军，任命担任雍州刺史的臧质为丹杨尹，任命担任会稽太守的随王刘诞为会州刺史。

刘劭清理检查宋文帝生前使用的文件档案柜以及江湛家的奏疏和书信，得到了王僧绰向宋文帝报告刘劭在太子宫犒赏士兵情形的奏疏，以及前代废太子与处置诸侯王的先例。三月十一日甲申，刘劭下令逮捕王僧绰，将王僧绰杀死。王僧绰的弟弟王僧虔正在司徒府担任左西属，他的亲朋全都劝说王僧虔赶紧逃走，王僧虔哭着说："我哥哥对国家忠贞不二，以慈爱之心抚养我长大成人，今天的事情，我怕的就是不受牵连，如果能够与哥哥一同死去，就如同生出翅膀飞升仙界了。"刘劭趁机诬陷住在宫城以北的各家王侯，说他们参与了王僧绰谋反，于是杀死了长沙悼王刘瑾、刘瑾的弟弟刘楷、临川哀王刘烨、桂阳孝侯刘觊、新渝怀侯刘玠，这些人都是刘劭一向厌恶的人。刘瑾，是刘义欣的儿子。刘烨，是临川王刘义庆的儿子。刘觊、刘玠，是刘义庆弟弟的儿子。

刘劭秘密送给太尉中兵参军沈庆之一封亲笔写的书信，令沈庆之杀死武陵王刘骏。沈庆之请求面见武陵王刘骏，刘骏非常恐惧，就推说有病不肯出来接见沈庆之。沈庆之就突然闯入他的后宅，把刘劭写给自己的亲笔信拿给武陵王看，武陵王哭泣着请求沈庆之允许他入内和母亲诀别，沈庆之对武陵王说："我蒙受先帝的厚恩，今天的事情，就看我们的力量如何，殿下为什么对我怀有如此深的戒心呢！"武陵王站起来再次拜谢说："家国安危，全取决于将军了。"沈庆之立即下令在武陵王府内府外紧急集合军队。在武陵王府担任主簿的颜竣说："如今四方并不知道我们将要发动讨逆的正义之师，刘劭占据着朝廷这个可以发号施令的有利位置，如果起兵讨逆的武装不能彼此呼应联络，这是很危险的做法。应当等待各地区的军事长官一起商量好，然后再兴兵讨伐叛逆。"沈庆之厉声说："如今要采取重大的行动，却连黄头发的小儿

参预，何得不败！宜斩以徇众[228][13]！”王令竣拜谢[229]庆之，庆之曰：“君但当知[230]笔札事耳！”于是专委庆之处分[231]。旬日之间，内外整办[232]，人以为神兵。竣，延之[233]之子也。

庚寅[234]，武陵王戒严誓众[235]。以沈庆之领府司马[236]；襄阳太守柳元景[237]、随郡太守宗悫[238]为谘议参军，领中兵[239]；江夏[14]内史朱脩之[240]行平东将军[241]；记室参军[242]颜竣为谘议参军，领录事[243]，兼总内外[244]；以[15]谘议参军刘延孙[245]为长史、寻阳太守，行留府事[246]。延孙，道产[247]之子也。

南谯王义宣及臧质皆不受劭命，与司州刺史[248]鲁爽同举兵以应骏。质、爽俱诣江陵见义宣[249]，且遣使劝进于王[250]。辛卯[251]，臧质子敦等在建康者闻质举兵，皆逃亡。劭欲相慰悦[252]，下诏曰：“臧质，国戚勋臣[253]，方翼赞京辇[254]，而子弟波迸[255]，良可怪叹[256]。可遣宣譬[257]令还，咸复本位。”劭寻录得敦[258]，使大将军义恭行训杖三十[259]，厚给赐之。

癸巳[260]，劭葬太祖于长宁陵，谥曰景皇帝，庙号中宗[261]。

乙未[262]，武陵王发西阳。丁酉[263]，至寻阳。庚子[264]，王命颜竣移檄四方[265]，使共讨劭。州郡承檄，翕然[266]响应。南谯王义宣遣臧质引兵诣寻阳[267]，与骏同下，留鲁爽于江陵。

劭以兖、冀二州[268]刺史萧思话为徐、兖二州刺史，起张永为青州刺史[269]。思话自历城引部曲还彭城[16]，起兵以应寻阳；建武将军垣护之[270]在历城，亦帅所领赴之[271]。南谯王义宣版[272]张永为冀州刺史，永遣司马崔勋之等将兵赴义宣。义宣虑萧思话与永不释前憾[273]，自为书与思话，使长史张畅为书与永，劝使相与坦怀[274]。

随王诞将受劭命，参军事沈正[275]说司马顾琛[276]曰：“国家此祸，开辟未闻[277]。今以江东[278]骁锐之众，唱大义于天下[279]，其谁不响应！岂

都能够参与议论，怎么能不失败！应该把颜竣的人头砍下来示众！”武陵王赶紧命令颜竣向沈庆之磕头请罪，沈庆之对颜竣说：“你只能过问有关纸笔的事情！”于是，武陵王把有关起兵讨伐刘劭的一切大事全部交付给沈庆之安排处置。十天左右的时间，内外各种事物就全部准备就绪，人们都以为是神兵下界。颜竣，是颜延之的儿子。

三月十七日庚寅，武陵王刘骏宣布进入战争状态，率众宣誓。任命沈庆之兼任武陵王府的司马；任命担任襄阳太守的柳元景、担任随郡太守的宗悫为谘议参军，兼任中兵参军；任命担任江夏内史的朱脩之为代理平东将军；任命担任记室参军的颜竣为谘议参军，兼任录事参军，总管军府内外的一切事务；任命担任谘议参军的刘延孙为长史、寻阳太守，代理武陵王府的留守事宜。刘延孙，是刘道产的儿子。

宋国担任荆州刺史的南谯王刘义宣以及担任雍州刺史的臧质都没有接受太子刘劭的任命，他们与担任司州刺史的鲁爽共同起兵响应武陵王刘骏。臧质、鲁爽都到江陵来面见南谯王刘义宣，并且派人来到五洲劝说武陵王刘骏称帝。三月十八日辛卯，雍州刺史臧质留在建康的儿子臧敦等人听说臧质起兵讨逆，便都逃离了京师建康。太子刘劭想安慰他们，让他们高兴，遂下诏说：“臧质，既是皇亲国戚，又是国家有功勋的大臣，正应该辅佐朝廷，而他的子弟却四散逃亡，实在让人感到奇怪和惋惜。可以派人去劝解他们，让他们返回京城，全都官复原职。”不久，刘劭就捉到臧质的儿子臧敦，令大将军刘义恭教训性地责打了臧敦三十棍子，然后又给了臧敦丰厚的赏赐对他进行安抚。

三月二十日癸巳，刘劭把太祖刘义隆安葬在长宁陵，谥号为景皇帝，庙号中宗。

二十二日乙未，武陵王刘骏从西阳起兵。二十四日丁酉，刘骏所率领的讨逆大军抵达寻阳。二十七日庚子，武陵王命令颜竣向全国各地发布讨伐叛逆的檄文，号召共同起兵讨伐刘劭。全国各州郡接到檄文以后，纷纷响应。南谯王刘义宣派遣雍州刺史臧质率领军队前往寻阳与刘骏的军队会合，然后一同率军向京师建康进发，留下司州刺史鲁爽守卫江陵。

刘劭任命担任兖州、冀州二州刺史的萧思话为徐州、兖州二州刺史，起用张永为青州刺史。萧思话率领自己的部队从历城回到彭城，起兵响应寻阳武陵王刘骏；担任建武将军的垣护之当时正在历城，他也率领自己属下的军队前往寻阳投奔武陵王刘骏。南谯王刘义宣临时任命张永为冀州刺史，张永派遣属下担任司马的崔勋之等人率领军队投奔南谯王刘义宣。刘义宣担心兖、冀二州刺史萧思话与张永之间仍然没有消除前嫌，便亲自写信给萧思话，让属下担任长史的张畅给张永写信，劝说张永与萧思话彼此忘却前嫌，相互坦诚相待。

随王刘诞将要接受刘劭的任命，担任参军事的沈正劝说在随王刘诞属下担任司马的顾琛说：“国家遭受如此大祸，这是开天辟地以来从来没有过的事情。如果随王能够凭借浙江以东骁勇精锐的部队，高举讨伐刘劭的义旗以号召天下，谁会不响应

可使殿下[280]北面凶逆[281]，受其伪宠乎？”琛曰：“江东忘战日久，虽逆顺不同[282]，然强弱亦异[283]，当须[284]四方有义举[285]者，然后应之，不为晚也。”正曰：“天下未尝有无父无君之国，宁可自安仇耻[286]而责义于余方[287]乎！今正以弑逆冤丑[288][17]，义不同[18]天[289]，举兵之日，岂求必全[290]邪！冯衍有言[291]：‘大汉之贵臣，将不如荆、齐之贱士乎？’[292]况殿下义兼臣子[293]，事实国家[294]者哉！”琛乃与正共入说诞，诞从之。正，田子[295]之兄子也。

劭自谓素习武事，语朝士曰：“卿等但助我理文书，勿措意戎旅[296]。若有寇难[297]，吾自当之，但恐贼虏不敢动耳！”及闻四方兵起，始忧惧，戒严，悉召下番将吏[298]，迁淮南岸[19]居民[299]于北岸，尽聚诸王及大臣于城内，移江夏王义恭处尚书下舍[300]，分义恭诸子处侍中下省[301]。

【段旨】

以上为第一段，写宋文帝元嘉三十年（公元四五三年）前三个月的大事。主要写了宋文帝刘义隆捕得巫者严道育的党羽，得知太子刘劭与始兴王刘濬仍在继续其罪恶活动，遂与信臣王僧绰、徐湛之等密谋废太子、杀刘濬，但迟迟未决，又将此事泄于刘濬之母潘淑妃。潘淑妃闻讯遂告知刘濬，刘濬告知太子劭，太子劭倚仗自己的部属萧斌与刘义隆身边的侍卫头目陈叔兒、张超之等发动政变，杀了文帝刘义隆与其近臣江湛、徐湛之、王僧绰，控制与收罗权臣刘义恭、何尚之等草草组成朝廷班底；写了武陵王刘骏的部将沈庆之、柳元景等佐助刘骏在西阳誓师，号召讨伐元凶劭，而南谯王刘义宣、雍州刺史臧质、司州刺史鲁爽、兖冀刺史萧思话、青州刺史张永等皆举兵响应；会州刺史、随王刘诞的部属沈正、顾琛，亦劝刘诞举义于浙东；元凶刘劭开始尚盲目自大，以为他人无可奈何，后见四方义兵皆起，始感惶恐知惧等。

呢！岂能让随王殿下面朝北向凶残叛逆的刘劭称臣，接受伪朝廷的任命呢？”顾琛说：“江东的人已经忘记战争很久了，虽然刘劭弑杀皇帝篡夺皇位是背叛了天心人愿，高举义旗讨伐叛逆是应天顺人，性质完全不同，然而刘劭占据皇帝之位以号令天下，是强者，而我们只有浙东五郡，与其相比，力量相差悬殊也是明摆着的事实，我们应当等待四方有人起兵讨逆之后，再起兵响应也为时不晚。”沈正说：“天下从来就没有无父无君的国家，岂能安于听命于仇敌，甘愿蒙受耻辱，而把希望寄托在其他地区带头起义上呢！如今正是因为刘劭弑杀皇父篡夺皇位，既荒诞，又可恶，我们绝对不应该与这样的人共同生活在一个天日之下，起兵的时候，哪里还能顾得上我们自身是安全还是不安全呢！冯衍当年说得好：‘你们这些大汉王朝的贵臣，难道还不如当年荆国、齐国的卑贱匹夫吗？’何况随王殿下既是皇帝的臣子，又是儿子，讨伐叛逆这件事既是国事也是家事啊！”顾琛于是与沈正一同进去劝说随王刘诞起兵讨伐刘劭，刘诞听从了他们的意见。沈正，是沈田子哥哥的儿子。

刘劭自以为一向熟悉军事，他对朝中的人士说：“你们只管帮助我整理文书，用不着替我考虑作战的事情。如果有人前来进攻，我自己会加以抵挡；我只担心贼虏不敢采取行动罢了！”等到听说四面八方纷纷起兵，刘劭这才开始感到担忧和恐惧，于是下令戒严，赶紧把已经下班应该休息的将吏全都召集起来，又把秦淮河南岸的居民迁移到秦淮河北岸，把所有诸侯王以及大臣全部聚集到京城以内，把江夏王刘义恭迁移到尚书下舍，把刘义恭的儿子们分别安置在侍中下省。

【注释】

①正月戊寅：正月初四。②以南谯王义宣为司徒扬州刺史：胡三省曰，“用义宣刺扬州，至是始出命”。〖按〗用刘义宣刺扬州事，上卷二十九年七月已提及。③武都：魏郡名，郡治即今陕西宝鸡市凤翔区。④高平镇将苟莫于：镇守高平军镇的将军姓苟名莫于。当时魏国的高平镇即今宁夏固原。⑤南郑：当时刘宋的梁州和南秦州的郡治所在地，即今陕西汉中。⑥壬午：正月初八。⑦帝怒未解：以其与太子劭曾以巫蛊谋害文帝事也。⑧久留京口：在此以前刘濬为征北将军，镇守京口，即今江苏镇江。⑨戊子：正月十四。⑩西阳蛮：西阳郡内的蛮族，西阳郡的郡治在今湖北黄冈东。⑪五洲：长江中的五个小洲名，在今湖北浠水西南浠水口与巴河口之间的长江中。⑫严道育之亡命：严道育帮着刘劭等造巫蛊以害文帝事泄潜逃事，见本书上卷元嘉二十九年。⑬匿于东宫：躲藏在太子刘劭的宫里。⑭出止：出入与住宿。⑮丁巳：二月十四。⑯临轩：出坐在殿旁的游廊中。⑰入受拜：入轩接受荆州刺史的任命。拜，任命为官。⑱掩捕：突然往捕。掩，突袭。⑲征北：指征北将军始兴王刘濬。⑳上谓：皇帝原以为。㉑惋骇：惋惜、惊讶。㉒须

至检覆：等待二婢到了以后，推问查清此事。须，等候。㉓祝诅事发：上次搞巫蛊的事情被告发。事见本书上卷元嘉二十九年。祝诅，乞求鬼神降灾于某人，指巫蛊。㉔犹冀：还希望。㉕刻意思愆：深刻地思考自己的罪过。㉖何意更藏：谁想到今天你竟然还掩藏着。㉗今何用生为：今天我还活着做什么。㉘先自取尽：我要及早自杀。㉙不忍见汝祸败：不忍心眼看着你大难临头。㉚寻自当判：很快我们就会做出决定。胡三省曰："判，决也。欲决意为商臣之事也。濬辞气凶悖如此，潘妃承帝宠又如此，而不以濬言白上，何也？妇人之仁，知爱子而欲掩覆之，不知其变愈激也。"㉛宽虑：宽心。㉜必不上累：一定不会连累您受罪。㉝己未：二月十六。㉞建宁王崇：拓跋崇，拓跋嗣子，拓跋焘之弟。传见《魏书》卷十七。㉟王僧绰：元嘉初期的宠臣王昙首之子，此时又特别受宋文帝的宠信。传见《宋书》卷七十一。㊱典故：过去有过的先例。㊲徐湛之：徐逵之之子。徐逵之是宋文帝刘义隆的姐夫，徐湛之是刘义隆的表兄弟，为最受宠用的当权者之一。传见《宋书》卷七十一。㊳江湛：刘义隆在位晚期最受宠用的当权者之一。传见《宋书》卷七十一。㊴武陵王骏：刘骏，刘义隆的第三子，在上卷所写的宋魏战争中，刘骏镇守徐州，起的作用较好。㊵出外藩：在各地任刺史之职。魏晋南朝时期的刺史有如列国诸侯，是中央政权的屏藩。㊶不得留建康：不能留在朝廷任政。武陵王骏自彭城还，又出刺江州。㊷南平王铄、建平王宏：南平王刘铄是刘义隆的第四子，建平王刘宏是刘义隆的第七子。传均见《宋书》卷七十二。㊸随王诞：刘诞，刘义隆的第六子，先封为随王，后改封为竟陵王。传见《宋书》卷七十九。㊹建立之事：立哪个儿子为太子的事情。㊺仰由圣怀：应该一切按皇帝的心思。㊻不可稽缓：不能总是迟疑不定。稽缓，拖沓。㊼当断不断二句：语见《史记·齐悼惠王世家》召平所引道家语。㊽以义割恩：坚持大义，割舍私情，指绳之以法。㊾略小不忍：放弃狭隘的不忍之心。《论语·卫灵公》中有所谓"小不忍则乱大谋"。㊿不尔：如果不打算这么做，指不想对二子采取绝对手段。(51)坦怀如初：相互坦诚相待，还和从前一样。(52)无烦疑论：不要再做这种不信任的讨论。(53)易致宣广：容易泄露外传。(54)难生虑表：发生意想不到的灾难。虑表，意外、想不到。(55)殷勤：反复思虑的样子。(56)彭城始亡：指彭城王刘义康刚刚被杀。刘义康被杀于元嘉二十八年。(57)裁：惩治；制裁。(58)出阁：此阁即后文之所谓"斋阁"，皇帝的休息、养神之处。(59)向言：刚才的说话。(60)将不太伤切直：是不是过于直率了呢。将，表示商量的语气。太伤，太过于。(61)弟亦恨君不直：我也很遗憾你有话不能直说。恨，憾、遗憾。胡三省曰："僧绰年少于湛，故自称为弟。"(62)失旨：说话不合皇帝的心意。(63)非次：不合长幼的次序。建平王刘宏是刘义隆的第七子。(64)屏人语：支开别人，两人说悄悄话。屏，这里通"摒"，支开。(65)连日累夕：接连几天几夜。(66)绕壁检行：围着屋子四周检查巡视。(67)淑妃以告濬二句：刘义隆将如此机密事告诉潘淑妃，驯致大祸临头，与春秋时之雍纠谋杀祭仲而告其妻（祭仲之女）同，事见《左传》桓公十五年与《史记·郑世家》。胡三省曰："《左传》有言，'谋及妇人，宜其死也'。宋文帝处此事，其识略又在吴孙亮之

下。”⑱队主：皇帝身边卫队的队长。级别很低，但位置重要。⑲斋帅：负责皇帝卧室内各种服务工作的头目。级别很低，但位置重要。⑳内难：家族内部的篡夺。〖按〗刘义隆所担心的只是来自他兄弟的篡夺，而从未担心儿子们对他下手。㉑与羽林相若：与皇帝的禁卫军不相上下。㉒实甲：披甲。“实”字疑应作“贯”。贯甲，即身穿铠甲。㉓黠：狡猾，聪明不用于正道。㉔深倚：深相依靠。〖按〗使东宫的兵力与皇帝的禁卫军相同，足可证明刘义隆的想法是父子同心，一致对外。可惜刘劭不是人。㉕行酒：依次给人敬酒。㉖密以启闻：把太子的动静秘密报告皇帝。㉗将至：将从京口押解到朝廷。㉘癸亥：二月二十。㉙鲁秀谋反：鲁秀是鲁爽之弟，当时为右军将军南平王刘铄的参军，因随刘铄入朝，带兵在建康。㉚汝：假用皇帝的口吻以称刘劭。㉛守阙：把守宫门。㉜集素所畜养兵士：把平时被他们收买、豢养的亲信士兵集合起来。㉝皆被甲：全部身披铠甲。被，这里通“披”。㉞幢队主副：幢主、队主，幢副、队副。幢主，一面军旗所带的一群士兵之长，或者相当于今之一个连。幢，仪仗名，似伞而细长。队主，一个小队的头领。㉟豫加部勒：事先把他们组织起来。㊱云有所讨：只告诉他们将要去执行一项讨伐任务。㊲萧斌：萧思话的堂兄弟，曾任太子中庶子，此时任右军将军刘铄的长史。传见《宋书》卷七十八。㊳左卫率：太子的属官，东宫禁卫军分左右卫，设左右卫率统领。㊴中舍人：太子的属官，设中舍人四名，与中庶子共掌文翰。㊵左积弩将军：晋官名，宋、齐时的东宫也有此官。㊶将见罪废：我将被治罪，将被废去太子之职。见，被。㊷内省无过：反省自己并无罪过。㊸不能受枉：不能蒙受这种冤枉。㊹当行大事：隐语将杀害其父宋文帝。胡三省曰：“《左传》楚潘崇谓商臣曰：‘能行大事乎？’对曰：‘能。’遂以宫甲围其父成王而弑之。”过程亦见于《史记·楚世家》。㊺相与戮力：共同努力。戮力，努力，尽力。㊻愿加善思：希望您能好好思考。㊼竭身奉令：豁出性命按着您的意思做。㊽卿便谓殿下真有是邪：你以为太子真的要做这个吗？是，指弑父。此袁淑故意以这种方式表示反对，同时也希望刘劭能随着转弯，打消这种念头。㊾患风：中过风。⑩⓪或是疾动：可能刚才犯病了，所以才说出这种话来。⑩①眄：斜着眼看。⑩②事当克不：你看这件事情能够成功吗？克，成功。不，通“否”。⑩③居不疑之地：指刘劭身居太子之位，任何人都不会提防他干这种灭绝人性的事情。⑩④旋至：立刻临头。⑩⑤假有此谋：假如你真是这么想。⑩⑥犹将可息：现在住手还来得及。⑩⑦引淑出：意思是不让他再与刘劭争论。⑩⑧而云可罢乎：还能说劝其住手的话吗？⑩⑨还省：回到太子左卫率的官署。⑪⓪甲子：二月二十一。⑪①以朱衣加戎服上：在铠甲外面套上一件红色的袍子。朱衣，是太子入朝的装束。⑪②画轮车：胡三省引《晋志》曰，“画轮车，驾牛，以彩漆画轮毂。上起四夹杖，左右开四望，绿油幢，朱丝络，其上形制事事如辇，其下犹如犊车耳。太子法驾亦谓之鸾辂，非法驾则乘画轮车”。⑪③卫从：跟从与护卫的人员。⑪④奉化门：东宫的西门。⑪⑤催之相续：一次又一次派人催。⑪⑥守门开：等候宫门开放。守，等候。⑪⑦万春门：宫城的东门。⑪⑧不得入城：不允许进入宫城。⑪⑨受敕：奉皇帝之命。⑫⓪有所收讨：

要逮捕犯罪的人。⑫后队：后面跟随的士兵，即张超之等。⑫云龙门：宫廷内殿的门户。⑫及斋阁：到达斋阁。及，到达。⑫合殿：也称“西殿”，刘义隆的寝息之处。⑫门阶户席直卫兵：门口、台阶、内室、床帐各处的值勤侍卫。席，床席。直，通“值”，值勤。⑫举几捍之：举起小桌用以自卫。捍，抵御。⑫遂弑之：刘义隆死年四十七岁，在位共三十年。刘劭谥其父曰中宗，刘骏即位后始谥之曰太祖。⑫趣北户：逃向合殿的北门。趣，意思同“趋”。逃向。⑫东堂：也称东殿，合殿中的东侧一处。⑬侍直：充当侍卫值勤。⑬中书舍人：中书令的僚属，负责为皇帝起草文件。⑬不时出：没有及时出来。⑬问曰：刘劭问顾嘏。⑬欲共见废：他们都想废掉我的太子位。⑬何不早启：为什么不早点对我说。⑬直上省：正在上省值勤。胡三省曰：“侍中省有上省、下省。上省在禁中。时江湛任侍中，入直上省。”⑬望风屈附：见势如此，转头归附。⑬左细仗主：皇帝身边卫队中的军官名。胡三省曰：“宋宿卫之官有细铠主、细铠将、细仗主等。”⑬只汝是贼：你们这种样子就是叛逆。⑭几中之：差点射中刘劭。⑭惶怖通启：惊恐地求人禀告刘劭。⑭求受处分：请求分配一项任务。处分，分配任务。⑭从东阁入：从东阁门进入后妃所居之处。阁，宫廷中的小门。⑭中堂：宫廷中的核心之堂，办公、议事的主要所在。⑭西州：城名，在当时建康城的西南角，今江苏南京的望仙桥一带。东晋、南朝为扬州刺史的治所，因处于台城之西而得名。⑭府舍人：胡三省曰：“濬府之舍也，自晋以来，诸王府舍人十人。”⑭台内：台城，即宫城之内。⑭未测祸变所至：不好估计祸变发展到了什么程度。⑭阳惊：假作吃惊的样子。⑮入据石头：占据石头城军事要塞。石头城在建康城的西侧，今江苏南京的清凉山一带，是当时建康城的重要军事要点。⑮事之济不：事情成功了没有。不，通“否”。⑮骚扰：着急而手足无措的样子。⑮投袂赴难：甩袖而起，奔向事发现场。投袂，甩袖而起，表示立即行动。《左传》宣公十四年载：“楚子闻之，投袂而起。”⑮兵士亦千余人：胡三省曰，“史言濬、铄之众足以讨除逆乱”。⑮俄而：不久。⑮出中门：出石头城的中门。⑮坚闭城门：坚闭西州城的城门。⑮公情事如此：您的具体情况既然是这样。指刘濬之母潘淑妃深受文帝之宠，刘濬有义不容辞的义务，也有讨逆而为接班人的希望。相反刘劭弑文帝，潘妃自然也是他所恨的人，刘濬去了岂不找死？⑮此是下情：这是我个人的私情。⑯由来所愿：也是我一向所希望的。胡三省曰：“枭食母，破獍食父，若濬者，兼枭獍之心以为心。”⑯拘于内：扣押在宫中。⑯遽即位：匆匆忙忙地做了皇帝。⑯弑逆无状：残酷无道地杀害了老皇帝。无状，无道、不成体统。⑯已无所及：已经来不及抢救。⑯号惋崩衄：对于老皇帝的死我号哭惋叹。崩衄，指老皇帝的死去。⑯罪人斯得：犯罪的人都已擒获。斯，助词。⑯元凶克殄：罪魁祸首已被消灭。⑯亟称疾：又急忙地推说有病。⑯永福省：宫廷内的太子住处。⑰临丧：到灵堂哭丧。⑰义庆：刘义隆的堂兄弟，刘劭之叔，《世说新语》的编纂者。传见《宋书》卷五十一。⑰乙丑：二月二十二。⑰悉收先给诸处兵：全部收回不久前给各处所发的兵器。⑰焘：臧焘，刘裕的妻兄。传见《宋书》卷五十五。⑰拜官、赏赐有差：封官的大小与赏赐的多少随着功劳大小各有不同。⑰常欲相危：常想危害你。⑰对掌军队：共同掌管军队，两个人的权力相同。⑱何偃：何尚之的次子。传见《宋书》卷五十九。⑲巴水：河水名，源于大别山，西南流至湖北黄冈附近汇入长江。其地离刘骏驻兵的五洲不远。⑱咨受军略：请示、接受军事方面的方针策略。胡三省曰："去年帝使沈庆之讨蛮，是年使武陵王骏统讨蛮诸军，故庆之来诣骏'咨受军略'。军略，谓用兵之策略也。"⑱三月乙亥：三月初二。⑱典签：官名，南朝时期诸王属下的高级僚属，权力甚大。⑱萧斌妇人：极喻萧斌的怯弱无能。⑱皆易与：全都容易对付。与，周旋、打交道。⑱东宫同恶：愿意跟着刘劭一道做坏事的人。⑱屈逼：被人胁迫。⑱不为用：不肯为之卖力。⑱不忧不济：不用担心不成功。⑱壬午：三月初九。⑲尊保太后为皇太后：尊其保姆为皇太后，这也是千古奇闻。胡三省曰："以乳母为母，非礼也。"⑲追赠祖考：追封保太后的祖父和她的父亲。考，古称去世的父亲曰"考"。⑲官爵兄弟：给保太后的诸兄弟加官晋爵。官爵，这里用作动词。⑲皆如外戚：让保太后的一切亲属都享受皇家亲戚的待遇。胡三省曰："史言魏主宠秩私昵之过。"⑲分浙东五郡为会州：把原本属于扬州的五个郡分出来，另成立一个会州。会州的州治即今浙江绍兴。此原属扬州的五个郡分别是会稽郡、东阳郡、永嘉郡、临海郡、新安郡。⑲省扬州二句：撤销扬州刺史的名称，设立司隶校尉官以管理扬州刺史所属的除浙东五郡以外的其他诸郡。司隶校尉，国家都城所在州的行政长官，该地区即称司隶校尉，也可以称司州。由于司隶校尉管理国家都城的司法与治安，所以其权力大大超过其他州的刺史。⑲殷冲：殷淳之弟。传见《宋书》卷五十九。⑲融：殷融，曾在晋朝为太常。事见本书卷第九十四咸和三年。⑲太保：加官名，赐予权大位尊并关系紧密者的一种荣誉称号，表示地位崇高，并不具有实权。⑲太尉：亦加官名，并不具有实权。⑳丹杨尹：建康城所在郡的行政长官，职同太守，但政治地位显要。⑳料检：清理、检查。⑳文帝巾箱：文帝生前的文件档案柜。胡三省曰："巾箱所以藏要密文书，便于寻阅。"⑳所启飨士：向文帝报告刘劭犒飨士兵的情景。⑳前代故事：指前代废太子与处置诸王的先例。⑳甲申：三月十一。⑳司徒左西属：司徒府的左西曹属。胡三省曰："旧制：司徒府有东西曹，曹有掾有属。宋于西曹又分左右。"⑳今日之事：指其兄王僧绰被杀。⑳苦不见及：我所怕的就是不受牵连。苦，怕、不乐意。不见及，牵连不到。⑳犹羽化：如同生出翅膀，飞入仙界。⑳北第诸王侯：住在皇宫以北的各家王侯。胡三省曰："诸王侯列第于台城北，故曰北第。此皆穆、武子孙也。"穆指刘裕之父，武指刘裕。㉑长沙悼王瑾：刘瑾，长沙王刘道怜之孙，死后谥曰悼。传见《宋书》卷五十一。刘道怜是刘裕之弟。㉑临川哀王烨：刘烨，刘瑾之弟，因过继于临川王刘义庆为后，故继其位为临川王，谥曰哀。㉑桂阳孝侯觊、新渝怀侯玠：刘觊、刘玠，皆刘道怜之孙。刘觊被封为桂阳侯，死后谥曰孝；刘玠被封为新渝侯，死后谥曰怀。传均见《宋书》卷五十一。㉑义庆：刘裕之弟刘道规之子。传见《宋书》卷五十一。㉑辞以疾：推说有病不出见。㉑突入：闯了进去。㉑与母诀：与其生母路淑媛告别。

路淑媛传见《宋书》卷四十一。"淑媛"是嫔妃的封号名。㉑⑧惟力是视：就看我们的力量如何，同时也表示我要为你贡献出一切力量。㉑⑨见疑：对我怀疑。㉒⓪内外勒兵：在武陵王府内府外紧急集合部队。勒兵，集合军队，进入紧急状态。㉒①府主簿颜竣：府主簿是诸王府的高级僚属，犹如今之秘书长。颜竣是颜延年之子，刘骏的骨干。传见《宋书》卷七十五。㉒②义师：指刘骏所发动的讨逆之师。㉒③据有天府：占据着发号施令的有利地带。天府，指朝廷，天子所处之地。㉒④首尾不相应：指起义的武装不能彼此呼应联络，一齐行动。胡三省曰："首，谓武陵已倡义于九江；尾，谓诸方征镇。"㉒⑤危道：危险的做法。㉒⑥诸镇协谋：各地区的军事长官一起商量好。诸镇，指各州刺史与各地督军。㉒⑦黄头小儿：极言其年幼无知之状。黄头，婴幼儿的头发色黄，故称。㉒⑧宜斩以徇众：应砍下他的人头示众。徇众，令人看，即示众。㉒⑨拜谢：磕头请罪。㉓⓪但当知：只能过问。㉓①专委庆之处分：有关起义征伐的一切大事都归沈庆之安排处置。㉓②整办：齐备妥善。㉓③延之：颜延之，字延年，刘宋时代的重要文学家，与谢灵运、鲍照等齐名。传见《宋书》卷七十三。㉓④庚寅：三月十七。㉓⑤誓众：率众宣誓。㉓⑥领府司马：兼任武陵王府的司马官。领，兼任。由高级别的人兼任低级的职务叫作"领"。司马是将军的高级僚属，在军中主管司法。㉓⑦柳元景：刘宋时代的名将。传见《宋书》卷七十七。㉓⑧宗悫：刘宋时代的名将，先破林邑有大功，后佐刘骏破刘劭。传见《宋书》卷七十六。㉓⑨领中兵：兼任中兵参军。㉔⓪朱脩之：刘宋时代的名将，为刘宋守滑台以抗魏兵，艰苦卓绝；为魏所俘后，又辗转逃回。传见《宋书》卷七十六。㉔①行平东将军：代理平东将军。以低级别的人代理高级别的职务叫作"行"。㉔②记室参军：将军手下的高级僚属，掌管文书机要。㉔③领录事：兼任录事参军。㉔④总内外：总管军府内外的一切事务。㉔⑤刘延孙：刘道产之子，竟陵王刘骏的老部下。传见《宋书》卷七十八。㉔⑥行留府事：代理武陵王府的留守事宜。㉔⑦道产：刘道产，刘宋初期的名将，也是有卓越政绩的地方官。传见《宋书》卷六十五。㉔⑧司州刺史：刘宋时的司州州治悬瓠，即今河南汝南。㉔⑨俱诣江陵见义宣：时刘义宣为荆州刺史，驻兵江陵，而臧质为雍州刺史，鲁爽为司州刺史，俱受督于刘义宣。㉕⓪劝进于王：劝导武陵王刘骏进位称帝。劝进，劝人称帝。王，指武陵王刘骏。㉕①辛卯：三月十八。司马光《考异》改作"庚寅"。庚寅，三月十七。㉕②欲相慰悦：想安慰他们，让他们高兴。㉕③国戚勋臣：臧质是高祖刘裕敬皇后之侄，刘劭的表舅，又对魏作战有功勋。㉕④方翼赞京辇：正应该辅佐朝廷。方，当。翼赞，辅佐。指臧质新被刘劭任命为丹杨尹。㉕⑤波迸：如波浪之迸散，以言其四散逃亡。㉕⑥良可怪叹：实在是令人感到奇怪、叹息。良，甚、很。㉕⑦宣譬：传话劝解。㉕⑧寻录得敦：不久捉到了臧质的儿子臧敦。寻，不久。录，捉到。㉕⑨行训杖三十：教训性地打了他三十棍子。㉖⓪癸巳：三月二十。㉖①庙号中宗：胡三省曰，"史不用劭所上谥号，而用孝武帝所改谥号，正劭弑逆之罪，绝之也"。㉖②乙未：三月二十二。㉖③丁酉：三月二十四。㉖④庚子：三月二十七。㉖⑤移檄四方：向全国各地发出讨伐叛逆刘劭的通告。檄，文体名，用于声讨、讨伐。㉖⑥翕然：

顺从、归服的样子。㉖⑦诣寻阳：到达寻阳。寻阳即今江西九江，当时江州刺史刘骏的驻地。㉖⑧兖、冀二州：刘宋的兖州州治在今山东济宁市兖州区，冀州州治历城，即今山东济南。㉖⑨青州刺史：青州的州治即今山东青州。㉗⓪垣护之：传见《宋书》卷五十。㉗①赴之：前往投奔、会合。㉗②版：临时任命。㉗③虑萧思话与永不释前憾：不释前憾，即不解旧仇。萧思话曾因张永败军，将张永下狱，事见本书上卷元嘉二十九年。㉗④相与坦怀：彼此忘却前嫌，相互坦诚相待。㉗⑤参军事沈正：刘诞的参谋人员沈正。㉗⑥司马顾琛：刘诞的司马官顾琛。顾琛是晋代名臣顾和的后代，自元嘉初在刘宋的诸王府与地方为官。传见《宋书》卷八十一。㉗⑦开辟未闻：为开天辟地以来之所未有。㉗⑧江东：指浙江以东。当时刘诞为会州刺史，统辖浙东五郡。㉗⑨唱大义于天下：举义旗以号召天下。唱，号召、倡导。㉘⓪殿下：指刘诞。时为随王。㉘①北面凶逆：向叛逆刘劭称臣。北面，向南面称帝的人进行朝拜。㉘②逆顺不同：刘劭是背叛天心人愿，举义者是应天顺人。㉘③强弱亦异：刘劭据皇帝之位以号令天下，是强者；我们只有浙东五郡，与之力量悬殊。㉘④须：等待。㉘⑤义举：应作“举义”，举行起义。㉘⑥自安仇耻：自甘听命于仇敌，而蒙受仇敌的耻辱。㉘⑦责义于余方：寄希望于其他地区的带头起义。责，希求、等候。㉘⑧冤丑：既荒诞，又可恶。冤，曲、背逆。㉘⑨义不同天：绝对不能和这样的人共同生活在同一片天空之下。《礼记》有所谓“父母之仇，不共戴天”。㉙⓪岂求必全：哪里还能顾得上我们的自身是否安全。㉙①冯衍有言：冯衍当年说得好。冯衍是西汉末年王莽篡政时期的人物。传见《后汉书》卷二十八。㉙②大汉之贵臣二句：你们这些大汉王朝的贵臣，难道还不如当年楚国、齐国那些卑贱的匹夫吗？楚国的匹夫指申包胥，当伍子胥引吴兵攻破楚京城的时候，申包胥到秦国求救，在宫门哭了七天七夜，终于借得秦兵，救了楚国。事见《史记·伍子胥列传》。齐国的匹夫指王孙贾，当燕国军队占领齐国，楚国的淖齿又杀了齐愍王的时候，王孙贾在大街上召集一些义勇之士，杀淖齿，拥立齐襄王，重建了齐国。事见《史记·田单列传》。㉙③义兼臣子：随王刘诞既是刘义隆的臣子，又是刘义隆的儿子，其讨贼是天经地义的。㉙④事实国家：既是国事，又是家事。实，也写作“寔”，意思同“是”。㉙⑤田子：沈田子，晋末与刘宋时期的名将，曾跟随刘裕收复关中有大功。传见《宋书》卷一百。㉙⑥勿措意戎旅：用不着你们替我考虑作战的事情。措意，置意、关心。戎旅，行军打仗的事情。㉙⑦寇难：有人前来进攻。㉙⑧悉召下番将吏：把下了班应该休息的将官也都召集起来。宿卫值勤分上下两班，轮流替换。将下了班的将吏也都招来，不再分班值勤，以见形势之紧张。下番，下班。㉙⑨淮南岸居民：在秦淮河南岸居住的百姓。秦淮河从建康城的东南方流来，流经建康城南，在建康城西汇入长江。将秦淮河南的百姓迁到河北，是为了放弃南岸，集中力量守卫河北的京城。㉚⓪尚书下舍：尚书省分上、下两部，和侍中省分上、下两部一样。㉚①侍中下省：胡三省曰，“据《南史》，侍中下省在神虎门外”。刘劭像是最信任刘义恭，封之以最高的官爵，但又怕他和他的诸子出城投敌，故将其父子分别拘禁在不同的地方。

【校记】

［1］阁：原作“阁”。据章钰校，十二行本、乙十一行本、孔天胤本皆作“冏”，今据改。［2］能：原作“敢”。据章钰校，十二行本、乙十一行本、孔天胤本皆作“能”，今据改。［3］久之：原无此二字。据章钰校，十二行本、乙十一行本、孔天胤本皆有此二字，张敦仁《通鉴刊本识误》同，今据补。［4］同：原作“共”。据章钰校，十二行本、乙十一行本、孔天胤本皆作“同”，今据改。［5］冏：原作“阁”。据章钰校，十二行本、孔天胤本皆作“冏”，今据改。［6］刃：原作“刀”。据章钰校，十二行本、乙十一行本、孔天胤本皆作“刃”，今据改。［7］谓濬：原无此二字。据章钰校，十二行本、乙十一行本、孔天胤本皆有此二字，张敦仁《通鉴刊本识误》同，今据补。［8］等：原无此字。据章钰校，十二行本、乙十一行本、孔天胤本皆有此字，张敦仁《通鉴刊本识误》同，今据补。［9］弑：原作“杀”。据章钰校，十二行本、孔天胤本皆作“弑”，张敦仁《通鉴刊本识误》同，今据改。［10］主：原无此字。据章钰校，十二行本、乙十一行本、孔天胤本皆有此字，今据补。［11］楷：原无此字。据章钰校，十二行本、乙十一行本、孔天胤本皆有

【原文】

夏，四月癸卯朔[302]，柳元景统宁朔将军薛安都[303]等十二军发溢口[304]，司空中兵参军[305]徐遗宝以荆州之众继之。丁未[306]，武陵王发寻阳，沈庆之总中军[307]以从。

劭立妃殷氏为皇后。

庚戌[308]，武陵王檄书至建康，劭以示太常[309]颜延之曰：“彼谁笔也？”延之曰：“竣之笔也。”劭曰：“言辞何至于是[310]！”延之曰：“竣尚不顾老臣[311]，安能顾陛下！”劭怒稍解。悉拘武陵王子于侍中下省，南谯王义宣子于太仓[312]空舍。劭欲尽杀三镇士民家口[313]，江夏王义恭、何尚之皆曰：“凡举大事者不顾家，且多是驱逼[314]，今忽诛其室累[315]，正足坚彼意[316]耳。”劭以为然，乃下书一无所问。

劭疑朝廷旧臣皆不为己用，乃厚抚[317]鲁秀及右军参军王罗汉，

此字，张敦仁《通鉴刊本识误》、张瑛《通鉴校勘记》同，今据补。〖按〗《南史·宋文帝诸子传》载："长沙王瑾弟楷、临川王烨、桂阳侯觊、新渝侯玠，并以宿恨死。"［12］素：原无此字。据章钰校，十二行本、乙十一行本、孔天胤本皆有此字，张敦仁《通鉴刊本识误》同，今据补。［13］众：原无此字。据章钰校，十二行本、乙十一行本、孔天胤本皆有此字，张敦仁《通鉴刊本识误》同，今据补。［14］江夏：张敦仁《通鉴刊本识误》作"将军"。〖按〗《宋书·朱脩之传》载："元嘉九年，至京邑，以为黄门侍郎，累迁江夏内史。"作"江夏"义长。［15］以：原无此字。据章钰校，十二行本、乙十一行本、孔天胤本皆有此字，今据补。［16］彭城：原作"平城"。胡三省注云："'平城'当作'彭城'。"《宋书·萧思话传》载："思话即率部曲还彭城，起义以应世祖。"当是，今据改。［17］丑：原作"酷"。据章钰校，十二行本、乙十一行本、孔天胤本皆作"丑"，今据改。［18］同：原作"共戴"。据章钰校，十二行本、乙十一行本、孔天胤本皆作"同"，张敦仁《通鉴刊本识误》同，今据改。［19］岸：原无此字。据章钰校，十二行本、乙十一行本、孔天胤本皆有此字，张瑛《通鉴校勘记》同，今据补。

【语译】

夏季，四月初一日癸卯，柳元景率领宁朔将军薛安都等十二支军队从湓口出发，担任司空中兵参军的徐遗宝率领荆州的军队紧随其后。初五日丁未，武陵王刘骏从寻阳出发，沈庆之带领全军指挥部跟随武陵王刘骏。

刘劭立太子妃殷氏为皇后。

四月初八日庚戌，武陵王刘骏所发布的讨伐叛逆刘劭的檄文传到了京师建康，刘劭把檄文拿给担任太常的颜延之看，并向颜延之询问："这是谁主笔的呢?"颜延之回答说："是我儿子颜竣主笔。"刘劭说："他所使用的言辞为何如此难听!"颜延之说："颜竣连他老父亲的生死尚且不顾，又岂能顾及得了陛下!"刘劭的怒气这才稍微平息。刘劭把武陵王刘骏的儿子全都抓起来软禁在侍中下省，把南谯王刘义宣的儿子软禁在太仓的空房中。刘劭准备把起兵讨伐自己的雍州、荆州、江州这三个地区的将士留在京城的亲属全部杀死，江夏王刘义恭、尚书令何尚之都劝阻说："凡是图谋大事情的人都不会顾及自己的家庭，而且参加起兵的大多数都是被裹挟逼迫，不得已而为之，现在忽然要诛杀他们的家属，这样做，正好促使他们下决心与你为敌到底。"刘劭认为刘义恭、何尚之说得有道理，于是下书，对起义军家属一律不予追究。

宋太子刘劭怀疑朝廷中的旧臣都不会效忠自己，于是就特别优待担任辅国将军

悉以军事委之。以萧斌为谋主[318]，殷冲掌文符。萧斌劝劭勒[319]水军自上[320]决战，不尔[321]则保据梁山[322]。江夏王义恭以南军仓猝[323]，船舫陋小，不利水战，乃进策曰："贼骏少[20]年[324]未习军旅，远来疲弊，宜以逸待之。今远出梁山，则京都空弱，东军[325]乘虚，或能为患。若分力两赴，则兵散势离，不如养锐待期[326]，坐而观衅[327]。割弃南岸[328]，栅断石头[329]，此先朝旧法[330]，不忧贼不破也。"劭善之。斌厉色曰："南中郎[331]二十年少，能建如此大事，岂复可量[332]？三方同恶[333]，势据上流[334]；沈庆之甚练[335]军事，柳元景、宗悫屡尝立功，形势如此，实非小敌。唯宜及人情未离[336]，尚可决力一战，端坐台城，何由得久？今主、相咸无战意[337]，岂非天也[338]！"劭不听。或劝劭保石头城，劭曰："昔人所以固石头城者，俟诸侯勤王[339]耳。我若守此，谁当见救[340]？唯应力战决之，不然，不克[341]。"日日自出行军[342]，慰劳将士，亲督都水[343]治船舰[344]。壬子[345]，焚淮南岸室屋、淮内船舫[346]，悉驱民家渡水北[347]。

立子伟之为皇太子。以始兴王濬妃父褚湛之[348]为丹杨尹。湛之，裕之[349]之兄子也。濬为侍中、中书监、司徒、录尚书六条事[350]，加南平王铄开府仪同三司，以南兖州刺史建平王宏为江州刺史。太尉司马[351]庞秀之自石头先众南奔[352]，人情由是大震。以营道侯义綦[353]为湘州刺史，檀和之[354]为雍州刺史[355]。

癸丑[356]，武陵王军于鹊头[357]，宣城太守王僧达[358]得武陵王檄，未知所从。客说之曰："方今衅逆[359]滔天，古今未有。为君计，莫若承[360]义

的鲁秀以及担任右军参军的王罗汉，把军事方面的一切事务全部委托给他们安排处置。把萧斌当作自己的智囊，一切谋略都听从于他，殷冲负责掌管文书符节。萧斌劝说刘劭统领水军亲自到长江上游与起义军决战，不然的话就依托梁山固守。江夏王刘义恭认为从上游前来讨伐的起义军都是一哄而起、仓促集合而成，船只简陋狭小，不利于水上作战，于是就向刘劭献计说："叛贼刘骏还太年轻，不懂得行军打仗方面的事情，他手下的将士远道而来已经非常疲惫，我们应当采取以逸待劳的计策，等他们到来再消灭他们。如果离开京城到远处的梁山固守，那么京师建康就会兵力空虚，力量弱小，如果浙东五郡的军队从东部乘虚而入，就有可能造成祸患。如果我们将兵力分开，一部分前往抵抗武陵王刘骏，一部分前去抵御随王刘诞，就会使兵力分散，势力减弱，不如暂且养精蓄锐，等待敌兵疲惫之时，坐在这里寻找可乘之机再发动进攻，一举将他们消灭。还可以放弃秦淮河以南的地盘，并在石头城一带的江中竖立起木栅栏，使叛军的舰船无法靠岸，这是前朝曾经使用过的作战方法，不用担忧贼寇不被打败。"刘劭很赞成刘义恭的意见。萧斌则声色俱厉地反驳说："南中郎将刘骏虽然只是一个二十多岁的年轻人，却能首倡反抗朝廷这样的大事，其办事能力难道还能够限量吗？目前三方面的势力联合起来，共同进攻我们，从形势上来说又处在我们的上游；太尉中兵参军沈庆之又非常熟悉、懂得军事，襄阳太守柳元景、随郡太守宗悫曾经屡次建立战功，形势如此严峻，实在不能把他们当作小毛贼一般而轻视他们。目前我们应该趁着人心尚未离散的机会，奋力一战，如果只是端坐在宫城里，如何能够保持长久呢？如今主子、丞相却全都不想打仗，这难道不是天意吗?!"这次刘劭却没有听从智囊萧斌的劝告。又有人劝说刘劭去固守石头城，刘劭说："过去的君主之所以要坚守石头城，是因为他们可以等待各地的诸侯王率领勤王大军前来救援京师。我如果也去坚守石头城，有谁会来救援我呢？只有在城下决一死战，不然的话，就没有办法克敌制胜。"此后，刘劭天天亲自出去巡视军营，慰劳将士，亲自督促管理河流、湖泊的官员都水修理、制造船舰。四月初十日壬子，刘劭下令焚烧秦淮河南岸的房屋以及秦淮河上所停泊的大小船只，把百姓全部驱赶到秦淮河以北地区。

刘劭立自己的儿子刘伟之为皇太子。任命始兴王刘濬妃子的父亲褚湛之为丹杨尹。褚湛之，是褚裕之哥哥的儿子。刘劭任命刘濬为侍中、中书监、司徒、录尚书六条事，加封南平王刘铄开府仪同三司；任命担任南兖州刺史的建平王刘宏为江州刺史。担任太尉司马的庞秀之率先从石头城逃出，投奔了从南方过来的讨逆大军，人心因此而受到很大震动。刘劭任命营道侯刘义綦为湘州刺史，任命檀和之为雍州刺史。

四月十一日癸丑，武陵王刘骏率军驻扎于鹊头，担任宣城太守的王僧达接到武陵王刘骏所发布的讨伐篡逆刘劭的檄文以后，不知道该如何是好。他的一个宾客对他说："如今皇太子刘劭弑杀父皇、篡夺皇位，罪恶滔天，是从古到今所从来未有过的事情。

师之檄，移告傍郡[361]。苟在有心[362]，谁不响应？此上策也。如其不能，可躬帅向义之徒[363]，详择水陆之便[364]，致身南归[365]，亦其次也。”僧达乃自候道[366]南奔，逢武陵王于鹊头。王即以为长史。僧达，弘[367]之子也。王初发寻阳，沈庆之谓人曰：“王僧达必来赴义[368]。”人问其故，庆之曰：“吾见其在先帝前议论开张[369]，执意[21]明决[370]。以此言之，其至必也。”

柳元景以舟舰不坚，惮于水战[371]，乃倍道兼行[372]，丙辰[373]，至江宁[374]步上[375]，使薛安都帅铁骑曜兵于淮上[376]，移书朝士[377]，为陈逆顺[378]。

劭加[379]吴兴太守[380]汝南周峤冠军将军，随王诞檄亦至。峤素恇怯[381]，回惑[382]不知所从。府司马丘珍孙杀之，举郡应诞。

戊午[383]，武陵王至南洲[384]，降者相属[385]。己未[386]，军于溧洲[387]。王自发寻阳，有疾不能见将佐，唯颜竣出入卧内[388]，拥王于膝，亲视起居[389]。疾屡危笃[390]，不任咨禀[391]，竣皆专决[392]。军政之外，间以文教书檄[393]，应接遐迩[394]，昏晓临哭[395]，若出一人[396]。如是累旬[397]，自舟中甲士亦不知王之危疾[398]也。

癸亥[399]，柳元景潜至新亭[400]，依山为垒[401]。新降者皆劝元景速进，元景曰：“不然。理顺难恃[402]，同恶相济[403]，轻进无防[404]，实启寇心[405]。”

元景营未立，劭龙骧将军詹叔兒觇知之[406]，劝劭出战，劭不许。甲子[407]，劭使萧斌统步军，褚湛之统水军，与鲁秀、王罗汉、刘简之等[22]精兵合万人，攻新亭垒，劭自登朱雀门[408]督战。元景宿令军中

为您自己考虑，不如接受正义之师所发布的檄文，并转告给周围的其他郡，号召他们一同起兵。但凡还有良心的人，谁不响应您呢？这才是上策。如果您不能这样做，也可以亲自率领一批拥护义军的人们，仔细选择一条水陆交通便利的通道，亲自到南方去投奔起义军，也不失为中策。”王僧达于是沿着一条列置烽火台用以传递边关紧急情报的通道向南逃奔，在鹊头遇到了武陵王刘骏。武陵王刘骏立即任命王僧达为长史。王僧达，是王弘的儿子。武陵王刚从寻阳出发的时候，沈庆之便对人说：“王僧达一定会前来投奔义军。”别人问沈庆之什么原因，沈庆之解释说：“我见到过王僧达在先帝面前议论国家大事的时候显得很有魄力，观点明确，很有决断。我就根据这一点来断定，他前来投奔是肯定无疑的事情。”

柳元景因为自己的舟舰不够坚固，不利于在江面上与敌兵开战，于是就加速前进，一日走两日的路程，四月十四日丙辰，柳元景率军抵达江宁，他们弃舟登陆步行，他派遣宁朔将军薛安都率领铁骑兵在秦淮河畔向着河北的建康城炫耀武力，又给朝廷中的官员们发送宣传品，为他们分析谁是叛逆，谁是仁义之师。

刘劭擢升担任吴兴太守的汝南人周峤为冠军将军，此时随王刘诞的讨逆檄文也传到京师建康。周峤一向懦弱，胆小怕事，心里七上八下拿不定主意，不知道应该听从谁的命令。在太守府担任司马的丘珍孙杀死周峤，号召吴兴全郡之人起来响应随王刘诞。

四月十六日戊午，武陵王刘骏到达南洲，前来归降的人接连不断。十七日己未，刘骏率军驻扎在溧洲。武陵王自从发兵寻阳以来，就身患疾病不能召见将佐，只有颜竣能够出入刘骏的卧室，他把刘骏抱在膝上，亲自照看刘骏的日常生活。刘骏病势沉重，几次病危，不能亲自听取诸将领的请示汇报，颜竣全部独自一一给他们做出决定性的回答。除了军政大事以外，有时还要负责处理许多文告、教谕方面的来往书信，应付、安排远近前来归附的人员，每天还要早晚两次按时到文帝灵位前举哀哭丧，就像武陵王刘骏亲自处理一样。就这样一过就是几十天，就连刘骏这条船上的警卫士兵也不知道武陵王刘骏的病情已经危险到了这种程度。

四月二十一日癸亥，襄阳太守柳元景悄悄地率军抵达新亭，他随着山体的形势筑起了防御工事。新投降的人都劝说柳元景迅速前进，柳元景说：“不能这样做。不能因为自己占理就把自己的力量估计得过于强大，一群恶人聚集在一起，往往也会同心协力，以求死里逃生，轻率进军而不做好防备，就会招致敌人的进攻，增加贼寇企图获胜的野心。”

就在柳元景的营垒还没有建好的时候，被刘劭任命为龙骧将军的詹叔兒探听到了这种情况，他劝说刘劭抓住机会赶紧出战，而刘劭没有采纳他的意见。四月二十二日甲子，刘劭派尚书仆射、领军将军萧斌率领步军，丹杨尹褚湛之率领水军，与辅国将军鲁秀、右军参军王罗汉、刘简之等人率领的精兵合起来总计一万人，一同向柳元景设在新亭的营垒发起进攻，刘劭亲自登上朱雀门督战。柳元景早就对自

曰[409]："鼓繁气易衰[410]，叫数力易竭[411]。但衔枚疾战[412]，一听吾鼓声[413]。"劭将士怀劭重赏[414]，皆殊死战。元景水陆受敌，意气弥强，麾下勇士，悉遣出斗，左右唯留数人宣传[415]。劭兵势垂克[416]，鲁秀击退鼓[417]，劭众遽止[418]。元景乃开垒鼓噪以乘之[419]，劭众大溃，坠淮死者甚多。劭更帅余众[420]自来攻垒，元景复大破之，所杀伤过于前战[421]，士卒争赴死马涧[422]，涧为之溢[423]。劭手斩退者，不能禁。刘简之死，萧斌被创[424]，劭仅以身免[425]，走还宫。鲁秀、褚湛之、檀和之皆南奔[426]。

丙寅[427]，武陵王至江宁。丁卯[428]，江夏王义恭单骑南奔，劭杀义恭十二子。

劭、濬忧迫无计，以辇迎蒋侯神像[429]置宫中，稽颡[430]乞恩，拜为大司马，封钟山王；拜苏侯神[431]为骠骑将军。以濬为南徐州刺史[432]，与南平王铄并录尚书事[433]。

戊辰[434]，武陵王军于新亭，大将军义恭上表劝进。散骑侍郎徐爰在殿中诳劭[435]，云自追义恭，遂归武陵王。时王军府草创[436]，不晓朝章[437]，爰素所谙练[438]。乃以爰兼太常丞[439]，撰即位仪注[440]。己巳[441]，王即皇帝位，大赦[442]。文武赐爵[443]一等，从军者[444]二等。改谥大行皇帝[445]曰文，庙号太祖。以大将军义恭为太尉、录尚书六条事、南徐州刺史。是日，劭亦临轩拜太子伟之[446]，大赦[447]，唯刘骏、义恭、义宣、诞不在原例[448]。庚子[449]，以南谯王义宣为中书监、丞相、录尚书六条事、扬州刺史；随王诞为卫将军、开府仪同三司、荆州刺史；臧质为车骑将军、开府仪同三司、江州刺史；沈庆之为领军将军；萧思话为尚书左仆射。壬申[450]，以王僧达为右仆射[451]；柳元景为侍中[452]、左卫将军；宗悫为右卫将军；张畅为吏部尚书；刘延孙、颜竣并为侍中。

己的部下说："战鼓敲的次数太多，士兵的士气就会衰落，呐喊的次数太多，士兵的战斗力就会丧失殆尽。你们只管口中叼着枚，一声不吭地奋勇杀敌，只管按照我鼓声的指挥向前冲锋，其他一概不用管。"刘劭的将士因为感激刘劭给予他们的重赏，全都拼力死战。柳元景的军队虽然遭受敌人水军、陆军的双重夹击，却勇气倍增，他把军中所有的勇士全都派出去参战，自己身边只留下几个人负责宣布、传达号令。刘劭的军队眼看就要取胜的时候，辅国将军鲁秀却敲响了退兵鼓，刘劭的军队立即停止进攻。柳元景趁机打开营门擂起战鼓，士兵呐喊着追击，刘劭的军队立即崩溃，掉到秦淮河中淹死的士兵非常多。刘劭又亲自率领残余的部队前来进攻柳元景的营垒，柳元景再次把刘劭的军队打得大败，杀死杀伤的人数超过了刚刚打完的那一仗，士兵争相跳入死马涧。由于入水的士兵太多，涧中的水都溢了出来。刘劭亲手杀死一些向后退却的士兵，却无法阻止士兵的溃退。刘简之战死，萧斌身受重伤，刘劭只身逃回宫中。鲁秀、褚湛之、檀和之全都向南投奔了讨逆大军。

四月二十四日丙庚，武陵王刘骏抵达江宁。二十五日丁卯，江夏王刘义恭单枪匹马向南投奔起义军，刘劭遂杀死刘义恭的十二个儿子。

太子刘劭、始兴王刘濬忧愁窘迫，无计可施，就用皇帝乘坐的辇车把钟山蒋侯庙中的蒋子文塑像接到宫中安放，向蒋子文的塑像磕头触地，虔诚地祈求蒋侯显灵，保佑自己平安无事，并拜蒋子文为大司马、钟山王，又封死后被民间尊奉为神的苏峻为骠骑将军。刘劭任命始兴王刘濬为南徐州刺史，与南平王刘铄一同担任录尚书事。

四月二十六日戊辰，武陵王刘骏的军队驻扎在新亭，身为大将军的江夏王刘义恭首先上表劝说刘骏登基称帝。担任散骑侍郎的徐爰在殿中诓骗刘劭，说自己去将刘义恭追回来，于是就继刘义恭之后归顺了武陵王。当时武陵王的军府刚刚建立不久，没有人熟悉朝廷的典章制度，而徐爰恰恰对朝廷的典章制度一向非常熟悉。武陵王遂任命散骑侍郎徐爰兼任太常丞，负责撰写一套皇帝登基典礼的章程仪式。二十七日己巳，武陵王在新亭即皇帝位为孝武帝，大赦天下。文武百官的爵位全都提升一等，参加起义军、跟随武陵王从西部诸郡来到新亭的人一律提升两个等级。孝武帝刘骏改谥宋文帝刘义隆为文皇帝，庙号为太祖。孝武帝任命大将军江夏王刘义恭为太尉、录尚书六条事、南徐州刺史。就在同一天，刘劭也来到殿前平台封自己的儿子刘伟之为皇太子，大赦天下，只有武陵王刘骏、江夏王刘义恭、南谯王刘义宣、随王刘诞不在赦免的范围之内。庚子日，孝武帝任命南谯王刘义宣为中书监、丞相、录尚书六条事、扬州刺史；任命随王刘诞为卫将军、开府仪同三司、荆州刺史；任命雍州刺史臧质为车骑将军、开府仪同三司、江州刺史；任命担任太尉中兵参军兼武陵王府司马的沈庆之为领军将军；任命担任兖、冀二州刺史的萧思话为尚书左仆射。三十日壬申，任命担任宣城太守的王僧达为尚书右仆射；襄阳太守柳元景为侍中、左卫将军；担任随郡太守的宗悫为右卫将军；担任长史的张畅为吏部尚书；担任寻阳太守的刘延孙、担任谘议参军的颜竣二人同时担任侍中。

五月癸酉朔[453]，臧质以雍州兵二万至新亭，豫州刺史[454]刘遵考[455]遣其将夏侯献之帅步骑五千军于瓜步[456]。

先是[457]，世祖[458]遣宁朔将军顾彬之将兵东入[459]，受随王诞节度[460]。诞遣参军刘季之将兵与彬之俱向建康，诞自顿西陵[461]，为之后继[462]。劭遣殿中将军燕钦等拒之，相遇于曲阿奔牛塘[463]，钦等大败。劭于是缘淮树栅[464]以自守，又决破岗、方山埭[465]以绝东军[466]。时男丁既尽，召妇女供役。

甲戌[467]，鲁秀等募勇士攻大航[468]，克之。王罗汉闻官军已渡，即放仗降[469]，缘渚幢队[470]以次奔散[471]，器仗鼓盖[472]，充塞路衢。是夜，劭闭守六门[473]，于门内凿堑立栅。城中沸乱，丹杨尹尹弘等文武将吏争逾城[474]出降。劭烧辇及衮冕服[475]于宫庭。萧斌宣令所统[476]，使皆解甲，自石头戴白幡[477]来降，诏斩斌于军门。濬劝劭载宝货逃入海，劭以人情离散，不果行[478]。

乙亥[479]，辅国将军朱脩之克东府[480]。丙子[481]，诸军克台城，各由诸门入会于殿庭，获王正见，斩之。张超之走至合殿御床之所，为军士所杀，刳肠割心，诸将脔其肉[482]，生啖[483]之。建平等七王[484]号哭俱出。劭穿西垣[485]，入武库井中，队副高禽执之。劭曰："天子何在？"禽曰："近在新亭。"至殿前，臧质见之恸哭。劭曰："天地所不覆载[486]，丈人何为见哭[487]？"又谓质曰："可得为启〔23〕乞〔24〕远徙不[488]？"质曰："主上近在航南[489]，自当有处分[490]。"缚劭于马上，防送军门[491]。时不见传国玺，以问劭，劭曰："在严道育处。"就取，得之。斩劭及四子于牙下[492]。

濬帅左右数十人挟南平王铄南走，遇江夏王义恭于越城[493]。濬下马曰："南中郎今何所作[494]？"义恭曰："上已君临万国[495]。"又曰："虎头

五月初一日癸酉，臧质率领两万名雍州军到达新亭，豫州刺史刘遵考派遣他的手下将领夏侯献之率领五千步骑兵驻扎在瓜步山。

在此之前，宋世祖刘骏派遣担任宁朔将军的顾彬之率军向东进入京师建康东南一带，接受随王刘诞的指挥调度。刘诞派遣参军刘季之率领军队与顾彬之率领的军队同时向建康进发讨伐刘劭，刘诞自己统兵驻扎在西陵，作为他们的后续部队。刘劭派遣担任殿中将军的燕钦等率军前去阻击，两军在曲阿县的奔牛塘相遇，燕钦等被起义军打得大败。刘劭于是便沿着秦淮河用木桩扎起栅栏进行自卫，又把破岗、方山埭的土坝挖开，以阻断东方军队西进的道路。当时青壮年的男子已经全部应征入伍，刘劭就召集妇女来从事这项劳役。

五月初二日甲戌，辅国将军鲁秀等人招募勇士攻占了朱雀桥。王罗汉听说孝武帝的军队已经渡过秦淮河，便立即放下武器投降，守卫在秦淮河边上的各幢主、队主所带领的士兵一处接一处地相继溃逃而去，他们抛弃的武器、战鼓、车盖，充塞了大街小巷。当天夜里，刘劭关闭宫城周围的六个门，派人严加防守，又在宫城门内侧挖掘沟壕、竖立栅栏以加强防守。建康城内兵荒马乱，担任丹杨尹的尹弘等文武将吏全都争先恐后地翻越城墙出来投降。刘劭在宫廷之内烧毁了皇帝所乘坐的车辇以及所穿戴的衮服和冕旒。萧斌向他所率领的军队下达命令，让他们全部脱下铠甲、放下兵器，手举白幡从石头城出来投降，孝武帝命令在军营门前将萧斌斩首。始兴王刘濬劝说刘劭携带金银财宝逃入海岛，刘劭因为已经众叛亲离，所以没有走成。

五月初三日乙亥，辅国将军朱脩之攻克东府。初四日丙子，各路大军攻克台城，分别由台城的各门进入宫廷，活捉王正见，当场将王正见杀死。刘劭的心腹张超之匆忙跑到合殿中皇帝放置龙床的地方，被士兵杀死。士兵剖开张超之的肚腹，扯下他的肠子，割下他的心脏，诸将领还将张超之的尸体剁成小碎块，生着吃了下去。建平王刘宏等七位亲王全都号哭着出来。刘劭穿过西墙，藏入武库的水井中，被担任队副的高禽擒获。刘劭向高禽询问说："天子在哪里？"高禽回答说："就在很近的新亭。"刘劭被带到殿前，臧质看见刘劭不禁放声痛哭。刘劭对臧质说："像我这样弑君杀父之人，天不覆地不载，老人家为什么还要为我这样痛哭？"刘劭又问臧质说："还能上报求得一个流放到远方的惩罚吗？"臧质说："主上就在不远处的大航以南，自然会对你做出处理。"臧质把刘劭捆绑到马上，押送到孝武帝刘骏的军部门前。当时还没有见到传国玉玺，臧质就问刘劭，刘劭说："传国玉玺还在女巫严道育手里。"臧质到严道育那里索要，果然得到了传国玉玺。孝武帝下令，就在军门的大旗之下将刘劭和他的四个儿子一齐斩首。

始兴王刘濬带领几十名亲信劫持着南平王刘铄向南逃走，在越城遇到了江夏王刘义恭。刘濬下马对刘义恭说："南中郎刘骏现在正在做什么？"刘义恭回答说："他现在

来得无晚乎㊾?”义恭曰:“殊当恨晚㊾。”又曰:“故当不死邪㊾?”义恭曰:“可诣行阙请罪㊾。”又曰:“未审㊿犹[25]能赐一职自效不㊿?”义恭又曰:“此未可量㊿。”勒与俱归㊿,于道斩之,及其三子。劭、濬父子首并枭于大航㊿,暴尸于市㊿。劭妃殷氏及劭、濬诸女、妾媵㊿,皆赐死于狱。污潴劭所居斋㊿。殷氏且死㊿,谓狱丞㊿江恪曰:“汝家㊿骨肉相残,何以枉杀无罪人?”恪曰:“受拜皇后㊿,非罪而何?”殷氏曰:“此权时㊿耳,当以鹦鹉为后。”褚湛之之南奔也,濬即与褚妃离绝㊿,故免于诛㊿。严道育、王鹦鹉并都街鞭杀㊿,焚尸,扬灰于江。殷冲、尹弘、王罗汉及淮南太守沈璞㊿皆伏诛。

庚辰㊿,解严。辛巳㊿,帝如东府,百官请罪,诏释之。甲申㊿,尊帝母路淑媛为皇太后。太后,丹杨人也。乙酉㊿,立妃王氏为皇后。后父偃,导㊿之玄孙也。戊子㊿,以柳元景为雍州刺史。辛卯㊿,追赠袁淑为太尉,谥忠宪公㊿;徐湛之为司空,谥忠烈公;江湛为开府仪同三司,谥忠简公;王僧绰为金紫光禄大夫,谥简侯㊿。壬辰㊿,以太尉义恭为扬、南徐二州刺史,进位太傅,领大司马㊿。

初,劭以尚书令何尚之为司空、领尚书令,子征北长史偃为侍中,父子并居权要。及劭败,尚之左右皆散,自洗黄阁㊿。殷冲等既诛,人为之寒心。帝以尚之、偃素有令誉㊿,且[26]居劭朝用智将迎㊿,时有全脱㊿,故特免之;复以尚之为尚书令,偃为大司马长史㊿,任[27]遇无改㊿。

甲午㊿,帝谒初宁、长宁陵㊿。追赠卜天与㊿益州刺史,谥壮侯,与袁淑等四家㊿,长给禀禄㊿。张泓之等各赠郡守。戊戌㊿,以南平王铄为司空,建平王宏为尚书左仆射,萧思话为中书令、丹杨尹。

六月丙午㊿,帝还宫。

已经统治了整个天下。”刘濬又问：“我来得是不是太晚了？”刘义恭说：“的确是晚得有点令人感到遗憾。”刘濬又问：“还能不能饶我一条性命？”刘义恭说：“你可以到皇帝的行宫去向他请罪。”刘濬又说：“不知道还能不能赏给我一个官做，让我为他效力呢？”刘义恭说：“这件事却不好预测。”刘义恭调转马头，与刘濬一同往回走，在途中就把刘濬和他的三个儿子杀死了。孝武帝把刘劭、刘濬父子的头颅全都砍下来悬挂在朱雀桥上，把他们的尸体晒在闹市中示众。刘劭的妃子殷氏以及刘劭、刘濬的诸女儿、姬妾全都在狱中被孝武帝强迫自杀而死。把刘劭所住的房子拆毁，挖成大坑，灌满污水以示惩处。刘劭的妃子殷氏在临死的时候对管理监狱的副头目江恪说：“你们刘家骨肉之间互相残杀，为什么却要杀害无辜之人呢？”江恪回答她说：“你接受了皇后的封赏，这不是罪恶是什么呢？”殷氏说：“这只不过是刘劭的权宜之计罢了，刘劭原本是要封王鹦鹉为皇后的。”褚湛之向南投奔起义军的时候，刘濬就与褚妃离异了，所以褚氏得以幸免于被诛杀。严道育、王鹦鹉都在建康城内的大街上被用鞭子抽打而死，她们的尸体被焚烧，就连骨灰也都被撒到长江之中。殷冲、尹弘、王罗汉以及担任淮南太守的沈璞都被诛杀。

五月初八日庚辰，宋孝武帝刘骏宣布解除戒严令。初九日辛巳，孝武帝前往东府，文武百官都来向孝武帝请罪，孝武帝下诏赦免了他们。十二日甲申，孝武帝尊封自己的母亲路淑媛为皇太后。路皇太后是丹杨人。十三日乙酉，孝武帝封自己的妃子王氏为皇后。王皇后的父亲王偃是王导的玄孙。十六日戊子，孝武帝任命柳元景为雍州刺史。十九日辛卯，追赠袁淑为太尉，谥为忠宪公；追赠徐湛之为司空，谥为忠烈公；追赠江湛为开府仪同三司，谥为忠简公；追赠王僧绰为金紫光禄大夫，谥为简侯。二十日壬辰，任命担任太尉的江夏王刘义恭为扬州、南徐州二州刺史，晋升太傅，兼任大司马之职。

当初，刘劭任命尚书令何尚之为司空，兼任尚书令，任命何尚之的儿子担任征北长史的何偃为侍中，他们父子二人全都在刘劭朝位居权要。等到刘劭败亡之后，何尚之左右的人全都四处逃散，何尚之落得个不得不自己动手打扫办公地点的境地。殷冲等人被孝武帝杀死之后，人们都为何尚之父子的前景感到担心。孝武帝因为何尚之、何偃一向有好名声，而且在刘劭的朝中能够运用自己的智慧巧妙应对刘劭的差遣，偶尔也保全、掩护了一些身处险境的人，所以特别赦免了他们；又任命何尚之为尚书令，何偃为大司马长史，他们的职位与所受的待遇都还和从前一样。

五月二十二日甲午，宋孝武帝前往拜谒初宁陵、长宁陵。追赠卜天与为益州刺史，谥为壮侯，卜天与、袁淑、徐湛之、江湛这四个人的后裔，永远享受朝廷给他们家庭提供的俸禄。张泓之等人也分别被追赠为郡守。二十六日戊戌，孝武帝任命南平王刘铄为司空，任命建平王刘宏为尚书左仆射，任命萧思话为中书令、丹杨尹。

六月初五日丙午，孝武帝回到建康的皇宫。

初，帝之讨西阳蛮[541]也，臧质使柳元景将兵会之。及质起兵[542]，欲奉南谯王义宣为主，潜使元景帅所领西还[543]，元景即以质书呈帝，语其信曰[544]："臧冠军[545]当是未知殿下义举[546]耳。方应伐逆[547]，不容西还[548]。"质以此恨之。及元景为雍州[549]，质虑其为荆、江后患[550]，建议元景当为爪牙[551]，不宜远出。帝重违其言[552]，戊申[553]，以元景为护军将军，领石头戍事[554]。

己酉[555]，以司州刺史鲁爽为南豫州刺史。庚戌[556]，以卫军司马[557]徐遗宝为兖州刺史。

庚申[558]，诏有司论功行赏，封颜竣等为公、侯[559]。辛未[560]，徙南谯王义宣为南郡王，随王诞为竟陵王，立义宣次子宜阳侯恺[561]为南谯王。

闰月壬申[562]，以领军将军沈庆之为南兖州刺史，镇盱眙[563]。癸酉[564]，以柳元景为领军将军。

乙亥[565]，魏太皇太后赫连氏殂。

丞相义宣固辞内任[566]及子恺王爵。甲午[567]，更以义宣为荆、湘二州[568]刺史，恺为宜阳县王[569]，将佐以下并加赏秩[570]。以竟陵王诞为扬州刺史。

【段旨】

以上为第二段，写宋文帝刘义隆元嘉三十年（公元四五三年）四月至六月共三个月间的大事。主要写了武陵王刘骏与其将领沈庆之等率大军东下，元凶刘劭的谋主萧斌提出守梁山，又有人提出守石头，刘劭皆不听，只顾收缩退守台城，成消极待毙之势；写了刘骏的部将柳元景率兵离船步行，使薛安都曜兵于秦淮河上，而刘骏随即到达新亭，台城一方的官僚庞秀之、刘义恭、宣城太守王僧达等皆投向刘骏，而刘骏遂在刘义恭等劝导下即皇帝位，搭起了新朝廷的班底；写了竟陵王刘诞所率的东方军破台城军于曲阿的奔牛塘，台城军只好栅秦淮河以守；写了诸军攻克台城，元凶刘劭与刘濬等分别被捕杀示众；此外还写了刘骏自起兵便卧病在船，而群臣、诸将的请示报告，一切军务、政务，以及各种往来书檄的当初，宋孝武帝奉命讨伐西阳蛮的时候，臧质派遣柳元景率领军队与刘骏会合。等到臧质起兵时，曾经想拥戴南谯王刘义宣为皇帝，他暗中通知柳元景率领属下的军队向西返回荆州，柳元景立即把臧质的书信交给孝武帝，并指着臧质派来的使者对孝武帝说："冠军将军臧质恐怕还不知道殿下已经发兵起事的义举吧。现在很快就要举兵东下，形势不容许我回到荆州去。"臧质因为这件事而对柳元景怀恨在心。等到柳元景被孝武帝任命为雍州刺史的时候，臧质担心柳元景将来会成为荆州、江州的祸患，就建议孝武帝把柳元景留下来当作自己的心腹猛将，而不应该派到遥远的地方去任职。孝武帝不好驳臧质的面子，于是在六月初七日戊申，改任柳元景为护军将军，主管石头城的戍守事宜。

初八日己酉，宋孝武帝任命担任司州刺史的鲁爽为南豫州刺史。初九日庚戌，任命担任卫军司马的徐遗宝为兖州刺史。

六月十九日庚申，宋孝武帝下令给有关部门，要求他们对有功人员进行评定，按照功劳大小进行封赏，于是颜竣等人分别被封为公爵或侯爵。三十日辛未，改封南谯王刘义宣为南郡王，随王刘诞为竟陵王；封刘义宣的次子宜阳侯刘恺为南谯王。

闰六月初一日壬申，孝武帝任命领军将军沈庆之为南兖州刺史，镇守盱眙。初二日癸酉，孝武帝任命柳元景为领军将军。

闰六月初四日乙亥，魏国太皇太后赫连氏去世。

宋国丞相、南郡王刘义宣坚决推辞在朝廷内所任职位以及他的儿子刘恺所受封的南谯王爵位。闰六月二十三日甲午，孝武帝改任南郡王刘义宣为荆州、湘州二州刺史，改封刘恺为宜阳县王，将佐以下的官员全都普遍地得到财物或提高官职品级的奖赏。孝武帝任命竟陵王刘诞为扬州刺史。

应答，皆由颜竣代为处理得滴水不漏，颇有当年刘裕手下总管刘穆之的风采；写了功臣臧质与刘骏之间存在的矛盾，先欲抽回柳元景军，后又阻止柳元景出任雍州刺史，从而使矛盾进一步发展，为日后的冲突埋下伏笔等。

【注释】

㉚② 四月癸卯朔：四月初一是癸卯日。㉚③ 薛安都：刘宋时代的名将，前与北魏作战屡有战功。传见《宋书》卷八十八。㉚④ 湓口：也称"湓浦口"，即湓浦水入长江之口，在今江西九江西北。㉚⑤ 司空中兵参军：司空刘义宣的中兵参军，中兵参军是高级将领的僚属。司空与太尉、司徒并称"三公"，在两晋南北朝时往往只是权臣的一种加官，表示其地位崇高，但并无实权。刘义宣当时主要是任荆州刺史。㉚⑥ 丁未：四月初五。㉚⑦ 总中军：带领着

全军指挥部。总，总管、总理。中军，全军的指挥中心。⑱ 庚戌：四月初八。⑲ 太常：朝官名，主管朝廷廷仪、祭祀等事。⑳ 言辞何至于是：为何说得如此难听。㉑ 尚不顾老臣：他连我这个做父亲的生死都不顾。㉒ 太仓：京城内的国家大粮仓。㉓ 尽杀三镇士民家口：此三镇指雍州（州治襄阳）、荆州（州治江陵）、江州（州治寻阳）。镇，是一个地区的军事指挥中心。因为这三个地区都举兵造了刘劭的反，刘劭故而想杀光这些地区的将士留在京城的家室。㉔ 驱逼：指被胁迫。㉕ 室累：家庭拖累，指妇女老弱等。㉖ 正足坚彼意：正好增长他们的仇恨，促使他们决心与你为敌到底。㉗ 厚抚：犹言"优待"。㉘ 谋主：犹言"智囊"，一切谋略之所出。㉙ 勒：带领；控制。⑳ 自上：自己到上游去。㉑ 不尔：不然；不如此。㉒ 保据梁山：依托梁山；固守梁山。梁山即今安徽当涂西南三十里的天门山，因两山夹大江相对如门而得名。其东者曰博望山，其西者曰梁山。㉓ 南军仓猝：指讨伐太子劭的部队都是一哄而起，仓促集合而成的。雍州、荆州、江州都在建康城的西南方，故称从那里来的军队"南军"。㉔ 少年：极言其年轻，不晓事。实则刘骏年已二十四岁。㉕ 东军：指会州刺史随王刘诞所统的浙东五郡的军队。㉖ 待期：等候敌兵疲惫之时。㉗ 观衅：寻找敌人的可乘之机。衅，缝隙、机会。㉘ 割弃南岸：抛弃秦淮河以南的地盘不要。㉙ 栅断石头：在石头城一带的江中立栅，使敌船无法靠岸。㉚ 先朝旧法：晋明帝抵抗王敦的将领王含与刘裕抗拒卢循农民军的战法。前者见《晋书·明帝纪》，后者见《宋书·武帝纪》。㉛ 南中郎：指武陵王刘骏，时为南中郎将。㉜ 岂复可量：其办事效果难道还能够限量吗？意即一定会成功。㉝ 三方同恶：荆、雍、江三州的势力联合起来，同一个目标地进攻我们。㉞ 势据上流：从形势上说，又处在我们的上游。㉟ 甚练：很熟悉；很懂得。㊱ 宜及人情未离：应该趁着人心未散，尚未众叛亲离。㊲ 主、相咸无战意：主子刘劭、丞相刘义恭全都不想打仗。㊳ 岂非天也：这不是天意吗？也，此处通"耶"。反问句。㊴ 俟诸侯勤王：等待各地的勤王军前来救援京师。勤王，救援天子。㊵ 谁当见救：谁还会来救我。㊶ 不然二句：否则，是没有希望的。㊷ 行军：巡视军队。㊸ 都水：官名，主管河流、湖泊的官。㊹ 治船舰：修理、制造战船。㊺ 壬子：四月初十。㊻ 淮内船舫：秦淮河上所停泊的大小船只。烧这些船，是为了不让敌人用之以渡河。㊼ 渡水北：渡过秦淮河到北岸来。㊽ 褚湛之：刘裕的女婿。传见《宋书》卷五十二。㊾ 裕之：褚裕之，字叔度，褚湛之之叔，晋末宋初积极追随刘裕，是刘氏王朝的亲信。㊿ 录尚书六条事：官名，据《宋书·百官志》，晋成帝咸康中曾分置三录，"荀崧、陆晔各录六条事"，此后每当设置两名"录尚书事"时，就称为"录尚书六条事"。六条内容刘宋时已无考。351 太尉司马：太尉刘义恭属下的司马官。司马在军中主管司法。352 先众南奔：率先渡过秦淮河，投奔了从南方来的起义军。庞秀之原受太子劭信任，与鲁秀为刘劭"对掌军队"，今竟先众南奔，对刘劭部下的士气影响重大。353 义綦：刘义綦，刘道怜之子，刘劭的堂叔。传见《宋书》卷五十一。354 檀和之：刘宋的名将。传见《南史》卷七十八。〖按〗刘劭任命檀和之为雍州刺史，等于罢免了反对他的臧质的雍州刺史职务。355 雍州刺史：雍州的州治在今湖北襄阳市襄州区。356 癸丑：四月十一。㊿鹊头：鹊洲的西南端。鹊洲是长江中的小洲名，在今安徽铜陵至芜湖市繁昌区段长江中。358 王僧达：刘宋的权臣王弘之子。传见《宋书》卷七十五。359 衅逆：罪孽。360 承：接受；照办。361 移告傍郡：转发给周边的其他郡，号召他们也跟同行事。362 苟在有心：但凡还有良心的人。363 躬帅向义之徒：亲自率领一批拥护起义军的人。躬，亲自。364 详择水陆之便：选择一条便利的通道。365 致身南归：亲自前去投奔起义军。致身，献身。366 候道：列置烽火台以传递边关紧急军情的通道。367 弘：王弘，晋代名臣王导的后代，刘义隆元嘉初期的权臣王昙首之兄。传见《宋书》卷四十二。368 赴义：投奔起义军。369 议论开张：发表意见宏伟、有魄力。370 执意明决：观点意向明确。371 惮于水战：不利于在江面上与敌兵开战。惮，担心，这里指不利。372 倍道兼行：这里指在水路上一天行两天的路程。373 丙辰：四月十四。374 江宁：县名，县治即今江苏南京市江宁区。375 步上：舍舟登陆步行。376 曜兵于淮上：在秦淮河边向着河北的建康城炫耀武力。377 移书朝士：给朝廷上的官僚士大夫发送宣传品。378 为陈逆顺：给他们分析谁是国家的叛逆，谁是仁义之师。379 加：增任。380 吴兴太守：吴兴郡的郡治即今浙江湖州。381 恇怯：懦弱、胆小。382 回惑：翻来覆去。383 戊午：四月十六。384 南洲：又名姑孰城，即今安徽当涂。385 相属：接连不断。386 己未：四月十七。387 溧洲：也作“洌洲”，在今江苏南京西南江宁镇西的长江中。388 出入卧内：出入于卧室，极言其受信任。389 亲视起居：亲自照顾刘骏的日常生活。390 危笃：危险、沉重。391 不任咨禀：没法听取诸将的请示报告。392 竣皆专决：颜竣都一一给他们做出决定性的回答。393 间以文教书檄：又有许多文告、教谕方面的书信往来。394 应接遐迩：回复远近各方的请示报告。395 昏晓临哭：每天的早晨晚上还要按时给死去的老皇帝哭丧。396 若出一人：就像武陵王刘骏亲自处理的一样。397 如是累旬：就这样一过就是几十天。〖按〗此言夸张得有点过度。胡三省曰：“是月丁未，王发寻阳；己未至溧洲，十三日耳。丙寅至江宁，方二十日。”398 自舟中甲士亦不知王之危疾：连刘骏这条船上的警卫人员也闹不清刘骏的病情危险到了何种程度。自，连、即使。399 癸亥：四月二十一。400 潜至新亭：谓其奔袭之军潜行至新亭。新亭，三国时东吴所筑，在当时建业城的西南方，邻近长江。401 依山为垒：随着山形筑起防御工事。402 理顺难恃：不能因为自己占理就把自己估计得过强。占理的一方容易轻敌致败。403 同恶相济：一群恶人聚集一起往往同心协力，死里求生。404 轻进无防：轻率进军不做好防备。405 实启寇心：就会引来敌人的进攻。启，诱导、招引。胡三省曰：“兵法所谓‘先为不可胜，以待敌之可胜’，柳元景以之。”406 觇知之：探听到了这种情况。觇，窥视、探听。407 甲子：四月二十二。408 朱雀门：也称“大航门”，面对朱雀桥的建康城南门，约在今江苏南京的中华门内。朱雀桥是秦淮河上的浮桥，在当时的建康城南。409 宿令军中曰：早就对自己的部下讲。宿，早、事先。410 鼓繁气易衰：敲鼓的次数太多，士兵的勇气就会低落。繁，密、次数多。411 叫数力易竭：呐喊的次数太多，士兵的战斗力就会丧尽。数，屡、繁密。〖按〗《左传·庄公十年》：“夫战，勇气也。一鼓作气，再而衰，三而竭。”与此意思相同。412 但衔枚疾战：你们就只管闷着头杀敌。但，只、只顾。衔枚，口中衔着筷子形的东西，通常是用于行军时以防止喧哗。这里指一声不吭地把全部力气用于作战。⑬一听吾鼓声：只按着我的鼓声冲锋，其他一概不管。一，专一、只管。⑭怀劭重赏：感谢刘劭给他们的重赏。怀，感谢。⑮宣传：宣布、传达命令。⑯垂克：眼看就要胜利。垂，将、就要。⑰击退鼓：击起退兵之鼓。⑱遽止：立刻停止进攻。⑲乘之：趁势追击。⑳更帅余众：又率领一股残余势力。更，再、又。㉑前战：刚才打的那一仗。㉒争赴死马涧：争着跳进了死马涧。死马涧是一条涧水的名字。㉓涧为之溢：涧水因此而溢了出来，极言入水的败兵之多。㉔被创：受伤。创，兵器对人体的损伤。㉕仅以身免：勉强地只身逃回。㉖南奔：向南投归起义军。㉗丙寅：四月二十四。㉘丁卯：四月二十五。㉙蒋侯神像：蒋子文的塑像。蒋子文是汉末广陵（即今江苏扬州）人，为秣陵县（即后来的建康城）尉，追捕盗贼到钟山，为盗贼所杀。据说死后常显灵，三国时被孙权封为中郎侯，并为之在钟山立庙，故钟山亦称蒋山。事见干宝《搜神记》。㉚稽颡：磕头触地。是古代所行最虔诚的叩拜礼。颡，额头。㉛苏侯神：苏峻的神灵。苏峻原是晋将，晋成帝时平王敦之乱有功，后又造反称帝，被陶侃、温峤等讨平。传见《晋书》卷一百。〖按〗苏峻原为叛逆，不知缘何民间也尊之为神，今又被刘劭尊奉，真是所谓“临时抱佛脚”“有病乱投医”了。㉜南徐州刺史：刘宋时的南徐州州治在今江苏镇江。㉝并录尚书事：共同总管尚书省的各项事务。录，管理。㉞戊辰：四月二十六。㉟诳劭：欺骗刘劭。诳，哄骗。㊱军府草创：起义军的总指挥部建立不久。㊲不晓朝章：没人熟悉朝廷的典章制度。㊳爰素所谙练：而这恰恰是徐爰一贯熟悉的。谙练，熟悉。㊴太常丞：太常的副职。太常也称“奉常”，在朝廷掌管礼仪与祭祀事务的官。㊵撰即位仪注：制定一套皇帝登基典礼的章程仪式。撰，编写、制定。㊶己巳：四月二十七。㊷大赦：新皇帝登基，都宣布大赦令，目的是以此向全国的臣民讨好。㊸赐爵：提高级别。爵，爵位、级别。㊹从军者：参加起义军，跟从自己由西部诸州郡到新亭来的人。㊺大行皇帝：刚死去而尚未正式安葬的皇帝，指宋文帝。㊻拜太子伟之：当众立刘伟之为太子。㊼大赦：刘劭为其立太子，亦颁令大赦天下。㊽不在原例：不在赦免范围。原，赦免。㊾庚子：四月癸卯朔，无庚子。〖按〗前文有“己巳”，后文有“壬申”，此处疑是“庚午”。㊿壬申：四月三十。(451)右仆射：尚书右仆射。(452)侍中：侍中省的长官，位同丞相。(453)五月癸酉朔：五月初一是癸酉日。(454)豫州刺史：刘宋的豫州州治在今安徽寿县。(455)刘遵考：刘裕的同族兄弟，随刘裕定天下有功，后又受宋文帝的亲赏。传见《宋书》卷五十一。(456)瓜步：长江边的小山名，在今江苏南京江北的六合区东南。(457)先是：“在此之前”。(458)世祖：以称刚即位的武陵王刘骏，死后谥孝武帝，庙号世祖。(459)东入：进入建康东南方的今浙江一带地区。(460)节度：指挥、调度。节，节制、指挥。(461)自顿西陵：自己统兵驻扎在西陵。西陵，今浙江杭州萧山区西北。(462)后继：后续部队，亦含后援、后盾的意思。(463)曲阿奔牛塘：曲阿县的奔牛塘，当时的曲阿县即今之江苏丹阳。奔牛塘在丹阳的东南方，现在尚有奔牛镇与常州奔牛机场。(464)缘淮树栅：沿着秦淮河用木桩扎起栅栏。秦淮河流经建康城的南面与西面。(465)破岗、方山埭：

都是当时建康城外沟渠与湖泊上的堤坝名。破岗，也称“破岗埭”，在当时建康城的东南方，今江苏句容与丹阳的南侧，与赤山湖及秦淮河相通。方山埭也是水边的土坝名，具体方位不详。㊻以绝东军：以断绝东方军队的西进之路。㊼甲戌：五月初二。㊽大航：朱雀航，又名朱雀桥。㊾放仗降：放下武器投降。㊿缘渚幢队：守卫在秦淮河边上的各幢主、队主带领的士兵。471以次奔散：一处接一处地相继散去。472器仗鼓盖：士兵使用的武器，与将军、贵族的旗鼓与车盖。473六门：宫城周围的六个门，即大司马门、东华门、西华门、万春门、太阳门、承明门。474逾城：翻越城墙。475辇及衮冕服：辇是皇帝的车驾，衮服和冕旒是皇帝的礼服和礼帽。476宣令所统：给他所统领的军队下令。477戴白幡：举着白旗。幡，竖挑的下垂之旗。478不果行：没有走成。479乙亥：五月初三。480东府：建康城东南方的小城名，东晋时司马道子的住所。481丙子：五月初四。482脔其肉：将其躯体剁成碎块。483啖：吃。484建平等七王：建平王刘宏、东海王刘祎、义阳王刘昶、武昌王刘浑、湘东王刘彧、建安王刘休仁。另一人应是刘休祐，当时尚未封王。七人都是宋文帝刘义隆的儿子。485穿西垣：挖开西面的院墙逃出。486天地所不覆载：极言其所犯的罪孽之深重，为天地所不容。487丈人何为见哭：您为什么还要为我痛哭？臧质是刘义隆的表兄弟，是刘劭的表叔，故感激地称之为“丈人”，犹言“长者”。488可得为启乞远徙不：能上报求得一个流放的惩罚吗？意思是免得一死。489航南：大航以南。490自当有处分：自然会对你做出处理。处分，安置、处理。491防送军门：押送到孝武帝刘骏的军部门前。492牙下：营门的大旗之下。牙，牙旗，这里指大旗。493越城：在今江苏南京南，具体地址不详。494今何所作：现在正做什么？495已君临万国：已经统治了整个天下。496虎头来得无晚乎：我来得是不是太晚了？虎头，刘濬的小名，这里是刘濬称自己。得无，是不是，反问语。497殊当恨晚：的确是晚得有点遗憾。殊，极、甚。恨，遗憾。498故当不死邪：还能不能饶我一条命呢？499可诣行阙请罪：可到皇帝住的地方请罪。行阙，也称“行宫”“行在”，皇帝外出临时所住的地方。阙，宫门左右的高台，后来即以“阙”称宫门。500未审：不清楚；不知道。501能赐一职自效不：能不能给我个官做，让我替他效力呢？不，通“否”。502未可量：不好估计。503勒与俱归：勒转马头，与刘濬一齐往回走。504枭于大航：悬挂在朱雀桥上示众。505暴尸于市：把他们的尸体晾在闹市中示众。暴，晒、晾。506妾媵：妃嫔侍女之类。507污潴劭所居斋：把刘劭所住的房子变成一片臭水坑。胡三省曰：“古者臣弑君、子弑父，杀无赦；坏其室，污其宫而潴焉。”潴，水坑。王夫之《读通鉴论》曰：“元凶为逆，孝武起兵以致讨，元凶败矣，萧斌解甲带白幡来降，逆濬就江夏王义恭以降，而但问‘来未晚乎’，固自谓得视王谥，斌犹可立人之朝，濬犹可有其封爵也。于是斩斌于军门，枭濬于大航，法乃申焉，则人知覆载不容之罪无所逃于上刑。于斯时也，义愤所激，天良警之，人理之不绝于天下，恃此也夫。”508且死：临死之前。且，将。509狱丞：管监狱的副头目。510汝家：刘氏家族。不知何以如此用“汝”字。511受拜皇后：你接受了皇后的封任。512权时：暂时、权宜之计。513离绝：离婚。514免于诛：指褚妃免于死。515都街鞭

杀：在建康城内的大街上用鞭子将其抽死。⑯沈璞：《宋书》作者沈约的父亲，前与魏军作战时守盱眙有功，这次没能及时地参与推尊武陵王为帝的行动，被颜竣进谗杀死。见《宋书》卷一百。⑰庚辰：五月初八。⑱辛巳：五月初九。⑲甲申：五月十二。⑳乙酉：五月十三。㉑导：王导，东晋初期的元老勋臣，历元帝、明帝、成帝三朝，出将入相，官至太傅，子孙为江左衣冠望族。传见《晋书》卷六十五。㉒戊子：五月十六。㉓辛卯：五月十九。㉔忠宪公："公"字表示爵位，"忠宪"二字是谥。㉕简侯："侯"字表示爵位，"简"字是谥。㉖壬辰：五月二十。㉗领大司马：兼任大司马之职。领，地位高的人兼任较低的职务。㉘自洗黄阁：自己打扫自己的办公地点。黄阁，指三公办公的厅堂。胡三省曰："旧制，三公听事置黄阁。"又引《五代史》曰："三公府三门，当中开黄阁，设内屏。"㉙令誉：好名声。㉚用智将迎：用智慧巧妙应付刘劭的差遣。将迎，应付、敷衍。㉛时有全脱：偶尔地保全、掩护了一些身处险境的人，如荆州、江州、雍州三镇将士的家属等。㉜大司马长史：大司马刘义恭的高级僚属。长史，三公或大将手下的诸史之长，很有实权。㉝任遇无改：任职与所受的待遇都还和从前一样。明代袁了凡曰："尚之先以致仕起复，身为大臣，君弑不能死于其难，乃北面逆贼，孝武复以为尚书令，《纲目》讥其不当复用从逆之人也。"(《历史纲鉴补》) ㉞甲午：五月二十二。㉟初宁、长宁陵：初宁陵是高祖刘裕的陵墓，长宁陵是文帝刘义隆的陵墓。㊱卜天与：文帝刘义隆的卫队头领，为元凶劭的乱党所杀。㊲四家：指卜天与、袁淑、徐湛之、江湛。㊳长给禀禄：永远给他们的家庭提供俸禄。禀禄，通"廪禄"，国库里的粮食。㊴戊戌：五月二十六。㊵六月丙午：六月初五。㊶帝之讨西阳蛮：事在本年正月。㊷及质起兵：指起兵讨伐元凶劭。㊸帅所领西还：率领军队回到荆州。㊹语其信曰：指着臧质所派的使者说。㊺臧冠军：指臧质，当时臧质任冠军将军、雍州刺史，镇襄阳。㊻未知殿下义举：还不知道殿下您发动起事。殿下，指武陵王刘骏。㊼方应伐逆：很快就要举兵东下。㊽不容西还：不可能回到荆州去。㊾为雍州：任为雍州刺史。㊿为荆江后患：因雍州刺史地居襄阳，在荆、江二州的上游。(551)爪牙：孝武帝

【原文】

秋，七月辛丑[28]朔(571)，日有食之。甲寅(572)，诏求直言。辛酉(573)，诏省细作并尚方雕文涂饰(574)；贵戚竞利(575)，悉皆禁绝。

中军录事参军(576)周朗上疏，以为："毒之在体，必割其缓处(577)，历下、泗间(578)，不足戍守(579)。议者必以为胡衰不足避(580)，而不知我之病甚

刘骏的心腹猛将。用“爪牙”以喻帝王的心腹将领，见《诗经·六月》。552 重违其言：不好驳臧质的面子。重，难，不好违拗。553 戊申：六月初七。554 领石头戍事：主管石头城的戍守事宜。这对柳元景无疑是很大的委屈。555 己酉：六月初八。556 庚戌：六月初九。557 卫军司马：卫将军随王刘诞的司马官。558 庚申：六月十九。559 封颜竣等为公、侯：颜竣此时被封为建城县侯。560 辛未：六月三十。561 宜阳侯恺：刘恺。传见《宋书》卷六十八。562 闰月壬申：闰六月初一。563 镇盱眙：刘宋南兖州的州治原在广陵（今江苏扬州），现在移至盱眙，今江苏盱眙的东北侧。564 癸酉：闰六月初二。565 乙亥：闰六月初四。566 内任：在朝廷内任职。567 甲午：闰六月二十三。568 荆、湘二州：荆州的州治江陵，湘州的州治即今湖南长沙。〖按〗自晋怀帝分荆州立湘州以来，此州屡废、屡置，至此才正式设立。569 宜阳县王：爵位为王，封地为宜阳县。570 并加赏秩：都普遍地赏给财物或提高官职的品级。秩，级别。

【校记】

［20］少：原作“小”。张敦仁《通鉴刊本识误》作“少”，当是，今据改。［21］执意：原作“意向”。据章钰校，十二行本、乙十一行本、孔天胤本皆作“执意”，今据改。［22］等：原无此字。据章钰校，十二行本、乙十一行本、孔天胤本皆有此字，今据补。［23］可得为启：原作“劭可启”。据章钰校，十二行本、乙十一行本、孔天胤本皆作“可得为启”，张瑛《通鉴校勘记》、熊罗宿《胡刻资治通鉴校字记》同，今据改。［24］乞：原作“得”。据章钰校，十二行本、乙十一行本、孔天胤本皆作“乞”，张瑛《通鉴校勘记》、熊罗宿《胡刻资治通鉴校字记》同，今据改。［25］犹：原无此字。据章钰校，十二行本、乙十一行本、孔天胤本皆有此字，今据补。［26］且：据章钰校，十二行本作“见”。［27］任：原作“位”。据章钰校，十二行本、乙十一行本、孔天胤本皆作“任”，张瑛《通鉴校勘记》同，今据改。

【语译】

秋季，七月初一日辛丑，发生日食。十四日甲寅，宋孝武帝刘骏下诏，要求文武大臣直言不讳地评论朝政。二十一日辛酉，孝武帝下诏细作署和尚方署不再制作各种雕刻、彩绘精美奢华的器物；皇亲贵戚凡是从事以营利为目的的手工业、商业活动，而与从事工、农、商诸行业的百姓争夺利润的，一律禁止。

宋国担任中军录事参军的周朗上疏给孝武帝，认为：“如果身体中了毒，一定要把不要紧的部位放弃，历城、泗水流域，不值得派兵镇守。发表议论的人一定认为魏国因为内乱已经衰落，我们用不着再躲避他们，却不了解我们衰弱的程度已经超

于胡矣。今空守孤城[581]，徒费财役。使虏但发轻骑三千，更互出入[582]，春来犯麦，秋至侵禾，水陆漕输[583]，居然复绝[584]。于贼不劳[585]，而边已困[586]，不至二年，卒散民尽，可跷足而待[587]也。今人知不以羊追狼、蟹捕鼠，而令重车弱卒[588]与肥马悍胡相逐[589]，其不能济固宜[590]矣。又，三年之丧[591]，天下之达丧[592]，汉氏节其臣[593]则可矣，薄其子[594]则乱也。凡法有变于古而刻于情[595]，则莫能顺[596]焉，至乎败于礼而安于身[597]，必遽而奉之[598]。今陛下以大孝始基[599]，宜反斯谬[600]。又，举天下以奉一君，何患不给[601]？一体炫金[602]，不及百两[603]；一岁美衣，不过数袭[604]；而必收宝连椟[605]，集服累笥[606]，目岂常视[607]，身未时亲[608]，是椟带宝、笥著衣[609]也，何糜蠹之剧[610]，惑鄙之甚[611]邪！且细作始并[612]，以为俭节[613]；而市造华怪[614]，即传于民[615]。如此，则迁也，非罢也。[616]凡厥庶民[617]，制度日侈，见车马不辨贵贱，视冠服不知尊卑。尚方今造一物，小民明已睥睨[618]；宫中朝制[29]一衣，庶家晚已裁学。侈丽之源，实先宫阃[619]。又，设官者宜官称事立[620]，人称官置[621]。王侯识未堪务[622]，不应强仕[623]。且帝子未官，人谁谓贱？但宜详置宾友[624]，茂择正人[625]，亦何必列长史、参军、别驾、从事[626]，然后为贵哉？又，俗好以毁沈人[627]，不知[30]察其所以致毁[628]；以誉进人[629]，不知察[31]其所以致誉[630]。毁徒皆鄙[631]，则宜擢其毁者[632]；誉党悉庸[633]，则宜退其誉者[634]。如此，则毁誉不妄[635]，

过了胡寇。现在我军空守着孤悬江北的历城、彭城，白白地浪费掉大量的财力和民力。假设胡寇只派遣三千轻骑兵，轮番地前来攻击我们，春天来践踏小麦，秋天一到又来掠夺作物，使用车船运输粮食的水路陆路交通也就因此而断绝。这对于我们的敌人来说并不需要花费多大的力气，而我们的边防守卫却已困苦不堪，再也无能为力。用不了两年，守边的士兵就会逃散，边城的人民就会走光，这种局面很快就会到来。现在的人已经知道不能用羊去追赶恶狼，不能用螃蟹去捕捉老鼠，然而却让破旧的车子和疲弱的士卒去与肥壮的战马、强悍的胡寇抗衡，我们的守军打不过人家是必然的。再有，为死去的皇帝、父母守孝三年是通行天下而一贯不能改变的丧礼，汉代的君主要求他们的臣子减少对皇帝的服丧期限是可以的，减少儿子为父母守孝的期限则扰乱了国家的礼法。凡是要改变古代的礼法，如果新法伤害了人之常情，新法就很难顺利推行，更有一种破坏古礼而只为求得自身舒适，有些人就会立即把它拿来推行。如今陛下以讨伐逆贼、伸张孝道，为自己开创了基业，就应该纠正这种不守三年之孝的荒谬做法而恢复守丧三年的古礼。再有，用天下的财物供奉一位君主，何须发愁供应不起？一个人的身上即使挂满了黄金饰品，所用黄金也超不过一百两，一年到头都穿着华丽的衣裳，也不过几套衣服就够了，却一定要不断地搜集珠宝，去装满一个个匣子、柜子，不断地制作华美的衣服去装满一个个箱笼，眼睛既不能经常地看着珠宝，衣服也不能每件都经常穿在身上，实际上等于给匣子、柜子搜罗珍宝，给箱笼制作衣服穿，这是多么严重的糜烂与蛀蚀，简直是愚蠢、粗俗得出奇！而且朝廷的细作署才刚刚做了一些制作上的调整，目的就是为了推行节俭，然而外面市场上所制造的华丽而怪诞的玩意，很快就传遍了民间。这样一来，是将侈靡之风变换了一个地方，而不是废止。现在的这些百姓，一天比一天崇尚奢华，光凭所看见的车马，根本无法辨别出乘车人身份的贵贱高低，光凭人们的衣着打扮也不能分辨出其地位是尊贵还是卑贱。尚方署今天制造出一件物品，平民百姓明天就可以制造出一件相同的物品出来；皇宫之中早晨制作出一件新式衣服，平民百姓晚上就已经在学着剪裁缝制了。奢侈华丽的根源，实在是先由宫廷兴起。再有，设立的官职要与所主管的事情相称，当官的人要与其职位相称。王侯的见识和才能如果不能胜任那个职务，就不应该派他们去担任那个官职。况且君主的儿子即使不去做官，有谁会说他们身份卑贱呢？只要谨慎地为他们选择良师益友，认真地挑选那些作风正派的人来陪伴他们就可以了，何必非要为他们设置长史、参军、别驾、从事，然后才认为他们身份高贵呢？再有，风俗喜好用诽谤的手段来打击埋没人才，而在上位的人又从不知道注意弄清这些人为什么会招致诽谤；通过赞美来推举某人，在上位的人又不知道考察他是如何招来的这种赞美。如果那些诽谤别人的人品质都很低劣，就应该提拔那些遭受他们诋毁的人；如果那些给人唱赞歌的人都是一帮庸才，那就应当黜退他们所赞美的人。只有这样，毁谤和赞誉的话才不至

善恶分矣[636]。凡无世不有言事[637]，无时不有下令[638]。然升平不至[639]，昏危相继[640]，何哉？设令之本非实故也[641]。”书奏，忤旨[642]，自解去职[643]。朗，峤[644]之弟也。

侍中谢庄[645]上言：“诏云‘贵戚竞利，悉皆禁绝’，此实允惬民听[646]。若有犯违，则应依制裁纠；若废法申恩[647]，便为明诏既下而声实乖爽[648]也。臣愚谓大臣在禄位者，尤不宜与民争利。不审[649]可得在此诏不[650]？”庄，弘微[651]之子也。

上多变易太祖之制，郡县以三周为满[652]，宋之善政，于是乎衰。

乙丑[653]，魏濮阳王闾若文、征西大将军永昌王仁皆坐谋叛，仁赐死于长安，若文伏诛。

南平穆王铄[654]素负才能，意常轻上[655]；又为太子劭所任，出降最晚[656]，上潜使人毒之。己巳[657]，铄卒，赠司徒，以商臣之谥[658]谥之。

南海太守萧简据广州反[659]。简，斌之弟也。诏新南海太守南昌邓琬[660]、始兴太守沈法系[661]讨之。法系，庆之之从弟也。简诳其众曰：“台军[662]是贼劭所遣。”众信之，为之固守。琬先至，止为一攻道；法系至，曰：“宜四面并攻，若守一道，何时可拔？”琬不从。法系曰：“更相申五十日[663]。”日尽又不克，乃从之。八道俱攻，一日即破之。九月丁卯[664]，斩简，广州平。法系封府库付琬而还[665]。

冬，十一月丙午[666]，以左军将军鲁秀为司州刺史。

辛酉[667]，魏主如信都、中山[668]。

十二月癸未[669]，以将置东宫[670]，省太子率更令等官[671]，中庶子等各减旧员之半[672]。

甲午[673]，魏主还平城。

于乱说，好人和坏人自然就分出来了。总而言之，任何时候都有给皇帝进言的人，任何时候都有皇帝根据这些听到的言论下达命令。然而太平盛世却没有出现，黑暗和危亡却一个接一个，这是为什么呢？是因为皇帝所下命令的依据是错误的。”周朗所上的奏章，不合孝武帝的心意，周朗便主动辞官而去。周朗是周峤的弟弟。

宋国担任侍中的谢庄上书给孝武帝说：“皇帝的诏书说‘凡是皇亲贵戚与小民百姓互相争利，要一律禁止’，这实在是合民意顺民心的事情。如果有人违反，就应该依照法律予以制裁纠正；如果违背法制而格外施恩，就是明明白白地颁布了诏书而说的和实际互相矛盾。我认为凡是拿着国家俸禄的在职官员，尤其不应该与民争利。不知道这个内容能不能包含在皇帝诏书所说的范围之内？”谢庄，是谢弘微的儿子。

宋孝武帝对宋太祖刘义隆时期所制定的制度做了很多修改，他将郡县长官的任职期限由原来的六年改为三年，于是宋国元嘉时期的好政策从此开始走向衰退。

七月二十五日乙丑，魏国濮阳王闾若文、征西大将军永昌王拓跋仁都被指控参与叛变阴谋而获罪，拓跋仁在长安被文成皇帝拓跋濬赐令自杀，闾若文被诛杀。

宋国南平穆王刘铄一向自负有才能，所以经常流露出轻视皇帝刘骏的意思；又曾经被太子刘劭任用，而且是最晚出城向孝武帝投降的一个，所以孝武帝便暗中派人去毒杀刘铄。七月二十九日己巳，刘铄去世，被追赠为司徒，依照春秋时期楚国世子商臣弑杀其君父而自立为君，死后被谥为穆的前例，给刘铄的谥号为穆。

宋国担任南海太守的萧简占据广州造反。萧简，是萧斌的弟弟。孝武帝下诏给担任新南海太守的南昌人邓琬、担任始兴太守的沈法系，令他们率军前去讨伐萧简。沈法系，是沈庆之的堂弟。萧简诓骗他的部下说：“从朝廷来的军队是逆贼刘劭派来的。”众人都听信了他的话，于是为萧简坚守广州城。邓琬率先到达广州，只从广州城的一面发起进攻；沈法系到达之后，对邓琬说：“应该从广州城的四个方面展开进攻，如果只从一面进攻，什么时候才能攻下广州城呢？”邓琬不肯听从。沈法系说：“再按照你的做法攻击五十天。”五十天过后邓琬还是没有攻下广州，这才听从沈法系的意见。于是兵分八路同时进攻广州，只用一天的时间就攻下了广州城。九月二十八日丁卯，斩杀萧简，广州叛乱被平定。沈法系把府库查封后交付给邓琬，然后撤军而回。

冬季，十一月初八日丙午，孝武帝任命担任左军将军的鲁秀为司州刺史。

十一月二十三日辛酉，北魏文成帝拓跋濬前往信都、中山一带巡视。

十二月十五日癸未，宋孝武帝准备立皇太子，他撤销了太子率更令等相关职位，将皇太子的侍从官员中庶子等人员数量比旧时各减少一半。

十二月二十六日甲午，北魏文成帝从信都、中山返回平城。

【段旨】

以上为第三段，写宋文帝元嘉三十年（公元四五三年）七至十二月共六个月间的大事。主要写了周朗给孝武帝刘骏上书进言收缩北线边兵，皇帝行三年丧，禁宫廷与贵族奢侈，王侯不应强仕等，以不合帝意，遂罢官，谢庄又上书反对贵族、高官与民争利，无结果；写了宋帝刘骏杀其弟南平王刘铄，萧简因其兄萧斌被杀而据广州反，被沈法系讨平，以及刘骏接受元凶刘劭的教训，将立太子而先削减太子官属等。

【注释】

㉛571 七月辛丑朔：七月初一是辛丑日。572 甲寅：七月十四。573 辛酉：七月二十一。574 诏省细作并尚方雕文涂饰：下诏细作署和尚方署不再制作各种精美器物。省，减省、裁掉。细作署，一种主管为朝廷制作精美服饰、器物、玩物的部门，下管许多作坊，制造精巧的工艺品。当时朝廷设有细作署令，大明四年改为左右御府令。尚方是专门为宫廷制造器物、制造各种生活用品的机关，隶属于少府。雕文涂饰，指雕刻、彩绘等各种手工工艺制造。575 竞利：指从事以营利为目的的手工业、商业等活动，以与从事工、农、商诸行业的百姓争夺利润。576 中军录事参军：中军将军的录事参军。录事参军在将军手下总管文书档案。577 缓处：不紧要的部分。578 历下、泗间：指今山东西部与江苏北部等地区。历下，指历城，今山东济南。泗间，泗水流域，指当时的彭城（今江苏徐州）、湖陆（今山东鱼台东南）一带地区。579 不足戍守：不值得派兵镇守，意即应该将它放弃。580 胡衰不足避：魏国因内乱已经衰落，不用再躲避它。魏主拓跋焘于上年被其近臣杀死，国内发生一连串的政变与反政变。581 孤城：指历下、彭城等。582 更互出入：轮番地前来攻击我们。583 漕输：使用车船运送粮食。584 居然复绝：因此遂致断绝。585 于贼不劳：对敌人来说并没有费多大劲。586 而边已困：而我们的边防守卫已经无能为力。587 跷足而待：极言这种局面很快就要到来。跷足，跷起脚跟就能看见。588 重车弱卒：破旧的车子，病弱的士兵。以言刘宋军队。589 相逐：相较量；相抗衡。590 不能济固宜：打不过人家是必然的。591 三年之丧：为死去的皇帝、父母守孝三年。592 天下之达丧：通行天下而一贯不能改变的丧礼。《仪礼·三年问》："夫三年之丧，天下之达丧也。"达，通行，上自皇帝，下至庶民，概莫能外。593 汉氏节其臣：汉朝减少大臣对皇帝的服丧期限。据《史记·孝文本纪》，文帝临死前，下令全国吏民哭丧三天即脱去孝服。594 薄其子：减少其儿子为父母守孝的期限。595 刻于情：伤害了人之常情。刻，薄、损害。596 莫能顺：不能按着他说的做。597 至乎败于礼而安于身：更有一种破坏古礼而只为求得自身舒适。598 遽而奉之：有些人就立刻把它拿来推行。599 以大孝始基：以讨伐叛逆、伸张孝道为自己开创基业。600 宜反斯谬：应该纠正这种不守三年之孝的荒谬。601 何患不给：不愁供应不起。602 一

体炫金：一个人的身上即使挂满金饰。炫金，熔化黄金以做饰物。⑯不及百两：也用不了一百两。⑭数袭：几套。一件上衣与一件下衣，合称一袭。⑯收宝连椟：搜集来的珍宝装满好多柜子。椟，匣子、柜子。⑯集服累笥：做成的衣服存满箱笼。笥，方形的竹器。⑯目岂常视：眼睛看不过来。岂常视，有那么多时间看吗？⑯身未时亲：身子都没有挨过。亲，挨近，指穿。⑯是椟带宝、笥著衣：这就等于给柜子搜罗珍宝，给箱子做衣服穿。⑯何糜蠹之剧：这是多么严重的糜烂与蛀蚀。剧，厉害、严重。⑯惑鄙之甚：愚蠢、粗俗得出奇。⑯细作始并：朝廷的细作署刚刚做了一些关停并转的调整。并，合并、减少。⑯以为俭节：看起来像是节俭了一点。⑯市造华怪：外面市场上所制造的华丽而奇特的玩艺。⑯即传于民：很快地又传遍民间。⑯如此三句：这样一来，是将侈靡之风变换了一个地方，而不是禁止。⑯凡厥庶民：在现在的百姓中间。厥，其。⑯明已睥睨：明天就可以制造出相同的东西来。睥睨，斜着眼睛看，意思是看了回去模仿制造。⑯实先宫阃：实在是先由宫廷兴起。阃，门槛，这里指宫门。⑳官称事立：官职与所要管的事情相称。㉑人称官置：当官的人与其职位相称。㉒王侯识未堪务：一个王侯的见识能力如果不能胜任那个职务。㉓不应强仕：就不要派他出去做这个官。㉔宾友：泛指太子或诸王身边的幕僚与辅导人员。㉕茂择正人：认真挑选正派的人。茂，勉、认真。㉖长史、参军、别驾、从事：都是大州刺史属下高级僚属。刘氏自建国以来，皇帝的儿子都从十几岁就出任刺史，由其身边的僚属代为执掌大权。㉗以毁沈人：通过毁谤的手段来打击埋没人才。㉘不知察其所以致毁：而在上者又不知道注意弄清这些人是为什么招来的诽谤。㉙以誉进人：通过赞美以推举某人。㉚其所以致誉：他是怎样招来的这种赞美。㉛毁徒皆鄙：如果这些说人坏话的人品质都很低劣。㉜宜擢其毁者：那就应该提拔他们所毁谤的人。㉝誉党悉庸：如果这些给人唱赞歌的人都很平庸。㉞宜退其誉者：那就应该黜退他们所赞美的人。㉟毁誉不妄：坏话好话都不是乱说。㊱善恶分矣：好人坏人就分出来了。㊲无世不有言事：任何时候都有给皇帝进言的人。㊳无时不有下令：任何时候都有皇帝根据这些听到的言论下达命令。㊴升平不至：看不见太平的时代到来。㊵昏危相继：黑暗和危亡一个接一个。㊶设令之本非实故也：是因为皇帝所下命令的依据是错误的。㊷忤旨：不合孝武帝刘骏的心思。㊸自解去职：自己辞官而去。㊹峤：周峤，原为吴兴太守，因临事迟疑不断，为丘珍孙所杀。事见前文。㊺谢庄：谢弘微之子，刘宋时代的杰出文学家，代表作是《月赋》。传见《宋书》卷八十五。㊻允惬民听：非常合乎民意。允，实在。㊼废法申恩：违背法制而格外施恩。㊽声实乖爽：说的和实际相矛盾。乖，悖谬。爽，差错。㊾不审：不知。㊿可得在此诏不：能不能也在诏书所说的范围内？651弘微：谢弘微，晋末名臣谢混、谢琰之侄，谢灵运的堂兄弟，于改朝换代之际受托照顾谢混的家庭，故事感人。传见《宋书》卷五十八。652郡县以三周为满：将郡县长官的任职期限改为三年。胡三省曰："元嘉之制，守宰以六期为断。然自时厥后，率以三周为满，而又有数更数易，不及三周者。"653乙丑：七月二十五。654南平穆王铄：刘铄，文帝之子，被封为南平王，穆是死后的谥。穆的意思同“缪”“谬”，意即行为荒谬。655意常轻上：常有轻视皇帝刘骏的意思。656出降最晚：胡三省曰，“铄为始兴王濬挟持而走，遇江夏王义恭乃降，非本心也”。657己巳：七月二十九。658商臣之谥：春秋时楚国太子商臣弑其父而自立为君，死后被谥穆。事见《史记·楚世家》。659萧简据广州反：胡三省曰，“萧斌以逆党诛，其弟惧连坐而反”。660邓琬：刘宋时期的庸暗官僚。传见《宋书》卷八十四。661沈法系：沈庆之的堂兄弟，当时的杰出将领。传见《宋书》卷七十七。662台军：朝廷派来的军队。663更相申五十日：再延长五十天，意即再按你的做法攻五十天。更，再。664丁卯：九月二十八。665法系封府库付琬而还：史家在表彰沈法系的不居功。胡三省曰：“史言沈氏兄弟皆能宣力于一时。”666十一月丙午：十一月初八。667辛酉：十一月二十三。668信都、中山：魏之二城名。信都即今河北衡水市冀州区，当时长乐郡的郡治所在地，也是当时冀州的州治所在地。中山即今河北定州，当时名叫卢奴，为中山郡的郡治所在地。669十二月癸未：十二月十五。670将置东宫：将要立太子。东宫，通常是太子所居之地。671省太子率更令等官：撤销太子率更令等相关职位。省，废除。太子率更令，太子的属官，掌管太子府的门户与漏刻计时等。672中庶子等各减旧员之半：胡三省曰，“惩元凶劭之祸也。晋制，东宫中庶子四人，中舍人四人，庶子四人，舍人十六人，洗马八人。”中庶子，太子的侍从官员。673甲午：十二月二十六。

【校记】

［28］辛丑：原作“辛酉”。据章钰校，十二行本、乙十一行本、孔天胤本皆作“辛丑”，今据改。［29］制：原作“製”。据章钰校，十二行本、孔天胤本皆作“制”，今据改。〖按〗“制”“製”古相通。［30］知：原无此字。据章钰校，十二行本、乙十一行本、孔天胤本皆有此字，熊罗宿《胡刻资治通鉴校字记》同，今据补。［31］知察：原无“知”字。据章钰校，十二行本、乙十一行本、孔天胤本皆有“知”字，张瑛《通鉴校勘记》、熊罗宿《胡刻资治通鉴校字记》同，今据补。〖按〗章钰校曰，十二行本“察”误“测”，乙十一行本“察”作“测”，孔本同、退斋校同、熊校同。依上下文意观之，作“察”字义长。

【研析】

本卷写宋文帝元嘉三十年（公元四五三年）一年间刘宋与北魏的大事，其中写魏国的事情只有几句，其主要篇幅写了宋文帝刘义隆被其恶子刘劭与刘濬弑杀，武陵王刘骏率先起兵讨伐元凶刘劭，四海诸路响应，很快建康城破，刘劭、刘濬与其党羽萧斌等人被捕杀，而刘骏做皇帝后又不孚众望，新的矛盾又渐次展开等。其中值得议论的有如下几方面。

第一，宋文帝刘义隆共做皇帝三十年，虽然在几次对外战争中表现得腐朽不堪，但在治理江南、稳定百姓生活方面可指责的事情不多，被历史家称赞为可与西汉文帝、景帝相比美的开明帝王。《宋书》的作者沈约说他“正位南面，历年长久，纲维备举，条禁明密，罚有恒科，爵无滥品，故能内清外晏，四海谧如也。昔汉氏东京常称建武、永平故事，自兹厥后，亦每以元嘉为言，斯固盛矣”。明代顾充说他“三十年间，四境之内，户口蕃息，讲诵相闻，士敦操尚，乡耻轻薄，朝廷清明而天下安静，虽不能纯法八世，而元嘉之治亦足以比前汉之文景矣”。这些都是事实，我们应该承认。

第二，刘劭六岁被其父立为太子，十三岁行加冠礼，十七岁就有了相当的权力。其父对他很宠信，为了加强父子联合统治国家的力量，其父特别增加刘劭所统军队的数量，刘劭部下的军队与其父的御林军数量相同。刘劭所担心的问题只是与其父所宠信的大臣江湛、徐湛之关系不好而已。但刘劭不是把矛头对着其父身边的宠臣，而是直接把矛头对着其父本人。他与其异母弟刘濬勾结匪类，造作巫蛊，欲致其父于死，此其狼子野心已应遭到诛灭。但事泄之后，其父仍对之无比宽忍，并未因此将他废黜，长时间内希望他能悔改。但刘劭毫无悛改之心，继续勾结妖人，图谋不轨。事情再次被其父发现，刘劭、刘濬两个孽子竟聚集不逞之徒，趁其父仍在犹豫，不忍对他们兄弟采取措施之时，突入宫廷，将其父杀死。《宋书》的作者沈约说：“甚矣哉，宋氏之家难也。自赫胥以降，立号皇王，统天南面，未闻斯祸。难兴天属，秽流床第，爱敬之道，顿灭一时，生民得无左衽，亦以幸矣！”中国古代历史上的弑父弑君者可以说出一大串，有些原是既定的太子，由于他们自身有错或是受到他人的谗毁，其父将他们废黜时，为了维护既有的权位而挺身走险杀父弑君，也有的是按既定程序他们根本没份儿，是为了改变程序、攫取权力而杀父弑君，而刘劭都不属于这些情况。因此，不论是在过去的礼法社会，还是在现今的民主社会，刘劭的行为都分外令人憎恨，他比楚太子商臣以及隋朝的杨广等都还要可恶得多。

第三，作为宋文帝一方实在荏弱无能，可令后人借鉴的教训太多了。《历史纲鉴补》引明代胡致堂说：“晋之申生，宋之座，秦之扶苏，汉之据，晋之遹，隋之勇，唐之瑛、弘、贤等之被废杀，皆以谗间猜忌，非有反逆之迹也。若元凶劭则反逆之迹形于手，既与濬陈谢帝前，其暴著甚矣，非有谗间猜忌之事也。御正殿，召公卿，以大义废之。已不失为慈父，劭、濬得尽天年，不亦善乎？‘君亲无将’，其将已形而不治，蓄疑败谋，其疑已久而不决，置东宫兵与羽林等，使其有宫甲之势，以所谋语潘淑妃，不虞江芈之漏：是劭固欲弑，而文帝因使之弑也。宋文美质温厚，爱养斯民，然纯恃智力，维持大业；不知经训，昧于父子君臣之道，祸发萧墙，取笑千载。由是观之，人君以务学为急，‘不知《春秋》之义，必蒙首恶之名’，岂不信哉！”袁俊德说：“履霜坚冰，《易经》早著炯戒，劭、濬逆乱显著，更无疑义，乃始则置而弗问，继复机事不密，是直酿篡弑耳，岂特坐昧先机，直是贻笑千古。”都是一针见血的批评。王世贞综合宋文帝的一生事迹总结说：“文帝恭勤政事，侃侃忘疲，性存俭约，不事侈糜，加以在位日久，纲维备举，条禁明密，四境晏然，户口蕃息，政平讼理。惜乎，以万里长城之人，不免死于谗间之口；而又不量其力，横挑强胡，使师徒歼于河南，胡马饮于江汉。及其末路，狐疑不决，率成此祸，岂非文有余而武不足耶？”汉武帝、唐明皇都果于诛戮，致使太子含冤而死；而宋文帝则优柔寡断，明知其当为而不为，致使自己被杀，家国亦转眼泯灭，可悲也夫！

第四，袁淑与王僧绰之死。袁淑是刘劭的卫队长官，先是劝阻刘劭的谋逆，后又拒绝跟随刘劭进宫作乱而为刘劭所杀；王僧绰是宋文帝的心腹谋臣，曾力请宋文帝尽快割恩以解决刘劭与刘濬的问题，由于宋文帝未能及时动手，致使刘劭的阴谋获逞。刘劭开始不知道王僧绰的建议，称帝后任用王僧绰为官；后在清理宋文帝的文件时发现了王僧绰的上书，于是将王僧绰杀死。有些人对袁淑、王僧绰极为称赞；南朝民歌中也有“宁作袁淑死，不作褚渊生”的句子。我们对这两个人要有本质上的肯定，因为他们毕竟没有从逆，而且为此付出了代价。但他们在整个事件中的犹疑、动摇，是很明显的。明代袁俊德《历史纲鉴补》说：“袁淑一闻劭言，始则讽以疾动，力叱群邪，继则明以祸至，正言折乱谋：可谓凛然大义，不愧纯臣。然使彼时即举发其事，或当不致决裂；乃犹豫不决，绕床终夜，欲何为哉？幸以身殉，不然南史之诛不能逃矣。”清代王夫之《读通鉴论》说：“袁淑死于元凶之难，从容就义以蹈白刃，其视王僧绰与废立之谋，变而受其吏部尚书，以迹露而被杀者远矣。虽然，元凶劭与君父有不两立之势也，自其怨江、徐而造巫蛊已然矣。淑为其左卫率，无能改其凶德，辞宫僚而去之，不可乎？可弗死也。及其‘日饷将士，亲行酒以奉之’，枭獍之谋决矣，发其不轨以闻之帝，不可乎？言以召祸，于此而死焉，可也。伐国不问仁人，其严气有以耆之也。风稜峻削岳立，而为元凶所忌，或殒其身，可也。何至露刃行逆之时，元凶尚敢就谋成败乎？且其官卫率也，将士之主也。元凶不逞，握符麾众，禽之以献，不济而死焉，可也。何踌躕永夜，而被其胁使登车，而泯泯以受刃乎？伤哉！子曰：‘见义不为，无勇也。’淑之于义曙矣，而勇不足以堪之。勇于定乱，勇于讨贼，难矣；勇于去官，决于一念，而唯己所欲为者也，此之不决，则死有余憾。为君子者可不决之于早哉？”也许有点过于求全责备，但道理的确是讲得义正词严！关于王僧绰之死，明代袁了凡《历史纲鉴补》说：“僧绰力请宋文速断，而宋文不能从，若僧绰亦可谓忠于谋国者矣。然劭既为逆，僧绰当引身而去，固不可以其不知所谋而隐忍就职。不死于临难之初，而死于受职之后，岂不深可惜哉？”袁俊德说：“僧绰既赞谋废劭，斋阁之变，非力图讨贼，即引身殉节，再无二义。乃隐忍受官，旋即见杀，有愧袁淑诸人多矣。”即使起王僧绰而听之，谅也只可哑然称服。

卷第一百二十八　宋纪十

起阏逢敦牂（甲午，公元四五四年），尽著雍阉茂（戊戌，公元四五八年），凡五年。

【题解】

本卷写宋孝武帝孝建元年（公元四五四年）至大明二年（公元四五八年）共五年间刘宋与北魏等国的大事。主要写了宋荆州刺史刘义宣与江州刺史臧质以平元凶刘劭功大，骄恣放纵，不遵朝廷约束，臧质以拥立刘义宣为名，实则欲伺机推翻刘氏王朝而自立。他们联络兖州刺史徐遗宝、豫州刺史鲁爽、司州刺史鲁秀等以“诛君侧之恶”为名，起兵进攻朝廷，结果为宋将沈庆之、柳元景、垣护之、薛安都等所破，臧质被追兵杀死，刘义宣被朱脩之杀死，叛乱大体平定。写了孝武帝刘骏欲削弱王侯，刘义恭为保官保命而曲意迎合之，大力裁减诸王侯的各种礼仪服饰待遇。写了文帝之子武昌王刘浑自号楚王，以备置百官为乐，被孝武帝逼令自杀。写了刘宋名将沈庆之请求退休，孝武帝令何尚之劝阻，沈庆之不从。写了宋主刘骏因徐州刺史申坦等讨任城群盗无功遂欲杀之，直到沈庆之抱申坦哭于市，申坦始被刘骏赦免。写了刘骏骄奢自恣，多所兴造，颜竣以藩朝旧臣，恳切谏争无所回避，遂被刘骏出为刺史。写了中书令王僧达由于跌宕不拘，矜才自负，因迁护军心怀不满，累求外出，又对皇帝的亲戚无礼，惹怒皇帝、太

【原文】

世祖孝武皇帝上

孝建元年（甲午，公元四五四年）

春，正月己亥朔[①]，上祀南郊[②]，改元[③]，大赦。甲辰[④]，以尚书令何尚之为左光禄大夫[⑤]、护军将军，以左卫将军颜竣为吏部尚书、领[⑥]骁骑将军。

壬戌[⑦]，更铸[⑧]孝建四铢钱。

乙丑[⑨]，魏以侍中伊馛[⑩]为司空。

丙子[⑪]，立皇子子业[⑫]为太子。

后，被诬以罪名杀死。写了刘骏因淫乱无度，不择亲疏，人多不喜，竟陵王刘诞宽而有礼，又讨刘劭有功，人心窃向之，刘骏畏忌之使之出镇广陵。写了刘骏因彭城民高阇、沙门昙标勾结皇帝身边的亲兵头领作乱而下令沙汰僧尼，严其诛禁，自非戒行精苦并使还俗。写了刘骏宠用戴法兴、巢尚之、戴明宝，三人权重当时，天下辐辏，门庭若市等。写了魏主拓跋濬立其子拓跋弘为太子，依故事杀太子之母李贵人。写了魏主穿大漠，伐柔然，柔然可汗远遁，别部降者千余落，魏主刻石纪功而还。写了宋将殷孝祖筑城于清水之东，魏将封敕文攻之，宋军败之于沙沟，魏将皮豹子助封敕文攻青州，又被宋将颜师伯、焦度打败。写了魏臣高允谏魏主拓跋濬大起宫殿，魏主纳之，连带写到了高允的屏人进言，能为魏主留面子，使魏主知其过而天下不知，高允为郎二十多年，至此被任为中书令，魏之儒臣游雅引高允在崔浩被杀时对魏主侃侃进言的“矫矫风节”，对高允的评价极高，比之于汉代的汲黯等。

【语译】

世祖孝武皇帝上

孝建元年（甲午，公元四五四年）

春季，正月初一日己亥，宋孝武帝刘骏亲自到京城的南郊祭祀天神，改年号为孝建元年，大赦天下。初六日甲辰，宋孝武帝任命担任尚书令的何尚之为左光禄大夫、护军将军，任命担任左卫将军的颜竣为吏部尚书、兼任骁骑将军。

二十四日壬戌，宋国开始改铸孝建四铢铜钱。

正月二十七日乙丑，魏国文成帝拓跋濬任命担任侍中的伊馛为司空。

二月初九日丙子，宋孝武帝立皇子刘子业为皇太子。

初，江州刺史臧质[13]，自谓人才足为一世英雄，太子劭之乱，质潜有异图[14]，以荆州刺史南郡王义宣庸暗易制[15]，欲外相推奉[16]，因而覆之[17]。质于义宣为内兄[18]，既至江陵[19]，即称名拜义宣[20]。义宣惊愕问故[21]，质曰："事中宜然[22]。"时义宣已奉帝为主[23]，故其计不行[24]。及至新亭，又拜江夏王义恭[25]，曰："天下屯危[26]，礼异常日[27]。"

劭既诛，义宣与质功皆第一，由是骄恣，事多专行，凡所求欲，无不必从[28]。义宣在荆州十年，财富兵强，朝廷所下制度，意有不同，一不遵承[29]。质自建康之江州[30]，舫千余乘[31]，部伍前后百余里。帝方自揽威权，而质以少主遇之[32]，政刑庆赏[33]，一不咨禀[34]。擅用湓口、钩圻米[35]，台符[36]屡加检诘[37]，渐致猜惧[38]。

帝淫义宣诸女，义宣由是恨怒，质乃遣密信[39]说义宣，以为"负不赏之功[40]，挟震主之威，自古能全[41]者有几？今万物系心于公[42]，声迹已著[43]，见几不作[44]，将为他人所先[45]。若命徐遗宝、鲁爽[46]驱西北精兵来屯江上[47]，质帅九江楼船为公前驱[48]，已为得天下之半。公以八州[49]之众，徐进而临之，虽韩、白更生[50]，不能为建康计[51]矣。且少主[52]失德，闻于道路[53]，沈、柳[54]诸将，亦我之故人，谁肯为少主尽力者！夫不可留者年也，不可失者时也。质常恐溘先朝露[55]，不得展其旅力[56]，为公扫除[57]，于时悔之何及？"义宣腹心将佐谘议参军蔡超、司马竺超民[58]等咸有富贵之望[59]，欲倚质威名以成其业，共劝义宣从其计。

当初，担任江州刺史的臧质，自认为自己的才能堪称一代英雄，皇太子刘劭篡逆谋乱的时候，臧质暗中便有自己的阴谋打算，他认为担任荆州刺史的南郡王刘义宣平庸昏聩，容易被自己控制，于是就做出一副准备拥戴刘义宣为帝的样子，而实际上是准备借机推翻刘宋政权。论关系，臧质是南郡王刘义宣的表兄，臧质到达江陵之后，便唱着自己的名字拜见刘义宣。刘义宣非常惊愕，就问臧质为什么要这样做，臧质回答说："国家正是多事之时，本来就应该这样。"当时刘义宣已经拥戴刘骏为君主，所以臧质拥立刘义宣为帝的计划暂时没有得逞。等到达新亭的时候，臧质又用同样的礼节拜见江夏王刘义恭，他对刘义恭解释说："国家正处在艰难危险的时刻，所行的礼节也应该与平常有所区别。"

太子刘劭被诛杀之后，论起讨伐篡逆之功，南郡王刘义宣和臧质的功劳都属于第一等，因此他们便骄横恣肆起来，遇事往往独断专行，凡是向朝廷有所要求，就一定要孝武帝满足他们才行。刘义宣在荆州任职十年，财力富足，兵力强盛，朝廷所颁布的法律制度，如果稍微有些不合他们的心意，就一概拒绝执行。臧质从建康前往江州的时候，动用的舰船就多达一千多艘，跟随的部下浩浩荡荡，前后绵延一百多里。孝武帝正想要建立自己的威望，独揽大权，而臧质却把孝武帝当作一个晚辈一样看待，凡是江州刺史任内的大小事务，不论是行政事务，还是司法方面的事务，以及加封某人或奖赏某人等，一概不向孝武帝请示报告。臧质还擅自截留、动用从长江上游下来的经过九江的朝廷粮船，和从赣江上游下来的经过钩圻的朝廷粮船，朝廷屡次下发命令、文告，检查、盘问臧质擅自截留粮船的原因，逐渐引起了臧质对朝廷的猜疑与畏惧。

宋孝武帝奸淫了南郡王刘义宣的几个女儿，刘义宣因此对孝武帝充满了怨恨与愤怒。臧质于是趁机派遣密使挑拨刘义宣，他说刘义宣是"一个建有无法施以奖赏之大功，挟有使君主感到震恐威势的人，从古到今能够保全性命的能有几个人？如今全国的百姓都归心于您，您的声望、事实已经显著，不可能再继续装傻韬晦下去，如果遇到机会而不敢有所作为，就会被他人抢先将您收拾掉。如果命令兖州刺史徐遗宝、南豫州刺史鲁爽率领着西北的精兵前来屯扎在建康城北的长江边上，我率领九江的楼船为您充作开路前锋，就已经占领了天下的一半。您亲自率领着荆州、雍州、梁州、益州、湘州、交州、广州、宁州这八个州的兵力，慢慢地向前推进，逐渐逼近京城，即使韩信、白起再生，也救不了建康朝廷中的刘骏了。而且年少的皇帝道德败坏，已经路人皆知，南兖州刺史沈庆之、领军将军柳元景等各位将领，也都是我的老朋友，有谁心甘情愿为少主刘骏尽心效力呢！不能留住的只有岁月，不可失去的是时机。我经常担心自己会忽然死在朝露未干之前，不能够为您尽一份力量，为您扫除道路上的障碍，到那时再后悔又有什么用呢？"刘义宣的亲信将佐担任谘议参军的蔡超、担任司马的竺超民等人都有求取功名富贵的强烈愿望，都想依靠臧质的威名来成就自己的功业，于是便都来劝说刘义宣听从臧质的计谋。

质女为义宣子采之妇，义宣谓质无复异同⑩，遂许之。超民，夔⑪之子也。臧敦⑫时为黄门侍郎，帝使敦至义宣所，道经寻阳，质更令敦说诱义宣，义宣意遂定。

豫州刺史鲁爽有勇力，义宣、质[1]素与之相结。义宣密使人报爽及兖州刺史徐遗宝，期以今秋同举兵。使者至寿阳⑬，爽方饮醉，失义宣指⑭，即日举兵。爽弟瑜在建康，闻之，逃叛。爽使其众戴黄标⑮，窃造法服⑯，登坛，自号建平元年。疑长史韦处穆、中兵参军杨元驹、治中⑰庾腾之不与己同，皆杀之。遗宝[2]亦勒兵向彭城⑱。

二月，义宣闻爽已反，狼狈举兵⑲。鲁瑜弟弘为质府佐，帝敕质收之⑳，质即执台使㉑，举兵。

义宣与质皆上表，言为左右所谗疾㉒，欲诛君侧之恶㉓。义宣进爽号征北将军，爽于是送所造舆服㉔诣江陵，使征北府户曹㉕版义宣等文曰㉖："丞相刘㉗，今补天子㉘，名义宣；车骑臧㉙，今补丞相㉚，名质；平西朱㉛，今补车骑㉜，名脩之：皆版到奉行㉝。"义宣骇愕，爽所送法物并留竟陵㉞，不听进㉟。质加鲁弘辅国将军，下戍大雷㊱。义宣遣谘议参军刘谌之将万人就弘㊲，召司州刺史㊳鲁秀，欲使为谌之后继。秀至江陵见义宣，出，拊膺㊴曰："吾兄误我㊵，乃与痴人作贼㊶，今年败矣！"

义宣兼荆、江、兖、豫四州之力，威震远近。帝欲奉乘舆法物迎之㊷，竟陵王诞固执㊸不可，曰："奈何持此座㊹与人！"乃止。

己卯㊺，以领军将军柳元景为抚军将军。辛卯㊻，以左卫将军王

臧质的女儿嫁给了刘义宣的儿子刘采之为妻，刘义宣便认为臧质不会对自己怀有二心，于是就决定采纳臧质的意见。竺超民，是竺夔的儿子。臧质的儿子臧敦当时正担任黄门侍郎，宋孝武帝派臧敦到南郡王刘义宣那里去，臧敦路过寻阳的时候，臧质又嘱咐臧敦劝说诱导刘义宣起兵，刘义宣这才下定决心起事。

担任豫州刺史的鲁爽很有勇气和力量，刘义宣、臧质一向与他交往甚密。刘义宣便秘密派人通知鲁爽以及兖州刺史徐遗宝，约定当年秋季共同起兵推翻孝武帝的统治。刘义宣所派遣的使者到达寿阳求见鲁爽，鲁爽刚刚喝醉了酒，因而错误地领会了刘义宣的意思，当天就起兵了。鲁爽的弟弟鲁瑜当时正在建康，他听说鲁爽起兵的消息之后，就叛逃了。鲁爽命令他的部众佩戴着黄色的标帜，又私自制造了皇帝的服装，然后登上高坛誓师，自建年号为建平元年。鲁爽怀疑自己属下担任长史的韦处穆、担任中兵参军的杨元驹、担任治中的庾腾之与自己不同心，就把他们全都杀死。兖州刺史徐遗宝也率领军队向彭城进发。

二月，刘义宣听说鲁爽已经起兵造反，自己也就只好仓促起兵。鲁瑜的弟弟鲁弘在臧质的府中担任僚佐，宋孝武帝下令给臧质，让他逮捕鲁弘，臧质却把朝廷派来的使者逮捕起来，随即起兵。

刘义宣与臧质都上表给孝武帝，声称自己遭受皇帝身边小人的诽谤和嫉恨，起兵的目的就是要除掉皇帝身边的谄佞小人。刘义宣提升南豫州刺史鲁爽为征北将军，鲁爽于是就把自己私下里制作的皇帝所乘坐的车子和所穿的衣服送往江陵，派遣自己征北将军府中的户曹参军向南郡王刘义宣等人发布文告说："原来的刘丞相，现在权且行使皇帝的职权，他的名字就叫刘义宣；原来的车骑臧将军，现在权且充任丞相，他的名字就叫臧质；原来的平西朱将军，现在权且充任车骑将军，他的名字就叫朱脩之：文书送达之日起即开始行使新的职权。"刘义宣对鲁爽发布的文告惊愕不已，他把鲁爽送给他的用来充当皇帝仪仗以及皇帝所乘坐的车子、器物等全都暂时封存在竟陵郡，不准许他送到江陵来。臧质擢升鲁弘为辅国将军，令鲁弘率军向下移驻到大雷。刘义宣派遣属下担任谘议参军的刘谌之率领一万人前往与鲁弘共同驻守大雷，刘义宣又召见担任司州刺史的鲁秀，想让鲁秀作为刘谌之的后续部队。鲁秀来到江陵面见刘义宣，出来的时候，他捶着自己的胸脯悔恨地说："哥哥让我上了一个大当，竟然跟着刘义宣这样的白痴共同谋反，今年一定会失败！"

刘义宣拥有荆州、江州、兖州、豫州四个州的兵力，声威震动远近。宋孝武帝就准备把皇帝所使用的整套仪仗、车辇、器物等送给刘义宣，迎接刘义宣回建康做皇帝。担任扬州刺史的竟陵王刘诞坚决阻止，认为不能那样做，他说："为什么要把皇帝的宝座轻易地让给别人呢！"孝武帝这才打消了念头。

二月十二日己卯，宋孝武帝任命担任领军将军的柳元景为抚军将军。二十四日辛卯，任命担任左卫将军的王玄谟为豫州刺史，命令抚军将军柳元景率领豫州刺史

玄谟为豫州刺史，命元景统玄谟等诸将以讨义宣。癸巳[97]，进据梁山洲[98]，于两岸筑偃月垒[99]，水陆待之。义宣自称都督中外诸军事，命僚佐悉称名[100]。

甲午[101]，魏主诣道坛受图箓[102]。

丙申[103]，以安北司马夏侯祖欢为兖州刺史[104]。三月己亥[105]，内外戒严。辛丑[106]，以徐州刺史萧思话为江州刺史[107]，柳元景为雍州刺史[108]。癸卯[109]，以太子左卫率庞秀之为徐州刺史[110]。

义宣移檄州郡，加进位号[111]，使同发兵。雍州刺史朱脩之伪许之，而遣使陈诚于帝[112]。益州刺史刘秀之[113]斩义宣使者，遣中兵参军韦崧将万人袭江陵。

戊申[114]，义宣帅众十万发江津[115]，舳舻[116]数百里。以子慆为辅国将军，与左司马竺超民留镇江陵。檄朱脩之使发兵万人继进，脩之不从。义宣知脩之贰于己[117]，乃以鲁秀为雍州刺史，使将万余人击之。王玄谟闻秀不来，喜曰："臧质易与[118]耳。"

冀州刺史垣护之[119]妻，徐遗宝之姊也，遗宝邀护之同反，护之不从，发兵击之。遗宝遣兵袭徐州长史明胤[120]于彭城，不克。胤与夏侯祖欢、垣护之共击遗宝于湖陆[121]，遗宝弃众焚城，奔鲁爽[122]。

义宣至寻阳，以质为前锋而进，爽亦引兵直趣历阳[123]，与质水陆俱下。殿中将军沈灵赐将百舸[124]，破质前军于南陵[125]，擒军主[126]徐庆安等。质至梁山，夹陈两岸[127]，与官军相拒。

夏，四月戊辰[128]，以后将军刘义綦[129]为湘州刺史。甲申[130]，以朱脩之为荆州刺史。

上遣左军将军薛安都、龙骧将军南阳宗越[131]等戍历阳，与鲁爽前锋杨胡兴等战，斩之。爽不能进，留军大岘[132]，使鲁瑜屯小岘。上复

王玄谟等诸将前去讨伐刘义宣。二十六日癸巳，朝廷的平叛大军占据了梁山附近长江中的小洲，然后在长江两岸修筑起形状如同半弦月的防守工事，水军、陆军便在此处以逸待劳，等待叛军的到来。刘义宣自称为都督中外诸军事，命令僚佐之间彼此都相互称名，而不称官衔。

二月二十七日甲午，北魏文成帝前往道坛接受符箓与咒语。

二月二十九日丙申，宋孝武帝任命担任安北司马的夏侯祖欢为兖州刺史。三月初二日己亥，宣布建康城内外实行戒严。初四日辛丑，任命担任徐州刺史的萧思话为江州刺史，任命柳元景为雍州刺史。初六日癸卯，任命担任太子左卫率的庞秀之为徐州刺史。

刘义宣向各州各郡发布造反檄文，给各州郡的长官提升官职、加封爵位，让他们跟随自己同时发兵进攻朝廷。担任雍州刺史的朱脩之表面上假装同意发兵，却派使者到建康向宋武帝表达自己对朝廷的忠诚。担任益州刺史的刘秀之则斩杀了刘义宣所派的使者，同时派遣担任中兵参军的韦崧率领一万军队去袭击刘义宣的大本营江陵。

三月十一日戊申，刘义宣率领十万大军从江津出发，首尾衔接的船只排满数百里江面。刘义宣任命自己的儿子刘慆为辅国将军，令他与担任左司马的竺超民留守江陵。刘义宣给雍州刺史朱脩之发来文告，让他率领一万军队随后前进，朱脩之没有听从他的命令。刘义宣这才知道朱脩之和自己不是一条心，于是又任命担任司州刺史的鲁秀担任雍州刺史，令鲁秀率领一万多军队进攻朱脩之。豫州刺史王玄谟听说鲁秀没有跟随刘义宣一起来进攻建康，便高兴地说："臧质很容易对付。"

冀州刺史垣护之的妻子，是徐遗宝的姐姐，徐遗宝邀请垣护之一同跟随南郡王刘义宣造反，遭到垣护之的断然拒绝，垣护之发动军队袭击徐遗宝。徐遗宝派遣军队前往彭城袭击担任徐州长史的明胤，没有取胜。明胤与兖州刺史夏侯祖欢、冀州刺史垣护之在湖陆联合进攻徐遗宝，徐遗宝放火烧了湖陆城，抛弃他的军队，前往寿阳投奔南豫州刺史鲁爽。

刘义宣率领大军抵达寻阳，任命江州刺史臧质为前锋部队继续进兵，鲁爽也率领军队径直开赴历阳，与臧质水路、陆路一同向建康城逼近。担任殿中将军的沈灵赐率领一百艘舰船，在南陵打败臧质的先头水军，活捉了前军头领徐庆安等人。臧质率军抵达梁山之后，在长江两岸摆开军阵，与朝廷军形成对峙局面。

夏季，四月初二日戊辰，宋孝武帝任命担任后将军的刘义綦为湘州刺史。十八日甲申，任命朱脩之为荆州刺史。

宋孝武帝派遣担任左军将军的薛安都、担任龙骧将军的南阳人宗越等人率军戍守历阳，与鲁爽的前锋官杨胡兴等人交战，杀死了杨胡兴。鲁爽所率的叛军因此受阻而无法前进，只好滞留大岘山，他派自己的弟弟鲁瑜率军屯驻在小岘山。宋孝武帝

遣镇军将军沈庆之济江[133]，督诸将讨爽，爽食少，引兵稍退[134]，自留断后[135]。庆之使薛安都帅轻骑追之，丙戌[136]，及爽[137]于小岘。爽将战，饮酒过醉，安都望见爽，即跃马大呼，直往刺之，应手而倒，左右范双斩其首。爽众奔散，瑜亦为部下所杀，遂进攻寿阳，克之。徐遗宝奔东海[138]，东海人杀之。

李延寿[139]论曰："凶人之济其身[140]，非世乱莫由[141]焉。鲁爽以乱世之情[142]，而行之于平日[143]，其取败也宜哉[144]！"

南郡王义宣至鹊头[145]，庆之送爽首示之，并与书曰："仆荷任一方[146]，而衅生所统[147]。近聊帅轻师[148]，指往翦扑[149]，军锋裁及[150]，贼爽授首。公情契异常[151]，或欲相见[152]，及其可识[153]，指送相呈[154]。"爽累世将家[155]，骁猛善战，号万人敌。义宣与质闻其死，皆骇惧。

柳元景军于采石[156]，王玄谟以臧质众盛，遣使来求益兵[157]，上使元景进屯姑孰[158]。

太傅义恭与义宣书曰："往时仲堪假兵[159]，灵宝寻害其族[160]；孝伯推诚[161]，牢之旋踵而败[162]。臧质少无美行[163]，弟所具悉[164]。今借西楚之强力[165]，图济其私[166]，凶谋若果[167]，恐非复池中物[168]也。"义宣由此疑之。

五月甲辰[169]，义宣至芜湖，质进计曰："今以万人取南州[170]，则梁山中绝[171]；万人缀梁山[172]，则玄谟必不敢动。下官中流鼓棹[173]，直趣石头[174]，此上策也。"义宣将从之，刘谌之密言于义宣曰："质求前驱，此志难测；不如尽锐[175]攻梁山，事克然后长驱，此万安之计也。"义宣乃止。

又派遣担任镇军将军的沈庆之渡过长江，督促各将进攻鲁爽，鲁爽的军队因为缺乏粮食，遂逐渐地向后退却，鲁爽亲自在后面掩护军队撤退。镇军将军沈庆之派左将军薛安都率领轻骑兵紧急追击，四月二十日丙戌，在小岘山追上鲁爽。鲁爽准备迎战，却因为饮酒过多而大醉，薛安都望见鲁爽，就大声呼喊着跃马向前，径直刺向鲁爽，鲁爽随着薛安都手的动作立时倒在地上，薛安都的亲随范双砍下了鲁爽的人头。鲁爽的军队四散奔逃，鲁瑜也被自己的部下杀死，朝廷军乘胜进攻寿阳，很快攻克。徐遗宝再次出逃，当他逃到东海郡的时候，被东海郡人杀死。

李延寿评论说："凶恶的人要想使个人的事业获得成功，非得赶上动乱的年代不可。鲁爽把动乱年代才能干的事情拿到太平无事的年代来干，他的自取败亡也是应当的！"

南郡王刘义宣率领十万大军抵达鹊头，镇军将军沈庆之把鲁爽的人头送给刘义宣观看，并写了一封书信给刘义宣说："我接受朝廷的任命担负着管理一方的重任，而祸乱却发生在我所管辖的区域中。近来我无可奈何地率领着一支小部队，径直前去征讨，双方的先头部队刚一交手，叛贼鲁爽就献出了自己的人头。你与鲁爽的交情比别人都深厚，或许很想见他一面，趁着鲁爽的人头现在还没有变样，还可以辨认得出来，所以特派专人呈送给你观看。"鲁爽出身于历代将门之家，骁勇刚猛善于作战，号称万人敌。刘义宣与臧质听说鲁爽已经败亡，都感到非常的震惊与恐惧。

柳元景率军驻扎在采石矶，王玄谟因为臧质的军队势力强盛，遂派遣使者到朝廷请求为自己增派军队，孝武帝命柳元景进兵，屯扎在姑孰。

担任太傅的刘义恭写信给刘义宣说："东晋时期的殷仲堪率领军队跟随桓玄起兵，而桓玄得势之后却杀死了殷仲堪和他所有的族人；王恭为讨伐在朝中掌权的司马道子，对刘牢之深信不疑，推诚相待，而刘牢之转眼之间就背叛了王恭，致使王恭兵败被杀。臧质从小就没有好的品行，这是兄弟你所知道的。如今臧质想借助你为荆州刺史的强大兵力，图谋实现他自己的罪恶目的，如果计划获得成功，恐怕他就不再甘心居于人下了。"刘义宣看过刘义恭的这封信后开始对臧质产生怀疑。

五月初八日甲辰，刘义宣率领大军抵达芜湖，臧质向刘义宣献计说："如果用一万人去攻取柳元景所驻守的南州，就等于斩断了柳元景在梁山洲所构筑的军事防线；再派一万人去进攻梁山，王玄谟必然不敢采取行动。我率领水军在长江之中顺流而下，直接去攻占石头城，这是上策。"刘义宣正准备听从臧质的建议，刘谌之秘密地对刘义宣说："臧质请求担任前锋，他的志向很难预测；不如集中所有的精锐部队全力攻打梁山，攻克梁山之后再长驱直入，直捣建康，这才是万全之计。"刘义宣这才没有按照臧质的意见采取行动。

冗从仆射⑰胡子反等守梁山西垒，会⑰西南风急，质遣其将尹周之攻西垒⑱。子反方渡东岸⑲就玄谟计事，闻之，驰归⑳。周之攻垒甚急[3]，偏将刘季之帅水军殊死战，求救于玄谟，玄谟不遣㉑；大司马参军㉒崔勋之固争㉓，乃遣勋之与积弩将军垣询之㉔救之。比至㉕，城已陷，勋之、询之皆战死。询之，护之之弟也。子反等奔还东岸。质又遣其将庞法起将数千兵趋南浦㉖，欲自后掩玄谟㉗，游击将军垣护之引水军与战，破之㉘。

朱脩之断马鞍山㉙道，据险自守。鲁秀攻之不克，屡为脩之所败，乃还江陵，脩之引兵蹑之㉚。或劝脩之急追㉛，脩之曰："鲁秀，骁将也。兽穷则攫㉜，不可迫也。"

王玄谟使垣护之告急于柳元景曰："西城不守，唯余东城万人。贼军数倍，强弱不敌㉝，欲退还姑孰，就节下㉞协力当之，更议进取㉟。"元景不许，曰："贼势方盛，不可先退，吾当卷甲赴之㊱。"护之曰："贼谓㊲南州有三万人，而将军麾下裁十分之一，若往造贼垒㊳，则虚实露矣㊴。王豫州必不可来㊵，不如分兵援之。"元景曰："善！"乃留羸弱㊶自守，悉遣精兵助玄谟，多张旗帜。梁山望之如数万人，皆以为建康兵悉至，众心乃安。

质请自[4]攻东城。谘议参军颜乐之说义宣曰："质若复克东城㊷，则大功尽归之矣，宜遣麾下自行㊸。"义宣乃遣刘谌之与质俱进。甲寅㊹，义宣至梁山，顿兵西岸，质与刘谌之进攻东城。玄谟督诸军大战，薛安都帅突骑先冲其陈㊺之东南，陷之，斩谌之之首；刘季之、宗越又陷其西北，质等兵大败。垣护之烧江中舟舰，烟焰覆水㊻，延及西

担任冗从仆射的胡子反等人负责守卫梁山西垒，正赶上西南风很大，叛贼臧质派遣他的部将尹周之率军进攻梁山西垒。胡子反当时正好渡过长江到东岸王玄谟那里去商议军情，听到尹周之进攻西垒的消息后，立即奔回。此时尹周之正在指挥军队向西垒发起猛攻，偏将刘季之一面率领水军拼力死战，一面派人向王玄谟请求派兵增援，而王玄谟却不肯发兵前往救援，担任大司马参军的崔勋之极力相劝，王玄谟这才派崔勋之与担任积弩将军的垣询之率领一支军队前去救援。等到援军到达西垒的时候，西垒城已经被尹周之攻破，崔勋之、垣询之全都战死。垣询之，是垣护之的弟弟。胡子反等人逃回长江东岸。臧质又派遣他的部将庞法起率领数千名士兵去进攻南浦，想从后面偷袭王玄谟的军营，担任游击将军的垣护之率领水军与庞法起所率领的叛军交战，将叛军打败。

朱脩之切断了马鞍山的通道，占据险要以自守。鲁秀率领叛军攻打朱脩之，不仅没能取胜，反而多次被朱脩之打败，鲁秀只得率领叛军返回江陵，朱脩之率领朝廷军尾随其后。有人劝说朱脩之快速追击，朱脩之说："鲁秀是一员非常骁勇的将领。就是一只野兽，如果你把它追急了，它还会回过身来与你拼命搏斗，所以对于鲁秀不能逼迫得太紧。"

豫州刺史王玄谟派遣游击将军垣护之向柳元景告急求救，说："西垒城已经丢失，现在只剩下我们东城的一万人。而叛贼的军队数量是我军的好几倍，力量强弱相差悬殊，根本无法抵抗叛军的进攻，我想退回姑孰，靠近麾下，与麾下合兵一处，同心协力抵抗叛军，然后再商议下一步该如何办。"柳元景没有同意，他对王玄谟说："叛贼的势力正盛，你不能率先撤退，我立即率军前往协助你守卫东城。"游击将军垣护之劝阻说："贼人认为我们南州有三万人，而将军麾下的兵力却只有三万的十分之一，如果将军率领军队去进攻叛贼的营垒，恐怕我军的实际情况就全部暴露在叛军的面前了。而豫州刺史王玄谟绝对不能撤退到这里来，不如分出一部分兵力去支援他。"柳元景说："好吧！"于是就留下病弱的士兵留守南州，而把所有的精兵强将全部派去援助王玄谟，他们竖起很多旗帜虚张声势。从梁山往这边一望就好像有几万人一样，于是都认为朝廷派来的军队已经全部到达，众人的情绪这才稳定下来。

臧质向刘义宣请求亲自率军进攻东城。担任谘议参军的颜乐之提醒刘义宣说："如果臧质再攻克东城，那么大功劳就全都归臧质所有了，现在应该派遣自己的部下前去攻取东城。"刘义宣遂派遣谘议参军刘谌之与臧质一同前去攻打东城。五月十八日甲寅，刘义宣抵达梁山，将军队驻扎在长江西岸，臧质与刘谌之同时率军进攻东城。豫州刺史王玄谟指挥诸军与叛军展开大战，左将军薛安都率领突击骑兵率先从叛军阵地的东南方攻入叛军的军阵，砍下了刘谌之的人头；偏将刘季之、龙骧将军宗越又攻破了叛军阵地的西北角，臧质等人所率领的叛军被打得大败。游击将军垣护之纵火烧毁了长江中叛军的舰船，浓烟烈火笼罩了整个江面，大火蔓延到长江西岸，

岸营垒殆尽。诸军乘势攻之，义宣兵亦溃。义宣单舸迸走[207]，闭户[208]而泣，荆州人随之者犹百余舸。质欲见义宣计事，而义宣已去，质不知所为[209]，亦走，其众皆降散。己未[210]，解严[211]。

癸亥[212]，以吴兴太守刘延孙为尚书右仆射[213]。

六月丙寅[214]，魏主如阴山[215]。

臧质至寻阳，焚烧府舍[216]，载妓妾西走，使嬖人[217]何文敬领余兵居前，至西阳。西阳太守鲁方平绐文敬[218]曰："诏书唯捕元恶[219]，余无所问，不如逃之。"文敬弃众亡去。质先以妹夫羊冲为武昌郡[220]，质往投之。冲已为郡丞[221]胡庇之所杀，质无所归，乃逃于南湖[222]，掇莲实啖之[223]。追兵至，以荷覆头[224]，自沈于水，出其鼻。戊辰[225]，军主郑俱兒望见，射之，中心[226]，兵刃乱至，肠胃萦水草[227]，斩首送建康。子孙皆弃市[228]，并诛其党豫章太守乐安[5]任荟之[229]、临川内史[230]刘怀之、鄱阳[231]太守杜仲儒。仲儒，骥[232]之兄子也。功臣柳元景等封赏各有差[233]。

丞相义宣走至江夏，闻巴陵[234]有军，回向江陵。众散且尽，与左右十许人徒步，脚痛不能前，僦民露车[235]自载，缘道求食。至江陵郭[236]外，遣人报竺超民，超民具羽仪[237]兵众迎之。时荆州带甲尚万余人，左右翟灵宝诫义宣[238]使抚慰将佐[239]，以"臧质违指授之宜[240]，用致失利[241]；今[242]治兵缮甲[243]，更为后图[244]。昔汉高百败[245]，终成大业[246]"，而义宣忘灵宝之言，误云"项羽千败"，众咸掩口[247]。鲁秀、竺超民等犹欲收余兵更图一决，而义宣惽沮[248]，无复神守[249]，入内不复出，左右腹心稍稍离叛[250]。鲁秀北走[251]，义宣不能自立，欲随[6]秀去，乃携息

把刘义宣驻扎在西岸的营垒几乎烧个精光。各路军队乘胜向叛军发起进攻，刘义宣的军队也溃不成军。刘义宣乘着一艘小船逃走，他关起船舱门在里面哭泣，此时还有从荆州跟随他的一百多艘船只。臧质想要面见刘义宣商议计策，而刘义宣已经逃走，臧质不知道该怎么办才好，也只得逃走，他的部众有的向朝廷军投降，有的便逃散了。二十三日己未，朝廷宣布解除紧急军事状态。

五月二十七日癸亥，宋孝武帝任命担任吴兴太守刘延孙为尚书右仆射。

六月初一日丙寅，北魏文成皇帝前往阴山一带巡视。

臧质逃回刺史府所在地寻阳，他放火焚烧了江州刺史的办公衙门和自己的住所，然后用车子载着自己的侍妾向西部逃窜，他派自己最宠爱的何文敬带领残余的士兵在前边开路，不久便来到了西阳郡。担任西阳太守的鲁方平欺骗何文敬说:“皇帝所下的诏书说，只逮捕、惩办那些发动叛乱的罪魁祸首，其他人一概不予追究，你还不赶快逃走。”何文敬于是抛下众人独自逃命去了。臧质先前曾经任命自己的妹夫羊冲为武昌郡太守，所以臧质现在要赶往武昌郡准备投奔羊冲。而羊冲已经被担任郡丞的胡庇之杀死，臧质无路可走，就逃到了南湖，靠采摘湖中的莲子充饥。每当看到追兵，臧质就把荷叶覆盖在头顶上，身体沉入水中，只露出鼻子呼吸。六月初三日戊辰，一支小部队的名叫郑俱兒的头领发现了臧质，就拉开弓向他射了一箭，正好射中臧质的心窝，于是士兵的刀枪剑戟一齐向他乱砍乱杀起来，臧质的肠胃都流出腹腔缠绕在水草上，人头被砍下来送往建康城。臧质的子孙全都在闹市中被斩首示众，他的一些党羽如担任豫章太守的乐安郡人任荟之、担任临川内史的刘怀之、担任鄱阳太守的杜仲儒等全都被诛杀。杜仲儒，是杜骥哥哥的儿子。朝廷对柳元景等有功之臣都分别给予了不同等级的奖赏。

身为宋国丞相的南郡王刘义宣逃到江夏，他听说巴陵郡也有朝廷的军队驻防，就又急忙退向江陵。此时跟随他的部众几乎全部逃光，只剩下十来个人还徒步跟随着他，刘义宣脚疼得不能继续前进，就向百姓租赁了一辆没有篷盖的车子，一路之上完全靠乞讨食物充饥。刘义宣等到达江陵的郊外之后，便派人去报告竺超民，竺超民马上组织起一支仪仗队，带着一些兵众出城迎接刘义宣。当时荆州城内装备齐全的士兵还有一万多人，刘义宣身边的亲信翟灵宝劝告刘义宣，让刘义宣安慰、鼓励部下的僚属，就说“由于臧质违背正确的指挥，不听从指点教导，因而导致战场上作战失利，现在我们要打造兵器，修理盔甲，再做以后的打算。过去汉高祖刘邦与项羽争夺天下，曾经多次被项羽打败，但最后终于建立了大汉王朝”。而刘义宣竟然忘记了翟灵宝所说的话，把刘邦多次被项羽打败错误地说成了“项羽被刘邦打败了一千次”，众人都忍不住捂着嘴偷偷发笑。鲁秀、竺超民等人还想召集残余的部队再次与朝廷军决一死战，而刘义宣此时就像泄了气的皮球一样，情绪沮丧，魂不守舍，进入内室之后就再也不肯出来，于是左右的亲信都渐渐地离他而去。鲁秀准备离开刘义宣向北投奔魏国，刘义宣不能独立存在，也想跟随鲁秀逃往魏国，于是就

慆[252]及所爱妾五人，著男子服相随。城内扰乱，白刃交横[253]，义宣惧，坠马，遂步进[254]。竺超民送至城外，更以马与之[255]，归而城守[256]。义宣求秀不得[257]，左右尽弃之，夜，复还南郡空廨[258]。旦日，超民收送刺奸[259]。义宣止狱户[260]，坐地叹曰："臧质老奴误我[261]！"五妾寻被遣出[262]，义宣号泣，语狱吏曰："常日非苦[263]，今日分别始是苦。"鲁秀众散，不能去[264]，还向江陵[265]，城上人射之秀赴水，死，就取其首[266]。

诏右仆射刘延孙[267][7]使荆、江二州[268]，旌别枉直[269]，就行诛赏[270]；且分割二州之地[271]，议更置新州[272]。

初，晋氏南迁，以扬州为京畿[273]，谷帛所资[274]皆出焉；以荆、江为重镇[275]，甲兵所聚尽在焉，常使大将居之[276]。三州户口，居江南之半。上恶其强大，故欲分之。癸未[277]，分扬州浙东五郡[278]置东扬州，治会稽；分荆、湘、江、豫州之八郡[279]置郢州，治江夏；罢南蛮校尉[280]，迁其营[281]于建康。太傅义恭议使郢州治巴陵，尚书令何尚之曰："夏口在荆、江之中，正对沔口[282]，通接雍、梁[283]，实为津要[284]。由来旧镇[285]，根基不易[286]，既有见城[287]，浦大容舫[288]，于事为便。"上从之。既而荆、扬因此虚耗[289]，尚之请复合二州，上不许。

戊子[290]，省录尚书事[291]。上恶宗室强盛，不欲权在臣下，太傅义恭知其指[292]，故请省之[293]。

上使王公、八座[294]与荆州刺史朱脩之书，令丞相义宣自为计[295]。

带着自己的儿子刘慆以及所宠爱的五个小妾，让她们全都换上男人的衣服跟随鲁秀向北逃亡。江陵城内已经陷入一片混乱，乱兵到处杀人抢劫，刘义宣看到这种情形，感到非常的恐惧，竟然从马上掉了下来，于是只得徒步而行。左司马竺超民把刘义宣一行送出城外，还另外给刘义宣找了一匹马，然后关闭江陵城门坚守。刘义宣找不到鲁秀，跟随刘义宣的人也全都弃他而去，夜里，刘义宣走投无路，就又回到南郡太守在江陵城外的一所空房子里。第二天，竺超民逮捕了刘义宣，把刘义宣押送给江陵军镇的刺奸掾。刘义宣在监狱的门口停下来，坐在地上叹息着说："是臧质这个老奴才坑害了我！"不久，刘义宣的五个爱妾被从监狱中遣送回家，刘义宣号泣着对狱吏说："平常时候所遭受的苦都不算苦，今日的分别才是苦。"鲁秀的随从也全部逃散，此时他已经不能远走高飞，于是返回江陵，江陵城上的士兵一齐向他射箭，鲁秀遂跳到水中，被淹死了，江陵城内的士兵跳入水中砍下了鲁秀的人头。

宋孝武帝下诏，派遣担任尚书右仆射的刘延孙为钦差大臣前往荆州、江州处置叛犯事宜，鉴别哪个是好人，哪个是坏人，就地执行，该杀的杀，该赏的赏，并且把荆、江二州各划分出一部分，准备再增设一个新的州。

当初，晋室南迁的时候，把扬州作为国家的都城以及都城郊区的所在地，朝廷官员所需要的粮食布帛都由扬州供给；同时把荆州、江州作为国家的军事要地，武装的军队全部驻扎在这两个州里，担任两州刺史的都是皇帝的至亲或是其心腹将领。扬州、荆州、江州这三个州中的户口占了江南户口的一半。宋孝武帝厌恶荆州、江州、扬州过于强大，所以就想要划分出一部分以达到削弱这三州力量的目的。六月十八日癸未，把扬州浙东的会稽郡、东阳郡、永嘉郡、临海郡、新安郡五个郡划分出来，设置为东扬州，州治设在会稽；把荆州的江夏郡、竟陵郡、随郡、武陵郡、天门郡，湘州的巴陵郡，江州的武昌郡，豫州的西阳郡这八个郡划分出来，设置为郢州，州治设在江夏；撤销了南蛮校尉，把原属于南蛮校尉府的兵营迁到京师建康。担任太傅的江夏王刘义恭建议把郢州的州治设在巴陵，担任尚书令的何尚之说："夏口地处荆州、江州之间，正对着汉口，通过汉水可以与雍州、梁州相连接，确实是一条交通咽喉要道。历朝历代都是军事重镇，基础牢固，是不好变动的，既有现成的城池，又江面宽阔，能够容纳大量的船只，办事很方便，所以州治设在夏口最合适。"宋孝武帝采纳了尚书令何尚之的意见。然而不久，荆州、扬州因为财力物力被不断抽调而导致府库空虚、财力匮乏，何尚之请求将荆州、扬州重新合并起来，孝武帝没有同意。

六月二十三日戊子，宋国废除了录尚书事这一官职。孝武帝厌恶宗室的权力过于强大，不愿意让大权掌握在臣下的手中，担任太傅的刘义恭明白孝武帝的心思，所以奏请孝武帝废止录尚书事这一职位。

宋孝武帝令王公、八座写信给新任荆州刺史的朱脩之，让他将孝武帝的旨意，即"丞相刘义宣自己应该考虑怎么办"传达给南郡王刘义宣。书信还没有送达荆州，

书未达，庚寅[296]，脩之入江陵，杀义宣，并诛其子十六人，及同党竺超民、从事中郎蔡超、谘议参军颜乐之等。超民兄弟应从诛，何尚之上言："贼[297]既遁走，一夫可擒。若超民反覆昧利[298]，即当取之[299]，非唯免愆[300]，亦可要不义之赏[301]。而超民曾无此意[302]，微足观过知仁[303]。且为官保全城府[304]，谨守库藏，端坐待缚[305]。今戮及兄弟[306]，则与其余逆党无异，于事为重[307]。"上乃原[308]之。

秋，七月丙申朔[309]，日有食之。

庚子[310]，魏皇子弘[311]生。辛丑[312]，大赦，改元兴光[313]。

丙辰[314]，大赦[315]。

八月甲戌[316]，魏赵王深[317]卒。

乙亥[318]，魏主还平城[319]。

冬，十一月戊戌[320]，魏主如中山，遂如信都[321]。十二月丙子[322]，还，幸灵丘[323]，至温泉宫。庚辰[324]，还平城。

【段旨】

以上为第一段，写宋孝武帝孝建元年（公元四五四年）一年间的大事。主要写了宋荆州刺史刘义宣与江州刺史臧质以平元凶刘劭功大，骄恣放纵，不遵朝廷约束，臧质以拥立刘义宣为名，实则欲伺机推翻刘氏王朝而自立。他们联络兖州刺史徐遗宝、豫州刺史鲁爽、司州刺史鲁秀等以"诛君侧之恶"为名，起兵进攻朝廷：结果垣护之、明胤、夏侯祖欢等破徐遗宝于湖陆；薛安都、宗越、沈庆之等破杀鲁爽于小岘山；朝廷派将军柳元景、王玄谟等率兵西上讨刘义宣、臧质，与刘义宣、臧质军相拒于梁山洲。由于刘义宣不相信臧质、不用臧质的作战方案，致使臧质攻克梁山洲的西城后，再攻东城时，遭遇朝廷军的顽强抗击，被薛安都、垣护之等打败，臧质逃至武昌之南湖，被追兵杀死，刘义宣的军队溃散，其只身逃回江陵，又欲随在襄阳被朱脩之打败的鲁秀一起北逃，不果，鲁秀被江六月二十五日庚寅，朱脩之便进入江陵城杀死了刘义宣，并将刘义宣的十六个儿子及其同党竺超民、担任从事中郎的蔡超、担任谘议参军的颜乐之等人全部杀死。竺超民的兄弟按照律法也应在被诛杀之列，尚书令何尚之上书给孝武帝说："叛贼刘义宣既然逃走，只需一个人就可以把他擒获。如果竺超民是个反复无常的小人，为了获利而不顾一切，当时就会将刘义宣抓起来，如此一来，不但可以免掉他自己的罪，还可以获得朝廷的奖赏。尽管可能会有人说他对刘义宣忘恩负义，然而竺超民却不曾有过这样的想法，从这件事情上多少可以看出他还略微有些仁义的成分。况且竺超民为朝廷保全了江陵城的城池和府舍，小心谨慎地守卫着国家的府库，老老实实地在那里等待被抓捕。如果再杀戮他的兄弟，那么他就与其他的逆党没有什么区别了，这样的处分显然是太重了。"孝武帝于是赦免了竺超民的兄弟。

秋季，七月初一日丙申，发生日食。

七月初五日庚子，北魏文成帝拓跋濬的儿子拓跋弘诞生；初六日辛丑，魏国实行大赦，改年号为兴光元年。

七月二十一日丙辰，宋国实行大赦。

八月初十日甲戌，魏国的赵王拓跋深去世。

十一日乙亥，北魏文成帝从阴山一带巡视完毕回到平城。

冬季，十一月初五日戊戌，北魏文成帝前往中山郡巡视，顺路前往信都。十二月十四日丙子，返回途中，前往灵丘县，抵达温泉宫。十八日庚辰，回到首都平城。

陵城的守军射死，刘义宣被捉回江陵下狱，被进驻江陵的朱脩之杀死，叛乱大体平定。此外还写了孝武帝重新调整势力最大的扬州、荆州、江州，以及削减刘氏诸王的权力，刘义恭为谄媚保身而对之极力迎合等。

【注释】

①正月己亥朔：正月初一是己亥日。②上祀南郊：皇帝亲自在都城的南郊祭祀天神。③改元：上一年为宋文帝元嘉三十年，今年改用新皇帝的年号称为"孝建元年"。胡三省曰："上既平元凶之乱，依故事即位逾年而后改元。'孝建'者，盖欲以孝，建平祸乱、安宗庙之功。"④甲辰：正月初六。⑤为左光禄大夫：免去其尚书令之职，改任之为左光禄大夫。光禄大夫在南朝时期只是一种荣誉性的加官名，并无实权。〖按〗以此文而论，何尚之像是被免去了宰相大权，但据《宋书·何尚之传》，何尚之此时改任侍中，仍是宰相之职。⑥领：兼任。以高身份兼任低职务叫"领"。⑦壬戌：正月二十四。⑧更

铸：改铸。⑨乙丑：正月二十七。⑩伊馛：拓跋焘时代的名将。传见《魏书》卷四十四。⑪丙子：二月初九。⑫子业：刘骏之子，即日后的前废帝。传见《宋书》卷七。⑬臧质：宋文帝的表兄弟，刘骏的表叔，刘宋时期的名将。传见《宋书》卷七十四。⑭潜有异图：暗中有自己的阴谋打算。⑮庸暗易制：资质庸劣，容易控制。⑯外相推奉：表面上做出一种拥立刘义宣为帝的样子。⑰因而覆之：实际上是想借机推翻刘宋政权。⑱内兄：表兄。来自母亲方面的亲缘关系，故称"内"。臧质的姑姑是刘裕的皇后，故刘义隆、刘义宣等都与臧质是表兄弟。⑲既至江陵：在他到达江陵的时候。胡三省曰："质初起兵，与鲁爽同诣江陵。"⑳称名拜义宣：唱着自己的名字拜见刘义宣。这是一种小官拜见大官、臣子拜见帝王的礼节，隐隐表现他要拥立刘义宣为帝的意思。㉑惊愕问故：问他何以行此大礼。㉒事中宜然：国家多事之时，本来就该如此。胡三省曰："谓国家多事之中，宜相推奉也。"㉓已奉帝为主：已经拥戴刘骏为君主。㉔其计不行：臧质拥立刘义宣为帝的计划暂时未能实现。㉕又拜江夏王义恭：又向刘义恭唱着自己的名字行大礼。㉖屯危：艰难危险。屯，《周易》中的卦名，表现艰难险阻之义，故通常用以表达现实中的艰难险阻。㉗礼异常日：行礼也与平常不同。意思是你也有掌权称帝的可能。㉘无不必从：没有一项不是要皇帝依着自己的要求。㉙意有不同二句：凡是他们不同意的，就一概拒绝执行。㉚之江州：时臧质被任为江州刺史，到寻阳（今江西九江）上任。㉛舫千余乘：船只一千多艘。舫，船。乘，一辆、一艘。㉜以少主遇之：把他当成一个晚辈看待。臧质是刘骏的表叔。㉝政刑庆赏：泛指刺史任内的一切大小事务。政，行政事务。刑，司法方面的事务。庆赏，加封某人或赏赐某人。庆，喜乐方面的事情。㉞一不咨禀：一概不请示报告。㉟擅用湓口、钩圻米：擅自截留、动用自长江上游下来的经过九江的朝廷粮船，和自赣江上游下来的经过钩圻的朝廷粮船。湓口，鄱阳湖的入长江之口，在今江西九江的东侧，湖口县的西侧。钩圻，地名，具体方位不详，大体在今江西南昌与九江之间。《水经注》有所谓"赣水自南昌经郴丘城下，又经钩圻邸阁下，而后至彭泽"之语。㊱台符：朝廷发来的命令、文告。符，命令。㊲屡加检诘：多次地检查、盘问。胡三省曰："检诘，谓校检米斛，而诘问擅用之由也。"㊳渐致猜惧：臧质渐渐地形成了对朝廷的猜疑与畏惧。㊴密信：秘密使者。㊵负不赏之功：一个具有无法奖赏之大功的人，夸指刘义宣。负，携带、具有。㊶能全：能使自己得到保全。㊷万物系心于公：万民归心于您。万物，万民。物，指人。㊸声迹已著：声望、事实已经表现，不可能再装傻韬晦。㊹见几不作：机会来了还不动手。作，发动。㊺为他人所先：被他人抢先将你收拾。㊻徐遗宝、鲁爽：都曾是刘义宣的部下与追随者。此时徐遗宝任兖州刺史，在建康之北；鲁爽任南豫州刺史，在建康之西。㊼来屯江上：兵临建康城下。江上，建康城北的长江边。㊽前驱：开路先锋。㊾八州：指荆州、雍州、梁州、益州、湘州、交州、广州、宁州，当时都在刘义宣的直接或间接控制之下。㊿韩、白更生：韩信、白起再世。韩信是刘邦的大将，被人称为"兵仙"，帮着刘邦灭项羽建立汉帝国。事见《史记·淮阴侯列传》。白起是战国时期秦国的名将，曾帮着秦昭王大规模进攻东方，为日后秦始皇的统一六国奠定了基础。事见《史记·白起王翦列传》。㉛不能为建康计：也救不了刘骏的建康政权。㉜少主：指孝武帝刘骏。刘骏是刘义宣之侄，且又年幼，时年二十四岁。㉝闻于道路：家喻户晓，举国皆知。㉞沈、柳：沈庆之、柳元景。㉟溘先朝露：忽然死在未干的朝露之前。溘，波之过去，这里指死。古人常以朝露易干以喻人的生命短暂，这里更说人死在朝露未干之前，措辞甚巧。㊱不得展其旅力：没能为您尽一份力量。旅力，通"膂力"。腰臂之力。有人注"旅"为"众"意，在此未必合适，反觉生硬。㊲为公扫除：为您清除道路上的障碍。㊳司马竺超民：刘义康帐下的司马姓竺名超民。司马是将军的高级僚属，在军中主管司法。㊴有富贵之望：有做大官，追求大富贵的欲望。㊵谓质无复异同：以为臧质不会对自己另怀有三心二意。异同，偏义复词，这里指异。㊶夔：竺夔。胡三省曰："景平、元嘉之间，竺夔守东阳立功。"谓守东阳以抗魏军，东阳即今山东青州。㊷臧敦：臧质之子。㊸寿阳：今安徽寿县，当时为豫州的州治所在地。㊹失义宣指：弄错了刘义宣的意思。㊺戴黄标：佩戴着黄色标帜。㊻法服：举行大典时所穿的礼服，这里指皇帝的服装。㊼治中：官名，州刺史的高级僚属，主管文书案卷，也称治中从事史。㊽勒兵向彭城：徐遗宝当时任兖州刺史，在今山东济宁市兖州区一带，统兵向彭城，是向着南方杀来。㊾狼狈举兵：刘义宣也只好匆忙起兵。狼狈，这里指匆忙，手忙脚乱的样子。㊿敕质收之：命令臧质将鲁弘逮捕。(71)执台使：逮捕朝廷派来的使者。(72)言为左右所谗疾：声称自己被皇帝身边的小人进谗言，受诽谤，被他们憎恨。(73)欲诛君侧之恶：我们起兵的目的就是要除掉皇帝身边的恶人。(74)所造舆服：自己所造的皇帝乘坐的车子和所穿的服装。(75)征北府户曹：征北将军鲁爽府的户曹参军。(76)版义宣等文曰：向刘义宣等发布文告说。版，任命。胡三省曰："晋宋之制，藩方权宜授官者谓之版授。"(77)丞相刘：原来的刘丞相。(78)今补天子：现在行使皇帝职权。补，充任、权任。(79)车骑臧：原来的车骑臧将军。(80)今补丞相：现在行使丞相职权。(81)平西朱：原来的平西朱将军。(82)车骑：车骑将军，位次仅在大将军之下，比四征、四镇的位次都高。(83)版到奉行：接到通告后即行使新的职权。(84)并留竟陵：都暂时封存在竟陵郡。竟陵郡的郡治即今湖北钟祥。(85)不听进：不让他送到荆州来。(86)下戍大雷：向下移驻到大雷。大雷是当时的军事要塞名，即今安徽望江。其地美景如画，鲍照曾作有《登大雷岸与妹书》。(87)将万人就弘：带领着一万人到大雷与鲁弘共同驻守。(88)司州刺史：刘宋的司州州治悬瓠，即今河南汝南。(89)拊膺：捶胸，痛心后悔的样子。(90)吾兄误我：哥哥让我上了当。吾兄，指鲁爽。(91)乃与痴人作贼：竟然跟着一个白痴共同造反。(92)奉乘舆法物迎之：向刘义宣投降，把皇帝的位子让给他。法物，充当仪仗与宫殿陈列的各种器物。(93)固执：坚持原来的方针原则。竟陵王刘诞这时任扬州刺史。(94)此座：皇帝的宝座。(95)己卯：二月十二。(96)辛卯：二月二十四日。(97)癸巳：二月二十六日。(98)进据梁山洲：占据梁山附近的长江中的小洲。梁山即今安徽当涂西南三十里的天门山，因两山夹

大江相对如门而得名。其东者曰博望山，其西者曰梁山。胡三省曰："时梁山江中有洲，玄谟等舟师据之。"⑲偃月垒：形如半弦月的防守工事，两头都在江边，中间向岸上突出，呈可进可退、可攻可守之势。当年刘裕入关灭后秦，中途在黄河上与魏军作战曾用此阵法。见本书前文卷一百十八。⑽悉称名：彼此皆相互称名，不称官衔。⑾甲午：二月二十七。⑿受图箓：向道士接受神秘性的符箓与咒语之类。道教的法师自称可降妖捉鬼，霞举飞升，长生不死云云。所谓"图箓"就是起这种作用的东西。⒀丙申：二月二十九。⒁夏侯祖欢为兖州刺史：取代已经造反的徐遗宝。⒂三月己亥：三月初二。⒃辛丑：三月初四。⒄萧思话为江州刺史：取代已经造反的臧质。萧思话是刘宋名将。传见《宋书》卷七十八。⒅柳元景为雍州刺史：取代听说造反的朱脩之。⒆癸卯：三月初六。⒇庞秀之为徐州刺史：以顶替萧思话的空缺。⑪加进位号：给各地州郡长官提升官职、赠予爵号。⑫陈诚于帝：向皇帝刘骏暗中表示忠心。⑬刘秀之：刘穆之之侄，何承天的女婿，孝武帝刘骏的旧部。传见《宋书》卷八十一。⑭戊申：三月十一。⑮江津：军事要塞名，在今湖北荆州市沙市区东南。⑯舳舻：首尾衔接的船只。舳，船尾。舻，船头。⑰贰于己：与自己不一条心。⑱易与：容易对付。⑲垣护之：刘宋时期的名将，与魏军作战中表现卓异。传见《宋书》卷五十。⑳明胤：姓明名胤。为徐州刺史的长史，萧思话离徐州后，新刺史未来前，明胤代之守徐州。㉑湖陆：县名，在今山东鱼台东南。㉒奔鲁爽：时鲁爽任豫州刺史，驻军于寿阳，即今安徽寿县。㉓历阳：县名，县治在今安徽和县，与建康只有一江之隔，建康称历阳为"西府"。㉔将百舸：率领着一百艘小船。㉕南陵：县名，县治在今安徽池州市贵池区西南。㉖军主：犹今所谓"部队长"，一支军队的头领。不是固定的军官名。㉗夹陈两岸：除江面摆满舰船外，长江两岸的陆地上也摆开军阵。㉘四月戊辰：四月初二。㉙刘义綦：刘裕之弟刘道怜之子，孝武帝之叔。传见《宋书》卷五十一。㉚甲申：四月十八。㉛宗越：刘宋后期以严酷闻名的将领。传见《宋书》卷八十三。㉜大岘：山名，在小岘山之东。小岘山在今安徽合肥东。㉝济江：渡过长江，到达其西北岸。㉞稍退：慢慢地向后撤。稍，渐。㉟断后：在后面掩护军队撤退。㊱丙戌：四月二十。㊲及爽：追上了鲁爽。㊳东海：郡名，刘宋时的东海郡治在今山东兰陵南。㊴李延寿：唐代史学家，贞观中任崇贤馆学士，兼修国史，曾参与编纂《五代史志》和《晋书》，并撰写《太宗政典》。又独立修《南史》八十卷，《北史》一百卷。㊵济其身：想让他个人的事业获得成功。济，成就、成功。㊶非世乱莫由：非赶上动乱的年代不可。㊷以乱世之情：把动乱年代才能干的事情。㊸行之于平日：在太平无事的年代采取行动。㊹其取败也宜哉：以上引文见李延寿所修《南史》卷四十，其文字实际乃转引自沈约的《宋书》卷八十三。㊺鹊头：鹊洲的西南端。鹊洲是长江中的小洲名，在今安徽铜陵至芜湖市繁昌区的长江中。所谓"鹊头"即铜陵西南的鹊头山，"鹊尾"即芜湖市繁昌区东北的三山。面对无为县，是长江中的险要之处。㊻荷任一方：受命管理一个地区。胡三省曰："庆之镇盱眙，今使之专征，盖兼督兖、豫。"㊼衅生所统：乱子发生在我的管区内，指鲁爽的叛军进入了自己驻兵防守的范围。⑱ 聊帅轻师：无可奈何地率领着一支小部队。这是一种像是客气而又调侃的说法。⑲ 指往翦扑：径直地前去征讨。指，直接指向。翦扑，剪除、消灭。⑳ 军锋裁及：双方的先头部队刚一交手。裁，通“才”，刚。及，到一起、交手。㉑ 公情契异常：您和鲁爽的交情比别的人都深。㉒ 或欲相见：可能很想见见他。㉓ 及其可识：趁着他的人头还没变样，还能辨认。㉔ 指送相呈：特派专人送呈给你观看。㉕ 累世将家：鲁爽与其父亲鲁轨、祖父鲁宗之，三世为将，故称“累世”，且鲁宗之与鲁轨在为保卫南朝而与北方民族的作战中都曾有杰出的表现。事见《宋书》卷七十四。㉖ 采石：采石矶，突入于长江中的小山名，在今安徽马鞍山西侧的长江边上。㉗ 益兵：增兵。㉘ 姑孰：县名，即今安徽当涂，在采石矶的上游，相隔不远。㉙ 仲堪假兵：殷仲堪借兵给桓玄用。东晋安帝隆安二年（公元三九八年），东晋的荆州军阀殷仲堪支持野心家桓玄，起兵攻打当时在朝掌权的司马道子。㉚ 灵宝寻害其族：结果桓玄一旦得势后，很快地击败殷仲堪，并将殷仲堪与其亲党杀尽，事见晋安帝隆安三年，本书卷第一百十一。灵宝，桓玄的字。㉛ 孝伯推诚：王恭为讨伐司马道子，以反复无常的刘牢之为爪牙，对之深信不疑。孝伯，王恭的字。推诚，推心置腹地真心相待。㉜ 牢之旋踵而败：结果刘牢之转眼叛变，投降了司马道子，致使王恭兵败被杀。旋踵，转过脚后跟，极言其叛变之快。事见晋安帝隆安二年。㉝ 少无美行：从小没有好的品行。㉞ 弟所具悉：这是你都知道的。㉟ 借西楚之强力：借着你为荆州刺史的强大武力。借，依赖、凭靠。西楚，西方楚地，指荆州，这一带是春秋、战国时代的楚国地盘。㊱ 图济其私：以图谋达到他个人的罪恶目的。㊲ 凶谋若果：他的凶恶计划如果成功。㊳ 非复池中物：他就不会再是一个可以在池塘里养着的物件。意思是他将要成为一条龙，他要升空，做皇帝。㊴ 五月甲辰：五月初八。㊵ 南州：柳元景驻守的姑孰，今安徽当涂。㊶ 梁山中绝：柳元景在梁山洲所构筑的防线遂被斩断。胡三省曰：“当时柳元景屯兵在南州，以梁山为后镇，若取之，则梁山之路中绝。”㊷ 万人缀梁山：再派出一万人进攻梁山，牵制住梁山的守军，不让他们向别处调动。缀，牵制、拖住。㊸ 中流鼓棹：顺长江飞快东下。㊹ 直趣石头：直捣石头城，也就是直取建康。胡三省曰：“沈庆之、薛安都等都在江西，柳元景、王玄谟等与义宣相持；叵质计得行，建康殆矣。”㊺ 尽锐：集中精锐部队。㊻ 冗从仆射：官名，皇帝的侍从官员。㊼ 会：适逢；正赶上。㊽ 攻西垒：胡三省曰，“因西南风急而攻西垒，东垒之兵难以逆风赴救”。㊾ 方渡东岸：正好渡水去东岸。方，刚好。㊿ 驰归：赶紧奔回。(181) 不遣：不派兵往援。(182) 大司马参军：大司马刘义恭的僚属。(183) 固争：极力相劝。争，坚持。(184) 垣询之：垣护之之弟。传见《宋书》卷五十。(185) 比至：等他们到达西垒时。比，及。(186) 南浦：胡三省曰，“其地则今之大信港，俗称扁担河”。(187) 欲自后掩玄谟：想从背后袭击王玄谟。(188) 破之：击破庞法起。(189) 马鞍山：今湖北襄阳西南的望楚山。(190) 蹑之：尾随其后。蹑，跟。(191) 急追：快速追击。(192) 兽穷则攫：一只野兽你把它追急了，它就会回过身子来抓你。攫，抓取、搏斗。(193) 不敌：不对等；无法抵抗。(194) 就节下：凑近您，与您合兵一起。节下，犹言“麾下”，部将对其大将的敬称。⑲更议进取：然后再商量下一步该怎么办。⑲卷甲赴之：率兵急行前往助你。卷甲，脱下铠甲，卷持而行，为求行军的速度快。⑲谓：以为；估计。⑲往造贼垒：向着敌人的工事扑去。造，到。⑲虚实露矣：我们的实际情况就会暴露了。⑳王豫州必不可来：要想让王玄谟能坚守不撤。王豫州，指王玄谟，当时王玄谟任豫州刺史。不可来，不能撤下来。⑳羸弱：病弱。羸，瘦，这里指病弱。⑳复克东城：再攻下梁山洲的东城。此前臧质已经攻下梁山洲的西城。⑳宜遣麾下自行：应该派您自己的部下前去。⑳甲寅：五月十八。⑳陈：通“阵”。⑳覆水：笼罩整个江面。⑳单舸迸走：单独一条小船离群而逃。迸走，离众而逃。⑳闭户：关起船舱的门。⑳不知所为：自己也不知道该做什么了。⑳己未：五月二十三。㉑解严：解除军事紧急状态。主语是刘宋朝廷。㉑癸亥：五月二十七。㉑尚书右仆射：尚书令的下属，位同副丞相。㉑丙寅：六月初一。㉑阴山：横亘在今内蒙古境内的东西走向的大山，在今包头与呼和浩特等城之北，其地有魏国皇帝的离宫。㉑府舍：指江州刺史的办公衙门与居处。㉑嬖人：特殊宠爱的人，通常指男宠。㉑绐文敬：欺骗何文敬。㉑唯捕元恶：只逮捕、惩办那些罪魁祸首。元恶，首恶。㉒为武昌郡：为武昌郡的太守。当时的武昌郡治在今湖北鄂州市鄂城区。㉒郡丞：郡太守的副职。㉒南湖：在今湖北鄂州市鄂城区东八里。㉒掇莲实啖之：采莲子而食以充饥。掇，拾、采摘。啖，吃。㉔以荷覆头：用荷叶盖在头顶。㉕戊辰：六月初三。㉖中心：射中心口。㉗肠胃萦水草：肠胃都流出腹腔，缠绕在水草上。萦，绕。㉘弃市：处死于集市。㉙豫章太守乐安任荟之：任豫章太守的乐安郡人姓任名荟之。豫章郡的郡治即今江西南昌，乐安郡的郡治在今山东广饶北。㉚临川内史：临川郡的行政长官，职同太守。临川在当时因是诸侯王的封国，故其长官称内史，都城在今江西抚州西。㉛鄱阳：郡名，郡治在今江西鄱阳县北的广进乡。㉜骥：杜骥，晋代名将杜预的后代，刘宋时期有惠政的地方官。传见《宋书》卷六十五。㉝封赏各有差：随着功劳的大小，所受的封赏也有高低的不同。㉞巴陵：郡名，郡治即今湖南岳阳。㉟僦民露车：向百姓家租赁了一辆没有篷盖的车子。僦，租用。㊱郭：外城。㊲具羽仪：组织起仪仗队。具，备齐。羽仪，高级官僚的仪仗队，有些幡伞之类的仪仗上有羽毛的饰物。㊳诫义宣：劝告刘义宣。㊴抚慰将佐：安慰、鼓励部下的僚属。㊵臧质违指授之宜：由于臧质违背刘义宣的正确指挥。实际是刘义宣不听臧质的正确建议。指授，指点教导。㊶用致失利：因而导致战场的失败。用，因。㊷今：将，现在我们要……。㊸治兵缮甲：打造兵器，修理盔甲。缮，修理。㊹更为后图：再做以后的打算。㊺汉高百败：当年刘邦与项羽争天下，曾经多次被项羽打败。㊻终成大业：最后终于建立了大汉王朝。刘邦百败终于建立汉朝事，见《史记·高祖本纪》。㊼众咸掩口：以笑刘义宣的腐朽而又无知。掩口，指掩口而笑。㊽惛沮：昏庸、泄气。㊾无复神守：魂不守舍，没了主心骨。㊿稍稍离叛：渐渐离他而去。(251)鲁秀北走：鲁秀离开刘义宣，北投魏国。据裴子野《宋略》：“秀自襄阳败退，将及江陵，闻败北走。”〖按〗鲁秀的襄阳败退，乃被朱脩之打败，准备南去江陵，到刘义宣的大本营。㉒ 携息慆：带着他的儿子刘慆。息，儿子。㉓ 白刃交横：乱兵到处杀人。㉔ 步进：徒步而行。㉕ 更以马与之：另给他找了一匹马，让他走。㉖ 归而城守：竺超民自己则回江陵守卫城池，维持秩序，听候朝廷旨意。㉗ 求秀不得：找不到鲁秀。求，寻找。㉘ 南郡空廨：南郡太守在江陵城外的一所空房子。南郡的郡治就在江陵。㉙ 收送刺奸：拘捕刘义宣，将其送到江陵军镇的刺奸科。刺奸，清查奸细的部门，当时有刺奸掾，以主其事。㉚ 止狱户：在监狱的门口停下来。㉛ 误我：害了我，将我引入歧途。㉜ 被遣出：令她们出狱回家。㉝ 常日非苦：平常时候所遭受的苦都不算苦。㉞ 不能去：无处可逃。㉟ 还向江陵：返回江陵。㊱ 就取其首：下来割去了他的人头。就，趋近。㊲ 刘延孙：刘宋的著名地方官刘道产之子。刘道产事见《宋书》卷六十五，刘延孙事见《宋书》卷七十八。刘延孙时任尚书右仆射。㊳ 使荆、江二州：奉旨到荆、江二州处置诸叛犯的事宜。㊴ 旌别枉直：鉴别哪个是好人，哪个是坏人。枉直，曲直、好坏。㊵ 就行诛赏：就地执行该杀的杀，该赏的赏。㊶ 分割二州之地：从荆州和江州二州中各划出一块地盘。㊷ 更置新州：另增设一个新的州，即下文所说的"郢州"，目的是削弱原来荆、江二州刺史的权力。㊸ 京畿：国家都城与其郊区的所在地。㊹ 谷帛所资：朝廷所需要的吃饭与穿衣的全部出产。㊺ 重镇：国家政府的军事要地，指军队的数量之多与装备之精良、储存之丰富皆他处所不能比。㊻ 常使大将居之：任此二州刺史的都是皇帝的至亲与其心腹将领。刘裕曾安排他的儿子每人都要当一任荆州刺史。㊼ 癸未：六月十八。㊽ 浙东五郡：指会稽郡（郡治即今浙江绍兴）、东阳郡（郡治即今浙江金华）、永嘉郡（郡治即今浙江温州）、临海郡（郡治即今浙江临海）、新安郡（郡治即今浙江淳安）。㊾ 荆、湘、江、豫州之八郡：荆州的江夏郡（郡治即今湖北武汉）、竟陵郡（郡治即今湖北钟祥）、随郡（郡治即今湖北随县）、武陵郡（郡治即今湖南常德）、天门郡（郡治即今湖南石门），湘州的巴陵郡（郡治即今湖南岳阳），江州的武昌郡（郡治即今湖北鄂州市鄂城区），豫州的西阳郡（郡治在今湖北黄冈东）。㊿ 南蛮校尉：官名，掌南方少数民族的长官；也是政区名，治所在今湖北襄阳。281 其营：南蛮校尉的兵营，这里即原属南蛮校尉的这支军队。282 沔口：汉口，汉水入长江之口。因汉水也称沔水，故汉口也称沔口。283 通接雍、梁：通过汉水与雍、梁二州相连接。刘宋时的雍州州治在襄阳，梁州州治在汉中，都在汉水的边上。284 津要：交通之咽喉通道。285 由来旧镇：历朝历代都是军事要地。286 根基不易：其基础是不好变动的。287 见城：现存的城池。288 浦大容舫：江面宽广，可以容纳大量船只。浦，水边，这里指港湾。289 虚耗：因财力物力被不断抽调而空虚、匮乏，成了空架子。290 戊子：六月二十三。291 省录尚书事：废去了录尚书事这个官职。原有尚书令，又令宗室诸王为录尚书事，白白地增大诸王之权。292 知其指：明白他的心思。293 故请省之：由此句可知朝廷所以废止录尚书事之官，乃刘义恭迎合刘骏而建议废之。294 八座：胡三省曰，"《晋志》曰：'五曹尚书、一仆射、二令，为八座'。宋盖二仆射、一令"。295 自为计：自己考虑怎么办，意即令其自杀。㉖庚寅：六月二十五。㉗贼：指刘义宣。㉘反覆昧利：为了获利而反复无常。昧利，为获利而不顾一切。㉙即当取之：当时就会捉住刘义宣。㉚非唯免愆：不但可以免掉自己的罪。㉛亦可要不义之赏：还可以获得朝廷的赏赐，尽管可能有人会说他对刘义宣忘恩负义。㉜曾无此意：根本没有这样的想法。㉝微足观过知仁：从这件事情上多少可以看到一点他的仁义的成分。观过知仁，见《论语·里仁》，原文作"观过斯知仁矣"，意思是从所犯的过失，就可以看出他是一个仁义的人。㉞为官保全城府：为朝廷保全了城池府舍。官，朝廷、国家，也可以指皇帝。㉟端坐待缚：老老实实地束手就擒。㊱今戮及兄弟：如果我们还要株连到他的兄弟一起杀戮。㊲于事为重：这样的处理似乎是太重了。㊳原：赦免。㊴七月丙申朔：七月初一是丙申日。㊵庚子：七月初五。㊶皇子弘：拓跋弘，即日后的献文帝。㊷辛丑：七月初六。㊸改元兴光：魏主拓跋濬改年号曰兴光，在此之前其年号曰兴安。㊹丙辰：七月二十一。㊺大赦：指刘宋施行大赦。㊻八月甲戌：八月初十。㊼赵王深：拓跋深。㊽乙亥：八月十一。㊾魏主还平城：自阴山回平城。㊿十一月戊戌：十一月初五。[321]信都：今河北衡水市冀州区，当时为长乐郡的郡治所在地。[322]十二月丙子：十二月十四。[323]灵丘：今山西灵丘。[324]庚辰：十二月十八。

【原文】

二年（乙未，公元四五五年）

春，正月，魏车骑大将军乐平王拔[325]有罪赐死。

镇北大将军、南兖州刺史沈庆之请老[326]，二月丙寅[327]，以为左光禄大夫、开府仪同三司[328]。庆之固让，表疏数十上，又面自陈，乃至稽颡[329]泣涕。上不能夺[330]，听以始兴公就第[331]，厚加给奉。顷之[332]，上复欲用庆之，使何尚之往起之[333]。尚之累陈上意[334]，庆之笑曰："沈公不效何公[335]，往而复返[336]。"尚之惭而止。辛巳[337]，以尚书右仆射刘延孙为南兖州刺史。

夏，五月戊戌[338]，以湘州刺史刘遵考[339]为尚书右仆射。

六月壬戌[340]，魏改元太安[341]。甲子[342]，大赦。

甲申[343]，魏主还平城[344]。

【校记】

［1］质：原无此字。据章钰校，甲十一行本、乙十一行本、孔天胤本皆有此字，张敦仁《通鉴刊本识误》同，今据补。［2］遗宝：原作“徐遗宝”。据章钰校，甲十一行本、乙十一行本、孔天胤本皆无“徐”字，今据删。［3］周之攻垒甚急：原无此六字。据章钰校，甲十一行本、乙十一行本、孔天胤本皆有此六字，张敦仁《通鉴刊本识误》、张瑛《通鉴校勘记》同，今据补。［4］请自：原作“自请”。据章钰校，甲十一行本、乙十一行本、孔天胤本二字皆互乙，张敦仁《通鉴刊本识误》同，今据改。［5］豫章太守乐安：原作“乐安太守”。据章钰校，甲十一行本、乙十一行本、孔天胤本皆作“豫章太守乐安”，今据改。［6］随：原作“从”。据章钰校，甲十一行本、乙十一行本、孔天胤本皆作“随”，今据改。［7］刘延孙：原作“刘孝孙”。据章钰校，甲十一行本、乙十一行本、孔天胤本皆作“刘延孙”，张敦仁《通鉴刊本识误》、张瑛《通鉴校勘记》同，今据改。

【语译】

二年（乙未，公元四五五年）

春季，正月，魏国担任车骑大将军的乐平王拓跋拔犯罪，被文成帝拓跋濬赐令自杀。

宋国担任镇北大将军、南兖州刺史的沈庆之请求退休回家养老，二月初五日丙寅，朝廷任命沈庆之为左光禄大夫、开府仪同三司。沈庆之坚持辞让，先后呈递了几十道奏章，又当面向孝武帝刘骏陈述自己请求退休的理由，以至于磕头至地，痛哭流涕。宋孝武帝不能强迫他改变自己的志愿，就同意沈庆之以始兴公的爵号退休回家，给他的退休待遇非常优厚。过了不久，孝武帝又想重新起用沈庆之，就派遣尚书令何尚之亲自到沈庆之的家中劝说他仍旧出来做官。何尚之反复说明孝武帝的意思，沈庆之便笑着说：“我不会像何先生你那样，退休了又返回朝廷做官。”听了此话何尚之深感惭愧，所以就不再去劝说沈庆之。二十日辛巳，宋孝武帝任命担任尚书右仆射的刘延孙为南兖州刺史。

夏季，五月初八日戊戌，宋孝武帝任命担任湘州刺史的刘遵考为尚书右仆射。

六月初二日壬戌，魏国改年号为太安元年。初四日甲子，宋国实行大赦。

二十四日甲申，北魏文成帝回到平城。

秋，七月癸巳[345]，立皇弟休祐[346]为山阳王[347]，休茂为海陵王[348]，休业为鄱阳王[349]。

丙辰[350]，魏主如河西[351]。

雍州刺史武昌王浑[352]与左右作檄文，自号楚王[353]，改元永光[354]，备置百官[355]，以为戏笑。长史王翼之封呈其手迹[356]。八月庚申[357]，废浑为庶人，徙始安郡[358]。上遣员外散骑侍郎东海戴明宝[359]诘责浑，因逼令自杀，时年十七。

丁亥[360]，魏主还平城。

诏祀郊庙，初设备乐[361]，从前殿中曹郎[362]荀万秋之议也。

上欲削弱王侯[363]。冬，十月己未[364]，江夏王义恭、竟陵王诞奏裁损[365][8]王、侯车服、器用、乐舞制度，凡九事，上因讽有司[366]奏增广为二十四条：听事[367]不得南向施帐[9]坐；剑不得为鹿卢形[368]；内史、相[369]及封内官长[370]止称下官[371]，不得称臣，罢官则不复追敬[372]。诏可。

庚午[373]，魏以辽西王常英[374]为太宰。

壬午[375]，以太傅义恭领扬州刺史，竟陵王诞为司空、领南徐州刺史，建平王宏为尚书令。

是岁，以故氐王杨保宗[376]子元和为征虏将军，杨头为辅国将军。头，文德之从祖兄[377]也。元和虽杨氏正统[378]，朝廷以其年幼才弱，未正位号[379]，部落无定主[380]。头先戍葭芦[381]，母、妻、子、弟并为魏所执[382]，而头为宋坚守无贰心。雍州刺史王玄谟上言："请以头为假节[383]、西秦州刺史[384]，用安辑其众[385]。俟数年之后，元和稍长，使嗣故业[386]。若元和才用不称[387]，便应归头[388]。头能藩捍汉川[389]，使无虏患，彼四千户荒州[390]殆不足惜[391]。若葭芦不守，汉川亦无立理[392]。"上不从。

秋季，七月初四日癸巳，宋孝武帝封自己的弟弟刘休祐为山阳王，刘休茂为海陵王，刘休业为鄱阳王。

七月二十七日丙辰，北魏文成帝前往黄河以西地区进行巡视。

被孝武帝任命为雍州刺史的武昌王刘浑与自己身边的侍从一起撰写了一篇檄文，自称为楚王，改年号为永光，并按照朝廷的格局，设置并任命文武百官，以此作为游戏取乐。在武昌王刘浑属下担任长史的王翼之把刘浑有关檄文、改元以及任命文武官员的亲笔字密封起来呈送给朝廷。八月初一日庚申，孝武帝把刘浑贬为平民，流放到始安郡。孝武帝派遣担任员外散骑侍郎的东海郡人戴明宝前去责问刘浑，趁机逼迫刘浑自杀，当时刘浑只有十七岁。

八月二十八日丁亥，北魏文成帝从河西地区返回平城。

宋孝武帝下诏到郊庙进行祭祀，祭祀时第一次使用齐全的歌舞，这是听从了前任殿中曹郎荀万秋的建议。

宋孝武帝准备削减、降低刘氏诸王、诸侯们的权势与品级地位。冬季，十月初一日己未，担任太傅的江夏王刘义恭、担任扬州刺史的竟陵王刘诞向孝武帝建议裁减刘氏诸王、诸侯所乘坐的车子、所穿的衣服、所使用的器物、音乐、歌舞的规格和数量，总计有九条，孝武帝趁机示意给有关部门的官员，将刘义恭、刘诞奏请的九条增加到二十四条：王、侯在听取属下人的请示、汇报时不能面向南设立帷帐而坐；王、侯所佩戴的剑把不能制作成弯曲得如同辘轳的形状；在郡王的封国之内担任内史、相以及各级官长对王、侯说话时只许自称下官，不能称自己为臣，被罢官的王侯不再追加恭敬的称号。孝武帝下诏说可以。

十月十二日庚午，魏国朝廷任命辽西王常英为太宰。

十月二十四日壬午，宋孝武帝任命担任太傅的江夏王刘义恭兼任扬州刺史，任命担任扬州刺史的竟陵王刘诞为司空，兼任南徐州刺史，任命建平王刘宏为尚书令。

这一年，宋孝武帝任命已经故去的氐王杨保宗的儿子杨元和为征虏将军，杨头为辅国将军。杨头，是杨文德的堂兄。杨元和虽然是武都地区氐族首领杨氏的正统继承人，但朝廷因为杨元和年纪太小，才干不足，所以还没有名正言顺地册立其为武都王或是氐王，现在氐部落还没有法定的统治者。杨头早先曾经戍守葭芦，在自己的母亲、妻子、兄弟都被魏军俘虏的情况下，仍然为宋国坚守城池毫无二心。担任雍州刺史的王玄谟上书给朝廷说："请朝廷授予杨头旌节，任命他为西秦州刺史，让他以此名义来安抚、统领那里的氐族民众。等过几年之后，杨元和逐渐长大成人，再让杨元和来继承其先人的权位。如果到那时杨元和的才干能力不足以充当氐族头领，就应该把政权、爵位交给杨头。杨头有能力捍卫汉川流域一带地区，使那里不遭受胡虏的祸患，西秦州是一个只有四千户的荒僻州，原本也不值得吝惜。如果葭芦守不住，那么汉水流域也就难以保全。"孝武帝没有采纳王玄谟的意见。

三年（丙申，公元四五六年）

春，正月庚寅[393]，立皇弟休范[394]为顺阳王[395]，休若[396]为巴陵王[397]。戊戌[398]，立皇子子尚[399]为西阳王[400]。壬子[401]，纳右卫将军何瑀女[402]为太子妃。瑀，澄[403]之曾孙也。甲寅[404]，大赦。

乙卯[405]，魏立贵人冯氏[406]为皇后。后，辽西郡公朗[407]之女也。朗为秦、雍二州刺史，坐事诛，后由是没入宫[408]。

二月丁巳[409]，魏主立子弘[410]为皇太子，先使其母李贵人条记所付托兄弟[411]，然后依故事赐死[412]。

甲子[413]，以广州刺史宗悫为豫州刺史。故事，府州部内论事[414]，皆签前直叙所论之事[415]，置典签[416]以主之。宋世诸皇子为方镇[417]者多幼，时主[418]皆以亲近左右领典签[419]，典签之权稍重[420]。至是，虽长王临藩[421]，素族出镇[422]，典签皆出纳教命[423]，执其枢要[424]，刺史不得专其职任。及悫为豫州[425]，临安吴喜[426]为典签。悫刑政所施[427]，喜每多违执[428]，悫大怒，曰："宗悫年将六十，为国竭命[429]，正得一州如斗大[430]，不能复与典签共临之[431]！"喜稽颡流血[432]，乃止。

丁零[433]数千家匿井陉山[434]中为盗，魏选部尚书[435]陆真[436]与州郡合兵讨灭之。

闰月戊午[437]，以尚书左仆射刘遵考为丹杨尹[438]。

癸酉[439]，鄱阳哀王休业[440]卒。

太傅义恭以南兖州刺史西阳王子尚有宠，将避之，乃辞扬州[441]。秋，七月，解义恭扬州；丙子[442]，以子尚为扬州刺史。时荧惑守南斗[443]，上废西州旧馆[444]，使子尚移治东城[445]以厌之[446]。扬州别驾从事[447]沈怀文[448]曰："天道示变，宜应之以德[449]。今虽空西州，恐无益也。"不从。

三年（丙申，公元四五六年）

春季，正月初四日庚寅，宋孝武帝封自己的弟弟刘休范为顺阳王，封刘休若为巴陵王。十二日戊戌，封自己的儿子刘子尚为西阳王。二十六日壬子，聘娶右卫将军何瑀的女儿为皇太子妃。何瑀，是何澄的曾孙。二十八日甲寅，实行大赦。

正月二十九日乙卯，北魏文成帝立贵人冯氏为皇后。冯皇后，是辽西郡公冯朗的女儿。冯朗在担任秦州、雍州二州刺史的时候，因为受到牵连而获罪被杀，冯氏也因为是罪臣的家属而被罚入宫为奴。

二月初一日丁巳，北魏文成帝立自己的儿子拓跋弘为皇太子，文成帝先让拓跋弘的母亲李贵人将所要托付给朝廷照顾的兄弟们全都一个一个地记载下来，然后依照魏国的老规矩令李贵人自杀而死。

二月初八日甲子，宋孝武帝任命担任广州刺史的宗悫为豫州刺史。依照惯例，都督府与州刺史机关内部讨论有关军政事务的时候，参加讨论的人都要把在会上的发言如实地记录下来，交给典签，由典签掌管。宋国时期各皇子担任各州刺史、督军的时候，年纪大多很幼小，当时的皇帝就把自己的左右亲信派去充当典签之职，所以典签的权力便越来越大。到了孝武帝时期，即使年长的郡王出去担任刺史、督军，或者出身寒族，完全凭着自己的功劳勋业而成为刺史、督军的人，也都要由典签发号施令，掌管着刺史府与督军府的机要部门，刺史反倒不能独自行使职权。等到宗悫担任豫州刺史的时候，由临安县人吴喜为其担任典签。宗悫所实行的各种刑法、各项政令，吴喜往往多有违背，宗悫于是大怒，说："我宗悫已经年近六十岁，为国家竭尽心力，才获得了这颗如斗大的州刺史印，我绝对不允许再让一个担任典签的吴喜来干涉我对豫州的管理！"吴喜吓得一个劲地磕头，磕得额头上都流出了鲜血，宗悫的怒气才算平息下来。

数千家丁零族人藏匿在井陉一带的山区做强盗，魏国担任选部尚书的陆真与所在州郡合兵一处，共同将做强盗的数千家丁零人消灭。

闰三月初三日戊午，宋孝武帝任命担任尚书左仆射的刘遵考为丹杨尹。

十八日癸酉，宋国的鄱阳哀王刘休业去世。

宋国担任太傅的江夏王刘义恭因为担任南兖州刺史的西阳王刘子尚很受孝武帝的宠爱，就想避让他，于是请求辞去自己所担任的扬州刺史一职。秋季，七月，孝武帝免去了刘义恭的扬州刺史职务；二十三日丙子，孝武帝任命自己的儿子西阳王刘子尚为扬州刺史。当时荧惑星运行到斗宿的位置，孝武帝废弃了兴建在西州的扬州刺史衙门，而令刘子尚把衙门搬迁到东城，想用这种搬迁的办法来躲避、抵御荧惑星占据斗宿所预示的灾难。担任扬州别驾从事的沈怀文说："上天以星辰的变化来向人间提出警告，我们就应当以加强道德修养、多做好事的办法来化解上天的变化。现在就是把设在西州的扬州刺史府弃置不用，恐怕也没有什么好处。"孝武帝没有采

怀文，怀远[450]之兄也。

八月，魏平西将军渔阳公尉眷[451]击伊吾[452]，克其城，大获而还。

九月壬戌[453]，以丹杨尹刘遵考为尚书右仆射。

冬，十月甲申[454]，魏主还平城[455]。

丙午[456]，太傅义恭进位太宰，领司徒[457]。

十一月，魏以尚书西平王源贺[458]为冀州刺史，更赐爵陇西王。贺上言："今北虏游魂[459]，南寇负险[460]，疆埸[461]之间，犹须防戍。臣愚以为，自非大逆[462]、赤手杀人，其坐赃盗及过误[463]应入死者，皆可原宥[464]，谪使守边[465]，则是[466]已断之体受更生之恩[467]，徭役之家蒙休息之惠[468]。"魏高宗从之。久之，谓群臣曰："吾用贺言，一岁所活不少，增戍兵亦多。卿等人人如贺，朕何忧哉！"会武邑[469]人石华告贺谋反，有司以闻，帝曰："贺竭诚事国，朕为卿等保之，无此，明矣。"命精加讯验[470]，华果引诬[471]，帝诛之，因谓左右曰："以贺忠诚，犹不免诬谤，不及贺者可无慎哉[472]！"

十二月，濮阳太守[473]姜龙驹、新平太守[474]杨自伦帅吏民[10]弃郡奔魏[475]。

上欲移青、冀二州并镇历城[476]，议者多不同。青、冀二州刺史垣护之曰："青州北有河、济[477]，又多陂泽[478]，非虏所向[479]。每来寇掠，必由历城。二州并镇，此经远之略[480]也。北又近河[481]，归顺者易[482]。近息民患[483]，远申王威[484]，安边之上计也。"由是遂定。

元嘉中，官铸四铢钱，轮郭[485]、形制[486]与五铢同[487]，用费无利[488]，故民不盗铸。及上即位，又铸孝建四铢，形式薄小，轮郭不成[489]。于是盗

纳沈怀文的意见。沈怀文，是沈怀远的哥哥。

八月，魏国担任平西将军的渔阳公尉眷率军袭击伊吾城，将伊吾城攻克，缴获了大量的战利品而后班师。

九月初十日壬戌，宋孝武帝任命担任丹杨尹的刘遵考为尚书右仆射。

冬季，十月初二日甲申，北魏文成帝回到平城。

十月二十四日丙午，宋国晋升担任太傅的江夏王刘义恭为太宰，兼任司徒。

十一月，北魏文成帝任命担任尚书的西平王源贺为冀州刺史，并改封源贺为陇西王。源贺上书给文成帝说："如今北方有柔然在伺机对我国进行骚扰，南方有刘宋在负险观望，边境线上，尤其需要派兵戍守。我认为如果不是犯有弑君、叛国的大逆不道罪、赤手空拳杀人罪应该被判处死刑以外，其他那些犯有贪赃罪、偷盗抢劫罪以及所犯过错应当被判处死刑的人，都可以将他们宽恕，让他们去戍守边疆，这就等于让原本该被斩首或被断胳膊、断腿的人受到朝廷的再生之恩，让本该去服劳役的家庭因此蒙受到休养生息的恩典。"魏高宗拓跋濬采纳了源贺的建议。过了很长一段时间之后，文成帝对群臣说："我采纳源贺的建议之后，一年能够救活不少的人，也增加了很多守卫边境的士兵。如果你们人人都能像源贺那样，我还有什么可忧虑的呢！"恰逢武邑郡人石华控告源贺谋反，有关部门便向文成帝做了汇报，文成帝说："源贺竭尽忠诚报效国家，朕可以向你们保证，源贺绝不会有谋反之事，这是明摆着的事情。"拓跋濬命令有关部门针对此事认真审问核查，石华果然承认自己是在诬告，文成帝下令诛杀石华，并借机对身边的人说："就凭源贺对国家如此的忠诚，尚且不免受到诬陷与诽谤，那些赶不上源贺的人不应该更加谨慎小心吗?!"

十二月，宋国担任濮阳太守的姜龙驹、担任新平太守的杨自伦率领着属下的官吏和民众放弃自己守卫的城池向北投降了魏国。

宋孝武帝准备把青州、冀州的州治合并，统一设在历城，参加议论的大臣中有许多人不赞同。担任青、冀二州刺史的垣护之说："青州北边有黄河、济水，又有许多的水道湖泊，不是魏国人进攻的目标。魏国人每次前来进犯掳掠，一定要经过历城。把青、冀二州镇治统一设置在历城，这是具有长远眼光的谋略。历城北边又靠近黄河，魏国有人前来投奔我们宋国也便于他们越过边境。既便于归降者就近摆脱危急，又便于皇帝的声威远传到朔北，这是安定边境的上等妙计。"因为垣护之的这一番话，把青、冀两州州治合并到历城的事情才确定下来。

元嘉年间，宋朝官府所铸造的四铢铜钱，不论是从形状还是规格上都与汉武帝时期的五铢钱相同，铸一枚铜钱的费用正好与一枚铜钱的面值相等，因为铸钱没有赢利，所以民间没有人私自铸钱。等到孝武帝即位之后，官府又开始铸造孝建四铢钱，形状与规格既小又薄，样式也不符合标准。于是就有很多人偷偷铸造孝建四铢

铸者众，杂以铅、锡[490]，翦凿古钱[491]，钱转薄小。守宰不能禁，坐死、免者相继[492]。盗铸益甚，物价踊贵[493]，朝廷患之。去岁春，诏钱薄小无轮郭者悉不得行，民间喧扰。是岁，始兴郡公沈庆之建议，以为“宜听民铸钱[494]，郡县置钱署[495]，乐铸之家皆居署内，平其准式[496]，去其杂伪[497]。去春所禁新品[498]，一时施用[499]，今铸悉依此格[500]。万税三千[501]，严检盗铸[502]”。丹杨尹颜竣驳之，以为“五铢轻重，定于汉世[503]，魏、晋以降[504]，莫之能改[505]。诚以物货既均[506]，改之伪生[507]故也。今云去春所禁一时施用，若巨细总行[508]而不从公铸[509]，利己既深[510]，情伪无极[511]，私铸、翦凿尽不可禁[512]。财货未赡[513]，大钱已竭[514]，数岁之间，悉为尘土[515]矣。今新禁初行[516]，品式未一[517]，须臾自止[518]，不足以垂圣虑[519]。唯府藏空匮[520]，实为重忧。今纵行细钱[521]，官无益赋之理[522]；百姓虽赡[523]，无解官乏[524]。唯简费去华[525]，专在节俭[526]，求赡之道，莫此为贵耳”。议者又以为“铜转难得[527]，欲铸二铢钱”。竣曰：“议者以为官藏[528]空虚，宜更改铸[529]，天下铜少，宜减钱式[530]以救交弊[531]，赈国舒民[532]。愚以为不然。今铸二铢，恣行新细[533]，于官无解于乏[534]，而民间奸巧大兴[535]，天下之货[536]将糜碎至尽[537]。空严立禁[538]，而利深难绝[539]，不一二年[540]，其弊不可复救。民惩大钱之改[541]，兼畏近日新禁，市井之间，必生纷

钱，他们在铸钱的铜里掺进铅、锡等省钱的材料，又把前代传下来的铜钱磨小磨薄，把磨下来的铜屑搜集起来用来铸造新铜钱，这样一来，铜钱更薄更小。郡守县令无法禁止，因此事受到牵连而被处死、免职的官员一个接一个。而盗铸铜钱的现象却越来越严重，物价跳跃式上涨，朝廷对此感到非常忧虑。上一年的春天，宋孝武帝下诏，凡是既薄又小而样式又不好看、不达标准的铜钱一律不准许流通使用，诏书一下，民间一片哗然扰攘。这一年，已经退休家居养老的始兴郡公沈庆之建议，认为“应当允许百姓铸造铜钱，但是各郡各县要设置一个铸钱的机构，把那些愿意铸造铜钱的人家都集中到这个机构之内，由官府为他们规定所铸铜钱的标准样式，禁止他们在铸造铜钱的铜汁之内掺杂铅、锡等。去年春天禁止使用的新铸‘孝建四铢钱’，作为权宜之计，暂时允许继续投入流通使用，从今以后新铸的铜钱要完全遵照新规定的标准样式铸造。铸造一万枚铜钱要上缴三千枚铜钱作为税收，严格检查，禁止铸钱机构以外的人再偷着铸造铜钱”。担任丹杨尹的颜竣反驳沈庆之，认为“五铢钱的重量、样式，是从汉武帝元狩元年开始确定下来的，魏、晋以来，再没有改变过。那是因为市场上的商品数量，与市场上流通的钱币数量是成比例的，一旦改变铜钱的重量就会产生弄虚作假。现在却说去年春天所禁止使用的铜钱可以暂时继续使用，如果大钱小钱一齐上市流通而不是一切钱币都由国家按照规定所铸造，铸钱的人一旦为了获得巨大的利润，那么在铸钱过程中掺杂使假的现象就会层出不穷，私自铸钱、把古代流传下来的铜钱磨小磨薄的现象就全都无法禁止。等不到按照官府规定的规格样式铸造的钱币充分够用，而前代流传下来的大面额的铜钱就已经被凿磨净尽，用不了几年的时间那些按照规定制造出来的铜钱就都将被奸人毁坏得像尘土一样没有价值。现在朝廷刚开始发布‘钱薄小无轮廓者悉不得行’的禁令，铜钱的质量与样式不统一，过一段时间这种现象自然会好转，不值得圣明的皇帝为此而感到忧虑。只有国家府库空虚，没有铜钱储备，这才是最令人忧虑的大事情。现在即使发行分量轻的四铢钱，官府也没有增加赋税的道理；百姓的私家即使钱币再多，也解决不了国家财政匮乏的问题。唯有节省开支，禁止奢侈，注意节俭，才是求得国家富裕的道路，没有比这个办法更重要、更可贵的了”。参加议论的人又认为“用来铸造铜钱的铜越来越少，希望能铸造二铢重的铜钱”。丹杨尹颜竣说：“参加讨论的人认为目前国库空虚，就应该改铸二铢铜钱，因为天下的铜已经很少，所以就应该减少铜钱的品种和样式，以解决目前交织在一起的各种困难，以救国家之难，解百姓之急。我却不这样认为。如果铸造二铢钱，把铜钱弄得很新很小，对于朝廷来说仍然不能解决国库空虚缺钱的问题，而民间偷着铸钱的坏人就会一哄而起，整个国家的货币就会全部遭到破坏。白白地发布一些严格的禁令，因为有厚利的吸引，私铸钱币就很难禁绝，用不了一两年，私铸钱币所造成的弊端就将无法挽救。百姓接受了大钱被改变的教训，再加上畏惧新近所发布的禁令，社会上必然会引起波动

扰[542]。远利未闻[543]，切患猥及[544]，富商得志，贫民困窘，此皆甚不可者也。”乃止。

魏定州刺史高阳[545]许宗之求取不节[546]，深泽[547]民马超谤毁宗之，宗之殴杀超，恐其家人告状，上超诋讪朝政[548]。魏高宗曰：“此必妄[549]也。朕为天下主，何恶于超[550]而有此言？必宗之惧罪诬超。”案验[551]，果然。斩宗之于都南。

金紫光禄大夫颜延之[552]卒。延之子竣贵重[553]，凡所资供[554]，延之一无所受，布衣茅屋，萧然如故[555]。常乘羸牛笨车[556]，逢竣卤簿[557]，即屏住道侧[558]。常语竣曰[559]：“吾平生不憙[560]见要人，今不幸见汝[561]！”竣起宅[562]，延之谓曰：“善为之[563]，无令后人笑汝拙[564]也。”延之尝早诣竣[565]，见宾客盈门，竣尚未起，延之怒曰：“汝出粪土之中[566]，升云霞之上[567]，遽骄傲如此[568]，其能久乎！”竣丁父忧[569]，裁逾月[570]，起为右将军[571]，丹杨尹如故[572]。竣固辞，表十上，不许[11]。遣中书舍人戴明宝抱竣登车，载之郡舍[573]，赐以布衣一袭[574]，絮以彩纶[575]，遣主衣[576]就衣诸体[577]。

【段旨】

以上为第二段，写宋孝武帝孝建二年（公元四五五年）、三年共两年间的大事。主要写了刘宋名将沈庆之请求退休，孝武帝令何尚之劝阻，沈庆之不从；写了文帝之子武昌王刘浑自号楚王，以备置百官为乐，被孝武帝逼令自杀；写了孝武帝削弱王侯，裁减其各种礼仪服饰待遇，订出规定若干条，皆刘义恭、刘诞承意上奏为之；写了刘宋刺史、督军属下的典签掌权，骄纵不法，凌忤主官，豫州刺史宗悫愤怒地予以斥责裁抑；写了刘宋之元嘉时期使用四铢钱，与汉之五铢钱实际相同，人心稳定，孝武帝即位以来铸孝建四铢钱，民间多起盗铸，朝廷议论纷纷，建言再改，颜竣以为币制应该稳定，政府应“简费去华，专在节俭”云云；写了颜竣自孝武帝即位以来，官高势大，其父颜延之屡屡裁抑之，令其简约谦退；写了魏主拓跋濬立其子拓跋弘为太子，依故事杀太子之母李贵人，以及魏国的功臣源贺建议减免死刑犯与诸肉刑犯之罪，罚令戍边，以减少平民之徭役，魏主从之等。

与混乱。长远的利益还没有听见人们说起，急迫的灾难就已经来到跟前，原本富裕的商人就会更加得志，而平民百姓就会更加贫困窘迫，这些都是改铸二铢钱绝对不可行的原因。”于是改铸二铢钱的建议被否决。

魏国担任定州刺史的高阳郡人许宗之向其治下的吏民索取贿赂没完没了，深泽县的百姓马超因为诽谤诋毁了许宗之，许宗之就将马超殴打致死，又惧怕马超的家人告状，就上疏给朝廷说马超诽谤国家政治。魏高宗说：“这是不可能的事情。我身为天下的君主，会有哪点让马超不高兴，而使他说出这样的话呢？一定是许宗之惧怕罪责而诬陷马超。”于是派人去追问调查，事实果真像高宗所说的那样。于是在首都平城的南边将许宗之斩首。

宋国担任金紫光禄大夫的颜延之去世。颜延之的儿子颜竣位高权重，凡是颜竣送给颜延之的东西，颜延之一概不受，他身穿布衣居住在茅草屋里，一派清贫的样子，还和以前颜竣没有做官时一样。颜延之经常乘坐用一头瘦牛拉着的一辆粗笨的车子外出，每当遇到颜竣出行时的仪仗队，颜延之便不出声息地把牛车停靠在道边。颜延之曾经对颜竣说：“我平生不喜欢会见达官贵人，今天非常倒霉，让我遇见了你！”颜竣为自己修建府第，颜延之便对颜竣说：“好好盖吧，不要让后人嘲笑你今天的行为愚蠢。”颜延之曾经有一天早晨到颜竣那里去，看见颜竣的家里已经是宾客盈门，而颜竣却还没有起床，便怒气冲冲地对颜竣说：“你出生于一个非常贫贱的家庭，现在做了高官，就立刻变得如此傲慢起来，如此的话能够长久吗?!”颜竣为自己的父亲守孝，出殡之后刚过了一个月，朝廷就令他脱去孝服，出任右将军，仍旧担任丹杨尹。颜竣坚决推辞，连续上了十道表章，孝武帝都没有批准。孝武帝派遣担任中书舍人的戴明宝把颜竣强行抱到车上，拉到丹杨尹的府衙，还特别赏赐给颜竣一套布衣服，而布衣里面却絮着彩色丝绵，孝武帝亲自打发为自己主管服饰的官员拿着衣服到丹杨尹的府衙给颜竣穿在身上。

【注释】

㉕乐平王拔：拓跋拔，明元帝拓跋嗣之孙，拓跋丕之子。传见《魏书》卷十七。㉖请老：请求退休。㉗二月丙寅：二月初五。㉘左光禄大夫、开府仪同三司：都是加官名，有职无权，赐给退职的高级官僚，以示尊宠。㉙稽颡：磕头至地，最虔重的叩拜礼。㉚不能夺：不能改变他的志愿。㉛听以始兴公就第：让他以始兴公的爵号退休还家。听，允许。始兴公，始兴郡公，始兴郡是其封地名，郡治在今广东韶关市南。就第，返回家门。㉜顷之：不久。㉝起之：请沈庆之再出来做官。㉞累陈上意：反复地说明孝武帝的意思。㉟沈公不效何公：我不会和您一样。㊱往而复返：退休了还再出山。何尚之退休

后又出来做官，见本书卷第一百二十六元嘉二十八年。㉗辛巳：二月二十。㉘五月戊戌：五月初八。㉙刘遵考：刘氏皇室的同族，刘裕的开国功臣。传见《宋书》卷五十一。㉚六月壬戌：六月初二。㉛改元太安：魏主拓跋濬的上一个年号是兴光，只用了一年。㉜甲子：六月初四。㉝甲申：六月二十四。㉞魏主还平城：从犊儿山返回平城。据《魏书》卷五此句上有“戊寅，帝畋于犊儿山”八字。㉟七月癸巳：七月初四。㊱休祐：刘休祐，与下文休茂、休业都是文帝刘义隆之子。传见《宋书》卷七十二。㊲山阳王：封地山阳郡，郡治即今江苏淮安。㊳海陵王：封地海陵郡，郡治在今江苏泰州东北。㊴鄱阳王：封地鄱阳郡，郡治即今江西上饶市鄱阳县。㊵丙辰：七月二十七。㊶河西：应是指今陕西与内蒙古交界一带的黄河以西地区。㊷武昌王浑：刘浑，文帝刘义隆之子。传见《宋书》卷七十九。㊸自号楚王：刘浑被封为武昌王，封地武昌郡，郡治鄂城，原为春秋、战国时的楚国之地。又刘浑此时任雍州刺史，州治襄阳，也是古时的楚国之地。㊹改元永光：不用其兄刘骏的年号孝建，而用自己的年号永元。㊺备置百官：按着朝廷的格局，设置并任命了各项官职。㊻封呈其手迹：将其改元与任命百官的亲手所写，秘密封起，呈送朝廷。㊼八月庚申：八月初一。㊽徙始安郡：发配到始安郡，交由当地的官员监管。始安郡的郡治即今广西桂林。㊾东海戴明宝：东海是郡名，郡治即今江苏东海。戴明宝于文帝时曾任给事中。传见《宋书·恩幸传》。㊿丁亥：八月二十八。361初设备乐：第一次使用了齐全的歌舞。胡三省曰：“晋氏南渡草创，二郊无乐。宗庙虽有《登歌》，亦无二舞。及破苻坚得乐工，始有金石之乐。文帝元嘉二十二年，南郊始设《登歌》。此所谓‘备乐’，非能备雅乐，魏晋以来世俗之乐耳。顺帝升明二年，王僧虔所谓‘朝廷礼乐多违旧典’，盖指此类。”362殿中曹郎：宋时尚书郎分二十曹，各曹的长官称郎。殿中曹郎负责监察群臣上朝时的失仪等事。363削弱王侯：削减、降低刘氏诸王、诸侯，也就是刘骏的诸位叔父、诸位兄弟、堂兄弟的权势与品级地位。364十月己未：十月初一。365奏裁损：建议裁减……。裁损，即裁减。366讽有司：示意给有关的主管该事的官员。367听事：听取属下的人请示、汇报工作。368剑不得为鹿卢形：不能把剑柄做成弯曲的形状。369内史、相：都是郡王封国的长官，级别相当于太守。内史在诸王国管理民政；相是诸郡王的辅导官，总管封国事宜。370封内官长：管辖区内的下属官吏。371止称下官：对王侯说话只能自称下官。372追敬：追加恭敬的称号。373庚午：十月十二。374常英：魏高宗拓跋濬的乳母常氏之兄。传见《魏书》卷八十三上。乳母常氏被拓跋濬封为保太后。375壬午：十月二十四。376氐王杨保宗：今甘肃陇南一带氐族的首领，故氐王杨玄之子。杨玄死后，杨玄之弟杨难当夺取了杨保宗的政权，杀了杨保宗，一度相当强大，后来杨难当进攻蜀郡，被宋将裴方明等打败，逃死于魏。宋立杨保宗之弟杨文德为武都王。至刘义宣作乱，杨文德不从，被刘义宣杀死。传见《宋书》卷九十八。377从祖兄：堂兄。两个人的祖父是亲兄弟。378杨氏正统：武都王杨盛之子名叫杨玄，杨玄之子即杨保宗，杨保宗之子即杨元和。故杨元和是武都地区氐族杨氏的正统继承人。379未正位号：还没有名正言顺地被立为武都王或氐王。㊳⓪部落无定主：现在的氐族部落还没有法定的统治者。㊳①头先戍葭芦：杨头戍守葭芦的事情史无明载，《宋书》卷九十八、《魏书》卷一百一，与本书前文《宋纪七》只有“杨文德据葭芦城……魏仇池镇将皮豹子帅诸军击之，文德兵败，弃城奔汉中”云云，事在宋元嘉二十五年（公元四四八年）。葭芦城在今甘肃陇南市武都区东南的白龙江东岸。㊳②母、妻、子、弟并为魏所执：据本书《宋纪七》，“文德兵败，弃城奔汉中。豹子收其妻子、僚属、军资及杨保宗所尚魏公主而还”。如果杨头之母、妻、子、弟为魏所执，亦应在此次的葭芦之败。胡三省注《通鉴》亦做如此推断。㊳③假节：授予旌节。旌节是朝廷使者外出所持的信物，有三个等级。最高者称使持节，其次称持节，其次称假节。三等被赋予的权力不同。旌节是以竹竿为之，以旄牛尾为之饰，三重。㊳④西秦州刺史：真正的秦州州治在今甘肃天水，当时属于魏国，杨氏所据的武都地区也曾属于秦州范围，这里是指地而封。㊳⑤用安辑其众：以此名义来安抚、统领那一地区。用，以。安辑，安抚、团聚。㊳⑥使嗣故业：再让他来继承其先人的权位。㊳⑦才用不称：才干能力不能充当氐族头领。㊳⑧便应归头：就应该把政权爵位交给杨头。㊳⑨藩捍汉川：捍卫住汉水流域的一带地区。藩捍，屏蔽、捍卫。汉川，汉水，这里指今陕西汉中与其周围的地区，当时称作梁州。㊴⓪四千户荒州：指武都一带的西秦州地区。㊴①殆不足惜：指豁出去任他为西秦州刺史。殆，差不多、几乎。㊴②汉川亦无立理：梁州一带也难以保全。㊴③正月庚寅：正月初四。㊴④休范：刘休范，文帝刘义隆之子。传见《宋书》卷七十九。㊴⑤顺阳王：封地顺阳郡，郡治在今河南淅川南。㊴⑥休若：刘休若，文帝刘义隆之子。传见《宋书》卷七十二。㊴⑦巴陵王：封地巴陵郡，郡治即今湖南岳阳。㊴⑧戊戌：正月十二。㊴⑨子尚：刘子尚，刘骏之子。传见《宋书》卷八十。㊵⓪西阳王：封地西阳郡，郡治在今湖北黄冈东南。㊵①壬子：正月二十六。㊵②何瑀女：前废帝刘子业的何皇后。何瑀，刘裕的女婿，与皇室世代结亲。传见《宋书》卷四十一。㊵③澄：何澄，在晋朝曾为尚书左仆射。㊵④甲寅：正月二十八。㊵⑤乙卯：正月二十九。㊵⑥冯氏：文明皇后冯氏。传见《魏书》卷十三。㊵⑦辽西郡公朗：冯朗，原为北燕人，后降魏。事见本书卷第一百二十二元嘉九年。㊵⑧没入宫：以罪臣的家属被罚入宫为奴。㊵⑨二月丁巳：二月初一。㊶⓪弘：拓跋弘，即日后的显祖献文帝。传见《魏书》卷六。㊶①条记所付托兄弟：将所要托朝廷照顾的兄弟都逐个记载下来。㊶②依故事赐死：魏国自拓跋珪时立下一条规矩，凡是要立某个儿子为太子，就要把这个孩子的母亲杀死，其目的据说是不让母后倚仗儿子的势力而专权。故事，历来的老规矩。㊶③甲子：二月初八。㊶④府州部内论事：都督府与州刺史机关内部讨论有关军政事务。㊶⑤签前直叙所论之事：把大家在会上的发言如实地记录下来。签，记录。㊶⑥典签：犹如今之书记员、记录员。㊶⑦为方镇：为各州的刺史、督军。㊶⑧时主：当时的皇帝。㊶⑨领典签：充当典签之职。领，兼任、充当。㊷⓪稍重：越来越大。稍，渐。㊷①长王临藩：年长的郡王出去任刺史、督军。㊷②素族出镇：凭着功劳勋业而成为刺史、督军的寒门人士。这种人通常不媚权势，不惧邪恶。㊷③出纳教命：发号施令。教、命，都是文体名，指高官、权臣下达的命令、告示等。㊷④执其枢要：掌管着刺史府与督军府的机要部门。㊷⑤为豫州：出任豫州刺史。刘宋时的豫州州治在今安徽寿县。㊷⑥临安吴喜：临安县人吴喜。当时临安县的县治在今浙江杭州市临安区北。㊷⑦刑政所施：所实行的各种刑法、各种制度。㊷⑧每多违执：多有违背规定。违执，"执"字用法不顺，似应作"制"。㊷⑨竭命：竭尽心力。㊸⓪正得一州如斗大：才获得了这颗如同斗大的刺史、督军印。㊸①不能复与典签共临之：绝不允许再让一个典签来插手我的管理。共临，共同管理。意思是要把吴喜严办。㊸②稽颡流血：磕头磕得额头流血。㊸③丁零：北方的少数民族名，当时居住在今河北、山西交界的太行山一带。㊸④井陉山：井陉一带的山区。井陉是太行山的山口名，是河北与山西两省间的重要通道之一。其东口称井陉口，也叫土门关，在今河北井陉西北，其西口即娘子关。㊸⑤选部尚书：后代所说的吏部尚书，主管选任官吏。㊸⑥陆真：拓跋焘、拓跋濬时代的名将。传见《魏书》卷三十。㊸⑦闰月戊午：闰三月初三。㊸⑧丹杨尹：建康所在郡的行政长官，职务与太守相同，但因是国家京城的所在郡，故地位崇高。㊸⑨癸酉：闰三月十八。㊹⓪鄱阳哀王休业：刘休业被封为鄱阳王，哀字是其死后的谥。㊹①辞扬州：辞去扬州刺史的职务。㊹②丙子：七月二十三。㊹③荧惑守南斗：荧惑星运行到斗宿的位置。荧惑，即今之所称火星。斗宿是扬州地区的分野。古人认为荧惑出现是一种不祥的征兆，而这种不祥又可能是出现在扬州地区。㊹④废西州旧馆：废弃兴建在西州的扬州刺史衙门而不再使用。西州在当时建康城的西侧。㊹⑤移治东城：将扬州刺史衙门搬迁到东城。东城，也称东府，是晋朝司马道子当政时居住的地方，在当时建康城的东南侧。㊹⑥以厌之：用这种搬迁的办法以躲避、抵御上天神秘力量的惩罚。厌，意思同"压"，压抑之使其不能发作。㊹⑦别驾从事：州刺史的高级僚属，简称别驾，详称别驾从事史。因随刺史出巡时能单独另乘一辆车而得名。㊹⑧沈怀文：刘宋时期的文学家，与谢庄、颜竣等相往来。传见《宋书》卷八十二。㊹⑨应之以德：以加强道德修养、多做好事的办法以求消除天变。应，以……相对应。㊺⓪怀远：沈怀远，刘宋时期的文学家，著有《南越志》。传见《宋书》卷八十二。㊺①渔阳公尉眷：尉眷是魏国名将尉古真之侄，多立军功于拓跋嗣、拓跋焘时代，被封为渔阳公。传见《魏书》卷二十六。㊺②伊吾：西域古城名，在今新疆哈密西。西凉政权被灭后，李暠的后代李宝曾率部活动在这一带，后来李宝率众降魏，这一带地区属魏。今伊吾地区又叛魏，故魏人伐之。㊺③九月壬戌：九月初十。㊺④十月甲申：十月初二。㊺⑤魏主还平城：上文未言魏主出巡何处，故不知其所如之地。㊺⑥丙午：十月二十四。㊺⑦领司徒：兼任司徒。〖按〗太宰、司徒都是加官名，听起来地位崇高无比，实际没有任何职权。㊺⑧源贺：河西地区的鲜卑人，南凉政权秃发傉檀之子，降魏后佐魏灭北凉有功，又有拥立拓跋濬之力。传见《魏书》卷四十一。㊺⑨北虏游魂：北方的柔然还在伺机活动。游魂，也称"显魂"，进行敌对活动的蔑称。㊻⓪南寇负险：南方的刘宋还在负险观望。㊻①疆埸：边疆；边境。㊻②大逆：叛君、叛国。㊻③过误：过失犯罪。㊻④原宥：原谅、宽恕。㊻⑤谪使守边：罚他们去防守边疆。㊻则是：这就等于。㊼已断之体受更生之恩：让断头或断胳膊、断腿的人获得再生。㊽徭役之家蒙休息之惠：让本来该去服劳役的良民因此感谢您的恩典，免除了他们的辛劳。㊾武邑：郡名，郡治在今河北武强西南。470精加讯验：认真地审问核查。471引诬：自己承认是诬告。472可无慎哉：不应该更加谨慎吗？473濮阳太守：濮阳郡上属兖州，其郡治不知侨置何处。474新平太守：新平郡上属兖州，其郡治不知侨置何处。胡三省注引《五代志》称山东郓城县曾置濮阳郡。刘宋时的郓城县治即今山东郓城北的旧城集。475帅吏民弃郡奔魏：率领本城官民离城北投魏国。476移青、冀二州并镇历城：刘宋的青州州治原在东阳，即今山东青州，冀州的州治历城，即今山东济南。现在刘骏想将其合并，都迁到历城。因这两个郡早已经共设一个刺史。477河、济：黄河、济水。478多陂泽：水道湖泊纵横，交通不便。陂泽，堤坝与水泽。479非虏所向：不是魏人所进攻的目标。480经远之略：有长远眼光的谋略。481近河：靠近黄河。482归顺者易：有投奔南朝的人便于越过边境。483近息民患：既便于归降者摆脱危急。484远申王威：又便于皇帝的威名远传朔北。485轮郭：通“轮廓”，铜钱的样子。486形制：形状与规格。487与五铢同：与汉武帝时所铸的五铢钱相同。铢是重量单位，十铢等于一两。488用费无利：铸一枚铜钱所用的铜，正好值一枚铜钱。铸钱没有赢利。489轮郭不成：铜钱的样子不好看、不标准。490杂以铅、锡：在铸钱的铜里掺入铅、锡等省钱的材料。491翦凿古钱：把前代传下来的铜钱磨小、磨薄，取其铜屑，以铸新钱。492坐死、免者相继：因此而犯死罪、被罢职的官员一个接一个。493物价踊贵：物价跳跃式上升。494听民铸钱：允许百姓铸造铜钱。495置钱署：开办铸钱的机关。496平其准式：规定所铸铜钱的标准式样。497去其杂伪：不允许铸钱的铜汁内含有其他杂汁。498去春所禁新品：去春所禁止使用的四铢钱。499一时施用：都允许他们投入市场。500今铸悉依此格：现在再铸新钱要完全按照规定的格式。501万税三千：铸一万枚铜钱交三千枚铜钱的税。502严检盗铸：严格控制不许官署以外的人再偷着铸钱。503定于汉世：五铢钱的样子始定于汉武帝元狩五年（公元前一一八年）。504魏晋以降：魏晋以来。以降，以下、以后。505莫之能改：再没有改变过。506物货既均：市面上的商品多少，与市场上流行的钱币多少成比例。货，货币。507改之伪生：一改变就会引起弄虚作假。508巨细总行：大钱小钱一齐上市。509不从公铸：不是一切钱币都由国家铸造。510利己既深：铸钱者一旦获得的利润巨大。511情伪无极：弄虚作假者也就会层出不穷。情伪，真情和假意，这里是偏义复词，指弄虚作假。512尽不可禁：全都无法禁止。513财货未赡：等不到按规定格式造的钱充分够用。514大钱已竭：前代传下来的大面额的铜钱就会被人剪凿净尽。515悉为尘土：指所有按规定造出的铜钱将被奸人毁坏掉。516新禁初行：刚开始发布“钱薄小无轮郭者悉不得行”的禁令。517品式未一：铜钱的质量与式样。518须臾自止：过一段时间自然就会好的。519不足以垂圣虑：用不着皇上忧心过问。520府藏空匮：国库里没有铜钱。匮，缺乏。521纵行细钱：即使发行分量轻的四铢钱。522官无益赋之理：但官家也没有提高赋税的道理。523百姓虽赡：百姓的私家即使钱多。524 无解官乏：也解决不了国家穷困的问题。525 简费去华：减少开支，禁止奢侈。526 专在节俭：注意减省。527 铜转难得：铸钱用的铜越来越少。528 官藏：国库。藏，也是府库的意思。529 宜更改铸：改铸二铢钱。530 减钱式：减少铜钱的品种和样式。531 交弊：纠结在一起的困难。胡三省曰："官藏空虚，无钱以赡用；天下铜少，又无以铸钱，是交弊也。议者缘此欲改铸小钱以救之。"532 赈国舒民：救国家之难，解百姓之急。533 恣行新细：把铜钱弄得很新很小。534 于官无解于乏：对公家仍没法解决缺钱的问题。535 奸巧大兴：偷着铸钱的坏人一哄而起。536 天下之货：整个国家的货币。537 糜碎至尽：全部遭到破坏。糜，碎烂。538 空严立禁：白白地发布一些严格的禁令。539 利深难绝：由于有厚利吸引，私铸是无法禁绝的。540 不一二年：用不了一两年。541 惩大钱之改：接受大钱被改变的教训。惩，吸取……的教训。542 纷扰：犹言波动、动乱。543 远利未闻：长远的好处还没有听见人说。544 切患猥及：急迫的灾难已经来到跟前。猥及，意即降临、来到。猥，斜曲，以修饰"及"的不正当。545 高阳：郡名，郡治在今河北高阳东之旧城。546 求取不节：向其治下的吏民索取贿赂没完没了。不节，没有节制、没有止境。547 深泽：县名，县治在今河北深泽东南。548 上超诋讪朝政：上书朝廷说马超诽谤国家政治。上，上书。诋讪，诽谤。549 妄：瞎说；不可能有的事。550 何恶于超：会有哪点让马超不高兴。恶，憎恶、讨厌。551 案验：追问、调查。552 颜延之：字延年，刘宋时代的文学家，与谢灵运齐名。传见《宋书》卷七十三。553 贵重：位高权大。554 凡所资供：凡是颜竣送给他的东西。资供，送给、提供。555 萧然如故：一派清贫的样子，还和颜竣没做官前一样。556 羸牛笨车：一头瘦牛所拉的粗重之车。笨，不精美。557 卤簿：达官贵人出行时的仪仗队，包括幡伞旗幢等。558 屏住道侧：不出声息地停在道路旁边。559 常语竣曰：经常

【原文】

大明元年（丁酉，公元四五七年）

春，正月辛亥朔[578]，改元，大赦。

壬戌[579]，魏主畋于崞山[580]。戊辰[581]，还平城。

魏以渔阳王尉眷为太尉、录尚书事。

二月，魏人寇兖州[582]，向无盐[583]，败东平太守南阳刘胡。诏遣太子左卫率薛安都将骑兵，东阳太守[584]沈法系将水军，向彭城以御[585]之，并受徐州刺史申坦节度[586]。比至[587]，魏兵已去。先是[588]，群盗聚任城荆

对颜竣说。⑩不憙：不希望；不喜欢。⑩今不幸见汝：今天倒霉地碰上了你。⑩起宅：修建府第。⑩善为之：好好地盖吧。讽刺语。⑩无令后人笑汝拙：不要让后人看着房子耻笑你今天的行为愚蠢。⑩尝早诣竣：曾有一天早晨到颜竣那边去。⑩出粪土之中：极言其出身之低贱。⑩升云霞之上：极言其今日所居的官位之高。⑩遽骄傲如此：你就立刻变得如此傲慢。遽，立刻。⑩丁父忧：为父守丧。按古礼，儿子应该为父母守孝三年。⑩裁逾月：出殡之后刚过一个月。⑩起为右将军：朝廷让他脱去孝服，出任右将军。⑩丹杨尹如故：原来担任的丹杨尹还照常担任。⑩郡舍：指丹杨尹的衙门。⑩布衣一袭：布衣一套。照顾颜竣为父守孝的心理，让人们从表面上看起来颜竣还是穿着守孝的布制衣服。布衣在当时是贫贱者穿的，贵族、官僚在守孝时也穿布制之衣。⑩絮以彩纶：而布衣里面所絮衬的却是贵重的彩色丝绵。⑩遣主衣：皇帝亲自打发为自己主管服饰的官员。主衣，官名，为皇帝主管服饰。⑩就衣诸体：拿着衣服到丹杨尹的衙门给颜竣穿在身上。〖按〗以上描写极言颜竣深受刘骏的宠爱。

【校记】

［8］损：原无此字。据章钰校，甲十一行本、乙十一行本、孔天胤本皆有此字，今据补。［9］施帐：原无此二字。据章钰校，甲十一行本、乙十一行本、孔天胤本皆有此二字，张敦仁《通鉴刊本识误》、张瑛《通鉴校勘记》同，今据补。［10］帅吏民：原无此三字。据章钰校，甲十一行本、乙十一行本、孔天胤本皆有此三字，张敦仁《通鉴刊本识误》同，今据补。［11］不许：原作“上不许”。据章钰校，甲十一行本、乙十一行本、孔天胤本皆无“上”字，今据删。

【语译】

大明元年（丁酉，公元四五七年）

春季，正月初一日辛亥，宋国改年号为大明元年，实行大赦。

正月十二日壬戌，北魏文成帝拓跋濬在崞山打猎。十八日戊辰，魏文成帝从崞山回到平城。

北魏文成帝任命渔阳王尉眷担任太尉、录尚书事。

二月，魏军侵犯宋国的兖州，进而又进攻无盐县，打败了宋国担任东平太守的南阳人刘胡。宋孝武帝刘骏下诏派遣担任太子左卫率的薛安都率领骑兵，担任东阳太守的沈法系率领水军，奔赴彭城抵御入侵的魏军，并接受担任徐州刺史的申坦的指挥与调度。等到薛安都、沈法系率领大军抵达彭城的时候，入侵的魏军已经离去。在此以前，群盗聚集在任城县境内的山野薮泽中，多少年来一直危害当地的百姓和

榛中[589]，累世为患[590]，谓之“任榛”。申坦请回军讨之，上许之。任榛闻之，皆逃散。时天旱，人马渴乏，无功而还。安都、法系坐白衣领职[591]。坦当诛，群臣为请，莫能得。沈庆之抱坦哭于市曰：“汝无罪而死。我哭汝于市，行当就汝[592]矣！”有司以闻[593]，上乃免之。

三月庚申[594]，魏主畋于松山[595]。己巳[596]，还平城。

魏主立其弟新成为阳平王[597]。

上自即吉[598]之后，奢淫自恣[599]，多所兴造[600]。丹杨尹颜竣以藩朝旧臣[601]，数[602]恳切谏争，无所回避，上浸不悦[603]。竣自谓才足干时[604]，恩旧莫比[605]，当居中[606]永执朝政，而所陈多不纳，疑上欲疏之，乃求外出以占上意[607]。夏，六月丁亥[608]，诏以竣为东扬州刺史[609]，竣始大惧。

癸卯[610]，魏主如阴山。

雍州[611]所统多侨郡县[612]，刺史王玄谟上言：“侨郡县无有境土，新旧错乱[613]，租课不时[614]，请皆土断[615]。”秋，七月辛未[616]，诏并雍州三郡十六县为一郡。郡县流民不愿属籍[617]，讹言玄谟欲反。时柳元景宗强[618]，群从[619]多为雍部二千石[620]，乘声[621]皆欲讨玄谟。玄谟令内外晏然[622]以解众惑，驰使启上[623]，具陈本末。上知其虚[624]，遣主书[625]吴喜抚慰之，且报曰：“七十老公，反欲何求[626]？君臣之际，足以相保[627]。聊复为笑[628]，伸卿眉头[629]耳。”玄谟性严[630]，未尝妄笑，故上以此戏之。

官府，人们称这些盗匪为“任榛”。徐州刺史申坦请求令薛安都、沈法系在率军返回的时候顺路讨伐这些盗匪，孝武帝同意了他的请求。任榛听到朝廷大军即将前来征讨的消息以后，全都四处逃散。当时天气干旱，人马干渴困乏，结果无功而返。薛安都、沈法系因此而获罪，被罢了官，但还是让他们以平民的身份行使原来的职务。申坦按所犯之罪应当被诛杀，群臣都为申坦向孝武帝求情，却没有被刘骏批准。始兴郡公沈庆之在街市中抱住申坦大哭说：“你没有犯罪却要被处死。我在街市中哭你以后，很快就要到阴间去找你了！”有关官员将此事报告给了孝武帝，孝武帝这才赦免了申坦。

三月十一日庚申，北魏文成帝在松山打猎。二十日己巳，从松山返回平城。

北魏文成帝立自己的弟弟拓跋新成为阳平王。

宋孝武帝为自己的父亲宋文帝刘义隆服满三年之丧后，就开始奢侈淫荡、胡作非为，而且大兴土木。担任丹杨尹的颜竣因为自己早在孝武帝还是武陵王的时候就在他的属下任职，于是就多次恳切地对孝武帝的行为加以劝谏和阻止，而且是直言不讳，无所顾忌，孝武帝因此逐渐对颜竣不满起来。而颜竣却还以为自己的才干和能力足以在朝廷中起到骨干作用，能够成为朝廷的主心骨，自己与孝武帝君臣之间的恩情之深、感情之密，没有第二个人可以比得上，应当在朝中永远把持朝政，然而他所奏请的事情却多数不被孝武帝刘骏采纳，于是便开始怀疑孝武帝是有意要疏远自己，所以就向孝武帝请求到地方去任职，想以此试探一下孝武帝的心思。夏季，六月初九日丁亥，孝武帝下诏，任命颜竣为东扬州刺史，颜竣这才感到非常恐惧。

六月二十五日癸卯，北魏文成帝前往阴山一带巡视。

宋国雍州所管辖的郡县当中有许多是有名无实的，担任雍州刺史的王玄谟上书给朝廷说：“侨置郡县一般没有境土，新设的侨郡县与原来的旧郡县混在一起，杂乱不清，征收租税的事情无法按时完成，请朝廷准许不论是本地人还是从北方乔迁过来的人，都在自己所生活的地区申报户口，纳税服役。”秋季，七月二十四日辛未，孝武帝下诏，将雍州所管辖的三个郡十六个县合并为一个郡。郡县的流民不愿意把自己的户口落在当地，就造谣诬陷雍州刺史王玄谟想要谋反。当时柳元景的家族势力很强大，柳元景的那些堂兄弟有很多人都在雍州刺史王玄谟管辖的区域内，担任着俸禄为二千石的郡太守或郡都尉一级的官员，他们趁势跟着呐喊，都想出兵讨伐王玄谟。王玄谟命令州衙府衙里里外外的官吏，都要安定地各自守好自己的岗位，以便解除众人的猜疑，同时派使者飞马赶往京师建康，向孝武帝详细地说明了事情的经过。孝武帝因此知道传言纯属子虚乌有，于是就派担任主书的吴喜前往雍州去安抚、慰问雍州刺史王玄谟，并且告诉王玄谟说：“你已经是一个七十岁的老翁了，谋反图什么呢？你我君臣之间，完全可以互相信任，用不着再说什么了。我之所以要和你说这样的话，是为了让你笑一笑，舒展一下眉头。”王玄谟生性严肃，从来不随便发笑，所以孝武帝才用这样的话和他开玩笑。

八月己亥[631]，魏主还平城。

甲辰[632]，徙司空、南徐州刺史竟陵王诞为南兖州刺史，以太子詹事[633]刘延孙为南徐州刺史[634]。初，高祖遗诏，以京口要地，去建康密迩[635]，自非[636]宗室近亲，不得居之。延孙之先[637]虽与高祖同源[638]，而高祖属彭城[639]，延孙属吕县[640][12]，从来不序昭穆[641]。上既命延孙镇京口，仍诏[642]与延孙合族[643]，使诸王皆序长幼[644]。

上闺门无礼[645]，不择亲疏、尊卑[646]，流闻民间[647]，无所不至[648]。诞[649]宽而有礼，又诛太子劭、丞相义宣，皆有大功，人心窃向之[650]。诞多聚才力之士[651]，蓄精甲利兵[652]，上由是畏而忌之，不欲诞居中[653]，使出镇京口[654]，犹嫌其逼[655]，更徙之广陵[656]。以延孙腹心之臣，故[13]使镇京口以防之[657]。

魏主将东巡，冬，十月，诏太宰常英起行宫于辽西黄山[658]。

十二月丁亥[659]，更以顺阳王休范为桂阳王[660]。

二年（戊戌，公元四五八年）

春，正月丙午朔[661]，魏设酒禁：酿、酤、饮者皆斩之；吉凶之会[662]，听开禁[663]，有程日[664]。魏主以士民多因酒致斗及议国政，故禁之。增置内外候官[665]，伺察诸曹[666]及州、镇[667]，或微服杂乱于府寺间[668]，以求[669]百官过失，有司穷治[670]，讯掠取服[671]。百官赃满二丈[672][14]皆斩。又增律七十九章。

乙卯[673]，魏主如广宁[674]温泉宫，遂巡平州[675]。庚午[676]，至黄山宫。二月丙子[677]，登碣石山[678]，观沧海。戊寅[679]，南如信都[680]，畋于广川[681]。

乙酉[682]，以金紫光禄大夫褚湛之为尚书左仆射。

丙戌[683]，建平宣简王宏[684]以疾解尚书令，三月丁未[685]，卒。

八月二十二日己亥，北魏文成帝从阴山一带回到平城。

八月二十七日甲辰，宋国孝武帝改任担任司空、南徐州刺史的竟陵王刘诞为南兖州刺史，任命太子詹事刘延孙为南徐州刺史。当初，宋高祖刘裕留下遗诏，认为京口是国家的战略要地，与京师建康挨得很近，如果不是皇室近亲，就不能派到那里任职。刘延孙的先人虽然与高祖刘裕同出一个祖先，然而高祖刘裕属于彭城人，刘延孙却属于吕县人，两家从来都没有相互排过辈分。孝武帝既然想让刘延孙去镇守京口，这才下诏书把刘延孙与自己的家族合为一族，让皇室诸王都和刘延孙家族的子弟一起排辈分、序长幼。

孝武帝在家门之内男女关系混乱，根本不顾及伦理，不论血缘关系远近，也不论身份贵贱高低，宫廷里的丑闻流传到了民间，不论多么荒唐和惊世骇俗的事情都有。竟陵王刘诞待人宽厚有礼，在平定太子刘劭与丞相刘义宣的叛乱中，都建立了大功，人们都暗中拥护竟陵王刘诞。刘诞召集了很多有才能、有勇力的人士，又搜集储藏了很多精良的铠甲与锋利的武器，孝武帝因此对刘诞既畏惧又嫉恨，遂不想让刘诞在朝中为官，这才开始派刘诞去镇守京口，孝武帝还嫌刘诞在京口距离朝廷太近，就又把刘诞派往更远的广陵郡去担任南兖州刺史。孝武帝认为刘延孙是自己的心腹之臣，于是派刘延孙去镇守京口以防备竟陵王刘诞。

北魏文成帝准备到魏国的东部巡视，冬季，十月，他下诏令担任太宰的常英在辽西黄山建造行宫。

十二月十二日丁亥，宋孝武帝改封顺阳王刘休范为桂阳王。

二年（戊戌，公元四五八年）

春季，正月初一日丙午，魏国设立禁酒令：凡是从事酿造、买卖以及饮酒的人一律斩首；只有在遇到婚丧嫁娶的时候，才允许破例，但有一定的时间限制。魏文成帝因为官吏和民众大多都是因为酗酒而导致打架斗殴以及议论朝政，所以才设立禁酒令。拓跋濬又在京城内外增设了候官，令这些候官到朝廷的各机构、各部门以及全国各州的刺史衙门、各军镇的督军衙门去刺探消息、搜集情报，有时候这些候官还会换上百姓的服装与各机关、各单位的办公人员混杂在一起，以便打听、搜寻百官的过失，一旦被这些人举报，就要被主管官员追根究底，审问拷打，以获得认罪口供。只要官员所贪污的赃物赃款达到可以购买二丈帛的价值，就一律处死。又增加了七十九条刑律。

正月初十日乙卯，北魏文成帝前往广宁县的温泉宫，随后巡视平州。二十五日庚午，魏文成帝到达辽西郡的黄山宫。二月初二日丙子，拓跋濬登上碣石山，向东眺望大海。初四日戊寅，拓跋濬南行到达信都，在广川县境内打猎。

二月十一日乙酉，宋孝武帝任命担任金紫光禄大夫的褚湛之为尚书左仆射。

十二日丙戌，宋国的建平宣简王刘宏因为有病而被免去尚书令职务，三月初三日丁未，刘宏去世。

丙辰[686]，魏高宗还平城，起太华殿[687]。是时，给事中[688]郭善明性倾巧[689]，说帝[690]大起宫室，中书侍郎高允谏曰："太祖[691]始建都邑，其所营立[692]，必因农隙[693]。况建国已久，永安前殿足以朝会，西堂、温室足以宴息[694]，紫楼足以临望[695]，纵有修广[696]，亦宜驯致[697]，不可仓猝[698]。今计所当役凡二万人，老弱供饷[699]又当倍之[700]，期[701]半年可毕。一夫不耕，或受之饥，[702]况四万人之劳费[703]，可胜道乎[704]？此陛下所宜留心也。"帝纳之。

允好切谏，朝廷事有不便，允辄求见，帝常屏左右以待之。或自朝至暮，或连日不出，群臣莫知其所言。语或痛切，帝所不忍闻[705]，命左右扶出[706]，然终善遇之。时有上事为激讦[707]者，帝省[708]之，谓群臣曰："君、父一也。父有过，子何不作书于众中谏之[709]，而于私室屏处谏[710]者，岂非不欲其父之恶彰于外[711]邪？至于事君，何独不然[712]。君有得失，不能面陈，而上表显谏[713]，欲以彰君之短[714]，明己之直[715]，此岂忠臣所为乎？如高允者，乃真[15]忠臣也。朕有过，未尝不面言，至有朕所不堪闻[716]者，允皆无所避。朕闻[16]其过而天下不知[717]，可不谓忠乎？"

允所与同征者[718]游雅[719]等皆至大官，封侯，部下吏[720]至刺史、二千石者亦数十百[721]人，而允为郎[722]，二十七年不徙官[723]。帝谓群臣曰："汝等虽执弓刀在朕左右，徒立[724]耳，未尝有一言规正[725]，唯伺朕喜悦之际，祈官乞爵，今皆无功而至王公。允执笔[726]佐我国家数十年，为益不少[17]，不过为郎，汝等不自愧乎？"乃拜允中书令[727]。

三月十二日丙辰，魏高宗拓跋濬从广川县返回平城，开始营建太华殿。当时，担任给事中的郭善明善于逢迎巧辩，他劝说魏高宗大肆营造宫室。担任中书侍郎的高允劝谏拓跋濬说："太祖开始修建都邑的时候，不论兴建什么房子，一定要找百姓农闲的时间。何况现在建国的时间已经很久，永安前殿完全可以用来召集朝会，西堂、温室完全可以作为安闲休息的场所，宫中的紫楼完全可以用来登临远眺，即使准备继续扩大修建宫室，也应该慢慢来，而不应该仓促动工，且又急于求成。修建太华殿，估计得需要两万人，再加上负责送吃送喝、完成各种后勤工作的老弱，又得增加一倍数量的人，预计需要半年的时间才可能完工。俗话说'即使只有一个人不耕种，就可能有人因此而忍饥挨饿'，何况是有四万人不仅不能去从事农活，而且还要付出如此巨大的花费，其所造成的损失程度还能说得过来吗？这是非常值得陛下认真考虑的问题。"魏高宗采纳了高允的意见。

中书侍郎高允喜好恳切直谏，一旦朝廷有不妥当的事情，高允就请求面见魏高宗，魏高宗也经常屏退左右的侍从人员专门接待高允。高允留在宫中有时是从早到晚，有时竟然好几天都不出宫，文武百官都不知道高允跟皇帝说了些什么事情。有时候高允心情沉痛，言语切中时弊要害，魏文成帝都没法再继续听下去，就会命令左右的侍从强行把高允扶出宫去，然而却始终善待高允。当时有人上书言事，言辞过于激烈，一点不留情面，文成帝看过之后，就对群臣说："国君与父亲是一样的。父亲有了过错，作为儿子的为什么不把父亲的过错写在纸上，在大庭广众之中劝告父亲，却偏要回到家里找个没有人的地方劝告他的父亲呢，难道不是因为不愿意把父亲的过失闹得人人都知道吗？至于臣子侍奉君主，为什么就偏偏不是这样呢？君主施政有得有失，大臣不能面见国君提出来，却要呈递表章公开地进行劝谏，借以暴露君主的短处，以表现他做臣子的忠诚、正直，这难道是忠臣的所作所为吗？像高允这样的人，才是真正的忠臣啊。我有了过错，高允没有不当面指出的，甚至有些话说得令我都没法听下去，高允都无所避讳。他既让我听到了自己的过错，又在天下人面前为我保留了面子，这难道不能说是对君主的一片忠心吗？"

跟高允一同被征调到朝廷的游雅等人不仅都做了大官，而且还被封了侯爵，就连高允属下的小官吏当上刺史、享受二千石俸禄的也有八九十人甚至上百人，而高允只是一个郎官，二十七年都没有提升官职。文成帝对群臣说："你们这些人虽然都手执弓刀整天站在朕的身边，但你们只会白白地站在那里，从来没有一句规劝我改正错误的话，只会伺察到我心情比较好的时候，向我要求提升官职、赏赐爵位。现在你们这些人全都没有功劳却位列王公，高允担任著作郎，辅佐我治理国家几十年，对国家贡献不少，到现在才不过是个郎官，相比之下，你们这些人自己内心不感到惭愧吗？"文成帝遂任命高允为中书令。

时魏百官无禄[728]，允常使诸子樵采[729]以自给。司徒陆丽[730]言于帝曰："高允虽蒙宠待，而家贫，妻子不立[731]。"帝曰："公何不先言，今见朕用之，乃言其贫乎？"即日，至允第，惟草屋数间，布被，缊袍[732]，厨中盐菜而已。帝叹息，赐帛五百匹，粟千斛，拜长子悦为长乐太守[733]。允固辞，不许。帝重允，常呼为令公[734]而不名。

游雅常曰："前史称卓子康[735]、刘文饶[736]之为人，褊心[737]者或不之信[738]。余与高子游处[739]四十年，未尝见其喜愠之色[740]，乃知古人为不诬[741]耳。高子内文明[742]而外柔顺，其言呐呐[743]不能出口。昔崔司徒[744]尝谓余云：'高生丰才博学，一代佳士，所乏者矫矫风节[745]耳。'余亦以为然[746]。及司徒得罪[747]，起于纤微[748]，诏指临责[749]，司徒声嘶股栗[750]，殆不能言[751]；宗钦已下[752]，伏地流汗，皆无人色。高子独敷陈事理[753]，申释是非[754]，辞义清辩，音韵高亮。人主为之动容，听者无不神耸[755]，此非所谓矫矫者乎？宗爱方用事[756]，威振四海。尝召百官于都坐[757]，王公已下皆趋庭望拜[758]，高子独升阶长揖[759]。由此观之，汲长孺可以卧见卫青[760]，何抗礼之有[761]？此非所谓风节者乎？夫[762]人固未易知[763]，吾既失之于心[764]，崔又漏之于外[765]，此乃管仲所以致恸于鲍叔[766]也。"

乙丑[767]，魏东平成王陆俟[768]卒。

夏，四月甲申[769]，立皇子子绥为安陆王[770]。

帝不欲权在臣下，六月戊寅[771]，分吏部尚书置二人[772]，以都官尚书[773]谢庄、度支尚书[774]吴郡顾觊之[775]为之。又省五兵尚书[776]。

当时魏国的大小官吏全都享受不到国家的俸禄，担任中书令的高允经常让他的儿子们亲自上山砍柴、采集野菜野果来维持一家人的生计。担任司徒的陆丽对文成帝说："中书令高允虽然蒙受陛下的恩宠和厚待，然而他家境贫穷，妻子儿女全都一无所有，日子过得很艰难。"文成帝说："那你为什么不早说呢，现在你看见我重用他，你才说起他的家境贫穷吧？"当天，文成帝就亲自前往高允的家中，看见高允家里只有几间草房，床上放着粗布做的被子，用乱麻絮起来的袍子，厨房中只有咸菜而已。文成帝感慨不已，于是赏赐给高允五百匹帛、一千斛粮食，任命高允的长子高悦为长乐郡太守。高允坚决辞让，文成帝没有同意。文成帝特别尊重高允，经常称他为令公而不叫名字。

游雅经常说："从前的史书中都称赞东汉时期的卓子康、刘文饶的为人，而那些心胸狭隘的人中竟然有人不相信历史上真的有卓子康、刘文饶那样的人。我与高允交游相处了四十年，从来没有看到过他为了个人的某事而欢喜而发脾气，由此也相信古史中所记载的有关卓子康、刘文饶的事迹并非瞎说。高允内心知书明理而外表温柔恭顺，他说起话来慢慢吞吞，好像有话说不出口的样子。从前担任司徒的崔浩曾经对我说过：'高允多才博学，是一代杰出的人才，所缺少的是挺拔轩昂的风骨气节而已。'我对高允也有同样的看法。等到司徒崔浩因为将所写历史刻于石头之上引起贵族怨愤而被下狱治罪的时候，事情的起因本来不是什么大事情，太武帝下诏亲自诘责崔浩等人，当时司徒崔浩被吓得声音嘶哑、两腿发抖，几乎说不出话来，宗钦以下的其他犯罪官员，全都俯伏在地上，吓得汗流浃背、面无人色。只有高允独自一人神情镇静，一条一条地向太武帝详细陈述事情的始末，申辩解释其中的哪些是做得对的，哪些确实是错了，言辞清晰明白，声音洪大响亮。就连太武帝都被高允的申述打动，因而改变神色，旁听的人无不为之感到情绪激昂，这难道不是高允挺拔轩昂的风骨气节吗？当时宗爱正在掌握朝权，他的权势威震四海。宗爱曾经在政事堂召见百官，王公以下的大臣们进入庭院之后全都小步快跑，远远望见宗爱就立即恭恭敬敬地大礼参拜，只有高允一步一步地走上台阶向着宗爱作了一个揖。由此看来，西汉的汲黯就应该躺在床上接见卫青，为什么见了卫青还要行对等之礼，还要作个长揖呢？这岂不是高允的高风亮节吗？要真正了解一个人原本是很困难的，我既不能了解高允的内心深处，而崔浩又错看了他的外在，这就是当年管仲深感鲍叔牙知己之深而痛哭叔牙的原因。"

三月二十一日乙丑，魏国的东平成王陆俟去世。

夏季，四月十一日甲申，宋孝武帝封皇子刘子绥为安陆王。

孝武帝不希望大权掌握在臣下的手中，六月初六日戊寅，开始设置两位吏部尚书，共同掌管铨选之责，任命担任都官尚书的谢庄、担任度支尚书的吴郡人顾觊之二人来担任吏部尚书。又撤销了五兵尚书这一职位。

初，晋世，散骑常侍选望甚重[777]，与侍中不异，其后职任闲散，用人渐轻。上欲重其选[778]，乃用当时名士临海太守[779]孔觊、司徒长史王彧为之。侍中蔡兴宗[780]谓人曰："选曹要重[781]，常侍闲淡[782]，改之以名而不以实[783]，虽主意欲为轻重[784]，人心岂可变邪！"既而常侍之选复卑[785]，选部之贵不异[786]。觊，琳之[787]之孙。彧，谧[788]之兄孙。兴宗，廓之子也。

裴子野论曰："官人之难[789]，先王言之[790]，尚矣[791]。周礼[792]，始于学校[793]，论之州里[794]，告诸六事[795]，而后贡于王庭[796]。其在汉家[797]：州郡积其功能[798]，五府举为掾属[799]，三公参其得失[800]，尚书奏之天子[801]。一人之身[802]，所阅者众[803]，故能官得其才[804]，鲜有败事[805]。魏、晋易是[806]，所失弘多[807]。夫厚貌深衷[808]，险如溪壑[809]，择言观行犹惧弗周[810]。况今万品千群[811]，俄折乎一面[812]，庶僚百位[813]，专断于一司[814]。于是嚣风遂行[815]，不可抑止。干进务得[816]，兼加谄渎[817][18]，无复廉耻之风，谨厚之操，官邪国败，不可纪纲[818]。假使龙作纳言[819]，舜居南面[820]，而治致平章不可必也[821]，况后之官人者[822]哉！孝武虽分曹为两[823]，不能反之于周、汉[824]，朝三暮四，其庸愈乎[825]！"

当初，晋朝时期遴选散骑常侍的时候，无论是选人者还是入选者都对散骑常侍人选的声望非常看重，与遴选侍中这一职位没有什么区别，后来因为散骑常侍这一职位逐渐变得比较清闲、松散，这才逐渐放宽了遴选的标准，不再那么严格。宋孝武帝准备提高散骑常侍入选者的资历，于是任命当时的名士，担任临海太守的孔觊、担任司徒长史的王彧二人担任散骑常侍。担任侍中的蔡兴宗对别人说："负责选拔官吏的部门任务重大，而散骑常侍只是跟随在皇帝身边陪着聊聊天，职务比较清闲，仅靠改用名人而不赋予他们实际权力，即使皇帝想要提高散骑常侍的地位，但是长期以来所形成的对这一职位的轻视难道能因此而得以改变吗?!"后来，散骑常侍的人选越来越不受重视，而负责遴选官吏的吏部尚书的尊贵和权势还和过去一样。孔觊，是孔琳之的孙子。王彧，是王谧哥哥的孙子。蔡兴宗，是蔡廓的儿子。

裴子野评论说："选拔人才、任用官吏的难处，古代的圣王早就说过了，是由来已久的。周朝的礼仪规定说：早在学校里就要开始对人才进行培养和考察，接着是本州本里对本地区所属年轻人的考察与评定，然后由各基层单位将层层评定的结果报告给朝廷的六卿，再由六卿把他们推荐给国家帝王的宫廷。汉朝的做法是：各州各郡把自己衙门所属官吏的工作能力、工作业绩汇总起来，整理上报，朝廷的各大衙门根据自己的需要从中选用他们作为本衙门的僚属，再由丞相、太尉、御史大夫这三位国家最高级别的官员负责分析综合这些人才在各衙门实际工作中的优缺点，提出初步意见，再由担任尚书的官员把三公所汇总的有关任命官员的意见书呈递给皇帝进行任命。每一个将被任命的官员，都要经历很多层次的考察与评议，所以每个官职都能由合适的人选来担任，这样选出来的官员很少办事砸锅的。魏、晋时期则改变了先秦、两汉的这种做法，所以吏治的失误就太严重、太多了。一个人的外表有很厚的伪装，一个人的内心更是深不可测，认识一个人就如同观察一座深山的千岩万壑一样难以看透，即使你听其言、观其行，还是怕了解得不全面、不深入。何况现在是千人千面，万人万品，要在顷刻之间由一个人给他们做出全面的评定，众多僚属的人品、众多职务的功效，只由一个吏部说了算。于是找路子、走后门、巴结权贵等以求飞黄腾达的风气就形成了，再也无法抑止。一门心思向上爬，千方百计为了达到目的，于是就有了一套对上谄媚逢迎、对下傲慢的习气形成，从此以后再也没有了崇尚廉耻的风气，严谨厚道的操守，官员专门以歪门邪道谋求个人私利，遂导致国家衰败，再也无法进行整顿。现在即使让舜帝时期龙那样的大臣在朝廷负责进谏，让舜那样的人担任国家的君主，要想达到天下太平，也没有绝对的把握，更何况是后代那些任命官职的人呢！宋国的孝武帝虽然在吏部设置了两个尚书，却不能恢复周朝、汉朝时期的选官制度，何况是朝三暮四，能有更好的效果吗?!"

丙申[826]，魏主畋于松山。秋，七月[19]庚午，[827]如河西。

南彭城[828]民高阇、沙门昙标以妖妄相扇[829]，与殿中将军苗允等谋作乱，立阇为帝。事觉，甲辰[830]，皆伏诛，死者数十人。于是下诏沙汰诸沙门[831]，设诸条[20]禁[832]，严其诛坐[833]。自非戒行精苦[834]，并使还俗[835]。而诸尼多出入宫掖，此制竟不能行[836]。

中书令王僧达[837]，幼聪警能文，而跌荡不拘[838]。帝初践阼[839]，擢为仆射[840]，居颜、刘之右[841]。自负才地[842]，谓当时莫及，一二年间，即望宰相。既而迁护军[843]，怏怏不得志，累启求出[844]。上不悦，由是稍稍下迁[845]，五岁七徙[846]，再被弹削[847]。僧达既耻且怨，所上表奏，辞旨抑扬[848]，又好非议时[21]政，上已积愤怒。路太后兄子尝诣僧达[849]，趋升其榻[850]，僧达令舁弃之[851]。太后大怒，固邀上[852]令必杀僧达。会高阇反，上因诬僧达与阇通谋，八月丙戌[853]，收付廷尉[854]，赐死[855]。

沈约论曰："夫君子、小人，类物之通称[856]，蹈道[857]则为君子，违之则为小人。是以太公起屠钓为周师[858]，傅说去版筑为殷相[859]，明扬幽仄[860]，唯才是与[861]。逮于二汉[862]，兹道未革[863]：胡广累世农夫[864]，致位公相[865]，黄宪[866]牛医之子，名重京师[867]，非若晚代分为二途[868]也。魏武始立九品[869]，盖以论人才优劣[870]，非谓世族高卑[871]。而都正俗士[872]，随时俯仰[873]，凭借世资[874]，用相陵驾[875]。因此相沿[876]，

六月二十四日丙申，北魏文成帝在松山打猎。秋季，七月二十八日庚午，拓跋濬前往黄河以西地区巡视。

宋国南彭城郡人高阇、和尚昙标用神怪叛逆的言论互相煽动，同时与担任殿中将军的苗允等人勾结起来阴谋作乱，准备拥立高阇为皇帝。阴谋被发觉以后，七月初二日甲辰，全部被逮捕诛杀，受此案牵连而被处死的有好几十人。于是宋孝武帝下诏，对所有的佛教僧徒进行甄别和审查，设立了各种法条禁令，严厉实行诛杀与连坐的法令。除非是严格遵守佛教戒律、道行精深的高僧，其他的僧侣一律让他们还俗回家。然而很多尼姑却能经常出入宫廷，孝武帝所颁布的这项规定对那些尼姑竟然没有起到管制作用。

宋国担任中书令的王僧达，年幼的时候就很聪明机警，善于书写文章，然而却行为放荡，不拘小节。孝武帝刘骏刚刚登上皇帝宝座的时候，就提升王僧达为尚书仆射，其地位在孝武帝的心腹大臣颜竣和刘延孙之上。王僧达以自己的才能与出身门第的优越而自负，认为在当时没有人能比得上自己，遂幻想着一两年之间就有望当上宰相。然而没过多久，孝武帝改任他为护军将军，他便怏怏不快，深感自己政治上的不得志，于是屡次请求离开朝廷到地方去任职。孝武帝对王僧达的这些表现感到很不满意，因此逐渐降低了王僧达的职位，五年之间，王僧达的职务就被换了七次，还有两次因为遭到弹劾而被降职。王僧达对此既感到羞耻又心怀怨恨，在所上奏章中往往流露出讽刺与不满，又喜好非议时政，孝武帝对王僧达已经积累了很多的愤怒。路太后的侄子路庆之曾经到王僧达的家中拜访，路庆之小步快走地坐上了王僧达的坐垫，王僧达立即命人把这张坐垫抬出去扔掉。路太后知道以后非常生气，坚决要求孝武帝下令，一定要杀掉王僧达。正赶上高阇等人阴谋造反，孝武帝遂借机诬陷王僧达与高阇串通作乱，八月十五日丙戌，把王僧达逮捕起来交付给廷尉审理，后来下令王僧达自杀。

沈约评论说："君子、小人，是对两类不同性质的人的统称，走正道的人就被称作君子，不走正道的人就被称作小人。所以姜太公虽然曾经在朝歌闹市中屠过牛、在渭水之滨垂钓，却被周文王迎请为老师；傅说从傅岩之野夯土筑墙的劳役中被殷高宗解放出来，任命为宰相。那时候提拔任用那些被埋没在黑暗之处的人，所举用的都是有用的人才。发展到两汉时期，这种'唯才是与'的选官原则一直没有改变，东汉时期的胡广，其祖先历代务农，而胡广的官职后来一直做到宰相，黄宪出身于一个兽医家庭，竟然能够扬名于京师，并不像后来的魏晋时期，将士人按照出身分为士族与寒门两类。魏武帝曹操开始建立九品官人法，是依据被评选者的品德与才干来确定其等级的高低，而不是评定这些被评者出身家庭地位的高低。然而各州的中正官都是一些庸俗之人、势利眼，他们随着当时的社会风气而随高就高、随低就低，因为这些中正官都出身士族

遂为成法。周、汉之道，以智役愚[877]，魏、晋以来，以贵役贱[878]，士庶之科[879]，较然有辨[880]矣。”

裴子野论曰：“古者，德义可尊[881]，无择负贩[882]，苟非其人[883]，何取世族[884]？名公子孙，还齐布衣之伍[885]；士庶虽分[886]，本无华素之隔[887]。自晋以来，其流稍改[888]，草泽奇[22]士[889]，犹显清途[890]，降及季年[891]，专限阀阅[892]。自是三公之子，傲九棘[893]之家；黄散[894]之孙，蔑令长之室[895]。转相骄矜，互争铢两[896]，唯论门户，不问贤能。以谢灵运[897]、王僧达之才华轻躁[898]，使[23]生自寒宗[899]，犹将覆折[900]，重以[901]怙其庇荫[902]，召祸宜哉[903]！”

九月乙巳[904]，魏主还平城[905]。

丙寅[906]，魏大赦。

冬，十月甲戌[907]，魏主北巡，欲伐柔然。至阴山，会雨雪，魏主欲还，太尉尉眷曰：“今动大众以威北狄[908][24]，去都[909]不远而车驾遽还[910]，虏必疑我有内难[911]。将士虽寒，不可不进。”魏主从之，辛卯[912]，军于车仑山[913]。

积射将军殷孝祖[914]筑两城于清水[915]之东，魏镇西将军封敕文[916]攻之，清口戍主[917]、振威将军傅乾爱拒破之。孝祖，羡[918]之曾孙也。上遣虎贲主[919]庞孟虬将兵[25]救清口，青、冀二州刺史颜师伯遣中兵参军苟思达助之，败魏兵于沙沟[920]。师伯，竣之族兄也。上遣司空参军卜天生将兵会傅乾爱及中兵参军[921]江方兴共击魏兵，屡破之，斩魏将窟瓌公等数人。十一月，魏征西将军皮豹子[922]等将三万骑助封敕文寇青州，

豪门，因此便对不是出身于世家的人都加以压抑。这种恶劣做法继续发展，后来竟然成为一种固定做法。周朝、汉朝的制度，是让有智慧的人管理愚昧的人，曹魏、两晋以来，是以出身门第高贵的人奴役出身门第低贱的人，士族与庶族的界限，就这样清楚、明白地划分出来了。”

裴子野评论说：“古时候，只要在德、义方面受人尊重，即使他是负鼎、贩牛之人也照样能得到提拔任用，如果不是有德有才之人，即使他们出身世族又有什么可取的？那时候即使是名人高官的子孙，也与身穿布衣的平民排列在一起；出身虽然有士族和庶族的分别，却不能成为谁能做大官、谁只能做平民的界限。自晋朝以来，其风气已经有所改变，但一些出身于平民百姓的奇能异士，在达官贵人的行列中还能出现；等到了晋朝末期，朝廷任用官吏，只凭出身门第这一条。从此以后，三公家庭出身的子弟，瞧不起出身九卿之家的人；出身于黄门侍郎和散骑常侍之家的子孙，又蔑视县令、县长家的人。他们互相骄傲夸耀，相互攀比，看谁比谁的官位高一点，俸禄多一点，选用官吏只凭出身门第，不管是否贤能。就凭谢灵运、王僧达的才华和强烈的名利之心，假使是出生于寒门，也会遭到覆灭的下场，更何况他们仗恃着自己出身门第高贵、祖先功劳大的保护，给自己招来杀身之祸，不是很自然的事情吗?!”

九月初四日乙巳，北魏文成帝从松山回到平城。

九月二十五日丙寅，魏国实行大赦。

冬季，十月初四日甲戌，北魏文成帝到魏国的北方地区巡视，准备出兵讨伐柔然。到达阴山的时候，遇到天降大雪，文成帝想要回师，担任太尉的尉眷劝阻他说：“现在我们出动大批人马以威慑北方的野蛮民族，离开都城没有多远而皇帝的车驾便很快地折了回去，胡虏必然怀疑我们国内发生了内乱。将士们虽然遭受严寒，却不能不继续前进。”文成帝听从了尉眷的意见，二十一日辛卯，文成帝统率大军驻扎在车仑山。

宋国担任积射将军的殷孝祖在泗水的东岸修筑了两座城池，魏国担任镇西将军的封敕文率领魏军前来进攻殷孝祖，被宋国清口军事据点的头领、担任振威将军的傅乾爱打败。殷孝祖，是殷羡的曾孙。孝武帝派遣虎贲军的头领庞孟虬率领兵士去救援清口，担任青州、冀州二州刺史的颜师伯派遣担任中兵参军的苟思达前往协助庞孟虬，庞孟虬、苟思达在沙沟打败了入侵的魏军。颜师伯，是颜竣的族兄。孝武帝派遣担任司空参军的卜天生率领军队会同振威将军傅乾爱以及中兵参军江方兴共同攻打魏军，他们多次将魏军打败，杀死了窟瓌公等好几个魏军将领。十一月，魏国担任征西将军的皮豹子等人率领三万骑兵增援镇西将军封敕文侵犯宋国的青州，

颜师伯御之，辅国参军[923][26]焦度刺豹子坠马，获其铠矟具装[924]，手杀数十人。度，本南安氐[925]也。

魏主自将骑十万、车十五万两[926]击柔然，度大漠，旌旗千里。柔然处罗可汗远遁，其别部乌朱驾颓等帅数千落[927]降于魏。魏主刻石纪功而还。

初，上在江州[928]，山阴戴法兴[929]、戴明宝、蔡闲为典签。及即位，皆以为南台侍御史[930]兼中书通事舍人[931]。是岁，三典签并以初举兵预密谋[932]，赐爵县男[933]，闲已卒，追赐之。

时上亲览朝政，不任大臣[934]，而腹心耳目，不得无所委寄[935]。法兴颇知古今，素见亲待。鲁郡巢尚之，人士之末[936]，涉猎文史[937]，为上所知，亦以为中书通事舍人。凡选授迁徙[27]诛赏大处分[938]，上皆与法兴、尚之参怀[939]；内外杂事，多委明宝，三人权重当时。而法兴、明宝大纳货贿，凡所荐达[940]，言无不行，天下辐凑[941]，门外成市，家产并累千金[942]。

吏部尚书顾觊之独不降意[943]于法兴等。蔡兴宗与觊之善，嫌其风节太峻[944]，觊之曰："辛毗[945]有言：'孙、刘不过使吾不为三公耳[946]！'"觊之常以为："人禀命有定分[947]，非智力所[28]移[948]，唯应恭己守道[949]；而暗者不达[950]，妄意侥幸[951]，徒亏雅道[952]，无关得丧[953]。"乃以其意命弟子愿[954][29]著《定命论》[955]以释之[956]。

青、冀二州刺史颜师伯率军奋勇抗击入侵的魏军，担任辅国参军的焦度将魏国征西将军皮豹子刺落马下，缴获了皮豹子所穿的铠甲、所使用的长矛以及连人带马的全套装备，还亲手杀死了好几十名魏军。焦度，原本是南安郡的氐族人。

北魏文成帝亲自率领十万骑兵、十五万辆战车进攻柔然，他们向北横渡大漠，一路之上旌旗招展，绵延千里。柔然处罗可汗郁久闾吐贺真率领部众向远方逃走，其他部落首领乌朱驾颓等人率领着几千部落的柔然人向魏军投降。魏文成帝把功劳镌刻在石碑上然后班师。

当初，宋孝武帝在担任江州刺史的时候，山阴人戴法兴、戴明宝、蔡闲在刘骏手下担任典签。等到刘骏登上皇帝宝座以后，全都任命他们担任了南台侍御史兼中书通事舍人。这一年，戴法兴、戴明宝、蔡闲这三位典签全都因为参与了孝武帝最初的起兵密谋而被赐封为男爵封地为一个县，此时蔡闲已经去世，便追赠他为县男爵。

当时孝武帝亲自处理朝廷政务，他不相信那些朝廷大臣，不把朝廷大事委托给那些大臣去办，而自己的那些亲信耳目，就不可能不再委托了。戴法兴稍微熟悉一些古往今来有关历史方面的东西，因此一向受到孝武帝刘骏的信任与厚待。鲁郡的巢尚之，虽然在官场人物中是最差劲的一个，却因为稍微接触过一些有关文学、历史方面的东西，而被孝武帝知遇，孝武帝也把巢尚之任命为中书通事舍人。凡是任免官职、官员调动、诛杀有罪、赏赐有功等这些重大问题的决定，孝武帝都与戴法兴、巢尚之一起商量决定，朝廷内外的一些杂事，大多数都交付给戴明宝去处理，戴法兴、巢尚之、戴明宝三人的权势在当时倾动朝野。而戴法兴、戴明宝则趁机大量收受贿赂，凡是由他们举荐的人、转达的事情，孝武帝无所不从，于是天下那些趋炎附势、走后门、找门路办事的人便都聚集在他们两个的门下，他们的门前热闹得就像一个集贸市场一样，他们积累的家产全都在千金以上。

只有担任吏部尚书的顾觊之不肯低声下气、曲意逢迎戴法兴等人。蔡兴宗与顾觊之关系友善，但他却嫌顾觊之的棱角太突出、为人太刚直不阿，顾觊之于是对蔡兴宗说："三国时期的辛毗曾经说过：'孙资、刘放这两个小子顶多不过给我使点坏，让我当不上三公而已！'" 顾觊之经常认为："一个人的命运好坏都是与生俱来、命里注定的，不是个人的智慧、能力所能改变的，只要自己恭恭敬敬地坚守正道、做个好人就可以了，而有些糊涂的人不懂得这个道理，妄想凭借侥幸获取功名利禄，结果往往是有损于正道，却改变不了自己命定的得失。"于是，顾觊之便让自己弟弟的儿子顾愿撰写了一篇《定命论》，以阐发顾觊之的这种"禀命有定分"的观点。

【段旨】

以上为第三段，写宋孝武帝大明元年（公元四五七年）、二年共两年间的大事。主要写了宋主刘骏因徐州刺史申坦等讨任城群盗无功遂欲杀之，沈庆之抱申坦哭于市，申坦始被刘骏赦免。写了刘骏骄奢自恣，多所兴造，颜竣以藩朝旧臣，恳切谏争无所回避，遂被刘骏疏远，出为刺史。写了中书令王僧达由于跌宕不拘，矜才自负，因迁护军心怀不满，累求外出，又对皇帝的亲戚无礼，惹怒皇帝、太后，被诬以罪名杀死。写了刘骏因淫乱无度，不择亲疏，人多不喜，竟陵王诞宽而有礼，又讨元凶刘劭有功，人心窃向之，刘骏畏忌之使出镇广陵。写了孝武帝刘骏因彭城民高阇、沙门昙标勾结皇帝身边的亲兵头领作乱而下令沙汰僧尼，严其诛禁，自非戒行精苦并使还俗。写了刘骏宠用戴法兴、巢尚之、戴明宝，三人权重当时，天下辐辏，门庭若市，而吏部尚书顾觊之独不降意于三人，顾觊之命侄子顾愿著《定命论》，恭己守道，自行其是。写了魏主穿大漠，伐柔然，柔然可汗远遁，别部降者千余落，魏主刻石纪功而还。写了宋将殷孝祖筑城于清水之东，魏将封敕文攻之，被宋军打败于沙沟，魏将皮豹子助封敕文攻青州，又被宋将颜师伯、焦度打败。写了魏臣高允谏魏主拓跋濬大起宫殿，魏主纳之，连带写到了高允的屏人进言，为魏主留面子，使魏主知其过而天下不知，高允为郎二十多年，至此被任为中书令；魏之儒臣游雅引高允在崔浩被杀时对魏主侃侃进言的“矫矫风节”，对高允的评价极高，比之于汉代的汲黯等。

【注释】

⑸⑺⑻ 正月辛亥朔：正月初一是辛亥日。⑸⑺⑼ 壬戌：正月十二。⑸⑻⑽ 畋于崞山：在崞山打猎。崞山，在今山西原平西南。⑸⑻⑴ 戊辰：正月十八。⑸⑻⑵ 寇兖州：侵犯兖州。刘宋的兖州州治即今山东济宁。⑸⑻⑶ 无盐：县名，县治在今山东东平东北，当时为东平郡的郡治所在地。⑸⑻⑷ 东阳太守：刘宋时的东阳郡治即今浙江金华。⑸⑻⑸ 御：抵抗；迎敌。⑸⑻⑹ 节度：指挥；调度。⑸⑻⑺ 比至：当他们到达徐州时。比，及、等到。⑸⑻⑻ 先是：叙述历史的常用语，意即“在此以前”。⑸⑻⑼ 任城荆榛中：任城县的山野薮泽之中。任城县的县治在今山东微山西北。荆榛，荆棘一类的灌木丛。⑸⑼⑽ 累世为患：多少年来成为当地百姓和官府的麻烦。累世，数世。一世三十年。⑸⑼⑴ 坐白衣领职：被免去官职，以一个平民的身份管理原来的职务。坐，这里指被免职。白衣，也称“白丁”，古时用以称平民百姓。⑸⑼⑵ 行当就汝：很快就要到阴间去找你了。就，找，到你那里去。⑸⑼⑶ 有司以闻：管理此事的人将此事报告孝武帝刘骏。⑸⑼⑷ 三月庚申：三月十一。⑸⑼⑸ 松山：山名，在今辽宁盘锦西南。⑸⑼⑹ 己巳：三月二十。⑸⑼⑺ 立其弟新成为阳平王：新成，拓跋新成，拓跋晃之子，拓跋浔之弟。传见《魏书》卷十九。阳平是封地名，阳平郡的郡治即今河北馆陶。⑸⑼⑻ 即吉：脱去孝服，穿起平常的

服装，也就是刘骏为其父服满三年丧以后。⑤⑨⑨奢淫自恣：奢侈淫荡，任性而为。⑥⓪⓪兴造：营建；大兴土木。⑥⓪①藩朝旧臣：早在刘骏为武陵王时颜竣就在他的属下为臣。古代称诸侯为中央天子的屏藩。⑥⓪②数：多次。⑥⓪③浸不悦：越来越不高兴。浸，渐。⑥⓪④才足干时：自己的才能在当时可起骨干作用，成为朝廷的主心骨。⑥⓪⑤恩旧莫比：君臣之间的恩情之深、感情之密，没有第二个人可比。⑥⓪⑥当居中：应当在朝廷上。⑥⓪⑦以占上意：以探测皇上的心思。占，探测。⑥⓪⑧六月丁亥：六月初九。⑥⓪⑨东扬州刺史：刘宋时东扬州的州治即今浙江绍兴，管辖浙东地区的会稽郡、东阳郡、新安郡、临海郡、永嘉郡。⑥①⓪癸卯：六月二十五。⑥①①雍州：刘宋时的雍州州治襄阳，即今湖北襄阳市襄城区。地近刘宋与魏国的边境地区。⑥①②多侨郡县：有许多是有名无实的郡县，也就是实地已经沦陷于北魏政权的统治下，而逃到南方来的北方人按郡按县地聚集在一起，还用原来的郡名、县名，而朝廷也给这些聚集而居的北方人群派来行政长官，起名叫什么“南新城郡”，设在今湖北的房县，起名叫“扶风郡”，设在湖北的谷城，等等。混乱不堪。⑥①③新旧错乱：新设侨郡县与原来的旧郡县混在一起，杂乱不清。⑥①④租课不时：征收租税的事情无法按时完成。课，征收。不时，不能按时、及时。⑥①⑤土断：不论本地人或外地迁来的人，都在所生活的地区申报户口，纳税服役。⑥①⑥辛未：七月二十四。⑥①⑦属籍：在当地落户。⑥①⑧柳元景宗强：柳元景的家族势力强大。柳元景是河东解县（今山西永济东）人，南迁后，侨居在雍州的范围内。⑥①⑨群从：各位堂兄弟们。从，堂兄弟。⑥②⓪多为雍部二千石：都在雍州的管区内任郡太守与郡都尉一类的职务。雍部，雍州刺史的管辖区。二千石，汉代的官吏级别名，地方官的郡太守与郡都尉以及诸侯国的丞相、内史等大体都属于二千石或比二千石的级别。⑥②①乘声：趁势跟着呐喊。⑥②②内外晏然：州衙府衙里里外外的官吏都安安定定地各守各位。⑥②③驰使启上：派使者飞马进京向皇帝说明情况。⑥②④上知其虚：皇上知道了外面有关王玄谟的传言纯属虚构。⑥②⑤主书：官名，中书省的一般官员，主管替皇帝起草文件。⑥②⑥反欲何求：还造反想图什么呢？⑥②⑦足以相保：本来是可以相互信任，用不着再说什么的。⑥②⑧聊复为笑:我之所以还要和你说那个话。指“七十老公,反欲何求”。⑥②⑨伸卿眉头：是为了逗你笑一笑，舒展一下眉头。⑥③⓪性严：生性严肃。⑥③①八月己亥：八月二十二。⑥③②甲辰：八月二十七。⑥③③太子詹事：官名，管理太子家的事务。⑥③④南徐州刺史：南徐州的州治即当时的京口，今江苏镇江市。⑥③⑤密迩：挨得很近。⑥③⑥自非：如果不是；除……以外。⑥③⑦延孙之先：刘延孙的先人，即刘道产，刘宋前期的著名地方官，深得百姓爱戴。⑥③⑧同源：同出于一个祖先。⑥③⑨属彭城：属于彭城（今江苏徐州）的这一个刘氏支派。⑥④⓪吕县：在今江苏徐州东南，当时属彭城郡。胡三省曰：“彭城、吕二县并属彭城郡，延孙与帝室同源同郡，特异县耳。”⑥④①不序昭穆：相互之间不排辈分，意即不以同族看待。昭、穆，古代宗庙里所排列的祖先牌位的次序。以始祖居中，二世、四世、六世，位于始祖的左方，称昭；三世、五世、七世位于右方，称穆。这里用以泛指家族中的辈分。⑥④②仍诏：这才下诏书。仍，这里通“乃”。⑥④③合族：合为一个家族。⑥④④使诸王皆序长幼：让皇室诸王和刘延孙家族的子弟一起排辈分与年齿的长幼。⑯上闺门无礼：皇帝刘骏的男女关系混乱，不讲伦理。闺门，家门之内。⑯不择亲疏、尊卑：不管亲缘远近，不管身份高低，都任意奸淫。⑯流闻民间：宫廷里的事情流传到民间。⑯无所不至：多么荒唐惊人的事情都有。⑯诞：竟陵王刘诞，文帝刘义隆之子。传见《宋书》卷七十九。⑯窃向之：暗中拥护他。⑯才力之士：有才干与有武力的人。⑯蓄精甲利兵：搜集贮藏精良的铠甲与锋利的武器。⑯居中：身在朝廷。⑯使出镇京口：开始让他到镇江驻守。⑯犹嫌其逼：还嫌他离着朝廷太近。⑯广陵：今江苏扬州。⑯镇京口以防之：京口处于广陵与建康之间，广陵闹乱子，可以让京口先阻挡一阵。⑯辽西黄山：黄山在辽西郡的肥如县，肥如县治在今河北迁安东北。⑯丁亥：十二月十二。⑯以顺阳王休范为桂阳王：让他这个弟弟离京城越来越远。刘休范原为顺阳王，顺阳郡治在今河南淅川西南；现在改为桂阳王，桂阳郡治即今湖南郴州。⑯正月丙午朔：正月初一是丙午日。⑯吉凶之会：遇有喜事或丧事的聚会。⑯听开禁：允许破例。⑯有程日：但有一定的期限。⑯内外候官：这里的“候官”是指刺探消息、搜集情报的官员，有如后代所说的特务、密探。所谓“内外”是指京城以内和京城以外。“候官”也指迎送宾客的官员，与此处所说含义不同。⑯诸曹：指朝廷的各机构、各部门。有如后代所说的各部、各局、各科。⑯州、镇：指各个刺史衙门、督军衙门。⑯杂乱于府寺间：和各机关、各单位的办公人员混杂在一起。府寺，泛指官府、衙门。⑯求：寻找，打听。⑰有司穷治：一旦被人举报就要受到主管官员的追根究底。⑰讯掠取服：严刑拷打以取得认罪口供。讯，审问。掠，拷打。⑰赃满二丈：只要所获赃物赃款达到能买两丈帛的价值。⑰乙卯：正月初十。⑰广宁：县名，县治即今河北涿鹿。⑰平州：州治肥如，在今河北迁安东北。⑰庚午：正月二十五。⑰二月丙子：二月初二。⑰碣石山：平州海边的山名，在今河北昌黎城北。⑰戊寅：二月初四。⑱信都：郡名，郡治即今河北衡水市冀州区。⑱广川：县名，县治在今河北枣强东北。⑱乙酉：二月十一。⑱丙戌：二月十二。⑱建平宣简王宏：刘宏，被封为建平王，“宣简”二字是其死后的谥。⑱三月丁未：三月初三。⑱丙辰：三月十二。⑱起太华殿：胡三省引《水经注》曰：“魏太和十六年，破太华、安昌诸殿，造太极殿东西堂及朝堂。”⑱给事中：皇帝的侍从官员，以备参谋顾问之用，以其常在宫廷之内而得名。⑱倾巧：善于逢迎巧辩。⑲说帝：劝说魏帝拓跋濬。⑲太祖：指拓跋珪。⑲其所营立：不论兴建什么房子。⑲必因农隙：一定要找农闲的时间。⑲宴息：休息。宴，安闲、安乐。⑲临望：俯瞰、远眺。⑲修广：扩大修建。⑲亦宜驯致：也应该慢慢来。驯致，逐渐完成。⑲仓猝：指突然动工，且又急于求成。⑲供饷：送吃送喝，完成各种后勤工作。⑳又当倍之：又得动用两倍的人。⑳期：预计；估计。⑳一夫不耕二句：古代成语，即使只有一个人不干活，也可能有人因他而挨饿。⑳四万人之劳费：这四万人不仅不能从事农活、生产东西，而且还要付出如此巨大的花费。⑳可胜道乎：所造成灾害的程度还说得过来吗？⑳不忍闻：没法再听下去。不忍，不能再忍耐。⑳命左右扶出：

强使之下去。⑦上事为激讦：上书言事而措辞过于激烈，不讲情面。讦，说人短处。⑧省：看；阅读。⑨不作书于众中谏之：不写在书面，不在大庭广众劝他的父亲。⑩而于私室屏处谏：而是回到家里找个没有人的地方向他的父亲劝说。屏处，无人之处。⑪不欲其父之恶彰于外：不愿意把自己父亲的过失闹得人人都知道。彰，显、外传。⑫何独不然：怎么就偏偏不这样。⑬显谏：公开地提意见。⑭彰君之短：暴露君主的短处。⑮明己之直：以表现他做大臣的正直。⑯不堪闻：没法听下去。⑰朕闻其过而天下不知：既让我听闻自己的过失，又在天下人面前为我保留了面子。⑱所与同征者：同时一道被上调到朝廷来的。征，辟、聘，即今所谓“上调”。⑲游雅：拓跋焘时代的文雅之臣，作有《太华殿赋》，封梁郡公。传见《魏书》卷五十四。⑳部下吏：高允属下的小吏。㉑数十百：八九十个乃至上百个。㉒允为郎：高允为郎官。郎有中郎、侍郎、郎中等名目，都是帝王身边的侍从官员，备参谋顾问之用。㉓二十七年不徙官：二十七年没有提升过。胡三省曰：“魏世祖神䴥四年，高允征拜中书博士，领著作郎，至是年二十五年耳。”㉔徒立：只是站着一言不发。㉕规正：规劝我改正错误。㉖执笔：指任著作郎，参与写史，管理图书档案等。㉗中书令：中书省的主官，位同宰相。㉘无禄：国家不发给俸禄，没有工资。㉙樵采：砍樵与采集野果。㉚陆丽：拓跋嗣、拓跋焘时代的元勋陆俟的第四子，任南部尚书，拥立拓跋濬有大功。传见《魏书》卷四十。㉛妻子不立：妻子儿女皆一无所有。胡三省曰：“立，成也，置也，建也。谓不能建置家业也。”㉜缊袍：用乱麻絮起来的袍子。缊，乱麻。㉝长乐太守：长乐郡的郡治即今河北衡水市冀州区，当时称作信都。㉞令公：对中书令的敬称。㉟卓子康：卓茂，东汉南阳郡的宛县人，字子康，习《诗》《礼》、历算，王莽执政时能坚守德操。传见《后汉书》卷二十五。㊱刘文饶：刘宽，东汉弘农郡华阴县人，字文饶，桓帝时曾征拜尚书令，灵帝初两任太尉，以宽容大度著称于时。传见《后汉书》卷二十五。㊲褊心：心胸狭窄。㊳不之信：不相信世上真有卓茂、刘宽那样的人。㊴游处：交游相处。㊵未尝见其喜愠之色：从未见他为个人的某事而欢喜或发脾气。极言其个人修养到家。愠，发怒、生气。㊶乃知古人为不诬：由此也相信历史上有关卓茂、刘宽的记载不是瞎说。㊷内文明：内心知书达礼。㊸呐呐：说话迟钝的样子。㊹崔司徒：崔浩，拓跋珪、拓跋嗣、拓跋焘三代的名臣，位至司徒，被拓跋焘无理杀死。传见《魏书》卷三十五。㊺所乏者矫矫风节：缺少的是挺拔轩昂的风骨气节，意即不能义正词严地表明自己的思想观点。㊻余亦以为然：我过去也觉得是这样。㊼及司徒得罪：指崔浩因刻史于石引起贵族怨愤而被下狱。㊽起于纤微：事情的起因本来不是什么大问题。㊾诏指临责：皇帝派人前去当面责问。㊿司徒声嘶股栗：崔司徒吓得战战兢兢，说话的声音嘶哑。(751)殆不能言：几乎说不出话来。(752)宗钦已下：宗钦以下的其他犯罪的人。宗钦，崔浩手下直接主管写史并怂恿将之刻石的人。(753)敷陈事理：陈述所指犯罪情由的始末。(754)申释是非：申辩解释其中的哪些为是、哪些为非。(755)神耸：提神；神气为之激昂。(756)用事：管事；掌权。(757)都坐：指政事堂。胡三省曰：“魏有都坐大官。魏之都坐，犹唐之朝堂也。或曰都坐尚书，都坐即唐之政事堂。”⑱趋庭望拜：进入庭院即小步疾趋，远远望见即大礼参拜。趋，小步疾行，这是古代臣子在君父面前走路的一种特定姿势。⑲升阶长揖：登上台阶，深深地打上一躬。⑳汲长孺可以卧见卫青：如果高允能见宗钦都只是长揖，那么受人崇敬的汲黯就应该是睡在床上见卫青。汲长孺，汲黯，字长孺，曾任主爵都尉，不媚权贵，敢于面折廷争。传见《史记》卷一百二十。㉑何抗礼之有：为什么见了卫青还要行个对等之礼，还要作个长揖呢？卫青是武帝时期的名将，任大将军之职，权力在丞相之上。朝廷百官见了卫青都遥相跪拜，只有汲黯，见了卫青只是作个揖而已。事见《史记·汲郑列传》。抗礼，行对等之礼。汲黯向卫青作个揖，卫青向汲黯还个礼，礼数是对等的。这里是由推崇高允的为人而拉汲黯来做陪衬。㉒夫：发语词。㉓人固未易知：真正了解一个人是很难的。㉔失之于心：不了解他的内心深处。㉕漏之于外：错看了他的外在。㉖管仲所以致恸于鲍叔：这不就像当年管仲感慨地痛哭鲍叔牙一样吗？管仲与鲍叔牙都是春秋时代齐桓公手下的名臣。最初管仲保着公子纠，公子纠被齐桓公打败后，齐桓公想任用鲍叔牙为齐国丞相，鲍叔牙大公无私地劝齐桓公任用管仲。结果管仲辅佐齐桓公九合诸侯，一匡天下，成了当时有名的霸主。事后管仲感慨地说：“吾始困时，尝与鲍叔贾，分财利多自与，鲍叔不以我为贪，知我贫也；吾尝为鲍叔谋事而更穷困，鲍叔不以我为愚，知时有利不利也；吾尝三仕三见逐于君，鲍叔不以我为不肖，知我不遭时也；吾尝三战三走，鲍叔不以我为怯，知我有老母也；公子纠败，召忽死之，吾幽囚受辱，鲍叔不以我为无耻，知我不羞小节而耻功名不显于天下也。生我者父母，知我者鲍子也。”事见《史记·管晏列传》。致恸，为之感动得痛哭。㉗乙丑：三月二十一日。㉘东平成王陆俟：陆俟是陆丽之父，魏国元勋老臣，被封为东平王，“成”字是其死后的谥。东平是封地名，东平郡的郡治范县，在今河南范县东南。㉙四月甲申：四月十一。㉚子绥为安陆王：刘子绥是孝武帝刘骏的第四子，被封为安陆王，安陆郡的郡治即今湖北安陆。㉛六月戊寅：六月初六。㉜分吏部尚书置二人：胡三省曰，“吏部尚书掌铨选，以其权重，江左谓之大尚书，言其位任与诸曹殊绝也。今置二人以分其权”。㉝都官尚书：后代的刑部尚书，主管水火、盗贼、治安等事。㉞度支尚书：后代的户部尚书，主管国家的钱财之事。㉟顾觊之：刘宋中期有政绩的地方官。传见《宋书》卷八十一。㊱省五兵尚书：撤销五兵尚书一职。五兵尚书，即后代的兵部尚书，主管全国军事。㊲选望甚重：选人者与入选者对之都看得很重。选，指选用什么人。望，指入选者的名望。㊳重其选：提高入选者的资历。㊴临海太守：临海郡的郡治章安，在今浙江台州西北。㊵蔡兴宗：宋初名臣蔡廓之子，正直敢言。传见《宋书》卷五十七。㊶选曹要重：选拔官吏的部门任务重大。㊷常侍闲淡：散骑常侍只是跟在皇帝身边随便谈谈。㊸改之以名而不以实：改用名人担任而不赋予他实权。㊹虽主意欲为轻重：即使皇帝想提高某一部门或降低某一部门。㊺常侍之选复卑：散骑常侍的人选越来越不受重视。㊻选部之贵不异：吏部尚书的贵重还和过去一样。〖按〗散骑常侍是皇帝身边的人，他的权大表明皇帝个人的意志得申；吏部尚书是尚书省的一个部门，他的权大表明国家权力在职能部门的长官之手。这正是孝武帝刘骏想要夺取过来的。⑦87琳之：孔琳之，晋末宋初的正直大臣，前后屡与桓玄、徐羡之等唱对台戏。传见《宋书》卷五十六。⑦88谧：王谧，晋末宋初时人，因在刘裕微贱时能对之欣赏重视，故刘裕称帝后王谧遂为大官。传见《宋书》卷五十二。⑦89官人之难：任命人为官的难处。⑦90先王言之：先王早就说过啦。《尚书·皋陶谟》有所谓“知人则哲，唯帝其难之”。《史记·夏本纪》：“皋陶曰：‘于！在知人，在安民。’禹曰：‘吁！皆若是，惟帝其难之。知人则智，能官人；能安民则惠，黎民怀之。能知能惠，何忧乎驩兜，何迁乎有苗，何畏乎巧言善色佞人？’”⑦91尚矣：很早很早啦。尚，意思同“上”，久远。⑦92周礼：周朝的礼仪规定说。⑦93始于学校：早在学校里就开始对人才的培养、考察。⑦94论之州里：接着本州本里就有对本地区所属年轻人的考察与评定。州、里，都是居民的基层单位名。五家为一邻，五邻为一里，两千五百家为一州。⑦95告诸六事：各基层单位将层层评定的结果报告给朝廷的六卿。六事，即六卿，朝廷各部的主事官员。⑦96贡于王庭：推荐到国家帝王的宫廷。⑦97其在汉家：在汉朝的做法是。⑦98州郡积其功能：各郡各州把自己衙门所属官吏的工作能力、工作业绩，整理上报。⑦99五府举为掾属：朝廷的各大部门聘任这些被推荐的人才到自己的衙门充当办事人员。五府，朝廷的各大部门，如司徒府、太尉府等。掾属，僚属。⑧00三公参其得失：三公指丞相、太尉、御史大夫，三位国家的最高大臣。由他们分析综合这些人才在朝廷各大部门实际工作的优缺点，提出初步意见。⑧01尚书奏之天子：尚书是皇帝身边的掌管文书、档案的官员。他把三公所汇总的有关任命官员的意见书呈送皇帝，由皇帝最后裁决。⑧02一人之身：每一个将被任用的官员。⑧03所阅者众：所经历的审查层次多。阅，检查、考验。⑧04官得其才：每个官职都能由合适的人选来担任。⑧05鲜有败事：很少有任职的官员办事砸了锅的。鲜，稀少。⑧06魏、晋易是：魏晋以后就不是这样了。易是，改变了先秦两汉的做法。⑧07所失弘多：其失误太严重太多了。弘，大、严重。⑧08厚貌深衷：一人的外貌有厚厚的伪装，一个人的内心更是深不可测。⑧09险如溪壑：认识一个人就如同观察一座深山的千岩万壑一样难以看透。⑧10择言观行犹惧弗周：即使听其言、观其行，还怕了解得不全面、不深入。⑧11万品千群：本来是五花八门千汇万状的人物。⑧12俄折乎一面：要在顷刻之间由一个人给他们做出片面的评定。折，裁决、评定。⑧13庶僚百位：众多僚属的人品，众多职务的功效。百位，各种职务、职位。⑧14专断于一司：都由一个吏部说了算。一司，一个部门，指选部、吏部。⑧15嚣风遂行：找路子、走后门、巴结权贵以求飞黄腾达的风气于是风行。嚣风，浮躁、奔竞之风。⑧16干进务得：一门心思向上爬，千方百计要达到。干，求。⑧17兼加谄渎：还有一套对上谄媚、对下傲慢的习气。《易大传》有所谓“君子上交不谄，下交不渎”。⑧18不可纪纲：无法再进行整顿。纪纲，这里用作动词，意即整顿。⑧19龙作纳言：龙是舜时的大臣，为舜做言官。纳言，意同“进谏”，犹如后代的左拾遗、右补阙之类。《史记·五帝本纪》有所谓

"舜曰：'龙，朕畏忌谗说殄伪，振惊朕众，命汝为纳言，夙夜出入朕命，惟信'"。⑳舜居南面：舜为国家的帝王。南面，指为帝王。㉑治致平章不可必也：要想达到天下太平也不是有绝对保障的。治致，达到太平。不可必，没有绝对把握。㉒后之官人者：后代那些任命官职的人。㉓分曹为两：在吏部设两个尚书。㉔不能反之于周、汉：不能重新实行周朝、汉朝的制度。㉕其庸愈乎：能有更好的效果吗？〖按〗以上裴子野的评论见《宋略》。㉖丙申：六月二十四。㉗秋二旬：秋季，七月二十八。㉘南彭城：南朝的侨置郡名。胡三省曰："晋氏南渡，侨立南彭城郡于晋陵界。"〖按〗当时的晋陵即今江苏常州。㉙以妖妄相扇：以神怪叛逆的语言相互煽动。㉚甲辰：七月初二。㉛沙汰诸沙门：甄别所有的佛教僧徒。沙汰，审查、甄别。沙门，佛教的僧尼。㉜设诸条禁：设立了各种法条禁令。诸，各种。条禁，法条、禁令。㉝严其诛坐：严厉实行诛杀与连坐的法令。㉞自非戒行精苦：只要不是严格遵守佛教戒律的人。自非，只要不是。㉟并使还俗：一概让他们还俗回家。并，一概。㊱此制竟不能行：对诸尼竟没有起到管制的作用。㊲王僧达：文帝初期的重臣王弘之子，刘骏起兵讨伐刘劭时，王僧达闻风归附，故受宠信为中书令。传见《宋书》卷七十五。㊳跌荡不拘：行为放纵，不拘小节。㊴帝初践阼：刘骏开始登基称帝的时候。践阼，登阶、登基。㊵仆射：为尚书右仆射，位同副丞相。㊶居颜、刘之右：在孝武帝的心腹大臣颜竣和刘延孙之上。右，此处指上。㊷自负才地：以自己才干与出身门第的优越而自矜。自负，以……为骄傲。㊸迁护军：改任为护军将军。㊹累启求出：屡次地请求出朝任地方官。㊺稍稍下迁：慢慢地下降。㊻五岁七徙：五年之间换了七个职位。㊼再被弹削：还有两次因受弹劾而被削减。削，减，降职或减俸。㊽辞旨抑扬：说话之间带有讽刺不满。㊾尝诣僧达：曾有一次到王僧达家里去。㊿趋升其榻：小步快走地坐上他的坐垫。趋，小步疾行。榻，坐垫，有如今日本人之座席。(851)令舁弃之：叫两个人把这张坐垫拿出去扔掉。舁，两人对抬。胡三省曰："路太后兄庆之曾为王氏门下驺（骑侍），故僧达麾（逐）其子。"(852)固邀上：坚决地逼着皇帝。邀，要挟、逼迫。(853)八月丙戌：八月十五。(854)收付廷尉：抓起来送交司法机关。廷尉，国家的最高司法长官。(855)赐死：胡三省曰："孔光屈身于董贤以保其禄位，人以为谄；王僧达抗意于路琼之以杀其身，人以为褊躁。远小人不恶而严，君子盖必有道也。"(856)类物之通称：是对两类不同性质人的称呼。物，指人。(857)蹈道：走正道。(858)太公起屠钓为周师：胡三省曰，"太公屠牛于朝歌，钓于渭滨，周文王迎以为师"。〖按〗事情详见《史记·齐太公世家》。起屠钓，由贫贱的职业中被提拔起来。(859)傅说去版筑为殷相：胡三省曰，"傅说筑于傅岩之野，殷高宗求以为相"。〖按〗事情详见《史记·殷本纪》。去版筑，由劳役犯中被解放出来。(860)明扬幽仄：提拔任用被埋没的人。幽仄，黑暗、崎岖。(861)唯才是与：所寻找的就是有才干的人。与，相与、相结交。或曰"与"意同"举"，亦通。(862)逮于二汉：发展到两汉时代。逮，至、达。(863)兹道未革：这种"唯才是与"的选官原则一直没有改变。革，改变、变更。(864)胡广累世农夫：胡广是东汉人，《后汉书·胡广传》有所谓"广少孤贫，亲执家苦”的话，但没有说他家是“累世农夫”。⑧⑥⑤致位公相：胡广由于熟读儒书，后来当了丞相。丞相在汉代是三公之一，故合称“公相”。⑧⑥⑥黄宪：黄宪是东汉后期人，其父是牛医，而黄宪却以品行学问见重于当时。事见《后汉书》。⑧⑥⑦名重京师：黄宪一生没有进入官场，但名动京师，当时的社会名流如陈蕃、郭泰、荀淑等人都对之大加赞赏，甚至有人把他比作颜子。⑧⑥⑧晚代分为二途：自魏晋开始将士人按出身分为士族和寒门两类。⑧⑥⑨魏武始立九品：魏武，指曹操，东汉末年的权臣。其子曹丕篡汉称帝后，追尊曹操为魏武帝。九品，即九品官人法，这一制度的提出并付之实行都在魏文帝黄初元年（公元二二〇年），不应说是“魏武始立九品”，乃是其子文帝曹丕始立九品官人法。其具体做法是，上起朝廷下至郡县基层，都设立中正官，以品评本乡、本土、本管区的人才，按照品行才干将之分成九个等级（品），依次上报，最后报到朝廷的大中正。大中正经过核查整理，上报大司徒，以确定录取任用。⑧⑦⓪论人才优劣：当初由大臣陈群提出，由曹丕批准实行的九品中正法，是依据被评者的品德与才干来确定其等级的高低。⑧⑦①非谓世族高卑：并不是评定这些被评者出身家庭的地位高低。⑧⑦②而都正俗士：各州的中正官都是俗人、势利眼。⑧⑦③随时俯仰：随着当时的社会风气而随高就高、随低就低。而当时的社会风气是士族当政，寒门受压。⑧⑦④凭借世资：凭着这些中正官都出身士族豪门。⑧⑦⑤用相陵驾：因此对非出身于世家的人都加以压抑。用，因、因此。陵驾，超越、压倒，也作“凌驾”。⑧⑦⑥因此相沿：这种恶劣做法继续发展。⑧⑦⑦以智役愚：让聪明人管理愚昧者。⑧⑦⑧以贵役贱：让贵族奴役寒贱。⑧⑦⑨士庶之科：士族与庶族的界限。⑧⑧⓪较然有辨：就这样清楚、明白地划分出来。较然，清楚、明白。〖按〗以上沈约对当时士庶矛盾的抨击，乃删节其《宋书·恩幸传》之文。⑧⑧①德义可尊：只要他在德义方面受人尊重。⑧⑧②无择负贩：即使是负鼎、贩牛之人也照样提拔任用。负鼎，指商朝大臣伊尹，据说他曾负鼎以滋味说汤；贩牛，指齐桓公的大臣宁戚与秦穆公的大臣百里奚，相传他们都曾贩牛而被君主任用。⑧⑧③苟非其人：如果他们不是有德有才之人。⑧⑧④何取世族：即使他们是世族出身，又有什么可取的？⑧⑧⑤还齐布衣之伍：应该与布衣平民排在同一行列。伍，行列。⑧⑧⑥士庶虽分：出身虽有士族与庶族的区别。⑧⑧⑦本无华素之隔：本来不能成为谁能做大官、谁只能做平民的界限。华，荣华，指做高官、披华衮。素，穿布衣，为平民。⑧⑧⑧其流稍改：其风气已经有所改变。流，潮流、风气。稍改，渐渐出现变化。⑧⑧⑨草泽奇士：一些出身于平民百姓的奇能异士。⑧⑨⓪犹显清途：在达官贵人的行列中偶尔还能有所出现。清途，政事清闲而实握大权的官职。当时又有所谓“浊官”，指工作繁忙，处理实际事务，而实际权力不大的官职。在南朝的官场中，庶族士子往往只能从事这一类职务。⑧⑨①降及季年：到了东晋末年。⑧⑨②专限阀阅：只凭门第一条。阀阅，指门第、贵族。古代有所谓“门在左曰阀，在右曰阅”。《史记·高祖功臣侯者年表》又有所谓“明其等曰阀，积其功曰阅”，通常用以指功臣世族之家。⑧⑨③九棘：九寺；九卿。秦汉时代的九卿指太常、郎中令、卫尉、太仆、廷尉、大鸿胪、宗正、大司农、少府。秦汉时的九卿，相当于唐宋时代的六部。⑱94 黄散：黄门侍郎和散骑常侍，皇帝身边的侍从官员。⑱95 蔑令长之室：瞧不起县令、县长家的人。古代大县的长官称县令，小县的长官称县长。⑱96 互争铢两：相互攀比，看谁比谁的官位高一点，俸禄多一点。古代称十六两为一斤，称一两的二十四分之一叫一铢。铢两，通常用以比喻其分量之小。⑱97 谢灵运：东晋名将谢玄之孙，晋末宋初的著名诗人，山水诗的开创者。入宋后对自己的官位不满，狂放傲慢，又图谋不轨，被宋文帝杀死。传见《宋书》卷六十七。⑱98 才华轻躁：有才华而名利心强，一心向上爬，爬不上就牢骚满腹，心怀不轨。⑱99 使生自寒宗：即使他们出身于寒门。⑲00 犹将覆折：也是会翻车的。⑲01 重以：再加上；更何况。⑲02 怙其庇荫：依仗他出身豪门，祖先的功大。怙，仗恃。庇荫，有保护伞，因前世有功而使子孙遇事免罪。⑲03 召祸宜哉：给自己招来杀身之祸就是很自然的了。〖按〗以上裴子野对谢灵运、王僧达轻躁招祸的评论，见其所著《宋略》。⑲04 九月乙巳：九月初四。⑲05 魏主还平城：由松山返回平城。⑲06 丙寅：九月二十五。⑲07 十月甲戌：十月初四。⑲08 以威北狄：以威慑北方的野蛮民族。北狄，指柔然。⑲09 去都：刚离开都城。⑲10 车驾遽还：帝王的车驾很快地折了回去。遽，即、很快地。⑲11 内难：内部发生政变。⑲12 辛卯：十月二十一。⑲13 车仑山：也作“车轮山”。胡三省引魏收《地形志》：“秀容郡敷城县有车轮泉神。”秀容郡的郡治在今山西忻州西北，敷城县的县治在今山西原平西北。⑲14 积射将军殷孝祖：积射将军是杂号将军名，在诸将中的位次偏低。殷孝祖是刘宋后期的名将。传见《宋书》卷八十六。⑲15 清水：此处所称的“清水”是泗水的别称。泗水由今山东曲阜一带南流，经江苏之徐州、下邳（今江苏睢宁）再南流，至清江（今江苏淮安西）入淮河。⑲16 封敕文：拓跋焘、拓跋濬时代的魏国名将，大有功于魏国西南地区的边陲。传见《魏书》卷五十一。⑲17 清口戍主：清口据点的部队头领。清口，名字非一，胡三省以为“此清口非清水入淮之口，乃济水与汶水的汇合之口”。按胡氏所说，此清口应在今山东泗水附近。⑲18 羡：殷羡，晋代末期徒有其名的权臣殷浩之父。传见《晋书》卷七十七。⑲19 虎贲主：虎贲武士的头领。虎贲是帝王的警卫部队，主管守卫宫廷及出行警卫之事。⑲20 沙沟：河水名，又名中川水，由泰山西北流，至今济南市长清区北入济水。⑲21 中兵参军：司空竟陵王刘诞属下的中兵参军。⑲22 皮豹子：魏国拓跋焘、拓跋濬时代的名将。传见《魏书》卷五十一。⑲23 辅国参军：辅国将军属下的参军。⑲24 铠矟具装：矟，也写作“槊”，长矛。具装，连人带马的全套装备。⑲25 南安氐：南安郡的氐族人。南安郡的郡治即今四川乐山。⑲26 两：通“辆”。⑲27 数千落：几千个部落。⑲28 上在江州：刘骏在任江州刺史的时候。⑲29 戴法兴：孝武帝刘骏的亲幸内臣。传见《宋书》卷九十四。⑲30 南台侍御史：御史台的侍御史，主管监察、弹劾。⑲31 中书通事舍人：中书省的官员，负责中书省与皇帝间的联络。⑲32 以初举兵预密谋：因参与了孝武帝刘骏最初的密谋起兵。⑲33 县男：封地为一个县的男爵。⑲34 不任大臣：不相信、不委托朝廷大臣办事。⑲35 不得无所委寄：就不可能不再委托了。⑲36 人士之末：在官场人物中是最差的。⑲37 涉猎文史：稍稍接触过一些文学、历史方面的东西。⑲38 凡选授迁徙诛赏大处分：

凡是任命官职、官员调动、杀罚赏赐这些重大问题的决定。⑨参怀：商量决定。胡三省曰：“宋齐之间，凡参决机务，率皆谓之参怀。”⑩荐达：推举、转达。⑪天下辐凑：凡是走后门、找门路办事的人都集中到他们两个的门下。⑫并累千金：都会有几千金。古时一金相当于铜钱一万枚。⑬不降意：不低声下气；不曲意逢迎。⑭风节太峻：做人的棱角太突出，意即太刚直不阿。⑮辛毗：三国时人，先后在曹操、曹丕、曹叡时代为臣，为人刚正不阿，不曲从于权贵。传见《三国志》卷二十五。⑯孙、刘不过使吾不为三公耳：孙资、刘放两个竖子顶多也不过就是给我使坏，让我当不上三公罢了，还能把我怎么样？孙资、刘放是魏明帝曹叡手下的佞幸之臣，满朝文武都对之卑躬屈膝，独辛毗不买他们的账，说：“吾之立身，自有本末，就与孙、刘不平，不过令吾不做三公而已，焉有大丈夫欲为公而毁其高节者邪？”三公，指丞相、太尉、御史大夫。⑰禀命有定分：一个人的命运好坏都是命里注定的。禀命，与生俱来的命运。⑱非智力所移：不是个人的智慧能力所能改变的。⑲恭己守道：恭恭敬敬地做好人、走正道。⑳暗者不达：有些糊涂人不明白这个道理。㉑妄意侥幸：妄想投机取巧。㉒徒亏雅道：白白地耽误了做好事、成好人。亏，有损于。㉓无关得丧：改变不了自己命定的得失。㉔命弟子愿：让自己弟弟的儿子顾愿。㉕《定命论》：原文全载于《宋书·顾觊之传》。㉖以释之：以阐发这种“禀命有定分”的观点。

【校记】

［12］吕县：原误作“莒县”。严衍《通鉴补》改作“吕县”，今据以校正。〖按〗《南史·刘延孙传》亦作“吕县”。［13］故：原无此字。据章钰校，甲十一行本、乙十一行本、孔天胤本皆有此字，今据补。［14］二丈：原作“二丈者”。据章钰校，甲十一行本、乙十一行本、孔天胤本皆无“者”字，今据删。［15］真：原无此字。据章钰校，甲十一行本、乙十一行本、孔天胤本皆有此字，今据补。［16］闻：原作“知”。据章钰校，甲十一行本、乙十一行本、孔天胤本皆作“闻”，今据改。［17］少：原作“小”。据章钰校，甲十一行本、乙十一行本、孔天胤本皆作“少”，今据改。［18］渎：据章钰校，甲十一行本、乙十一行本皆作“黩”。〖按〗胡三省注云：“《易大传》云：‘君子上交不谄，下交不渎。’”作“渎”义长。［19］秋，七月：原无此三字。据章钰校，甲十一行本、乙十一行本、孔天胤本皆有此三字，今据补。［20］条：原作“科”。据章钰校，甲十一行本、乙十一行本、孔天胤本皆作“条”，今据改。［21］时：原作“朝”。据章钰校，甲十一行本、乙十一行本、孔天胤本皆作“时”，今据改。［22］奇：原作“之”。据章钰校，甲十一行本、乙十一行本、孔天胤本皆作“奇”，今据改。［23］使：原作“使其”。据章钰校，甲十一行本、乙十一行本、孔天胤本皆无“其”字，今据删。［24］北狄：据章钰校，甲十一行本、乙十一行本、孔天胤本皆作“北敌”。［25］将兵：原无此二字。据章钰校，甲十一行本、乙十一行本、孔天胤本皆有此二字，今据补。［26］参军：原作“将军”。据章

钰校，甲十一行本、乙十一行本、孔天胤本皆作“参军”，今据改。[27]迁徙：原无此二字。据章钰校，甲十一行本、乙十一行本、孔天胤本皆有此二字，张敦仁《通鉴刊本识误》同，今据补。[28]所：原作“可”。据章钰校，甲十一行本、乙十一行本、孔天胤本皆作“所”，今据改。[29]愿：原作“原”。胡三省注云：“‘原’，《南史》作‘愿’。”据章钰校，孔天胤本作“愿”，张敦仁《通鉴刊本识误》同，今据改。

【研析】

本卷写宋孝武帝刘骏孝建元年（公元四五四年）至大明二年（公元四五八年）共五年间刘宋与北魏的大事，其中令人感慨、值得议论的事情有如下几方面。

第一，高允的侍君之道。高允是魏国的儒雅之臣，早在拓跋焘时代就先以诸王的僚属闻名于世，接着进入朝廷，为文史之臣，跟着元勋重臣崔浩写作国史。国史成书，刊之于石，因皇室众人愤怨，崔浩被杀，高允受牵连也险些被杀。但高允遇事不惊，从容坦直而对。当魏主问高允：“国书皆崔浩作否？”高允说：“浩综务处多，总裁而已，至于著述，臣多于浩。”时魏太子为允掩护开脱，高允说：“犯逆天威，罪当灭族，今已分死，不敢虚妄。”魏主以其临死不移，对君以实，免其一死。魏主问高允：“崔浩该当何罪？”高允说：“浩之所坐，若更有余衅，非臣敢知；直以犯触，罪不至死。”魏主不听，仍是杀了崔浩。当太子责问高允为何如此坦言时，高允说：“帝王之实录，将来之炯戒，今之所以观往，后之所以知今。是以言行举动，莫不备载。浩在朝无謇谔之节，退私无委蛇之称，私欲没其公廉，爱憎蔽其直理，此浩之责也。至于书朝廷起居之迹，言国家得失之事，此亦为史之大体，未为多违。”直说得魏太子动容称叹。高允的这种公正坦直，的确令人敬佩。高允自拓跋焘在位时被征为郎，二十七年没有调动。同时被征者皆至大官，被封侯，属下皆至刺史二千石，而高允不忮不忌，安之若素，遇朝廷政事有不便，允辄求见，恳切进言，从而使得拓跋濬深受感动，升之为中书令，而且从此不称名，但呼之为“令公”。拓跋濬是一个酷暴的皇帝，动辄诛杀大臣，但高允独能受到他的宠信，且能听进他的谏言。其所以如此，其中大有诀窍。史文云：“允辄求见，帝常屏左右以待之。或自朝至暮，或连日不出。群臣莫知其所言。语或痛切，帝所不忍闻，命左右扶出，然终善遇之。时有上事为激讦者，帝省之，谓群臣曰：‘君、父一也。父有过，子何不作书于众中谏之，而于私室屏处谏者，岂非不欲其父之恶彰于外邪？至于事君，何独不然。君有得失，不能面陈，而上表显谏，欲以彰君之短，明己之直，此岂忠臣所为乎？如高允者，乃真忠臣也。朕有过，未尝不面言，至有朕所不堪闻者，允皆无所避。朕闻其过而天下不知，可不谓忠乎？’”“朕闻其过而天下不知”，道理点得透极了，这就是能为最高统治者保住面子。《史记》中有一篇《张释之冯唐列传》，其中写冯唐给汉文帝进言的故事说，冯唐在汉文帝身边为郎，有一次汉文帝问冯唐：“你知道你

们的同乡前贤李齐的事迹吗?”冯唐说:“知道，但比不上更往前的廉颇、李牧。”接着把廉颇、李牧的事迹向汉文帝讲了一遍。汉文帝听罢高兴得一拍大腿说:“可惜呀!我就得不到廉颇、李牧这种人给我当将军;如果有，我还怕什么匈奴!”冯唐则冷冷地说:“即使您有廉颇、李牧，您也不会好好地重用他。”气得汉文帝拂袖而起，回了屋子。过了一会儿，他派人把冯唐叫进屋，说:“你为什么当着那么多人的面拿话堵我?你难道就不能找个没有人的地方和我好好地说说吗?”冯唐赶紧道歉说:“我是一个粗人，刚才实在没想这么多。”冯唐这是碰上了汉文帝，要是碰上别的皇帝，不就一切都泡汤了吗?高允侍君的故事对人的教训太深了，因此司马光引了当时魏国的儒臣游雅一段很长的话来称赞高允。我想司马光在这里的切身感受一定是很深很深的。

第二，史文写了魏主拓跋濬为立皇太子，先杀了拓跋弘的生母李贵人的故事。魏国这种荒谬绝伦的章程起自拓跋濬的高祖拓跋珪，而拓跋珪这种荒谬的做法又是从五百年前的汉武帝那里学来的。《史记·外戚世家》写钩弋夫人的故事说:汉武帝晚年由于专制独裁而又迷信之至，因而引发了一场巫蛊之祸，导致其太子刘据被杀。年近桑榆、身心交病、疑虑重重而又喜怒无常的独夫，在其知道自己日子已经不多的情势下，做出了他的最后一个惨烈的安排:“上居甘泉宫，召画工图画周公负成王，于是左右群臣知武帝意欲立少子也。后数日，帝谴责钩弋夫人。夫人脱簪珥叩头。帝曰:‘引持去，送掖庭狱!’夫人还顾，帝曰:‘趣行，女不得活!’夫人死云阳宫。其后帝闲居，问左右曰:‘人言云何?’左右对曰:‘人言且立其子，何去其母乎?’帝曰:‘然。是非儿曹愚人所知也。往古国家所以乱也，由主少母壮也。女主独居骄蹇，淫乱自恣，莫能禁也。女不闻吕后邪?’故诸为武帝生子者，无男女，其母无不谴死。”这段话不是司马迁的原文，是西汉末期褚少孙的补叙。钩弋夫人的儿子刘弗陵最后被汉武帝立为太子，这是事实，刘弗陵即历史上所说的汉昭帝;在刘弗陵被立之前，汉武帝先杀了钩弋夫人，这大概也是事实，这样的事汉武帝的确做得出来。但褚少孙又说“故诸为武帝生子者，无男女，其母无不谴死”，这就很有问题了，因为这既不是汉武帝时代的事实，也没见后来的汉朝皇帝谁还干过这样子的事情。但这种荒谬绝伦而又惨无人道的办法竟被北魏的拓跋氏统治者学去了，而且又的确在一定的时段内形成了“制度”，这倒的确是历史事实。据《魏书·太宗纪》，拓跋珪的长子叫拓跋嗣，拓跋嗣的生母是刘贵人，在拓跋珪立拓跋嗣为太子时就把刘贵人杀死了。拓跋珪对拓跋嗣说:“昔汉武帝将立其子而杀其母，不令妇人后与国政，使外家为乱。汝当继统，故吾远同汉武，为长久之计。”其实拓跋珪制定这种制度是最没良心的，在拓跋珪的父亲当政时，国家为苻坚所灭，还在襁褓中的拓跋珪完全是其母贺氏带着他东奔西走、投亲靠友，得以使他长大起来。她又帮着他逐渐团聚起一票人马、一支力量，逐渐地重建起魏国，外家于此做出了多大的贡献。而拓跋珪过河拆桥，刚恢复国家，居然就订出了这种丧尽天良的制度。王夫之《读通鉴论》对此说：“拓跋氏将立其子为太子则杀其母，取供祭祀、奉皇天先祖之伉俪而视之如仇雠，是可忍也，亦孰不可忍也？将必如浮屠氏之尽弃家室而后可治也哉？人主六御在握，方将举天下之智勇而驭之，取草泽之雄、夷狄之佼而制之，匹夫亦有一匹偶，而惴惴然唯恐戕我国家者，不亦陋乎？”不想学习、不想树立好的典范，只看到一部分极端的典型，便想用一道禁忌来消极地防扼它，因而出现了这种因噎废食的制度，真是可悲啊！

第三，本卷中出现的三段引文基本上都文不对题。当史文叙述到刘宋时代的吏部尚书很有权，从而使散骑常侍这本来受人眼红的职务变得不为人看重时，历史家忽然引入裴子野感慨“官人之难”的一段话，议论了秦汉以前与魏晋以后选人制度的差别，简直莫名其妙。史文在这里想说的是“帝不欲权在臣下”，故而一方面“分吏部尚书置二人”，另一方面又选了孔觊与王彧两个有威望的人来充当散骑常侍，其目的是想把朝权由吏部夺回到皇帝身边。结果议论不针对这一点，而引文侈谈“官人之难”与古今选官制度之不同，以及后来的“嚣风遂行”“无复廉耻之风”云云，两者有何关系？针对性何在？史文接着叙述了王僧达因“自负才地”，官欲难填，心存不满，又公然得罪皇帝与太后，遂招致杀身之祸。历史家对此不是评论王僧达的褊狭忮忌，或是不识政局险恶而一意孤行等，而是连续引用了沈约、裴子野的两段文字议论何为君子、何为小人，以及比较古今用人制度变迁，气愤地说什么“周汉之道，以智役愚；魏晋以来，以贵役贱”，说魏晋以来的九品中正制度是“唯论门户，不问贤能”，等等。所说的都是至理名言，但放在此处，其针对性何在？这些与谢灵运、王僧达的虚浮躁进，自招身死又有何关系？

卷第一百二十九　宋纪十一

起屠维大渊献（己亥，公元四五九年），尽阏逢执徐（甲辰，公元四六四年），凡六年。

【题解】

本卷写宋孝武帝大明三年（公元四五九年）至大明八年共六年间刘宋与北魏等国的大事。主要写了宋竟陵王刘诞因受孝武帝刘骏的猜忌而于广陵修城聚粮，预做防备，孝武帝派兖州刺史垣阆与给事中戴明宝率兵前往广陵袭捕刘诞，结果因消息走漏，垣阆被刘诞杀死，戴明宝逃回朝廷，于是孝武帝遂任沈庆之为车骑大将军统兵讨伐广陵。刘诞原本只图防御，并无为逆之心，又无决心北逃之意，犹豫不决，去而复返；而作为一代名将的沈庆之，居然攻广陵三月不下；后来在孝武帝的刺激之下，沈庆之又“身先士卒，亲犯矢石”，这才攻克其城，杀死刘诞，广陵事平。写了文帝刘义隆之子雍州刺史刘休茂因不愿受典签的挟制，在其亲信张伯超的怂恿下，攻杀典签杨庆、戴双，占据襄阳自称车骑大将军，后为其参军尹玄庆所杀。刘休茂部下的义成太守薛继考先曾为刘休茂攻杀持正守城沈畅之，在刘休茂被杀后，又转而威逼刘休茂的僚属写信证明自己是“立义”平定襄阳之乱的功臣，薛继考先被孝武帝赐爵冠军侯，后来事实弄清，薛继考被杀，尹玄庆被任为射声校尉。写了孝武帝忌恨群臣的直言敢谏，先是孝武帝心腹、后来被贬为东扬州刺史的颜竣，因有怨言，语朝廷得失，遂被诬与竟陵王刘诞串通而

【原文】

世祖孝武皇帝下

大明三年（己亥，公元四五九年）

春，正月己巳朔[①]，兖州兵[②]与魏皮豹子[③]战于高平[④]，兖州兵不利。

己丑[⑤]，以骠骑将军柳元景为尚书令，右仆射刘遵考为领军将军。

己酉[⑥]，魏河南公伊馛[⑦]卒。

三月乙卯[⑧]，以扬州六郡[⑨]为王畿[⑩]，更以东扬州[⑪]为扬州，徙治

被杀死；庐陵内史周朗因“言事切直”，被孝武帝忌恨，诬以“居母丧不如礼”杀死；侍中沈怀文因劝谏孝武帝不要过于严厉地抑黜诸弟，又劝孝武帝不要冒着风雨出猎，还与因正直敢言被杀的颜竣、周朗相善而被贬官杀害。而以谄佞著称的颜师伯竟被征为侍中，备受宠信，群臣莫及。写了孝武帝奢欲无度，大修宫室，土木被锦绣，并戏称其祖刘裕为“田舍公”；孝武帝为安葬其宠妃竟“凿冈通道数十里，民不堪役，死亡甚众，自江南葬埋之盛，未之有也”；孝武帝又极贪婪，示意进京诸臣向其进贡，或以蒲戏为名，必尽取其财而后已。写了孝武帝三十五岁死，其子刘子业即位，刘子业临丧无戚容，尽改其父之政，其母病重而不看视，凡此种种皆为下卷被其叔刘彧推翻设下伏笔。写了顾命大臣刘义恭引身避事，而孝武帝生前宠幸的戴法兴、巢尚之遂乘机掌控朝权，蔡兴宗公心持正，被小人罢免，刘宋的朝廷政局面临重大危机。此外还写了柔然族的处罗可汗死，其子受罗部真可汗即位，以及吐谷浑王拾寅两受魏、宋之命，又自拟于王者，因被魏人攻打，拾寅走保南山，魏人获杂畜二十万而还等。

【语译】

世祖孝武皇帝下

大明三年（己亥，公元四五九年）

春季，正月初一日己巳，宋国兖州的军队与魏国皮豹子所率领的魏军在高平开战，宋国的兖州军被魏军打败。

二十一日己丑，宋孝武皇帝刘骏任命担任骠骑将军的柳元景为尚书令，任命担任右仆射的刘遵考为领军将军。

二月十一日己酉，魏国河南公伊馛去世。

三月乙卯日，宋国把丹杨、淮南、宣城、吴郡、吴兴、义兴六个郡作为都城的郊区郡，把东扬州改称为扬州，把扬州治所迁到会稽郡的郡治所在地，之所以要采

会稽⑫，犹以星变故也⑬。

三月庚寅⑭，以义兴太守垣阆⑮为兖州刺史。阆，遵之子也。

夏，四月乙巳⑯，魏主立其弟子推⑰为京兆王⑱。

竟陵王诞知上意忌⑲之，亦潜为之备。因⑳魏人入寇，修城浚隍㉑，聚粮治仗㉒。诞记室参军江智渊知诞有异志，请假先还建康，上以为中书侍郎。智渊，夷之弟子㉓也，少有操行，沈怀文㉔每称之曰：“人所应有尽有，人所应无尽无者，其唯江智渊乎！”

是时，道路皆云诞反。会吴郡民刘成上书称：“息道龙㉕昔事诞㉖，见诞在石头城修乘舆法物㉗，习唱警跸㉘。道龙忧惧，私与伴侣言之，诞杀道龙。”又豫章民陈谈之上书称：“弟咏之在诞左右，见诞疏[1]陛下年纪姓讳㉙，往巫郑师怜㉚家祝诅㉛。咏之密以启闻㉜，诞诬咏之乘酒骂詈㉝，杀之㉞。”上乃令有司奏㉟诞罪恶，请收付廷尉治罪。乙卯㊱，诏贬诞爵为侯，遣之国。㊲诏书未下，先以羽林禁兵配兖州刺史垣阆㊳，使以之镇㊴为名，与给事中戴明宝㊵袭诞。

阆至广陵，诞未悟也。明宝夜报诞典签蒋成㊶，使明晨开门㊷为内应。成以告府舍人㊸许宗之，宗之入告诞，诞惊起，呼左右及素所畜养数百人，执蒋成，勒兵㊹自卫。天将晓，明宝与阆帅精兵数百人猝至㊺，而门不开。诞已列兵登陴㊻，自在门上斩蒋成，赦作徒、系囚㊼，开门击阆，杀之，明宝从间道㊽逃还。诏内外纂严㊾，以始兴公沈庆之为车骑大将军、开府仪同三司、南兖州刺史㊿，将兵讨诞。甲子[51]，上亲总禁兵顿宣武堂[52]。

取这些措施，还是因为去年出现的“荧惑星守南斗”变化。

三月二十三日庚寅，宋孝武帝任命担任义兴郡太守的垣阆为兖州刺史。垣阆，是垣遵的儿子。

夏季，四月初八日乙巳，北魏文成帝拓跋濬任命自己的弟弟拓跋子推为京兆王。

宋国竟陵王刘诞知道孝武帝对自己心怀忌恨，便暗中做好防备。刘诞趁魏军入侵的机会，加固城墙，深挖护城河，囤积粮食，打造兵器。在竟陵王刘诞手下担任记室参军的江智渊看出刘诞心存不轨，便向刘诞请假先行返回京师建康，孝武帝任命江智渊为中书侍郎。江智渊，是江夷弟弟的儿子，他从小就能坚守节操，品行高尚，沈怀文经常称赞江智渊说：“人所应该具备的，他全都具备，人所不应该具备的，他全都没有，这样的人恐怕只有江智渊一个人吧！”

当时，到处都在传说竟陵王刘诞要谋反。正遇上吴郡的百姓刘成上书给朝廷说：“我的儿子刘道龙曾经侍奉过竟陵王刘诞，他亲眼看见刘诞担任扬州刺史时在石头城打造皇帝所用的各种器物，派人练习皇帝出行时在前边喝道戒严。刘道龙对此感到非常忧虑和恐惧，就私下里跟同伴们说了这件事情，刘诞就把刘道龙杀死了。”又有一个豫章郡的名叫陈谈之的百姓上书给朝廷说：“我的弟弟陈咏之在竟陵王刘诞身边侍奉，他看见刘诞书写了陛下的年龄、姓名后，就到巫师郑师怜家里祈祷鬼神诅咒陛下。陈咏之秘密把这件事情报告给了皇上，刘诞就诬陷陈咏之借酒发疯，辱骂王爷，而杀死了陈咏之。”于是，孝武帝就命令有关部门的官员公开举报刘诞的罪恶，将刘诞交付给廷尉审讯定罪。四月十八日乙卯，孝武帝下诏贬竟陵王刘诞为侯爵，打发他回到自己的封国去。在诏书没有下达之前，先派担任兖州刺史的垣阆统领着羽林禁兵，让他以到兖州刺史的军府上任为名，与担任给事中的戴明宝一同前往广陵袭击刘诞。

兖州刺史垣阆率领羽林禁兵到达广陵时，竟陵王刘诞还没有明白他的来意。给事中戴明宝在夜间通知在刘诞属下担任典签的蒋成，让蒋成第二天早晨打开城门作为内应。蒋成把这件事告诉了竟陵王府的舍人许宗之，许宗之赶紧进府报告了刘诞，刘诞大吃一惊，立即从床上跳起来，招呼左右的侍从人员以及平素所豢养的几百名亲兵逮捕了典签蒋成，然后调集军队进行自卫。天快要亮的时候，给事中戴明宝与兖州刺史垣阆率领着几百名精兵突然到达广陵城下，然而城门紧闭，没有人来为他们打开城门。而刘诞已经部署军队，并登上广陵城的城墙，在城门上亲自杀死了蒋成，又赦免那些被判处徒刑从事劳役的人以及关在狱中的所有囚犯，然后打开城门出击垣阆，把垣阆杀死，戴明宝从小路逃回了京师建康。孝武帝下诏，宣布京城内外实行戒严，孝武帝任命始兴公沈庆之为车骑大将军、开府仪同三司、南兖州刺史，率领军队讨伐刘诞。四月二十七日甲子，孝武帝亲自率领禁卫军住宿在宣武堂。

司州刺史刘季之，诞故将也，素与都督宗悫有隙⑬，闻诞反，恐为悫所害，委官⑭，间道自归朝廷。至盱眙，盱眙太守郑瑗疑季之与诞同谋，邀杀之⑮。

沈庆之至欧阳⑯，诞遣庆之宗人沈道愍赍书⑰说庆之，饷以玉环刀[2]。庆之遣道愍反⑱，数以罪恶。诞焚郭邑⑲，驱居民悉使入城，闭门自守，分遣书檄，邀结⑳远近。时山阳内史㉑梁旷，家在广陵，诞执其妻子，遣使邀旷，旷斩使拒之。诞怒，灭其家。

诞奉表㉒投之城外曰："陛下信用谗言，遂令无名小人㉓来相掩袭㉔。不任枉酷㉕，即加诛翦㉖。雀鼠贪生，仰违诏敕㉗，今亲勒部曲，镇捍徐、兖㉘。先经何福，同生皇家？㉙今有何愆，便成胡、越？㉚陵锋奋[3]戈㉛，万没岂顾㉜？荡定㉝之期，冀在旦夕㉞。"又曰："陛下宫帷之丑，岂可三缄㉟？"上大怒，凡诞左右、腹心、同籍㊱、期亲㊲在建康者并诛之，死者以千数。或有家人已死，方㊳自城内出奔者。

庆之至城下，诞登楼谓之曰："沈公垂白㊴之年，何苦来此？"庆之曰："朝廷以君狂愚，不足劳少壮故耳。"

上虑诞奔魏，使庆之断其走路㊵。庆之移营白土㊶，去城十八里，又进军新亭㊷。豫州刺史宗悫、徐州刺史刘道隆并帅众来会。兖州刺史沈僧明，庆之兄子也，亦遣兵助庆之。先是诞诳其众，云："宗悫助我。"悫至，绕城跃马呼曰："我宗悫也！"

诞见众[4]军大集，欲弃城北走。留中兵参军申灵赐守广陵，自将步骑数百人，亲信并自随，声云出战，邪趋海陵道㊸，庆之遣龙骧将军

担任司州刺史的刘季之，原本是刘诞手下的将领，一向与担任都督的宗悫有矛盾，他听说竟陵王刘诞谋反的消息以后，恐怕受到牵连而被宗悫借机杀害，于是便放弃官职，抄小路自行返回朝廷。当刘季之经过盱眙郡的时候，担任盱眙郡太守的郑瑗怀疑刘季之与刘诞一同谋反，就派人在途中拦住刘季之，把刘季之杀死了。

沈庆之率军抵达距离广陵西南六十里处的欧阳，竟陵王刘诞派遣沈庆之的族人沈道愍携带着自己的亲笔书信去劝说沈庆之归顺自己，并赏赐给沈庆之一把珍贵的玉环刀。沈庆之打发沈道愍返回广陵城，一条一条地列数刘诞的罪恶。刘诞下令烧毁城墙外面的居民区，把所有的居民都驱赶到广陵城内，然后紧闭城门坚守，又派人四处投送檄文，邀集远近的州郡起兵响应。当时担任山阳内史的梁旷，家在广陵，刘诞便抓了梁旷的妻儿，然后派遣使者邀请梁旷归顺自己，梁旷杀死刘诞所派的使者，拒绝了刘诞的邀请。刘诞勃然大怒，遂诛灭了梁旷的全家。

刘诞把写给孝武帝的奏章投到城外，他在奏章中说："陛下任用奸佞小人，听信谗言，故而派遣无名小辈前来偷袭。我因为无法忍受你们对我的冤枉和残酷对待，所以当时就把他们杀掉了。麻雀、老鼠这样的小动物尚且知道贪生，我在迫不得已的情况下只得公然违抗你的命令，如今我亲自率领部下，镇守与捍卫我所管辖的徐、兖二州。先前是托了什么福分，使我们能够同生在一个皇帝之家？如今又是遭了什么罪孽，使我们成了势不两立的冤家对头？我冒着枪林箭雨向前冲锋，岂顾万死？希望扫荡平定的日子就在今天，定个谁死谁活。"又说："陛下宫闱中的丑闻，岂能堵住别人的嘴，不让人家说出去？"孝武帝看了刘诞的奏章之后不禁大怒，于是凡是在刘诞身边担任过侍从、亲信，以及因为血缘关系近而被列入谱籍的、服丧一年的亲属，当时凡是在建康的一并诛杀，因此被杀死的有上千人。有的人家人都已被孝武帝杀死，才从广陵城内逃出来。

沈庆之到达广陵城下，刘诞登上城楼对沈庆之说："沈公已经到了白发下垂的年龄，何苦还要到这里来？"沈庆之回答说："朝廷因为你的狂妄愚蠢，不值得劳动少壮之人前来征讨，所以才派我这个老头来。"

孝武帝担心刘诞逃往魏国，就让沈庆之切断了刘诞北逃的道路。沈庆之把军队转移到白土驻扎，白土距离广陵城只有十八里，又向广陵城外的新亭进攻。担任豫州刺史的宗悫、担任徐州刺史的刘道隆全都率领属下的军队前来与沈庆之会师。担任兖州刺史的沈僧明，是沈庆之哥哥的儿子，他也派遣军队前来帮助沈庆之攻打广陵。先前，刘诞曾经诓骗他的手下人说："豫州刺史宗悫一定会来帮助我。"宗悫来到广陵之后，便骑在马上围绕着广陵城大声呼喊说："我就是宗悫！"

刘诞看到各路大军全都云集到了广陵城下，就想放弃广陵城向北逃走。他留下担任中兵参军的申灵赐守卫广陵城，自己亲自率领着几百名步兵和骑兵，所有的亲信全都跟随着他，声称是出城作战，出城之后便斜着向东北方向的海陵逃窜，沈庆

武念追之。诞行十余里，众皆不欲去，互请诞还城。诞曰："我还易耳，卿能为我尽力乎？"众皆许诺。诞乃复还，筑坛歃血[84]以誓众，凡府州文武[85]皆加秩[86]。以主簿刘琨之为中兵参军，琨之，遵考[87]之子也，辞曰："忠孝不得并。琨之老父在，不敢承命。"诞囚之十余日，终不受，乃杀之。

右卫将军垣护之、虎贲中郎将殷孝祖[88]等击魏还，至广陵，上并使受庆之节度。庆之进营，逼广陵城。诞饷庆之食[89]，提挈者[90]百余人，出自北门。庆之不开视，悉焚之。诞于城上授函表[91]，请庆之为送，庆之曰："我受诏讨贼，不得为汝送表。汝必欲归死朝廷[92]，自应开门遣使[93]，吾为汝护送[94]。"

东扬州刺史颜竣遭母忧[95]，送丧还都，上恩待犹厚，竣时对亲旧有怨言，或语及朝廷得失。会王僧达得罪[96]，疑竣谮之[97]，将死，具陈[98]竣前后怨望[99]诽谤之语。上乃使御史中丞庾徽之劾奏，免竣官。竣愈惧，上启陈谢[100]，且请生命[101]。上益怒，诏答曰："卿讪讦[102]怨愤，已孤本望[103]，乃复过烦思虑，惧不自全[104]，岂为下事上诚节之至邪[105]！"及竟陵王诞反，上遂诬竣与诞通谋。五月，收竣付廷尉，先折其足，然后赐死。妻子徙交州[106]，至宫亭湖[107]，复沈其男口[108]。

六月戊申[109]，魏主如阴山。

上命沈庆之为三烽于桑里[110]，若克外城，举一烽，克内城，举两烽，擒刘诞，举三烽。玺书督趣[111]，前后相继。庆之焚其东门，塞堑[112]，造攻道，立行楼[113]、土山[114]并诸攻具，值久雨，不得攻城。上使

之派遣担任龙骧将军的武念率军追赶刘诞。刘诞向前跑了十多里，跟随的人都不愿意离开广陵，全都请求刘诞返回广陵城。刘诞说："我回广陵很容易，你们能够为我尽力吗？"众人都异口同声地表示愿意。刘诞于是又返回广陵城，他筑起一座高坛，在自己的嘴上抹上牲畜的鲜血，与众人宣誓，凡是属下各部门的文武官员一律提升官爵的等级。刘诞任命担任主簿的刘琨之为中兵参军，刘琨之，是刘遵考的儿子，刘琨之向刘诞推辞说："忠孝不能两全。我的老父亲还健在，我不敢接受您的任命。"刘诞把刘琨之囚禁了十多天，刘琨之始终不肯接受他的任命，刘诞就把刘琨之杀死了。

宋国担任右卫将军的垣护之、担任虎贲中郎将的殷孝祖等人率军反击魏军后返回，到达广陵，孝武帝刘骏让他们全都接受沈庆之的调度指挥。沈庆之指挥军队向前推进，已经逼近广陵城。刘诞派遣一百多人从广陵城北门出来赠送食物给沈庆之。沈庆之都没有打开看一眼，就让人全部拿去烧掉了。刘诞又将一封用函套装着的上给朝廷的表章从城上传下来，请求沈庆之代他转交给孝武帝，沈庆之回复他说："我接受皇帝的诏命前来讨伐叛逆之贼，不能为你送交表章。你如果想要归降朝廷，向朝廷请死，就应当打开城门，派遣入朝请降的使者，我负责为你护送他们前往建康。"

担任东扬州刺史的颜竣因为母亲去世，遂亲自护送母亲的灵柩返回都城，孝武帝对他的恩遇很优厚，颜竣当时对他的亲友、故旧有些怨言，有时言谈中也会涉及朝政的得失。正赶上王僧达犯了罪，王僧达怀疑是颜竣在孝武帝面前说了自己的坏话，他在临死的时候，便向孝武帝详细地述说了颜竣前前后后那些怨恨、诽谤朝廷的言论。于是孝武帝就指派担任御史中丞的庾徽之弹劾、举报颜竣，罢免了颜竣的官职。颜竣更加恐惧，就上书向皇帝认罪，请求孝武帝给自己留一条活命。孝武帝更加恼怒，便下诏答复颜竣说："你嘲笑、诽谤朝政，发泄自己的愤怒与怨恨，已经辜负了我本来对你的期望，现在竟然过分地忧思烦乱，担心不能保全自己的性命，这难道是臣下侍奉皇帝所应有的态度吗？！"等到竟陵王刘诞谋反，孝武帝就诬陷颜竣与刘诞串通一气谋反作乱。五月，下令逮捕颜竣，把颜竣交付给廷尉进行审讯，先砍断颜竣的双脚，然后赐颜竣自杀。把颜竣的妻儿全部流放交州，流放途中，到达宫亭湖的时候，又把颜竣家族中的男性全部扔进湖中淹死。

六月十二日戊申，北魏文成皇帝拓跋濬前往阴山一带巡视。

宋孝武帝命令沈庆之在桑里修建三个烽火台，如果是攻克了广陵城的外城，就点燃一个烽火台，如果是攻克了广陵内城，就点燃两个烽火台，如果是捉住了刘诞，就点燃三个烽火台。孝武帝所派携带着盖有皇帝印玺文书的使者一个接着一个，一刻不停地催促沈庆之进攻广陵。沈庆之出兵焚毁了广陵城的东门，填平了广陵的护城河，制定攻城的方法，立起高与城齐的可以推送士兵登上城墙的楼车，在城下堆起土山以及各种攻城的用具，却又恰逢阴雨连绵，很长时间不放晴，因而无法攻城。

御史中丞庾徽之奏免庆之官，诏勿问，以激之⑮。自四月至于秋七月，雨止，城犹未拔。上怒，命太史择日，将自济江讨诞。太宰义恭固谏，乃止。

诞初闭城拒使者，记室参军山阴贺弼固谏，诞怒，抽刀向之，乃止。诞遣兵出战屡败，将佐多逾城出降。或劝弼宜早出，弼曰："公举兵向朝廷，此事既不可从；荷公厚恩⑯，又义无违背，唯当以死明心耳！"乃饮药自杀。参军何康之等[5]谋开门纳官军，不果，斩关出降。诞为高楼，置康之母于其上，暴露之⑰，不与食，母呼康之，数日而死。诞以中军长史[6]济阳[7]范义⑱为左司马，义母妻子皆在城内，或谓义曰："事必不振⑲，子其行乎⑳！"义曰："吾，人吏㉑也，子不可以弃母，吏不可以叛君㉒。必若何康之而活，吾弗为㉓也。"

沈庆之帅众攻城，身先士卒，亲犯矢石㉔，乙巳㉕，克其外城。乘胜而进，又克小城。诞闻兵入，走趋后园，队主㉖沈胤之等追及之，击伤诞，坠水，引出斩之。诞母、妻皆自杀。

上闻广陵平，出宣阳门，敕左右皆呼万岁㉗。侍中蔡兴宗㉘陪辇㉙，上顾曰："卿何独不呼？"兴宗正色曰："陛下今日正应涕泣行诛㉚，岂得皆称万岁！"上不悦。

诏贬诞姓留氏㉛，广陵城中士民，无大小悉命杀之㉜。沈庆之请自五尺以下全之㉝，其余男子皆死，女子以为军赏㉞，犹杀三千余口。长水校尉宗越㉟临决㊱，皆先刳肠抉眼㊲，或笞面鞭腹，苦酒灌创㊳，然后斩之。越对之，欣欣若有所得。上聚其首于石头南岸㊴为京观㊵，侍中沈怀文谏，不听。

孝武帝就指使御史中丞庾徽之上书奏请免去沈庆之的官职，孝武帝再下诏，表示对沈庆之的罪责不予追究，想以此来激将沈庆之。不料大雨从四月一直下到七月才停止，广陵城仍然没有被攻克。孝武帝大怒，命令太史选择日期，准备亲自率军渡过长江去讨伐刘诞。担任太宰的刘义恭一再劝阻，孝武帝才没有付诸行动。

刘诞在开始的时候紧闭城门拒绝朝廷的使者入城，在刘诞属下担任记室参军的山阴人贺弼坚决劝谏，刘诞大怒，抽出刀来指向贺弼，贺弼才闭口不言。刘诞派遣军队出城与朝廷军作战，却屡战屡败，将佐中有许多人都越城而出向朝廷军投降。有人也劝说贺弼应当早点出城向朝廷军投降，贺弼说："竟陵王发兵向朝廷宣战，在这件事情上我已经不可能听命于他；然而我蒙受竟陵王的大恩，在道义上又不能违背他，只有以死来表明我的心迹而已！"于是就喝下毒药自杀了。担任参军的何康之等人密谋打开城门接纳官军，未能成功，于是就杀死守门的将士出城投降了朝廷军。刘诞搭建了一座高楼，把何康之的母亲放在高楼之上，让她风吹日晒，又不给饮食，何康之的母亲大声呼叫何康之，几天之后就被折磨死了。刘诞任命担任中军长史的济阳人范义为左司马，范义的母亲、妻儿都在广陵城内，有人对范义说："竟陵王的事情已经不可挽救，你还是逃走吧！"范义回答说："我，是竟陵王属下的小官吏，作为儿子我不能抛弃母亲，作为属吏我不能背叛自己的主人。如果一定要像何康之那样活着，我是不会那样做的。"

沈庆之率领军队进攻广陵城，他自己身先士卒，亲自冒着被城上射下的箭和抛下的石块射死、砸死的危险奋勇攻城，乙巳日，终于攻克了竟陵城的外城。于是一鼓作气乘胜进攻，又攻克了小城。刘诞听说沈庆之的军队已经攻进城内，就向后园逃跑，担任一队之长的沈胤之等人追上前去，把刘诞击伤，刘诞坠落水中，沈胤之等人把刘诞从水中拉出来杀死。刘诞的母亲、妻子全都自杀身亡。

孝武帝听说广陵的叛乱已经平息，就走出宣阳门，命令左右侍从人员都高呼万岁。担任侍中的蔡兴宗陪同孝武帝乘坐在辇车上，孝武帝回头看了一下蔡兴宗说："为何只有你不高呼万岁呢？"蔡兴宗神情严肃地说："今天陛下应该为诛杀兄弟而流下眼泪，以表示自己因为不得已而大义灭亲，怎么能全都高呼万岁呢！"孝武帝听了以后很不高兴。

宋孝武帝下诏，将刘诞开除族谱，让他姓留氏，广陵城中不论官吏还是百姓，也不论年龄大小一律下令处死。沈庆之请求将身高不满五尺的人全部赦免，其他的男子一律处死，女人则赏给平叛有功的士兵，即使这样还是杀死了三千多口人。担任长水校尉的宗越当监斩官，他先令人把犯人的肚子剖开、眼珠挖去，或者用竹板击打犯人的脸颊、用鞭子抽打犯人的腹部，再用酒往犯人的伤口上浇，然后才砍下犯人的头颅。而宗越面对这样的情景，竟然欣喜若狂，好像从中得到了什么似的。孝武帝下令，把砍下的人头堆积在石头城南岸，封土成为一座高高的大冢，以炫耀自己的武功，担任侍中的沈怀文对此加以劝阻，而孝武帝根本不听劝告。

初[141]，诞自知将败，使黄门[142]吕昙济与左右素所信者将世子景粹[143]匿于民间，谓曰："事若不济，思相全脱[144]；如其不免[145]，可深埋之。"各分以金宝赍送[146]。既出门，并散走，唯昙济不去，携负[147]景粹十余日，捕得，斩之。

临川内史[148]羊璿坐与诞素善，下狱死。

擢梁旷为后将军，赠刘琨之给事黄门侍郎[149]。

蔡兴宗奉旨慰劳广陵[150]。兴宗与范义素善，收敛其尸，送丧归豫章[151]。上谓曰："卿何敢故触王宪[152]？"兴宗抗言[153]对曰："陛下自杀贼，臣自葬故交，何不可之有！"上有惭色。

宗越治军严，善为营陈[154]。每数万人止顿[155]，越自骑马前行[8]，使军人随其后，马止营合[156]，未尝参差[157]。

辛未[158]，大赦。

丙子[159]，以丹杨尹刘秀之[160]为尚书右仆射。

丙戌[161]，以南兖州刺史沈庆之为司空，刺史如故。

八月庚戌[162]，魏主如云中[163]。壬戌[164]，还平城。

九月壬辰[165]，筑上林苑于玄武湖[166]北。

初，晋人筑南郊坛[167]于巳位[168]，尚书右丞徐爰以为非礼，诏徙于牛头山[169]西，直宫城之午位[170]。及废帝即位[171]，以旧地为吉，复还故处。帝又命尚书左丞荀万秋造五路[172]，依金根车[173]，加羽葆盖[174]。

四年（庚子，公元四六〇年）

春，正月甲子朔[175]，魏大赦，改元和平[176]。

乙亥[177]，上耕籍田[178]，大赦。

己卯[179]，诏祀郊庙，初乘玉路[180]。

庚寅[181]，立皇子子勋为晋安王[182]，子房为寻阳王[183]，子顼为历阳

当初，刘诞知道自己即将败亡，就派太监吕昙济与自己身边的亲信侍从带着世子刘景粹藏匿于民间，刘诞对他们说："如果我起兵反抗朝廷的事情不能成功，就希望你们能想办法保全世子刘景粹脱离危险；如果最终不能使他免于一死，你们就把他的尸体深深地埋葬起来。"临别的时候，又分别送给他们每人一些金银财宝。没想到出门以后，这些人就一哄而散，分别逃命去了，只有太监吕昙济没有逃走，他携带着刘景粹到处躲藏了十多天，终于被朝廷军捕获，一起被杀。

担任临川内史的羊璇因为一向与刘诞关系友好而受到牵连被逮捕入狱，死在狱中。

宋孝武帝擢升担任山阳内史的梁旷为后将军，追赠刘琨之为给事黄门侍郎。

担任侍中的蔡兴宗奉孝武帝的旨意前往广陵城慰劳平定广陵之乱的军队。蔡兴宗与范义一向关系友善，就趁机收殓了范义的尸体，把他的灵柩送回豫章郡老家安葬。孝武帝对蔡兴宗说："你怎么敢故意地触犯王法呢？"蔡兴宗义正词严地回答说："陛下杀死的是背叛自己的逆贼，臣埋葬的是自己的故友，这有什么不可以呢！"孝武帝脸上流露出了惭愧的神色。

担任长水校尉的宗越训练军队非常严格，善于扎营布阵。每次好几万人安营扎寨，宗越自己骑马向前走，让军人在后边跟随，等他骑的马停下来的时候，全军的大营也就扎好了，没有一点错乱不周的地方。

七月初五日辛未，宋国实行大赦。

初十日丙子，宋孝武帝任命担任丹杨尹的刘秀之为尚书右仆射。

二十日丙戌，任命担任南兖州刺史的沈庆之为司空，南兖州刺史的职务保持不变。

八月十五日庚戌，北魏文成皇帝前往云中一带视察。二十七日壬戌，返回平城。

九月二十七日壬辰，宋国在玄武湖北边修建上林苑。

当初，晋朝人在建康城郊外东南方位上修建了皇帝祭天时所用的坛台，担任尚书右丞的徐爰认为不符合古代礼仪，于是孝武帝下诏把祭坛改建在建康城正南方的牛头山的西边，正对着皇城的南门。等到后来废帝刘子业即位，认为祭坛原来所在的位置吉利，于是就又把祭坛迁回原址。孝武帝又命担任尚书左丞的荀万秋制造帝王使用的玉路、金路、象路、革路、木路五种车子，依据秦朝皇帝所乘坐的金根车的样子，再在上面加上以鸟羽为装饰的车篷。

四年（庚子，公元四六〇年）

春季，正月初一日甲子，魏国实行大赦，改年号为和平元年。

正月十二日乙亥，宋孝武帝亲自去耕种籍田，宋国实行大赦。

十六日己卯，宋孝武帝下诏，到郊外的祖庙进行祭祀，第一次乘坐玉路车。

二十七日庚寅，宋孝武帝封皇子刘子勋为晋安王，刘子房为寻阳王，刘子顼为

王[184]，子鸾为襄阳王[185]。

魏散骑侍郎冯阐来聘[186]。

二月，魏卫将军乐安王良[187]讨河西叛胡[188]。

三月，魏人寇北阴平[189]，孔堤[190][9]太守杨归子击破之。

甲申[191]，皇后亲桑[192]于西郊，皇太后观礼[193]。

夏，四月，魏太后常氏[194]殂。五月癸丑[195]，魏葬昭太后[196]于鸣鸡山[197]。

丙戌[198]，尚书左仆射褚湛之卒。

吐谷浑王拾寅[199]两受宋、魏爵命[200]，居止出入，拟于王者[201]，魏人忿之。定阳侯曹安表言[10]："拾寅今保白兰[202]，若分军出其左右，必走保南山[203]，不过十日，人畜乏食，可一举而定。"六月甲午[204]，魏遣征西大将军阳平王新成[205]等督统万、高平[206]诸军出南道，南郡公中山李惠等督凉州[207]诸军出北道，以击吐谷浑。

魏崔浩之诛[208]也，史官遂废，至是[209]复置。

河西叛胡诣长安首罪[210]，魏遣使者安慰之。

秋，七月，遣使如魏[211]。

甲戌[212]，开府仪同三司何尚之卒。

壬午[213]，魏主如河西。

魏军至西平[214]，吐谷浑王拾寅走保南山。九月，魏军济河追之，会疾疫[215]，引还[216]，获杂畜二十[11]余万。

庚午[217]，魏主还平城。

丁亥[218]，徙襄阳王子鸾为新安王[219]。

冬，十月庚寅[220]，诏沈庆之讨缘江蛮。

前庐陵内史周朗[221]，言事切直，上衔之[222]，使有司奏朗居母丧不如

历阳王，刘子鸾为襄阳王。

魏国派遣担任散骑侍郎的冯阐到宋国进行友好访问。

二月，魏国担任卫将军的乐安王拓跋良率军讨伐黄河以西地区起兵反抗魏国统治的匈奴族人。

三月，魏国人进入宋国所属的北阴平郡掠夺，宋国担任孔堤太守的杨归子率军将魏国人打败。

三月二十二日甲申，宋国孝武帝的皇后亲自到建康城的西郊举行采桑养蚕活动，皇太后到场观礼。

夏季，四月，魏国皇太后常氏去世。五月癸丑日，魏国把昭太后安葬在鸣鸡山。

五月二十五日丙戌，宋国担任尚书左仆射的褚湛之去世。

吐谷浑王慕容拾寅一面向宋国称臣，接受了宋国封赏的爵位和指令，又向魏国称臣，接受了魏国赏赐的爵位和指令，无论是居住休息的王宫，还是出入时使用的仪仗，其排场都与帝王差不多，魏国人对此感到非常愤怒。魏国定阳侯曹安上表给朝廷说："如今吐谷浑王慕容拾寅盘踞在白兰地区，如果我们派遣军队分别从他的左右两侧进行攻击，他必定会逃到白兰地区南面的山中据守，不超过十天，他的人马就会缺乏食物，到那时就可以一举把他消灭。"六月初四日甲午，魏国派遣担任征西大将军的阳平王拓跋新成等人率领统万、高平的各军从南路出发，南郡公中山人李惠等人统领凉州地区的各军从北路出发，同去出击吐谷浑王慕容拾寅。

魏国司徒崔浩因为撰写历史被诛杀以后，史官也同时被废除，到现在又恢复设置史官。

魏国黄河以西地区起兵反抗魏国统治的匈奴族人到长安自首服罪，魏国朝廷派使者前去安抚他们。

秋季，七月，宋国派遣使者到魏国进行回访。

七月十四日甲戌，宋国开府仪同三司何尚之去世。

七月二十二日壬午，北魏文成皇帝前往黄河以西地区进行巡视。

魏国讨伐吐谷浑的军队到达西平，吐谷浑王慕容拾寅果然率领吐谷浑人退到白兰地区南部的山区进行据守。九月，魏军渡过黄河追击慕容拾寅，正遇上瘟疫流行，魏军只得退军，此行缴获各种牲畜二十多万头。

十一日庚午，北魏文成帝从河西地区回到平城。

九月二十八日丁亥，宋国的孝武帝改封襄阳王刘子鸾为新安王。

冬季，十月初一日庚寅，宋国孝武帝下诏，命令沈庆之率军去讨伐长江沿岸的蛮族人。

宋国前任庐陵内史周朗，上书言事恳切率直，孝武帝刘骏非常忌恨他，就指使有关部门的官员上书弹劾周朗在为自己的母亲守孝期间，行为不合乎礼法的规定，

礼[223]，传送宁州[224]，于道杀之。朗之行也，侍中蔡兴宗方在直[225]，请与朗别[226]，坐白衣领职[227]。

十一月，魏散骑常侍卢度世[228]等来聘。

是岁，上征青、冀二州刺史颜师伯[229]为侍中。师伯以谄佞[230]被亲任，群臣莫及，多纳货贿，家累千金。上尝与之樗蒲[231]，上掷得雉[232]，自谓必胜，师伯次掷[233]，得卢[234]，上失色。师伯遽敛子[235]曰："几作卢[236]！"是日，师伯一输百万。

柔然[237]攻高昌[238]，杀沮渠安周[239]，灭沮渠氏，以阚伯周[240]为高昌王。高昌称王自此始。

【段旨】

以上为第一段，写宋孝武帝大明三年（公元四五九年）、四年共两年间的大事。主要写了宋竟陵王刘诞因受孝武帝刘骏之猜忌而于广陵修城聚粮，预做防备；吴郡民刘成、豫章民陈谈之上书告发竟陵王刘诞杀其不满竟陵王阴谋叛逆的子弟，孝武帝遂令有司奏刘诞之罪，贬刘诞为侯，派兖州刺史垣阆、给事中戴明宝率兵前往广陵袭捕刘诞；结果因消息走漏，刘诞攻杀垣阆，戴明宝逃回朝廷；孝武帝遂起复沈庆之为车骑大将军统兵讨伐广陵，为防刘诞投魏，预先塞绝其北逃之路；刘诞原本只图防御，本无坚决为逆之心，又无决心北逃之意，犹豫不决，去而复返；而作为一代名将的沈庆之，又有从北线归来的名将垣护之、殷孝祖之助，居然攻广陵三月不下；后来孝武帝使用激将法，沈庆之又"身先士卒，亲犯矢石"，这才攻克其城，刘诞负伤落水，引出斩之，诞母、妻皆自杀，广陵事平。孝武帝为泄其私心之恨，下令将广陵之民"无大小悉杀之"，后在沈庆之的请求下，"犹杀三千余口"，又"聚其首于石头南岸为京观"，简直是灭绝人性。写了孝武帝的元勋，后来被贬为东扬州刺史的颜竣，送母丧还建康，因有怨言，语朝廷得失，遂被孝武帝诬与竟陵王刘诞串通，将颜竣赐死，并杀其妻子。写了宋臣周朗因"言事切直"，被孝武帝忌恨，诬以"居母丧不如礼"，杀之；而以谄于是便以此罪名用驿车把周朗押解流放到宁州，在去宁州的路上把周朗杀害了。在周朗被发配去宁州的时候，担任侍中的蔡兴宗正好在侍中省里值班，遂请假出去为周朗送别，蔡兴宗竟然因为此事而被免去官职，但仍然以平民的身份履行侍中的职责。

十一月，魏国担任散骑常侍的卢度世等人前来宋国进行友好访问。

这一年，宋国孝武帝征调担任青、冀二州刺史的颜师伯为侍中。颜师伯凭借自己善于谄媚、为人巧佞而受到孝武帝的宠爱与信任，在这方面，满朝文武大臣没有一人能够比得上他。颜师伯大量收受贿赂，家中因此积累了上千斤的黄金。孝武帝曾经与颜师伯一起掷骰子赌博，孝武帝先掷出一个“雉”，遂自以为胜券在握，颜师伯跟着投掷，眼看着还在旋转的骰子就要成为“卢”，孝武帝立时变了脸色。颜师伯急忙把骰子收住，说：“差点就要成为‘卢’！”仅这一天，颜师伯就输给孝武帝一百万钱。

柔然人进攻高昌，杀死占据高昌的沮渠安周，灭掉沮渠氏，任命阚伯周为高昌王。高昌从这时起开始称王。

佞著称的颜师伯被征为侍中，备受宠信，群臣莫及。此外还写了吐谷浑王拾寅两受魏、宋之命，又自拟于王者，魏人忿之，派阳平王拓跋新成、南郡公李惠分两道以攻之，拾寅走保南山，魏人获杂畜二十万而还等。

【注释】

①正月己巳朔：正月初一是己巳日。②兖州兵：刘宋的兖州军队。刘宋的兖州州治瑕丘，在今山东济宁市兖州区北侧。③皮豹子：魏国名将。事迹详见《魏书》卷五十一。④高平：县名，县治在今山东邹平西南。⑤己丑：正月二十一。⑥己酉：二月十一。⑦伊馛：拓跋焘时代的名将，被封为河南公。传见《魏书》卷四十四。⑧三月乙卯：本年之三月无“乙卯”日，应为“己卯”之误，“己卯”是三月十二。⑨扬州六郡：丹杨郡（郡治在今江苏南京）、淮南郡（郡治即今安徽当涂）、宣城郡（郡治即今安徽宣城）、吴郡（郡治即今江苏苏州）、吴兴郡（郡治即今浙江湖州南的下菰城遗址）、义兴郡（郡治即今江苏宜兴）。⑩王畿：都城的郊区。⑪东扬州：上文所说的浙东六郡。⑫会稽：会稽郡的郡治所在地，即今浙江绍兴。⑬犹以星变故也：上文所说的“荧惑守南斗”一事，古人以为不祥，故千方百计地祈求化解。⑭三月庚寅：三月二十三。⑮垣阆：垣遵之子，刘宋名将垣护之的堂兄弟。传见《宋书》卷五十。⑯四月乙巳：四月初八。⑰子推：拓跋子推，拓跋濬之弟。传见《魏书》卷十九上。⑱京兆王：封地为京兆尹，郡治

霸城，在今西安东北。⑲意忌：怀疑忌恨。意，疑。⑳因：趁着；趁……的机会。㉑浚隍：深挖护城河。浚，疏浚、挖掘。㉒治仗：打造兵器。㉓夷之弟子：江智渊是江夷之弟的儿子。江夷是刘裕的开国功臣，曾为吏部尚书、丹杨尹等职。传见《宋书》卷五十三。㉔沈怀文：刘宋元嘉时代的文人，与谢庄共掌辞令。传见《宋书》卷八十二。㉕息道龙：自己的儿子刘道龙。息，儿子。㉖昔事诞：曾经在竟陵王刘诞的手下做事。事，为……做事。㉗修乘舆法物：打造皇帝所用各种器物。乘舆，代指皇帝。法物，举行典礼时所用的器物。㉘习唱警跸：派人练习给皇帝出行时喝道戒严。唱，这里指喝道。警跸，皇帝出行前的清道。胡三省曰："此盖言诞为扬州刺史时。诞时一心奉上，必无是事，刘成诬告之也。"㉙姓讳：姓氏与名字。㉚巫郑师怜：巫者姓郑名师怜。巫，官府所养或民间以此为职业的迷信、神职人员。㉛祝诅：祈祷鬼神，请鬼神给某人降灾。如同《红楼梦》中赵姨娘、马道婆等陷害凤姐、宝玉所用的迷信手段。㉜密以启闻：秘密地报告给了皇上。㉝乘酒骂詈：耍着酒疯骂人。㉞杀之：杀了陈咏之。胡三省曰："刘道龙、陈咏之盖先皆为诞所杀，其父兄希旨诬告以报子弟之仇耳。"㉟奏：公开举报。㊱乙卯：四月十八。㊲贬诞爵为侯二句：废其竟陵王，降之为侯爵，打发他到所封侯爵的封地去。〖按〗当时刘骏将刘诞降为何县侯，史无明文。㊳配兖州刺史垣阆：让前往兖州上任的刺史垣阆统领着。配，让……带着。㊴之镇：到兖州刺史的军府上任。当时凡任刺史都管一定地区的军队，故称其上任叫"之镇"。镇，是驻军指挥部的所在地。〖按〗垣阆离建康到兖州上任要经过广陵，故而让他带着羽林兵以偷袭刘诞。㊵给事中戴明宝：刘骏的宠幸人员戴明宝时任给事中。给事中是官名，以其在宫廷侍候皇帝而得名。㊶典签蒋成：典签是官名，是当时诸侯王、大州刺史的高级僚属，受朝廷委派，权力很大。蒋成在刘诞属下任此职。但典签的本意是主管记录，如同今之书记员。签，书写。㊷开门：打开广陵城的城门。㊸府舍人：此指竟陵王府的舍人。舍人也是官名，管理王府的家庭事务。㊹勒兵：控制军队。勒，控制、调集。㊺猝至：突然到达。猝，突然。㊻登陴：登上广陵城的城墙。陴，城上的垛口，这里指城墙。㊼赦作徒、系囚：释放出广陵劳役场与监狱的一切罪犯。作徒，被判处徒刑从事劳役的人。系囚，关在狱中的囚犯。㊽间道：小路。㊾纂严：戒严。㊿南兖州刺史：刘诞原任此职，今派沈庆之讨刘诞，故先剥夺其职，以此职改任沈庆之。沈庆之原本已经退休，为讨伐叛乱，今特起复之。51甲子：四月二十七。52顿宣武堂：住宿在宣武堂，以显示军情的严重。宣武堂是管理军事的殿堂，在宫殿之外。53有隙：有过节；有矛盾。54委官：弃官；放弃职务。55邀杀之：半路拦住，杀掉了。邀，拦截。56欧阳：水闸名，后来也称"真州闸"，在广陵西南六十里。57赍书：带着亲笔书信。58遣道慜反：打发沈道慜回来。反，通"返"。59焚郭邑：将城墙外面的民居通通烧毁。郭，外城。邑，村镇、居民点。60邀结：邀集、联结。61山阳内史：山阳是郡名，郡治即今江苏淮安。因它是诸侯王的封地，故其长官不称太守，而称内史。职务的性质、级别相同。62奉表：把写给朝廷的表章呈上。63无名小人：指垣阆。㉞来相掩袭：前来进行偷袭。㉟不任枉酷：我无法忍受你们对我冤枉与残酷。㊱即加诛翦：故而当时就把他们杀掉了。㊲仰违诏敕：所以我公然违背了你的命令。仰，公然，明知不当为而为。㊳镇捍徐、兖：镇守与捍卫我所管辖的南徐、南兖二州。刘宋时代的南徐、南兖二州州治都在广陵。㊴先经何福二句：先前是托了什么福，使我们都同生在一个皇帝之家，同为宋文帝的儿子。㊵今有何愆二句：现在是造了什么孽，使我们成了势不两立的冤家对头。胡、越，南方之越与北方之胡，极言其没有关系，没有亲情，这里指相互对立。㊶陵锋奋戈：冒着对方的枪林弹雨冲锋。㊷万没岂顾：岂顾万死，意即以死相拼。㊸荡定：扫荡平定。㊹冀在旦夕：希望今天就能决出胜负，定出个谁死谁活。㊺岂可三缄：你怎么能堵住人的嘴，不让人说。刘向《说苑·敬慎》写孔子到周国的太庙参观，见其阶前有个铜人，三缄其口。铜人的背后写着："古之慎言人也，戒之哉，戒之哉，无多言，多言多败。"意思是教人不要多说话。缄，封口、封藏。类似的故事亦见于《孔子家语》。㊻同籍：因血缘关系近而被列入谱籍的亲戚。所谓谱籍一是指族籍，也就是家谱；二是指门籍，指可以凭此出入竟陵王府者。㊼期亲：服丧一年的亲属，如堂兄弟、表兄弟等。期，一年的孝服。㊽方：才。㊾垂白：白发下垂。㊿走路：北逃之路。81白土：地名，具体方位不详。82新亭：此指广陵城外的新亭，具体方位不详。83邪趋海陵道：斜着向东北方向的海陵逃去。海陵是郡名，郡治即今江苏泰州，在广陵的东北方。84歃血：古人结盟宣誓时，常把牲畜的血抹在自己嘴上，以表示诚意。85府州文武：指刘诞属下的各部门的僚属。府，指司空府、竟陵王府。州，指南兖州刺史府。86加秩：提高官爵的等级。秩，级别。87遵考：刘遵考，刘氏皇室的同族与有功之臣，当时在朝廷任尚书右仆射。传见《宋书》卷五十一。88虎贲中郎将殷孝祖：殷孝祖是刘宋后期的名将。传见《宋书》卷八十六。虎贲中郎将是统领皇帝身边卫士的长官，上属于光禄勋。89饷庆之食：赠送食物给沈庆之。饷，以食物给人吃。90提挈者：指呈送食品的人。挈，带。91授函表：将一封上给朝廷的表章从城上传下。授，《南史》作"投"。函表，用封套装着的表章。92归死朝廷：归降朝廷，向朝廷请死。93遣使：派出入朝请降的使者，这里实暗指刘诞自己。94吾为汝护送：胡三省曰，"诞之为此，以帝猜忍，欲以间庆之也。庆之峻拒之，盖亦自为谋耳"。95遭母忧：正赶上母亲去世。〖按〗此处所叙颜竣遭母丧与王僧达云云，都是追写以前的旧事。96王僧达得罪：王僧达得罪被杀事，在上卷大明二年。97疑竣谮之：怀疑是因为颜竣在皇帝面前说了自己的坏话。98具陈：向皇帝详细诉说。99怨望：怨恨。望，也是怨的意思。100上启陈谢：上书向皇帝认罪。启，文体名，意思同表、疏。101且请生命：请求皇帝给自己留下一条活命。102讪讦：嘲笑，诽谤攻击。103已孤本望：已经辜负了我本来对你的期望。104惧不自全：竟然想到死的问题上去了。105岂为下事上诚节之至邪：这难道是一个做臣子的侍奉皇帝所应有的态度吗？诚节之至，诚实专一到极点。106徙交州：流放到交州。交州的州治在今越南河内东北。107宫亭湖：今鄱阳湖，在江西九江南，南昌北。108沈其男口：将其家族中的男性都丢进鄱阳湖里。⑩⑨六月戊申：六月十二。⑪⓪为三烽于桑里：在桑里修好三个烽火台。桑里，地名，在当时的广陵城西南。⑪⑪玺书督趣：盖有皇帝印玺的文书，一刻不停地频频催促。趣，这里通“促”。⑪②塞堑：填平了护城河。⑪③立行楼：立起高与城齐的楼车，可推送士兵以登城。⑪④土山：在城下堆土成小山，以便接近城头。⑪⑤以激之：让庾徽之“奏免庆之官”，唱白脸，刘骏再“诏勿问”，唱红脸，合演一出激将的双簧，用心良苦。⑪⑥荷公厚恩：蒙受竟陵王的大恩。⑪⑦暴露之：置之于日晒雨淋之下。⑪⑧济阳范义：济阳人范义，时为中军将军的长史。⑪⑨不振：不可挽救。⑫⓪子其行乎：你还是走吧。⑫①吏：人家属下的小吏。⑫②吏不可以叛君：当小吏的不可以背叛自己的主官。君，主子、主官。⑫③吾弗为：我不那样活着。⑫④亲犯矢石：亲自冒着被城上射下的箭和石块击中的风险。⑫⑤乙巳：本年七月无“乙巳”日，应为“己巳”之误。七月己巳即七月初三。⑫⑥队主：一队之主，即今所谓队长。⑫⑦皆呼万岁：以表现军民喜悦庆贺之意。⑫⑧蔡兴宗：蔡廓之子，一个正直敢言的官僚。传见《宋书》卷五十七。⑫⑨陪辇：陪皇帝同乘一辆车，以表示其受宠任之意。⑬⓪涕泣行诛：流着泪杀人，以表示不得已而大义灭亲。⑬①贬诞姓留氏：将刘诞开除族籍，让他姓留。⑬②无大小悉命杀之：广陵的百姓何罪，而刘骏下此没有人性的命令。⑬③五尺以下全之：身高不到一点二三米者免死。刘宋时的一尺约为二四点六厘米。全之，不杀。⑬④为军赏：赏给有功士兵。⑬⑤宗越：刘宋后期的敢战之将，粗暴好杀。传见《宋书》卷八十三。⑬⑥临决：当监斩官。⑬⑦刳肠抉眼：剖开肚子、挖出眼珠。⑬⑧苦酒灌创：用酒往人的创口上浇。创，兵器造成的伤口。⑬⑨石头南岸：石头城南的长江边上。石头城在当时建康的西侧，今江苏南京的石头城公园一带。⑭⓪为京观：古代残暴的统治者将战场上杀获的敌军人头堆在一起，像山丘一样，以炫耀其武功，叫作京观。如今刘骏杀了自己的弟兄与被其裹胁的军民百姓，居然也堆起人头，称为京观，足见其没有人性。京观，大坟丘。京，大。⑭①初：历史家叙事的常用语，在补叙某种事件的时候，作为前置词，意即“在此之前”。⑭②黄门：太监，以其出入于皇家宫殿之门，故称。⑭③将世子景粹：携带着他的嫡子刘景粹。世子，义同“太子”，帝王的嫡系继承人。⑭④思相全脱：希望你能保全他脱离危险。⑭⑤如其不免：如果他被人杀死。⑭⑥各分以金宝赍送：给他们每人一些财宝，让他们带好，送他们出门。⑭⑦携负：携带、背负。⑭⑧临川内史：临川郡的行政长官，职位如同太守。因临川是诸侯封国，故其长官称内史。临川郡的郡治南城，在今江西南城东南。⑭⑨给事黄门侍郎：皇帝的侍从官员，地位清显。⑮⓪慰劳广陵：慰问平定广陵之乱的军队。⑮①送丧归豫章：豫章郡的郡治即今江西南昌。胡三省曰：“范义盖寓居豫章也。蔡兴宗之先亦济阳人。”⑮②故触王宪：故意触犯王法。宪，章程、法规。范义“不离其母、不背其君”地同死于广陵，而蔡兴宗独同情其“既孝且忠”，而不顾朝廷之法送范义之丧归故里。⑮③抗言：义正词严地说。⑮④善为营陈：善于扎营布阵。陈，通“阵”。⑮⑤止顿：扎营。⑮⑥马止营合：等他的马停下来，全军的大营也就扎好了。⑮⑦未尝参差：没有一点错乱不周的地方。⑮⑧辛未：

七月初五。⑲丙子：七月初十。⑯刘秀之：刘裕的元勋刘穆之的儿子。传见《宋书》卷八十一。⑯丙戌：七月二十。⑯八月庚戌：八月十五。⑯云中：魏郡名，郡治盛乐，在今内蒙古和林格尔城北。⑯壬戌：八月二十七。⑯九月壬辰：九月二十七。⑯玄武湖：当时建康城内的湖水名，在今江苏南京的东北部，南靠解放门，西靠玄武门。胡三省曰："文帝元嘉二十二年，筑北堤，立玄武湖于乐游苑北。"⑯南郊坛：皇帝在冬至日南郊祭天时所用的坛台。⑯巳位：东南方位。古代把地平线分成十二个方位，分别用十二支来表示：正北为子，东北为丑、寅，正东为卯，东南为辰、巳，正南为午，西南为未、申，正西为酉，西北为戌、亥。⑯牛头山：在当时建业城的正南方，今江苏南京市江宁区西南。⑰直宫城之午位：正对着皇城的南门。直，正对着。午位，正南方。⑰废帝即位：废帝即孝武帝的儿子刘子业，孝武帝死后，刘子业即位，未满一年，被明帝刘彧废，事在公元四六五年，详见后文。⑰五路：皇帝乘坐的五种车子，指玉路、金路、象路、革路、木路。⑰依金根车：依照秦朝皇帝所乘坐的金根车的样子。沈约曰："秦阅三代之车，独取殷制，古曰桑根车，秦曰金根车。"⑰加羽葆盖：在秦朝金根车的底盘上，增加了以鸟羽为装饰的车篷。盖，车篷。⑰正月甲子朔：正月初一是甲子日。⑰改元和平：在此之前拓跋濬的年号是太安（公元四五五至四五九年）。⑰乙亥：正月十二。⑰上耕籍田：孝武帝亲自去耕种籍田。耕籍田是古代皇帝做出的一种显示重视农业的表演活动。籍田，皇帝亲自耕种的示范田。⑰己卯：正月十六。⑱初乘玉路：第一次乘坐玉路车。⑱庚寅：正月二十七。⑱子勋为晋安王：刘子勋是刘骏的第三子，封地晋安郡，郡治即今福州。⑱子房为寻阳王：刘子房为刘骏的第六子，封地寻阳郡，郡治即今江西九江。⑱子顼为历阳王：刘子顼为刘骏的第七子，封地历阳郡，郡治即今安徽和县。⑱子鸾为襄阳王：刘子鸾为刘骏的第八子，封地襄阳郡，郡治即今湖北襄阳之襄州区。以上四人的传记均见于《宋书》卷八十。⑱来聘：来刘宋王朝做友好访问。⑱乐安王良：拓跋良，拓跋嗣之孙，拓跋范之子，魏主拓跋濬之叔。传见《魏书》卷十七。⑱河西叛胡：在黄河以西反抗魏国统治的匈奴族人。据胡注，此"河西"指今陕西、山西交界的黄河以西的今陕西东部地区。⑱北阴平：郡名，郡治在今四川江油东北。当时属刘宋管辖。⑲孔堤：郡名，郡治在今甘肃康县西北。当时属刘宋管辖。⑲甲申：三月二十二。⑲皇后亲桑：刘骏的皇后亲自采桑养蚕，这是和皇帝亲自耕种籍田同样性质的一种表现统治者重视农业、与百姓同甘苦的礼节性活动。⑲皇太后观礼：刘骏之母观看皇后亲自采桑养蚕的礼节仪式。⑲魏太后常氏：常氏原是魏主拓跋濬的乳母，先被尊为"保太后"，后又被尊为皇太后。事见本书卷第一百二十九元嘉三十年。⑲五月癸丑：本年五月无"癸丑日"，"癸丑"应是四月二十二。⑲昭太后：魏太后常氏，昭字是谥。⑲鸣鸡山：《史记·赵世家》所说的"磨笄山"，在今河北涿鹿境。⑲丙戌：五月二十五。⑲拾寅：继慕利延之后的吐谷浑王，树洛干之子。传见《魏书》卷一百一。⑳两受宋、魏爵命：一方面向魏国称臣，同时又向刘宋称臣。爵命，爵位与指令。⑳拟于王者：与帝王的排场差不多。

拟，相比。㉒保白兰：依托在白兰地区居住。保，依靠、依托。白兰，古地区名，在今青海都兰的西南方。㉓南山：白兰地区的南侧之山，即今所谓布尔汗布达山。㉔六月甲午：六月初四。㉕阳平王新成：拓跋新成，拓跋晃之子，拓跋濬之弟。传见《魏书》卷十九上。㉖统万、高平：都是魏国的军事重镇，统万即今陕西靖边东北的白城子，当年赫连勃勃夏国的都城，高平即今宁夏固原。㉗凉州：魏国的州名，州治即今甘肃武威。㉘崔浩之诛：魏国大臣崔浩因写史被杀事，在宋文帝元嘉二十七年，见本书前文卷一百二十五。㉙至是：到这时，指宋大明四年、魏和平元年（公元四六〇年）。㉚诣长安首罪：到长安自首服罪。长安，即今陕西西安之西北部，当时为魏国军事重镇，也是魏国的行台所在地。故叛乱者就近到长安请罪，愿接受惩罚。㉛遣使如魏：回报魏国使者的来访。㉜甲戌：七月十四。㉝壬午：七月二十二。㉞西平：魏郡名，郡治即今青海西宁。㉟会疾疫：正赶上闹流行病。会，正碰上。㊱引还：自动撤军而回。㊲庚午：九月十一。㊳丁亥：九月二十八。㊴新安王：封地新安郡，新安郡的郡治始新，在今浙江淳安西北。㊵十月庚寅：十月初一。㊶庐陵内史周朗：庐陵是郡名，郡治即今江西吉水北。周朗是一个秉性正直，敢于说真话的官吏。传见《宋书》卷八十二。㊷上衔之：将其忌恨在心。㊸居母丧不如礼：在为母守孝时的行为不合礼法。不如礼，不合礼法规定。㊹传送宁州：用驿车押解流放宁州。传，驿车。宁州，州治同乐，在今云南陆良东北，曲靖西南。㊺方在直：正好在侍中省里值班。直，通“值”，值班。㊻请与朗别：请假出去给周朗送别。㊼坐白衣领职：因此犯罪被削去官职，仍以平民的身份履行侍中的职责。㊽卢度世：卢玄之子，魏国的文学之臣。传见《魏书》卷四十七。㊾颜师伯：颜竣的族兄，孝武帝刘骏的宠臣。传见《宋书》卷七十七。㊿谄佞：谄媚、巧佞。[231]樗蒱：古代的赌博游戏，类似今掷骰子。[232]雉：樗蒱的彩头名称。博戏骰子共五枚，上黑下白，有枭、卢、雉、犊、塞，作为胜负的彩头。白者刻二叫作雉，是较好的胜彩。[233]次掷：跟着投掷。[234]得卢：骰子还在转着，眼看就要成为“卢”。樗蒱五枚骰子扔出去如

【原文】

五年（辛丑，公元四六一年）

春，正月戊午朔[241]，朝贺。雪落太宰义恭衣，有六出[242]，义恭奏以为瑞，上悦。义恭以上猜暴[243]，惧不自容，每卑辞逊色[244]，曲意祗奉[245]。由是终上之世[246]，得免于祸。

果都是黑的，叫作“卢”，是最胜的彩头。㉟遽敛子：赶紧把骰子收住，不让它确定为“卢”。遽，赶忙、立即。㊱几作卢：差点就要成为“卢”了。故意装出遗憾、失败的样子，让自己输钱，以博得皇帝高兴。㊲柔然：也写作“蠕蠕”，蒙古国一带地区的少数民族名，是魏国北部的主要敌人，长期与魏国作战，失败的次数居多。传见《魏书》卷一百三。㊳高昌：西域国名，都城在今新疆吐鲁番东南。㊴沮渠安周：北凉政权头领沮渠蒙逊的幼子，沮渠牧犍之弟。沮渠牧犍继其父位为北凉王，于公元四三九年为魏所灭。其弟沮渠无讳与沮渠安周率残部逃入西域，在高昌一带辗转活动，对魏国时叛时降，至此乃失败被杀。事见《魏书》卷九十九。㊵阚伯周：出身不详，应是阚爽的族人。阚爽曾为高昌郡的太守，被西来的沮渠无讳打败后，逃到柔然，其后下落不明。今柔然消灭沮渠家族后，立阚伯周为高昌王。事见《魏书》卷九十九。

【校记】

［1］疏：原作“书”。据章钰校，甲十一行本、乙十一行本、孔天胤本皆作“疏”，今据改。［2］刀：据章钰校，孔天胤本作“召”。［3］奋：原作“蹈”。据章钰校，甲十一行本、乙十一行本、孔天胤本皆作“奋”，今据改。［4］众：原作“诸”。据章钰校，甲十一行本、乙十一行本、孔天胤本皆作“众”，今据改。［5］等：原无此字。据章钰校，甲十一行本、乙十一行本、孔天胤本皆有此字，张敦仁《通鉴刊本识误》同，今据补。［6］史：据章钰校，甲十一行本、乙十一行本皆无此字。［7］济阳：原作“濮阳”。据章钰校，甲十一行本、乙十一行本、孔天胤本皆作“济阳”，今据改。［8］前行：原作“行前”。据章钰校，甲十一行本、乙十一行本、孔天胤本二字皆互乙，今据改。［9］孔提：原误作“朱提”。严衍《通鉴补》改作“孔堤”，今据以校正。［10］言：据章钰校，甲十一行本、乙十一行本皆无此字。［11］二十：原作“三十”。据章钰校，甲十一行本、乙十一行本、孔天胤本皆作“二十”，今据改。

【语译】

五年（辛丑，公元四六一年）

春季，正月初一日戊午，宋国举行朝贺典礼。雪花飘落在担任太宰兼任司徒的江夏王刘义恭的衣服上，形成六角形，刘义恭于是上奏说是天降祥瑞，孝武帝刘骏非常高兴。刘义恭因为孝武帝为人猜忌、残暴，惧怕他容不下自己，所以在孝武帝面前总是低声下气，说一些谦恭讨好的话，恭恭敬敬变着法地吹捧孝武帝，向孝武帝讨好。因此在孝武帝的整个在位期间，刘义恭得免于祸。

二月辛卯[247]，魏主如中山。丙午[248]，至邺[249]，遂如信都[250]。

三月，遣使如魏。

魏主发并、肆州民[251]五千人治河西猎道[252]。辛巳[253]，还平城。

夏，四月癸巳[254]，更[255]以西阳王子尚[256]为豫章王[257]。

庚子[258]，诏经始明堂[259]，直[260]作大殿于丙、己之地[261]，制如太庙，唯十有二间为异。

雍州刺史海陵王休茂[262]，年十七，司马[263]新野庾深之行府事[264]。休茂性急，欲自专处决[265]，深之及主帅[266]每禁之，常怀忿恨。左右[267]张伯超有宠，多罪恶，主帅屡责之。伯超惧，说休茂曰："主帅密疏官过失[268]，欲以启闻[269]，如此恐无好[270]。"休茂曰："为之奈何？"伯超曰："惟有杀行事[271]及主帅，举兵自卫[272]。此去都数千里[273]，纵大事不成，不失入虏中为王[274]。"休茂从之。

丙午[275]夜，休茂与伯超等帅夹毂队[276]，杀典签杨庆于城中，出金城[277]，杀深之及典签戴双。征集兵众，建牙驰檄[278]，使佐吏上己[279]为车骑大将军，开府仪同三司，加黄钺[280]。侍读博士荀诜谏，休茂杀之。伯超专任军政，生杀在己，休茂左右曹万期挺身斫休茂，不克而死。

休茂出城行营[281]，谘议参军沈畅之等帅众闭门拒之。休茂驰还，不得入。义成太守[282]薛继考为休茂尽力攻城，克之，斩畅之及同谋数十人。其日，参军尹玄庆复起兵攻休茂，生擒，斩之，母、妻[283]皆自杀，同党伏诛。城中扰乱，莫相统摄[284]。中兵参军刘恭之，秀之[285]之弟也，众共推行府州事[286]。继考以兵胁恭之，使作启事[287]，言继考立义[288]。

二月初四日辛卯，北魏文成帝拓跋濬前往中山进行巡视。十九日丙午，拓跋濬抵达邺城，随后又前往信都。

三月，宋孝武帝派遣使者前往魏国进行友好访问。

北魏文成帝征调并州、肆州的五千名百姓修建通往黄河以西地区供魏国皇帝行围打猎用的道路。三月二十五日辛巳，文成帝从信都返回平城。

夏季，四月初七日癸巳，宋国孝武帝改封西阳王刘子尚为豫章王。

十四日庚子，孝武帝下诏，开始建造明堂，在正南方与中央之地只修建大殿，形制就像太庙，只有十二间与太庙有所不同。

宋国担任雍州刺史的海陵王刘休茂，现在已经十七岁，担任司马的新野人庾深之代管刘休茂海陵王府的事务。刘休茂性情急躁，想要自己专权处理决定王府的事务，而庾深之以及主管军务的官员往往加以阻止，因此刘休茂心中对庾深之充满了怨恨。侍奉在刘休茂身边的张伯超很受刘休茂的宠信，而张伯超多行不轨，罪恶极多，主管军务的官员曾经多次责备过张伯超。张伯超因此非常恐惧，就对刘休茂说："主管军务的官员秘密地把您的过失全都一一记录下来，准备把您的这些过失上奏给皇上，这样的话恐怕对您没有什么好处。"刘休茂问他说："那我该怎么办呢？"张伯超说："只有杀掉代行府事的庾深之以及主管军务的官员，然后起兵对抗朝廷才能保住自己。我们这里距离都城建康有好几千里，即使大事不能成功，最不好的结果还可以逃往北方投降敌国去接受封王。"刘休茂竟然听从了张伯超的意见。

四月二十日丙午夜间，刘休茂与自己的亲信张伯超等人率领左右亲兵，在襄阳城中杀死了担任典签的杨庆，从金城门冲出去之后，又杀死了担任司马的庾深之以及担任典签的戴双。然后招集兵众，竖起牙旗，派遣使者给各州郡发送檄文，同时让自己的僚属推戴自己为车骑大将军、开府仪同三司，加授象征正义与生杀大权的铜制大斧。担任侍读博士的荀诜极力劝阻，刘休茂就把荀诜杀死。张伯超于是独揽军政大权，让谁生、让谁死全部取决于他一个人，在刘休茂身边担任侍从的曹万期挺身而出砍杀刘休茂，没有成功，遂遇害身亡。

刘休茂离开襄阳城去视察军营，担任谘议参军的沈畅之等人率领众人紧闭襄阳城门抵抗刘休茂。刘休茂策马而回，因为襄阳城门已经关闭而无法进城。担任义成郡太守的薛继考率领军队竭尽全力帮助刘休茂攻打襄阳城，攻破襄阳城之后，杀死了沈畅之以及和沈畅之同谋的几十个人。就在当天，担任参军的尹玄庆又率领军队攻打刘休茂，将刘休茂活捉斩首，刘休茂的母亲、妻子全都自杀而死，刘休茂的同党全部被诛杀。此时襄阳城中已经陷入一片混乱，互相之间谁也管不了谁，没有人能够控制这种混乱局面。担任中兵参军的刘恭之，是担任尚书右仆射的刘秀之的弟弟，众人遂共同推举刘恭之暂时代管海陵王府与雍州刺史府中的一切事务。薛继考率领军队以武力胁迫刘恭之，让刘恭之给皇帝上书，说义成太守薛继考坚持正义立场，

自乘驿还都㉘⑨，上以为北中郎谘议参军㉙⓪，赐爵冠军侯。事寻泄㉙①，伏诛，以玄庆为射声校尉㉙②。

上自即位以来，抑黜㉙③诸弟，既克广陵㉙④，欲更峻其科㉙⑤。沈怀文曰："汉明㉙⑥不使其子比光武之子㉙⑦，前史以为美谈。陛下既明管、蔡之诛㉙⑧，愿崇唐、卫之寄㉙⑨。"及襄阳平，太宰义恭探知上旨㉚⓪[12]，复上表[13]请裁抑诸王㉚①，不使任边州㉚②，及悉输器甲㉚③，禁绝宾客。沈怀文固谏以为不可，乃止。

上畋游无度㉚④，尝出，夜还，敕开门，侍中谢庄居守㉚⑤，以棨信或虚㉚⑥，执不奉旨㉚⑦，须墨敕㉚⑧乃开。上后因燕饮㉚⑨，从容㉛⓪曰："卿欲效郅君章邪㉛①？"对曰："臣闻王者祭祀、畋游，出入有节㉛②。今陛下晨往宵归，臣恐不逞之徒㉛③，妄生矫诈㉛④，是以伏须神笔，乃敢开门耳。"

魏大旱，诏："州郡境内，神无大小，悉洒扫致祷㉛⑤，俟丰登，各以其秩祭之㉛⑥。"于是群祀之废者㉛⑦皆复其旧。

秋，七月戊寅㉛⑧，魏主立其弟小新成为济阳王㉛⑨，加征东大将军，镇平原㉜⓪；天赐㉜①为汝阴王，加征南大将军，镇虎牢㉜②；万寿㉜③为乐浪王，加征北大将军，镇和龙㉜④；洛侯㉜⑤为广平王。

壬午㉜⑥，魏主巡山北。八月丁丑㉜⑦，还平城。

戊子㉜⑧，立皇子子仁为永嘉王㉜⑨，子真为始安王㉝⓪。

九月甲寅朔㉝①，日有食之。

沈庆之固让司空，柳元景固让开府仪同三司，诏许之。仍㉝②命庆之朝会位次司空㉝③，俸禄依三司㉝④，元景在从公㉝⑤之上。

诛杀了举兵叛变的刘休茂。然后薛继考就乘上驿站的马车回到都城建康，孝武帝任命薛继考为北中郎谘议参军，封为冠军侯。不久，事情真相泄露出来，薛继考遂被诛杀，孝武帝任命尹玄庆为射声校尉。

宋孝武帝自从登上皇帝宝座以来，极力压制、贬黜自己的各个兄弟，攻克广陵之后，就想把管制、打击刘氏诸王以及宗室的法令弄得更加严酷。担任侍中的沈怀文对孝武帝说："汉明帝刘庄不让自己儿子们的封国、待遇超过汉光武帝刘秀的儿子们，前代史学家都把这件事作为美谈。陛下既然明白周公诛杀自己的兄弟管叔、蔡叔的原因，所以希望陛下也能够像周公灭掉管叔、蔡叔之后，把自己的弟弟姬康叔改封于卫，把周成王的弟弟姬叔虞改封于唐那样，更加善待和委任自己的兄弟，教导他们尽心地藩卫皇室。"等到襄阳海陵王刘休茂被消灭之后，担任太宰的江夏王刘义恭探听清楚孝武帝的意图之后，就又上表给孝武帝，建议进一步裁减诸王的封地、抑制诸王的权力，不让诸王担任边疆地区的州刺史，并且要求诸王把自己部下的武器、铠甲都交给朝廷，同时禁止诸王结交宾客。沈怀文极力进行劝阻，认为绝对不可以这样做，孝武帝才没有采纳刘义恭的建议。

宋孝武帝爱好打猎嬉游，而且没有节制，他曾经出城打猎，一直到深夜才返回，此时城门早已关闭，孝武帝派人把出入凭证交给门卫，敕令门卫打开城门，当时担任侍中的谢庄正在守卫城门，他怀疑来人的出入证可能是假的，因此坚决不听招呼，拒绝给他们开门，必须有皇帝的手谕才能开门。后来孝武帝在一次便宴上，很随意地对谢庄说："你难道想要效法汉代的郅恽吗？"谢庄回答说："我听说君主无论是出去祭祀，还是出去打猎，出入城门都有一定的限制。如今陛下早晨出城夜晚才回来，我担心那些由于心怀不满而图谋不轨的人是在假传圣旨，所以一定要看到陛下的亲笔手谕，才敢开门罢了。"

魏国境内遭遇大旱，文成帝下诏说："各州各郡境内，神灵无论大小，都要洒扫庙宇，进行祭祀，祈祷神灵降雨，等到五谷丰登之时，再按照神灵品级的大小进行祭祀。"于是那些已经被废弃了多年的神坛庙宇又全都恢复成了过去的样子。

秋季，七月二十四日戊寅，北魏文成帝立自己的弟弟拓跋小新成为济阳王，加授征东大将军，负责镇守平原；封拓跋天赐为汝阴王，加授征南大将军，负责镇守虎牢；封拓跋万寿为乐浪王，加授征北大将军，负责镇守和龙；封拓跋洛侯为广平王。

七月二十八日壬午，北魏文成帝前往山北巡视。八月丁丑日，返回平城。

八月初四日戊子，宋孝武帝封自己的儿子刘子仁为永嘉王，封刘子真为始安王。

九月初一日甲寅，发生日食。

沈庆之坚决请求辞去司空的职务，柳元景坚决请求辞去开府仪同三司的待遇，孝武帝下诏批准了他们的请求。但仍然让沈庆之在上朝时站在司空的位置，享受与司空、司徒、太尉同样的俸禄，柳元景在上朝时所站的位置以及享受的俸禄在从公之上。

庆之目不知书，家素富，产业累万金[336]，童奴千计，再[337]献钱千万，谷万斛[338]。先有四宅，又有园舍在娄湖[339]。庆之一夕携子孙及中表亲戚[340]徙居娄湖，以四宅输官[341]。庆之多蓄妓妾，优游无事，尽意欢娱，非朝贺不出门。车马率素[342]，从者不过三五人，遇之者不知其[14]三公也。

甲戌[343]，移南豫州治于湖[344]。丁丑[345]，以浔阳王子房[346]为南豫州刺史。

闰月戊子[347]，皇太子妃何氏卒，谥曰献妃。

壬寅[348]，更[349]以历阳王子顼[350]为临海王[351]。

冬，十月甲寅[352]，以南徐州刺史刘延孙为尚书左仆射，右仆射刘秀之为雍州刺史。

乙卯[353]，以新安王子鸾[354]为南徐州刺史[355]。子鸾母殷淑仪宠倾后宫，子鸾爱冠诸子[356]，凡为上所眄遇者[357]，莫不入子鸾之府[358]。及为南徐州，割吴郡以属之[359]。

初，巴陵王休若[360]为北徐州刺史，以山阴令[361][15]张岱为谘议参军，行府、州、国事[362]。后临海王子顼为广州[363]，豫章王子尚为扬州，晋安王子勋[364]为南兖州[365]，岱历为三府谘议、三王行事[366]，与典签、主帅共事[367]，事举而情不相失[368]。或谓岱曰："主王[369]既幼，执事多门[370]，而每能缉和公私[371]，云何致此[372]？"岱曰："古人言：'一心可以事百君。'我为政端平[373]，待物以礼[374]，悔吝之事，无由而及，[375]明暗短长，更是才用之多少耳。[376]"及子鸾为南徐州，复以岱为别驾[377]、行事。岱，永[378]之弟也。

魏员外散骑常侍游明根[379]等来聘。明根，雅[380]之从祖弟也。

魏广平王洛侯卒。

十二月壬申[381]，以领军将军刘遵考为尚书右仆射。

沈庆之目不识丁，但家资一向丰厚，积累的资产有数万金，家中的童仆家奴有上千人，两次向朝廷贡献一千万钱，一万斛谷。先前就有四处宅院，在娄湖还有花园别墅。有一天，沈庆之携带自己的子孙以及中表亲戚迁居到娄湖的别墅中，而把其他四处宅院全都献给了国家。沈庆之蓄养了很多伎妾，平常悠闲自得、无事可做的时候，就尽情地与伎妾一起寻欢作乐，除非是遇有庆典需要上朝参加庆贺，平时从不出门。乘坐的车马非常简单、朴素，跟随的侍从不超过三五个，遇到他的人都不知道他是位列三公的高官。

九月二十一日甲戌，宋孝武帝把南豫州的州治迁到了于湖。二十四日丁丑，任命浔阳王刘子房为南豫州刺史。

闰九月初五日戊子，宋国皇太子刘子业的妃子何氏去世，被谥为献妃。

闰九月十九日壬寅，宋孝武帝又改封历阳王刘子顼为临海王。

冬季，十月初二日甲寅，宋孝武帝任命担任南徐州刺史的刘延孙为尚书左仆射，任命担任右仆射的刘秀之为雍州刺史。

十月初三日乙卯，宋孝武帝任命新安王刘子鸾为南徐州刺史。新安王刘子鸾的母亲殷淑仪在后宫最受宠爱，因此刘子鸾在诸王子中受孝武帝宠爱的程度超过了其他所有皇子，因此凡是被孝武帝宠爱、赏识的大臣，全部被送到刘子鸾的王府或刺史府中担任僚属。等到刘子鸾当上南徐州刺史的时候，孝武帝又把吴郡划归南徐州管辖。

当初，宋国的巴陵王刘休若担任北徐州刺史的时候，任用担任山阴县令的张岱为谘议参军，代管巴陵王王府、北徐州刺史府以及巴陵王封国之内的各种行政事务。后来临海王刘子顼担任广州刺史，豫章王刘子尚担任扬州刺史，晋安王刘子勋担任南兖州刺史，张岱历任这三个王府的谘议参军，代管这三个王府、刺史府的行政事务，与三王属下的典签、主管军事的官员一起共事，事情都办得很好而且又从来不伤和气。于是就有人向张岱询问说："主子王爷的年纪都很幼小，你先后在多家王府担任管事，却总能把公事和私情都处理得很好，你是如何能够做到这一点的呢？"张岱回答说："古人曾经说过：'一颗忠心可以侍奉一百个君主。'我主持政务端正、公平，待人接物总是以礼相待，一举一动都要考虑周全，从来不做那些让人感到悔恨、惋惜的事情，一个人在处世方面所表现出来的聪明愚蠢、长处短处，那更是取决于他自己才干的高低。"等到新安王刘子鸾担任南徐州刺史的时候，又任命张岱为别驾，代管新安王府、南徐州刺史府的各种行政事务。张岱，是张永的弟弟。

魏国派遣担任员外散骑常侍的游明根等人到宋国进行友好访问。游明根，是游雅的堂弟。

魏国的广平王拓跋洛侯去世。

十二月二十日壬申，宋国任命担任领军将军的刘遵考为尚书右仆射。

甲戌[382]，制民户岁输布四匹[383]。

是岁，诏士族杂婚[384]者皆补将吏[385]。士族多避役逃亡，乃严为之制，捕得即斩之，往往奔窜湖山[386]为盗贼。沈怀文谏，不听。

六年（壬寅，公元四六二年）

春，正月癸未[387]，魏乐浪王万寿[388]卒。

辛卯[389]，上初祀五帝[390]于明堂，大赦。

丁未[391]，策秀、孝[392]于中堂[393]。扬州秀才顾法对策曰："源清则流洁，神圣则形[16]全[394]。躬化易于上风[395]，体训速于草偃[396]。"上览之，恶其谅[397]也，投策于地。

二月乙卯[398]，复百官禄[399]。

三月庚寅[400]，立皇子子元为邵陵王[401]。

初，侍中沈怀文数以直谏忤旨[402]，怀文素与颜竣、周朗[403]善，上谓怀文曰："竣若知我杀之，亦当不敢如此。"怀文嘿然[404]。侍中王彧，言次[405]称竣、朗人才之美，怀文与相酬和[406]，颜师伯以白上[407]，上益不悦。上尝出射雉，风雨骤至，怀文与王彧、江智渊约相与谏[408]，会召入雉场[409]。怀文曰："风雨如此，非圣躬[410]所宜冒。"彧曰："怀文所启，宜从。"智渊未及言，上注弩[411]作色曰："卿欲效颜竣邪[412]，何以恒知人事[413]？"又曰："颜竣小子，恨不先鞭其面[414]！"每上燕集[415]，在坐者皆令沈醉，嘲谑[416]无度。怀文素不饮酒，又不好戏调[417]，上谓故欲异己[418]。谢庄尝戒怀文曰："卿每与人异，亦何可久[419]？"怀文曰："吾少来如此，岂可一朝而变！非欲异物[420]，性所得耳[421]。"上乃出[422]怀文为晋安王子勋征虏长史[423]，领广陵太守[424]。

十二月二十二日甲戌，宋国孝武帝下令，让全国的百姓每家每户每年向国家缴纳四匹布。

这一年，宋孝武帝下诏，凡是士族与工商杂户互通婚姻的，都要惩罚他们到军队中任职，或为将，或为吏。于是就有许多士族为了躲避服役而逃亡，官府便严厉执法，一旦将逃亡的士族抓获就立即处死，这些为躲避服役的士族往往靠着湖水近的就进入湖中，挨着山近的就逃入山中，做起了强盗。担任侍中的沈怀文虽然极力进行劝阻，但孝武帝不肯听从。

六年（壬寅，公元四六二年）

春季，正月初二日癸未，魏国的乐浪王拓跋万寿去世。

正月初十日辛卯，宋孝武帝第一次在明堂祭祀东、西、南、北、中五个方位的大帝，大赦天下。

二十六日丁未，宋孝武帝在中堂亲自出题对各地区、各部门推举上来的秀才、孝廉进行考试。扬州秀才顾法回答皇帝的策问时写道："水源清澈则水流清洁，精神旺盛则人体健康完好。皇帝身体力行地做好事就能像风一样地吹遍全国，臣民接受皇帝的影响，其速度比草随风倒还要快。"孝武帝看了顾法的答卷之后，因为讨厌他所说的话太过直露，便把他的答卷扔在了地上。

二月初四日乙卯，宋孝武帝下诏恢复了百官原来的俸禄。

三月初十日庚寅，宋孝武帝封自己的儿子刘子元为邵陵王。

当初，担任侍中的沈怀文因为多次给孝武帝提意见而惹得孝武帝不高兴，沈怀文又一向与颜竣、周朗关系友好，孝武帝就对沈怀文说："如果颜竣知道我会杀死他，他一定不敢那样做。"沈怀文听后沉默无语。担任侍中的王彧在言谈话语中经常称赞颜竣、周朗的才能和人品，沈怀文与王彧一唱一和，颜师伯便把这种情况报告了孝武帝，孝武帝更加不高兴。孝武帝曾经外出射猎野鸡，疾风暴雨突然而至，沈怀文与王彧、江智渊约好一道去给孝武帝提意见，恰好此时孝武帝叫他们进入射击野鸡的猎场。沈怀文遂趁机对孝武帝说："风雨交加，天气如此恶劣，陛下不应该亲冒风雨。"王彧也趁机劝谏说："沈怀文所奏请的，陛下应当听从才是。"江智渊还没有来得及说话，而孝武帝此时已经拈弓搭箭，准备瞄准射击，他听了王彧的话以后，马上沉下脸来说："你想要效法颜竣前来找死吗，为什么总是来管别人的事情？"接着又说："颜竣那小子，恨我没有先用鞭子抽打他的脸！"每逢孝武帝聚集群臣宴饮的时候，都要让在座的群臣喝得大醉，彼此之间互相嘲弄、开玩笑，不受任何约束以取乐。沈怀文一向不饮酒，又不喜好戏谑调笑，孝武帝便认为沈怀文是故意和自己唱反调。担任侍中的谢庄曾经警告沈怀文说："你总是和别人不一样，怎么能够长久呢？"沈怀文回答说："我从小就是如此，怎么能一朝改变呢！我并不是故意想要与众不同，而是生来就是这个样子罢了。"孝武帝遂将沈怀文外放，让他去给晋安王刘子勋担任征虏长史，兼任广陵太守。

怀文诣建康朝正[425]，事毕遣还[426]，以女病求申期[427]，至是犹未发[428]，为有司所纠[429][17]，免官，禁锢十年[430]。怀文卖宅[431]，欲还东[432]。上闻之[18]，大怒，收付廷尉[433]，丁未[434]，赐怀文死。怀文三子，澹、渊、冲，行哭[435]为怀文请命[436]，见者伤之[437]。柳元景欲救怀文，言于上曰："沈怀文三子，涂炭不可见[438]，愿陛下速正其罪[439]。"上竟杀之[440]。

夏，四月，淑仪殷氏[441]卒，追拜贵妃，谥曰宣。上痛悼不已，精神为之罔罔[442]，颇废政事。

五月壬寅[443]，太宰义恭解领司徒[444]。

六月辛酉[445]，东昌文穆公刘延孙[446]卒。

庚午[447]，魏主如阴山。

魏石楼胡贺略孙[448]反，长安镇将陆真[449]讨平之。魏主命真城长蛇镇[450]。氐豪仇傉檀[451]反，真讨平之，卒城[452]而还。

秋，七月壬寅[453]，魏主如河西。

乙未[454]，立皇子子云为晋陵王[455]。是日卒，谥曰孝。

初，晋庾冰[456]议使沙门敬王[457]者，桓玄[458]复述其议，并不果行[459]。至是，上使有司奏曰："儒、法枝派[460]，名、墨条分[461]，至于崇亲严上[462]，厥猷靡爽[463]。唯浮图为教[464]，反经提传[465]，拘文蔽道[466]，在末弥扇[467]。夫佛以谦俭[19]自牧[468]，忠虔为道[469]，宁有[470]屈膝四辈[471]而简礼二亲[472]，稽颡耆腊[473]而直体万乘[474]者哉？臣等参议[475]，以为沙门接见[476]，比当尽虔[477]；礼敬之容[478]，依其本俗[479]。"九月戊寅[480]，制沙门致敬人主[481]。及废帝即位，复旧[482]。

沈怀文到京师建康参加正月初一举行的朝拜皇帝的典礼，事情完毕之后仍旧被朝廷打发回广陵任所，他因为自己的女儿有病，遂向朝廷请求延长在京城逗留的时间，所以到现在还没有离开建康动身前往任所，因此遭到有关部门官员的弹劾，被免去官职，被惩罚十年之内不许出来做官。沈怀文卖掉自己在京师的住宅，准备回到自己东方的老家吴兴去做一个普通百姓。孝武帝听说之后，大怒，立即下令把沈怀文逮捕起来交付给廷尉进行审讯，三月二十七日丁未，孝武帝下诏令沈怀文自杀。沈怀文的三个儿子沈澹、沈渊、沈冲，他们边走边哭，四处奔走，请求能够免父亲一死，凡是看见的人都为之伤心落泪。担任尚书令的柳元景想救沈怀文，于是便对孝武帝说："沈怀文的三个儿子，身在涂炭之中，其情形惨不忍睹，希望陛下赶紧给他定罪。"孝武帝还是把沈怀文杀死了。

夏季，四月，殷淑仪去世，孝武帝追封殷淑仪为贵妃，谥为宣贵妃。孝武帝对殷淑仪的死悲痛不已，精神上因为受此打击也变得恍惚、昏乱起来，以至于朝政荒废。

五月二十三日壬寅，太宰刘义恭被解除了所兼任的司徒职务。

六月十二日辛酉，东昌文穆公刘延孙去世。

六月二十一日庚午，北魏文成帝前往阴山一带进行考察。

居住在魏国石楼县境内的匈奴人头领贺略孙聚众谋反，担任长安镇将的陆真率领军队将贺略孙的叛乱镇压下去。北魏文成帝命令陆真在长蛇镇的周围修筑城墙。氐族人首领仇傉檀聚众谋反，陆真平定了仇傉檀的叛乱，完成了在长蛇镇周围修筑城墙的任务后返回自己的任所。

秋季，七月二十四日壬寅，北魏文成帝前往黄河以西地区进行巡视。

七月十七日乙未，宋孝武帝封自己的儿子刘子云为晋陵王。就在加封的当天，晋陵王刘子云去世了，谥号为孝。

当初，东晋时期的权臣庾冰曾经建议让和尚对皇帝行礼，另一权臣桓玄又复议庾冰的建议，然而并没有得到实施。到现在，宋孝武帝让有关部门的官员奏报说："虽然儒家、法家分出许多的支派，名家、墨家也有许多分支，但是在尊崇父母、恭敬帝王方面，无论是儒家、法家各支派，还是名家、墨家各分支都是一样的。只有佛教的教规，违背了佛经的本意，而抬高门徒的解说，只是拘泥于表面文字，而掩盖了真正的教义，越往后，这种风气就越恶劣。佛教本来是很讲究谦虚、节俭、自律的，把忠厚、虔诚作为修炼的准则，怎么可能有只对佛、菩萨、缘觉、声闻这四种尊者屈膝下跪，而对自己的生身父母礼节简慢，只对着老和尚磕头行礼，而面对皇帝时却挺身不拜的道理呢？我等建议，和尚在被皇帝或者高官接见的时候，他们都应该尽量地表现出他们的虔诚，至于这种应有的虔诚应该怎样表现，可以按照佛教旧有的习惯。"九月初一日戊寅，孝武帝下诏，规定和尚在觐见皇帝时要向皇帝行礼。等到废帝刘子业继承皇位以后，就又恢复到从前的样子了。

乙未⑬，以尚书右仆射刘遵考为左仆射，丹杨尹王僧朗⑭为右仆射。僧朗，彧之父也。

冬，十月壬申⑮，葬宣贵妃于龙山⑯。凿冈通道数十里，民不堪役，死亡⑰甚众，自江南葬埋之盛，未之有也。又为之别立庙⑱。

魏员外散骑常侍游明根等来聘⑲。

辛巳⑳，加尚书令柳元景司空。

壬寅㉑，魏主还平城㉒。

南徐州从事史㉓范阳祖冲之㉔上言，何承天《元嘉历》㉕[20]疏舛㉖犹多，更造新历㉗，以为："旧法，冬至日有定处㉘，未盈百载㉙，辄差二度㉚。今令冬至日度，岁岁微差，㉛将来久用，无烦屡改。又，子为辰首，位在正北，㉜虚㉝为北方列宿之中。今历，上元㉞日度，发自虚一㉟。又，日辰之号㊱，甲子为先㊲，今历，上元岁在甲子㊳。又，承天法，日、月、五星各自有元㊴。今法，交会、迟疾㊵，悉以上元岁首为始㊶。"上令善历者难之㊷，不能屈㊸。会上晏驾㊹，不果施行㊺。

【段旨】

以上为第二段，写孝武帝大明五年（公元四六一年）、六年共两年间的大事。主要写了宋文帝刘义隆之子雍州刺史刘休茂因不愿受典签的挟制，在其亲信张伯超的怂恿下，攻杀典签杨庆、戴双，占据襄阳自称车骑大将军，后被其参军尹玄庆生擒，斩之。刘休茂的部下义成太守薛继考先曾为刘休茂攻杀持正守城的沈畅之，在刘休茂被杀后，又转而威逼刘休茂的部下写信证明自己是"立义"平定襄阳之乱的功臣。薛继考入都后先被孝武帝赐爵冠军侯，后来事实弄清，薛继考被杀，尹玄庆被任为射声校尉。写了刘宋的直正之臣沈怀文先是劝谏孝武帝不要过于严厉地抑黜诸弟，劝他"既明管、蔡之诛，愿崇唐、卫之寄"，孝武帝不听；沈怀文素与因正直敢言被杀的颜竣、周朗相善，又因劝孝武帝不要冒着风雨出猎，又因为沈怀文素不饮酒、不好戏谑，遂被孝武帝认是"故与异己"，被放九月十八日乙未，宋孝武帝任命担任尚书右仆射的刘遵考为左仆射，任命担任丹杨尹的王僧朗为右仆射。王僧朗，是王彧的父亲。

冬季，十月二十五日壬申，宋孝武帝将宣贵妃殷淑仪埋葬在龙山。为此专门征调百姓开凿了几十里的山道，百姓承受不了这种艰苦的劳役，累死以及逃亡的人很多，自从江南有葬礼以来，这样隆重盛大的规格是从来没有过的。又在别处为宣贵妃修建了寝庙。

魏国派遣担任员外散骑常侍的游明根等人来宋国进行友好访问。

十一月初五日辛巳，宋孝武帝加授担任尚书令的柳元景为司空。

十一月二十六日壬寅，北魏文成帝从阴山回到都城平城。

宋国担任南徐州从事史的范阳人祖冲之上书给孝武帝，说何承天所修订的《元嘉历》有很多的疏漏和错误，现在自己又重新编制了一部新历法，祖冲之认为："旧的历法中，冬至日的那一天，太阳有其固定的位置，但在不到一百年的时段里，太阳的位置就会有两度的误差。如今的新历法把这种误差计算在内，让冬至的那一天，太阳所在的位置，每年都有些微的变动，这样一来，历法就可以长久使用，而不需要屡次修改。再有，子是十二地支的第一位，处于正北方位，二十八宿之一的虚是北方玄武七宿的第四宿，位于正中。如今编制的新历法，上元甲子那一年太阳所在的位置，是从虚宿的第一星开始算起。再有，天干、地支的各个名号，甲是十天干的第一位，子是十二地支的第一位，如今我所编制的新历法上元的第一年在甲子。再有，按照何承天的历法，日、月以及金、木、水、火、土五大行星的运行各有推算的起点。如今的新历法，日、月、五星运动时的相交、会合以及速度的快慢，全都从上元那一年的第一个月开始算起。"孝武帝命令那些懂得历法的专家向祖冲之提出各种不同的意见，要求祖冲之进行解答，所有的提问都没有难倒祖冲之。正好此时孝武帝驾崩，祖冲之编制的新历法没有能够公布实行。

出为征虏长史；又因为沈怀文入建康朝正，事毕未按时离京而被免官禁锢，最后竟无辜被杀。写了张岱先后在巴陵王刘休若、临海王刘子顼、豫章王刘子尚、晋安王刘子勋的部下为僚属，他"执事多门，而每能缉和公私"，他自己标榜这是"一心可以事百君"，这的确也是一种难得的为人处世的学问。此外还写了孝武帝为安葬其宠妃竟"凿冈通道数十里，民不堪役，死亡甚众，自江南葬埋之盛，未之有也"等。

【注释】

㉔① 正月戊午朔：正月初一是戊午日。㉔② 六出：雪花成六角形。㉔③ 猜暴：猜疑、残暴。㉔④ 卑辞逊色：说谦卑讨好的话，表现出一种低声下气的样子。㉔⑤ 曲意祇奉：变着法地谦恭讨好。祇，恭敬。奉，捧、吹捧。㉔⑥ 终上之世：在孝武帝的整个在位期间。㉔⑦ 二月辛卯：二月初四。㉔⑧ 丙午：二月十九。㉔⑨ 邺：古城名，在今河北临漳西南。㉕⓪ 信都：今河北衡水市冀州区，当时为魏国冀州的州治所在地。㉕① 并、肆州民：并、肆二州的百姓。并州的州治晋阳，在今太原的西南侧，肆州的州治在今山西忻州西北。㉕② 河西猎道：在今山西、陕西二省间的黄河以西供魏国皇帝打猎用的通道。㉕③ 辛巳：三月二十五。㉕④ 四月癸巳：四月初七。㉕⑤ 更：改；改任。㉕⑥ 西阳王子尚：刘子尚，孝武帝刘骏的第二子，六岁时被封为西阳王。西阳郡的郡治在今湖北黄冈东。㉕⑦ 豫章王：封地豫章郡，郡治即今江西南昌。㉕⑧ 庚子：四月十四。㉕⑨ 经始明堂：开始建造明堂。经始，经营、建造。明堂，古代帝王举行典礼、发布政教的场所。㉖⓪ 直：只。㉖① 丙、已之地：古代以十二天干表示方位，丙指正南方，已指正中央。《玉海》卷九十五引《五经异义》称讲学大夫淳于登说："明堂在国之阳，丙、已之地，三里之外，十里之内，而祀之就阳位。"㉖② 海陵王休茂：刘休茂，文帝刘义隆的第十四子。传见《宋书》卷七十九。海陵郡是封地名，郡治即今江苏泰州。㉖③ 司马：刘休茂属下的司马官，在军中主管司法。㉖④ 行府事：代理刘休茂海陵王府的事务。行，代理。以低级别代理高职务叫"行"。㉖⑤ 自专处决：自己处理、决定。㉖⑥ 主帅：主管军务的官员，这里指典签。胡三省注："主帅，典签也。又斋内亦有主帅，谓之斋帅。"典签，原意如同记录员、书记员，是刺史、督军属下的僚属，后来逐渐权大，甚至发展到辖制其主官。㉖⑦ 左右：刘休茂的身边亲信人员。㉖⑧ 密疏官过失：秘密地把您的过失都记下来。疏，记、逐条列出。官，以称主子刘休茂。㉖⑨ 欲以启闻：想把您的这些过失上奏皇帝。㉗⓪ 恐无好：恐怕前景不妙。㉗① 行事：行府事职务的庾深之。㉗② 举兵自卫：起兵对抗朝廷。㉗③ 去都数千里：雍州的州治襄阳，离建康水路四千多里。㉗④ 不失入虏中为王：最不好的结果还可以逃到北方的敌国去接受封王。虏，指北魏。㉗⑤ 丙午：四月二十。㉗⑥ 夹毂队：指左右亲兵，出行时护拥在王车的周围。毂，车轮中心承受车轴的部位，通常用以代称车轮、车驾。㉗⑦ 金城：疑是当时襄阳的城门名。㉗⑧ 建牙驰檄：竖起牙旗，派使者送文书于各州郡。牙，用象牙装饰的大旗，这里指旗。檄，向天下人发布的文告。㉗⑨ 上已：拥戴、推尊自己。㉘⓪ 加黄钺：帝王授予出征大将的一种铜制大斧，象征他是正义之师，也象征他有生杀之权。此外黄钺也是加给权贵大臣的一种仪仗，象征他的地位崇高。㉘① 行营：视察军营。行，巡行视察。㉘② 义成太守：义成郡的郡治也在襄阳，故其太守薛继考能为刘休茂尽力攻城。㉘③ 母、妻：指刘休茂之母与刘休茂之妻。刘休茂之母为文帝的蔡美人。㉘④ 莫相统摄：谁也管不了谁。㉘⑤ 秀之：刘秀之，刘裕的元勋刘穆之之侄，文帝以来的优秀地方官，此时任尚书右仆射。传见《宋书》卷

八十一。㉘⑥行府州事：临时管理刘休茂海陵王府与雍州刺史府的一切事宜。㉘⑦作启事：给朝廷写报告。㉘⑧继考立义：是薛继考坚持正义立场，杀掉了掀起叛乱的刘休茂。㉘⑨乘驿还都：乘驿车回到了建康城。主语是薛继考。㉙⓪北中郎谘议参军：北中郎将的谘议参军。当时朝廷设东西南北四个中郎将，掌率军征伐之事。㉙①寻泄：不久败露。㉙②射声校尉：军官名，秩二千石，以管理骑兵，能闻声即射而命名。㉙③抑黜：压抑、贬斥。㉙④克广陵：指平定竟陵王刘诞的叛乱事。㉙⑤更峻其科：把管理、打击刘氏诸王的法令弄得更加严酷。㉙⑥汉明：汉明帝，名庄，东汉光武帝刘秀之子，公元五八至七五年在位。㉙⑦不使其子比光武之子：汉明帝于永平十五年（公元七二年）封自己的儿子为王时，所封的领地只有自己兄弟的一半大小。马皇后提出是不是太小了，明帝说："我的儿子怎么能与先帝的儿子享受同等的待遇呢？"㉙⑧管、蔡之诛：指西周初期，周公辅佐年幼的周成王治理国家，周公的弟兄管叔鲜、蔡叔度勾结殷纣王的儿子武庚发动叛乱，反对朝廷，被周公大义灭亲，将他们杀掉。这里是用以比喻孝武帝刘骏平息广陵叛乱，杀了自己的兄弟竟陵王刘诞。㉙⑨崇唐、卫之寄：指周公灭了管叔、蔡叔后，改封自己的弟弟康叔于卫，封成王的弟弟叔虞于唐，教导他们尽心藩卫周王室。这里是以此隐喻孝武帝刘骏要对自己的弟兄友好相待，提拔重用，不要一味地怀疑、镇压。崇……之寄，加强对……的亲善与委任。㉚⓪上旨：孝武帝刘骏的心思。㉚①复上表请裁抑诸王：请，向孝武帝刘骏提出建议。裁抑，裁制、压抑。㉚②不使任边州：不让他们担任边疆地区的州刺史，以防止他们与其他国家相勾结，以及叛乱失败后向别国逃逸等。㉚③悉输器甲：让他们把自己部下的武器铠甲都交给朝廷，使之再没有任何造反的能力。㉚④畋游无度：爱好打猎嬉游，没个节制。㉚⑤居守：守卫宫门。㉚⑥以棨信或虚：由于怀疑他们的出入证是假的。棨信，木制的出入证。或，可能。㉚⑦执不奉旨：坚持不听招呼，不给他们开门。㉚⑧墨敕：皇帝的手谕。㉚⑨燕饮：不拘礼节的宴饮。燕，安、安闲。㉛⓪从容：随意的；自然的。㉛①卿欲效郅君章邪：你也想学做汉代的郅恽吗？郅君章，名恽，字君章，东汉光武时代的名臣。有一次汉光武出猎夜还，郅恽看管洛阳的上东门，闭门不开，汉光武只好改从别的城门进入洛阳。㉛②出入有节：出入城门都要有一定的限制。㉛③不逞之徒：由于内心不满而图谋不轨的人。不逞，不顺心、不得志。㉛④妄生矫诈：指假传圣旨、假造凭证等。㉛⑤洒扫致祷：洒扫庙宇，祭祀祈祷。㉛⑥各以其秩祭之：再按照他们各自的等级进行祭祀。秩，指神的大小品级。㉛⑦群祀之废者：早已废弃多年的坛台庙宇。胡三省曰："魏罢群祀，见前文卷一百二十五文帝元嘉二十七年。"㉛⑧七月戊寅：七月二十四。㉛⑨小新成为济阳王：小新成是拓跋晃之子，拓跋濬之弟。传见《魏书》卷十九上。但据《魏书》，此小新成乃是"济阴王"，与《通鉴》说异。㉜⓪平原：县名，也是古黄河上的渡口名，在今山东平原西南。㉜①天赐：拓跋天赐，拓跋晃之子，拓跋濬之弟。传见《魏书》卷十九上。㉜②虎牢：关塞名，旧址在今河南荥阳西北的古汜水镇。㉜③万寿：拓跋万寿，拓跋晃之子，拓跋濬之弟。传见《魏书》卷十九上。㉜④和龙：古城名，又名龙都、黄龙城，前燕、后燕、北燕都曾建都于此，即今辽宁朝阳。㉕洛侯：拓跋洛侯，拓跋晃之子，拓跋濬之弟。传见《魏书》卷十九上。㉖壬午：七月二十八。㉗八月丁丑：本年的八月无“丁丑”日，应为“己丑”。己丑是八月初五。㉘戊子：八月初四。㉙子仁为永嘉王：刘子仁的事迹见《宋书》卷八十。永嘉郡的郡治即今浙江温州。㉚子真为始安王：刘子真的事迹见《宋书》卷八十。始安郡的郡治即今广西桂林。㉛九月甲寅朔：九月初一是甲寅日。㉜仍：依旧。㉝朝会位次司空：在上朝的时候站在司空的位置。次，处、站立在。㉞三司：指司空、司徒、太尉，亦即古时的三公，刘宋时代只是虚衔，用为加官。㉟从公：比正式的公爵低一级，“从”犹如今之所谓准尉、准将的“准”。胡三省曰：“晋制，文官光禄三大夫，武官骠骑、车骑、卫将军及诸大将军开府者，位从公。”㊱累万金：有数万金。古时的一金，相当铜钱一万枚。㊲再：两次。㊳斛：古量名，一斛相当于十斗。㊴娄湖：旧址在今江苏南京内。㊵中表亲戚：父亲方面的亲戚称“中”，母亲方面的亲戚称“表”。㊶输官：交给了国家。输，献纳。官，公家、政府。㊷率素：简单、朴素。㊸甲戌：九月二十一。㊹于湖：今安徽当涂。南豫州的州治此前在今安徽寿县。㊺丁丑：九月二十四。㊻浔阳王子房：刘子房，孝武帝刘骏的第六子，先封为松滋侯，后封为浔阳王。传见《宋书》卷八十。㊼闰月戊子：闰九月初五。㊽壬寅：闰九月十九。㊾更：又；改任。㊿历阳王子顼：刘子顼，孝武帝刘骏的第七子。传见《宋书》卷八十。历阳王的封地历阳郡，郡治即今安徽和县。351临海王：封地临海郡，郡治章安，在今浙江临海东南。352十月甲寅：十月初二。353乙卯：十月初三。354新安王子鸾：刘子鸾，孝武帝刘骏的第八子，先封为襄阳王，后改为新安王。传见《宋书》卷八十。新安郡的郡治始新，在今浙江淳安西北。355南徐州刺史：南徐州的州治在今江苏镇江。356爱冠诸子：受宠爱的程度居诸皇子之首。357凡为上所眄遇者：凡是受孝武帝刘骏宠爱、赏识的大臣。眄遇，看中、赏识。358入子鸾之府：派到刘子鸾的王府或刺史府中任僚属。359割吴郡以属之：又将原属扬州的吴郡（郡治即今江苏苏州）划归南徐州管辖。360巴陵王休若：刘休若，文帝刘义隆的第十九子。传见《宋书》卷七十二。封地巴陵郡的郡治即今湖南岳阳。361山阴令：山阴县的县令。山阴县的县治即今浙江绍兴。362行府、州、国事：同时兼理巴陵王府、北徐州刺史府，以及巴陵王封国的行政事务。胡三省曰：“诸少主临州，率置行府、州事；此命岱并巴陵国事行之。”363为广州：指为广州刺史。364晋安王子勋：刘子勋，孝武帝刘骏的第三子。传见《宋书》卷八十。晋安王的封地晋安郡，郡治即今福建福州。365南兖州：州治广陵，即今江苏扬州。366三王行事：为刘子顼、刘子尚、刘子勋三王“行府、州、国事”。367与典签、主帅共事：与三王的典签等高级僚属合作共事。主帅即典签。368事举而情不相失：事情都办得很好，又从来不伤感情。事举，事情都能办成。不相失，不闹矛盾、不伤和气。369主王：主子王爷，称所服务的各位皇子。胡三省曰：“江左以来，诸王出镇，僚属呼为‘主王’。”370执事多门：先后在多家王府管事。371缉和公私：都能把公事、私情处理得和和美美。372云何致此：你是如何做到这一步的？373端平：端正、公平。㉞待物以礼：以礼貌待人。物，这里指人。㉟悔吝之事二句：指一举一动都考虑周全，不做让人悔恨的事情。悔吝，后悔、惋惜。㊱明暗短长二句：一个人所表现出的聪明愚蠢、长处短处，那更是取决于他自身才干的高低。㊲别驾：州刺史的高级僚属。因其在随刺史出行时，能够自己另乘一辆车而得名。㊳永：张永。事迹不详。与刘宋三朝名将的张永非一人。㊴游明根：北魏的儒学之臣。传见《魏书》卷五十五。㊵雅：游雅，游明根的堂祖父，拓跋焘时代的儒雅之臣。传见《魏书》卷五十四。㊶十二月壬申：十二月二十。㊷甲戌：十二月二十二。㊸制民户岁输布四匹：下令让全国百姓每户每年向国家交纳四匹布。制，皇帝的命令。岁，每年。输，交纳。㊹士族杂婚：指士族与工商杂户通婚。㊺皆补将吏：都惩罚性派遣他们到军中任职，或为将，或为吏。当时上流社会视当兵为贱事，故做如此规定。㊻奔窜湖山：胡三省曰，“水则入湖，陆则阻山，皆依险而为盗贼”。㊼正月癸未：正月初二。㊽乐浪王万寿：拓跋万寿，拓跋晃之子，拓跋濬之弟。传见《魏书》卷十九上。㊾辛卯：正月初十。㊿初祀五帝：第一次祭祀五帝。五帝指青帝、赤帝、白帝、黑帝、黄帝，各自代表东、南、西、北、中五个方位的大神。(391)丁未：正月二十六。(392)策秀、孝：考试秀才、孝廉。策，策问，皇帝出考题让被举荐者回答。因为秦汉时代的考试是将考题写在简策上，故称“策问”。秀才，有良好才学的士子，指被各地区、各部门推荐来参加应试的人。(393)中堂：宫廷中的核心之堂，办公、议事的主要所在。(394)神王则形全：精神旺盛则人体健康完好。神，中医所说“精气神”的“神”。王，这里意思同“旺”。形，人体。(395)躬化易于上风：皇帝身体力行地做好事就能像风一样地吹遍全国。躬化，亲身带头向善。易于上风，比风吹草偃还容易。(396)体训速于草偃：臣民接受皇帝的影响，其程度比草随风偃还要快。体训，接受教育，蒙受影响。《论语·颜渊》有所谓“君子之德风，小人之德草，风行草上必偃”。胡三省曰：“顾法对策之意，欲帝慎其身于宫帷、衽席之间，则可以化天下。”(397)恶其谅：讨厌他的说话太直露。谅，实在、坦直。(398)二月乙卯：二月初四。(399)复百官禄：恢复文武百官原来的俸禄。文帝元嘉二十七年，因战争需要曾削减了内外百官俸禄的三分之一，今乃恢复其原来待遇。(400)三月庚寅：三月初十。(401)子元为邵陵王：刘子元为孝武帝刘骏的第十三子。传见《宋书》卷八十。其封地为邵陵郡，郡治即今湖南邵阳。(402)数以直谏忤旨：屡次因给皇帝提意见而惹得皇帝不高兴。数，屡、多次。忤旨，与皇帝的心思相冲突。(403)颜竣、周朗：都是孝武帝时期的直臣，因直言敢谏而先后被孝武帝杀死，事见前文。(404)嘿然：不再说话。(405)言次：说话之间带出。(406)酬和：彼此响应。(407)以白上：把他们的说话禀告了皇帝。(408)约相与谏：约定好一道去给皇帝提意见。(409)会召入雉场：正好叫他们进入了射雉的猎场。(410)圣躬：犹言“皇帝您”。(411)注弩：张弓搭箭。注，搭箭上弓，瞄准将射发。(412)欲效颜竣邪：想和颜竣一样前来找死吗？(413)何以恒知人事：为什么总是来管别人的事情？恒，总是。知人事，管别人的事。(414)先鞭其面：先用鞭子抽他的脸，意思是恨他为人不识相。(415)每上燕集：每逢刘骏聚集人宴会畅饮。(416)嘲谑：

相互嘲弄、开玩笑。㊷戏调：相互戏弄、取笑。㊸上谓故欲异己：刘骏以为他是故意和自己不合群。谓，以为。㊹亦何可久：这样下去怎么能长久？㊺非欲异物：我并不是故意要与大家不合群。异物，与别人不同。㊻性所得耳：生来就是这个样子的。性，生、生来。㊼出：外放，使其离开朝廷。㊽征虏长史：当时晋安王刘子勋任征虏将军，沈怀文为其做长史。长史是将军属下的高级僚属。㊾领广陵太守：兼任广陵太守。以高级别兼任低职务叫“领”。刘子勋当时任南兖州刺史，州治广陵，故沈怀文可以为刘子勋做长史，又可以同时任广陵太守。广陵郡上属南兖州。㊿朝正：参加正月初一举行的对皇帝的朝拜典礼。朝正是历代封建王朝每年都要举行的重大典礼。426遣还：被朝廷打发回广陵任所。427求申期：请求延长在京城逗留的日期。428至是犹未发：到现在已是三月了还没有动身。发，出发，动身去广陵。429为有司所纠：被主管相关事务的官员纠弹。纠，弹劾。430禁锢十年：被惩罚十年内不得为官。禁锢，禁止、封杀，不准进入官场。431卖宅：卖掉京城里的宅子。432欲还东：想回东方的老家为民。沈怀文为吴兴郡人，郡治即今浙江湖州，在建康东南。433收付廷尉：送交司法部门查办。廷尉是全国最高的司法长官，即后来的刑部尚书。434丁未：三月二十七。435行哭：边走边哭。436请命：请求免其一死。437见者伤之：看见的人都为之伤心落泪。438涂炭不可见：言其身在涂炭之中，情形惨不忍睹。涂炭，水深火热之中。不可见，不忍睹。439速正其罪：赶紧给他定罪。胡三省曰：“言‘速正其罪’者，婉而导之，谓若正其罪，当不至于死也。”440上竟杀之：刘骏最后还是将沈怀文杀掉了。441淑仪殷氏：《南史》曰，“殷淑仪，南郡王义宣女也。义宣死后，帝密取之，假姓殷氏。左右言泄者多死”。442罔罔：恍惚、昏乱的样子。443五月壬寅：五月二十三。444解领司徒：解除其所兼任的司徒职务。本书上卷孝建三年十月曾有所谓“太傅义恭进位太宰，领司徒”，今则解去司徒职。445六月辛酉：六月十二。446东昌文穆公刘延孙：刘延孙是刘裕的同族刘道产之子。传见《宋书》卷七十八。刘延孙被封为东昌公，“文穆”二字是其谥。447庚午：六月二十一。448石楼胡贺略孙：石楼胡即石楼县所居住的匈奴人，也称“吐京胡”。石楼县在今山西境内。贺略孙是该支匈奴人的头领。449陆真：拓跋焘时代以来的魏国名将。传见《魏书》卷三十。450城长蛇镇：在长蛇镇的周围修筑城墙。长蛇镇在今陕西宝鸡西北。451氐豪仇傉檀：氐族的豪强姓仇名傉檀。氐族聚居在今陕、甘邻近地区的陇南、成县一带，其头领杨氏两属于魏国与刘宋王朝。452卒城：最后修成了长蛇镇的城墙。453七月壬寅：七月二十四。454乙未：七月十七。455子云为晋陵王：刘子云是孝武帝刘骏的第十九子。传见《宋书》卷八十。其封地为晋陵郡，郡治即今江苏常州。456庾冰：东晋的大权贵，庾亮之弟。传见《晋书》卷七十三。457议使沙门敬王：建议应让和尚对皇帝行礼。458桓玄：东晋末期的大权贵，曾造反称帝，最后为刘裕所灭。传见《晋书》卷九十九。459并不果行：都没有得到实施。460儒、法枝派：儒家、法家虽分出许多支派。儒家创始者是孔丘，后来分成许多支派，见《荀子·非十二子》。法家的代表人物有李悝、商鞅、韩非等，各自的主张也有区别。461 名、墨条分：名家、墨家虽然也有许多分支。名家也称形名之家，主要代表人物为惠施、公孙龙，以辩论名实为主题。墨家的创始人为墨翟，主张贵俭、兼爱、尚贤、尚同、非命、尊鬼等。462 崇亲严上：尊崇父母，恭敬帝王。严，敬。463 厥猷靡爽：其原则都是一样的。猷，规矩、章程。靡爽，没有不同。464 浮图为教：佛教的教规。465 反经提传：违背原来的经典，而抬高门徒的解说。胡三省曰："释氏以自西天竺来者为经，中国沙门译而演其义者为传。"提，拈出、摘出。466 拘文蔽道：拘泥于表面文字，掩盖了真正的教义。467 在末弥扇：越往后这种风气就越恶劣。468 以谦俭自牧：本来是很讲究谦虚节俭自律的。469 忠虔为道：是以忠厚、虔诚为准则。470 宁有：哪有；怎能。471 屈膝四辈：只对四种尊者下跪。四辈，也称"四圣"，佛教顶礼膜拜的四种神灵，即佛、菩萨、缘觉、声闻。472 简礼二亲：对父母反而礼节简慢。473 稽颡耆腊：对着老和尚磕头。稽颡，磕头到地，这里指磕头。耆腊，出家年数多的老僧。僧人从出家受戒之年开始算岁数，"腊"即僧龄。474 直体万乘：面对皇帝不弯腰、不行礼。万乘，指帝王。475 参议：讨论、建议。476 沙门接见：和尚在被皇帝或高官接见的时候。477 比当尽虔：他们应该尽量表现出虔恭。比，应作"彼"。478 礼敬之容：至于这种应有的虔恭怎么表现。容，行礼的样子，如磕头、敬礼、作揖、打躬等。479 依其本俗：可以按他们旧有的习惯。480 九月戊寅：九月初一。481 制沙门致敬人主：圣旨规定和尚见皇帝时要向皇帝行礼。482 复旧：又回到了"直体万乘"的样子。483 乙未：九月十八。484 王僧朗：王彧之父。传见《宋书》卷八十五。485 十月壬申：十月二十五。486 龙山：在今江苏南京市江宁区南。487 死亡：累死者与逃跑者。488 别立庙：古制，皇帝的嫔妃死后都只能在坟墓的旁边立庙，不能另外立庙。"别立庙"表现了刘骏宠爱此女的极其反常。489 来聘：来刘宋王朝做友好访问。490 辛巳：十一月初五。491 壬寅：十一月二十六。492 还平城：由河西返回平城。493 从事史：官名，州刺史的僚属。494 范阳祖冲之：范阳是郡名，郡治即今河北涿州。祖冲之，字文远，我国古代著名科学家。精研历算之学，曾注《九章》、著《缀术》数十篇。又推求圆周率为三点一四一五九二六、三点一四一五九二七，比西人于公元一五七九年仅算到十位小数早一千多年。还制造了指南车、木牛流马、千里船等。传见《南齐书》卷五十二。495 何承天《元嘉历》：何承天修订的《元嘉历》，见本书卷第一百二十四元嘉二十一年。496 疏舛：疏漏、差错。497 更造新历：重新制定了一部新历法。498 日有定处：太阳有其固定位置。499 未盈百载：在不到一百年的时段里。500 辄差二度：总有两度的误差。501 今令冬至日度二句：东晋虞喜发现太阳从今年的冬至环行一周到明年冬至时，并没有回到原地。天文学将这种现象称为岁差。祖冲之新历把岁差计算在内，使冬至时太阳所在位置逐年变动。502 子为辰首二句：子是十二地支的第一位，处于正北方位。辰，十二地支的通称。503 虚：二十八宿之一，是北方玄武七宿的第四宿，位于正中，由二星组成。504 上元：历家分上元、中元、下元甲子，各六十年，凡一百八十年，下元甲子结束，又从上元甲子开始。505 发自虚一：从虚宿的第一星算起。506 日辰之号：天干、地支的各个名号。日指天干，辰指地支。⑤⓪⑦甲子为先：甲是十天干的第一位，子是十二地支的第一位。⑤⓪⑧上元岁在甲子：古人推算历元，求日、月经纬度正好相同，五大行星聚在同一方位的时刻，叫作上元，即若干天文周期的共同起点，把这一年定为甲子年。⑤⓪⑨日、月、五星各自有元：日、月及金、木、水、火、土五大行星的运行各有推算的起点。⑤①⓪交会、迟疾：指日月五星运动时相交、会合及快慢速度。⑤①①悉以上元岁首为始：都以上元那一年的第一个月算起。一年第一月为岁首，古代岁首所指的月份不一样。⑤①②难之：向他提出不同意见。⑤①③不能屈：都说不倒他。⑤①④会上晏驾：正好这时孝武帝刘骏死了。晏驾，宫车晚出，隐指帝王之死。⑤①⑤不果施行：新历法未能公布施行。

【原文】

七年（癸卯，公元四六三年）

春，正月丁亥[516]，以尚书右仆射王僧朗为太常[517]，卫将军颜师伯为尚书仆射。

上每因晏集[518]，好[21]使[519]群臣自相嘲讦[520]以为乐。吏部郎江智渊[521]素恬雅[522]，渐不会旨[523]。尝使智渊以王僧朗戏其子彧[524]，智渊正色曰："恐不宜有此戏！"上怒曰："江僧安痴人，痴人自相惜[525]。"僧安，智渊之父也。智渊伏席流涕[526]，由是恩宠大衰。又议殷贵妃谥曰怀[527]，上以为不尽美，甚衔[528]之。他日与群臣乘马至贵妃墓，举鞭指墓前石柱[529]，谓智渊曰："此上不容有'怀'字[530]！"智渊益惧，竟以忧卒[531]。

己丑[532]，以尚书令柳元景为骠骑大将军、开府仪同三司。

【校记】

［12］旨：原作“指”。据章钰校，甲十一行本、乙十一行本、孔天胤本皆作“旨”，今据改。［13］复上表：原无此三字。据章钰校，甲十一行本、乙十一行本、孔天胤本皆有此三字，今据补。［14］其：原作“其为”。据章钰校，甲十一行本、乙十一行本、孔天胤本皆无“为”字，今据删。［15］令：原无此字。据章钰校，甲十一行本、乙十一行本、孔天胤本皆有此字，今据补。［16］形：原作“刑”。胡三省注云：“‘刑’当作‘形’。”据章钰校，孔天胤本作“形”，今据改。［17］为有司所纠：原无此五字。据章钰校，甲十一行本、乙十一行本、孔天胤本皆有此五字，张敦仁《通鉴刊本识误》同，今据补。［18］之：原无此字。据章钰校，甲十一行本、乙十一行本、孔天胤本皆有此字，张敦仁《通鉴刊本识误》同，今据补。［19］俭：原作“卑”。据章钰校，甲十一行本、乙十一行本、孔天胤本皆作“俭”，张敦仁《通鉴刊本识误》同，今据改。［20］元嘉历：原无“元嘉”二字。据章钰校，甲十一行本、乙十一行本、孔天胤本皆有此二字，张敦仁《通鉴刊本识误》、张瑛《通鉴校勘记》同，今据补。

【语译】

七年（癸卯，公元四六三年）

春季，正月十二日丁亥，宋孝武帝刘骏任命担任尚书右仆射的王僧朗为太常，任命卫将军颜师伯为尚书仆射。

宋孝武帝喜欢趁着集会宴饮的机会，让群臣互相嘲弄、互相揭发隐私以取乐。担任吏部郎的江智渊生性恬静、文雅，不喜欢开玩笑，因此越来越不合孝武帝的心思。孝武帝曾经让江智渊用王僧朗的事情来开他儿子王彧的玩笑，江智渊神情严肃地说：“恐怕不应该开这样的玩笑吧！”孝武帝立即大怒说：“你的父亲江僧安就是一个大傻瓜，所以你才会对王僧朗这个傻瓜深表同情。”江僧安，是江智渊的父亲。江智渊听到孝武帝奚落自己的父亲，就伏在席子上痛哭流涕，江智渊竟然因为此事而失去了皇帝的恩宠。江智渊又建议殷贵妃的谥号应该称“怀”，孝武帝认为给殷贵妃的谥字“怀”不足以表现殷贵妃的完美，因此心里更加记恨江智渊。有一天，孝武帝与群臣一起骑马来到殷贵妃的墓前，他举起手中的马鞭，指着墓前的石碑对江智渊说：“这墓碑上边不容许有‘怀’字！”江智渊更加恐惧，竟因忧虑恐惧致病而死。

正月十四日己丑，宋孝武帝任命担任尚书令的柳元景为骠骑大将军、开府仪同三司。

二月甲寅[533]，上巡南[22]豫、南兖二州[534]。丁巳[535][23]，校猎于乌江[536]。壬戌[537]，大赦。甲子[538]，如瓜步山[539]。壬申[540]，还建康。

夏，四月甲子[541]，诏："自非临军战陈[542]，并不得专杀[543]。其罪应重辟[544]者，皆先上须报[545]，违犯者以杀人论。"

五月丙子[546]，诏曰："自今刺史、守、宰[547]，动民兴军[548]，皆须手诏[549]施行。唯边隅外警[550]及奸衅内发[551]，变起仓猝[552]者，不从此例。"

戊寅[553][24]，以左民尚书[554]蔡兴宗、左卫将军袁粲[555]为吏部尚书[556]。粲，淑[557]之兄子也。

上好狎侮[558]群臣，自太宰义恭以下，不免秽辱[559]。常呼金紫光禄大夫王玄谟为老伧[560]，仆射刘秀之为老悭[561]，颜师伯为𪖐[562]，其余短、长、肥、瘦，皆有称目[563]。黄门侍郎宗灵秀体肥，拜起不便，每至集会，多所赐与，欲其瞻谢倾踣[564]，以为欢笑。又宠一昆仑奴[565]，令以杖击群臣，尚书令柳元景以下皆不能免；唯惮[566]蔡兴宗方严[567]，不敢侵媟[568]。颜师伯谓仪[25]曹郎[569]王耽之曰："蔡尚书常免昵戏[570]，去人实远[571]。"耽之曰："蔡豫章[572]昔在相府[573]，亦以方严不狎[574]，武帝宴私[575]之日，未尝相召。蔡尚书今日可谓能负荷[576]矣。"

壬寅[577]，魏主如阴山[578]。

六月戊辰[579]，以秦郡[580]太守刘德愿为豫州刺史。德愿，怀慎[581]之子也。上既葬殷贵妃，数与群臣至其墓，谓德愿曰："卿哭贵妃，悲者当厚赏。"德愿应声恸哭，抚膺擗踊[582]，涕泗交流。上甚悦，故用为[26]豫州刺史以赏之。上又令医术人羊志哭贵妃，志亦呜咽极悲。他日有问志者曰："卿那得此副急泪？"志曰："我尔日自哭亡妾[583]耳。"

上为人，机警勇决，学问博洽[584]，文章华敏，省读[585]书奏，能七

二月初九日甲寅，宋孝武帝前往南豫州、南兖州进行巡视。十二日丁巳，宋孝武帝在乌江县围猎。十七日壬戌，实行大赦。十九日甲子，前往瓜步山。二十七日壬申，回到建康。

夏季，四月二十日甲子，宋孝武帝下诏说："如果不是在战场上，任何官员一律不许擅自杀人。其罪应当处以死刑的，都必须先将其罪行上报，等待朝廷批准后再行刑，违背此项规定的按照杀人罪论处。"

五月初二日丙子，宋孝武帝下诏说："从今以后，各州刺史、各郡太守、各县县令，在征调百姓服役与派兵打仗的时候，都必须有皇帝的亲笔诏令才能实行。只有当边境上有外敌入侵以及国内发生叛乱，确实属于突发事件的，不在此规定之列。"

初四日戊寅，宋孝武帝任命担任左民尚书的蔡兴宗、左卫将军的袁粲为吏部尚书。袁粲，是袁淑哥哥的儿子。

宋孝武帝生性喜好捉弄、戏侮群臣，自太宰刘义恭以下，群臣中没有一个人能够免遭孝武帝的戏弄。孝武帝经常称金紫光禄大夫王玄谟为老伧，称担任仆射的刘秀之为吝啬鬼，称担任尚书仆射的颜师伯为大龇牙，其他的大臣无论是长得矮、长得高、长得胖、长得瘦，都有个叫法。担任黄门侍郎的宗灵秀身体肥胖，跪拜起身都不太方便，每次群臣集会的时候，孝武帝都要故意多赏赐他一些东西，就是要看他环顾四周、叩拜谢恩时歪歪斜斜、站立不稳而突然跌倒的狼狈相，以此来取乐。孝武帝又宠幸一个昆仑奴，他让昆仑奴用杖击打群臣，从尚书令柳元景以下的文武官员都不能避免；昆仑奴只敬畏蔡兴宗一个人，因为蔡兴宗为人方正而严肃，所以不敢轻易戏弄他。颜师伯对担任仪曹郎的王耽之说："蔡尚书经常能够不被皇帝戏弄、狎侮，确实比一般人高得多了。"王耽之说："蔡兴宗的父亲、担任豫章太守的蔡廓过去在丞相府任职的时候，也是因为为人方正、不苟言笑，所以宋武帝私下宴请宾客的时候，从来不召请他参加。蔡尚书现在可称得上是能继承先人的品行了。"

五月二十八日壬寅，北魏文成帝拓跋濬前往阴山一带巡视。

六月二十五日戊辰，宋国朝廷任命担任秦郡太守的刘德愿为豫州刺史。刘德愿，是刘怀慎的儿子。宋孝武帝安葬殷贵妃之后，曾经多次与群臣一起到殷贵妃的墓前，孝武帝对刘德愿说："你去哭吊贵妃，如果哭得很悲痛，我一定重重地赏赐你。"刘德愿立即放声痛哭起来，同时捶胸顿足，涕泗横流，表现出极其哀痛的样子。孝武帝非常高兴，所以就把豫章刺史这一职位赏赐给了刘德愿。孝武帝又让医生羊志去哭吊殷贵妃，羊志也呜呜咽咽地哭得极其悲痛。一天，有人问羊志说："你那天说哭就哭，那些眼泪是从哪里来的？"羊志说："我那天是在哭我刚死去的小老婆啊。"

宋孝武帝的为人，既机灵警觉，又勇于决断，在学问方面，不仅读过很多书，而且对问题又有很深入的理解，文章华丽，思维敏捷，阅读奏章能够一目七行。

行俱下[586]。又善骑射，而奢欲无度。自晋氏渡江以来，宫室草创，朝宴[587]所临，东、西二堂而已。晋孝武[588]末，始作清暑殿。宋兴，无所增改。上始大修宫室，土木被锦绣，嬖妾幸臣[589]，赏赐倾府藏[590]。坏[591]高祖所居阴室[592]，于其处起玉烛殿。与群臣观之[593]，床头有土障[594]，壁上挂葛灯笼[595]、麻蝇拂[596]。侍中袁觊因盛称[597]高祖俭素之德[598]，上不答，独曰："田舍公[599]得此，已为过[600]矣。"觊，淑之兄子也。

秋，八月乙丑[601]，立皇子子孟为淮南王[602]，子产为临贺王[603]。

丙寅[604]，魏主畋于河西；九月辛巳[605]，还平城。

庚寅[606]，以新安王子鸾兼司徒。丙申[607]，立皇子子嗣为东平王[608]。

冬，十月癸亥[609]，以东海王祎[610]为司空。

己巳[611]，上校猎姑孰[612]。

魏员外散骑常侍游明根等来聘。明根奉使三返[613]，上以其长者，礼之有加。

十一月癸巳[614]，上习水军于梁山[615]。

十二月丙午[616]，如历阳[617]。

甲寅[618]，大赦。

己未[619]，太宰义恭加尚书令。

癸亥[620]，上还建康。

八年（甲辰，公元四六四年）

春，正月丁亥[621]，魏主立其弟云为任城王[622]。

戊子[623]，以徐州刺史新安王子鸾领司徒。

夏，闰五月壬寅[624]，太宰义恭领太尉。

上末年尤贪财利，刺史、二千石[625]罢还[626]，必限使献奉[627]，又以蒱戏取之[628]，要令罄尽乃止[629]。终日酣饮，少有醒时。常凭几[630]昏睡，或外有奏事，即肃然整容，无复酒态。由是内外畏之，莫敢弛惰[631]。

又善于骑马射箭，然而却奢侈淫欲毫无节度。自从东晋南渡长江以来，宫殿都是草草创建起来的，官员上朝与举行宴会的地方，只有东、西二堂而已。到了东晋孝武帝司马曜末年，才开始修建清暑殿。宋国建国之后，也没有什么增加和改建。孝武帝刘骏执政以来才开始大兴土木，建造宫室，宫殿都是用锦绣做装饰，对宠爱的妃嫔和宠任的臣子，赏赐起来那可是竭尽府库之所有，毫不吝惜。拆除了宋高祖刘裕生前所居住的宫殿，在原址上兴建玉烛殿。在刘裕生前所住宫殿被拆毁之前，孝武帝带领群臣前来观看，看见床头有一段小土墙，土墙上挂着一盏用葛布做灯罩的灯笼，还有一柄用麻线制作的蝇拂。担任侍中的袁颉于是便对高祖节俭朴素的品德大加称赞起来，孝武帝没有答话，却自言自语地说："一个乡巴佬能够得到这些，已经超过了他的希望。"袁颉，是袁淑哥哥的儿子。

秋季，八月二十三日乙丑，宋孝武帝封自己的儿子刘子孟为淮南王，封刘子产为临贺王。

八月二十四日丙寅，北魏文成帝在黄河以西地区打猎，九月初九日辛巳，返回平城。

九月十八日庚寅，宋孝武帝任命新安王刘子鸾兼任司徒。二十四日丙申，宋孝武帝封自己的儿子刘子嗣为东平王。

冬季，十月二十二日癸亥，宋孝武帝任命东海王刘祎为司空。

二十八日己巳，宋孝武帝在姑孰县举行狩猎活动。

魏国派遣担任员外散骑常侍的游明根等人来宋国进行友好访问。游明根先后三次奉命出使宋国，宋孝武帝因为他是一个德高望重的人，所以对他优礼相待。

十一月二十二日癸巳，宋孝武帝在梁山主持训练水军。

十二月初六日丙午，宋孝武帝前往历阳县巡视。

十四日甲寅，宋国实行大赦。

十九日己未，宋孝武帝加授担任太宰的江夏王刘义恭为尚书令。

二十三日癸亥，宋孝武帝从历阳县返回京师建康。

八年（甲辰，公元四六四年）

春季，正月十七日丁亥，北魏文成帝封自己的弟弟拓跋云为任城王。

正月十八日戊子，宋孝武帝任命担任徐州刺史的新安王刘子鸾兼任司徒。

夏季，闰五月初五日壬寅，宋孝武帝任命太宰刘义恭兼任太尉。

宋孝武帝到了晚年尤其贪图财利，各州的刺史以及俸禄在二千石的官员一旦任满回京，孝武帝规定他们必须给皇帝进贡，还要运用赌博的方式变着法地向他们索取财物，关键是一定要把他们的钱财全部刮光才算完事。孝武帝整天开怀畅饮，很少有清醒的时候。他经常靠在小桌上昏睡，有时外面有人入宫奏事，他就立即惊醒，神情肃然，衣冠齐整，再也没有一点酒态。因此，宫内宫外的人都很敬畏他，没有

庚申[632]，上殂于玉烛殿。遗诏："太宰义恭解尚书令，加中书监[633]；以骠骑将军、南兖州刺史柳元景领尚书令，入居城内[634]。事无巨细，悉关二公[635]，大事与始兴公沈庆之参决[636]；若有军旅，悉委庆之；尚书中事[637]，委仆射颜师伯；外监[638]所统，委领军将军王玄谟。"是日，太子[639]即皇帝位，年十六，大赦。吏部尚书蔡兴宗亲奉玺绶[640]，太子受之，傲惰无戚容[641]。兴宗出，告人曰："昔鲁昭[642]不戚，叔孙知其不终[643]。家国之祸，其在此乎！"

甲子[644]，诏复以太宰义恭录尚书事，柳元景加开府仪同三司，领丹杨尹，解南兖州。

六月丁亥[645]，魏主如阴山。

秋，七月己亥[646]，以晋安王子勋为江州刺史。

柔然处罗可汗卒，子予成立，号曰[27]受罗部真[647]可汗，改元永康。部真帅众侵魏。辛丑[648]，魏北镇游军[649]击破之。

壬寅[650]，魏主如河西[651]。高车五部[652]相聚祭天，众至数万，魏主亲往临视之，高车大喜。

丙午[653]，葬孝武皇帝于景宁陵[654]，庙号世祖。

庚戌[655]，尊皇太后曰太皇太后，皇后曰皇太后。

乙卯[656]，罢南北二驰道[657]及孝建以来所改制度，还依元嘉。尚书蔡兴宗于都座[658]慨然谓颜师伯曰："先帝虽非盛德之主，要以道始终[659]。三年无改[660]，古典所贵。今殡宫始撤[661]，山陵未远[662]，而凡诸制度兴造，不论是非，一皆刊削[663]，虽复禅代[664]，亦不至尔[665]。天下有识[666]，当以此窥人[667]。"师伯不从。

太宰义恭素畏戴法兴、巢尚之[668]等，虽受遗辅政，而引身避事[669]，由是政归近习[670]。法兴等专制朝权，威行近远，诏敕[671]皆出其手。尚书

人敢松懈、怠惰。闰五月二十三日庚申，孝武帝在玉烛殿驾崩。他留下遗诏说：“免去太宰刘义恭所担任的尚书令职务，改任他为中书监；任命担任骠骑将军、南兖州刺史的柳元景为代理尚书令，进住皇城之内。朝中事务无论大小都要向刘义恭、柳元景二人请示，重大事情让始兴公沈庆之参与商议决定；如果有出兵打仗之事，就全权委托沈庆之负责处理；尚书省的一切事务全部委托给尚书仆射颜师伯；由外监所主管的皇城以外的一切事务，委托给领军将军王玄谟负责。”当天，皇太子刘子业即皇帝位，就是宋废帝，刘子业当时年仅十六岁，大赦天下。担任吏部尚书的蔡兴宗亲手捧着皇帝玉玺、绶带敬献给皇太子刘子业，皇太子刘子业在接受皇帝玉玺、绶带的时候，神情傲慢、懒散，没有一点哀伤的样子。蔡兴宗出宫后告诉别人说：“过去鲁昭公在为自己父王守丧期间不悲哀，鲁国大臣叔孙穆子根据这件事预言鲁昭公日后一定不会有好下场。国家的祸患，大概从此开始了吧！”

闰五月二十七日甲子，宋废帝刘子业下诏任命担任太宰的江夏王刘义恭录尚书事，加封柳元景开府仪同三司，兼任丹杨尹，免去柳元景南兖州刺史的职务。

六月二十日丁亥，北魏文成帝前往阴山一带进行巡视。

秋季，七月初二日己亥，宋废帝任命晋安王刘子勋为江州刺史。

柔然处罗可汗郁久闾吐贺真去世，他的儿子郁久闾予成继位，号称受罗部真可汗，改年号为永康元年。受罗部真可汗郁久闾予成率领自己的部众入侵魏国。七月初四日辛丑，魏国北方军镇的游击部队将受罗部真可汗率领的柔然军打败。

七月初五日壬寅，北魏文成帝前往进行黄河以西地区。正遇上高车族的五个部落聚在一起举行祭天活动，人数有好几万，北魏文成帝亲临高车人的祭祀现场观看他们的祭天仪式，高车人感到非常高兴。

七月初九日丙午，宋国将孝武皇帝刘骏安葬于景宁陵，庙号世祖。

十三日庚戌，宋废帝尊奉自己的祖母皇太后为太皇太后，尊奉皇后为皇太后。

十八日乙卯，宋国废弃两条御用的南北道路，废除孝武帝孝建年间以来所改定的各种制度，恢复使用宋文帝元嘉年间所制定的各种规章制度。担任吏部尚书的蔡兴宗在尚书省的会议室感慨地对尚书仆射颜师伯说：“先帝虽然不是道德品行非常高尚的皇帝，但总体看来还是遵守大道、有始有终的。三年之内不改变先帝所制定的各种措施，是古代典籍中所尊崇和赞扬的行为。如今先帝停放遗体的灵堂刚刚拆除，安葬的时间还没过多久，而先帝所制定和修改的各项规章制度，不论其正确与否，一律废弃不用，即使是把皇位传给另外一个族姓的人，也不至于像今天这个样子吧。天下的有识之士，会从这些问题的处理上看出执政者的水平高低。”颜师伯不同意蔡兴宗的看法。

担任太宰的江夏王刘义恭一向惧怕戴法兴、巢尚之等人，他虽然接受了孝武帝临终时的遗诏，辅佐朝政，然而他遇事不肯出头，处处退缩、躲避，因此朝政大权逐渐落到皇帝身边那些受宠的小人手中。戴法兴等人专擅朝政，他们的威势远近皆

事无大小，咸取决[672]焉，义恭与颜师伯但守空名而已。

蔡兴宗自以职管铨衡[673]，每至上朝，辄为义恭陈登贤进士之意[674]，又箴规得失[675]，博论朝政。义恭性恇挠[676]，阿顺法兴[677]，恒虑失旨[678]，闻兴宗言，辄战惧无答[679]。兴宗每奏选事[680]，法兴、尚之等辄点定回换[681]，仅有在者[682]。兴宗于朝堂谓义恭、师伯曰："主上谅暗[683]，不亲万机，而选举密事，多被删改，复非公笔[684]，亦不知是何天子意[685]？"数与义恭等争选事，往复论执[686]。义恭、法兴皆恶之，左迁[687]兴宗新昌[688]太守。既而以其人望[689]，复留之建康。

丙辰[690]，追立何妃[691]曰献皇后[692]。

乙丑[693]，新安王子鸾解领司徒[694]。戴法兴等恶王玄谟刚严[695]，八月丁卯[696]，以玄谟为南徐州刺史。

王太后[697]疾笃[698]，使呼废帝。帝曰："病人间[699]多鬼，那可往？"太后怒，谓侍者："取刀来，剖我腹[700]，那得生宁馨儿[701]！"己丑[702]，太后殂。

九月辛丑[703]，魏主还平城[704]。

癸卯[705]，以尚书左仆射刘遵考为特进[706]、右光禄大夫。

乙卯[707]，葬武[28]穆皇后于景宁陵。

冬，十二月壬辰[708]，以王畿诸郡[709]为扬州，以扬州为东扬州[710]。癸巳[711]，以豫章王子尚为司徒、扬州刺史。

是岁，青州移治东阳[712]。

宋之境内，凡有州二十二，郡二百七十四，县千二百九十九，户九十四万有奇[713]。东方诸郡[714]连岁旱饥，米一升钱数百，建康亦至百余钱，饿死者[29]什六七[715]。

知，皇帝的诏书敕令全都是出自他们之手。尚书省的各种政务，不论大小，都由他们决定，太宰刘义恭与尚书仆射颜师伯只不过拥有一个辅政的虚名而已。

担任吏部尚书的蔡兴宗认为自己负有评定与选拔官吏的职责，所以每到上朝的时候，就向刘义恭讲述推贤举士的道理，又对朝政的得失进行规劝，对朝政的方方面面加以评论。刘义恭生性懦弱，容易屈服，所以他一味地阿谀顺从戴法兴，经常担心自己的所作所为不合戴法兴的心意，听到蔡兴宗与自己说话，就紧张得连话也说不出来。蔡兴宗每次呈上选用官吏的名单，戴法兴、巢尚之等人总要对其进行多处更改撤换，原有的人选保留不了几个。蔡兴宗遂在朝堂之上对刘义恭、颜师伯说："皇上正在守孝期间，不能亲自处理朝中的各种政务，而选用官员，原本是朝廷的机密大事，选部所呈上的任命官员名单大多被任意删改，而且又不是刘义恭您的亲笔，也不知道是哪一位皇帝的意见?"蔡兴宗多次与刘义恭等人争论推举选用官吏的事情，翻来覆去地坚持自己的主张。刘义恭、戴法兴都非常厌恶他，于是便将蔡兴宗降职为新昌太守。不久，又因为蔡兴宗是一个众望所归的人物，便把蔡兴宗留在了京师建康。

七月十九日丙辰，宋废帝追封自己为太子时去世的太子妃何氏为献皇后。

二十八日乙丑，宋国新安王刘子鸾被解除所兼任的司徒职务。戴法兴等人对领军将军王玄谟的刚正严厉非常厌恶，于是在八月初一日丁卯，调任王玄谟为南徐州刺史。

宋废帝的母亲王太后病重，派人召唤废帝刘子业。废帝竟然说："病人的房间里有很多鬼怪，我怎么能到那里去呢?"王太后听了非常生气，就对侍奉在自己身边的人说："拿刀来，剖开我的肚子看看，怎么会生了这样的一个儿子!"八月二十三日己丑，王太后去世。

九月初五日辛丑，北魏文成帝从河西地区返回平城。

九月初七日癸卯，宋国任命担任尚书左仆射的刘遵考为特进、右光禄大夫。

十九日乙卯，宋国将武穆皇后安葬在景宁陵。

冬季，十二月二十八日壬辰，把京城郊区的六个郡改称为扬州，把扬州的浙东五郡，仍旧恢复为东扬州。二十九日癸巳，宋废帝任命豫章王刘子尚为司徒、扬州刺史。

这一年，宋国把青州的州治从历城迁到了东阳。

宋国境内总计有二十二个州，二百七十四个郡，一千二百九十九个县，九十四万多户。东方各郡由于连年干旱，粮食歉收，粮价飞涨，一升米需要好几百钱才能买到。就连建康城内，一升米也涨到一百多钱，饿死的人有十分六七。

【段旨】

以上为第三段，写孝武帝大明七年（公元四六三年）、八年共两年间的大事。主要写了孝武帝为人好戏谑、好凌侮群臣，连年长位高的刘义恭也不能幸免，并当众侮辱江智渊，致江智渊忧惧而死，又令昆仑奴击打朝臣，连尚书令柳元景也不放过，独蔡兴宗方严不狎，不受侵侮。写了孝武帝有勇武、有文才，但奢欲无度，自东晋建国以来，宫室简略，宋代受禅，亦无增改，唯自孝武帝始大修宫室，土木被锦绣，并戏称其祖刘裕为“田舍公”；孝武帝又极贪婪，示意进京诸臣向其进贡，或以蒲戏为名，必尽取其财而后已。写了孝武帝三十五岁死，其子刘子业即位，年已十六岁而临丧无戚容，又尽改其父之政，恢复元嘉旧章，处事过于匆忙，又其母病重而竟不看视，凡此种种皆为下卷被其叔刘彧推翻设下伏笔。写了顾命大臣刘义恭引身避事，由此政归近习，戴法兴、巢尚之等掌控朝权，蔡兴宗公心持正，遂被小人罢免，刘宋之朝廷政局亦面临重大危机。此外还写了柔然族的处罗可汗死，其子受罗部真可汗即位，以及部真率众侵魏，被魏国边兵击退等。

【注释】

516 正月丁亥：正月十二。517 太常：官名，九卿之一，掌管礼乐与郊庙、社稷的祭祀等。王僧朗原为尚书右仆射，今乃为太常，是属于降职。518 晏集：集会宴饮。519 好使：喜欢让。520 自相嘲讦：相互嘲笑、揭底。讦，揭人阴私。521 吏部郎江智渊：吏部郎犹如后代的吏部尚书。江智渊原是竟陵王刘诞的部下，见刘诞防备朝廷，遂离刘诞而归朝。传见《宋书》卷五十九。522 恬雅：恬静、文雅。523 渐不会旨：越来越不合皇帝的心思。会，合。524 以王僧朗戏其子彧：用王僧朗的事情来开他儿子王彧的玩笑。525 痴人自相惜：你父亲是傻瓜，所以你对王僧朗这个傻瓜深表同情，不忍心伤害。526 伏席流涕：当时的风气是不能当面提人家父亲的名字，如果听到别人提起自己父亲的名字，这个人就得立即伏地痛哭。类似的故事见《世说新语》。527 又议殷贵妃谥曰怀：当初殷贵妃刚死，群臣给殷贵妃议谥时，江智渊提出用“怀”字。528 衔：记恨在心。529 墓前石柱：殷贵妃的墓碑。530 此上不容有“怀”字：这个碑上不能用你提出的那个“怀”字。视文意，当初为殷妃议谥时，江智渊首先提出用“怀”字，孝武帝不满意，故群臣改用“宣”字。由于孝武记恨江智渊，故而在已经用了“宣”字的墓碑前，还向江智渊吼起当初议谥时的往事。据《谥法解》，“执义扬善曰怀”，“慈仁短折曰怀”，“圣善周闻曰宣”。531 以忧卒：因忧惧而死。532 己丑：正月十四。533 二月甲寅：二月初九。534 南豫、南兖二州：南豫州的州治在今安徽当涂，南兖州的州治广陵，即今江苏扬州。535 丁巳：二月十二。536 乌江：县名，县治在今安徽和县东北的乌江镇。537 壬戌：二月十七。538 甲子：二月十九。539 瓜步山：在今江苏南京六合区的长江北岸。540 壬申：二月二十七。541 四月甲子：四月二十。542 临军战陈：在战场上。陈，通“阵”。543 并不得专杀：一律不准擅自杀人。并，一律、一概。专，独自、擅自。544 重辟：严刑，意即死刑。545 先上须报：先向上报告，等朝廷批准后再行刑。上，上报。须，等候。546 五月丙子：五月初二。547 守、宰：太守、县令。548 动民兴军：征调百姓服役与派兵打仗。549 手诏：皇帝亲笔下令。550 边隅外警：边境有外敌入侵。隅，边方、角落。551 奸衅内发：国内有人造反。奸衅，奸细、坏人。内发，从内部发动叛乱。552 变起仓猝：意想不到地发生变乱。553 戊寅：五月初四。554 左民尚书：日后的民部尚书、户部尚书，管理全国百姓的户籍以及赋税等事。555 袁粲：刘宋的守节之臣。传见《宋书》卷八十九。556 吏部尚书：原为一人，自孝武帝刘骏始，改设为二人，见本书上卷。557 淑：袁淑，文帝后期为太子左卫率，死于元凶刘劭之乱。传见《宋书》卷七十。558 狎侮：捉弄、戏侮。559 不免秽辱：都免不了受其侮辱。560 老伧：犹今所谓“土老帽”“土豹子”。当时江南人呼中原人为“伧父”。王玄谟是太原郡人，故有此称。561 老悭：犹今所谓“老抠儿”“吝啬鬼”。562 齴：大龇牙。563 皆有称目：都有个叫法。564 瞻谢倾踣：瞻，看、环顾看人的样子。谢，叩拜谢恩的样子。倾，因其行动不便，歪歪斜斜的样子。踣，站立不稳，突然摔倒的样子。565 昆仑奴：古代泛指中南半岛南部及南洋诸岛的居民为昆仑，特征是卷发黑肤，沦为奴婢，则称昆仑奴。胡三省曰：“昆仑奴者，言其状似昆仑国人也。昆仑国在林邑南。”林邑是古代小国名，在今越南的南部。566 惮：敬畏。567 方严：方正而严肃。568 不敢侵媟：不敢侮辱挑逗。媟，戏弄。569 仪曹郎：掌管礼法仪容的官员，上属于祠部尚书。570 常免昵戏：能够不被皇帝戏弄、狎侮。昵，不庄重的亲近。571 去人实远：比一般人可高得多了。去，距离、高出。572 蔡豫章：以称蔡兴宗的父亲蔡廓，曾为豫章太守。传见《宋书》卷五十七。573 昔在相府：指当初宋武帝刘裕为晋安帝的丞相，蔡廓给刘裕任司徒左长史的时候。574 方严不狎：为人方正而不苟言笑。575 宴私：不拘礼法的饮食戏乐，以及与后宫妃嫔的私情相处等。576 能负荷：能继承其先人的品行与才干。《左传·昭公七年》有所谓“其父析薪，其子不克负荷”。577 壬寅：五月二十八。578 阴山：横亘在内蒙古境内的东西走向的大山，在今包头与呼和浩特的北方，其地有魏国皇帝的行宫，故魏主屡屡到那里去。579 六月戊辰：六月二十五日。580 秦郡：郡治在今江苏南京六合区。581 怀慎：刘怀慎，刘裕的开国元勋。传见《宋书》卷四十五。582 抚膺擗踊：捶胸顿足，极度哀痛的样子。583 我尔日自哭亡妾：我那天是哭我刚死的小老婆。584 博洽：博指广博，看的书多；洽指对问题理解得深入。585 省读：阅读。省，看。586 能七行俱下：极言其阅读的速度之快，其实一目十行、七行俱下云云是不可能的。587 朝宴：上朝与举行宴会。588 晋孝武：东晋司马曜的庙号，公元三七三至三九六年在位。589 嬖妾幸臣：受宠爱的妃嫔与受宠任的臣子。嬖，不庄重的亲爱。590 倾府藏：尽其府库所有。591 坏：拆除。592 高祖所居阴室：刘裕生前所住的宫殿，死后改为收藏诸御物的房子。胡三省曰：“江左诸帝既崩，以其所居殿为阴室，藏诸御物。”593 与群臣观之：指观看刘裕生前居住的宫室。594 有土障：有一段小土墙。595 葛灯笼：用葛布为罩的灯笼。葛布是古代穷人用来制作衣帽的材料。596 麻蝇拂：麻线制作的蝇拂。拂，用以掸土或驱赶蚊蝇的工具。597 因盛称：于是便大加称赞。598 俭素之德：节俭朴素的美德。599 田舍公：犹今所谓“老农民”“乡巴佬”。600 已为过：已经超出他的希望。601 八月乙丑：八月二十三。602 子孟为淮南王：封地淮南郡，郡治即今安徽当涂。603 子产为临贺王：封地临贺郡，郡治在今广西贺州东南。604 丙寅：八月二十四。605 九月辛巳：九月初九。606 庚寅：九月十八。607 丙申：九月二十四。608 子嗣为东平王：刘子嗣是刘骏的第二十七子。传见《宋书》卷八十。封地东平郡，郡治无盐，在今山东东平东。609 十月癸亥：十月二十二。610 东海王祎：刘祎，文帝刘义隆的第八子，先被封为东海王，又改封为庐江王。传见《宋书》卷七十九。611 己巳：十月二十八。612 姑孰：县名，即今安徽当涂。613 奉使三返：三次出使宋朝。614 癸巳：十一月二十二。615 梁山：今安徽当涂西南三十里的天门山，因两山夹大江相对如门而得名。其东者曰博望山，其西者曰梁山。616 十二月丙午：十二月初六。617 历阳：县名，即今安徽和县，当时为历阳郡的郡治所在地。618 甲寅：十二月十四。619 己未：十二月十九。620 癸亥：十二月二十三。621 正月丁亥：正月十七。622 云为任城王：拓跋云是拓跋晃之子。传见《魏书》卷十九中。封地任城郡，郡治即今山东济宁。623 戊子：正月十八。624 闰五月壬寅：闰五月初五。625 二千石：指郡太守与诸侯国相。626 罢还：任满回京。627 限使献奉：规定让他们给皇帝进贡。628 又以蒲戏取之：还要用赌博的方式变着法地向他们索取钱财。蒲戏，赌博。蒲，即樗蒲，古代赌博用的工具，类似今之骰子。629 要令罄尽乃止：关键是一定要把他们的钱财全部刮光才算完事。要，重要的是、关键是。罄，尽。630 凭几：靠着小桌。几，小桌，古人可倚之、凭之，作为休息。631 弛惰：松懈、懒惰。632 庚申：闰五月二十三。633 加中书监：改任为中书省的副长官。中书省为皇帝起草文件、诏令。634 入居城内：进住到皇城之内。城，即通常所谓台城、皇城，为皇宫及朝廷各部机构的所在之地。635 悉关二公：都要向刘义恭、柳元景二人请示。关，请示、通过。636 参决：商量决定。637 尚书中事：尚书省的一切事务。638 外监：台城以外的各路驻军的管理部门。胡三省注引李延寿有所谓“若征兵动众，大兴人役，优剧远近，断于外监之心”。639 太子：刘子业，孝武帝刘骏的长子。640 亲奉玺绶：亲自捧着皇帝的印玺。绶，印玺上所系的彩色丝绦。641 无戚容：没有一点悲伤的样子。642 鲁昭：鲁昭公，春秋后期鲁国的诸侯，公元前五三一至五一〇年在位。643 叔孙知其不终：鲁国大臣叔孙穆子根据鲁昭公的临父丧而无戚容，预言鲁昭公日后一定不会有好的下场，后来鲁昭公果然被鲁国的权臣季氏赶出国外，流浪而死。事见《左传》与《史记·鲁世家》。644 甲子：闰五月二十七。645 六月丁亥：六月二十。646 七月己亥：七月初二。647 受罗部真：当时的北魏语，是“恩惠”的意思。648 辛丑：七月初四。649 北镇游军：魏国北方军镇的游动部队。650 壬寅：七月初五。651 河西：此指内蒙古的准噶尔、东胜一带的黄河以西。652 高车五部：高车族的五个部落。高车是当时活动在今中国内蒙古与蒙古国一带的少数民族名，也称“敕勒”，以喜乘高车而得名。其归附于魏国的部分居住在今内蒙古的二连浩特以南。⑹53 丙午：七月初九。⑹54 景宁陵：在今江苏南京市江宁区秣陵古镇的岩山上。⑹55 庚戌：七月十三。⑹56 乙卯：七月十八。⑹57 南北二驰道：孝武帝大明五年修，南起阊阖门至朱雀门，北起承明门至玄武湖。⑹58 都座：相当于“都堂”，是尚书省内各部尚书的集中会议之所。⑹59 要以道始终：总的看来还是遵守大道有始有终的。要，大体上、总的说来。⑹60 三年无改：指三年内不改变先帝所定的措施。《论语·学而》有所谓“三年无改于父之道，可谓孝矣”。⑹61 殡宫始撤：停放灵柩的灵堂刚刚拆除。殡宫，灵堂。⑹62 山陵未远：老皇帝刚刚下葬不久。山陵，已死皇帝的陵墓，这里指老皇帝。⑹63 一皆刊削：全部废弃不用。⑹64 虽复禅代：即使是传位给另一个族姓的人，如曹氏之篡刘氏，司马之篡曹氏等。⑹65 亦不至尔：也不至于像今天这样。⑹66 有识：有识之士。⑹67 当以此窥人：会从这些问题的处理上看出执政者的水平高低。窥人，看人，对人做出评论。⑹68 戴法兴、巢尚之：都是孝武帝刘骏身边的佞幸。传见《宋书》卷九十四。⑹69 引身避事：遇事不出头、不说话、不掌权。⑹70 近习：皇帝身边的受宠小人。⑹71 诏敕：以皇帝名义发出的各种文告。⑹72 咸取决：都由他来定。⑹73 职管铨衡：当时蔡兴宗任吏部尚书，主管评定与选拔官吏。⑹74 陈登贤进士之意：讲推贤进士的道理。陈，讲述。登，推之使进。⑹75 箴规得失：规劝朝廷的失误之处。箴规，劝导。得失，偏义复词，指失误。⑹76 恇挠：怯懦、屈软。⑹77 阿顺法兴：一味地屈从戴法兴。阿，曲顺。⑹78 恒虑失旨：只怕违背其心意。⑹79 辄战惧无答：总是紧张得说不出话来。⑹80 每奏选事：每次呈上任命官员的名单。⑹81 辄点定回换：总要做很多更改退换。⑹82 仅有在者：原有的人选保留不了几个。⑹83 主上谅暗：皇帝在守孝期间。谅暗，服丧、守孝。按古礼，帝王在守孝期间不问政事，一切政事交由大臣管理。⑹84 复非公笔：而且这些更改又不是义恭先生您的笔迹。公，以称刘义恭。⑹85 不知是何天子意：不知这是哪位皇帝的意见。⑹86 往复论执：翻来覆去地坚持自己的主张。执，坚持。⑹87 左迁：下调；降任。⑹88 新昌：郡名，郡治范信，在今越南河内的西北方。⑹89 人望：是个众望所归的人物。⑹90 丙辰：七月十九。⑹91 何妃：刘子业为太子时的嫔妃，死于孝武帝大明五年。⑹92 献皇后：献字是谥。据《谥法解》，“聪明睿哲曰献”“知智有圣曰献”。⑹93 乙丑：七月二十八。⑹94 解领司徒：解除其所兼任的司徒之职。⑹95 刚严：刚正、严厉。⑹96 八月丁卯：八月初一。⑹97 王太后：孝武文穆王皇后，刘子业的生母。传见《宋书》卷四十一。⑹98 疾笃：病重。⑹99 病人间：病人住的地方。⑺00 剖我腹：看看我的肚子里有什么奇怪之处。⑺01 那得生宁馨儿：怎么会生了这样的一个儿子。宁馨，晋、宋时期的江南口语，意同“如此”“这样”。⑺02 己丑：八月二十三。⑺03 九月辛丑：九月初五。⑺04 魏主还平城：由高车族回到平城。⑺05 癸卯：九月初七。⑺06 特进：加官名，功德隆盛之大臣，年高应退者，赐位特进，位在三公下，无实权，只参加一些朝会典礼。刘遵考原任尚书左仆射，位同副宰相，今赐位特进，乃夺其实职。⑺07 乙卯：九月十九。⑺08 十二月壬辰：十二月二十八。⑺09 王畿诸郡：孝武帝大

明三年，以丹杨、淮南、宣城、吴郡、吴兴、义兴六郡为王畿。王畿即京城的郊区。⑩以扬州为东扬州：把原来名叫东扬州，大明三年将其改称为扬州的浙东五郡，仍复原称东扬州，州治仍在会稽，即今浙江省绍兴。⑪癸巳：十二月二十九。⑫青州移治东阳：刘宋青州的州治在本书上卷孝建三年曾迁到历城，即今山东济南，今乃又迁回东阳，即今山东青州。⑬有奇：有余；有零头。〖按〗以上州、郡、县、户口的数字大抵根据沈约的《宋书·州郡志》。⑭东方诸郡：指江苏的三吴，即吴郡、吴兴、义兴，以及浙江东部的五郡，即会稽郡、东阳郡、永嘉郡、临海郡、新安郡。⑮什六七：十分之六七。

【校记】

［21］好：原无此字。据章钰校，甲十一行本、乙十一行本、孔天胤本皆有此字，张敦仁《通鉴刊本识误》同，今据补。［22］巡南：据章钰校，甲十一行本、乙十一行本、孔天胤本二字皆互乙。〖按〗下文有“南兖二州”，此处应为州名。［23］丁巳：原作“丁卯”，今据严衍《通鉴补》改作“丁巳”。［24］戊寅：原误作“戊辰”。严衍《通鉴补》改作“戊寅”，今据以校正。［25］仪：据章钰校，甲十一行本、乙十一行本、孔天胤本皆作“议”。〖按〗《宋书》作“议”，《南史》作“仪”。《通典》有“仪曹郎”条。作“仪”义长。［26］为：原无此字。张敦仁《通鉴刊本识误》认为当有此字，严衍《通鉴补》同，今据补。［27］曰：原无此字。据章钰校，甲十一行本、乙十一行本、孔天胤本皆有此字，今据补。［28］武：原作“文”。严衍《通鉴补》改作“武”，今据以校正。［29］者：原无此字。据章钰校，甲十一行本、乙十一行本、孔天胤本皆有此字，今据补。

【研析】

本卷写宋孝武帝大明三年（公元四五九年）至大明八年共六年间刘宋与北魏的大事，其中最可议论的是关于宋竟陵王刘诞在广陵发动叛乱的诸多问题。

宋孝武帝刘骏首先起兵讨伐元凶刘劭，并首先攻克建康，杀死了万恶的刘劭、刘濬，他做皇帝应该是无可非议的。但刘骏门内荒淫，多为群臣所不满；而刘诞知书达理，作风清正，也在讨伐元凶刘劭的过程中立有功劳，多为人们所称道，因此引起刘骏的忌恨猜疑。刘诞因恐惧而筑城聚粮，谋取自守，并非有推翻刘骏、篡取帝位的阴谋；而刘骏迫不及待地先是降其爵位，罢其官职，接着又派人统兵前去袭捕，又因袭捕不成而派沈庆之统大兵前往讨伐。统观前因后果，读史者讨厌刘骏而同情刘诞是很自然的。其实刘诞愚钝无能，身边既无谋士，又无得力将领，说是聚兵城守，实无任何韬略筹谋。他本人优柔寡断，踌躇不定，根本没有背城一战的决心。但就是面对这样一个敌人，身为刘宋名将的沈庆之竟然攻城三个月而不下。刘骏为此大怒，他对沈庆之使用激将法，而沈庆之又“身先士卒，亲犯矢石”地经过苦战，才攻克其外城、内城，最终将刘诞杀死，平定了广陵之乱。历史家在描写这场内战过程所使用的材料、所运用的笔法是混乱的、矛盾的。

但也有非常清晰的使人明白无误的事件描写，那就是孝武帝刘骏对其弟刘诞的痛恨，和他必欲置刘诞于死地的决心。他为了不使刘诞北逃投魏而让沈庆之预先断绝其逃路；又命沈庆之“为三烽于桑里，若克外城，举一烽；克内城，举两烽；擒刘诞，举三烽。玺书督趣，前后相继”。准备的是多么周到，心情又是多么急切！待至攻克广陵之后，刘骏命令沈庆之要将整个广陵城中的士民，“无大小悉杀之”，经过沈庆之的再三请求，才改为“五尺以下全之，其余男子皆死，女子以为军赏，犹杀三千余口”。刘骏还把这些死者的头堆集在石头城的南岸以为京观。这是什么样的世界！统治者的兄弟之间闹矛盾，迫使无辜的百姓为之当兵打仗还不算，又让这些手无寸铁的城中百姓受此屠戮，这是一种惨无人道的蛇蝎心肠！无独有偶，六百年前的西汉王朝发生过一回吴楚七国之乱，过程与此大同小异，而镇压叛乱的汉景帝的表现与这时的刘骏完全相同。汉景帝给镇压七国之乱的大将周亚夫下命令，让他一定要“深入多杀”，捉到三百石以上的官吏，都要不问情由通通杀掉，谁敢对此命令提出疑问一律腰斩。这前面的汉景帝刘启，与后面的宋孝武帝刘骏是一样的狼子野心！

说起这沈庆之的为人，也有些让人难以捉摸。沈庆之是刘宋中期少有的名将，是推动刘骏最先起兵讨伐刘劭的大功臣，但是他早在四年前就已经退休了，而且退得非常坚决。他“表疏数十上，又面自陈，乃至稽颡泣涕”，刘骏没办法才答应了他。不久，刘骏派先已退休，后又重新请了回来的尚书令何尚之去请沈庆之，劝说沈庆之也回朝做官。何尚之转达皇帝的意思后，沈庆之笑了笑说：“我不会学你的样子，退休了还再出来。”说得何尚之惭愧脸红。沈庆之不知为什么这回又来了劲，在刘骏与刘诞兄弟之间闹矛盾的时候，又出来逞能呢？这次刘骏是如何请他“出山”的，沈庆之又为何要出来为刘骏服务，书上都没做交代。在广陵城破，百姓惨遭屠戮的时候，沈庆之肯为广陵百姓请求宽免；但在他的部将宗越命令士兵对这些无辜百姓杀戮时，“皆先刳肠抉眼，或笞面鞭腹，苦酒灌创，然后斩之。越对之，欣欣若有所得”，对于这些，沈庆之难道就没有办法管理一下？凡此种种，都使读者对沈庆之其人感到不可理解。

历史家通过曲折的笔法对刘骏、刘诞这桩历史公案表露了自己的态度，他写刘诞属下吕昙济的事迹说：“初，诞自知将败，使黄门吕昙济与左右素所信者将世子景粹匿于民间，谓曰：‘事若不济，思相全脱；如其不免，可深埋之。’各分以金宝赍送。既出门，并散走，唯昙济不去，携负景粹十余日，捕得，斩之。”又写其僚属贺弼事迹说：“诞初闭城拒使者，记室参军山阴贺弼固谏，诞怒，抽刀向之，乃止。诞遣兵出战屡败，将佐多逾城出降。或劝弼宜早出，弼曰：‘公举兵向朝廷，此事既不可从；荷公厚恩，又义无违背，唯当以死明心耳！’乃饮药自杀。”又写其僚属范义的事迹说:“诞以中军长史济阳范义为左司马，义母妻子皆在城内，或谓义曰:‘事必不振，子其行乎!’义曰:‘吾，人吏也，子不可以弃母，吏不可以叛君。必若何康之而活，吾弗为也。’”文章又写广陵之乱平定后，刘宋的正直官吏蔡兴宗奉旨慰劳广陵的事情说:“兴宗与范义素善，收敛其尸，送丧归豫章。上谓曰:‘卿何敢故触王宪?’兴宗抗言对曰:‘陛下自杀贼，臣自葬故交，何不可之有!’上有惭色。”笔法曲折，态度隐微，但倾向还是清楚的。

本卷还写了当时的官僚张岱其人，文章说:“初，巴陵王休若为北徐州刺史，以山阴令张岱为谘议参军，行府、州、国事。后临海王子顼为广州，豫章王子尚为扬州，晋安王子勋为南兖州，岱历为三府谘议、三王行事，与典签、主帅共事，事举而情不相失。或谓岱曰:‘主王既幼，执事多门，而每能缉和公私，云何致此?’岱曰:‘古人言:“一心可以事百君。”我为政端平，待物以礼，悔吝之事，无由而及，明暗短长，更是才用之多少耳。’及子鸾为南徐州，复以岱为别驾、行事。”言里言外，表现了作者对张岱的欣赏之情。其实这是很有问题的。清代王夫之《读通鉴论》对此评论说:“张岱之历事宋之诸王，皆败度之纨绔也，岱咸得其欢心，免于咎恶，而自诩曰:‘吾一心可事百君。’夫一心而可事百君，于仕为巧宦，于学为乡愿。斯言也，以惑人心、坏风俗，君子之所深恶也。岱曰‘明暗短长，更是才用之多少耳’，才可以随方诡合，遇明与之明，遇暗与之暗，假令桀为倾宫，将为之饰土木，纣为炮烙，将为之执炉炭乎?游其心以逢君，无所往而不保其禄位，此心也，胡广、孔光、冯道之心也。全躯保荣利，而乱臣贼子夷狄盗贼亦何不可事哉?”说得好极了，但凡有一点正直之心，有一点是非之感，有一点为官任职责任心的人，他能够以一人事百君，而不发生一点冲突吗?《庄子·养生主》有所谓“今臣之刀十九年矣，所解数千牛矣，而刀刃若新出于硎。彼节者有间，而刀刃者无厚，以无厚入有间，恢恢乎其于游刃必有余地矣”。这大概就是张岱之流所以能永远保证其官运亨通而无任何风险的诀窍!

卷第一百三十　宋纪十二

旃蒙大荒落（乙巳，公元四六五年），一年。

【题解】

本卷写宋明帝泰始元年（公元四六五年），实际上也就是废帝刘子业永光元年，后来又改称景和元年这一年间刘宋与北魏等国的大事。主要写了宋废帝刘子业幼而猖暴，为了自己掌权而诛杀或罢免了前朝的宠臣戴法兴、巢尚之、奚显度等，柳元景与颜师伯阴谋废掉刘子业而改立刘义恭，结果被沈庆之告密，刘义恭、柳元景、颜师伯等一齐被杀。写了废帝刘子业杀了其弟刘子鸾，并将其叔徐州刺史义阳王刘昶逼反，在沈庆之率兵讨伐时，刘昶逃向魏国。写了废帝刘子业惨杀其舅王藻，又杀良吏孔灵符，又纳其姑新蔡长公主为妃，长公主之夫何迈怒欲杀帝，被废帝杀死。写了沈庆之自昵于废帝，蔡兴宗为沈庆之分析形势，劝说沈庆之发动起义，废昏立明，沈庆之不从，结果被废帝杀死。写了蔡兴宗又先后劝说将军王玄谟、刘道隆起行废立，王玄谟、刘道隆皆畏怯不敢。写了废帝忌恨其诸叔，尤其忌恨湘东王刘彧、建安王刘休仁、山阳王刘休祐，而对湘东王刘彧特别凌辱、迫害至极点。写了废帝因其祖刘义隆、其父刘骏都是以排行老三而起

【原文】

太宗明皇帝上之上

泰始元年（乙巳，公元四六五年）

春，正月乙未朔[①]，废帝改元永光[②]，大赦。

丙申[③]，魏大赦。

二月丁丑[④]，魏主如楼烦宫[⑤]。

自孝建以来[⑥]，民间盗铸滥钱[⑦]，商货不行[⑧]。庚寅[⑨]，更铸二铢钱，形式转细[⑩]。官钱每出，民间即模效[⑪]之，而更薄小，无轮郭[⑫]，不磨𨭉[⑬]，谓之“耒子[⑭]”。

三月乙巳[⑮]，魏主还平城。

夏，五月癸卯[⑯]，魏高宗殂[⑰]。初，魏世祖[⑱]经营四方，国颇虚

家为帝，故而忌恨其三弟刘子勋，担心刘子勋也会因排行第三而夺了他的皇帝位，于是派人往杀刘子勋，结果导致刘子勋的僚属邓琬等在江州发动了讨伐废帝的武装起事。写了湘东王刘彧的亲信阮佃夫、王道隆与废帝身边的柳光世、寿寂之等串联政变，趁废帝在华林园荒淫行乐之际将其杀死，拥立湘东王刘彧做了皇帝。写了刘彧称帝后，大力任用文帝诸子，使之掌握朝廷大权；接着刘彧又杀了废帝胞弟刘子尚，并对废帝的其他兄弟进行裁抑；又杀了废帝宠信的将领宗越、谭金、童太一等。写了刘彧以加官晋爵招抚已在江州起事反朝廷的刘子勋、邓琬等人，邓琬等不听招抚，坚持拥立刘子勋为帝，于是雍州刺史袁颢与在郢州行府州事的荀卞之、在荆州行府州事的孔道存等皆奉其诸王，起兵以应刘子勋。此外还写了魏主拓跋濬死，其子拓跋弘即位，因拓跋弘年幼，权臣乙浑把持国政，诛杀了大臣杨保年、贾爱仁、张天度、陆丽、穆多侯等。

【语译】

太宗明皇帝上之上

泰始元年（乙巳，公元四六五年）

春季，正月初一日乙未，宋废帝刘子业将年号改为永光，大赦天下。

正月初二日丙申，魏国实行大赦。

二月十四日丁丑，北魏文成皇帝拓跋濬前往修建在楼烦县的宫殿。

宋国自从孝武帝刘骏孝建年间以来，民间那些私下里偷偷铸造的分量不足、质量很差的铜钱，在商业贸易中已经不能流通。二月二十七日庚寅，朝廷下令改铸二铢钱，而形制改得更小。官府每次铸造出新式铜钱，民间就立即按其样子偷着铸造，而且这些偷着铸造的铜钱更薄更小，既没有厚起的边缘，钱面也没有磨光锉平，民间遂把这种盗铸的铜钱叫作“耒子”。

三月十二日乙巳，北魏文成帝从楼烦宫回到京师平城。

夏季，五月十一日癸卯，魏高宗拓跋濬去世。当初，魏世祖拓跋焘为了开拓疆

耗⑲，重以内难⑳，朝野楚楚㉑。高宗嗣之，与时消息㉒，静以镇之，怀集㉓中外，民心复安。甲辰㉔，太子弘㉕即皇帝位，大赦，尊皇后曰皇太后。

显祖㉖时年十二，侍中、车骑大将军乙浑专权，矫诏杀尚书杨保年、平阳公贾爱仁、南阳公张天度于禁中。侍中、司徒、平原王陆丽㉗治疾于代郡温泉㉘，乙浑使司卫监穆多侯㉙召之。多侯谓丽曰："浑有无君之心。今宫车晏驾㉚，王德望素重㉛，奸臣所忌，宜少淹留㉜以观之，朝廷安静，然后入，未晚也。"丽曰："安有闻君父之丧，虑患㉝而不赴者乎！"即驰赴平城。乙浑所为多不法，丽数争之㉞。戊申㉟，浑又杀丽及穆多侯。多侯，寿㊱之弟也。己酉㊲，魏以浑为太尉、录尚书事，东安王刘尼为司徒，尚书左仆射代人和其奴㊳为司空。殿中尚书顺阳公郁㊴谋诛乙浑，浑杀之㊵。

壬子㊶，魏以淮南王它㊷为镇西大将军、仪同三司，镇凉州㊸。

六月[1]，魏开酒禁。

壬午㊹，加柳元景南豫州刺史，加颜师伯丹杨尹。

秋，七月癸巳㊺，魏以太尉乙浑为丞相，位居诸王上，事无大小，皆决于浑。

废帝幼而狷暴㊻，及即位，始犹难㊼太后、大臣及戴法兴等，未敢自恣㊽。太后既殂，帝年渐长，欲有所为，法兴辄抑制之，谓帝曰："官所为如此㊾，欲作营阳邪㊿！"帝稍不能平(51)。所幸阉人(52)华愿兒，赐与无算(53)，法兴常加裁减，愿兒恨之。帝使愿兒于外察听风谣，愿兒言于帝曰："道路皆言'宫中有二天子：法兴为[2]真天子，官为赝天子(54)。'且官居深宫，与人物不接，法兴与太宰、颜、柳(55)共为一体(56)，往来门客恒有数百，内外士庶莫不畏服。法兴是孝武左右，久在宫闱，

土而对四方用兵，因为耗费巨大导致国库空虚，再加上国家内部发生叛乱，所以无论朝廷还是民间都感到痛苦不堪。魏高宗拓跋濬继承皇位之后，采取了清静无为的策略，顺应时势的变化，与民休养生息，朝廷不再采取大的行动，让百姓能够平静地生活，同时团结朝廷内外、安抚百姓，民心于是逐渐安定下来。十二日甲辰，皇太子拓跋弘登上皇帝宝座，大赦天下，尊皇后为皇太后。

魏显祖拓跋弘即皇帝位时只有十二岁，担任侍中、车骑大将军的乙浑专擅朝政，他假传皇帝的诏命在皇宫中杀死了担任尚书的杨保年、平阳公贾爱仁、南阳公张天度。当时，担任侍中、司徒的平原王陆丽正在代郡的温泉治病，乙浑派遣担任司卫监的穆多侯前往代郡召请平原王陆丽。穆多侯对陆丽说："乙浑有废立君主的野心。如今高宗去世，大王您一向德高望重，是奸臣所敬畏的人，大王不要急于进京，应当在这里稍微停留一些时日，静观事态的发展，如果朝中安然无事，您再进京也不算晚。"陆丽说："岂有听到皇帝去世的噩耗之后，却因为担心自己遭遇祸患而不去奔丧的道理呢!"陆丽立即奔赴京师平城。乙浑的所作所为有许多属于违法乱纪，陆丽曾经多次与乙浑发生争执，反对他的做法。五月十六日戊申，乙浑杀死平原王陆丽和司卫监穆多侯。穆多侯，是穆寿的弟弟。十七日己酉，魏国任命乙浑为太尉、录尚书事，任命东安王刘尼为司徒，任命担任尚书左仆射的代郡人和其奴为司空。担任殿中尚书的顺阳公于郁密谋除掉乙浑，不料密谋泄露，乙浑遂杀死顺阳公于郁。

五月二十日壬子，魏国任命淮南王拓跋它为镇西大将军、开府仪同三司，负责镇守凉州。

六月，魏国取消了禁酒令。

六月二十一日壬午，宋国加授柳元景为南豫州刺史，加授颜师伯为丹杨尹。

秋季，七月初二日癸巳，魏国任命担任太尉的乙浑为丞相，地位在诸王之上，朝中政事无论大小，全都由乙浑说了算。

宋废帝在幼年的时候就心胸狭隘，脾气暴躁，等到坐上皇帝宝座之后，开始的时候对皇太后、朝中大臣以及戴法兴等人还有些畏惧，所以还不敢太放纵自己，独断专行。太后去世以后，废帝也逐渐长大成人，心里就想要有所作为，却总是遭到戴法兴的阻拦和限制，戴法兴对废帝说："官家做这样的事情，是不是想要走营阳王刘义符的道路啊!"废帝心里越来越感到无法忍受。废帝宠信太监华愿兒，平时赏赐给华愿兒的财物多得简直无法计算，而戴法兴经常予以裁减，所以华愿兒也很怨恨戴法兴。废帝派华愿兒到宫外的街头巷尾去探听民间对朝廷的议论，华愿兒回宫后就对废帝说："路上的人们都说'皇宫之中有两个天子，戴法兴是真天子，陛下是假天子'。况且陛下居住在深宫之内，与大臣不接触，戴法兴与担任太宰的江夏王刘义恭、颜师伯、柳元景勾结在一起，经常出入他们府第的门客就有好几百人，朝廷内外的大小官员、平民百姓没有不惧怕他们的。戴法兴是孝武帝身边的人，在皇宫中任职的时间很长，

今与他人作一家，深恐此坐席非复官有⑰。”帝遂发诏免法兴官[3]，遣还田里，仍徙远郡⑱。八月辛酉⑲，赐法兴死，解巢尚之舍人⑳。

员外散骑侍郎东海奚显度，亦有宠于世祖。常典作役㉑，课督苛虐㉒，捶扑惨毒，人皆苦之。帝常㉓戏曰：“显度为百姓患，比当除之㉔。”左右因唱诺㉕，即宣旨杀之。

尚书右仆射、领卫尉卿㉖、丹杨尹颜师伯居权日久，海内辐凑㉗[4]，骄奢淫恣，为衣冠㉘所疾。帝欲亲朝政㉙，庚午㉚，以师伯为尚书左仆射，解卿、尹㉛，以吏部尚书王彧为右仆射，分其权任。师伯始惧。

初，世祖多猜忌，王公、大臣，重足屏息㉜，莫敢妄相过从㉝。世祖殂，太宰义恭等皆相贺曰：“今日始免横死㉞矣。”甫过山陵㉟，义恭与柳元景、颜师伯等声乐酣饮，不舍昼夜㊱，帝内不能平㊲。既杀戴法兴，诸大臣无不震慑㊳，各不自安。于是元景、师伯密谋废帝，立义恭，日夜聚谋，而持疑不能决。元景以其谋告沈庆之，庆之与义恭素不厚，又师伯常专断朝事，不与庆之参怀㊴，谓令史㊵曰：“沈公，爪牙㊶耳，安得预政事㊷？”庆之恨之，乃发其事㊸。

癸酉㊹，帝自帅羽林兵讨义恭，杀之，并其四子。断绝义恭支体，分裂肠胃，挑取眼睛，以蜜渍之，谓之“鬼目粽㊺”。别遣使者称诏召柳元景，以兵随之㊻，左右奔告：“兵刃非常㊼。”元景知祸至，入辞其母，整朝服乘车应召。弟车骑司马㊽叔仁戎服，帅左右壮士欲拒命，元景苦禁之。既出巷，军士大至。元景下车受戮，容色恬然，并其八子、六弟及诸侄。获颜师伯于道，杀之，并其六子。又杀廷尉㊾刘德愿。

现在却与别人亲如一家，我真担心这个皇帝宝座陛下坐不久了。”废帝于是下诏，罢免戴法兴的官职，将戴法兴遣回乡里，不久又把戴法兴流放到更加遥远的边郡。八月初一日辛酉，废帝下诏令戴法兴自杀，还免去了巢尚之中书通事舍人的职务。

宋国担任员外散骑侍郎的东海人奚显度，也曾经受到宋世祖刘骏的宠信。奚显度经常主管一些劳动工程，他管理、监督劳工非常残酷暴虐，动不动就鞭抽棍打，手段残忍狠毒，人们都吃尽了他的苦头。废帝曾经开玩笑说：“奚显度成了百姓的祸患，不久我就准备除掉他。”左右的侍从趁机齐声附和、怂恿，废帝立即下旨杀死了奚显度。

宋国担任尚书右仆射兼任卫尉、丹杨尹的颜师伯由于在朝中掌权的时间已经很久，于是向他行贿的人多得就像车轮上的辐条归向车毂一样，颜师伯便逐渐骄奢淫逸、为所欲为起来，那些有地位、有身份的士大夫恨透了他。废帝想要亲自处理朝政，发号施令，八月初十日庚午，废帝任命颜师伯为尚书左仆射，解除了他所兼任的卫尉、丹杨尹职务，任命吏部尚书王彧为尚书右仆射，用以削弱颜师伯的权力。颜师伯开始感到恐惧。

当初，宋世祖刘骏性好猜忌，王公、大臣害怕得并足而立，就连呼吸也要屏住声息，更没有人敢随便互相往来。世祖刘骏去世后，担任太宰的刘义恭等人全都互相庆贺说：“现在我们才算幸免死于非命了。”孝武帝刘骏刚刚下葬完毕，太宰刘义恭就开始与柳元景以及颜师伯等人，不论白天黑夜不停地奏乐歌舞，开怀畅饮，废帝对他们的行为怀恨在心。等到废帝杀了戴法兴之后，满朝的文武大臣无不感到震惊和恐惧，人人都感到自己的处境很不安全。于是柳元景、颜师伯便密谋废掉刘子业，拥立太宰刘义恭为皇帝，他们日夜聚集在一起进行商议，却迟迟疑疑下不了决心。柳元景把他们的谋划告诉了始兴公沈庆之，沈庆之一向与刘义恭交情不深，再加上颜师伯专断朝政，重大事情从不征求沈庆之的意见，不与沈庆之商量，还对令史说：“沈公，只不过是一个武夫罢了，有什么资格过问朝廷大事?”沈庆之因此对颜师伯怀恨在心，于是就向废帝告发了刘义恭、颜师伯等人准备废立皇帝的阴谋。

八月十三日癸酉，宋废帝亲自率领羽林军讨伐太宰刘义恭，把刘义恭和他的四个儿子全部杀死。还把刘义恭的四肢砍下，剖开肚腹，把肠胃砍成一段一段的，又剜出眼球，用蜂蜜把眼球腌渍起来，称之为“鬼目粽”。又一面派遣使者去宣诏，令柳元景入宫，一面却暗中派军队紧随在使者的后面，刘元景的亲信飞快地跑来向柳元景报告说：“来人都手持兵器，非同寻常。”柳元景知道自己已经大祸临头，就到后堂辞别了母亲，然后穿戴好官服，坐上车子，奉诏前往。柳元景的弟弟、担任车骑司马的柳叔仁一身戎装，率领身边的勇士准备抗拒皇命，柳元景苦苦地劝阻了他。柳元景走出巷口之后，废帝派来的大批军队已经来到。柳元景下车接受杀戮时，神情镇静坦然，柳元景的八个儿子、六个弟弟以及诸多侄子全部被杀。废帝所派的军队又在路上逮捕了颜师伯，将颜师伯和他的六个儿子全部杀死。又杀死了担任廷尉的刘德愿。

改元景和，文武进位二等。遣使诛湘州刺史江夏世子伯禽[90]。自是公卿以下，皆被捶曳[91]如奴隶矣。

初，帝在东宫，多过失，世祖欲废之而立新安王子鸾[92]，侍中袁颛[93]盛称太子好学，有日新之美[94]，世祖乃止，帝由是德[95]之。既诛群公，欲引进颛，任以朝政，迁为吏部尚书，与尚书左[5]丞徐爰[96]皆以诛义恭等功，赐爵县子[97]。

徐爰便僻[98]善事人，颇涉书传[99]，自元嘉[100]初，入侍左右，豫参顾问[101]，既长于附会[102]，又饰以典文[103]，故为太祖[104]所任遇；大明之世[105]，委寄[106]尤重。时殿省[107]旧人多见诛逐，唯爰巧于将迎[108]，始终无迕[109]，废帝待之益厚，群臣莫及。帝每出，常与沈庆之及山阴公主[110]同辇，爰亦预[111]焉。

山阴公主，帝姊也，适[112]驸马都尉何戢。戢，偃[113]之子也。公主尤淫恣，尝谓帝曰："妾与陛下，男女虽殊，俱托体先帝[114]。陛下六宫万数，而妾唯驸马一人，事太不均。"帝乃为公主置面首[115]左右三十人，进爵会稽郡长公主[116]，秩[117]同郡王。吏部郎[118]褚渊貌美，公主就帝请以自侍[119]，帝许之。渊侍公主十日[6]，备见逼迫[120]，以死自誓，乃得免。渊，湛之[121]之子也。

帝令太庙别画祖考之像[122]，帝入庙，指高祖像曰："渠大英雄[123]，生擒数天子[124]。"指太祖像曰："渠亦不恶[125]，但末年不免儿斫去头[126]。"指世祖像曰："渠大齇鼻[127]，如何不齇[128]？"立召画工令齇之。

以建安王休仁为雍州刺史[129]，湘东王彧为南豫州刺史[130]，皆留不遣[131]。

甲戌[132]，以司徒、扬州刺史豫章王子尚[133]领尚书令。乙亥[134][7]，以始兴公沈庆之为侍中、太尉，庆之固辞。征[135]青、冀二州刺史王玄谟为领军将军。

魏葬文成皇帝于金陵[136]，庙号高宗。

改年号为景和，文武官员全都晋升二级。废帝又派人诛杀了江夏王刘义恭的长子、担任湘州刺史的刘伯禽。从此以后，废帝刘子业对待公卿以下，全都是想打就打，想拖就拖，就像对待奴隶一样。

当初，宋废帝在东宫当太子的时候就犯有很多过失，宋世祖刘骏想把他废掉，改立新安王刘子鸾为太子，担任侍中的袁顗极力称赞刘子业，说太子喜好学习，有发现错误、改正错误的美德，宋世祖刘骏才没有废掉刘子业的太子地位，废帝为此非常感激袁顗的大恩。他诛杀大臣之后，就想提拔袁顗，把主持朝政的大权交给袁顗掌管，于是提升袁顗为吏部尚书。担任尚书左丞的徐爰等因为参与诛杀刘义恭等人有功，废帝遂赏赐他为封地一个县的子爵。

尚书左丞徐爰善于在皇帝面前逢迎谄媚，他阅览过一些图书，从宋文帝刘义隆元嘉初年入朝为官开始，就一直侍奉在皇帝身边，接受过皇帝的一些询问，他既善于似是而非地把一些歪理说圆，又能引经据典地加以修饰，说得冠冕堂皇，所以受到太祖刘义隆的信任和恩遇；孝武帝刘骏在位期间，对他尤其信任与倚重。当时朝廷各部门的旧臣，多数都被诛杀和驱逐，只有徐爰善于钻营取巧，始终不与皇帝起冲突、闹矛盾，废帝待他更加恩宠厚爱，群臣没有人能比得上他。废帝每次出宫，经常与始兴公沈庆之以及山阴公主同坐一辆车，徐爰也参与其中。

山阴公主，是废帝的姐姐，嫁给担任驸马都尉的何戢。何戢，是何偃的儿子。山阴公主尤其淫荡放纵，她曾经对废帝说："我与陛下，虽然男女不同，但都是先帝所生。陛下的六宫之中有上万的嫔妃宫女，而我却只有驸马一个人，事情太不公平。"废帝于是就为公主安置了三十个男宠，陪侍在山阴公主的身边，封山阴公主为长公主，封地为会稽郡，级别与郡王相同。担任吏部郎的褚渊长得很美貌，长公主就向废帝请求让褚渊来侍候自己，废帝答应了她的请求。褚渊在长公主身边侍候了十天，虽然受到公主的种种逼迫，但褚渊发誓宁死不从，长公主才放了他。褚渊，是褚湛之的儿子。

宋废帝命人在太庙中分别把祖先的人像都画出来，竣工之后，废帝进入太庙，他指着高祖刘裕的画像说："他可是一个大英雄，活捉了好几个天子。"然后指着太祖刘义隆的画像说："他也不坏，只可惜晚年不能幸免，被自己的儿子砍下脑袋。"最后指着世祖刘骏的画像说："他原本是个大酒糟鼻子，为什么不把他酒糟鼻的样子画出来？"立即召来画工将世祖刘骏的鼻子改画成酒糟鼻。

宋废帝任命建安王刘休仁为雍州刺史，任命湘东王刘彧为南豫州刺史，然而却将他们留在建康城中，不让他们前往任所赴任。

八月十四日甲戌，宋废帝任命担任司徒、扬州刺史的豫章王刘子尚兼任尚书令。十五日乙亥，任命始兴公沈庆之担任侍中、太尉，沈庆之坚决辞让。废帝又征调担任青、冀二州刺史的王玄谟进京，任命王玄谟为领军将军。

魏国把文成皇帝拓跋濬安葬在金陵，庙号高宗。

九月癸巳[137]，帝如湖熟[138]。戊戌[139]，还建康。

新安王子鸾有宠于世祖，帝疾[140]之。辛丑[141]，遣使赐子鸾死，又杀其母弟南海王子师及其母妹，发殷贵妃墓[142]，又欲掘景宁陵[143]，太史以为不利于帝，乃止。

初，金紫光禄大夫谢庄[144]为《殷贵妃诔》[145]曰："赞轨尧门[146]。"帝以庄比贵妃于钩弋夫人，欲杀之[147]。或说帝曰："死者人之所同，一往之苦[148]，不足为困[149]。庄生长富贵，今系之尚方[150]，使知天下苦剧[151]，然后杀之，未晚也。"帝从之。

徐州刺史义阳王昶[152]，素为世祖所恶，民间每讹言[153]昶当反。是岁，讹言尤甚，废帝常谓左右曰："我即大位以来，遂未尝戒严[154]，使人邑邑[155]！"昶使典签蘧法生奉表诣建康，求入朝[156]，帝谓法生曰："义阳与太宰谋反[157]，我正欲讨之。今知求还，甚善！"又屡诘问法生："义阳谋反，何故不启？"法生惧，逃还彭城，帝因此用兵。己酉[158]，下诏讨昶，内外戒严。帝自将兵渡江，命沈庆之统诸军前驱。

法生至彭城，昶即聚兵反。移檄[159]统内诸郡[160]，皆不受命，斩昶使，将佐文武悉怀异心。昶知事不成，弃母、妻，携爱妾，夜与数十骑开北门奔魏。昶颇涉学[161]，能属文，魏人重之，使尚公主，拜侍中、征南将军、驸马都尉，赐爵丹杨王。

吏部尚书袁顗，始为帝所宠任，俄而失指[162]，待遇顿衰，使有司纠奏其罪，白衣领职[163]。顗惧，诡辞求出[164]。甲寅[165]，以顗为[8]督雍梁等四州[9]诸军事、雍州刺史。顗舅蔡兴宗谓之曰："襄阳星恶[166]，何可往[167]？"顗曰："白刃交前，不救流矢[168]今者之行，唯愿生出虎口耳。

九月初三日癸巳，宋废帝前往湖熟县。初八日戊戌，从湖熟县回到京师建康。

宋新安王刘子鸾曾经受到世祖刘骏的宠爱，废帝因此对刘子鸾心怀忌恨。九月十一日辛丑，废帝派遣使者令刘子鸾自杀，又杀死了刘子鸾的同母弟弟南海王刘子师以及刘子鸾的同母妹妹，挖了殷贵妃的坟墓，还想挖自己的父亲孝武帝刘骏的景宁陵，太史认为那样做对皇帝本人不利，废帝才作罢。

当初，担任金紫光禄大夫的谢庄撰写了《殷贵妃诔》，他在这篇悼文中说殷贵妃"能效法西汉的钩弋夫人给皇帝做贤内助"。废帝因为谢庄把殷贵妃比作钩弋夫人，于是就想杀掉谢庄。有人对废帝说："人人都有一死，大家都一样，如果一刀将谢庄杀死，就不能使他尝到更多的痛苦。谢庄生长在富贵之家，如果把他关在尚方署里做苦工，让他知道天下还有极其痛苦的事情，然后再杀死他也不算晚。"废帝听从了那个人的意见，这才使谢庄保住一条命。

宋国担任徐州刺史的义阳王刘昶，一向被世祖刘骏厌恶，民间不断传言说刘昶即将造反。这一年，传言说得更加厉害，废帝经常对自己身边的人说："我自从登上皇帝宝座以来，还一直没有调兵用武，真让人感到郁闷！"义阳王刘昶派遣担任典签的蘧法生携带表章前往京师建康，请求入朝拜见皇帝，废帝对蘧法生说："你们义阳王刘昶与太宰刘义恭串通谋反，我正准备出兵前去讨伐他。如今他知道自己错了，主动请求回来，这很好！"废帝又屡次责问蘧法生说："义阳王刘昶谋反，你为什么不向我报告？"蘧法生非常恐惧，就逃回彭城，废帝遂以此为借口动用武力。九月十九日己酉，废帝下诏出兵讨伐义阳王刘昶，朝廷内外立即进入紧急状态。废帝亲自率领军队渡过长江，命令始兴公沈庆之率领各军作为先行部队。

典签蘧法生逃回彭城之后，义阳王刘昶立即调集军队起兵造反。他向自己统辖范围内的各郡发布文告，号召他们起兵响应，但各郡都不接受刘昶的命令，他们杀死了刘昶派去的使者，刘昶手下的文武将佐也都不愿意跟随刘昶一同造反。刘昶知道自己造反之事肯定不能成功，于是就抛下母亲、妻子，只携带自己最喜欢的小老婆，在夜间与数十名骑兵打开彭城北门投降了魏国。刘昶稍微接触过一些学术方面的书籍，又能写作文章，魏国人很敬重他，就让他娶了魏国的公主做妻子，还任命他为侍中、征南将军、驸马都尉，封他为丹杨王。

宋国担任吏部尚书的袁颉，开始的时候还很受废帝的宠爱与信任，但没过多久就不合废帝的心意了，给袁颉的待遇立即衰减，废帝还让有关部门的官员搜集、举报袁颉的罪过，于是罢了袁颉所担任的吏部尚书职务，让袁颉以平民的身份暂时代理吏部尚书之职。袁颉很恐惧，就拐弯抹角地寻找理由请求让自己离开朝廷到外地任职。九月二十四日甲寅，废帝任命袁颉为都督雍、梁等四州诸军事、雍州刺史。袁颉的舅舅蔡兴宗对袁颉说："从星象上来看，雍州治所所在地襄阳近来情况不妙，你怎么能答应去那里任职呢？"袁颉回答说："如果面前有刀子逼着，就顾不上再考虑躲避流矢的危险了。如今前去，也只是希望能够活着逃出虎口罢了。况且天象变化

且天道[169]辽远，何必皆验！”

是时，临海王子项[170]为都督荆湘等八州诸军事、荆州刺史，朝廷以兴宗为子项长史、南郡太守，行府、州事[171]，兴宗辞不行。颉说兴宗曰：“朝廷形势[172]，人所共见。在内大臣，朝不保夕，舅今出居陕西[173]，为八州行事[174]，颉在襄、沔[175]，地胜兵强，去江陵咫尺[176]，水陆流通。若朝廷有事，可以共立桓、文之功[177]，岂比受制凶狂[178]、临不测之祸乎？今得间不去[179]，后复求出，岂可得邪！”兴宗曰：“吾素门平进[180]，与主上甚疏，未容[10]有患。宫省内外，人不自保，会应有变[181]。若内难得弭[182]，外衅未必可量[183]。汝欲在外求全，我欲居中免祸[184]，各行其志，不亦善乎！”

颉于是狼狈上路[185]，犹虑见追[186]，行至寻阳[187]，喜曰：“今始免矣[188]。”邓琬[189]为晋安王子勋镇军长史[190]、寻阳内史，行江州事[191]。颉与之款狎过常[192]，每清闲，必尽日穷夜。颉与琬人地本殊[193]，见者知其有异志[194]矣。寻[195]复以兴宗[11]为吏部尚书[196]。

戊午[197]，解严[198]。帝因自白下[199]济江至瓜步[200]。

沈庆之复启[201]听民私铸钱[202]，由是钱货乱败[203]。千钱长不盈三寸[204]，大小称此[205]，谓之“鹅眼钱”；劣于此者，谓之“綖环钱[206]”；贯之以缕[207]，入水不沈[208]，随手破碎。市井不复料数[209]，十万钱不盈一掬[210]，斗米一万，商货不行。

所预示的灾难遥远深奥，也不一定都能应验！”

当时，临海王刘子顼担任都督荆、湘等八州诸军事，荆州刺史，朝廷任命蔡兴宗担任刘子顼的长史、南郡太守，负责处理临海王府、都督府、荆州刺史府的各种事务，蔡兴宗推辞不去。袁颉便劝说蔡兴宗说：“朝廷现在的这种局面，大家都是有目共睹的。在朝廷之内的大臣，全都处境危险，朝不保夕，舅舅如果能够离开朝廷，到地处西方的有如当年周公那样的大臣手下任职，则西方八个州的刺史便都在你的掌控之中，而我所在的襄阳重镇与汉水流域，那里地势险要，兵力强盛，距离荆州军镇所在的江陵只有咫尺之遥，水、陆交通畅行无阻。一旦朝廷有事，我们就可以像春秋时代的齐桓公、晋文公那样建立尊天子令诸侯的功业，这和受制于朝廷中的狂悖小人、面临着不可预测的灾祸相比较，哪一个更好呢？现在有了离开朝廷的机会还不赶紧离开，以后即使再请求离开，恐怕也不能够了！”蔡兴宗说：“我出身寒门，是一步一步平稳地升上来的，与皇帝的关系又很疏远，大祸未必会降到我的头上。朝廷和尚书省内外的官员，人人不能自保，这种形势必然会有人起来发动政变。如果朝廷内部的变乱得以平息，这时在朝廷外部的举事未必能成气候。你想在朝廷以外使自己得到保全，而我则想在朝廷之内寻求避祸，咱们各行其志，不是也很好吗？”

袁颉急急忙忙地离开京师建康，前往襄阳上任，一路之上还总是担心朝廷会派人把自己追回去，当他到达寻阳的时候，不禁高兴地说：“从现在开始我总算可以免除灾祸了。”邓琬在晋安王刘子勋手下担任镇军长史、寻阳内史，代管江州刺史府的事务。袁颉与邓琬超乎寻常地亲密投合，每当闲暇无事的时候，必定会白天黑夜地聚在一起。袁颉与邓琬相比，人品门第原本是不一样的，看见他们如此亲密的人都知道他们心存异志。不久，废帝再次任命蔡兴宗担任吏部尚书。

九月二十八日戊午，宋国朝廷解除了紧急军事状态。废帝趁机从白下镇向北渡过长江抵达瓜步山。

宋国的始兴公沈庆之又上表给废帝，请求允许百姓私下里铸造铜钱，从此宋国的货币又开始进入混乱时期。一千个铜钱串起来，其长度还不到三寸，钱体的大小与其厚度相称，所以人们都管这种钱叫“鹅眼钱”，把比这质量更差的铜钱叫作“綖环钱”，用一根丝线把铜钱串起来，扔到水里都不下沉，用手一捏就会破碎。集市、商铺做买卖时不再仔细数数，只是粗略地用量具量一量就行了，十万钱都不满一捧，买一斗米需要一万钱，商人做买卖都不要这种钱。

【段旨】

以上为第一段，写宋明帝泰始元年（公元四六五年）一至九月的大事。本卷标为“泰始元年”，其实本卷的开头本是宋废帝刘子业的“永光元年”，本年八月，刘子业又改为“景和元年”，至本年的十一月，刘子业被政变者杀死，十二月新上台的刘彧又改称本年为“泰始元年”。由于刘彧的皇位从此坐得较稳，故历史家遂统称此年为“泰始元年”。本年的前九个月主要写了宋废帝幼而狷暴，为了自己掌权而诛杀前朝的宠臣戴法兴，罢免巢尚之，杀死奚显度，又贬抑颜师伯，柳元景与颜师伯阴谋废掉刘子业而改立刘义恭，结果被沈庆之告密，刘义恭、柳元景、颜师伯等一齐被杀；写了新安王刘子鸾因其母殷贵妃生前被孝武帝宠爱，曾使刘子业的太子地位受到威胁，故而这时遂杀刘子鸾，掘殷贵妃墓，并将当年曾写诔文歌颂过殷贵妃的文学家谢庄下了监狱；写了徐州刺史义阳王刘昶，因为废帝所逼而聚兵谋反，刘子业派沈庆之率兵讨伐，刘昶遂逃向魏国；写了废帝刘子业宠爱佞幸徐爰、袁颉，二人权势，群臣莫及，又因袁颉失宠，被放出为雍州刺史，袁颉上任途经寻阳时，与江州刺史临海王刘子顼的别驾邓琬情感投合、思想一致，结为同盟；此外还写了刘宋自孝武帝时起国家的铸钱制度混乱，民间私自盗铸，导致商业交易难以进行；写了魏主拓跋濬死，其子拓跋弘即位，因拓跋弘年幼，权臣乙浑把持国政，诛杀大臣杨保年、贾爱仁、张天度、陆丽、穆多侯等。

【注释】

① 正月乙未朔：正月初一是乙未日。② 改元永光：公元四六五年原是废帝刘子业的永光元年。因这年的十一月刘子业被其叔刘彧杀死，当年刘彧又改称泰始元年，故历史记事遂通年以泰始元年相称。胡三省曰：“是岁八月，杀江夏王义恭、柳元景、颜师伯，改元‘景和’；既杀废帝，改元‘泰始’，一岁凡三改元。”③ 丙申：正月初二。④ 二月丁丑：二月十四。⑤ 楼烦宫：魏国帝王修筑在楼烦县的宫殿。楼烦是汉县名，在今山西神池南，原平西北。⑥ 孝建以来：指宋孝武帝刘骏在位期间。刘骏始号“孝建”，后称“大明”，共在位十一年。⑦ 滥钱：分量不足，质量很差的铜钱。⑧ 商货不行：在商业贸易中不能流通，卖东西的人都不愿接受这种钱。⑨ 庚寅：二月二十七。⑩ 转细：改小。⑪ 模效：按其样子偷着铸造。⑫ 无轮郭：没有厚起的边缘。⑬ 不磨鑢：钱面也不平整。⑭ 耒子：杜佑《通典》称作“来子”。⑮ 三月乙巳：三月十二。⑯ 五月癸卯：五月十一。⑰ 魏高宗殂：魏国皇帝拓跋濬死。拓跋濬是拓跋焘之孙，拓跋晃之子。拓跋濬在位时的年号先后称兴安、兴光、太安、和平，共在位十四年，庙号高宗文成皇帝。⑱ 魏世祖：拓跋焘，庙号世祖。⑲ 虚耗：因耗费太大而国库空虚。⑳ 重以内难：再加上内部

叛乱，指宗爱弑世祖拓跋焘，又弑南安王拓跋余。重，再加上。㉑楚楚：悲伤、酸苦的样子。㉒与时消息：自己清静无为，顺着时势休养生息。消息，该消则消，该息则息。消，休。息，这里是“生”的意思。㉓怀集：安抚、团聚。㉔甲辰：五月十二。㉕太子弘：拓跋弘，拓跋濬之子，即历史上的献文帝。㉖显祖：太子弘，死后庙号显祖，谥献文帝。㉗陆丽：魏国名臣陆俟之子，拥立拓跋濬有功。传见《魏书》卷四十。㉘代郡温泉：胡三省引《魏土地记》曰，“代城北九十里有桑乾城，城西渡桑干水，去乾城十里有温汤，疗疾有验”。当时的桑乾城在今山西山阴东，在桑干水的岸边。㉙穆多侯：魏国名臣穆崇之孙。传见《魏书》卷二十七。时任司卫监，掌管宫廷宿卫之事。㉚宫车晏驾：敬称魏高宗之死。㉛王德望素重：您的威望一向崇高。指陆丽当初扶立高宗有功，并忠诚事君。㉜宜少淹留：应在外面停留一些时日。少，意思通“稍”。淹留，逗留、故意躲避在外。㉝虑患：担心祸患。㉞数争之：屡次与之争执，表示反对。㉟戊申：五月十六。㊱寿：穆寿，穆崇之子。传见《魏书》卷二十七。㊲己酉：五月十七。㊳和其奴：人名，拓跋濬、拓跋弘时代的忠良之臣。传见《魏书》卷四十四。㊴顺阳公郁：于郁，被封为顺阳公。㊵浑杀之：胡三省曰，“主少国疑，奸臣擅命，屠戮忠良，魏之不亡者幸也”。㊶壬子：五月二十。㊷淮南王它：拓跋它，被封为淮南王。㊸凉州：州治即今甘肃武威。㊹壬午：六月二十一日。㊺七月癸巳：七月初二。㊻狷暴：心胸狭隘，脾气暴躁。㊼难：畏惧；顾忌。㊽自恣：放纵自己，独断专行。㊾官所为如此：您做这样的事情。官，也称“官家”，对皇帝的称呼，这里即刘子业。㊿欲作营阳邪：莫非是想走营阳王的道路吗？营阳王即刘义符，宋武帝刘裕的太子，即位后不久，先被徐羡之、傅亮等废为营阳王，又将其杀害。事见本书前文卷一百二十文帝元嘉元年。胡三省曰：“废帝固狂暴，戴法兴此言亦足以取死。”51帝稍不能平：刘子业越来越不能忍受。稍，渐、越来越。52所幸阉人：被刘子业宠爱的太监。幸，宠爱。53赐与无算：平常赏赐给他的财物之多无法计算。54官为赝天子：您是个假皇帝、挂名皇帝。赝，假的。55太宰、颜、柳：太宰刘义恭与颜师伯、柳元景。56共为一体：勾结在一起。当时刘义恭录尚书事，柳元景为尚书令，颜师伯为仆射，而事皆法兴专决。57深恐此坐席非复官有：我真怕您的这个座位要坐不久了。58仍徙远郡：又把他流放到远远的边郡。仍，意思同“乃”。59八月辛酉：八月初一。60解巢尚之舍人：免去巢尚之中书通事舍人的职务，巢尚之自孝武帝时以来一直任此职。61常典作役：经常主管一些劳动工程。62课督苛虐：管理劳工残酷暴虐。63常：通“尝”，曾经。64比当除之：不久我要除掉他。比，近、不久。65唱诺：齐声吆喝、怂恿。66领卫尉卿：兼任卫尉一职。卫尉为秦汉时的九卿，掌护卫宫廷。67海内辐凑：极言向其行贿的人员之多，如车辐之归向于车毂。68衣冠：指有地位、有身份的士大夫。69亲朝政：亲自管理政权，发号施令。70庚午：八月初十。71解卿、尹：解除了他所兼任的最有实权的卫尉卿与丹杨尹。72重足屏息：并足而立，不敢喘息，极言其小心、恐惧之状。重足，并足。屏息，不敢呼吸。73妄相过从：轻易地相互往来。⑭ 横死：死于非命；不得好死。指犯罪被杀。⑮ 甫过山陵：孝武帝刚刚下葬。⑯ 不舍昼夜：昼夜不停。⑰ 内不能平：内心怀恨。⑱ 震慑：震惊、恐惧。⑲ 不与庆之参怀：不与沈庆之商量，不征求沈庆之的意见。〖按〗孝武帝死前的遗诏有“令庆之参决大事”之语。⑳ 令史：文书小吏。㉑ 爪牙：武将，此处是鄙称，犹言“武夫”。㉒ 安得预政事：有什么资格过问朝廷大事。预，过问。㉓ 发其事：举报了他们谋反的事情。㉔ 癸酉：八月十三。㉕ 鬼目粽：鬼眼珠做的粽子。胡三省曰：“宋人以蜜渍物叫作粽。”㉖ 以兵随之：暗中派兵跟在使者的后面。又是当年孝武帝想袭取竟陵王刘诞的伎俩。㉗ 兵刃非常：来人皆手持兵器，非同寻常。㉘ 车骑司马：车骑将军的司马官。司马是将军的僚属，在军中主管司法。㉙ 廷尉：国家的最高司法官，即后世的刑部尚书。㉚ 江夏世子伯禽：江夏王刘义恭的嫡子刘伯禽。世子，义同“太子”，帝王的未来接班人。㉛ 皆被捶曳：被想打就打，想拖就拖。曳，拉，在地上拖行。㉜ 新安王子鸾：刘子鸾，刘骏之子，刘子业之弟。传见《宋书》卷八十。㉝ 袁颢：袁淑之侄。传见《宋书》卷八十四。㉞ 有日新之美：有能发现错误、改正错误的美德。《易·系辞上》载：“日新之谓盛德。”日新，指不断改进，不断提高。㉟ 德：感人之恩。㊱ 徐爰：宋文帝、宋孝武帝两朝的佞臣。传见《宋书》卷九十四。㊲ 赐爵县子：赏赐他为子爵，封地为一个县。通常是侯爵的封地为一个县，此子爵封地一县，足见给予的俸禄之多。㊳ 便僻：谄媚逢迎、为人不正的样子。㊴ 颇涉书传：看过一些书。颇，看过一些。涉，涉览、不求甚解地阅读。⑩ 元嘉：文帝刘义隆的年号（公元四二四至四五三年），共三十年。⑩ 豫参顾问：接受过皇帝的一些询问。⑩ 长于附会：善于似是而非地把一些歪理说圆。附会，强拉硬扯往一起凑，使不相联属的事物相合为一。⑩ 又饰以典文：又能引经据典地说得冠冕堂皇。⑩ 太祖：文帝刘义隆的庙号。⑩ 大明之世：孝武帝刘骏在位年间。大明是刘骏的年号（公元四五七至四六四年），共八年。⑩ 委寄：信任、寄托。⑩ 殿省：指朝廷的各部门，如中书省、尚书省、门下省等。⑩ 巧于将迎：善于钻营取巧。将营，将就、迎合。⑩ 无迕：不与皇帝起冲突、闹矛盾。迕，争持不下、违背。⑩ 山阴公主：刘骏之女，刘子业之妹，名楚玉。传见《宋书》卷八十。⑪ 亦预：也曾参与其中。指与刘子业、沈庆之、山阴公主等同乘一辆车。胡三省曰：“徐爰得志于大明、景和之间，宜也；而启宠实在于元嘉，便僻之足以惑人，虽明君不能免也。汉宣用恭、显而遗祸于元帝，事正如此。”⑫ 适：嫁给……为妻。⑬ 偃：何偃，刘宋时代的无耻官僚何尚之的儿子，何偃亦与其父同侍文帝、元凶刘劭、孝武帝三朝而皆获显职。传见《宋书》卷五十九。⑭ 俱托体先帝：都是同一个皇帝的子女。⑮ 面首：男宠。胡三省曰：“面，取其貌美；首，取其发美。”⑯ 会稽郡长公主：封地为会稽郡，称号为长公主。长公主，加给皇帝姐妹的称号。如是皇帝之姑，则称“大长公主”。⑰ 秩：等级；级别。⑱ 吏部郎：有如后代的吏部天官，主管官员的选拔任用。⑲ 请以自侍：请求让他来侍候自己。⑳ 备见逼迫：受够了种种压迫。㉑ 湛之：褚湛之，宋文帝、宋孝武两朝的佞幸之臣，曾先后娶宋高祖刘裕的两个女儿为妻。传见

《宋书》卷五十二。⑫别画祖考之像：分别把祖先的人像都画出来。祖指祖父，考指父亲。祖考在这里泛指祖先、祖辈。⑬渠大英雄：他可是一位大英雄。渠，他。⑭生擒数天子：指刘裕曾先后破擒东晋的农民头领卢循、叛乱称帝的桓玄、南燕的君主慕容超、后秦的君主姚泓等。⑮渠亦不恶：他也不坏。⑯不免儿斫去头：没闹好让儿子把自己的人头砍走了。指文帝被其太子刘劭杀死。⑰渠大齄鼻：他本来是个大酒糟鼻子。⑱如何不齄：为何不把酒糟鼻的样子画出来？⑲建安王休仁为雍州刺史：刘休仁，刘子业之叔。雍州的州治襄阳，即今湖北襄阳市襄州区。⑳湘东王彧为南豫州刺史：刘彧是文帝刘义隆的第十一子，刘子业之叔。南豫州的州治在今安徽当涂。㉑皆留不遣：都留在建康城里，不让他们出朝上任，亦即不给他们实际权力。㉒甲戌：八月十四。㉓豫章王子尚：刘子尚，孝武帝刘骏的第二子，刘子业之弟。传见《宋书》卷八十。㉔乙亥：八月十五。㉕征：调……进京，到朝廷任职。㉖金陵：帝王生前为自己预先修好等待使用的陵墓例称“金陵”。㉗九月癸巳：九月初三。㉘湖熟：县名，县治在今江苏南京市江宁区东南湖熟镇。㉙戊戌：九月初八。㉚疾：忌恨。㉛辛丑：九月十一。㉜发殷贵妃墓：掘了殷贵妃的坟墓，足见其恨之深。殷贵妃相传为刘义宣之女，刘骏淫而娶之为妃，为避人议论，改称殷贵妃。生子子鸾，深受刘骏宠爱，曾有夺取太子之位的可能，故刘子业对其母子深恶痛绝。㉝景宁陵：孝武帝刘骏的陵墓。㉞谢庄：晋宋时期的大官僚谢弘微的儿子，当时的著名文学家，其代表作是《月赋》。传见《宋书》卷八十五。㉟《殷贵妃诔》：谢庄秉承孝武帝的旨意为殷贵妃写作的赞美与悼念性文章。诔，文体名，为死者歌功颂德的文字。㊱赞轨尧门：谢庄《殷贵妃诔》中的一个句子，指殷贵妃能效法当年的钩弋夫人给皇帝做贤内助。赞，协助、辅佐。轨，效法、依照。尧门，指尧母门，这里代指居住在尧母门内的钩弋夫人。钩弋夫人是汉武帝的宠妃，传说她初见汉武帝时两手的五指都不能伸开，武帝帮她一捋，她的五指就随之伸开了，武帝遂称她为“钩弋夫人”，封为婕妤。后来她怀孕十四个月生了刘弗陵。因为古代传说唐尧之母怀孕生尧时就是怀了十四个月，于是汉武帝就给钩弋所住的院门题名“尧母门”，这一方面表现了汉武帝对钩弋夫人的极度恩宠，同时也流露出汉武帝将小儿子刘弗陵比作尧，准备日后让刘弗陵继位为皇帝的念头。刘弗陵即日后历史上的汉昭帝。㊲欲杀之：因为谢庄既比殷贵妃为尧母，自然也将殷贵妃所生的儿子刘子鸾比成了汉昭帝，这就明显地表明谢庄建议孝武帝改立刘子鸾为太子，这将危及原接班人刘子业的地位，所以刘子业对谢庄怀恨在心，必欲杀之。㊳一往之苦：指一刀将谢庄杀死。㊴不足为困：不能让他尝到更多的苦头。㊵系之尚方：关在尚方署里做苦工。尚方署是主管为宫廷制造各种生活用品的部门，其中有些劳动是由被关押的犯人来完成的。故系之尚方，意即编入劳改队。㊶苦剧：极度的痛苦。剧，重度、极度。㊷义阳王昶：刘昶，文帝刘义隆的第九子，刘子业即位后，任之为徐州刺史。传见《宋书》卷七十二。㊸讹言：流言；传说。㊹遂未尝戒严：一直还未曾调兵用武。遂，一直、从来。戒严，这里指军事行动。㊺使人邑邑：让我闷闷不乐。邑邑，通“悒悒”，郁闷不乐的样子。⑯求入朝：请求进朝拜见皇帝。⑰义阳与太宰谋反：你们义阳王与太宰刘义恭串通造反。⑱己酉：九月十九。⑲移檄：发布文告。檄，文体的一种，用于声讨某人某事。⑳统内诸郡：徐州刺史统辖范围内的各郡。㉑颇涉学：稍稍接触过一些学术书。颇，稍稍、有一些。㉒失指：不合皇帝心意。指，通“旨”。㉓白衣领职：已被罢官，但以白丁的身份仍暂时代理此职。㉔诡辞求出：拐弯抹角地找理由请求下放到外地任职。诡辞，编造说法。㉕甲寅：九月二十四。㉖襄阳星恶：雍州的州治襄阳，即今湖北襄阳市襄州区，从襄阳分野的星象看，那个地区近来不太妙。㉗何可往：怎么能答应去这个地区任职呢。㉘白刃交前二句：如果面前有刀子逼着，那就不可能再考虑躲避别的危险了。意即只能先顾眼前，离开朝廷。㉙天道：上天的意思，指星变所预示的人世灾难。㉚临海王子项：刘子顼，孝武帝刘骏的第七子，刘子业之弟。传见《宋书》卷八十。㉛行府、州事：兼管刘子顼都督府与刺史府内的有关事务。㉜朝廷形势：指皇帝刘子业多行酷暴，群臣不安，国家的形势险恶。㉝出居陕西：到处于西方的有如当年周公的大臣手下工作，指给刘子顼去当长史。西周初期周公与召公两位威望最高的大臣分治天下，以陕县（今河南三门峡）划界，陕县以东由周公管理，陕县以西由召公管理。这里的“陕西”是代指荆州刺史的地位在当前之重要。东晋以来西部的荆州刺史与东部国家都城所在的扬州刺史历来由国家的重臣分别担任。长史虽只是督军、刺史的僚属，但地位很高，权力很大。㉞为八州行事：西方八个州的刺史都在你的掌控之中。㉟襄、沔：襄阳重镇与汉水流域地区。㊱去江陵咫尺：指袁颉所处的襄阳与蔡兴宗所任职的荆州军镇相隔不远，可以相互呼应。㊲桓、文之功：像春秋时代的齐桓公、晋文公那样所建立的尊天子以讨伐作乱诸侯的功勋。齐桓公与晋文公是春秋时代的两个霸主，其挟天子以令诸侯的事迹详见《左传》与《史记》之《齐太公世家》与《晋世家》。㊳受制凶狂：被朝廷里的狂悖小人制约。㊴得间不去：有机会离开朝廷还不赶紧离开。㊵素门平进：出身于寒贱之门，又是一步一步平稳地升上来的。素门，是与世家豪门相对而言，并不指下层平民。㊶会应有变：肯定的是要发生政变。会，必定、肯定。㊷内难得弭：朝廷内部的变乱得以平息。内难指废帝的残暴荒淫。㊸外衅未必可量：那时朝廷外面的起事未必能济事。〖按〗蔡兴宗这段话的实际意思是他对刘子顼今后也不看好。后废帝被弑，明帝刘彧即位，逐一讨平诸王的反叛，果如其言。㊹居中免祸：留在朝廷里头寻求避祸。㊺狼狈上路：急急忙忙地离开朝廷，前往襄阳。狼狈，这里是手忙脚乱的样子。㊻犹虑见追：还怕朝廷派人来把他追回去。㊼寻阳：今江西九江市。㊽今始免矣：我现在才算逃离开朝廷了。㊾邓琬：晋安王刘子勋的积极拥护者，此时任寻阳内史。传见《宋书》卷八十四。㊿镇军长史：镇军将军刘子勋的长史。(191)行江州事：代理江州刺史的事务。(192)款狎过常：超乎寻常的亲密投合。款，彼此交心，以诚相待。狎，亲近。⑲³ 人地本殊：人品门第原不是一路人。袁颉有清白名声，出自名门。邓琬性贪鄙，又出身寒族。⑲⁴ 异志：非同寻常的志愿，指图谋称帝。⑲⁵ 寻：不久。⑲⁶ 复以兴宗为吏部尚书：这句的主语是朝廷，意即收回了任蔡兴宗为荆州长史的前命。⑲⁷ 戊午：九月二十八。⑲⁸ 解严：解除军事状态，因刘昶叛乱的问题已经结束。⑲⁹ 白下：地名，当时建康城北郊的军事重镇，也是重要的长江渡口名，在今江苏南京北的金川门外，幕府山南麓，北临大江。⑳⁰ 瓜步：瓜步山，长江北岸的小山名，在今江苏南京市六合区的南侧，当时的建康城东北，与建康城隔江相望。⑳¹ 复启：又上表请求。沈庆之第一次持此主张见本书卷第一百二十八孝建二年。⑳² 听民私铸钱：允许百姓可以私下铸造铜钱。听，允许、放任不管。⑳³ 钱货乱败：货币整个乱了套。⑳⁴ 千钱长不盈三寸：一千铜钱串起来，其长度不到三寸，可见其薄到了何等程度。⑳⁵ 大小称此：其钱体的大小与其薄度相称。⑳⁶ 綖环钱：极言其钱体之小，如同是用丝线串起来的小圈圈。綖，通“线”。⑳⁷ 贯之以缕：用一根丝线串起来。贯，穿、串。缕，丝线。⑳⁸ 入水不沈：扔到水里不下沉，极言这种铜钱的小而薄。⑳⁹ 不复料数：做买卖时不再仔细数数，只粗粗用个量具量一下就行了。料，数、清点。㉑⁰ 不盈一掬：不满一捧。

【校记】

［1］六月：原无此二字。据章钰校，甲十一行本、乙十一行本、孔天胤本皆有此二字，张敦仁《通鉴刊本识误》、张瑛《通鉴校勘记》同，今据补。［2］为：原无此字。据章钰校，甲十一行本、乙十一行本、孔天胤本皆有此字，今据补。［3］官：原无此字。胡三省注云：“免者，免其居官也。”据章钰校，孔天胤本有此字，张敦仁《通鉴刊本识误》同，今据补。［4］海内辐凑：原无此四字。据章钰校，甲十一行本、乙十一行本、孔天胤本皆有此四字，张敦仁《通鉴刊本识误》、张瑛《通鉴校勘记》同，今据补。［5］左：原作“右”。据章钰校，甲十一行本、乙十一行本、孔天胤本皆作“左”，熊罗宿《胡刻资治通鉴校字记》同，今据改。［6］十日：原作“十余日”。据章钰校，甲十一行本、乙十一行本、孔天胤本皆无“余”字，今据删。［7］乙亥：原无此二字。据章钰校，甲十一行本、乙十一行本、孔天胤本皆有此二字，张敦仁《通鉴刊本识误》同，今据补。［8］为：原无此字。据章钰校，甲十一行本、乙十一行本、孔天胤本皆有此字，今据补。［9］等四州：原无此三字。据章钰校，甲十一行本、乙十一行本、孔天胤本皆有此三字，张敦仁《通鉴刊本识误》同，今据补。［10］容：原作“由”。据章钰校，甲十一行本、乙十一行本、孔天胤本皆作“容”，张敦仁《通鉴刊本识误》、张瑛《通鉴校勘记》同，今据改。［11］兴宗：原作“蔡兴宗”。据章钰校，甲十一行本、乙十一行本、孔天胤本皆无“蔡”字，今据删。

【原文】

冬，十月丙寅[211]，帝还建康[212]。

帝舅东阳太守王藻[213]尚世祖女临川长公主[214]。公主妒，谮藻于帝[215]。己卯[216]，藻下狱死。

会稽太守孔灵符，所至有政绩，以忤犯[217]近臣，近臣谮之，帝遣使鞭杀灵符，并诛其二子。

宁朔将军何迈，瑀之子也，尚帝姑新蔡长公主[218]。帝纳公[12]主于后宫[219]，谓之谢贵嫔，诈言公主薨，杀宫婢，送迈第殡葬[220]，行丧礼[221]。庚辰[222]，拜贵嫔为夫人[223]，加鸾辂龙旂[224]，出警入跸[225]。迈素豪侠[226]，多养死士[227]，谋因帝出游，废之，立晋安王子勋。事泄，十一月壬辰[228]，帝自将兵诛迈。

初，沈庆之既发颜、柳之谋，遂自昵于帝[229]，数[230]尽言规谏，帝浸不悦[231]。庆之惧祸[13]，杜门[232]不接宾客。尝遣左右范羡至吏部尚书蔡兴宗所，兴宗使羡谓庆之曰："公闭门绝客，以避悠悠请托者[233]耳。如兴宗，非有求于公者也，何为见拒[234]？"庆之使羡邀兴宗。

兴宗往见庆之，因说之曰："主上比者所行[235]，人伦道尽[236]，率德改行[237]，无可复望[238]。今所忌惮[239]，唯在于公；百姓喁喁[240]，所瞻赖[241]者，亦在公一人而已。公威名素著[242]，天下所服。今举朝遑遑[243]，人怀危怖[244]，指麾之日[245]，谁不响应？如犹豫不断[246]，欲坐观成败，岂惟旦暮[14]及祸[247]，四海重责将有所归[248]！仆蒙眷异常[249]，故敢尽言，愿公详思其计。"庆之曰："仆诚知今日忧危，不复自保，但尽忠奉国[250]，始终以之[251]，当委任天命[252]耳。加老退私门[253]，兵力顿阙[254]，虽欲为之，

【语译】

冬季，十月初七日丙寅，宋废帝刘子业从江北的瓜步山回到京师建康。

废帝的舅舅东阳太守王藻娶了宋世祖刘骏的女儿临川公主为妻。公主生性嫉妒，就在自己的哥哥废帝面前说王藻的坏话。二十日己卯，王藻被逮捕入狱，竟死了在狱中。

宋国担任会稽太守的孔灵符，所到之处都留有政绩，因为冒犯了废帝身边的亲信，这些亲信便在废帝面前说孔灵符的坏话，废帝遂派遣使者前往会稽郡，用鞭子抽死了孔灵符，还杀死了孔灵符的两个儿子。

宋国担任宁朔将军的何迈，是何瑀的儿子，何迈娶了废帝的姑姑新蔡长公主为妻。废帝把新蔡长公主收入后宫做自己的姬妾，改称新蔡长公主为谢贵嫔，对外诈称新蔡长公主去世。他杀死宫中的一个婢女，冒充新蔡长公主，送到何迈的府中，让何迈家为她出殡，废帝还为她服丧行礼。十月二十一日庚辰，废帝正式册封假冒谢贵嫔的新蔡长公主为夫人，特许谢夫人乘坐用鸾鸟龙旗做装饰的车子，在出行与回宫的时候都要清道戒严。何迈一向重义气、敢作敢为，豢养了很多愿意为他拼死效力的勇士，密谋趁废帝出游的时候，将他除掉，拥立晋安王刘子勋为皇帝。事情泄露，十一月初三日壬辰，废帝亲自率兵诛杀了何迈。

当初，始兴公沈庆之揭发颜师伯、柳元景的阴谋之后，就主动向废帝刘子业靠近讨好，他屡次知无不言、言无不尽地规劝废帝，废帝渐渐地越来越不高兴。沈庆之害怕发生灾祸，就闭门不出，也不接待宾客。他曾经派遣自己的亲信范羡到担任吏部尚书的蔡兴宗的住所，蔡兴宗让范羡对沈庆之说："始兴公闭门谢客，为的是躲避那些络绎不绝走后门、托关系的人。而我蔡兴宗，并不是有求于始兴公的人，为什么始兴公也拒绝和我往来呢？"沈庆之就派范羡去邀请蔡兴宗。

蔡兴宗应邀前往拜访沈庆之，他趁机对沈庆之说："皇上近来的所作所为，完全是没有人伦的禽兽之行，看来要让他改变行为、遵守道德，恐怕是没有希望了。如今，皇上所敬畏的只有您一个，百姓所急切仰望、依赖、信任的也只有您一个而已。您的威名一向如雷贯耳，深入人心，天下的人都敬服您。如今整个朝廷上下焦虑不安，人人都陷于危急恐惧之中，您如果站出来振臂一呼，天下人谁不立即响应？如果还犹豫不决，当断不断，想坐观成败，岂止是您自己说不定哪一天就会大祸临头，全天下的人都会把罪责归结到您的头上而愤怒地起来讨伐您！承蒙您对我非同寻常的关照，所以我才敢把全部的心里话讲给您听，希望您仔细认真地考虑我的意见。"沈庆之说："我确实知道自己现在处境的危险，连自己的性命也难以保全，但尽忠报国，这是我始终遵循的原则，至于结果如何，我只能静候天命的安排了。再加上我现在已经年老退休在家，手里既没有人力又没有武器，即使想要有所作为，

事亦无成。”兴宗曰：“当今怀谋思奋[255]者，非欲邀功赏富贵，正求脱[256]朝夕之死耳。殿中将帅，唯听外间消息，若一人唱首[257]，则俯仰可定[258]。况公统戎累朝[259]，旧日部曲[260]，布在宫省[261]，受恩者多，沈攸之[262]辈皆公家子弟耳，何患不从！且公门徒、义附[263]，并三吴[264]勇士。殿中将军陆攸之，公之乡人[265]，今入东讨贼，大有铠仗[266]，在青溪未发[267]。公取其器仗以配衣麾下[268]，使陆攸之帅以前驱[269]。仆在尚书中，自当帅百僚按前世[15]故事[270]，更简贤明[271]以奉社稷[272]，天下之事立定[273]矣。又，朝廷诸所施为[274]，民间传言公悉豫之[275]。公今不决[276]，当有先公起事者，公亦不免附从之祸[277]。闻车驾[278]屡幸贵第[279]，酣醉淹留，又闻屏左右[280]，独入阁内[281]。此万世一时[282]，不可失也。”庆之曰：“感君至言。然此大事，非仆所能行，事至[283]，固当抱忠以没[284]耳。”

青州刺史沈文秀[285]，庆之弟子也，将之镇[286]，帅部曲出屯白下，亦说庆之曰：“主上狂暴如此，祸乱不久[287]，而一门受其宠任[288]，万物[289]皆谓与之同心[290]。且若人[291]爱憎无常，猜忍特甚[292]，不测之祸，进退难免。今因此众力图之[293]，易于反掌。机会难值[294]，不可失也。”再三言之，至于流涕，庆之终不从[295]，文秀遂行。

及帝诛何迈，量庆之必当入谏，先闭青溪诸桥以绝之[296]。庆之闻之，果往，不得进而还。帝乃使庆之从父兄子直阁将军攸之[297]赐庆之药，庆之不肯饮，攸之以被掩杀之[298]，时年八十。庆之子侍中文叔欲亡[299]，恐如太宰义恭被支解[300]，谓其弟中书郎文季曰：“我能死，尔能报。”[301]

恐怕事情也没有成功的希望。”蔡兴宗说：“如今那些胸怀大计，很想出来大干一场的人，并非为了邀功请赏、求取富贵，而是为了摆脱随时都有可能发生的杀身之祸而已。殿中的将帅，正在探听外面的消息，如果有一个人首先站出来大喊一声，那么只在一俯一仰之间，大事就可以获得成功。况且您已经在好几代皇帝手下统率过大军，旧日的部下分布在朝廷的各个部门，接受您恩惠的人很多，而像沈攸之这些人又都是您的宗族子弟，难道还担心他们会不听从于您吗？何况您的门徒以及那些因为慕义而归附于门下的人，全都是三吴的勇士。担任殿中将军的陆攸之，又是您的同乡，如今他正率领着军队准备到东边讨贼，他手下拥有大量的铠甲兵器，现在正驻扎在青溪，还没有出发。您用他那里的铠甲兵器，把自己的部下武装起来，让陆攸之率领，作为您进攻朝廷的前锋。我利用在尚书省任职的有利条件，自然会率领文武百官，按照前世废黜旧皇帝、另立新皇帝的做法，重新挑选出一位贤明的刘姓子弟出来主持社稷与宗庙的祭祀，天下的局势立即就可以安定下来。再有，现今皇帝的这些作为，民间都传说您是参与了的。您现在如果不能痛下决心，抢先发动起事，肯定会有先于您而起事的人，到那时您就再也无法摆脱伙同皇帝共同作恶的罪名而遭到被处死的灾祸。我听说皇帝曾经多次到您家里去，喝醉酒以后就在您家中留宿，还听说皇帝在您家中支开身边所有的侍从，独自与您进入小屋谋划。这可是您表现自己、抢先立功的万年不遇的好机会，千万不可错过啊。”沈庆之说：“我对你的肺腑之言很感激。然而这种废立皇帝的大事，不是我能够做得出来的，如果你所说的那种事情一旦发生，我只能抱着一颗对宋国皇帝的忠心，死而后已。”

宋国担任青州刺史的沈文秀，是沈庆之的侄子，他准备到青州赴任，正率领自己的部下离开京城驻扎在白下，他也来对沈庆之说：“皇上如此的狂妄暴虐，祸乱不久就会发生，而沈家一门全都受到当今皇帝的宠爱与信任，所有的人都认为我们沈家与当今皇帝是一丘之貉。况且皇上爱憎无常，为人残忍、猜忌之心极重，我们面临着难以预料的灾祸，是进是退都无法避免。如果借助于众人的这股力量，将刘子业废黜，简直是易如反掌。机会很难遇到，千万不可坐失良机。”沈文秀再三劝说沈庆之，以至于痛哭流涕，然而沈庆之始终不为所动，沈文秀只得前往青州赴任去了。

等到宋废帝诛杀宁朔将军何迈的时候，他估计沈庆之一定会入宫劝阻，便先封锁了青溪各桥，不让沈庆之过青溪进入台城。果然不出废帝所料，沈庆之闻讯后立即前往台城准备劝阻，因为过不了青溪才返回自己的家中。废帝派沈庆之的堂侄、担任直阁将军的沈攸之把毒药赏赐给沈庆之，沈庆之不肯喝，沈攸之就用被子把沈庆之活活闷死了，当时沈庆之已经八十岁。沈庆之的儿子、担任侍中的沈文叔想要逃往国外，担心被捉住后会像太宰刘义恭那样被碎尸万段，于是就对自己的弟弟、担任中书郎的沈文季说：“我可以陪着父亲去死，但你要活下来，日后好为父兄报仇。”

遂饮庆之之药而死。弟秘书郎昭明[302]亦自经[303]死。文季挥刀驰马而去，追者不敢逼，遂得免。帝诈言庆之病薨，赠侍中、太尉，谥曰忠武公[304]，葬礼甚厚。

领军将军王玄谟数流涕谏帝以刑杀过差[305]，帝大怒。玄谟宿将[306]，有威名，道路讹言[307]玄谟已见诛。蔡兴宗尝为东阳太守，玄谟典签包法荣家在东阳，玄谟使法荣至兴宗所。兴宗谓法荣曰："领军殊当忧惧[308]！"法荣曰："领军比日殆不复食[309]，夜亦不眠，恒言收已在门[310]，不保俄顷[311]。"兴宗曰："领军忧惧，当为方略[312]，那得坐待祸至[313]？"因使法荣劝玄谟举事[314]。玄谟使法荣谢曰："此亦未易可行，期当[315]不泄君言。"

右卫将军刘道隆[316]，为帝所宠任，专典禁兵。兴宗尝与之俱从帝夜出，道隆过兴宗车后，兴宗曰："刘君！比日思一闲写[317]。"道隆解其意，掐兴宗手曰："蔡公勿多言[318]！"

壬寅[319]，立皇后路氏，太皇太后弟道庆[320]之女也。

帝畏忌诸父[321]，恐其在外为患，皆聚之建康，拘于殿内，殴捶陵曳[322]，无复人理[323]。湘东王彧[324]、建安王休仁[325]、山阳王休祐[326]，皆肥壮，帝为竹笼，盛而称之[327]。以彧尤肥，谓之"猪王"，谓休仁为"杀王"，休祐为"贼王"。以三王年长，尤恶之，常录以自随[328]，不离左右。东海王祎[329]性凡劣[330]，谓之"驴王"，桂阳王休范[331]、巴陵王休若[332]年尚少，故并得从容[333]。尝以木槽盛饭，并杂食搅之[334]，掘地为坑，实以泥水[335]，裸彧内坑中[336]，使以口就槽食之，用为欢笑。前后欲杀三王以十数[337]，休仁多智数[338]，每以谈笑佞谀说之[339]，故得推迁[340]。

说完，便喝下了废帝赏赐沈庆之的毒药而死。沈文叔的弟弟、担任秘书郎的沈昭明也上吊自杀。沈文季挥刀飞马而去，废帝派去追赶的人因为不敢逼近，沈文季才得以保住性命。废帝对外谎称沈庆之是自己病死的，还追赠沈庆之为侍中、太尉，谥为忠武公，葬礼非常隆重。

担任领军将军的王玄谟因为废帝刑罚过酷、杀人过多而屡次痛哭流涕地进行劝谏，废帝因此而大怒。王玄谟是久经战阵的老将，一向享有很高的声望，路上的行人都在传说王玄谟已经被废帝杀死。吏部尚书蔡兴宗曾经担任过东阳郡太守，在王玄谟属下担任典签的包法荣家在东阳郡，王玄谟就派包法荣前往蔡兴宗的住所拜访。蔡兴宗询问包法荣说："领军将军王玄谟近来大概很担惊受怕吧!"包法荣回答说："领军将军近日几乎连饭都吃不下，夜里也睡不着觉，嘴里总是念叨皇帝派来抓他的人已经到了门口，看来活不了多久了。"蔡兴宗说："领军将军既然如此担忧恐慌，我应当赶紧为他想个办法，怎么能让他坐等着大祸临头呢?"蔡兴宗趁机让包法荣前去劝说王玄谟起兵废黜刘子业另立新皇帝。王玄谟就让包法荣替他向蔡兴宗转达自己的想法说："这件事情不大好办，但是请你放心，我一定不会把你说过的话泄露出去。"

担任右卫将军的刘道隆，深受废帝的宠信，专门负责掌管禁卫军。蔡兴宗曾经与刘道隆一起陪同废帝深夜出宫，刘道隆从蔡兴宗的车后经过时，蔡兴宗趁机对刘道隆说："刘先生！如果近日有闲暇的话，就请到我的家中好好聊聊天。"刘道隆理解蔡兴宗的心思，就掐了一下蔡兴宗的手说："蔡先生不用再多说了!"

十一月十三日壬寅，宋废帝立路氏为皇后，皇后路氏，是太皇太后的弟弟路道庆的女儿。

宋废帝惧怕、猜忌自己的几位叔父，担心他们会在外面发动叛乱，于是就把他们全都召回京师建康，拘押在皇宫里，对他们百般殴打、凌辱、拖拽，一点都不把他们当人看待。湘东王刘彧、建安王刘休仁、山阳王刘休祐都身体肥胖强壮，废帝就专门编织了竹笼，把他们装入笼中称体重。因为湘东王刘彧最重，废帝就把他叫作"猪王"，还把建安王刘休仁叫作"杀王"，把山阳王刘休祐叫作"贼王"。因为这三位王爷年纪大，所以废帝最厌恶他们，经常把他们三个人带在身边，从不让离开左右，以防范他们采取非常行动。东海王刘祎，才能平庸、品行鄙陋，废帝刘子业遂管他叫"驴王"；桂阳王刘休范、巴陵王刘休若当时年纪还小，所以对他们两个人的拘管就显得略微宽松一些，不像其他亲王那样备受凌辱。废帝曾经把饭放入木槽中，与其他一些食物搅拌在一起，又在地上挖一个坑，把坑里灌满泥水，把湘东王刘彧身上的衣服扒光推入泥坑之中，让刘彧把嘴伸到木槽里像猪那样吃东西，以此来取乐。废帝前后有十多次想要杀掉三位王叔，建安王刘休仁足智多谋，每次都以诙谐幽默的插科打诨或奉承开心的话来讨得废帝的高兴，才使得他们的死期一次次地向后拖延，终于免遭杀戮。

少府[341]刘曚妾孕临月[342]，帝迎入后宫，俟其生男[343]，欲立为太子。彧尝忤旨，帝裸之，缚其手足，贯之以杖[344]，使人担付太官[345]。曰：“今日屠猪！”休仁笑曰：“猪未应死。”帝问其故，休仁曰：“待皇太[16]子生，杀猪取其肝肺。”帝怒乃解，曰：“且付廷尉[346]。”一宿，释之。[347]丁未[348]，曚妾生子，名曰皇子，为之大赦，赐为父后者爵一级[349]。

帝又以太祖、世祖在兄弟数皆第三[350]，江州刺史晋安王子勋亦第三，故恶之，因何迈之谋[351]，使左右朱景云送药赐子勋死。景云至湓口[352]，停不进。子勋典签谢道迈、主帅[353]潘欣之、侍书[354]褚灵嗣闻之，驰以告长史邓琬，泣涕请计。琬曰：“身南土寒士[355]，蒙先帝[356]殊恩，以爱子见托[357]，岂得惜门户百口[358]，期当以死报效。幼主昏暴，社稷危殆，虽曰天子，事犹独夫[359]。今便指帅文武，直造京邑[360]，与群公卿士，废昏立明[361]耳！”戊申[362]，琬称子勋教[363]，令所部戒严。子勋戎服出听事[364]，集僚佐，使潘欣之口宣旨谕之[365]。四座未对，录事参军陶亮首请效死前驱，众皆奉旨。乃以亮为谘议参军[366]，领中兵[367]，总统军事；功曹张沈为谘议参军，统作舟舰[368]；南阳太守沈怀宝、岷山太守薛常宝、彭泽令陈绍宗等并为将帅。初，帝使荆州录送[369]前军长史、荆州行事张悦[370]至湓口[371]，琬称子勋命，释其桎梏[372]，迎以所乘车，以为司马。悦，畅[373]之弟也。琬、悦二人共掌内外众事，遣将军俞伯奇帅五百人断大雷[374]，禁绝商旅及公私使命。遣使上诸郡民丁[375]，收敛器械，旬日之内，得甲士五千人，出顿[376]大雷，于两岸筑垒。又以巴东、建平二郡[377]太守孙冲之为谘议参军，领中兵，与陶亮并统前军。移檄远近[378]。

担任少府的刘曚的小老婆怀孕到了即将分娩的时候，废帝就把刘曚的小老婆接入后宫，想等她生下男孩，就把这个男孩立为皇太子。湘东王刘彧曾经违背废帝的旨意，废帝就下令剥光刘彧的衣服，把刘彧的两手两脚捆起来，然后穿上杠子，让人抬到主管皇帝膳食的官员那里，说："今天杀猪！"建安王刘休仁马上笑着说："这个猪还不该死。"废帝问他为什么，刘休仁回答说："等到皇太子出生的时候，再杀这头猪取出他的肝肺也不晚。"废帝的怒气这才消了一些，说："暂且把他交付给廷尉。"过了一宿，第二天就又把刘彧放了。十一月十八日丁未，刘曚的小老婆果然生了一个男孩，废帝说是生了一个皇子，于是大赦天下，给普天之下父系家业的合法继承人每人晋升一级。

宋废帝又认为太祖刘义隆、世祖刘骏在兄弟排行中都是位居第三，而担任江州刺史的晋安王刘子勋在兄弟排行中也位居第三，所以对晋安王刘子勋就很憎恶，遂趁着不久前何迈曾经想要废掉刘子业、改立刘子勋之事，派自己的亲信朱景云送毒药给刘子勋，令刘子勋自杀。朱景云到达湓口时，便停止不前。在刘子勋属下担任典签的谢道迈、主管军事的潘欣之、负责教导诸王念书的褚灵嗣听到消息后，便飞马把此事告诉了担任镇军长史的邓琬，他们痛哭流涕地向邓琬请求拯救刘子勋。邓琬说："我出身于南方的寒素之家，承蒙先帝的特殊恩遇，将自己最疼爱的儿子托付给我，岂能因为顾及自家的一百多口人而置晋安王刘子勋的安危于不顾，我定当以死来报效先帝的恩遇。幼主刘子业昏庸残暴，国家社稷已经危在旦夕，虽然名义上是天子，而他的所作所为简直就是一个独夫民贼。现在我就率领文武官员，径直杀向京师，与王公九卿一道共同废掉昏君，另立明主！"十一月十九日戊申，镇军长史邓琬以晋安王刘子勋的名义发布命令，命令所管辖的部队进入紧急状态。刘子勋身穿戎服从办公的地方走出来，邓琬集合僚佐，派遣潘欣之口头宣布了晋安王刘子勋的旨意。在座的人还都没有反应，担任录事参军的陶亮首先发言，表示愿意效忠晋安王刘子勋，并请求做前部先锋，众人于是全部表示服从命令。邓琬遂任命陶亮为谘议参军，统领主力部队，负责全面指挥调度军队；任命担任功曹的张沈为谘议参军，全面负责打造战船；担任南阳太守的沈怀宝、岷山太守的薛常宝、彭泽县令的陈绍宗等人全都担任将帅。当初，废帝命令荆州刺史将担任前军长史、荆州行事的张悦押解到建康，当张悦等途经湓口的时候，邓琬称说自己奉了晋安王刘子勋的命令，为张悦打开身上的刑具，将他释放，并用自己所乘坐的车子把张悦迎接到府中，任命他为司马。张悦，是张畅的弟弟。邓琬、张悦二人共同掌管晋安王府和江州刺史府内外的各种事务，他们派将军俞伯奇率领五百人在大雷要塞设防，断绝长江上下的联系，禁止商人、游客以及公私使者通行。同时派遣使者到江州所辖诸郡紧急征兵，搜集各种兵器，十天之内，就征集到五千名全副武装的士兵，派往大雷驻扎，在长江两岸修筑营垒。又任用担任巴东、建平二郡太守的孙冲之为谘议参军，率领主力，与陶亮一同统率前军。又向远近各地区、各州郡的官吏军民发布通告，号召大家起来响应。

戊午[379]，帝召诸妃、主[380]列于前，强左右使辱之[381]。南平王铄[382]妃江氏不从，帝怒，杀妃三子南平王敬猷[383]、庐陵王敬先[384]、安南侯敬渊[385]，鞭江妃一百。

先是民间讹言湘中出天子[386]，帝将南巡荆、湘二州以厌[387]之。明旦，欲先诛湘东王彧，然后发。

初，帝既杀诸公，恐群下谋己，以直阁将军宗越、谭金、童太一[388]、沈攸之等有勇力，引为爪牙，赏赐美人、金帛，充牣[389]其家。越等久在殿省，众所畏服，皆为帝尽力。帝恃之，益无所顾惮[390]，恣为不道[391]，中外骚然[392]。左右宿卫之士皆有异志，而畏越等不敢发。时三王久幽[393]，不知所为。湘东王彧主衣[394]会稽阮佃夫[395]、内监[396]吴兴[17]王道隆[397]、学官令[398]临淮李道皃与直阁将军柳光世[399]及帝左右琅邪淳于文祖[400]等阴[18]谋弑帝。帝以立后故[401]，假诸王阉人[402]，彧左右钱蓝生亦在中，彧密使候帝动止[403]。

先是帝游华林园竹林堂[404]，使宫人倮相逐[405]，一人不从命，斩之。夜，梦在竹林堂，有女子骂曰："帝悖虐[406]不道，明年不及熟[407]矣！"帝于宫中求得一人似所梦者斩之。又梦所杀者骂曰："我已诉上帝矣！"于是巫觋[408]言竹林堂有鬼，是日晡时[409]，帝出华林园。建安王休仁、山阳王休祐、会稽公主并从，湘东王彧独在秘书省[410]，不被召，益忧惧。

帝素恶主衣吴兴寿寂之[411]，见辄切齿，阮佃夫以其谋告寂之及外监典事[412]东阳朱幼[413]、细铠主[414]南彭城姜产之[415]、细铠将晋陵[416]王敬则、中书舍人戴明宝[417]、寂之等闻之，皆响应。幼豫约勒内外[418]，使钱蓝生密报休仁、休祐。时帝欲南巡，腹心宗越等并听[419]出外装束[420]，唯队主樊僧整[421]防华林阁[422]。柳光世与僧整乡人[423]，因密邀之，

十一月二十九日戊午，废帝让所拘押的诸王的王妃、公主排列在自己面前，强迫左右的侍从、警卫过去侮辱她们。南平王刘铄的妃子江氏坚决不肯屈从，废帝大怒，立即下令杀死江氏的三个儿子南平王刘敬猷、庐陵王刘敬先、安南侯刘敬渊，鞭打江妃一百皮鞭。

先前民间就曾经传言说湘州地区要出新皇帝，所以废帝就准备到南方的荆、湘二州去巡视，以镇压那里的天子气。计划第二天清晨，先杀掉湘东王刘彧，然后就出发前往荆、湘。

当初，废帝诛杀始兴公沈庆之等人之后，便担心群臣算计自己，因为担任直阁将军的宗越、谭金、童太一、沈攸之等人勇敢有力气，就把他们作为自己的心腹爪牙，赏赐给他们美女、金银布帛，使他们的家中充满这些东西。宗越等人长期以来一直在朝廷担任禁军头领，众人因此而惧怕、听从他们，都表示愿意为废帝尽心效力。废帝依仗他们的拥护，就越发地肆无忌惮，随心所欲地胡作非为，朝廷内外一片惶恐不安。其实在废帝身边担任宿卫的将士都有背叛废帝的心志，只是因为惧怕宗越等人而不敢动手。当时湘东王刘彧、建安王刘休仁、山阳王刘休祐三人长时间被关押，却束手无策。在湘东王刘彧属下担任主衣的会稽人阮佃夫、担任内监的吴兴人王道隆、担任学官令的临淮人李道兒与担任直阁将军的柳光世以及废帝的近卫侍从琅邪人淳于文祖等人私下里密谋刺杀废帝。废帝因为册立皇后，便向诸王家中调借一些太监使用，刘彧的亲信太监钱蓝生也在借用的人员当中，刘彧遂趁机秘密地让钱蓝生暗中伺察废帝的一举一动。

此前，废帝在游览华林园竹林堂的时候，曾经让宫女们赤裸着身体在园中奔跑追逐，有一个宫女因为不肯服从命令而被斩首。夜里，废帝梦见自己在竹林堂中，有一个女子辱骂他说:“皇上既不讲道理，又很残暴，你等不到明年庄稼成熟时就该死了!”废帝便在宫中搜寻出一名和梦中所见女子长得很相似的宫女，把她杀死了。然而废帝又梦见被杀死的宫女骂他说:“我已经在天帝面前告发了你!”于是巫婆、神汉都说竹林堂闹鬼，当天下午三四点钟左右，废帝离开了华林园。建安王刘休仁、山阳王刘休祐、会稽公主都跟随着废帝，只有湘东王刘彧独自留在秘书省，没有被召去跟随废帝刘子业，刘彧因此更加担忧恐惧，坐立不安。

废帝一向厌恶担任主衣的吴兴人寿寂之，他一看到寿寂之就恨得咬牙切齿，阮佃夫就把他们准备谋杀皇帝的计划告诉了寿寂之以及担任外监典事的东阳郡人朱幼、担任细铠主的南彭城郡人姜产之、担任细铠将的晋陵郡人王敬则、担任中书舍人的戴明宝，寿寂之等人听到这个消息之后，全都积极响应。朱幼预先联络、安排好了皇宫内外的人员，然后让钱蓝生秘密地报告给建安王刘休仁、山阳王刘休祐。当时废帝正准备南巡，他的心腹爪牙宗越等人都已经自行出宫回家整理行装，只有担任队主的樊僧整一人防守华林阁的门户。直阁将军柳光世与樊僧整是同乡，于是

僧整即受命，凡同谋十余人。阮佃夫虑力少不济，更欲招合[424]，寿寂之曰："谋广或泄[425]，不烦多人。"其夕，帝悉屏侍卫，与群巫及彩女[426]数百人射鬼于竹林堂。事毕，将奏乐，寿寂之抽刀前入，姜产之次之，淳于文祖等皆随其后。休仁闻行声甚疾[427]，谓休祐曰："事作[428]矣！"相随奔景阳山[429]。帝见寂之至，引弓射之，不中。彩女皆迸走[430]，帝亦走，大呼"寂寂"者三，寂之追而弑之。宣令宿卫曰："湘东王受太皇太后令，除狂主，今已平定。"殿省惶惑，未知所为。

休仁就秘书省见湘东王，即称臣，引升西堂[431]，登御座，召见诸大臣。于时事起仓猝，王失履，跣至西堂[432]，犹著乌帽[433]。坐定，休仁呼主衣以白帽代之[434]。令备羽仪[435]，虽未即位，凡事悉称令书[436]施行。宣太皇太后令，数[437]废帝罪恶，命湘东王纂承皇极[438]。及明，宗越等始入，湘东王抚接甚厚[439]。废帝母弟[440]司徒、扬州刺史豫章王子尚[441]，顽悖[442]有兄风，己未[443]，湘东王以太皇太后令，赐子尚及会稽公主死，建安王休仁等始得出居外舍[444]，释谢庄之囚。废帝犹横尸太医阁口[445]，蔡兴宗谓尚书右仆射王彧曰："此虽凶悖，要是天下之主[446]，宜使丧礼粗足[447]，若直如此[448]，四海必将乘人[449]。"乃葬之秣陵县南[450]。

初，湘东王母沈婕妤[451]早卒，路太后[452]养之。王事太后甚谨，太后爱王亦笃[453]。王既弑废帝，欲慰太后心，下令以太后弟子休之为黄门侍郎[454]，茂之为中书侍郎[455]。论功行赏，寿寂之等十四人皆封县侯、县子[456]。

十二月庚申朔[457]，以东海王祎为中书监[458]、太尉，进镇军将军、江州刺史晋安王子勋为车骑将军、开府仪同三司。癸亥[459]，以建安王休仁

便秘密地邀请樊僧整参加自己的行动，樊僧整立即接受了命令，总计同谋的有十多人。主衣阮佃夫担心人少了不能成功，还想召集更多的人，寿寂之说：“同谋的人多了容易走漏消息，用不着动用很多人。”当天晚上，废帝将所有的侍卫支开，独自与一群巫婆和几百名刚从宫外挑选来的民间女子在竹林堂中射鬼。射鬼仪式完成之后，正准备奏乐的时候，主衣寿寂之抽出佩刀带头闯入华林堂，细铠主姜产之紧随其后，淳于文祖等人也都随后冲入华林堂。建安王刘休仁听到来人走路的声音非常急迫，就对山阳王刘休祐说：“暴动的事情开始了！”两人前后相随直奔景阳山。废帝看见寿寂之到来，拈弓搭箭就向寿寂之射去，却没有射中。那些女子全都四散逃走，废帝也慌忙逃走，他一连呼叫了三声“寂寂”，寿寂之追上废帝，手起刀落就把他杀死了。然后向宿卫的士兵宣布说：“湘东王接受太皇太后的命令，铲除暴君，如今已经将暴君除掉。”宫廷内外一片惶恐，因为不知道事实真相，因而全都不知该如何是好。

建安王刘休仁来到秘书省拜见湘东王刘彧，一见面就向刘彧称臣，他把刘彧迎入西堂，扶他登上皇帝宝座，然后召见文武大臣。由于当时事起仓促，湘东王刘彧在惊乱中跑丢了鞋子，他是光着脚来到西堂的，当时他的头上还戴着一顶平民、罪犯所戴的黑帽。刘彧坐好之后，刘休仁叫主管衣帽的官员给刘彧换上一顶白色的纱帽。刘休仁又令人取来皇帝所用的全副仪仗，虽然刘彧还没有正式登基称帝，但此时朝中的各种事务都是以尚书令、中书令的口气下达。宣布太皇太后的命令，一条一条地列数废帝刘子业的种种罪恶，命湘东王刘彧继承先帝的皇位。等到天明时分，废帝的心腹宗越等人才进入皇宫，湘东王对他们安抚、接待的礼数很诚挚友好。废帝的同母弟弟，担任司徒、扬州刺史的豫章王刘子尚，其凶顽荒谬就像他的哥哥一样，十一月三十日己未，湘东王以太皇太后的命令，令豫章王刘子尚和会稽公主自杀，建安王刘休仁等人这才得以离开皇宫回到自己的府第居住，刘彧命令将金紫光禄大夫谢庄释放。废帝此时还横尸在御医所在的门口。吏部尚书蔡兴宗对担任尚书右仆射的王彧说：“这个人虽然凶顽荒谬，但毕竟曾经是一个君临天下的皇帝，还是应该让他的丧葬之礼能够勉强过得去，如果一直这样下去，天下必将有人以此为借口而起兵讨伐我们。”遂把废帝埋葬在秣陵县的南郊。

当初，湘东王刘彧的母亲沈婕妤很早就去世了，是路太后把刘彧抚养成人。湘东王侍奉路太后非常恭敬周到，路太后对待刘彧也是感情深厚。湘东王除掉废帝之后，就想安慰安慰路太后，于是下令任命路太后弟弟的儿子路休之为黄门侍郎，路茂之为中书侍郎。朝廷论功行赏，参与谋划除掉废帝的寿寂之等十四人都被封为封地为一个县的侯爵或封地为一个县的子爵。

十二月初一日庚申，宋朝廷任命东海王刘祎为中书监、太尉，提升担任镇军将军、江州刺史的晋安王刘子勋为车骑将军、开府仪同三司。初四日癸亥，任命建安

为司徒、尚书令、扬州刺史，以山阳王休祐为荆州刺史，桂阳王休范为南徐州刺史。乙丑[460]，徙[461]安陆王子绥[462]为江夏王。

丙寅[463]，湘东王即皇帝位，大赦，改元[464]。其废帝时昏制谬封[465]，并皆刊削[466]。

庚午[467]，以右卫将军刘道隆为中护军[468]。道隆昵于废帝，尝无礼于建安太妃[469]，至是[470]，建安王休仁求解职[471]，明帝乃赐道隆死。

宗越、谭金、童太一等虽为上所抚接，内不自安，上亦不欲使居中[472]，从容谓之曰："卿等遭罹暴朝[473]，勤劳日久，应得自养之地[474]，兵马大郡，随卿等所择。"越等素已自疑，闻之，皆相顾失色，因谋作乱，以告沈攸之，攸之以闻。上收越等，下狱死。攸之复入直阁[475]。

辛未[476]，徙临贺王子产[477]为南平王，晋熙王子舆[478]为庐陵王。

壬申[479]，以尚书右仆射王景文[480]为尚书仆射。景文，即彧也，避上名，以字行。[481]

乙亥[482]，追尊沈太妃[483]曰宣太后，陵曰崇宁。

初，豫州刺史山阳王休祐入朝，以长史、南梁郡[484]太守陈郡[19]殷琰行府州事[485]。及休祐徙荆州，即以琰为督豫司二州诸军事、豫州刺史。

有司奏路太后宜即前号[486]，移居外宫，上不许。戊寅[487]，尊路太后为崇宪皇太后，居崇宪宫，供奉礼仪，不异旧日。立妃王氏为皇后。后，景文之妹也。

罢二铢钱，禁鹅眼、綖环钱，余皆通用。

江州佐吏得上所下令书，皆喜，共造邓琬[488]曰："暴乱既除，殿下[489]又开黄阁[490]，实为公私大庆。"琬以晋安王子勋次第居三[491]，又以寻阳起

王刘休仁为司徒、尚书令、扬州刺史，任命山阳王刘休祐为荆州刺史，任命桂阳王刘休范为南徐州刺史。初六日乙丑，改封安陆王刘子绥为江夏王。

十二月初七日丙寅，湘东王刘彧即皇帝位为宋明帝，大赦天下，改年号为泰始元年。废帝称帝时所制定的昏乱制度和荒谬的加封全部废除。

十二月十一日庚午，任命担任右卫将军的刘道隆为中护军。刘道隆亲近废帝，曾经对建安王刘休仁的母亲无礼，等到宋明帝晋升刘道隆为中护军时，建安王刘休仁遂请求辞去自己所担任的职务，表示自己对刘道隆的不满，宋明帝于是令刘道隆自杀而死。

担任直阁将军的宗越、谭金、童太一等人虽然受到宋明帝的安抚和接待，然而内心仍然感到很不安，宋明帝也不想让他们继续在朝廷之内任职，于是就很随意似的对他们说："你们都经历过那个残暴的朝廷，辛苦勤劳了很久，应该选一个能让自己休养的地方，兵马强盛的大郡，任凭你们挑选。"宗越等人本来就已经疑虑重重，恐怕性命不保，听了宋明帝这番话之后，不禁大惊失色，你看看我、我看看你，于是就密谋作乱，他们把自己谋反的计划告诉沈攸之，沈攸之立即把这个消息报告给了宋明帝。宋明帝下令逮捕宗越等人，宗越等遂死在了狱中。沈攸之又进入宫廷在内阁执勤。

十二月十二日辛未，宋明帝改封临贺王刘子产为南平王，改封晋熙王刘子舆为庐陵王。

十三日壬申，宋明帝任命担任尚书右仆射的王景文为尚书仆射。王景文，就是王彧，因为避讳明帝刘彧名字中的"彧"字，所以人们不再叫他的名而只称呼他的字。

十二月十六日乙亥，宋明帝追尊自己的生母沈太妃为宣太后，追尊沈太妃的陵墓为崇宁陵。

当初，担任豫州刺史的山阳王刘休祐入朝的时候，令担任长史、南梁郡太守的陈郡人殷琰代管山阳王府和豫州刺史府的各种事务。等到山阳王刘休祐被改任为荆州刺史之后，朝廷就任命殷琰为都督豫、司二州诸军事、豫州刺史。

宋国有关部门的官员奏请路太后应该改回未称太后以前的称号，迁到外宫居住，宋明帝没有批准。十二月十九日戊寅，宋明帝尊路太后为崇宪皇太后，居住在崇宪宫，供奉礼仪和往日一样。宋明帝封妃子王氏为皇后。王皇后，是王景文的妹妹。

宋国朝廷取消二铢钱，禁止使用鹅眼钱、綖环钱，其余的铜钱全都继续流通使用。

江州刺史晋安王刘子勋的僚属得到湘东王刘彧以尚书令、中书令的口气下达的公文之后，都感到非常高兴，他们全都来到担任镇军长史的邓琬那里说："暴君已经被除掉，晋安王刘子勋殿下又被封为车骑将军、开府仪同三司，不论于公于私都是一件值得大庆特庆的事情。"而邓琬则认为晋安王刘子勋在众兄弟当中的排行位居

事与世祖同符[492]，谓事必有成[493]。取令书投地曰："殿下当开端门[494]，黄阁是吾徒事[495]耳！"众皆骇愕[496]。琬更与陶亮等缮治器甲，征兵四方。

袁顗既至襄阳，即与谘议参军刘胡[497]缮修兵械，简集[498]士卒，诈称被太皇太后令[499]，使其起兵，即建牙驰檄[500]，奉表劝子勋即大位。

辛巳[501]，更以山阳王休祐为江州刺史，荆州刺史临海王子顼即留本任。

先是，废帝以邵陵王子元[502]为湘州刺史[503]，中兵参军沈仲玉为道路行事[504]，至鹊头[505]，闻寻阳兵起，不敢进。琬遣数百人劫迎之，令子勋建牙于桑尾[506]，传檄建康，称："孤[507]志遵前典[508]，黜幽陟明[509]。"又谓上"矫害明茂[510]，篡[20]窃大宝[511]，干我昭穆[512]，寡我兄弟[513]，藐孤同气[514]，犹有十三[515]，圣灵何辜[516]，而当乏飨[517]"。

郢州刺史安陆王子绥承子勋初檄[518]，欲攻废帝，闻废帝已陨[519]，即解甲下标[520]。既而闻江、雍犹治兵[521]，郢府行事苟卞之[522]大惧[523]，即遣谘议、领中兵参军[524]郑景玄帅军[21]驰下，并送军粮。荆州行事孔道存奉刺史临海王子顼[525]，会稽将佐[526]奉太守寻阳王子房[527]，皆举兵以应子勋。

第三，又因为当年的武陵王刘骏讨伐元凶刘劭时是在寻阳起兵，现在晋安王刘子勋讨伐废帝刘子业又是在寻阳起兵，前后形势完全相同，遂认为晋安王刘子勋争取做皇帝的事情一定能够成功。于是邓琬就把刘彧送来的令书拿过来扔到地上说："晋安王殿下应该走端门，做开府仪同三司是我们这些人的事情！"众人听了邓琬的这番话都感到很惊愕。邓琬遂与谘议参军陶亮等人加紧打造兵器、修补铠甲，四处征兵，扩充军队。

袁顗到达襄阳任所之后，立即与担任谘议参军的刘胡一起打造兵器、器械，招集、挑选士卒，谎称接到太皇太后路氏的密令，让他们起兵，于是立即竖起牙旗，发布文告，上表给晋安王刘子勋，劝说他即皇帝位。

十二月二十二日辛巳，宋明帝改封山阳王刘休祐为江州刺史，担任荆州刺史的临海王刘子顼则继续留任荆州刺史。

先前，废帝刘子业任命邵陵王刘子元为湘州刺史，令担任中兵参军的沈仲玉为他负责管理赴任途中的一应事务，当他们到达鹊头的时候，听说寻阳的晋安王刘子勋已经起兵，因此不敢再继续前进。邓琬派遣几百人假装前来迎接而将他们劫持而去，邓琬让刘子勋在桑落洲尾竖起牙旗，向建康发出檄文，说："孤立志遵循前人的典章行事，废除昏君，另立明主。"又指责当今皇帝刘彧"假传太皇太后的命令，杀害了既有明德，又是至亲的豫章王刘子尚，篡夺皇位，扰乱我们刘氏皇族父子承传的秩序，杀害了我的弟兄，无视我们兄弟的存在，而我们兄弟现在还有十三个人在世，我们的父亲孝武帝刘骏的亡灵有什么罪过，竟然断绝了后人对他的祭祀"。

担任郢州刺史的安陆王刘子绥接到晋安王刘子勋第一次发出的讨伐废帝的檄文之后，就积极响应，准备出兵进攻废帝，后来听说废帝已经被朝中起事的人杀死，就立即下令军队脱去铠甲、撤去标帜。不久之后又听说江州长史邓琬、雍州刺史袁顗仍然在招募、训练军队，坚持反抗朝廷的活动，在郢州代管安陆王府与郢州刺史府事务的荀卞之感到非常恐惧，他立即派遣担任谘议参军兼中兵参军的郑景玄率领军队顺流而下，为江州的邓琬、雍州的袁顗运去军粮。在荆州代管临海王府和荆州刺史府事务的孔道存拥戴担任荆州刺史的临海王刘子顼，会稽太守属下的将佐拥戴名义上是会稽太守的寻阳王刘子房，全都起兵响应晋安王刘子勋，对抗刚刚在建康城中坐上皇帝宝座的宋明帝刘彧。

【段旨】

以上为第二段，写宋明帝泰始元年，实际乃宋废帝景和元年九月至十二月共四个月间的大事。主要写了宋废帝刘子业惨杀其舅王藻，又杀良吏孔灵符，又纳其姑新蔡长公主为妃，长公主之夫何迈怒欲杀帝，为废帝所杀，又指使侍从、警卫肆意侮辱其诸叔的王妃、公主，坏事做尽；写了沈庆之自昵于废帝，蔡兴宗为沈庆之分析形势，劝说沈庆之发动起义，废昏立明，沈庆之不从，结果为废帝所杀；写了蔡兴宗先后又劝说将军王玄谟、刘道隆起行废立，王玄谟、刘道隆皆畏怯不敢；写了废帝忌恨其诸叔，尤其忌恨湘东王刘彧、建安王刘休仁、山阳王刘休祐，特别对湘东王刘彧凌辱、迫害至极点；写了废帝因其祖刘义隆、其父刘骏都是以排行第三而起家为帝，故而忌恨其三弟刘子勋，担心刘子勋也会因排行第三而夺了他的皇帝位，于是派人赴江州杀刘子勋，结果导致刘子勋的僚属邓琬等在江州发动讨伐废帝刘子业的武装起事；写了湘东王刘彧的亲信阮佃夫、王道隆与废帝身边的柳光世、寿寂之等串联政变，趁废帝在华林园荒淫行乐之际将其杀死，拥立湘东王刘彧做了皇帝；写了刘彧称帝后，大力任用文帝诸子，使之掌握朝廷大权，接着刘彧又杀了废帝之胞弟刘子尚，又对废帝的其他兄弟做了若干裁抑；写了刘彧准备将废帝宠信的将领宗越、谭金、童太一等逐出朝廷，宗越、谭金、童太一等图谋作乱，被沈攸之告密杀死；写了刘彧以加官晋爵招抚已在江州起事反朝廷的刘子勋、邓琬等人，邓琬等不听招抚，坚持拥立刘子勋为帝，于是雍州刺史袁颛与在郢州行府州事的荀卞之、在荆州行府州事的孔道存等皆奉其刺史，起兵以应刘子勋。

【注释】

㉑1 十月丙寅：十月初七。㉑2 帝还建康：由瓜步山返回建康。㉑3 帝舅东阳太守王藻：王藻是东晋丞相王导的玄孙，是废帝之母王太后之弟。此时王藻为东阳太守，东阳郡的郡治即今浙江金华。㉑4 临川长公主：孝武帝刘骏之女，废帝刘子业之妹。皇帝之女称公主，皇帝之姐妹称长公主。㉑5 谮藻于帝：在皇帝跟前说王藻的坏话。㉑6 己卯：十月二十。㉑7 忤犯：冒犯；得罪。㉑8 新蔡长公主：宋文帝刘义隆之女，封地新蔡郡，郡治即今河南汝南，当时汝南、新蔡二郡的郡治都在汝南县。新蔡长公主是废帝刘子业之姑，又皇帝之姑亦称长公主。㉑9 帝纳公主于后宫：废帝将新蔡长公主收在自己身边，作为姬妾。㉒0 送迈第殡葬：将杀死的宫婢以新蔡长公主的名义送到何迈家，让何家为之出殡、埋葬。殡，指设灵堂供人祭吊。㉒1 行丧礼：指废帝刘子业为这个被杀的宫婢服丧行礼，因为她顶着皇帝姑姑的名义。㉒2 庚辰：十月二十一。㉒3 拜贵嫔为夫人：正式拜授假冒谢贵嫔的新蔡长公主为夫人。“夫人”是后妃的封号名，低于皇后，位同朝臣中的三公。㉒4 鸾辂

龙旂：以鸾鸟龙旗为装饰的车驾。旂，通“旗”。㉕出警入跸：在出行与回宫的时候都要清道戒严。警跸，为保卫贵人的安全而清道戒严。㉖豪侠：指重义气，敢作敢为。㉗死士：能为主子或朋友豁出死命的勇士。㉘十一月壬辰：十一月初三。㉙自昵于帝：向废帝刘子业靠近讨好。昵，亲密。㉚数：屡次。㉛浸不悦：渐渐地越来越不高兴。浸，逐渐。㉜杜门：闭门。㉝悠悠请托者：络绎不绝的走后门、拉关系的人。悠悠，接连不断的样子。请托，送礼行贿，托人情、拉关系地求人帮着办事。㉞何为见拒：为什么也断绝和我的往来？这里是蔡兴宗向沈庆之示意，希望沈庆之能向他发出邀请。㉟比者所行：近来的所作所为。㊱人伦道尽：完全是没有人伦的禽兽之行。㊲率德改行：看来要想让他改变行为，遵守道德。㊳无可复望：是再也没有希望的了。㊴今所忌惮：如今他所敬畏的人。㊵喁喁：群鱼仰口向上，等着人们抛食的样子。这里是形容百姓急切地仰望自己的救星降临。㊶瞻赖：瞻仰、依赖。㊷素著：一向如雷贯耳，深入人心。㊸举朝遑遑：整个朝廷上下焦急不安。举，全体。遑遑，焦虑不安的样子。㊹人怀危怖：每个人都陷于危急恐怖之中。㊺指麾之日：如果您什么时候能够出来振臂一呼。指麾，意即成为大家的领头人。㊻如犹豫不断：如果您到现在还迟疑不决。㊼岂惟旦暮及祸：岂止您说不定哪一天要被废帝惩治。㊽四海重责将有所归：而且天下人都要愤怒地起来讨伐您。将有所归，意即天下人的矛头都要指向您。胡三省曰：“言庆之自昵于废帝，今忤帝意，不惟行且及祸；若他人举事，必谓庆之从君于昏，庆之何所逃其责？”㊾蒙眷异常：承蒙您对我非同寻常的关照。眷，关心、照顾。㊿奉国：报国。(251)始终以之：始终一心无二地干下去。(252)委任天命：放弃一切人为的努力，静候天命的降临，意即听天由命。(253)加老退私门：再加上我如今已退休在家。老，古代指退休。(254)兵力顿阙：既没有人力，也没有武器。兵指武器，力指人员，顿指武器不好，阙指没有人手。(255)怀谋思奋：胸怀大计，很想出来干一场。(256)脱：摆脱；避免。(257)唱首：带头大喊一声。(258)俯仰可定：一俯一仰之间，大事即可完成。俯仰，形容成事之省时省力。(259)统戎累朝：已经在好几代的皇帝手下统领大兵。沈庆之统率军事历经文帝、孝武帝、废帝三朝。(260)部曲：古时的军队编制单位，一个将军下辖五部，部的长官称校尉，一个部下辖五曲，曲的长官称军候。部曲在这里指部下、下属。(261)布在宫省：指在朝廷统领禁军。如当时禁军的统领宗越、谭金等都曾是沈庆之的部下。(262)沈攸之：沈庆之的堂侄。传见《宋书》卷七十四。(263)义附：慕义而归附于门下的人，如宾客、食客之类。(264)三吴：指吴郡、吴兴、义兴三郡。(265)乡人：同乡。沈庆之与陆攸之都是吴兴郡人。(266)大有铠仗：铠甲兵器多得很。(267)在青溪未发：眼下驻扎在青溪，尚未出发东下。青溪是河水名，发源于今江苏南京城东的钟山，下游流入秦淮河。(268)配衣麾下：把你的部下装备起来。配指发给他们武器用，衣指发给他们铠甲穿。(269)帅以前驱：率领军队进攻朝廷。(270)按前世故事：依照前世废黜旧皇帝、另立新皇帝的做法。(271)更简贤明：重新挑选出一个贤明的刘姓子弟。(272)以奉社稷：以主持社稷与宗庙的祭祀，亦即充当君主。(273)立定：立即就可以安定下来。(274)朝廷诸所施为：现今皇帝的这些所作所为。朝廷，指皇帝刘子业。㉗⑤民间传言公悉豫之：民间传说您都是参与了的。〖按〗“民间传言”是婉转说法，实际意思即“你都是参与了的”，你推脱不了。㉗⑥公今不决：如您再不决心抢先发动起事。㉗⑦不免附从之祸：到那时你就再也难逃伙同废帝共同作恶的罪名。附从，跟同昏君为恶。㉗⑧车驾：这里指宋废帝刘子业。㉗⑨屡幸贵第：多次到您家里来。幸，以言皇帝之所临、所亲。㉘⓪屏左右：支开身边的佣人。㉘①独入阁内：你们两人单独地进入小屋。以言其策划众人所不知晓的事情。㉘②此万世一时：这可是您表现自己、抢先立功的千载难逢的好时机。㉘③事至：如果你所说的那种情况一旦降临。㉘④抱忠以没：秉持着对宋废帝的忠心，死而后已。㉘⑤沈文秀：沈庆之之侄。传见《宋书》卷八十八、《魏书》卷六十一。㉘⑥将之镇：刚准备到青州上任。青州的州治即今山东青州。镇，军事指挥部的所在地。当时的刺史往往同时又任督军，故称刺史上任曰“之镇”。㉘⑦祸乱不久：灾难不久即将发生。㉘⑧受其宠任：受宋废帝刘子业的宠信。㉘⑨万物：所有的人。物，指人。㉙⓪皆谓与之同心：都说我们沈家一门与宋废帝是一丘之貉。㉙①若人：那个人，指宋废帝。㉙②猜忍特甚：猜疑、残忍到了极点。㉙③因此众力图之：借用这股势力推翻他。㉙④难值：难逢。值，赶上。㉙⑤庆之终不从：胡三省曰，“沈庆之从君于昏狂，杜门以待死，伊、霍之事，固非常人所能行也”。㉙⑥以绝之：不让沈庆之过青溪进入台城。绝，堵塞其交通。当时沈庆之退休在家，住在城外。㉙⑦直阁将军攸之：沈攸之，时任直阁将军，负责在皇帝办公的殿阁值勤。㉙⑧以被掩杀之：用被将其闷死。掩，掩、捂住。胡三省曰：“攸之随庆之讨随王诞有功，庆之抑其赏，由是恨之，故果于杀。”㉙⑨欲亡：想往国外逃跑。㉚⓪支解：通“肢解”，被拆卸成碎块。㉚①我能死二句：我可以陪着父亲死，但你要活下去，日后为父亲与我报仇。沈文叔在这里是用了春秋时伍尚所说的话。伍尚的父亲伍奢为楚平王所杀后，楚平王又派兵来杀伍尚兄弟二人。伍尚对其弟伍员说：“可去矣！汝能报杀父之仇，我将归死。”㉚②秘书郎昭明：沈昭明，时为秘书郎，掌管国家图书馆的经书校勘等事。㉚③自经：上吊自杀。㉚④忠武公：沈庆之生前被封为始兴郡公，谥曰忠武，故可称之为忠武公。㉚⑤刑杀过差：杀人过多，刑法过酷。㉚⑥宿将：老将。实则军功不多，元嘉时的北伐中为最高统帅，其腐朽无能导致的败军之罪，可谓死有余辜。㉚⑦讹言：传说。㉚⑧领军殊当忧惧：领军将军玄谟先生近来大概很是担惊受怕吧。殊当，大概很是。㉚⑨比日殆不复食：近些天几乎吃不下饭。殆，几乎。㉛⓪恒言收已在门：嘴里总是念叨皇帝派来抓我的人已到门口了吧。㉛①不保俄顷：看来活不了多久。俄顷，转眼之间。㉛②当为方略：应该给他想个办法。㉛③那得坐待祸至：怎么能干等着大祸临头呢？㉛④举事：起兵办废掉刘子业的事。㉛⑤期当：必当；一定会做到。㉛⑥刘道隆：刘裕的开国元勋刘怀慎之侄，时为右卫将军，主管宫廷卫队。传见《宋书》卷四十五。㉛⑦比日思一闲写：过几天找工夫一起聊聊。比日，近几天。闲写，聊聊天、谈谈心。㉛⑧蔡公勿多言：胡三省曰：“废昏立明，非常之谋也。蔡兴宗建非常之谋，既以告沈庆之，又以告王玄谟，又以擿发刘道隆，而人不敢泄其言，何也？昏暴之朝，人不自保，‘时日害丧，予及汝皆亡。’盖人心之所同然也。”⑲ 壬寅：十一月十三。⑳ 太皇太后弟道庆：孝武帝之母路太后之弟路道庆。㉑ 诸父：各位叔父，即文帝刘义隆之子，孝武帝刘骏的诸弟。㉒ 殴捶陵曳：殴打、凌辱、拖拽。曳，在地上拖拉。㉓ 无复人理：不把他们当人看。㉔ 湘东王彧：刘彧，文帝的第十一子，即日后的宋明帝。事迹见《宋书》卷八。㉕ 建安王休仁：刘休仁，文帝的第十二子，被封为建安王。传见《宋书》卷七十二。㉖ 山阳王休祐：刘休祐，文帝的第十三子，被封为山阳王。传见《宋书》卷七十二。㉗ 盛而称之：把他们装在笼子里过秤。称，用秤称其体重。㉘ 录以自随：把他们带在身边。录，收、拘押。㉙ 东海王祎：刘祎，文帝的第八子，开始被封为庐江王，后又改封为东海王。传见《宋书》卷七十九。㉚ 凡劣：平庸、鄙陋。㉛ 桂阳王休范：刘休范，文帝的第十八子，开始被封为顺阳王，后又改封为桂阳王。传见《宋书》卷七十九。㉜ 巴陵王休若：刘休若，文帝的第十九子，被封为巴陵王。传见《宋书》卷七十二。㉝ 并得从容：指拘管得略为宽松，不像其他亲王那样备受凌辱。㉞ 并杂食搅之：和一些其他食物搅拌在一起。㉟ 实以泥水：坑里灌满泥水。㊱ 裸彧内坑中：扒下刘彧的衣服，将其推入坑内。内，通“纳”，推进。㊲ 以十数：有十多次。㊳ 多智数：有心计；办法多。㊴ 每以谈笑佞谀说之：往往用插科打诨的话、奉承开心的话来讨得刘子业高兴。说，通“悦”。㊵ 故得推迁：故而能使他们的死期一次次地向后推延。㊶ 少府：为皇家理财与管理各种生活事务、用品制造的官员，级别大约相当于各部尚书。㊷ 孕临月：怀孕到了分娩的时候。㊸ 俟其生男：等她分娩看，如果是生的男孩。俟，等候。㊹ 贯之以杖：穿上杠子，以便让人抬。贯，穿。㊺ 担付太官：抬去交给厨房管理员。太官，为皇帝管理厨房、伙食的官员。㊻ 且付廷尉：暂且交给刑部关押起来。廷尉，即后来的刑部尚书，全国最高的司法官员。㊼ 一宿二句：过了一夜，第二天就又把他放了。㊽ 丁未：十一月十八。㊾ 赐为父后者爵一级：给普天下父系的继承人都长一级，以示同庆。为父后者，即嫡长子，父系家业的合法继承人。百姓有爵级是秦汉时期的章程，刘子业这样说话大概就是给“为父后者”每人发一些奖励。㊿ 太祖、世祖在兄弟数皆第三：太祖文帝刘义隆在刘裕的儿子里排行第三，世祖孝武帝刘骏在刘义隆的儿子中又是排行第三。351 因何迈之谋：趁着不久前何迈曾经阴谋废掉刘子业，改立刘子勋的“罪恶”活动。352 湓口：鄱阳湖入长江之口，离当时的寻阳，即今之江西九江不远。353 主帅：刺史、诸王属下的大吏，胡三省曾说“即典签”，但这里既与典签并出，应是指刺史、诸王住宿及其办公区域的卫士长官，即所谓“斋帅”。《宋书》卷八十正作“斋帅”。354 侍书：官名，负责教导诸王念书。355 身南土寒士：我本身是出身于南方的一个寒门之家。身，犹言“我”，自称之词。邓琬家在南昌，出身寒素。356 先帝：指孝武帝刘骏。357 以爱子见托：派自己任晋安王刘子勋的长史。刘子勋此时方十一岁。358 岂得惜门户百口：哪里还能顾及自己的一家老小。359 事犹独夫：他所做的事情简直就是一个独夫民贼。360 直造京邑：径直地向着京城杀过去。361 废昏立明：废掉昏君，更立明君。362 戊申：十一月十九。363 称子勋教：以刘子勋的名义发布命令。㊲㊹出听事：从办公的厅堂里走出来。听事，升堂理事的地方。㉟口宣旨谕之：口头宣布刘子勋的意思，告诫大家。㊱谘议参军：主管军事谋略、负责行兵作战的事务。㊲领中兵：统领主力部队。㊳统作舟舰：主管打造战船。㊴录送：押送。㊵张悦：张畅之弟，当时任刘子勋部下的前军长史，并代理荆州刺史处理荆州事务。传见《宋书》卷五十九。㊶至湓口：依前后文意，应是废帝令荆州刺史将张悦押解到建康，当他们行经湓口的时候。㊷释其桎梏：打开刑具，将张悦放了出来。桎梏，犹今所谓手铐脚镣。用于双手的曰桎，用于双脚的曰梏。㊸畅：张畅，宋初名臣张祎之子，文帝北伐、拓跋焘南侵之际，张畅于战于守，以及与魏国使臣的对话中均有杰出的表现，为当时之佼佼者，死于孝武帝在位时。传见《宋书》卷五十九。㊹断大雷：在大雷要塞设防，断绝长江上下的联系。大雷是军事要塞名，在今安徽望江，地处长江北岸。㊺遣使上诸郡民丁：派使者到江州所辖诸郡，将各郡的成丁男子一律征调为士兵。上，登记、征调。㊻出顿：驻扎。㊼巴东、建平二郡：巴东郡的郡治在今重庆奉节，建平郡的郡治在今重庆巫山县，当时二郡共设一个太守。㊽移檄远近：向远近各地区、各州郡的官吏军民发出通告，号召大家理解、支持。㊾戊午：十一月二十九。㊿诸妃、主：被废帝拘押的前述诸王的王妃与公主。(381)强左右使辱之：命令自己身边的侍从、警卫过去侮辱她们。(382)南平王铄：刘铄，文帝刘义隆的第四子，前已为孝武帝刘骏所杀。传见《宋书》卷七十二。(383)南平王敬猷：刘敬猷，刘铄的长子，继其父位为南平王。(384)庐陵王敬先：刘敬先，刘铄的次子，过继于庐陵王刘绍为后，继刘绍为庐陵王。(385)安南侯敬渊：刘敬渊，刘铄的第三子，被封为安南侯。当时诸王的儿子照例都封为侯，诸王的封地为一个郡，诸侯的封地为一个县。(386)湘中出天子：湘州地区要出现新皇帝。(387)厌：意思同“压”，古代的一种迷信活动。当古人发现有何种对自己不利的征兆时，就设法用一种更强有力的办法来压住那种征兆，使其不能为害于己。其实是用一种迷信对付另一种迷信，庸人自扰而已。(388)宗越、谭金、童太一：都是当时主要的将领，先曾为沈庆之部下，此时都在废帝刘子业身边任禁军的头领。传并见《宋书》卷八十三。(389)充牣：充满。(390)益无所顾惮：越发肆无忌惮。顾，顾忌、害怕。(391)恣为不道：随心所欲地干坏事。恣，任意、为所欲为。(392)中外骚然：朝廷内外一片惶恐不安。骚然，惶恐动荡的样子。(393)久幽：长时间地被关押。(394)主衣：官名，为帝王管理服饰。(395)阮佃夫：会稽郡人，为湘东王刘彧主管服饰。传见《宋书》卷九十四。(396)内监：也称“斋监”，为帝王监督其属下的各种服务人员。(397)吴兴王道隆：吴兴郡人姓王名道隆。传见《宋书》卷九十四。(398)学官令：侍候诸王读书，并管理该封国的教育事业。(399)柳光世：柳元景的堂弟，时为废帝身边的直阁将军。传见《宋书》卷七十七。(400)琅邪淳于文祖：琅邪郡人姓淳于，名文祖。(401)以立后故：由于新立路氏为皇后，宫内缺少太监。(402)假诸王阉人：向前述诸王的家中借调一些太监使用。(403)候帝动止：监视废帝的一举一动。候，观察、侦察。动止，做什么与不做什么。(404)华林园竹林堂：华林园是当时建康城内的皇家园林，竹林堂是华林园的后堂。㊵保相逐：赤裸着身体奔跑追逐。㊶悖虐：不讲道理而且残暴。悖，不讲道理。㊷不及熟：等不到新粮食成熟就要死去。㊸巫觋：男女巫的合称，一种以迷信为职业，自称能沟通天人，能降妖驱鬼的人员。巫是女巫，觋是男巫。㊹晡时：申时，即午后的三至五时。㊺秘书省：宫廷中保存图书档案的场所。㊻吴兴寿寂之：吴兴郡人姓寿名寂之。传见《宋书》卷九十四。㊼外监典事：官名，主管到宫外搜集情报的人员。㊽东阳朱幼：东阳郡人名叫朱幼。东阳郡的郡治即今浙江金华。㊾细铠主：与下文“细铠将”都是皇帝身边的卫队将领。㊿南彭城姜产之：南彭城郡人姜产之，曾为龙骧将军。传见《宋书》卷九十四。南彭城是侨郡名，在当时的晋陵郡内。416晋陵：晋陵郡的郡治即今江苏镇江东南的丹徒区。417戴明宝：孝武帝时任侍中，废帝即位后受到冷落。传见《宋书》卷九十四。418豫约勒内外：预先联络、安排好宫内宫外的人员。约，联络、约定。勒，布置、部署。419听：允许；任其自由。420出外装束：出宫回家整理行装。421队主樊僧整：废帝的卫士队长。422防华林阁：防守华林阁的门户。423与僧整乡人：与樊僧整是同乡。胡三省曰：“柳氏本河东人，侨居襄阳；樊僧整盖亦河东人也。”424更欲招合：还想招集更多的人。425谋广或泄：同谋的人一多就可能泄密。426彩女：从宫外新挑选来的民间女子。427行声甚疾：走路的声音很急。428事作：暴动的事情开始了。429景阳山：华林园内的假山。430皆迸走：都四散逃走。431西堂：当时皇帝升殿会见群臣，有东西二堂，此在西堂。432跣至西堂：光着脚走到西堂。433犹著乌帽：头上还戴着一顶平民、罪犯所戴的帽子。434以白帽代之：给他换上了一顶白色的纱帽。东晋及南朝皇帝在闲暇的时候都戴白纱帽。435令备羽仪：派人取来皇帝所用的全副仪仗。羽仪，用羽毛装饰的幡伞之类。436悉称令书：都以中书令、尚书令的口气下达。437数：逐条列举地谴责。438纂承皇极：继承先帝的皇位。纂承，继承。皇极，皇纲、皇帝的统绪。439抚接甚厚：安抚与接待的感情和礼数很诚挚友好。440母弟：一母所生的弟弟。441豫章王子尚：刘子尚。传见《宋书》卷八十。442顽悖：顽固荒谬，不讲道理。443己未：十一月三十。444出居外舍：回到宫外自己的家里住。445太医阁口：皇帝御医所在的门口。446要是天下之主：毕竟是一个曾经君临天下的皇帝。447宜使丧礼粗足：应该让他的丧礼能够勉强过得去。粗足，大体完备。448若直如此：如果一直这样下去。449四海必将乘人：天下人必将起来讨伐我们。乘，攻击。因为我们对待废帝的做法太过分了。胡三省曰：“王彧，湘东王妃兄也，故蔡兴宗与之言。”450秣陵县南：胡三省注：“葬于秣陵县南郊坛西”。〖按〗秣陵县即今之江苏南京。451沈婕妤：姓沈，封号为婕妤。婕妤为九嫔之一，在皇后与夫人之下。452路太后：孝武帝刘骏之母，原为文帝嫔妃，刘骏称帝后封为太后。453笃：感情深厚。454黄门侍郎：门下省的副长官，管理后宫的事务。455中书侍郎：中书省的副长官，主管为皇帝起草文件。456县侯、县子：封地为一个县的侯爵，或封地为一个县的子爵。457十二月庚申朔：十二月初一是庚申日。458中书监：中书省的副长官，位在中书侍郎上。459癸亥：十二月初四。460乙丑：十二月初六。461徙：改封。462安陆王子绥：刘子绥，孝武帝刘骏之子，被封为安陆王。传见《宋书》卷八十。㊾丙寅：十二月初七。㊿改元：从此时起改元曰泰始。凡太子继位为皇帝，通常皆转年改元；凡推翻前任皇帝自行称帝者，通常皆当年改元。465昏制谬封：昏乱的制度与荒谬的加封。466刊削：废除。467庚午：十二月十一。468中护军：军官名，位在中领军之下，主管对诸将军的监督管理。级别较右卫将军为高。469建安太妃：文帝之妃，建安王刘休仁之母，随其子之封为号。470至是：当刘彧晋升刘道隆为中护军时。471求解职：请求辞去尚书令之职，以表示对刘道隆的反对。472居中：在朝廷之内为官。473遭罹暴朝：经历过那个残暴的朝廷。474应得自养之地：应该选一个能让自己休养的地方。475复入直阁：又进入宫廷在内阁值勤。胡三省曰："沈攸之继此有平寻阳之功，遂总戎北讨，历居方面之任。"476辛未：十二月十二。477临贺王子产：刘子产，孝武帝刘骏之子，被封为临贺王。传见《宋书》卷八十。478晋熙王子舆：刘子舆，孝武帝刘骏之子，初被封为晋熙王，后过继于庐陵王刘祎为后。传见《宋书》卷八十。479壬申：十二月十三。480王景文：前文所说的王彧，字景文，宋明帝时代的显贵之臣。传见《宋书》卷八十五。481避上名二句：为给宋明帝刘彧避讳，故时人对王彧遂以其字王景文相称。482乙亥：十二月十六。483沈太妃：刘彧的生母，生前随其子之封号称为湘东王太妃。484南梁郡：侨郡名，郡治即今安徽寿县。485行府州事：代理督军府与豫州刺史的职务。行，代理。486宜即前号：还用未称太后以前的称号。意即免去路氏的太后封号。487戊寅：十二月十九。488共造邓琬：共同到邓琬处。造，到……处。489殿下：以称晋安王刘子勋。490开黄阁：上文所说的刘彧进封刘子勋为车骑将军，加开府仪同三司。开府，即俗所谓开黄阁。491次第居三：在众兄弟的排行中名列第三。第一刘子业，第二刘子尚，第三即刘子勋。这一点与当初孝武帝刘骏在其众兄弟中排行第三相同。492寻阳起事与世祖同符：当年武陵王刘骏讨伐元凶刘劭时，就是在寻阳起兵，现在刘子勋讨伐刘子业又是在寻阳起兵。同符，意即完全相同，像兵符、契约一样对得上。493谓事必有成：以为争取做皇帝的事情一定能成。494当开端门：做皇帝。端门是皇帝宫殿的正南门。495黄阁是吾徒事：做仪同三司是我们这些人的事情。496骇愕：惊讶。497刘胡：文帝以来的著名将领，多有战功。传见《宋书》卷八十四。498简集：挑选、召集。499被太皇太后令：接到太皇太后的密令。被，蒙受、接到。太皇太后，即前文所说的路太后，孝武帝刘骏之母，刘子勋的祖母。500建牙驰檄：树起大旗，发出文告。牙，牙旗，泛指大旗。檄，檄文、文告。501辛巳：十二月二十二。502邵陵王子元：刘子元，孝武帝刘骏之子，被封为邵陵王，封地邵陵郡，郡治即今湖南邵阳。503湘州刺史：湘州的州治即今湖南长沙。504为道路行事：在赴州任的道路上，管理旅途中的一应事务。505鹊头：今安徽铜陵北侧的鹊头山，是长江上的险固要塞。506桑尾：桑落洲尾，桑落洲是长江中的小洲名，在今江西九江东北。507孤：刘子勋自称。508志遵前典：立志遵照前辈的典章行事。509黜幽陟明：废除昏君，改立明君。陟，升。510矫害明茂：假传太皇太后的命令，杀害了既有明德，又是至亲的豫章王刘子尚。明茂，明德茂亲。茂，美。511篡窃大宝：篡夺皇位。⑫ 干我昭穆：扰乱了我们刘氏皇族的父子承传的秩序。皇家太庙里供奉七个牌位，中间是始祖，左边三个为“昭”，右边的三个为“穆”。一昭一穆都是父子相传地交叉排列下去。刘裕是始祖，刘义隆是其子，为昭；刘骏是刘义隆之子，为穆。再往下排，应该是刘骏的儿子才对，现在你刘彧插了进来，你是孝武帝之弟，不合昭穆关系。⑬ 寡我兄弟：杀害我的弟兄，使我的弟兄人数减少。寡，使之减少。⑭ 藐孤同气：眼中没有我们兄弟。藐，瞧不起、目中无人。同气，指兄弟。⑮ 犹有十三：而我们兄弟还有十三个人。〖按〗孝武帝有二十八子，尚存者十三人，即子勋、子绥、子房、子顼、子仁、子真、子元、子舆、子孟、子嗣、子趋、子期、子悦。⑯ 圣灵何辜：我们的父亲有什么罪。圣灵，敬称其父孝武帝的亡灵。⑰ 而当乏飨：竟然断绝了后人对他的祭祀。孝武帝的十三个儿子中如果无人为帝，那别人为帝是不会再祭祀他的。⑱ 承子勋初檄：接到刘子勋第一次发出的讨伐废帝的檄文。承，接、接到。⑲ 已陨：已被朝中的起事人杀死。⑳ 解甲下标：脱去铠甲、撤去标帜，指收兵息事。标，旗幡之类，招引人同做某事。㉑ 江、雍犹治兵：江州的邓琬、雍州的袁颛仍在继续坚持反对朝廷的活动。犹治兵，仍未收兵息事。㉒ 郢府行事苟卞之：郢州刺史府的代理州事者姓苟名卞之。郢州的州治在今湖北武汉。〖按〗“苟卞之”也有本作“荀卞之”。㉓ 大惧：因郢州地处江州与雍州之间，故怕两州夹攻。㉔ 谘议、领中兵参军：原职为谘议参军，现又兼任中兵参军。领，兼任。㉕ 奉刺史临海王子顼：拥戴荆州刺史刘子顼。奉，捧。当时的刺史诸王皆年龄幼小，故一切大事都是“行府州事”者做主，由他们打着该王的名义办理。㉖ 会稽将佐：会稽太守部下的武将与文官。㉗ 奉太守寻阳王子房：拥戴名义上是会稽太守的寻阳王刘子房。

【校记】

［12］公：原无此字。据章钰校，甲十一行本、乙十一行本、孔天胤本皆有此字，今据补。［13］祸：原无此字。据章钰校，甲十一行本、乙十一行本、孔天胤本皆有此字，张敦仁《通鉴刊本识误》同，今据补。［14］暮：原作“夕”。据章钰校，甲十一行本、乙十一行本、孔天胤本皆作“暮”，今据改。［15］世：原作“代”。据章钰校，甲十一行本、乙十一行本皆作“世”，今据改。［16］太：原无此字。据章钰校，甲十一行本、乙十一行本、孔天胤本皆有此字，今据补。［17］吴兴：原作“始兴”。据章钰校，甲十一行本、乙十一行本、孔天胤本皆作“吴兴”，张敦仁《通鉴刊本识误》同，今据改。［18］阴：原无此字。据章钰校，甲十一行本、乙十一行本、孔天胤本皆有此字，张敦仁《通鉴刊本识误》同，今据补。［19］陈郡：原无此二字。据章钰校，甲十一行本、乙十一行本、孔天胤本皆有此二字，张敦仁《通鉴刊本识误》同，今据补。［20］篡：原作“纂”。据章钰校，甲十一行本、乙十一行本皆作“篡”，张敦仁《通鉴刊本识误》同，今据改。［21］军：原作“众”。据章钰校，甲十一行本、乙十一行本、孔天胤本皆作“军”，今据改。

【研析】

本卷写宋明帝刘彧泰始元年（公元四六五年），实际上也就是宋废帝刘子业永光元年，后来又改称景和元年这一年间刘宋与北魏的大事。主要是写了宋废帝残暴不仁，朝内朝外酝酿政变，以及最后政变成功，宋明帝刘彧捷足先登抢得帝位，宋孝武帝诸子又不肯买账，起兵与其叔争夺帝位的一系列事件。

第一，史家写废帝刘子业的残暴不仁、作恶多端异常具体、异常可恶，而且他的做法又是丧尽天良，毫无人性的。刘子业迫害、残杀的人主要有四类：第一类是妨碍他掌权，妨碍他肆意而为的人，如前朝的宠臣戴法兴、巢尚之、颜师伯、沈庆之等；第二类是刘子业的各位叔父，如刘昶、刘彧、刘休仁、刘休祐等，因为这些人既血缘关系近，又年长而权位高，对他的权力、帝位具有某种影响，故而被他视为眼中钉；第三类是他的同父异母兄弟刘子鸾、刘子勋，因为前者曾获得其父之宠，有过夺嫡的可能，后者排行第三，而他们的祖父、父亲又恰好都以排行第三而起家为皇帝，出于一种心理作用的担心，于是也必欲置他们于死地；第四类是对他的残暴荒淫不满，想要政变推翻他的人，如柳元景、颜师伯、何迈等。这些都事出有因，可以理解。但史家也说了他许多不可理解的损人而不利己的残暴荒唐行为，如说“湘东王彧、建安王休仁、山阳王休祐，皆肥壮，帝为竹笼，盛而称之。以彧尤肥，谓之‘猪王’，谓休仁为‘杀王’，休祐为‘贼王’。以三王年长，尤恶之，常录以自随，不离左右……尝以木槽盛饭，并杂食搅之，掘地为坑，实以泥水，裸彧内坑中，使以口就槽食之，用为欢笑”，又说“帝召诸妃、主列于前，强左右使辱之。南平王铄妃江氏不从，帝怒，杀妃三子南平王敬猷、庐陵王敬先、安南侯敬渊，鞭江妃一百”，等等。他为什么要这样做？其可信程度究竟有多大？《论语》中曾说：“纣之不善，不如是之甚也，是以君子恶居下流，天下之恶皆归焉。”当年刘裕的长子刘义符被人推翻，被泼了一身污水，被棍子打死，现在刘骏长子的下场又是如此。刘子业得罪的人可能真是不少，所以成了众怨所归。刘彧既然推翻了他，而自己做皇帝的理由又不是非常硬气，故而必须下大功夫把他说得很坏，以此来衬出自己做皇帝的合理性，道理不难理解。

第二，关于沈庆之其人。清代王夫之曾充满感情地赞颂说：“沈庆之缚绔以入而收刘彬，斥颜竣而决诛逆劭，何其决也？及子业昏虐，柳元景首倡废立之谋，而庆之发之；蔡兴宗苦说以举事，沈文秀流涕以固请，而庆之终执不从，坐待暴君之鸩，又何濡软不断以自毙也？呜呼，六代之臣，能自靖以不得罪于名教者，庆之一人而已。庆之三朝宿将，威望行于南北，扶孝武以诛元凶，位三公而冠百辟，将吏皆出其门，扑子业之游凶，以解朝野之焚溺，此乃秉时以收人心而猎大位之一机也。向令独夫已殄，众望攸归，且有骑虎难下之势，宋太祖所谓‘黄袍加身不由汝’者，刘氏之宗社且移于沈而不可辞。庆之虑此，而忍以其身为莽、操乎？进则帝矣，退而死矣，决之于心，而安于抱忠以死，故曰‘抱孤志以质鬼神’。六代之臣，庆之一人而已。”简直可以忠比周公，廉如伯夷了。其实，刘骏本没有太好的人缘，是沈庆之把他捧上了皇帝的大位；刘骏上台后，其他弟兄不服，又是沈庆之为之效忠，帮刘骏平定了竟陵王刘诞的叛乱。终沈庆之一生，几乎想不出他为刘骏纠正过什么偏差，或是拉着刘骏为黎民百姓做过什么重要的好事。历史上写得清清楚楚的是沈庆之在参加元嘉时期的北伐时，为临战败逃、丧师辱国的统帅王玄谟说情，使其逃过了应得的严惩；又三番五次地请求让百姓私铸钱，以至于刘宋的货币混乱，使国家的商业交易难以进行。早在刘骏上台不久，沈庆之就曾清高地辞官退隐了。刘骏舍不得，派了辞官后又二次出山的何尚之去劝沈庆之也再出山干一把，沈庆之掷地有声地表白自己并嘲弄何尚之说：“沈公不效何公，往而复返！”好，有志气！等到刘骏发兵讨伐刘诞，兄弟之间窝里争斗时，沈庆之竟又按捺不住地自己走出来帮着刘骏对刘诞大张挞伐，成了屠杀无辜广陵人的刽子手；接着又率军为刘子业的前驱，讨伐义阳王刘昶，逼得刘昶北逃魏国。如果说沈庆之是“助纣为虐”，可能言过其实；如果说他坚持过什么原则，似乎又没有。正如一个母亲生了个坏儿子，不论这个儿子多么可恶、讨厌，她也总不愿把他送到监牢里去。更何况沈庆之刚刚又昧着天良告发了柳元景、颜师伯两个大功臣、大近臣推翻刘子业、改立刘义恭的阴谋，将一批试图搞废立的顶尖大臣送上了断头台。就是这样一个沈庆之，蔡兴宗却一股劲地劝他来起兵搞废立，这难道不有点找错对象吗？尽管他“旧日部曲，布在宫省”，但刚刚告过了别人，接着就又来自己发倡，难道他就不思量一下会有谁来信他、听他，就不怕“反”字刚一出口，匕首立即刺入他的喉咙吗？也许不该把沈庆之讲得这么坏，但无论如何也不应该把他看作像王夫之所说的那样好。

第三，关于刘义恭其人。刘义恭在宋文帝、宋孝武帝、宋废帝三朝都是权位极高，但实际又是个极其平庸怯懦、极其胆小自私的家伙。早在文帝组织北伐时，刘义恭为最高统帅，坐镇徐州，先是坐失机宜，纵容王玄谟等人的溃败逃跑；等魏军师老粮绝从长江回撤时，他又坐放敌去而不邀击；待朝廷派人命令其出击时，他又消极敷衍，一无所获。等元凶刘劭杀了宋文帝，刘义恭便做了刘劭的官；当刘骏讨杀了刘劭，刘义恭又转脸讨好刘骏；刘骏死后，刘子业上台，刘义恭更变本加厉地谄媚逢迎，引导着刘子业做坏事。柳元景、颜师伯既然想搞废立，何不挑选一个好点的，而竟想拥立这样的一个家伙。所以其闹不成也是活该，只是下场太惨了点。书上说：“帝自帅羽林兵讨义恭，杀之，并其四子。断绝义恭支体，分裂肠胃，挑取眼睛，以蜜渍之，谓之‘鬼目粽’。”王夫之对此评论说：“孝武以藩王起兵，而受臣民之推戴，德望素为诸王所轻，不自安也，于是杀铄、诛义宣，忍削本支，以快其志。江夏王义恭诱逆濬弃南岸，单骑南奔，上表劝进，斩逆劭，厥功大矣，于是畏祸之及己也，条奏裁损王侯九事，以希合孝武未言之隐，剥削诸王以消疑忌。义恭以有功居百僚之上，诚危矣，而远嫌以消疑忌，固无难也。自谢不敏，翩然而去之，养疾丘园，杜口朝政，则于以自全焉有余矣，而何事导君以残刻，而己为不仁之俑哉？唯其欲为功以固荣宠也，而违心以行颠倒之政，引君以益其慝，敛众怨以激其争，而后天理亡，民彝绝，国亦以危矣。身虽苟免，其喙息亦何异于禽兽哉？其究也，逃孝建、大明之网罗，翱翔百僚之上，而终授首于子业，狂者之自毙也，未有免者也。”此评论倒是不差。刘义恭可谓既是“逢君之恶”，又是“为虎作伥”，在刘裕的儿子里应该说是最坏的一个。

卷第一百三十一　宋纪十三

柔兆敦牂（丙午，公元四六六年），一年。

【题解】

本卷写宋明帝泰始二年（公元四六六年）一年间刘宋与北魏等国的大事。主要写了宋明帝刘彧因其原在京城，故而捷足先登地取得帝位，而刘骏诸子部下的将佐与各州郡的军政长官因中国古代是以皇位传子为正统的观念，纷纷起兵支持刘骏的第三子晋安王刘子勋称帝于寻阳，于是一时之间建康的刘彧政权陷入风雨飘摇之中。当时拥护刘子勋的势力一是荆、郢、江、雍、梁、益等州的长江上游地区，其首领是邓琬、袁𫖮、张悦等；二是处于东部地区的会稽、义兴、吴兴、吴郡、晋陵等诸郡，其首领是孔觊、庾业、刘延熙等；三是处于北部地区的徐、青、冀等州，其首领是刘宋的名将薛安都、崔道固等；四是合肥、寿阳一带的殷琰等。在当时地方军政要员中起兵支持刘彧政权的是兖州刺史殷孝祖，他的入援建康，使刘彧朝廷松了一口气。刘彧朝廷的将领吴喜、任农夫、张永、王道隆等率军东讨，大破庾业、刘延熙，俘获孔觊，东方诸郡被平定；在西部战线，邓琬命孙冲之、陶亮、刘胡等沿江东下；刘彧政权派刘休仁、殷孝祖、沈攸之等沿江而上，两军会战于赭圻、鹊尾、浓湖一线，殷孝祖被寻阳军射死，朝廷遂命沈攸之为总督前锋军事；朝廷名将张兴世与沈攸之等连破寻阳军，寻阳将刘胡、袁𫖮

【原文】

太宗明皇帝上之下

泰始二年（丙午，公元四六六年）

春，正月己丑朔①，魏大赦，改元天安②。

癸巳③，征会稽太守寻阳王子房④为抚军将军⑤，以巴陵王休若代之⑥。

甲午⑦，中外戒严。以司徒建安王休仁都督征讨诸军事，车骑将军、江州刺史王玄谟副之⑧。休仁军于南州⑨，以沈攸之为寻阳太守，将兵屯虎槛⑩。时玄谟未发，前锋凡十军，络绎继至，每夜各立姓号⑪，

先后弃军逃走，中途被杀，浓湖军营遂被沈攸之等占据，纳降卒十余万；邓琬在寻阳忧惶无策，为其部下张悦所杀；沈攸之进驻寻阳，杀刘子勋，寻阳政权遂灭；荆州的宗景杀荆州行事刘道宪，执其主子刘子顼以降朝廷军；湘州行事何慧文兵败不屈而死；孝武帝刘骏之子刘子绥、刘子顼、刘子元以及刘顺等拥戴刘子勋的将领皆为刘彧所杀，荆、湘地区平定；益州刺史萧惠开据城为刘子勋政权坚守，益州之民攻之不下，刘彧朝廷遣使赦其罪，萧惠开归顺朝廷，益州平定；朝廷军的刘勔、吕安国、黄回等大破寿阳殷琰的部将进兵包围寿阳，殷琰之主簿劝殷琰接受朝廷劝谕，殷琰遂率部投降，刘勔应时厚抚之，寿阳民大悦；徐州刺史薛安都、兖州刺史毕众敬、汝南太守常珍奇等见寻阳已被削平，遂率众归降朝廷，刘彧欲趁势向北部州郡示威，派沈攸之、张永率大军北上，于是薛安都、常珍奇等恐为其所灭，遂皆转而以徐州、汝南降魏；此外还写了魏国的冯太后诛其权臣乙浑，以源贺为太尉，引高允、高闾、贾秀共参大政，以及魏主以拓跋石、尉元统兵救薛安都于徐州、救常珍奇于悬瓠，于是青州、兖州、徐州、豫州等大片领土皆入于魏等。

【语译】

太宗明皇帝上之下

泰始二年（丙午，公元四六六年）

春季，正月初一日已丑，魏国实行大赦，改年号为天安。

初五日癸巳，宋明帝刘彧征调担任会稽郡太守的寻阳王刘子房回京师担任抚军将军，任命巴陵王刘休若接替寻阳王刘子房担任会稽郡太守。

正月初六日甲午，宋国京师内外进入紧急军事状态。宋明帝任命担任司徒的建安王刘休仁为都督征讨诸军事，任命担任车骑将军、江州刺史的王玄谟担任副都督征讨诸军事。刘休仁率军驻扎在南豫州，任命沈攸之为寻阳郡太守，率领军队驻扎在虎槛。当时王玄谟还没有出发，而担任前锋的十路大军已经络绎不绝，相继到达虎槛，每到夜间，各军便以自己主帅的姓氏为口令，互相之间不统属。沈攸之不相禀受⑫。攸之谓诸将曰："今众军姓号不同，若有耕夫、渔父夜相呵叱，便致骇乱，取败之道也。请就一军取号⑬。"众咸从之。

邓琬称说符瑞⑭，诈称受路太后⑮玺书，帅将佐⑯上尊号于晋安王子勋⑰。乙未⑱，子勋即皇帝位于寻阳，改元义嘉⑲。以安陆王子绥⑳为司徒、扬州刺史；寻阳王子房、临海王子顼并加开府仪同三司；以邓琬为尚书右仆射，张悦为吏部尚书，袁顗加尚书左仆射。自余将佐及诸州郡，除官进爵号各有差㉑。

丙申㉒，以征虏司马㉓申令孙为徐州刺史。令孙，坦㉔之子也。置司州于义阳㉕，以义阳内史㉖庞孟虬为司州刺史。

徐州刺史薛安都㉗、冀州刺史㉘清河崔道固㉙皆举兵应寻阳。上征兵于青州刺史沈文秀，文秀遣其将平原[1]刘弥之等将兵赴建康。会薛安都遣使邀文秀㉚，文秀更令弥之等应安都。济阴太守申阐据睢陵㉛应建康，安都遣其从子直阁将军索兒㉜、太原太守㉝清河傅灵越㉞等攻之。阐，令孙之弟也。安都婿裴祖隆守下邳㉟，刘弥之至下邳，更以所领㊱应建康，袭击祖隆。祖隆兵败，与征北参军垣崇祖㊲奔彭城。崇祖，护之㊳之从子也。弥之族人北海太守怀恭㊴、从子善明皆举兵以应弥之，薛索兒闻之，释睢陵，引兵击弥之。弥之战败，走保北海。申令孙进据淮阳㊵，请降于索兒。庞孟虬亦不受命㊶，举兵应寻阳。

帝召寻阳王长史行会稽郡事孔觊为太子詹事㊷，以平西司马庾业代之㊸，又遣都水使者孔璪㊹入东慰劳㊺。璪说觊以"建康虚弱，不如拥五郡㊻以应袁、邓㊼"。觊遂发兵，驰檄奉寻阳㊽。吴郡太守顾琛㊾、吴兴太守王昙生、义兴太守刘延熙、晋陵太守袁标皆据郡应之。上又以庾业代延熙为义兴㊿，业至长塘湖(51)，即与延熙合。

对诸将领说："如今各军口令不同，一旦有个农夫、渔父在夜间互相呵斥、责问，便会造成军队的惊慌与混乱，这是自取灭亡的做法。请全军统一号令。"大家都听从了他的意见。

邓琬大肆宣传符箓祥瑞，谎称自己接受了路太后的玺书，于是便率领本部以及来归各部的文官武将推尊晋安王刘子勋为皇帝。正月初七日乙未，刘子勋在寻阳即皇帝位，改年号为义嘉。被推戴为皇帝的刘子勋任命安陆王刘子绥为司徒、扬州刺史；寻阳王刘子房、临海王刘子顼全被授予开府仪同三司；任命长史邓琬为尚书右仆射，任命张悦为吏部尚书，加授袁颉为尚书左仆射。其余的将佐以及各州、郡的官员，则根据他们功劳的大小，升官晋爵各有不同。

正月初八日丙申，宋明帝任命担任征虏司马的申令孙为徐州刺史。申令孙，是申坦的儿子。司州州治设在义阳，任命担任义阳内史的庞孟虬为司州刺史。

担任徐州刺史的薛安都、担任冀州刺史的清河郡人崔道固全都起兵拥戴在寻阳称帝的晋安王刘子勋。宋明帝向担任青州刺史的沈文秀征调军队，沈文秀奉命派遣属下将领平原人刘弥之等人率领军队奔赴建康勤王。恰好遇上徐州刺史薛安都派遣使者前来邀请沈文秀一起拥戴刘子勋，沈文秀于是改变主意，他让刘弥之等人响应薛安都的号召。担任济阴太守的申阐占据睢陵接受建康宋明帝的号令，徐州刺史薛安都便派遣自己的侄子、担任直阁将军的薛索兒，担任太原太守的清河郡人傅灵越等人率军进攻济阴太守申阐。申阐，是申令孙的弟弟。薛安都的女婿裴祖隆负责镇守下邳，刘弥之率军来到下邳，他没有按照沈文秀的命令响应薛安都，而是响应建康宋明帝的号召，率领自己的部下突然袭击了裴祖隆。裴祖隆被刘弥之打败之后，就与担任征北参军的垣崇祖一同投奔了彭城。垣崇祖，是垣护之的侄子。刘弥之的族人、担任北海太守的刘怀恭、刘弥之的侄子刘善明全都起兵响应刘弥之，薛索兒听到这个消息后，就放弃攻打据守睢陵的济阴太守申阐，转而率军前往下邳攻打刘弥之。刘弥之作战失败，遂投奔了北海太守刘怀恭。申令孙攻占淮阳郡之后，便向薛索兒请求投降。庞孟虬也没有接受宋明帝的任命去担任司州刺史，而是起兵响应了在寻阳称帝的刘子勋。

宋明帝征召在寻阳王刘子房属下担任长史、代管会稽郡事务的孔觊回京师建康担任太子詹事，同时派遣担任平西司马的庾业前往会稽郡接替孔觊所担任的职务，又派遣担任都水使者的孔璪到东部的会稽等诸郡进行安抚劝说。孔璪到了会稽郡之后便对孔觊说"建康城内的皇帝刘彧府库空虚，力量薄弱，不如凭借浙东五郡的力量，起兵响应寻阳袁颉、邓琬的号召"。孔觊听从了孔璪的意见，遂起兵响应袁颉、邓琬，同时向天下发布文告，表明自己决心拥戴刘子勋称帝的立场。担任吴郡太守的顾琛、担任吴兴太守的王昙生、担任义兴太守的刘延熙、担任晋陵太守的袁标全都据守各郡响应孔觊。宋明帝又任命庾业代替刘延熙为义兴郡太守，不料庾业到了长塘湖之后，立即与义兴太守刘延熙联合起来反对宋明帝。

益州刺史萧惠开[52]，闻晋安王子勋举兵，集将佐谓之曰："湘东，太祖之昭；[53]晋安，世祖之穆；[54]其于当璧，并无不可。[55]但景和[56]虽昏，本是世祖之嗣，不任社稷，其次犹多。[57]吾荷世祖之眷[58]，当推奉九江[59]。"乃遣巴郡太守费欣寿将五千人东下。于是湘州行事何慧文、广州刺史袁昙远、梁州刺史柳元怙[60]、山阳太守[61]程天祚皆附于子勋。元怙，元景之从兄也。

是岁[62]，四方贡计[63]皆归寻阳，朝廷所保[64]，唯丹杨、淮南[65]等数郡，其间诸县或应子勋[66]。东兵[67]已至永世[68]，宫省危惧。上集群臣以谋成败，蔡兴宗曰："今普天同叛，人有异志[2]，宜镇之以静，至信待人[69]。叛者亲戚布在宫省[70]，若绳之以法[71]，则土崩立至[72]，宜明罪不相及之义[73]。物情既定[74]，人有战心[75]，六军精勇，器甲犀利，以待不习之兵[76]，其势相万[77]耳。愿陛下勿忧。"上善之。

建武司马[78]刘顺说豫州刺史殷琰[79]使应寻阳。琰以家在建康，未许。右卫将军柳光世[80]自省内[81]出奔彭城[82]，过寿阳，言建康必不能守。琰信之，且素无部曲[83]，为土豪前右军参军杜叔宝等所制，不得已而从之。琰以叔宝为长史，内外军事，皆叔宝专之。上谓蔡兴宗曰："诸处未平，殷琰已复同逆，顷日[84]人情云何[85]？事当济不[86]？"兴宗曰："逆之与顺，臣无以辨。[87]今商旅断绝，米甚丰贱，[88]四方云合，而人情更安，[89]以此卜之[90]，清荡可必[91]。但臣之所忧，更在事后，犹羊公[92]言：'既平之后，方当劳圣虑耳。'[93]"上曰："诚如卿言。"上知琰

担任益州刺史的萧惠开，听到晋安王刘子勋起兵反抗宋明帝的消息，立即召集属下的文官武将说："湘东王刘彧，是太祖刘义隆的儿子，晋安王刘子勋，是世祖刘骏的儿子，无论他们谁继承皇位，都是合法的。但是年号为景和的废皇帝刘子业虽然昏庸，毕竟是世祖刘骏的儿子，如果说刘子业不能够胜任社稷之主的重任，但他的弟弟们还有很多可供挑选。我蒙受世祖刘骏的恩宠，所以应当拥戴九江的晋安王刘子勋为皇帝。"于是派遣担任巴郡太守的费欣寿率领五千人沿长江东下。一时之间，担任湘州行事的何慧文、担任广州刺史的袁昙远、担任梁州刺史的柳元怙、担任山阳太守的程天祚都归附了刘子勋。柳元怙，是柳元景的堂兄。

这一年，四方各州府、郡县向朝廷进贡的地方特产以及向朝廷缴纳的钱粮赋税全都送到在寻阳称帝的刘子勋那里，而建康朝廷所拥有的只有丹杨、淮南等数郡而已，就是这几个郡当中也有一些县响应了刘子勋。从浙东会稽一带杀来的拥戴刘子勋的军队已经到达永世县，建康朝廷所面临的形势非常危险，人人心怀恐惧。宋明帝召集群臣分析天下的形势，谋划成功的办法，蔡兴宗说："如今普天之下一同起兵叛变，人人都有谋反之心，陛下此时应当以镇静来稳定局势，以诚恳的态度来对待天下人。背叛者的亲属分布在朝廷各个部门以及皇帝的身边，如果逮捕查办这些背叛者的亲朋故旧，整个朝廷土崩瓦解的局面立即就会到来，朝廷应当向天下讲明只对叛变之人进行惩罚，而不牵连他们亲朋故旧的道理。一旦人心安定下来，那些当兵的人也就有了为朝廷拼死作战的决心。朝廷的军队精锐、勇敢，兵器犀利、盔甲坚固，用这样的军队来迎战没有经过正规训练的叛军，双方的力量将会相差一万倍。希望陛下不要担忧。"宋明帝认为蔡兴宗的意见很对。

建武司马刘顺劝说豫州刺史殷琰起兵拥戴寻阳的晋安王刘子勋。殷琰因为自己的家在建康而没有同意。担任右卫将军的柳光世从皇宫出逃，准备投奔彭城的徐州刺史薛安都，他在经过寿阳的时候，扬言说朝廷军一定守不住建康城。殷琰一方面是因为相信了柳光世的话，一方面是因为手下没有自己的私人武装，受到土豪前右军参军杜叔宝等人的挟制，在迫不得已的情况下，遂听从了刘顺的意见。殷琰任命杜叔宝为长史，豫州刺史府内外的各种权力其实都掌握在杜叔宝手中。宋明帝对吏部尚书蔡兴宗说："各处的叛乱都还没有平定，如今豫州刺史殷琰又归附了叛军，与他们一同造反，近日人们对当前的形势怎么看？我们的事业能成功吗？"蔡兴宗回答说："关于陛下与晋安王刘子勋到底谁做皇帝算是正义，谁是不正义，我没法分辨。如今虽然因为战乱而商旅断绝，然而京城之内的粮米却非常充裕，而且价格不贵，虽然四方的叛军很多，就像密布的阴云一样笼罩着京师，而民心反而更加安定，就凭这一点来推测，朝廷一定能够扫平天下。但我所担忧的，乃是在扫平叛乱之后，就像魏末晋初的名将羊祜当年所说的那样，'天下平定之后所产生的新问题，才是使皇帝大伤脑筋的事情。'"宋明帝说："确实像你分析的那样。"宋明帝知道豫州刺史

附寻阳非本意，乃更[3]厚抚其家以招之。

汝南、新蔡二郡太守㊾周矜起兵于悬瓠以应建康。袁𫖮诱矜司马汝南常珍奇执矜，斩之，以珍奇代为太守。

上使冗从仆射垣荣祖㊿还徐州说薛安都[96]，安都曰："今京都无百里地[97]，不论攻围取胜[98]，自可拍手笑杀[99]，且我不欲负孝武[100]。"荣祖曰："孝武之行，足致余殃。[101]今虽天下雷同[102]，正是速死，无能为也。"安都不从，因[103]留荣祖使为将。荣祖，崇祖之从父兄也。

兖州刺史殷孝祖[104]之甥司徒[4]参军颍川[5]葛僧韶请殷孝祖[6]入朝，上遣之[105]。时薛索兒屯据津径[106]。僧韶间行[107]得至，说孝祖曰："景和凶狂，开辟未有[108]；朝野危极，假命漏刻[109]。主上[110]夷凶翦暴[111]，更造[112]天地，国乱朝危，宜立长君[113]。而群迷相煽[114]，构造无端[115]，贪利幼弱[116]，竞怀希望[117]。使天道助逆[118]，群凶事申[119]，则主幼时艰，权柄不一[120]，兵难互起，岂有自容之地[121]！舅少有立功之志，若能控济义勇[122]，还奉朝廷[123]，非唯匡主静乱，乃可以垂名竹帛。"孝祖具问[124]朝廷消息，僧韶随方酬譬[125]，并陈兵甲精强，主上欲委以前驱之任。孝祖即日委妻子于瑕丘[126]，帅文武二千人，随僧韶还建康。时四方皆附寻阳，朝廷唯保丹杨一郡，而永世令孔景宣复叛，义兴兵垂至延陵[127]，内外忧危，咸欲奔散。

殷琰依附于寻阳的刘子勋并非出自本意，于是就用更加优厚的待遇安抚殷琰的家属，以此来招安殷琰。

担任汝南、新蔡二郡太守的周矜在悬瓠起兵拥戴建康的宋明帝。袁颛引诱周矜手下担任司马的汝南人常珍奇活捉周矜，袁颛杀死周矜，任命常珍奇代替周矜担任汝南、新蔡二郡太守。

宋明帝派遣担任冗从仆射的垣荣祖回到徐州劝说徐州刺史薛安都归顺朝廷，薛安都回答说："如今京师建康所拥有的只是一块方圆不足一百里的地方，根本用不着动用武力派兵攻城，单是拍手大笑，就能把刘彧和他身边的那些人吓死，况且我也不想让孝武帝刘骏的香火断绝。"垣荣祖对薛安都说："孝武帝的恶行，足以殃及他的后代跟着倒霉。如今虽然天下反对建康朝廷的力量大得就像天上的一声雷响，令四海一同感到震动，然而这只能加速他们的灭亡，他们不会有什么作为。"薛安都没有听从垣荣祖的劝告，反将垣荣祖留下，令其在自己的部下担任将领。垣荣祖，是垣崇祖的堂兄。

兖州刺史殷孝祖的外甥、担任司徒参军的颍川人葛僧韶向宋明帝请求让殷孝祖入朝，宋明帝便派葛僧韶为使者前往兖州召请殷孝祖。当时薛索兒正率军把守着重要的渡口要道。葛僧韶换上平民的服装抄小路才得以来到兖州刺史殷孝祖的刺史府，他对殷孝祖说："年号为景和的废皇帝刘子业为人凶恶狂暴，是开天辟地以来所从未有过的，不论是朝廷之内的文武百官还是民间的百姓，处境都极其危险，人人都感到朝不保夕，每天都在数着钟点过日子，不知道下一刻钟自己还能不能活在这个世上。当今的皇帝刘彧铲除了暴君刘子业，重新改造天地，功不可没，当国家处在混乱、政权面临危机的情况下，就应当拥戴年龄大一些的人为皇帝。而一群糊涂愚妄之辈相互鼓吹煽动，编造一些毫无道理的说法，他们为了自己的利益而故意要拥立一个年纪幼小、便于控制的孩子做皇帝，其实他们每个人都在为自己打着小算盘。假如老天爷帮助叛逆，让叛逆者的阴谋得逞，到那时皇帝年幼，时局艰难，权力分散，政出多门，就会兵连祸结，哪里还有我们的容身之地！舅舅您在年少的时候就有建立功名的志向，如果您能掌控好部下这些济水流域的军队，把他们带回建康，交给朝廷，不但能够帮助建康的皇帝平息叛乱，而且还可以名垂青史。"殷孝祖详细地向葛僧韶询问朝廷方面的消息，葛僧韶便按照殷孝祖提出的问题一一巧妙得体地予以解释和回答，并且向殷孝祖述说了朝廷武器精良、兵力强盛，以及宋明帝准备任用殷孝祖担任前部先锋的想法。殷孝祖当天便把妻、子留在任所瑕丘，亲自率领两千名文官武将，跟随葛僧韶回到京师建康。当时四方的郡县全都依附了寻阳的晋安王刘子勋政权，建康朝廷只保有丹杨一个郡，而丹杨郡管辖之下的永世县的县令孔景宣又背叛朝廷归附了刘子勋政权，义兴郡的叛军很快就要到达延陵县，朝廷内外忧愁恐惧，处境十分危险，文武百官全都做好了四处逃散的准备。

孝祖忽至，众力不少⑫⑧，并伧楚壮士⑫⑨，人情大安。甲辰⑬⓪，进孝祖号抚军将军，假节⑬①、督[7]前锋诸军事，遣向虎槛，宠赉⑬②甚厚。

初，上遣东平毕众敬⑬③诣兖州募人，至彭城，薛安都以利害说之，矫上命⑬④以众敬行兖州事⑬⑤，众敬从之。殷孝祖使司马刘文石守瑕丘，众敬引兵击杀之。安都素与孝祖有隙⑬⑥，使众敬杀[8]孝祖诸子。州境皆附之⑬⑦，唯东平太守申纂据无盐⑬⑧，不从。纂，锺⑬⑨之曾孙也。

丙午⑭⓪，上亲总兵⑭①，出顿中堂⑭②。辛亥⑭③，以山阳王休祐为豫州刺史，督辅国将军彭城刘勔⑭④、宁朔将军广陵吕安国等诸军西讨殷琰。巴陵王休若督建威将军吴兴沈怀明、尚书张永、辅国将军萧道成⑭⑤等诸军东讨孔觊。时将士多东方人，父兄子弟皆已附觊。上因送军⑭⑥，普加宣示曰："朕方务德简刑，使父子兄弟罪不相及，助[9]顺同逆者⑭⑦，一以所从为断⑭⑧。卿等当深达此怀⑭⑨，勿以亲戚为虑也。"众于是大悦，凡叛者亲党在建康者，皆使居职如故。

壬子⑮⓪，路太后殂⑮①。

孔觊遣其将孙昙瓘⑮②等军于晋陵九里⑮③，部陈⑮④甚盛。沈怀明至奔牛⑮⑤，所领寡弱，乃筑垒自固。张永至曲阿⑮⑥，未知怀明安否，百姓惊扰，永退还延陵，就巴陵王休若，诸将帅咸劝休若退保破冈⑮⑦。其日，大寒，风雪甚猛，塘埭⑮⑧决坏，众无固心⑮⑨。休若宣令："敢有言退者斩！"众小定，乃筑垒息甲⑯⓪。寻⑯①得怀明书，贼定未进⑯②，军主⑯③刘亮又至，兵力转盛，人情乃安。亮，怀慎⑯④之从孙也。

此时兖州刺史殷孝祖突然率领两千人来到京城，他的部下有许多年轻力壮的汉子，都是江北一带的精壮勇士，人心这才极大地安定下来。正月初十日甲辰，宋明帝晋升殷孝祖为抚军将军，假节、督前锋诸军事，然后派殷孝祖向虎槛进军。宋明帝对殷孝祖非常恩宠，赏赐给他很多的东西。

当初，宋明帝派遣东平郡人毕众敬前往兖州招募军队，毕众敬抵达彭城，徐州刺史薛安都便为毕众敬分析利害关系，并假托刘子勋的命令任命毕众敬暂且代理兖州刺史的职务，毕众敬于是听从了薛安都。兖州刺史殷孝祖派手下担任司马的刘文石守卫瑕丘，毕众敬率军攻破瑕丘，杀死了刘文石。薛安都一向与殷孝祖有矛盾，于是便趁机令毕众敬把殷孝祖留在瑕丘的儿子全部杀死。兖州境内各郡县于是都顺从了毕众敬的管辖，只有担任东平太守的申纂还在为刘彧朝廷坚守无盐县，不肯服从毕众敬。申纂，是申锺的曾孙。

正月十八日丙午，宋明帝亲自统领军队，离开后宫的嫔妃，住宿到与群臣谋划军务的办公地点中堂。二十三日辛亥，宋明帝任命山阳王刘休祐为豫州刺史，统领担任辅国将军的彭城人刘勔、担任宁朔将军的广陵人吕安国等各军向西讨伐背叛朝廷的豫州刺史殷琰。巴陵王刘休若率领担任建威将军的吴兴人沈怀明、担任尚书的张永、担任辅国将军的萧道成等各军向东讨伐孔觊。当时出征的朝廷将士大多数都是东方人，他们的父兄子弟都已经归顺了孔觊。宋明帝借着为大军出征送行的机会，广泛地向他们宣示说："我正在推行以德治国，精简刑法，在惩治父子兄弟罪过的时候不会牵连到其他人，无论是帮助朝廷的，还是跟着叛乱势力走的人，一律按照他本人的行为表现来决定奖赏或惩罚。你们应当深切地体会我的这番心意，不要因为你们的亲戚归顺了孔觊而感到忧虑。"众人于是全都欢天喜地地出征了，那些留在建康的叛乱者的亲朋乡党，宋明帝都让他们像过去一样担任职务。

正月二十四日壬子，宋孝武帝刘骏的生母路太后去世。

孔觊派遣自己的部将孙昙瓘等人驻扎在晋陵县西北的九里，排列的阵势非常强大。建威将军沈怀明到达奔牛，因为所率领的军队人数少，力量弱，于是就修筑起堡垒用以保存实力。尚书张永到达曲阿之后，不知道建威将军沈怀明那里战况如何，是否平安。因为看到百姓惊慌扰乱，张永遂退回到延陵，向巴陵王刘休若靠拢，诸将帅全都劝说巴陵王刘休若退到破冈进行坚守。当天，天气特别寒冷，风刮得很大，雪下得很猛，破冈渎的堤坝决裂损坏，众人全都丧失了坚守的决心。刘休若于是宣布命令说："谁再敢说退军，一律杀无赦！"众人才稍微安静下来，于是就地修筑起堡垒让士兵休息。不久收到建威将军沈怀明的来信，说叛军确实没有对其发动进攻，所率领的军队驻扎在奔牛没有前进。此时军主刘亮又率领一支军队赶到，朝廷军的兵力逐渐增强，军心才真正安定下来。刘亮，是刘怀慎的堂孙。

殿中御史吴喜[165]以主书[166]事世祖，稍[167]迁至[10]河东太守[168]。至是，请得[169]精兵三百，致死于东[170]。上假喜[171]建武将军，简羽林勇士配之。议者以“喜刀笔主者，未尝为将，不可遣”。中书舍人巢尚之[172]曰：“喜昔随沈庆之，屡经军旅，性既勇决，又习战陈，若能任之，必有成绩。诸人纷纭[173]，皆是不别才[174]耳。”乃遣之。喜先时数奉使东吴，性宽厚，所至[175]人并怀之。百姓闻吴河东来，皆望风降散，故喜所至克捷。

永世人徐崇之攻孔景宣，斩之，喜版[176]崇之领县事[177]。喜至国山[178]，遇东军，进击，大破之。自国山进屯吴城[179]，刘延熙遣其将杨玄等拒战。喜兵力甚弱，玄等众盛，喜奋击，斩之，进逼义兴[180]。延熙栅断长桥[181]，保郡自守，喜筑垒与之相持。

庾业于长塘湖口夹岸筑城，有众七千人，与延熙遥相应接[182]。沈怀明、张永与晋陵军[183]相持，久不决。外监[184]朱幼举[185]司徒参军、督护任农夫[186]骁果[11]有胆力，上以四百人配之，使助东讨。农夫自延陵出长塘[187]，庾业筑城犹未合，农夫驰往攻之，力战，大破之，庾业弃城走义兴[188]。农夫收其船仗，进向义兴助吴喜。二月己未朔[189]，喜渡水[190]攻郡城，分兵击诸垒，登高指麾，若令四面俱进者。义兴人大惧，诸垒皆溃，延熙赴水死，遂克义兴。

魏丞相太原王乙浑专制朝权，多所诛杀。安远将[12]贾秀[191]掌吏曹[192]事，浑屡言于秀，为其妻求称公主，秀曰：“公主岂庶姓[193]所宜称？秀宁取死今日，不可取笑后世！”浑怒，骂曰：“老奴官，悭[194]！”会侍中拓跋丕告浑谋反，庚申[195]，冯太后[196]收浑，诛之。秀，彝之子；丕，烈帝[197]之玄孙也。太后临朝称制，引中书令高允[198]、中书侍郎渔

担任殿中御史的吴喜在世祖刘骏执政时期曾经担任主管侍候皇帝读书的主书，逐渐升迁为河东太守。此时，吴喜主动请求宋明帝拨给他三百精兵，去跟东部各郡的叛军拼死作战，为国效劳。宋明帝遂授予吴喜建武将军之职，并从羽林军中挑选了一批勇士拨给他率领。参与决策的人认为“吴喜乃是一个主管公文案牍出身的文官，从来没有担任过率军打仗的职务，所以不应该派他去领兵作战”。担任中书舍人的巢尚之说：“吴喜曾经跟随沈庆之，屡经征战，性情勇猛，处事果断，又熟悉作战阵法，如果能够任用他，一定会取得辉煌的战绩。众人议论纷纭，都是因为不了解他的才能。”于是宋明帝便派遣吴喜领军出征。吴喜先前曾经多次奉命出使东吴，因为他为人宽宏仁厚，不论走到哪里，人们都会怀念他。当东方的百姓听说河东太守吴喜到来，全都望风归降或自行解散回家，所以吴喜所到之处，全都取得了胜利。

永世县人徐崇之率领众人进攻孔景宣，把孔景宣杀死，建武将军吴喜便任命徐崇之暂且代理永世县县令。吴喜率军到达国山县的时候，遇到了东部的叛军，吴喜立即向叛军发起进攻，把叛军打得大败。吴喜从国山县进驻吴城，义兴太守刘延熙派遣他的部将杨玄等人迎战吴喜军。吴喜率领的军队人数很少，相对而言力量显得有些薄弱，而杨玄等人兵多势众，吴喜奋勇进击，杀死杨玄，然后快速逼近义兴郡城。刘延熙在义兴郡治西南的长桥用栅栏截断荆溪的水面，然后坚守郡城以图自保，吴喜则修筑起堡垒与刘延熙展开对峙。

庾业率领着七千人在长塘湖口两岸修筑城堡，与刘延熙遥相呼应。建威将军沈怀明、尚书张永率军与孔觊派出的驻扎在晋陵的叛军孙昙瓘相持，却长时间不能决出胜负。担任外监的朱幼向宋明帝举荐担任司徒参军、督护的任农夫骁勇果敢善战，既有胆识又有勇力，宋明帝就拨给任农夫四百人，让他去援助东讨的大军。任农夫率领这四百人从延陵渡过长塘湖进攻反抗刘彧朝廷的庾业军，庾业修筑的城墙还没有合龙，任农夫飞速地前往攻打庾业，经过拼死作战，终于把庾业打得大败，庾业丢弃未完成的城堡逃往义兴去了。任农夫搜集起庾业丢弃的船只、器械，然后向义兴进军以增援建武将军吴喜作战。二月初一日己未，吴喜渡过荆溪水进攻义兴郡城，同时派出军队分头攻打叛军的各处堡垒，吴喜登上高处进行指挥，就好像指挥四面八方的军队同时发起总攻一样。义兴军非常恐惧，各处营垒的敌军很快就全部溃散，义兴太守刘延熙跳入水中被淹死，吴喜于是攻克了义兴郡。

魏国担任丞相的太原王乙浑专擅朝政，诛杀了很多人。安远将领贾秀担任负责选拔任用官吏的吏曹，乙浑多次向贾秀提及要为自己的妻子求取公主封号之事，贾秀说：“公主岂是皇室以外的家族所应该得到的封号？贾秀我宁可今日被杀死，也不能让后世之人取笑我！”乙浑听后勃然大怒，便辱骂贾秀说：“老奴官，小气鬼！”正遇上担任侍中的拓跋丕告发乙浑谋反，二月初二日庚申，冯太后下令逮捕乙浑，把乙浑杀死。贾秀，是贾彝的儿子；拓跋丕，是烈皇帝拓跋翳槐的玄孙。此后冯太后便亲自临朝主持朝政，她援引担任中书令的高允、担任中书侍郎的渔阳人高闾以及

阳[13]高闾⑲及贾秀共参大政。

沈怀明、张永、萧道成等军于九里西，与东军相持。东军闻义兴败，皆震恐。上遣积射将军⑳济阳江方兴㉑、御史王道隆至晋陵视东军形势。孔觊将孙昙瓘、程捍宗等[14]列五城，互相连带，捍宗城犹未固，王道隆与诸将谋曰："捍宗城既[15]未立，可以借手㉒，上副圣旨㉓，下成众气㉔。"辛酉㉕，道隆帅所领急攻，拔之，斩捍宗首。永等因乘胜进击昙瓘等，壬戌㉖，昙瓘等兵败，与袁标俱弃城走，遂克晋陵。

吴喜军至义乡㉗。孔璪屯吴兴㉘南亭，太守王昙生诣璪计事，闻台军㉙已近，璪大惧，堕床㉚，曰："悬赏所购，唯我而已，今不遽走，将为人擒！"遂与昙生奔钱唐㉛。喜入吴兴，任农夫引兵向吴郡㉜，顾琛弃郡奔会稽㉝。上以四郡㉞既平，乃留吴喜使统沈怀明等诸将东击会稽，召张永等北击彭城，江方兴等南击寻阳。

以吏部尚书蔡兴宗为左仆射，侍中褚渊㉟为吏部尚书。

丁卯㊱，吴喜至[16]钱唐，孔璪、王昙生奔浙东。喜遣强弩将军任农夫等引兵向黄山浦㊲，东军据岸结寨，农夫等击破之。喜自柳浦㊳渡，取西陵㊴，击斩庾业。会稽人大惧，将士多奔亡㊵，孔觊不能制。戊寅㊶，上虞令王晏起兵攻郡㊷，觊逃奔嶀山㊸，车骑从事中郎张绥㊹封府库以待吴喜。己卯㊺，王晏入城，杀绥，执寻阳王子房㊻于别署㊼。纵兵大掠，府库皆空，获孔璪，杀之。庚辰㊽，嶀山民缚孔觊送晏，晏谓之曰："此事孔璪所为，无预卿事㊾，可作首辞㊿，当相为申上(231)。"觊曰："江东处分(232)，莫不由身(233)，委罪求活(234)，便是君辈

担任吏曹的安远将军贾秀共同参与处理朝政。

宋国建威将军沈怀明、尚书张永、辅国将军萧道成等将军队驻扎在晋陵九里的西边，与浙东的敌军相对峙。东部敌军听到义兴太守刘延熙已经被吴喜打败，都感到非常的震惊和恐惧。宋明帝派担任积射将军的济阳郡人江方兴、担任御史的王道隆到晋陵郡观察东部敌军的形势。孔觊的部将孙昙瓘、程捍宗等人一连修筑了五个城垒，这五个城垒之间互相连通，而程捍宗所修筑的城垒此时还没有加固好，御史王道隆遂与诸将商议说："程捍宗的城垒既然没有完工，可以先从他这里下手，对上来说既可以满足皇上的心意，对下来说又可以鼓舞军队的士气。"二月初三日辛酉，王道隆率领自己属下的军队对程捍宗的城垒发起猛攻，攻拔城垒，斩下了程捍宗的人头。尚书张永等人乘胜进攻孙昙瓘等，初四日壬戌，孙昙瓘等被打败，他与袁标一起弃城逃走，朝廷军遂攻克了晋陵。

建武将军吴喜到达义乡县。都水使者孔璪率军屯驻在吴兴郡的南亭，吴兴太守王昙生前往孔璪那里商议军情，当他们听说朝廷的军队已经逼近南亭的消息之后，孔璪因为极度恐惧竟然从座椅上摔了下来，他说："朝廷悬赏购买的人头，只有我一个人，现在再不赶快逃走，就要被人活捉了！"于是便与王昙生一起逃往钱唐郡去了。建武将军吴喜进入吴兴，司徒参军任农夫则率领军队杀向吴郡，吴郡太守顾琛丢下吴郡逃往会稽郡。宋明帝因为晋陵郡、义兴郡、吴兴郡、吴郡四郡都已经平定，就留下建武将军吴喜，让他统领建威将军沈怀明等诸将继续向东进军攻打会稽郡，令尚书张永等人向北攻打彭城的徐州刺史薛安都，积射将军江方兴等人向南攻打寻阳的刘子勋。

宋明帝任命担任吏部尚书的蔡兴宗为尚书左仆射，任命担任侍中的褚渊为吏部尚书。

二月初九日丁卯，建武将军吴喜到达钱唐，逃到钱唐的孔璪、王昙生闻讯后又从钱唐逃往浙东。吴喜派遣担任强弩将军的任农夫等人率领军队进攻黄山浦，东部军占据着钱塘江沿岸安营扎寨，任农夫等人率军将其打败。吴喜率军从柳浦渡江，攻取西陵，杀死了庾业。会稽人感到非常恐惧，许多将士都奔走逃亡，孔觊此时已经无法控制局面。二十日戊寅，上虞县令王晏起兵攻打会稽郡，孔觊逃奔嵴山村，在车骑将军刘子房属下担任从事中郎的张绥封闭了府库等待吴喜的到来。二十一日己卯，上虞县令王晏首先进入会稽郡城，他杀死张绥，在别的官署内捉住了寻阳王刘子房。王晏放纵士兵在城内大肆抢掠，府库全部被抢劫一空，王晏又捉住了孔璪，并把孔璪杀死。二十二日庚辰，嵴山村村民将绑缚着的孔觊送给王晏，王晏对孔觊说："会稽郡起兵反抗建康朝廷之事都是孔璪一个人干的，和你没有关系，你写一张自首认罪的供状，我可以替你向皇上申明原委。"孔觊说："浙东地区所有反对朝廷活动的安排与指挥，没有一件不是由我亲自决定的，把罪责推给别人，自己求得活命，

行意㉟耳。”晏乃斩之。顾琛、王昙生、袁标等诣吴喜归罪㊱，喜皆宥之㊲。东军主㊳凡七十六人，于[17]陈㊴斩十七人，其余皆原宥。

薛索兒攻申阐，久不下，使申令孙入睢陵说阐，阐出降，索兒并令孙杀之㉟。

山阳王休祐在历阳㊶，辅国[18]将军刘勔进军小岘㊷。殷琰所署南汝阴太守[19]裴季[20]以合肥㊸来降。

邓琬性鄙暗贪吝㊹，既执大权，父子卖官鬻爵，使婢仆出市道贩卖㊺；酣歌博弈，日夜不休；大自矜遇㊻，宾客到门[21]，历旬不得前㊼。内事悉委褚灵嗣等三人㊽，群小横恣，竞为威福。于是士民忿怨，内外离心。

琬遣孙冲之㊾帅龙骧将军薛常宝、陈绍宗、焦度等兵一万为前锋，据赭圻㊿。冲之于道与晋安王子勋书曰："舟楫已办(251)，器械(252)[22]亦整，三军踊跃，人争效命；便欲沿流挂帆(253)，直取白下(254)。愿速遣陶亮众军兼行相接(255)，分据新亭、南州(256)，则一麾定(257)矣。"子勋加冲之左卫将军[23]，以陶亮为右卫将军，统郢、荆、湘、梁、雍五州兵合二万人，一时俱下。陶亮本无干略(258)，闻建安王休仁自上(259)，殷孝祖又至，不敢进，屯军鹊洲(260)。

殷孝祖负其诚节(261)，陵轹(262)诸将，台军有父子兄弟在南(263)者，孝祖悉欲推治(264)。由是人情乖离(265)，莫乐为用。宁朔将军沈攸之，内抚将士，外谐群帅，众并赖之。孝祖每战，常以鼓盖(266)自随，军中人相谓："殷统军(267)可谓死将(268)矣！今与贼交锋，而以羽仪(269)自标显，若善射者十人共射之，欲不毙[24]，得乎？"

只有你们这类人才会做得出来。”王晏于是把孔觊杀死。顾琛、王昙生、袁标等人都到吴喜那里投案请罪，吴喜全都宽恕了他们。浙东地区反对朝廷的军队负责人总计有七十六人，在战场上被杀死的有十七人，其余的都得到了宽恕。

薛索兒率军进攻济阴太守申阐所据守的睢陵，却久攻不下，薛索兒于是派申阐的哥哥申令孙进入睢陵城去劝说申阐投降，申阐于是出城向薛索兒投降，薛索兒竟然把出降的申阐连同前去劝降的申令孙一同杀死。

山阳王刘休祐率军驻扎在历阳，辅国将军刘勔则率军进攻小岘山。豫州刺史殷琰管辖下的南汝阴太守裴季献出合肥县城向朝廷军投降。

邓琬既狭隘糊涂，又贪婪吝啬，他掌握寻阳刘子勋政权的大权之后，便父子一同卖官鬻爵，还让家中的奴婢、仆人到市场上去做买卖，为自己赚钱。邓琬每天畅饮欢歌，赌博下棋，日夜不停，又摆出一副傲气凌人的架子，宾客登门拜访，即使等待十多天都到不了他的跟前，见不到他的人影。内部事务全部委托给褚灵嗣、潘欣之、沈光祖三人负责处理，而这群小人更是骄横放纵，互相攀比、作威作福。于是不论官吏还是百姓都对他们的行为感到气愤与怨恨，刘子勋的小朝廷已经是内外人心离散。

邓琬派遣将军孙冲之率领龙骧将军薛常宝、陈绍宗、焦度等人带着一万名士兵充当前锋，去据守赭圻城。孙冲之在行军路上给晋安王刘子勋写信说：“舟舰已经备办妥当，兵器也都准备齐备，三军将士士气高涨，人人都争着拼死效力，就应当顺风顺水，掣起舟舰上的风帆，顺流而下，径直夺取白下城。希望赶快派遣陶亮等众军倍道兼程赶上来跟随在我的后面，分别占据新亭、南州，我们就可以一举成功了。”刘子勋遂加授孙冲之为左卫将军，任命陶亮为右卫将军，让他们统领着郢州、荆州、湘州、梁州、雍州五个州的两万人，同时沿长江顺流而下。陶亮本来没有干大事的才干，他听说建安王刘休仁亲自率军溯长江而上前来迎战，殷孝祖也率领大军赶到，所以根本不敢前进，就把军队驻扎在鹊洲。

殷孝祖以自己对宋明帝忠诚、有操守而自负，他藐视、欺压各路将领，朝廷军中凡是有亲属在晋安王刘子勋那里的，殷孝祖都想把他们拘捕治罪。因此，军中人心涣散，对他离心离德，没有人再愿意为他卖命。而宁朔将军沈攸之，对内安抚将士，对外团结各路将帅，诸将全都很信赖他。殷孝祖每次与敌军作战，总是让钲鼓、幡伞等大将仪仗跟随着自己，军中将佐、士兵互相议论说：“殷统帅可以称得上是一个快要死的将领了！现在与贼兵交战，他却以羽盖仪仗主动标明自己所处的位置，如果有十个善于射箭的人一齐向他射箭，他想不死，那可能吗？”

【段旨】

以上为第一段，写宋明帝泰始二年（公元四六六年）一、二两个月间的大事。主要写了宋明帝刘彧因其原在京城，故而捷足先登取得帝位，而刘骏诸子部下的将佐与各州郡的军政长官也因中国古代是以皇位传子为正统的观念，纷纷起兵支持刘骏的第三子晋安王刘子勋称帝于寻阳，于是一时之间建康的刘彧政权陷入风雨飘摇之中。当时拥护刘子勋的势力主要有三方面：一是荆、郢、江、雍、梁、益等州的长江上游地区，其首领是邓琬、袁顗、张悦等；二是处于东部地区的会稽、义兴、吴兴、吴郡、晋陵诸郡，其首领是孔觊、庾业、刘延熙等；三是处于北部地区的徐、青、冀等州，其首领是刘宋的名将薛安都、崔道固等。在当时地方军政要员中起兵支持刘彧政权的是兖州刺史殷孝祖，他的入援建康，使刘彧朝廷大大松了一口气。在刘彧朝廷内自告奋勇愿率兵讨敌的是殿中御史吴喜，吴喜率兵出讨东部诸郡，与督护任农夫大破庾业、刘延熙之军于义兴。建康政权的张永、王道隆等大破孔觊的部将，攻克晋陵；吴喜、任农夫等进攻会稽，击斩庾业，俘获孔觊，孔觊不屈而死，东方诸郡被平定；在西部战线，邓琬命孙冲之率大军为前锋顺江东进，派陶亮为后续率军跟进。也写了刘彧政权派刘休仁、殷孝祖、沈攸之等沿江而上，抵御邓琬的江州大军；写了殷孝祖的大自矜遇，预示了其日后的必死之由，以及沈攸之的善抚士众，预示其即将获胜、受宠的前景；此外还写了魏国的冯太后诛其权臣乙浑，引高允、高闾、贾秀共参大政等。

【注释】

①正月己丑朔：正月初一是己丑日。②改元天安：魏国上一年的年号为拓跋濬太安六年，是年拓跋濬死，其子拓跋弘即位，是年改元，号曰天安。③癸巳：正月初五。④寻阳王子房：刘子房，孝武帝刘骏的第六子。传见《宋书》卷八十。⑤为抚军将军：免去其会稽太守之职，将其调回京城。抚军将军的地位略同于四镇。⑥以巴陵王休若代之：罢去刘子房的会稽太守职务，因上年会稽郡的将佐奉其太守刘子房应江州刺史刘子勋之反故也。巴陵王刘休若是文帝刘义隆的第十九子。传见《宋书》卷七十二。⑦甲午：正月初六。⑧江州刺史王玄谟副之：胡三省曰，“使王玄谟拒寻阳之兵，因以为江州，不复用休祐”。⑨南州：指南豫州，州治在今安徽当涂。⑩虎槛：长江中的小洲名，在今安徽芜湖西南。⑪各立姓号：各以自己将军的姓氏为军中的口令。⑫不相禀受：互不统属，各行其是。⑬请就一军取号：请选择一个大家中意的将军，都统一使用他的号令。胡三省曰：“史言沈攸之有将帅之略，所以能立功。”⑭称说符瑞：大讲一些迷信的预言、征兆之类。符瑞即阴阳家所讲的好征兆，如河出图、洛出书、麒麟生、凤凰降等，皆预示

圣人将出。⑮路太后：刘骏的生母，刘子勋的祖母。⑯帅将佐：率领本部以及来归各部的文武百官。帅，通“率”。⑰上尊号于晋安王子勋：推尊刘子勋为皇帝。⑱乙未：正月初七。⑲改元义嘉：其兄刘子业于去年先称永光，后改景和，今乃改称义嘉，而不承认其叔刘彧的年号泰始。⑳安陆王子绥：刘子绥，刘骏之子，刘子勋之弟。传见《宋书》卷八十。㉑除官进爵号各有差：加官晋爵皆随其功劳大小各有不同。除官，任命为官。各有差，各有大小不同。㉒丙申：正月初八。㉓征虏司马：征虏将军的高级僚属，在军中主管司法。㉔坦：申坦，申恬之子，宋代前期的著名将领。传见《宋书》卷六十五。㉕置司州于义阳：将司州的州治设在义阳县，义阳县即今河南信阳。胡三省曰：“文帝元嘉末，置司州于汝南。孝武大明中废，今复置之。领义阳、随阳、安陆、汝南四郡。”㉖义阳内史：位同义阳郡的太守。凡某郡封与某王为封地者，其郡的行政长官即称内史，负责郡的行政事务。而所封之王，则只管收取该郡的钱粮以自奉养，不管郡内的政事。㉗薛安都：刘宋时期的名将，在与北魏作战中立有赫赫战功。传见《宋书》卷八十八。㉘冀州刺史：刘宋的冀州州治在今山东青州，与青州同为一个刺史管辖。㉙崔道固：刘宋后期的知名将领。传见《宋书》卷八十八。㉚邀文秀：邀请沈文秀一起响应晋安王刘子勋。㉛睢陵：县名，县治即今江苏睢宁。㉜索兒：薛索兒，时为直阁将军，皇帝的禁军头领。传见《宋书》卷八十八。㉝太原太守：刘宋的太原郡设在今山东境内，下辖济南、泰山二县。㉞清河傅灵越：清河郡人傅灵越。清河是魏国境内的郡名，郡治在今山东临清东北。㉟下邳：县名，县治在今江苏睢宁西北古邳镇东，地处沂、泗两水交汇处，自古为淮北战场。㊱所领：所率领的军队。㊲征北参军垣崇祖：垣崇祖是垣护之之侄，此时任征北将军的参军。㊳护之：垣护之，文帝时期的名将，在与魏国作战中有杰出表现。传见《宋书》卷五十。㊴北海太守怀恭：北海太守刘怀恭。刘宋北海郡的郡治即今山东潍坊。㊵淮阳：郡名，刘宋的淮阳郡治在今江苏淮安西。㊶不受命：不受刘彧的朝廷之命为司州刺史。㊷召寻阳王长史行会稽郡事孔觊为太子詹事：调孔觊入朝为太子詹事。因当时孔觊任职的会稽郡太守已经起兵应江州刺史刘子勋。孔觊是刘宋中期一位有棱角、有风操的官员。传见《宋书》卷八十四。太子詹事是朝官名，为太子管理家务。㊸以平西司马庾业代之：改派庾业到会稽郡稳定局势。平西司马即平西将军部下的司马官。㊹都水使者孔璪：都水使者是官名，主管河道沟渠的水利运输等事，并监造船只。孔璪事参见《宋书》卷八十四。㊺入东慰劳:到东部的会稽诸郡安抚劝说。㊻五郡：所谓“浙东五郡”，指会稽、东阳、临海、永嘉、新安五郡。㊼袁、邓：袁顗、邓琬，以推戴刘子勋为名号召天下反对刘彧朝廷的主脑人物。㊽驰檄奉寻阳：发布文告于天下，表明自己拥戴江州的刘子勋。㊾顾琛：东晋名臣顾和的后代。传见《宋书》卷八十一。㊿代延熙为义兴：取代刘延熙为义兴太守，因刘延熙已叛变故也。义兴郡的郡治即今江苏宜兴。(51)长塘湖：又名洮湖，在当时义兴郡的西北方，即今江苏溧阳西北、金坛东南的长荡湖。(52)萧惠开：刘宋名将萧思话之子。传见《宋书》卷八十七。(53)湘东二句：

湘东王刘彧是太祖刘义隆的儿子。㊿晋安二句：晋安王刘子勋是世祖刘骏的儿子。55其于当璧二句：要说做皇帝的资格，两人都是有的。当璧，指接替为君主的征兆与资格。春秋时代楚共王有宠子五人，拿不定主意立谁继承王位，便将一块玉璧埋在宗庙的祭坛之前，宣称哪个儿子能正好跪在埋璧的地方，就让他当楚国的国王。结果五个儿子进殿参拜时，康王跨璧而过，灵王肘在埋璧处，最小的平王被抱入参拜时，伏在了璧纽上。结果这三人便都先后当了一段时期的楚王。事见《左传》昭公元年与《史记·楚世家》。56景和：宋废帝刘子业的年号。刘子业在上年正月改元永光，至八月又改元景和。这里指宋废帝。57不任社稷二句：如果说刘子业不够做皇帝的资格，那么可供挑选的刘子业的弟弟们还有不少。社稷，这里代指国家政权。58荷世祖之眷：蒙受世祖刘骏的恩宠，指在孝武帝驾下为臣。59当推奉九江：应该拥戴江州刺史刘子勋为皇帝。九江，说法甚多，且难得有一合适者，但又总是指同一个寻阳地区，即今之江西九江。这里代指江州刺史。60梁州刺史柳元怙：柳元怙是已被宋废帝杀死的名将柳元景之侄，时任梁州刺史。传见《宋书》卷七十七。刘宋时期的梁州州治即今陕西汉中。61山阳太守：山阳郡的郡治即今江苏淮安。62是岁：这一年，即宋明帝泰始二年（公元四六六年）。63四方贡计：全国各地区向朝廷进贡本地特产，各州郡向朝廷缴纳赋税钱粮。贡，进贡。计，上计，指每年的年底各州郡的地方官派其僚属到京城向朝廷汇报其地区的人口、赋税、盗贼、狱讼等事，最重要的是缴纳钱粮。64所保：所保持；所拥有。65丹杨、淮南：二郡名，丹杨即京城建业所在的郡，郡治在当时的建业，即今江苏南京城内，淮南郡的郡治在今安徽当涂。66其间诸县或应子勋：在这朝廷所拥有的仅仅几个郡中，还有一些县是拥护刘子勋的。或，有的。67东兵：从东方的会稽一带杀来的拥戴刘子勋的军队。68永世：县名，县治在今江苏溧阳南。69至信待人：言刘彧的朝廷应该以诚恳的态度对待天下人。70布在宫省：散布在朝廷的各个部门与皇帝身边。71若绳之以法：倘若朝廷逮捕查办这些叛者的亲戚故旧。72土崩立至：整个朝廷土崩瓦解的局面就要到来。73宜明罪不相及之义：朝廷应该向天下人讲明犯罪者只罪其身，而不牵连其亲朋故旧的道理。不相及，不牵连到别人。74物情既定：人心一旦安定下来。物情，人心。75人有战心：给朝廷当兵的人也就有了为朝廷作战的决心。76不习之兵：没有经过训练的军队，指四方起而反对刘彧朝廷的人。77其势相万：双方比较相差万倍。78建武司马：建武将军殷琰部下的司马官。79殷琰：一个善于保全自身的官僚，自文帝以来官运亨通，此时为豫州刺史。传见《宋书》卷八十七。豫州的州治即下文所说的寿阳，今安徽寿县。80柳光世：柳元景的堂弟。传见《宋书》卷七十七。81省内：宫门以内。当时柳光世任刘彧的右卫将军。82出奔彭城：因朝廷杀宗越、谭金等人，柳光世怀惧北逃投奔拥戴刘子勋的徐州刺史薛安都。83素无部曲：手下没有自己的嫡系、亲信。部曲，指依附、听命其上属，能为之效力的人，如宾客、食客、家奴、荫户等。84顷日：近日。85人情云何：人们对当前的形势怎么看？86事当济不：我们的事业能够成功吗？不，通“否”。87逆之与顺二句：

湘东王您和晋安王子勋谁做皇帝算是正义，谁不正义，这个我没法说。意思是谁都可以，都有合理性。⑱商旅断绝二句：虽因战争商旅中断，但京城太仓的粮食很多，故物价不高。⑲四方云合二句：虽四方起兵反对朝廷的人不少，但京城的人心并不惊恐。云合，极言反朝廷的区域之广，人马之多。胡三省曰："湘东篡位，非其本心，寻阳起兵，名正言顺，故曰'逆之与顺，臣无以辨'。'商旅断绝，米甚丰贱'者，前朝之积也；'四方云合，人情更安'者，积苦于狂暴而骤乐宽政也。天下嗷嗷，新主之资，斯言岂不信哉？"⑳以此卜之：从这一点看来。卜，预测、推断。㉑清荡可必：一定能够扫平天下。㉒羊公：魏末晋初的名将羊祜，为晋之灭吴预制方略者。传见《晋书》卷三十四。㉓既平之后二句：灭东吴是不成问题的，灭东吴之后所产生的新问题就很难解决，要让你大伤脑筋了。羊祜此言见本书前文卷八十晋武帝咸宁四年。胡三省曰："蔡兴宗岂特以方严自将，盖识时审势者也。"㉔汝南、新蔡二郡太守：汝南、新蔡是当时刘宋治下的两个郡，郡分为二，但由一个太守管理，二郡的郡治都在悬瓠，即今河南汝南。㉕冗从仆射垣荣祖：冗从仆射是皇帝的侍从官员，垣荣祖是垣护之之侄。传见《南史》卷二十五。㉖说薛安都：胡三省曰，"诸垣自略阳归南，世在青、徐立效，为土人所信重，故使还说薛安都"。㉗无百里地：极言拥护刘彧朝廷的人士之少。㉘不论攻围取胜：用不着派兵攻城，用不着使用武力。㉙自可拍手笑杀：单用拍手大笑，就可以吓死刘彧与其周围的一撮人。⑩不欲负孝武：意思是不能让孝武帝刘骏的香火灭绝，一定要立刘骏的后代为皇帝。⑪孝武之行二句：孝武帝的罪行，足以殃及他的后代跟着倒霉。⑫天下雷同：天上一声雷响，天下四海同震，极喻反刘彧朝廷的力量之多而大。⑬因：乃；于是。⑭殷孝祖：刘宋中期的知名将领。传见《宋书》卷八十六。⑮上遣之：刘彧派葛僧韶往兖州迎殷孝祖。⑯屯据津径：把守着重要的渡口要路。⑰间行：易服抄小道而行。⑱开辟未有：是从开天辟地以来从未有过的。⑲假命漏刻：朝不保夕，数着钟点过日子。漏刻，古代的计时器，将一昼夜分作一百刻。⑳主上：以称宋明帝刘彧。㉑夷凶翦暴：消灭了暴君刘子业。夷、翦，都是消灭、除掉的意思。㉒更造：再造；重新安排。㉓宜立长君：应立年龄大的人为皇帝。㉔群迷相煽：而一群糊涂愚妄之辈相互鼓吹煽动。㉕构造无端：编造一些毫无道理的说法。无端，无理、无来由。㉖贪利幼弱：为便于控制而故意立年纪幼小的孩子为君。〖按〗晋安王子勋当时只有十一岁。㉗竞怀希望：其实是每个人都怀着自己的心思。㉘使天道助逆：假如老天爷帮助坏人，意即这伙心怀不轨的家伙一旦得势。㉙群凶事申：叛逆者的阴谋得逞。⑳权柄不一：权力分散，政出多门。㉑岂有自容之地：哪里还有我们的存身之地。㉒若能控济义勇：如果能掌控好您部下这些济水流域的军队。济，济水，离殷孝祖所管辖的兖州不远。㉓还奉朝廷：把这支军队带回朝廷、交给朝廷。㉔具问：详细询问；逐条询问。㉕随方酬譬：按他提出的问题一一巧妙得体地给予解释与回答。自然是为刘彧说了许多好话。㉖委妻子于瑕丘：将自己的妻、子留在原任所，表明自己并未放弃兖州的职务。瑕丘，县名，当时兖州的州治所在地，在今山东济宁市兖州区的东北侧。⑫⑦垂至延陵：很快就要到达延陵县。延陵县的县治即今江苏丹阳西南的延陵镇，离当时的建康不到一百公里。⑫⑧众力不少：有许多年轻力壮的汉子。力，劳力、丁壮。⑫⑨并伧楚壮士：都是一些粗壮的江北老帽。伧楚，江南人对中原人的蔑称，犹今所谓“土老帽儿”。胡三省曰：“江南人谓中原人为‘伧’，荆州人为‘楚’。”⑬⓪甲辰：正月初十。⑬①假节：授予旌节。节是朝廷授予大臣或特派使者的一种信物，共分三等。一称“使持节”，有此称号者可以杀二千石以下的官员；其次称“持节”，可杀无官位者；再次称“假节”，在军中可杀违犯军令者。⑬②宠赉：赏赐的东西。⑬③东平毕众敬：东平郡人姓毕名众敬。东平郡的郡治无盐，即今山东东平东北的无盐村。⑬④矫上命：假托皇帝刘子勋的命令。⑬⑤行兖州事：代理兖州刺史的职务。行，代理。⑬⑥有隙：有过节；不和睦。隙，隔阂、矛盾。⑬⑦皆附之：都顺从毕众敬的管辖。⑬⑧据无盐：据无盐为刘彧朝廷坚守。⑬⑨锺：申锺，东晋时期后赵石虎部下的著名官僚。⑭⓪丙午：正月十八。⑭①亲总兵：亲自统领军队。⑭②出顿中堂：离开后宫妃嫔，住宿到与群臣谋划军务的办公地点。顿，停留、住宿。中堂，宫廷前殿的中心议事之所。⑭③辛亥：正月二十三。⑭④刘勔：孝武帝时的将领，对刘彧政权的稳定颇有贡献。传见《宋书》卷八十六、《南史》卷二十九。⑭⑤萧道成：日后篡宋建齐的齐高帝。⑭⑥因送军：趁着给东讨大军送行的时候。⑭⑦助顺同逆者：是帮助朝廷的人，还是跟着叛乱势力走的人。⑭⑧一以所从为断：一律按其本人的行为表现来判断，意即不株连别人。所从，指跟从哪一方。⑭⑨当深达此怀：应该深刻理解我的这番心意。⑮⓪壬子：正月二十四。⑮①路太后殂：刘骏的生母路太后死。司马光曰：“《宋略》《南史》皆曰：‘义嘉之难，太后心幸之，延上饮酒，置毒以进，侍者引上衣，上悟，起，以其卮上寿，是日太后崩，丧事如礼。’《宋书》无之，今不取。”〖按〗刘子勋及各路起兵以反刘彧者，率皆以奉太后密旨为言，云刘彧杀之者，非无因也。⑮②孙昙瓘：此时为宁朔将军、越州刺史。传见《宋书》卷八十三。⑮③军于晋陵九里：驻军于晋陵县西北的九里。晋陵县即今江苏常州。九里，因其离晋陵县城九里而得名。⑮④部陈：排列阵式。陈，通“阵”。⑮⑤奔牛：今江苏常州市新北区北的奔牛镇，在当时运河的东岸。⑮⑥曲阿：县名，即今江苏丹阳。⑮⑦破冈：破冈渎边的村镇名，在当时的延陵县西，现在的江苏句容东南。⑮⑧塘埭：指破冈渎的堤坝。埭，堤坝。⑮⑨无固心：无坚守之心。⑯⓪筑垒息甲：筑起堡垒，让士兵休息。⑯①寻：不久；很快地。⑯②贼定未进：反朝廷军确实未发动进攻。⑯③军主：一支军队的部队长。⑯④怀慎：刘怀慎，刘裕的同族，跟随刘裕打天下的元勋。传见《宋书》卷四十五。⑯⑤殿中御史吴喜：殿中御史是朝官名，主管在殿中纠察非法之事。吴喜，沈庆之的旧部。传见《宋书》卷八十三。⑯⑥主书：主管侍候皇帝读书。⑯⑦稍：逐渐。⑯⑧河东太守：河东郡本在今之山西西南部，当时属于魏国。刘宋的河东郡侨置在今湖北松滋。⑯⑨请得：请求拨给。⑰⓪致死于东：去跟东部的敌人拼死作战。致死，与敌挑战，这里指拼死作战。⑰①假喜：授予吴喜。假，给予、委任。⑰②中书舍人巢尚之：中书舍人是中书令的属官，主管为皇帝起草文件。

巢尚之是孝武帝刘骏的宠臣，一度为废帝所黜，今又进用。传见《宋书》卷九十四。⑰③纷纭：七嘴八舌的样子。⑰④不别才：不能识别人才。⑰⑤所至：不论走到哪里。⑰⑥版：任命。因古代任命某人为官，须将委任命令写在木椟上，传以示人，故称。⑰⑦领县事：代理永世县的县令。领，代理、兼任。⑰⑧国山：县名，也是山名，县治在今江苏宜兴西南的国山之西，旧时章溪水的东岸。⑰⑨吴城：也称泰伯城，在今江苏宜兴西南。⑱⓪义兴：当时义兴郡的郡治所在地，即今江苏宜兴。⑱①栅断长桥：在义兴郡治西南的长桥用栅栏截断荆溪的水面，以防止吴喜的水军进攻义兴郡城。胡三省曰："此长桥盖在荆溪之上。今宜兴南二十步有荆溪，刘延熙曾盖栅断荆溪之桥以自保。"又，相传此荆溪即晋时周处刺蛟之所在。⑱②遥相应接：刘延熙在当时义兴郡的西南方，庾业在义兴郡的西北方，遥相响应。⑱③晋陵军：孔觊所派出的孙昙瓘的军队。⑱④外监：官名，主管监察朝廷以外官民思想动态的官员。⑱⑤举：推荐；保举。⑱⑥司徒参军、督护任农夫：任农夫是刘宋中期的将领，助刘彧朝廷平定叛乱的功臣。传见《宋书》卷八十三。时以督护的官衔任司徒刘休仁府的参军。督护，军官名，级别略当于都尉。⑱⑦出长塘：渡过长塘湖攻击反刘彧朝廷的庾业军。⑱⑧走义兴：逃往义兴城，与刘延熙会合。⑱⑨二月己未朔：二月初一是己未日。⑲⓪渡水：渡前文所说的荆溪水。⑲①贯秀：贾彝之子，魏国的清廉正直之臣。传见《魏书》卷三十三。⑲②吏曹：犹如后代所说的吏部天官，负责选拔任命官职之事。⑲③庶姓：皇室以外的家族。胡三省曰："凡非国之同姓，皆谓之庶姓。"⑲④悭：吝啬；小气鬼。⑲⑤庚申：二月初二。⑲⑥冯太后：魏高宗拓跋濬之皇后，献文帝拓跋弘之母。⑲⑦烈帝：拓跋翳槐，追谥烈皇帝。传见《魏书》卷一。⑲⑧高允：魏国的名臣，早在拓跋焘时代即任显职。传见《魏书》卷四十八。⑲⑨高闾：魏国的儒雅之臣，先后受崔浩、高允之荐举。传见《魏书》卷五十四。⑳⓪积射将军：略高于杂号将军，位居五品。⑳①济阳江方兴：济阳郡人姓江名方兴。济阳郡的郡治在今河南兰考东北。⑳②借手：着手；动手。⑳③上副圣旨：对上说可以满足皇上的心愿。副，符合。⑳④下成众气：对下说可以鼓舞军队的士气。⑳⑤辛酉：二月初三。⑳⑥壬戌：二月初四。⑳⑦义乡：县名，县治在今浙江长兴西北。⑳⑧吴兴：郡名，郡治即今浙江湖州市吴兴区南的下菰城。⑳⑨台军：朝廷军。㉑⓪堕床：从座椅上掉了下来。床，座椅。㉑①钱唐：郡名，郡治即今浙江杭州。㉑②吴郡：郡治即江苏苏州。㉑③会稽：郡名，郡治即浙江绍兴。㉑④四郡：指晋陵、义兴、吴兴、吴郡。㉑⑤褚渊：褚湛之之子，褚氏与刘氏皇室是姻亲，褚湛之在孝武帝时代位居要职。传见《宋书》卷五十二。㉑⑥丁卯：二月初九。㉑⑦黄山浦：也称渔浦，在今浙江杭州市萧山区西南的钱塘江南岸。㉑⑧柳浦：在今杭州城南的凤凰山东麓。㉑⑨西陵：今浙江杭州市萧山区西北。㉒⓪奔亡：奔逃。亡，逃跑。㉒①戊寅：二月二十。㉒②攻郡：攻打会稽郡城，即今浙江绍兴。㉒③嵴山：村名，在今浙江绍兴境。《南史》称"觊门生载觊以小船，窜入嵴山村"。㉒④车骑从事中郎张绥：张绥是车骑将军刘子房的僚属，任从事中郎之职。㉒⑤己卯：二月二十一。㉒⑥寻阳王子房：孝武帝刘骏的第六子，被封为寻阳王，此时任会稽太守，年十一岁。㉗别署：其他官署。胡三省曰："张绥盖迁子房于别署，故王晏就执之。"㉘庚辰：二月二十二。㉙无预卿事：和你没有关系。㉚可作首辞：可以写一张自首服罪的供状。㉛当相为申上：可以帮你向皇上申明原委。㉜江东处分：浙东地区所有反对朝廷活动的安排指挥。江东，钱塘江以东。处分，安排指挥。㉝莫不由身：没有一件不是出自我的手。身，我、我自己。㉞委罪求活：把罪过推给别人，自己求得活命。㉟便是君辈行意：那就成了你们这些人的行为。君辈，你们这些人。行意，思想行为。㊱归罪：投案请罪。㊲喜皆宥之：吴喜都宽饶了他们。宥，宽饶。㊳东军主：浙东地区反朝廷的各支部队长。军主，一支军队的头领，级别高低与其所领部队的人数有关。㊴于陈：在战场上。㊵并令孙杀之：连派去劝降的申令孙也一同杀掉了。申令孙是申阐之兄。㊶历阳：今安徽和县，当时为建康城西侧的军事要地。㊷小岘：小岘山，在今安徽含山西北。㊸合肥：县名，刘宋南汝阴郡的郡治所在地，在今安徽合肥西北。㊹鄙暗贪吝：既狭隘糊涂，又贪婪吝啬。㊺出市道贩卖：到市场上去做买卖，以为其主子赚钱。㊻大自矜遇：自己的架子摆得很大。矜，夸耀。㊼不得前：到不了跟前，见不到其人。㊽褚灵嗣等三人：指褚灵嗣、潘欣之、沈光祖，当时皆为通事舍人，在刘子勋身边供职。㊾孙冲之：晋朝史学家孙盛的曾孙，孝武帝时以破臧质有功为将军。传见《宋书》卷七十四。㊿赭圻：古城名，在今安徽芜湖市繁昌区西北的长江南岸。(251)已办：已经准备好。(252)器械：武器。(253)沿流挂帆：顺风顺水，沿江而下。(254)白下：也称"白下坡""白下城"，在当时建康城西侧的长江边，这里指当时的建康，今之江苏南京。(255)兼行相接：提高速度赶上来跟在我的后面。兼行，一天行两天的路程。(256)分据新亭、南州：临近建业时，一支军队占据新亭，一支军队占据南州。新亭在当时建康城外的西南方，南州即南豫州，在今安徽当涂。(257)一麾定：一挥而定，一举成功。麾，大将的指挥旗，这里用作动词，即挥手、挥旗。(258)干略：办大事的能力。(259)自上：亲自率军溯长江而上迎战。(260)鹊洲：在今安徽铜陵、芜湖市繁昌区之间长江中。(261)负其诚节：以自己对刘彧朝廷的忠诚、有操守自负。胡三省曰："谓委镇勤王，不顾妻子也。"(262)陵轹：藐视、欺压。陵，侵侮。轹，倾轧、欺压。(263)在南：在刘子勋的军队中。刘子勋的江州在建康的西南方。(264)悉欲推治：想全部地拘捕审查。推治，审问、治罪。(265)人情乖离：人心涣散，对之离心离德。(266)鼓盖：钲鼓与幡伞，泛指大将的仪仗。(267)殷统军：以称殷孝祖。统军，犹言统帅。当时殷孝祖任抚军将军、假节、都督前锋诸军事。(268)死将：将死之将。因其常以鼓盖相随，故军一眼就能看到，必成众矢之的。(269)羽仪：指仪仗，因有些器物上面饰有羽毛，故称羽仪。

【校记】

［1］平原：原无此二字。据章钰校，甲十一行本、乙十一行本、孔天胤本皆有此二字，今据补。［2］人有异志：原无此四字。据章钰校，甲十一行本、乙十一行本、孔天胤本皆有此四字，张敦仁《通鉴刊本识误》同，今据补。［3］更：原无此字。据章钰校，甲十一行本、乙十一行本、孔天胤本皆有此字，今据补。［4］司徒：原作“司法”。今据严衍《通鉴补》改作“司徒”。［5］颍川：原无此二字。据章钰校，甲十一行本、乙十一行本、孔天胤本皆有此二字，张敦仁《通鉴刊本识误》同，今据补。［6］殷孝祖：原作“征孝祖”。胡三省注云：“‘请’下当有‘征’字。”据章钰校，甲十一行本、乙十一行本皆作“殷”，张瑛《通鉴校勘记》同，今据改。［7］督：原作“都督”。据章钰校，甲十一行本、乙十一行本皆无“都”字，今据删。［8］杀：原作“尽杀”。据章钰校，甲十一行本、乙十一行本皆无“尽”字，今据删。［9］助：原作“将”。据章钰校，甲十一行本、乙十一行本、孔天胤本皆作“助”，张瑛《通鉴校勘记》、熊罗宿《胡刻资治通鉴校字记》同，今据改。［10］至：原无此字。据章钰校，甲十一行本、乙十一行本、孔天胤本皆有此字，今据补。［11］果：原作“勇”。据章钰校，甲十一行本、乙十一行本皆作“果”，今据改。［12］将：原作“将军”。据章钰校，甲十一行本、乙十一行本皆无“军”字，今据删。［13］渔阳：原无此二字。据章钰校，甲十一行本、乙十一行本、孔天胤本皆有此二字，今据补。［14］等：原无此字。据章钰校，甲十一行本、乙十一行本、孔天胤本皆有此字，张敦仁《通鉴刊本识误》同，今据补。［15］既：原作“犹”。据章钰校，甲十一行本、乙十一行本、孔天胤本皆作“既”，张敦仁《通鉴刊本识误》同，今据改。［16］至：原作“军至”。据章钰校，甲十一行本、乙十一行本、孔天胤本皆无“军”字，今据删。［17］于：原作“临”。据章钰校，甲十一行本、乙十一行本、孔天胤本皆作“于”，今据改。［18］辅国：据章钰校，甲十一行本、乙十一行本皆无“国”字。［19］太守：据章钰校，甲十一行本、乙十一行本“守”下皆空一格。［20］裴季：原作“裴季之”。据章钰校，甲十一行本、乙十一行本皆无“之”字，今据删。［21］门：此下原有“者”字。据章钰校，甲十一行本、乙十一行本、孔天胤本皆无“者”字，今据删。［22］器械：原作“粮仗”。据章钰校，甲十一行本、乙十一行本、孔天胤本皆作“器械”，今据改。［23］左卫将军：据章钰校，甲十一行本、乙十一行本皆无“将”字。〖按〗下文陶亮封“右卫将军”，则此处亦应有“将”字。［24］𢿍：据章钰校，甲十一行本、乙十一行本皆作“弊”。

【原文】

三月庚寅[270]，众军[271]水陆并进，攻赭圻[272]，陶亮等引兵救之，孝祖于陈[273]为流矢所中[274]，死。军主范潜帅五百人降于亮。人情震骇，并谓沈攸之宜代孝祖为统[275]。

时建安王休仁屯虎槛，遣宁朔将军江方兴[276]、龙骧将军襄阳刘灵遗[277]各将三千人赴赭圻。攸之以为孝祖既死，亮等有乘胜之心，明日若不更攻，则示之以弱。方兴名位相亚[278]，必不为己下[279]，军政不壹[280]，致败之由也。乃帅诸军主诣方兴曰："今四方并反，国家所保[281]，无复百里之地。唯有殷孝祖为朝廷所委赖，锋镝裁交[282]，舆尸而反[283]，文武丧气，朝野危心。事之济否，唯在明旦一战，战若不捷，则[25]大事去矣。诘朝之事[284]，诸人或谓吾应统之，自卜懦薄[285]，干略不如卿[286]。今辄相推为统[287]，但当相与勠力[288]耳。"方兴甚悦，许诺。攸之既出，诸军主并尤之[289]，攸之曰："吾本以[26]济国活家[290]，岂计此之升降[291]！且我能下彼[292]，彼必不能下我；共济艰难[293][27]，岂可自措同异也[294]？"

孙冲之谓陶亮曰："孝祖枭将[295]，一战便死，天下事定矣，不须复战，便当直取京都[296]。"亮不从。

辛卯[297]，方兴帅诸军[28]进战，建安王休仁又遣军主郭季之、步兵校尉杜幼文[298]、屯骑校尉垣恭祖[29]、龙骧将军济地顿生京兆段佛荣[299]等三万人往会战，自寅及午[300]，大破之，追奔[30]至姥山[301]而还。幼文，骥之子也。

孙冲之于湖、白口[302]筑二城，军主竟陵张兴世攻拔之。

【语译】

三月初三日庚寅，宋明帝刘彧派遣的各路大军从水路、陆路同时进发，目标直指赭圻，陶亮等赶紧率领军队赶来援救，殷孝祖于开战之前就在自己部队的行列中被不知从哪里飞来的乱箭射中身死。朝廷军中有一支部队的首领名叫范潜的便率领着自己部下的五百人投降了陶亮。朝廷军因而震恐惊骇，都认为宁朔将军沈攸之应该接替殷孝祖作为全军的统帅。

当时建安王刘休仁率军屯驻在虎槛，他派遣担任宁朔将军的江方兴、担任龙骧将军的襄阳郡人刘灵遗各自率领三千人赶赴赭圻增援朝廷军。宁朔将军沈攸之认为殷孝祖已经阵亡，敌军将领陶亮等一定会有乘胜进攻的计划，如果明天再不发起进攻，就是向敌军示弱。沈攸之还认为江方兴的官号与权位都与自己不相上下，江方兴一定不肯接受自己的指挥，军队的指挥如果不统一，就会导致军事上的失败。于是沈攸之就主动率领各路军队的主将来到江方兴的指挥部，沈攸之对江方兴说："如今四方到处起兵反对朝廷，目前朝廷所拥有的地盘，方圆已经不足一百里。只有殷孝祖是朝廷所依赖的，然而作战双方才一交锋，殷孝祖就命丧沙场，被人拉着尸体回去了，文官武将全都因此而情绪沮丧，士气低落，不论朝野，人人都感到了形势的危险。战争能否取得胜利，就取决于明日清晨的一战，如果明日作战不能取胜，大事就完了。明天早晨的这一仗，诸将中有人提议说应由我负责指挥，我感到自己懦弱无能，才干和谋略都不如您。现在我们共同推举您作为全军的统帅，我们应该同心协力打好这一仗。"江方兴非常高兴，就同意了沈攸之的建议，担任了军队的统帅。沈攸之告辞出来以后，各军军主全都埋怨他不该把军队的指挥权让给江方兴，沈攸之向诸将解释说："我的本意就是为了拯救国家，保住家人的性命，岂能计较权位的高低呢！再说，我能服从他的指挥，而他一定不肯接受我的指挥，我们大家目前都处在艰难危险的局势之下，怎么能够自己内部再互相制造矛盾呢？"

孙冲之对右卫将军陶亮说："殷孝祖是一员勇猛善战的将领，第一次作战就被我们射死，由此看来，天下大局已定，用不着再在这里与沈攸之等作战，我们应当率领大军径直去攻取京城建康。"陶亮没有听从孙冲之的意见。

三月初四日辛卯，宁朔将军江方兴率领各路军队进军作战，建安王刘休仁又派遣担任军主的郭季之、担任步兵校尉的杜幼文、担任屯骑校尉的垣恭祖、担任龙骧将军的京兆郡人段佛荣等率领三万人前来参加会战，敌我双方从凌晨四点左右一直激战到正午，朝廷军将拥戴刘子勋的军队打得大败，一直追赶到姥山才返回。杜幼文，是杜骥的儿子。

孙冲之在巢湖口和白水河口修筑了两座城垒，被朝廷军中担任军主的竟陵人张兴世率军攻破。

壬辰㉓，诏以沈攸之为辅国将军、假节，代殷孝祖督前锋诸军事。

陶亮闻湖、白二城不守，大惧，急召孙冲之还鹊尾，留薛常宝等守赭圻；先于姥山及诸冈分立营寨，亦悉[31]散还，共保浓湖㉔。

时军旅大起，国用不足，募民上钱谷㉕者，赐[32]荒县、荒郡㉖，或五品至三品散官㉗有差㉘。

军中食少，建安王休仁抚循㉙将士，均其丰俭，吊死问伤，身亲[33]隐恤㉚，故十万之众，莫有离心。

邓琬遣其豫州刺史刘胡㉛帅众三万、铁骑二千，东屯鹊尾，并旧兵㉜凡十余万。胡，宿将，勇健多权略，屡有战功，将士畏之。司徒中兵参军冠军蔡那㉝，子弟在襄阳，胡每战，悬之城外㉞，那进战不顾。吴喜既定三吴，帅所领五千人，并运资实㉟，至于赭圻。

薛索兒将马步万余人㊱自睢陵渡淮㊲，进逼青、冀二州刺史张永营㊳。丙申㊴，诏南徐州刺史桂阳王休范统北讨诸军事，进据广陵，又诏萧道成将兵救永。

戊戌㊵，寻阳王子房至建康㊶，上宥之，贬爵为松滋侯㊷。

庚子㊸，魏以陇西王源贺㊹为太尉。

上遣宁朔将军刘怀珍帅龙骧将军王敬则等步骑五千，助刘勔讨寿阳㊺，斩庐江太守刘道蔚。怀珍，善明㊻之从子也。

中书舍人戴明宝㊼启上，遣军主竟陵黄回㊽募兵击斩寻阳所署㊾马头太守㊿王广元。

前奉朝[34]请寿阳郑黑(331)，起兵于淮上(332)以应建康，东捍殷琰(333)，西拒常珍奇(334)。乙巳(335)，以黑为司州刺史(336)。

殷琰将刘顺、柳伦、皇甫道烈、庞天生等马步八千人东据宛唐(337)，刘勔帅众军并进，去顺数里(338)立营。时琰所遣诸军，并受顺节度(339)，

三月初五日壬辰，宋明帝下诏，任命沈攸之为辅国将军、假节，接替殷孝祖督前锋诸军事。

陶亮听说孙冲之在巢湖口与白水河口修建的两个城垒已经失守的消息，非常恐惧，急忙叫孙冲之把军队撤回鹊尾，只留下龙骧将军薛常宝等人防守赭圻；此前陶亮曾经在姥山以及诸冈分别设立了营寨，现在也让这些营寨全部撤回，集中力量共同守卫浓湖。

当时由于国内战火蜂起，国家财用不足，宋明帝便号召百姓向朝廷交纳钱财与粮食。对那些交纳钱财粮食的人，朝廷就赏赐他们到边远少人的郡县去做郡守、县令，或者是让他们担任比郡守、县令更高级别的五品、四品，或是三品等有职无权的闲散官职。

朝廷军中粮食短缺，建安王刘休仁便安抚、慰问全军将士，调剂军粮，吊唁死者，抚慰伤员，亲自向他们表示关怀和同情，所以十万大军，没有一个人离心离德。

尚书右仆射邓琬派遣属下担任豫州刺史的刘胡率领三万军队、两千精锐骑兵，到东边的鹊尾驻扎，连同原先派出的右卫将军陶亮、左卫将军孙冲之等所率领的部队总计有十多万人。刘胡，是一位久经沙场的老将，勇敢强健又有权术谋略，多次建立战功，将士们都很敬畏他。在建康朝廷担任司徒中兵参军的冠军县人蔡那，他的子弟都在襄阳，刘胡每次与蔡那交战，都要把蔡那的子弟抓来吊挂在城墙之外，而蔡那照样向前冲杀，毫不顾忌。建武将军吴喜平定三吴之后，也率领自己部下的五千人，带着作战物资，抵达赭圻。

薛索兒率领一万多名骑兵、步兵从睢陵渡过淮河，进逼青、冀二州刺史张永的军营。三月初九日丙申，宋明帝下诏，任命担任南徐州刺史的桂阳王刘休范为统北讨诸军事，进驻广陵，又下诏命令辅国将军萧道成率军救援张永。

三月十一日戊戌，寻阳王刘子房回到京师建康，宋明帝虽然宽恕了他，但还是取消他的寻阳王爵位，将他贬为松滋侯。

十三日庚子，魏国任命陇西王源贺为太尉。

宋明帝派遣宁朔将军刘怀珍率领龙骧将军王敬则等五千名步骑兵，帮助辅国将军刘勔讨伐寿阳，斩杀了庐江太守刘道蔚。刘怀珍，是刘善明的侄子。

中书舍人戴明宝奏报宋明帝，派遣担任军主的竟陵人黄回招募军队，斩杀了寻阳晋安王刘子勋政权所委任的马头郡太守王广元。

曾经担任过奉朝请一职的寿阳人郑黑，在淮河流域起兵拥戴宋明帝，他向东抵御殷琰，向西抵抗常珍奇。三月十八日乙巳，宋明帝任命郑黑为司州刺史。

殷琰的部将刘顺、柳伦、皇甫道烈、庞天生等率领八千名骑兵、步兵向东占据了宛唐，辅国将军刘勔率领众军齐头并进，在距离刘顺占据的宛唐只有几里远的地方安下营寨。当时殷琰所派遣的各路军马全都接受刘顺的调遣、指挥，皇甫道烈原

而以皇甫道烈[340]土豪，柳伦台之所遣[341]，顺本卑微，唯不使统督二军[342]。勔始至，堑垒未立[343]，顺欲击之，道烈、伦不同，顺不能独进，乃止。勔营既立，不可复攻，因相持守。

壬子[344]，断新钱[345]，专用古钱。

沈攸之帅诸军围赭圻。薛常宝等粮尽，告刘胡求救，胡以囊盛米，系流查[346]及船腹[347]，阳覆船[348]，顺风流下以饷之[349]。沈攸之疑其有异，遣人取船及流查，大得囊米。丙辰[350]，刘胡帅步卒一万，夜，斫山开道，以布囊运米饷赭圻。平旦[351]，至城下，犹隔小堑，未能入[352]。沈攸之帅诸军邀[353]之，殊死战，胡众大败，舍粮弃甲，缘山走[354]，斩获甚众。胡被创[355]，仅得还营[356]。常宝等惶惧，夏，四月辛酉[357]，开城突围，走还胡军[358]。攸之拔[359]赭圻城，斩其宁朔将军沈怀宝等，纳降数千人，陈绍宗单舸奔鹊尾。建安王休仁自虎槛进屯赭圻。

刘胡等兵犹盛。上欲绥慰人情[360]，遣吏部尚书褚渊至虎槛，选用将士[361]。时以军功除官者众[362]，版不能供[363]，始用黄纸[364]。

邓琬以晋安王子勋之命，征袁𫖮下寻阳[365]，𫖮悉雍州之众[366]驰下。琬以黄门侍郎刘道宪行荆州事[367]，侍中孔道存行雍州事。上庸太守柳世隆[368]乘虚袭襄阳，不克。世隆，元景之弟子也。

散骑侍郎明僧暠起兵，攻沈文秀[369]以应建康。壬午[370]，以僧暠为青州刺史。平原、乐安二郡[371]太守王玄默据琅邪[372]，清河、广川二郡[373]太守王玄邈据盘阳城[374]，高阳、勃海二郡[375]太守刘乘民据临济城[376]，并起兵以应建康。玄邈，玄谟之从弟；乘民，弥之之从子也。沈文秀遣军主解彦士攻北海[377]，拔之，杀刘弥之。乘民从弟伯宗，合帅乡党[378]，复取北海，因引兵向青州所治东阳城[379]。文秀拒之，伯宗战死。僧暠、

本是土豪出身，柳伦又是宋明帝所派遣的将领，而刘顺出身卑微，所以殷琰就没有让刘顺统一指挥皇甫道烈与柳伦这两支部队。刘勔的军队刚刚到达，战壕、营垒都还没有修好，刘顺想趁刘勔立足未稳的机会对刘勔发起进攻，而皇甫道烈、柳伦二人坚决不同意刘顺的意见，刘顺不能单独对刘勔发动进攻，只得作罢。刘勔的军营建好之后，刘顺再也找不到有利机会发起进攻，因此两军便在宛唐对峙起来。

三月二十五日壬子，建康朝廷禁止使用元嘉和孝建时期所铸造的铜钱，只允许使用古钱。

沈攸之率领诸军围困了赭圻。据守赭圻的薛常宝等人军中粮食消耗已尽，便向豫州刺史刘胡告急，请求运粮支援，刘胡把粮食装在袋子里，然后把粮袋捆在江流中的浮木上以及船舱里，假装成翻了船的样子，使这些粮袋能够顺风顺流而下以供应薛常宝。沈攸之看到江中有这么多木板船片顺流而下感到很怀疑，就派人将浮木、翻船打捞上来，得到很多装满粮食的袋子。三月二十九日丙辰，刘胡率领一万名步兵，在夜间开凿山路，用布袋运送粮米供给赭圻。天明的时候，刘胡的运粮队到达赭圻城下，但因为中间还隔着一条小河沟，所以不能入城。沈攸之率领诸军进行截击，全军将士拼死作战，刘胡的军队被打得大败，他们抛弃粮食，丢弃盔甲，沿着山路逃走，沈攸之的军队斩杀很多敌军，缴获了大量的物资。刘胡身受重伤，差一点死在半路之上。薛常宝等人在赭圻城中惶恐不安，夏季，四月初四日辛酉，薛常宝打开城门率军突围，逃回到刘胡的军营。沈攸之遂攻占赭圻城，斩杀敌军中的宁朔将军沈怀宝等人，接纳了好几千名投降的士兵，另一敌军将领陈绍宗则乘坐着一条小船逃往鹊尾。建安王刘休仁率领军队从虎槛拔营进驻赭圻城。

豫州刺史刘胡的军队依然还很强大。宋明帝为了抚慰与收买人心，就派遣担任吏部尚书的褚渊来到虎槛，提拔选用有功的将官与士兵。当时因为建立军功而受到提拔任用的人很多，填写委任状的授官板不够用，就开始用黄纸书写。

邓琬以晋安王刘子勋的名义，征调雍州刺史袁颉率领人马到寻阳来，袁颉率领雍州治下的全部人马飞速赶往寻阳。邓琬任命担任黄门侍郎的刘道宪暂时代理荆州刺史的职务，任命担任侍中的孔道存暂时代理雍州刺史的职务。上庸太守柳世隆乘虚进攻襄阳，没有取胜。柳世隆，是柳元景弟弟的儿子。

担任散骑侍郎的明僧暠率众起兵，攻打沈文秀，以支持宋明帝的建康朝廷。四月二十五日壬午，宋明帝任命明僧暠为青州刺史。担任平原、乐安二郡太守的王玄默占据着琅邪，担任清河、广川二郡太守的王玄邈占据着盘阳城，担任高阳、勃海二郡太守的刘乘民占据着临济城，他们全都起兵拥戴宋明帝。王玄邈，是王玄谟的堂弟；刘乘民，是刘弥之的侄子。青州刺史沈文秀派遣军主解彦士率领一支军队攻克北海郡，杀死了刘弥之。刘乘民的堂弟刘伯宗，召集并率领一些乡里乡亲夺回北海郡，并乘胜率领这些乡民进攻青州州府所在的东阳城。青州刺史沈文秀出兵抵抗

玄默、玄邈、乘民合兵攻东阳城，每战辄为文秀所破，离而复合，如此者十余，卒不能克。

杜叔宝谓㊳㊀台军住历阳，不能遽进㊳㊁，及刘勔等至，上下震恐。刘顺等始行㊳㊂，唯赍㊳㊃一月粮，既与勔久[35]相持，粮尽。叔宝发车千五百乘，载米饷顺，自将㊳㊄五千精兵送之。吕安国闻之，言于刘勔曰："刘顺精甲八千，而[36]我众不能居半㊳㊅。相持既久，强弱势殊㊳㊆；更复推迁㊳㊇，则无以自立。所赖者，彼粮行竭㊳㊈，我食有余耳。若使叔宝米至，非唯难可复图㊳㊉，我亦不能持久。今唯有间道㊴㊀袭其米车，出彼不意，若能制之，将[37]不战走矣。"勔以为然，以疲弱守营，简精兵千人配㊴㊁安国及龙骧将军黄回，使从间道出顺后，于横塘抄之㊴㊂。

安国始行，赍二日熟食，食尽，叔宝不至，将士欲还，安国曰："卿等旦已一食，今晚米车不容不至㊴㊃，若其不至，夜去不晚。"叔宝果至，以米车为函箱陈㊴㊄，叔宝于外为游军㊴㊅，幢主㊴㊆杨仲怀将五百人居前，安国、回等击斩之，及其士卒皆尽。叔宝至，回欲乘胜击之，安国曰："彼将自走，不假复击㊴㊇。"退三十里，止宿，夜遣骑参候㊴㊈，叔宝果弃米车走。安国复夜往烧米车，驱牛二千余头而还。

五月丁亥朔㊴㊉，夜，刘顺众溃，顺[38]走淮西就常珍奇㊵㊀。于是刘勔鼓行㊵㊁，进向寿阳。叔宝敛居民及散卒，婴城自守㊵㊂，勔与诸军分营城外㊵㊃。

山阳王休祐与殷琰书，为陈利害，上又遣御史王道隆赍诏㊵㊄宥琰罪。勔与琰书，并以琰兄瑗子邈书㊵㊅与之。琰与叔宝等皆有降意，而

刘伯宗的进攻，刘伯宗战死。明僧暠、王玄默、王玄邈、刘乘民联合起来攻打东阳城，但每次进攻都被沈文秀打败，联军被打散以后又迅速地集结起来，再次组织进攻，就这样反反复复地组织了十多次进攻，却始终没有能够攻克东阳城。

杜叔宝原以为建康朝廷的军队驻扎在历阳，不可能一下子打到自己所在的寿阳，等到辅国将军刘劻等人率军到达后，杜叔宝的军中上上下下都感到非常震惊和恐惧。刘顺等人当初率军出发的时候，只携带了一个月的粮食，等到与刘劻在宛唐对峙很久，刘顺军中所带的粮食已经吃完了。杜叔宝派出一千五百辆车子，满载着粮食运往刘顺的军营，他亲自率领五千精兵跟着押送。宁朔将军吕安国打听到这个消息后，就对辅国将军刘劻说："刘顺所率领的精兵有八千人，而我军的数量还不到人家的一半。我们与敌军对峙时间一久，双方强弱的差别就显现出来了；如果再拖延下去，我们将无法立足。现在我们所仰仗的是他们的粮食即将用完，而我军的粮食还有富余。如果让杜叔宝把粮食顺利地运送给刘顺，我们不仅很难再有妙招打败他，恐怕也不能坚持长久。现在只有抄小路偷袭杜叔宝的运粮车，攻他个出其不意，如果能够取胜，敌军将会不战而逃。"刘劻认为吕安国说得很对，就留下老弱士兵坚守营寨，挑选一千名精兵派给吕安国和龙骧将军黄回，让他们率领这一千人从小路抄到刘顺军队的后方，在横塘地区埋伏好，专等袭击杜叔宝的运粮车队。

吕安国率领军队出发的时候，只携带了两天的熟食，然而熟食吃完之后，杜叔宝的运粮车队却还没有出现，将士们都想撤回去，吕安国说："你们早晨已经吃了一顿饭，今天晚上杜叔宝的运粮车不可能不来，如果到了晚上运粮的车队还不到，夜里再撤军也不算晚。"杜叔宝的运粮车队果然在当天到达，把运粮食的车辆排在四周，作为依托，摆成一个方形的阵式，杜叔宝在米车阵的外围还派出了一支负责巡逻的游击部队，担任幢主的杨仲怀率领五百人在车队前边开路，宁朔将军吕安国、龙骧将军黄回等人把杨仲怀和他所率领的五百人杀了个干干净净。杜叔宝闻讯赶到，黄回主张乘胜攻击杜叔宝，吕安国说："他们会自动逃走，用不着我们再攻打。"于是后退三十里宿营，夜间派骑兵前去侦察杜叔宝运粮车队的消息，发现杜叔宝果然抛弃运粮车逃走了。吕安国在当天夜间率军把运米的车辆全部烧毁，驱赶着两千多头牛胜利返回宛唐。

五月初一日丁亥，当天夜间，建武司马刘顺的军队全部溃退，刘顺逃往淮西去依靠常珍奇。辅国将军刘劻于是令军士摇旗擂鼓，大摇大摆地向寿阳进发。杜叔宝聚集起寿阳的居民和散兵游勇，依托寿阳城墙，进行坚守，刘劻与诸军则分别在寿阳城外安营扎寨。

山阳王刘休祐写信给豫州刺史殷琰，为他分析利害关系，宋明帝又派遣担任御史的王道隆携带诏书前去宣告，赦免殷琰的罪过。刘劻也写信给殷琰，并且把殷琰哥哥殷瑗的儿子殷邈的信一同交给殷琰。殷琰与杜叔宝等人都有投降朝廷的意愿，

众心不壹，复婴城固守。

弋阳西山蛮[406]田益之起兵应建康，诏以益之为辅国将军，督[407]弋阳四山[39]事。壬辰[408]，以辅国将军沈攸之为雍州刺史[409]。丁未[410]，以尚书左仆射王景文[411]为中军将军。庚戌[412]，以宁朔将军刘乘民为冀州刺史。

甲寅[413]，葬昭太后[414]于修宁陵。

张永、萧道成等与薛索兒战，大破之，索兒退保石梁[415]，食尽而溃，走向乐平[416]，为申令孙子孝叔[417]所斩。薛安都子道智走向合肥，诣裴季[40]降[418]。傅灵越走至淮西，武卫将军沛郡王广之生获之，送诣勔[41]。勔诘[419]其叛逆，灵越曰："九州唱义[420]，岂独在我[421]！薛公[422]不能专任智勇，委付子侄[423]，此其所以败也。人生归于一死，实无面求活。"勔送诣建康。上欲赦之，灵越辞终不改，乃杀之。

邓琬以刘胡与沈攸之等相持久不决，乃加袁顗督征讨诸军事。六月甲戌[424]，顗帅楼船千艘，战士二万，来入鹊尾。顗本无将略[425]，性又怯桡[426]，在军中未尝戎服，语不及战陈，唯赋诗谈义[427]而已，不复抚接诸将[428]。刘胡每论事，酬对甚简[429]，由此大失人情，胡常切齿恚恨[430]。胡以南运米[431]未至，军士匮乏，就顗借襄阳之资，顗不许，曰："都下两宅未成[432]，方应经理[433]。"又信往来之言[434]，云"建康米贵，斗至数百"，以为将不攻自溃，拥甲以待之[435]。

田益之帅蛮众万余人围义阳[436]，邓琬使司州刺史庞孟虬帅精兵五千救之，益之不战溃去。

安成太守[437]刘袭，始安内史[438]王识之，建安内史[439]赵道生，并举郡来降[440]。袭，道怜[441]之孙也。

萧道成世子赜[442]为南康赣令[443]，邓琬遣使收系[444]之。门客兰陵桓康[445]担赜妻裴氏及其子长懋、子良逃于山中，与赜族人萧欣祖等结客得百余人，攻郡[446]，破狱出赜[447]。南康相[448]沈肃之帅将吏追赜，赜与战，

然而由于众人的意见不统一，所以只好暂且继续坚守寿阳城。

弋阳郡西部山区里的蛮族人首领田益之起兵拥戴宋明帝，宋明帝遂下诏任命田益之为辅国将军，主管弋阳周围山区蛮族人的事务。五月初六日壬辰，宋明帝任命辅国将军沈攸之为雍州刺史。二十一日丁未，宋明帝任命担任尚书左仆射的王景文为中军将军。二十四日庚戌，宋明帝任命宁朔将军刘乘民为冀州刺史。

五月二十八日甲寅，宋明帝把昭太后安葬在修宁陵。

青、冀二州刺史张永、辅国将军萧道成等人率军与薛索兒作战，大败薛索兒，薛索兒率军撤退到石梁城固守，石梁城内的粮食已经吃尽，薛索兒的军队立即溃败，薛索兒逃往乐平县，被申令孙的儿子申孝叔杀死。徐州刺史薛安都的儿子薛道智逃往合肥，向南汝阴太守裴季投降。太原太守傅灵越逃到淮西，被担任武卫将军的沛郡人王广之活捉，押送给辅国将军刘勔。刘勔责问傅灵越为何背叛朝廷，傅灵越回答说："全国许多地方都举兵起义，反抗湘东王刘彧，难道只是我一人吗?! 薛安都不能专门任用贤才，只顾把权力交给他的子侄掌握，这是他失败的原因。人生总归都有一死，我实在没有脸面请求活命。"刘勔便把傅灵越押赴建康。宋明帝想要赦免傅灵越，而傅灵越却始终不肯改变他的供词，宋明帝只得把傅灵越杀死。

邓琬因为豫州刺史刘胡与雍州刺史沈攸之等相持不下，久久不能决出胜负，遂又加授袁顗为督征讨诸军事。六月十八日甲戌，袁顗率领一千艘楼船，二万名战士，进入鹊尾。袁顗本来就没有做将军应有的勇敢与谋略，再加上性情怯懦，容易屈从于人，在军队当中从来没有穿过军服，所说的话也从来没有涉及过作战布阵的内容，只知道一味地赋诗，谈论一些诗书的义理，从来不去接触部下将领。刘胡每次到袁顗的军营讨论军务，袁顗都是冷淡以对，因此大失人心，刘胡经常怨愤得咬牙切齿。刘胡因为从南方运送的米粮还未到，军中缺乏粮食，就去向袁顗借用襄阳的存粮，袁顗不同意，他说："我在襄阳还有两所房子没有建成，正在等着经营办理。"袁顗又听信往来之人的传言，说"建康的米价非常昂贵，一斗米需要好几百钱才能买到"，就认为建康不用进攻就会自然崩溃，因而按兵不动，静待建康的自破投降。

田益之率领一万多名蛮族人围攻义阳，邓琬派遣担任司州刺史的庞孟虬率领五千精兵赶赴义阳救援，田益之没等与庞孟虬的军队交战就自行溃散而去。

担任安成郡太守的刘袭、担任始安内史的王识之、担任建安内史的赵道生，全都带着他们所管辖的郡县归顺了建康朝廷。刘袭，是刘道怜的孙子。

辅国将军萧道成的嫡长子萧赜正在担任南康郡辖下的赣县县令，邓琬派人把萧赜逮捕关押起来。萧赜的门客兰陵郡人桓康用担子挑着萧赜的妻子裴氏和萧赜的两个儿子萧长懋、萧子良逃往山中，他与萧赜的族人萧欣祖等召集起一百多名门客，攻入南康郡，打开监狱，救出了萧赜。担任南康郡相的沈肃之率领郡中的将吏追赶

擒之。赜自号宁朔将军，据郡[449]起兵，与刘袭等相应。琬以中护军殷孚为豫章太守[450]，督上流五郡[451]以防袭等。

衡阳内史[452]王应之起兵应建康，袭击湘州[42]行事何慧文于长沙。应之与慧文舍军身战[453]，斫慧文八创，慧文斫应之断足，杀之。

始兴人[454]刘嗣祖等据郡起兵应建康，广州刺史袁昙远遣其将李万周等讨之。嗣祖诳万周云“寻阳已平[455]”，万周还袭番禺[456]，擒昙远，斩之。上[457]以万周行广州事[458]。

初，武都王杨元和[459]治白水[460]，微弱不能自立，弃国奔魏。元和从弟僧嗣复自立，屯葭芦[461]。

费欣寿[462]至巴东[463]，巴东人任叔兒据白帝[464]，自号辅国将军，击欣寿，斩之，叔兒遂阻守三峡[465]。萧惠开[466]复遣治中程法度[467]将兵三千出梁州[468]，杨僧嗣帅群氐断其道，间使以闻[469]。

【段旨】

以上为第二段，写宋明帝泰始二年（公元四六六年）三、四、五、六月共四个月间的大事。主要写了刘彧朝廷军的殷孝祖被杀于战场，沈攸之推奉江方兴为统军，大破寻阳的孙冲之军，朝廷遂命沈攸之为总督前锋军事；朝廷的将领吴喜平定东方后，率军来援西线；写了寻阳军的陶亮、孙冲之等退保浓湖，寻阳军的刘胡率军东屯鹊尾；写了沈攸之大破薛常宝、刘胡军，进占赭圻；写了邓琬调袁颉率雍州兵东下，抵达鹊尾，而袁颉迂腐傲慢，不得众心；写了青、冀地区拥戴朝廷的势力进攻青州拥戴刘子勋的沈文秀，为沈文秀所败；写了朝廷军的刘勔、吕安国、黄回等大破寿阳殷琰的部将杜叔宝、刘顺等军，进兵包围了寿阳城；写了朝廷军的张永、萧道成等破杀徐州薛安都之侄薛索兒，薛安都之子薛道智投降，部将傅灵越不屈而死；此外还写了益州地区、江州的南部地区、湘州的南部地区以及广州地区拥戴刘子勋的势力相继受挫等。

萧赜，萧赜带领宾客与沈肃之交战，活捉了沈肃之。萧赜遂自称宁朔将军，占据南康郡起兵，与安成郡太守刘袭等人遥相呼应。邓琬任命担任中护军的殷孚为豫章太守，统领赣江上游五个郡的兵马，防备刘袭等人的进攻。

担任衡阳内史的王应之起兵拥戴建康的宋明帝，他在长沙袭击了担任湘州行事的何慧文。王应之亲自出马与何慧文单独交战，他八次砍伤了何慧文，何慧文则砍断王应之的脚，杀死了他。

始兴郡人刘嗣祖等占据始兴郡起兵拥戴建康的宋明帝，担任广州刺史的袁昙远派遣手下将领李万周等人讨伐刘嗣祖。刘嗣祖诓骗李万周说“寻阳的晋安王刘子勋所建立的政权已经被消灭”，李万周于是回军袭击番禺县，活捉了袁昙远，把袁昙远斩首。宋明帝任命李万周代理广州刺史职务。

当初，武都王杨元和把白水县作为自己的都城，因为实力太弱无法独立存在，便抛弃他的国土投奔了魏国。杨元和的堂弟杨僧嗣便自立为王，率领自己的部众驻扎在葭芦县。

担任巴郡太守的费欣寿率军到巴东，巴东郡人任叔兒占据着白帝城，自称辅国将军，他率领自己的部众袭击巴郡太守费欣寿，把费欣寿杀死，任叔兒趁势凭险扼守住通往三峡的道路。萧惠开又派遣担任治中的程法度率领三千军队从梁州出兵东下，杨僧嗣率领各氐族部落截断程法度的去路，同时派使者抄小路前往建康向宋明帝报告。

【注释】

㉗⓪ 三月庚寅：三月初三。㉗① 众军：指刘彧朝廷方面的军队。㉗② 攻赭圻：时刘子勋方面的孙冲之等率军屯于赭圻，在今安徽芜湖市繁昌区西北的长江南岸。㉗③ 于陈：在尚未开战前的部队行列中。陈，通“阵”，队列。㉗④ 为流矢所中：与上文“死将”云云相呼应。流矢，不知从哪里来的箭。㉗⑤ 为统：为统领、统帅。㉗⑥ 江方兴：济阳郡人，刘彧朝廷的重要将领。传见《宋书》卷八十四。㉗⑦ 刘灵遗：襄阳郡人，因破刘子勋功成为刘彧朝廷的重臣。传见《宋书》卷八十四。㉗⑧ 名位相亚：官号与权位都与自己不相上下。当时沈攸之和江方兴都是宁朔将军，名位相同。㉗⑨ 必不为己下：必定不肯接受自己的统领。㉘⓪ 军政不壹：军中没有统一的领导。军政，即军令，军中的指挥权。㉘① 所保：所拥有；所保持。㉘② 锋镝裁交：作战双方刚刚交锋。锋镝，泛指刀枪。镝，箭头。㉘③ 舆尸而反：就被人拉着尸体回去了。舆，车子，这里用作动词。反，通“返”。㉘④ 诘朝之事：明天早晨的这一仗。诘朝，明天早晨。㉘⑤ 自卜懦薄：我感到自己懦弱无能。自卜，估量自己。㉘⑥ 干略不如卿：办大事的能力不如您。干略，才干方略。卿，敬称对方。㉘⑦ 今辄相推为统：

现在我们就共同推您为统帅。㉘8 相与勠力：彼此共同努力。勠力，努力。㉘9 并尤之：都责备沈攸之。㉙0 吾本以济国活家：我考虑的是国事、家事的安全。㉙1 岂计此之升降：哪在乎官位的高低。㉙2 下彼：处于他的领导下。㉙3 共济艰难：大家都处在艰难危险的局势下。共济，共度，这里实即同处。㉙4 岂可自措同异也：怎么能够自己制造矛盾呢？措，安排、制造。同异，矛盾、纷争。也，通“耶”，反问语词。㉙5 枭将：勇猛之将。㉙6 便当直取京都：胡三省曰，“孙冲之狃殷孝祖之死，便欲顺流长驱，轻敌如此，使陶亮从其计，必与沈攸之等遇，亦将以轻敌取败矣”。㉙7 辛卯：三月初四。㉙8 杜幼文：刘彧即位初期的有功之臣，晋朝名将杜预的后代，其父杜骥，曾为青、冀二州刺史。父子传见《宋书》卷六十五。㉙9 京兆段佛荣：京兆郡的段佛荣。京兆郡的郡治长安，即今陕西西安。段佛荣是刘宋后期的重要将领。传见《宋书》卷八十四。㉚0 自寅及午：从凌晨的四点钟左右一直打到中午。天亮前的三点到五点钟为寅时，上午十一点至下午一点为午时。㉚1 姥山：在今安徽芜湖市繁昌区东北。㉚2 湖、白口：巢湖之口与白水之口。巢湖在今安徽巢湖的西北侧；白水方位不详，应离巢湖不远。㉚3 壬辰：三月初五。㉚4 浓湖：湖水名，在当时的鹊尾旁边，今安徽芜湖市繁昌区西，今已堙。㉚5 上钱谷：向刘彧朝廷交纳钱财与粮食。㉚6 赐荒县、荒郡：赏给他们到边远少人的郡县去任郡守、县令之职。㉚7 或五品至三品散官：或者是让他们担任比郡守、县令更高级别的有职无权之官。㉚8 有差：随着他们上钱谷的数量多少而确定赏官的大小。㉚9 抚循：安抚、慰问。㉛0 身亲隐恤：亲自向他们表示关怀、同情。㉛1 刘胡：刘宋自文帝以来的著名将领。传见《宋书》卷八十四。㉛2 并旧兵：连同以前派出的孙冲之、陶亮等部。㉛3 冠军蔡那：冠军县人姓蔡名那。冠军县的县治在今河南邓州西北。蔡那，此时任司徒刘休仁的中兵参军。传见《宋书》卷八十三。㉛4 悬之城外：悬缚之于蔡那所攻的城墙之外。意谓刘胡拘捕蔡那留在襄阳的子弟，将其带在军中，每到交战时，将之置于军前，以阻止蔡那军的进攻。㉛5 资实：军需物资，指兵器、粮食等。㉛6 马步万余人：骑兵步兵共万余人。㉛7 自睢陵渡淮：由睢陵县渡过淮河。睢陵县即今江苏睢宁。㉛8 张永营：张永与吴喜等平定浙东诸郡后，刘彧任张永为青、冀二州刺史，率军北上讨伐薛安都诸部，其扎营地址不详。㉛9 丙申：三月初九。㉜0 戊戌：三月十一。㉜1 至建康：刘子房在会稽为王晏所俘，至此被押送入建康。〖按〗此时刘子房年十岁。㉜2 松滋侯：封地松滋县，在今安徽霍邱东。㉜3 庚子：三月十三。㉜4 源贺：南凉王秃发傉檀之子，因及早降魏，又引导魏国灭北凉，为拓跋焘所宠信，改名源贺。传见《魏书》卷四十一。㉜5 讨寿阳：当时豫州刺史殷琰在寿阳以州应刘子勋，由其部下杜叔宝主事。寿阳即今安徽寿县。㉜6 善明：刘善明，刘弥之的侄子。㉜7 戴明宝：孝武帝刘骏的宠臣，废帝期间一度受黜，今又改投刘彧政权。传见《宋书》卷九十四。㉜8 黄回：刘宋后期的将领，以讨寿阳之反刘彧势力有功，受到刘彧升赏。传见《宋书》卷八十三。㉜9 寻阳所署：被刘子勋政权委任。㉝0 马头太守：马头郡的郡治即今安徽怀远南淮河南岸的马头城。㉝1 前奉朝请寿阳郑黑：曾任过奉朝请一职的寿阳人郑黑。奉朝请，闲散官名，只在有典礼活动的时候进宫朝拜皇帝，平时没有具体事务。郑黑，《宋书·殷琰传》作“郑墨”。㉜淮上：淮水流域、淮河岸边。胡三省曰：“以郑黑东捍西拒观之，则起兵淮上，盖在东西正阳之间。”㉝东捍殷琰：向东抵御寿阳的殷琰。㉞西拒常珍奇：向西抵抗常珍奇。时常珍奇被刘子勋政权任命为汝南、新蔡二郡太守，驻兵于今之河南汝南。㉟乙巳：三月十八。㊱司州刺史：刘宋时的司州州治悬瓠，即上述之河南汝南。㊲宛唐：一名死虎塘，在今安徽寿县东南四十里。㊳去顺数里：在离刘顺只有几里远的地方。㊴受顺节度：接受刘顺的指挥、调遣。㊵皇甫道烈：姓皇甫，名道烈，是当地的豪绅。㊶柳伦台之所遣：柳伦是朝廷派来的将领。台，此指建康朝廷。㊷不使统督二军：不让他统一指挥皇甫道烈与柳伦两支部队。㊸堑垒未立：战斗工事还没有修好。堑，壕沟。垒，城墙、营寨。㊹壬子：三月二十五。㊺断新钱：禁止使用刘宋以来铸造的铜钱。胡三省曰：“并元嘉四铢、孝建四铢，皆断不用也。”㊻系流查：拴在江流中的浮木上。查，通“槎”，水中的浮木。㊼船腹：船舱。㊽阳覆船：假装成翻了的船的样子。阳，通“佯”，假装。覆，翻，船底朝上。㊾以饷之：以供应薛常宝。㊿丙辰：三月二十九。(351)平旦：平明，天刚刚亮。(352)未能入：未能进入赭圻城。(353)邀：截击。(354)缘山走：沿着山路逃去。(355)被创：受伤。创，兵器造成的伤口。(356)仅得还营：差点死在半道上。(357)四月辛酉：四月初四。(358)走还胡军：逃回刘胡的大营。(359)拔：攻下；取得。(360)绥慰人情：安慰与收买人心。绥，安抚。(361)选用将士：提拔有功的将官与士兵。(362)除官者众：受任命的人员很多。除，被选拔、受任命。(363)版不能供：空头的委任状不够用。胡三省引程大昌曰：“魏晋到梁陈，授官有版，长一尺二寸，厚一寸，阔七寸。授官之辞，在于版上，为鹄头书。”(364)始用黄纸：开始用黄纸书写委任状。(365)下寻阳：率领人马到寻阳来。(366)悉雍州之众：率领雍州治下的全部兵马。(367)行荆州事：暂时代理荆州刺史的职务。(368)上庸太守柳世隆：柳世隆是刘宋名将柳元景之侄，时为上庸太守，属刘彧朝廷的一方。传见《南史》卷三十八。上庸郡的郡治在今湖北竹山西南。(369)攻沈文秀：时沈文秀任青州刺史，属于拥戴刘子勋的一方。青州的州治即今山东青州。(370)壬午：四月二十五。(371)平原、乐安二郡：平原郡的郡治原在山东平原西南，乐安郡的郡治在今山东邹平东北。刘宋时期由同一个太守管理。(372)琅邪：郡名，刘宋时的郡治在今山东莒县西南。(373)清河、广川二郡：清河郡的郡治原在今山东临清东北，广川郡的郡治原在今河北枣强东北。刘宋时期都在魏国境内。刘宋时设一个太守遥管二郡，侨立的郡治即下文的盘阳城。(374)盘阳城：汉代的般阳县城，在今山东淄博西南的淄川区。南朝宋移治今山东临朐东南。(375)高阳、勃海二郡：高阳郡的郡治博陆，在今河北博野西南，勃海郡的郡治在今河北南皮北。刘宋时期二郡都在魏国境内。但刘宋仍设一个太守遥管二郡，侨立的郡治即下文的临济城。(376)临济城：临济县城，在今山东高青东南。(377)北海：郡名，郡治剧县，在今山东昌乐西北。(378)合帅乡党：召集并率领着一些乡里乡亲。乡、党，都是古代的居民单位名，这里指同乡。(379)青州所治东阳城：青州州治所在的东阳城，即今山东青州，过去曾称益都县。⑶⑻谓：原以为。⑶⑻①不能遽进：不可能一下子打到跟前。当时杜叔宝在寿阳城，即今安徽寿县。⑶⑻②始行：当初出发的时候。⑶⑻③赍：携带。⑶⑻④自将：亲自率领。⑶⑻⑤不能居半：不够人家的一半。⑶⑻⑥强弱势殊：双方强弱的差别就显出来了。⑶⑻⑦更复推迁：如果再拖延一段时间。⑶⑻⑧行竭：将要用完。⑶⑻⑨难可复图：很难再有妙招打败他。⑶⑼⓪间道：抄小道。⑶⑼①配：派给。⑶⑼②于横塘抄之：在横塘地区抄他的后路。横塘，水泊名，在今安徽寿县东。⑶⑼③不容不至：不可能不来。⑶⑼④为函箱陈：将运粮车围在四周，以运粮车为依托，摆成一个方形的阵式。⑶⑼⑤于外为游军：在运米车阵的外面派出一支巡逻、游动的部队。⑶⑼⑥幢主：一幢之主，大致相当于一个比都尉、校尉略低的军官，部下有一幢。幢是仪仗的一种，似伞而细长，用作一支军队的标志。后代都改为用旗。⑶⑼⑦不假复击：用不着我们再打了。⑶⑼⑧参候：侦察、探听。⑶⑼⑨五月丁亥朔：五月初一是丁亥日。⑷⓪⓪就常珍奇：当时常珍奇据守淮水西侧的悬瓠，即今河南汝南。⑷⓪①鼓行：摇旗擂鼓，大摇大摆地进军。⑷⓪②婴城自守：依托城墙，据险而守。婴城，环城。⑷⓪③分营城外：分别扎营于城外，意即尚未包围寿阳。⑷⓪④赍诏：携带诏书前去宣告。赍，携带。⑷⓪⑤琰兄瑗子邈书：殷琰之兄殷瑗的儿子殷邈的书信。⑷⓪⑥弋阳西山蛮：弋阳郡西部山区的少数民族头领。弋阳郡的郡治在今河南潢川西。⑷⓪⑦督：主管；管理。⑷⓪⑧壬辰：五月初六。⑷⓪⑨为雍州刺史：原来的雍州刺史是袁颉，因其拥戴刘子勋，故刘彧朝廷改任沈攸之为雍州刺史。⑷①⓪丁未：五月二十一。⑷①①王景文：原名王彧，因与宋明帝刘彧同名，故以字行，刘宋时期的名臣。传见《宋书》卷八十五。⑷①②庚戌：五月二十四。⑷①③甲寅：五月二十八日。⑷①④昭太后：路太后，谥曰昭。路太后是孝武帝刘骏之母，因拥戴刘子勋称帝者多称奉路太后之诏，故路太后之死，人多称是为刘彧朝廷所杀。⑷①⑤石梁：城名，在今江苏南京市六合区西。⑷①⑥走向乐平：逃往乐平县。乐平原是山西的县名，在魏国境内，此处所说的乐平乃是刘宋时期侨县，在今安徽凤阳东。⑷①⑦申令孙子孝叔：申令孙的儿子申孝叔。〖按〗前文写薛索兒杀申令孙，今则申孝叔杀薛索兒，报杀父之仇。⑷①⑧诣裴季降：向裴季投降。诣，到、向。⑷①⑨诘：责问。⑷②⓪九州唱义：全国许多地方举义起兵。⑷②①岂独在我：难道只是我一个人吗？⑷②②薛公：指薛安都。⑷②③委付子侄：只顾委任他的子侄，如薛索兒等。⑷②④六月甲戌：六月十八。⑷②⑤将略：作为将军应有的勇敢与谋略。⑷②⑥怯桡：怯懦，不坚定。⑷②⑦谈义：谈论诗书的义理。⑷②⑧不复抚接诸将：从不接近部下将领。抚接，抚慰、接待。〖按〗袁颉的迂腐、傲慢，一似东晋的谢万，任命这种人为将，是拿国家与百姓的生死存亡开玩笑。⑷②⑨酬对甚简：袁颉对人家态度冷淡。酬对，回答。⑷③⓪恚恨：恼怒；怨愤。⑷③①南运米：江州政权应供应的粮食。⑷③②都下两宅未成：在襄阳我还有两所房子没有盖好。都下，此指他所管辖的襄阳。⑷③③方应经理：正在等着办理，意即拿不出钱物。经理，经营、办理。⑷③④往来之言：人来人往的传言。⑷③⑤拥甲以待之：按兵不动，静等建康的自破投降。⑷③⑥义阳：郡名，郡治即今河南信阳。⑷③⑦安成太守：安成郡的郡治平都，在今江西安福东南。⑷③⑧始安内史：始安郡的郡治即今广西桂林。因此郡是始安王的封地，故其行政长官称内史。㊴ 建安内史：建安郡的郡治即今福建建瓯。因此郡是建安王的封地，故其行政长官称内史。㊵ 举郡来降：带着他们所管辖的郡县归顺刘彧朝廷。㊶ 道怜：刘道怜，宋高祖刘裕之弟，帮着刘裕打天下，被封为长沙王。传见《宋书》卷五十一。㊷ 萧道成世子赜：萧道成的长子萧赜。萧道成即未来的南齐开国皇帝。传见《南齐书》卷三。此时萧氏父子尚是一般将佐，写史者势利眼，故提前称其子萧赜为“世子”，世子与太子同义，即嫡长子，未来的继承人。㊸ 南康赣令：南康郡内的赣县县令。南康郡的郡治雩都，在今江西于都东北，赣县即今江西赣州。㊹ 收系：逮捕、关押起来。㊺ 兰陵桓康：兰陵郡人桓康。兰陵郡的郡治在今山东枣庄西北。㊻ 攻郡：攻打南康郡。㊼ 出赜：救出了萧赜。㊽ 南康相：南康郡的行政长官。因南康也是诸侯王的封地，故其行政长官不称太守。诸侯王相与太守同级。㊾ 据郡：占据南康郡。㊿ 豫章太守：豫章郡的郡治即今江西南昌。㉛ 上流五郡：指赣江上游的五个郡，即豫章、南康、庐陵（郡治在今江西吉安西南）、临川（郡治在今江西抚州西）、安成（郡治在今江西安福东南）。㊲ 衡阳内史：衡阳郡的郡治湘西县，在今湖南衡阳东北。㊳ 舍军身战：不令部下的将士参加，只是两个将军单人对战。身，亲自。㊴ 始兴人：始兴郡人。始兴郡的郡治在今广东韶关的西南侧。㊵ 寻阳已平：刘子勋政权已被消灭。㊶ 番禺：县名，县治即今广州，当时广州的州治所在地。㊷ 上：以称宋明帝刘彧。㊸ 行广州事：代理广州刺史的职务。㊹ 杨元和：武都地区氐族的头领，其家族长期在这一带把持地方政权，晋宋统治者与魏国政权也都对之实行拉拢、收买政策，封之为公、为王等。传见《宋书》卷九十八。㊻ 治白水：以白水县为其都城。白水县的县治在今甘肃陇南市武都区北。㊼ 屯葭芦：率众屯聚于葭芦县。葭芦县在今甘肃陇南市武都区东南。㊽ 费欣寿：时为巴郡太守，已宣布拥戴刘子勋为帝，并出兵沿江东下。事见本年正月。㊾ 巴东：郡名，郡治即今重庆奉节县。㊿ 白帝：古城名，在今重庆市奉节县东的白帝山上，当年刘备托孤之所。㊺ 阻守三峡：凭险扼守三峡地区。三峡指瞿塘峡、巫峡、西陵峡，在今重庆市奉节县以东，湖北宜昌以西。㊻ 萧惠开：时为益州刺史，前已宣告拥戴刘子勋为帝，并派其属下郡守费欣寿率兵东出。事见本年正月。㊼ 治中程法度：萧惠开的高级僚属。治中，治中从事史的简称，协助刺史处理州中的各种事务。㊽ 出梁州：从汉中地区出兵东下。梁州的州治即今陕西汉中。㊾ 间使以闻：派使者抄小路以报告刘彧朝廷。

【校记】

［25］则：原无此字。据章钰校，甲十一行本、乙十一行本、孔天胤本皆有此字，张敦仁《通鉴刊本识误》同，今据补。［26］以：原无此字。据章钰校，甲十一行本、乙十一行本、孔天胤本皆有此字，张敦仁《通鉴刊本识误》同，今据补。［27］共济艰难：原无此四字。据章钰校，甲十一行本、乙十一行本、孔天胤本皆有此四字，张敦仁《通鉴刊本识误》、张瑛《通鉴校勘记》同，今据补。［28］军：原作“将”。据章钰校，甲

十一行本、乙十一行本、孔天胤本皆作“军”，今据改。[29] 垣恭祖：“祖”下原有“济地顿生”四字。胡三省注云：“‘济地顿生’四字必误。”当是，今据删。[30] 奔：原作“北”。据章钰校，甲十一行本、乙十一行本、孔天胤本皆作“奔”，今据改。[31] 悉：原作“各”。据章钰校，甲十一行本、乙十一行本、孔天胤本皆作“悉”，今据改。[32] 赐：原作“赐以”。据章钰校，甲十一行本、乙十一行本、孔天胤本皆无“以”字，今据删。[33] 亲：原作“自”。据章钰校，甲十一行本、乙十一行本、孔天胤本皆作“亲”，张瑛《通鉴校勘记》同，今据改。[34] 奉朝：据章钰校，甲十一行本、乙十一行本二字皆互乙。[35] 久：原无此字。据章钰校，甲十一行本、乙十一行本、孔天胤本皆有此字，今据补。[36] 而：原无此字。据章钰校，甲十一行本、乙十一行本、孔天胤本皆有此

【原文】

秋，七月丁酉[470]，以僧嗣为北秦州刺史、武都王[471]。

诸军与袁顗相拒于浓湖，久未决。龙骧将军张兴世[472]建议曰：“贼据上流，兵强地胜，我虽持之有余[473]而制之不足[474]。若以奇兵数千潜出其上[475]，因险而壁[476]，见利而动[477]，使其首尾周遑[478]，进退疑阻[479]，中流既梗[480]，粮运自艰，此制贼之奇也。钱溪[481]江岸最狭，去大军不远[482]，下临洄洑[483]，船下必来泊岸[484]；又有横浦[485]可以藏船，千人守险，万夫不能过。冲要[486]之地，莫出于此[487]。”沈攸之、吴喜并赞其策。会庞孟虬引兵来助殷琰[488]，刘勔遣使求援甚急，建安王休仁欲遣兴世救之。沈攸之曰：“孟虬蚁聚，必无能为，遣别将马步数千，足以相制。兴世之行[489]，是安危大机，必不可辍[490]。”乃遣段佛荣将兵救勔，而选战士七千、轻舸二百配兴世。

兴世帅其众溯流稍上[491]，寻复退归[492]，如是者累日[493]。刘胡闻之，笑

字，今据补。［37］将：原作“当”。据章钰校，甲十一行本、乙十一行本、孔天胤本皆作“将”，今据改。［38］顺：原无此字。据章钰校，甲十一行本、乙十一行本、孔天胤本皆有此字，张瑛《通鉴校勘记》同，今据补。［39］四山：原作“西蛮”。据章钰校，甲十一行本、乙十一行本、孔天胤本皆作“四山”，今据改。［40］裴季：原作“裴季之”，“季之”并刻一格。据章钰校，甲十一行本、乙十一行本皆无“之”字，张敦仁《通鉴刊本识误》以为不宜夹写，今据删。［41］勔：原作“刘勔”。据章钰校，甲十一行本、乙十一行本、孔天胤本皆无“刘”字，今据删。［42］湘州：据章钰校，甲十一行本、乙十一行本、孔天胤本皆作“襄州”。〖按〗《宋书·州郡志》“湘州”条曰：“湘州刺史，晋怀帝永嘉元年，分荆州之长沙……江州之桂阳八郡立。”后文亦有“于长沙”，可知应作“湘州”。

【语译】

秋季，七月十二日丁酉，宋明帝刘彧封任氐族人首领杨僧嗣为北秦州刺史、武都王。

建康朝廷的各军与袁颉在浓湖展开对峙，久久不能决出胜负。龙骧将军张兴世建议说：“贼军占据长江上游，兵力强大又占据有利的地势，我军与他们相持虽然占有一定的优势，但是要想克敌制胜，则显得有些力不从心。如果我们派遣几千名奇兵偷偷地绕到他们的上游，寻找险要之处扎下营寨，然后寻找有利时机骚扰敌军的后方，使他们首尾两头都感到彷徨不安，进退都因为有所牵挂而感到不得劲，一旦使他们在长江中的运输受阻，粮食运输自然就很艰难，这是制服贼兵的奇谋妙计。钱溪江岸处的水面最狭窄，距离我军大部队的驻地又不太远，再往下游就是漩涡众多之处，上游下来的船只来到此处必然要靠岸略做休息，又有横浦这个天然港口可以隐蔽船只，只要派一千人守住那里的险要，就是有一万敌军也休想冲得过去。要冲之地，没有比这个地方更重要的了。”沈攸之、建武将军吴喜都非常赞成龙骧将军张兴世的计策。恰好义阳内史庞孟虬此时率领军队从义阳赶往寿阳援救殷琰，刘勔立即派使者紧急求援，建安王刘休仁想派龙骧将军张兴世率军去援助刘勔。沈攸之说：“庞孟虬的军队就像一群聚集在一起的蚂蚁一样，肯定不会有什么作为，派别的将领率领几千名骑兵、步兵，就完全可以制服庞孟虬。让张兴世率领军队袭占钱溪的军事行动，是关系我军安危的关键，绝对不能放弃。”建安王刘休仁遂派龙骧将军段佛荣率军去援助刘勔，同时精心挑选七千名士兵、二百艘战船拨给张兴世去袭占钱溪。

张兴世率众逆流而上，前进一段之后，没过多久，就又退回到原来的地点，就这样前进又后退地折腾了好几天。刘胡听说后，笑着说：“就连我尚且不敢越过钱溪

曰："我尚不敢越彼下取扬州，张兴世何物人[494]，欲轻据我上[495]！"不为之备。一夕，四更，值便风[496]，兴世举帆直前，渡湖、白[497]，过鹊尾[498]。胡既觉，乃遣其将胡灵秀将兵于东岸，翼之而进[499]。戊戌夕[500]，兴世宿景洪浦[501]，灵秀亦留。兴世潜遣其将黄道标帅七十舸径趣钱溪[502]，立营寨。己亥[503]，兴世引兵进据之[504]，灵秀不能禁。庚子[505]，刘胡自将水步二十六军[506]来攻钱溪。将士欲迎击之，兴世禁之曰："贼来尚远[507]，气盛而矢骤[508]；骤既易尽[509]，盛亦易衰，不如待之。"令将士治城[510]如故。俄而胡来转近[511]，船入洄洑；兴世命寿寂之、任农夫帅壮士数百击之，众军相继并进，胡败走，斩首数百，胡收兵而下。时兴世城寨未固，建安王休仁虑袁颉并力更攻[512]钱溪，欲分其势[513]。辛丑[514]，命沈攸之、吴喜等以皮舰[515]进攻浓湖，斩获千数。是日，刘胡帅步卒二万、铁马[516]一千，欲更攻兴世。未至钱溪数十里[517]，袁颉以浓湖之急，遽追之[518]，钱溪城由此得立。胡遣人传唱[519]"钱溪已平"，众并惧，沈攸之曰："不然。若钱溪实败，万人中应有一人逃亡得还者，必是彼战失利，唱空声以惑众耳。"勒军中[520]不得妄动，钱溪捷报寻至。攸之以钱溪所送胡军耳鼻示浓湖[521]，袁颉骇惧。攸之日暮引归[522]。

龙骧将军刘道符攻山阳[523]，程天祚[524]请降。

庞孟虬进至弋阳，刘勔遣吕安国等迎击于蓼潭[525]，大破之。孟虬走向义阳，王玄谟之子昙善起兵据义阳以应建康，孟虬走死蛮中。

刘胡遣辅国将军薛道标袭合肥，杀汝阴太守裴季[526][43]，刘勔遣辅国将军垣闳击之。闳，阆[527]之弟。道标，安都之子也。

淮西人郑叔举起兵击常珍奇以应郑黑，辛亥[528]，以叔举为北豫州[529]刺史。

险要处到下游去夺取扬州，张兴世是个什么样的人物，就想轻而易举地驻兵到我的上游去！”因此没有做什么防备。一天夜里，四更天的时候，正赶上顺风，张兴世扬起风帆径直逆水而上，冲过湖口、白水口，也冲过两岸驻有寻阳重兵的鹊尾渡口。刘胡发觉后，就派他的部将胡灵秀率领一支军队沿着河的东岸与张兴世的船队相傍着并行而上。七月十三日戊戌的傍晚，张兴世停宿在景洪浦，岸上的胡灵秀也停下来休息。张兴世悄悄地派遣他的部将黄道标率领七十艘战船直奔钱溪，抢先修筑起了营寨。十四日己亥，张兴世率军前进占据了钱溪，胡灵秀无法禁止。十五日庚子，刘胡亲自率领水军、步兵总计二十六支军队前来攻打钱溪。张兴世属下的将士都要求出兵迎战刘胡军，张兴世阻止他们说：“贼兵距离我们这里还远，敌军的士气旺盛，射出的箭也很密集，箭射得密集就容易把箭射光，士气旺盛也就容易衰落，不如等待他们弓矢射尽、士气衰落的时候再攻打他们。”于是命令将士照旧加紧修筑城墙。不久，刘胡的战船越来越近，并进入了满是漩涡的水域，张兴世便命令寿寂之、任农夫率领几百名精壮的勇士率先攻击刘胡的水军，其余众军也相继向刘胡军发起进攻，刘胡败走，这一战斩杀刘胡好几百人，刘胡收集起残败的军队顺流撤回浓湖。当时张兴世的城寨还没有加固好，建安王刘休仁担心袁颛会集中兵力再次进攻钱溪，就准备派兵分散寻阳方面对钱溪的攻势。十六日辛丑，刘休仁命令沈攸之、吴喜等用牛皮包裹的舰艇进攻浓湖，斩杀了上千名敌军。当天，刘胡率领二万名步兵，一千匹披着铁甲的战马，想要再次对张兴世占领的钱溪发动进攻。他们行进到距离钱溪还有几十里的地方，袁颛因为沈攸之、吴喜等攻打浓湖甚急，便立即派人追赶刘胡，让他们赶紧撤回，张兴世因此赢得时间，得以将钱溪城修成、加固。刘胡派人大声吆喝说“钱溪已经被平定”，朝廷军听了都很恐惧，沈攸之分析说：“这是不可能的事情。如果钱溪确实已经失败，一万人当中总会有一个人活着逃回来，一定是寻阳军打了败仗，所以传播流言蜚语以蛊惑人心。”于是命令全军不得轻举妄动，不久钱溪方面就送来了捷报。沈攸之把钱溪送来的刘胡军人的耳朵、鼻子拿给浓湖的寻阳军观看，袁颛看后非常惊骇恐惧。沈攸之直到傍晚才率军返回营地。

龙骧将军刘道符率领朝廷军进攻山阳郡，程天祚向刘道符请求投降。

义阳内史庞孟虬率军抵达弋阳，辅国将军刘勔派遣宁朔将军吕安国等人前往蓼潭迎战庞孟虬，把庞孟虬打得大败。庞孟虬逃回义阳，王玄谟的儿子王昙善占据义阳起兵拥戴宋明帝，庞孟虬无法在义阳立足，就逃到蛮族人聚居区，最后死在了那里。

豫州刺史刘胡派遣担任辅国将军的薛道标前往袭击合肥，杀死了汝阴太守裴季，刘勔派遣辅国将军垣闳攻打薛道标。垣闳，是垣阆的弟弟。薛道标，是薛安都的儿子。

淮西郡人郑叔举聚众起兵攻打常珍奇，以响应郑黑，七月二十六日辛亥，宋明帝任命郑叔举为北豫州刺史。

崔道固为土人所攻，闭门自守[530]。上遣使宣慰，道固请降。甲寅[531]，复以道固为徐州刺史。

八月，皇甫道烈等闻庞孟虬败，并开门出降[532]。

张兴世既据钱溪，浓湖军[533]乏食。邓琬大送资粮，畏兴世，不敢进。刘胡帅轻舸四百，由鹊头内路[534]欲攻钱溪，既而谓长史王念叔曰："吾少习步战[535]，未闲水斗[536]。若步战，恒在数万人中[537]；水战在一舸之上，舸舸各进，不复相关，正在三十人中[538]，此非万全之计，吾不为也。"乃托疟疾，住鹊头不进，遣龙骧将军陈庆将三百舸向钱溪，戒庆不须战："张兴世吾之所悉，自当走[539]耳。"陈庆至钱溪，军于梅根[540]。

胡遣别将[541]王起将百舸攻兴世，兴世击起，大破之。胡帅其余舸驰还[542]，谓颛曰："兴世营寨已立，不可猝攻[543]，昨日小战，未足为损[544]。陈庆已与南陵、大雷[545]诸军共遏其上[546]，大军在此，鹊头诸将又断其下流[547]，已堕围中[548]，不足复虑。"颛怒胡不战，谓曰："粮运鲠塞[549]，当如此何[550]？"胡曰："彼尚得溯流越我而上，此运何以不得[551]沿流越彼而下邪！"乃遣安北府司马[552]沈仲玉将千人步趣南陵[553]迎粮。

仲玉至南陵，载米三十万斛，钱布数十舫[554]，竖榜为城[555]，规欲突过[556]。行至贵口[557]，不敢进，遣间信报胡[558]，令遣重军援接。张兴世遣寿寂之、任农夫等将三千人至贵口击之，仲玉走还颛营，悉虏其资实[559]。胡众骇惧，胡将张喜来降[560]。

镇东中兵参军[561]刘亮进兵逼胡营，胡不能制[562]。袁颛惧曰："贼入人肝脾里，何由得活[563]！"胡阴谋遁去[564]，己卯[565]，诳颛云："欲更帅步

崔道固遭到当地土著居民的攻击，只得关闭城门以自保。宋明帝派使者前来安慰招抚，崔道固遂向朝廷请求投降。二十九日甲寅，宋明帝又任命崔道固为徐州刺史。

八月，皇甫道烈等听说庞孟虬已经失败，便打开寿阳城门出来向朝廷军投降。

龙骧将军张兴世占据钱溪以后，驻扎在浓湖的袁颉、刘胡军缺乏粮食。邓琬给浓湖运送了大批的军粮，但因为惧怕张兴世，所以不敢前进。刘胡率领四百艘战船，准备沿着长江南岸前往进攻固守钱溪的张兴世，后来他又对担任长史的王念叔说："我从小熟悉的是在陆地上作战，不熟悉在船上作战。如果是在陆地上作战，我总是在千军万马当中冲杀，而水战只能待在一艘船上，每艘船都独自前进冲杀，船与船之间互不照应，一个人顶多不过指挥三十个人，这不是万无一失的好办法，我不能那样做。"于是刘胡就推说自己害了疟疾，将军队驻扎在鹊头不再前进，只派龙骧将军陈庆率领三百艘战船向钱溪进发，他告诫陈庆不要与张兴世交战，对陈庆说："我非常了解张兴世，你不用打他，他自己就会主动逃走。"陈庆率领船队到达钱溪，便在梅根河边扎下营寨。

刘胡派遣另一支军队的将领王起率领一百艘战船进攻张兴世，张兴世率军迎战王起，把王起打得大败。刘胡率领其余的船只飞速逃回浓湖，他对袁颉说："张兴世的营寨已经建好，不可能一下子将其攻克，昨日打了一个小仗，没有造成什么损失。龙骧将军陈庆已经与南陵、大雷等处的各军共同控制了张兴世通往上游的去路，我们的大军驻扎在这里，驻扎在鹊头的诸将又截断了张兴世撤回下游的通路，张兴世已经落入我们的包围之中，不值得再为此感到忧虑。"袁颉对刘胡不肯出战的行为感到非常恼怒，就对刘胡说："运送粮食的通道已经被建康军截断，我们应当怎么办?"刘胡说："他们能够越过我们逆流而上，我们的运粮船为什么就不能冲破他们的防线顺流而下呢!"于是派遣在安北将军袁颉的府中担任司马的沈仲玉率领一千人步行赶往南陵去迎接运粮的船只。

沈仲玉到达南陵之后，装载了三十万斛米，还有好几十艘装满了钱财、布匹的船只，他在船的四周竖起木板，做成围墙的样子，打算从江心一直冲过去突破张兴世的防线。然而沈仲玉的运粮船到达贵口城的时候，却不敢再继续前进，他派遣秘密使者前往浓湖给刘胡报信，让刘胡派遣大军前往贵口城增援，迎接船队返回浓湖。龙骧将军张兴世趁机派寿寂之、任农夫等人率领三千人前往贵口城袭击沈仲玉，沈仲玉逃回袁颉的军营，张兴世则全部缴获沈仲玉所押运的粮食、钱财、布匹等物资。刘胡的部众感到非常惊恐害怕，他手下的将领张喜前来投降了建康的朝廷军。

担任镇东中兵参军的刘亮率军进逼刘胡的军营，刘胡军抵挡不住。袁颉惶恐地说："贼军已经进入我们的腹地，我们哪里还能活得下去!"而刘胡已经暗地里准备逃跑，八月二十四日己卯，刘胡欺骗袁颉说："我准备再率领两万名步兵、骑兵到上

骑二万，上取钱溪，兼下大雷余运[566]。”令颤悉选马配之[567]。其日，胡委颤去[568]，径趣梅根[569]。先令薛常宝办船[570]，悉发南陵诸军[571]，烧大雷诸城而走。至夜，颤方知之，大怒，骂曰：“今年为少子[44]所误[572]！”呼取常所乘善马“飞燕[573]”，谓其众曰：“我当自出[45]追之！”因亦走[574]。

庚辰[575]，建安王休仁勒兵入颤营，纳降卒十万，遣沈攸之等追颤。颤走至鹊头，与戍主[576]薛伯珍并所领数千人偕去[577]，欲向寻阳。夜，止山间，杀马以劳将士，顾谓伯珍曰：“我非不能死，且欲一至寻阳，谢罪主上[578]，然后自刎耳。”因慷慨叱左右索节[579]，无复应者。及旦，伯珍请屏人言事，遂斩颤首，诣钱溪马[46]军主襄阳俞湛之。湛之因斩伯珍，并送首以为己功。

刘胡帅二万人向寻阳，诈[580]晋安王子勋云：“袁颤已降，军皆散，唯己帅所领独返[581]。宜速处分[582]，为一战之资[583]。当停据湓城[584]，誓死不贰[585]。”乃于江外[586]夜趣沔口[587]。

邓琬闻胡去，忧惶无计，呼中书舍人褚灵嗣等谋之，并不知所出。张悦诈称疾，呼琬计事，令左右伏甲帐后，戒之：“若闻索酒，便出。”琬既至，悦曰：“卿首唱此谋，今事已急，计将安出？”琬曰：“正当斩晋安王，封府库，以谢罪[588]耳。”悦曰：“今日宁可卖殿下求活邪！”因呼酒。子洵[589]提刀出斩琬。中书舍人潘欣之闻琬死，勒兵而至。悦使人语之曰：“邓琬谋反，今已枭戮[590]。”欣之乃还。取琬子，并杀之。悦因单舸赍琬首[591]驰下，诣建安王休仁降。

寻阳乱。蔡那之子道渊在寻阳被系作部[592]，脱锁入城，执子勋，囚之。沈攸之等[47]诸军至寻阳，斩晋安王子勋，传首建康[593]，时年十一。

游去攻取钱溪，顺带着把大雷戍剩余的漕运物资取回来。”他让袁顗全部给他配备骑兵。就在当天，刘胡丢下袁顗，自己逃走，直奔梅根。刘胡预先让龙骧将军薛常宝准备船只，并带走南陵戍的全部军队，烧毁大雷各城后逃走。到了夜间，袁顗才知道自己上了刘胡的当，不禁勃然大怒，骂道：“我今年被刘胡这小子欺骗！”他呼唤侍从把自己经常骑坐的好马“飞燕”牵来，然后对众人说：“我要亲自出去把刘胡追回来！”于是骑上“飞燕”也偷偷地逃走了。

八月二十五日庚辰，建安王刘休仁率军进入浓湖袁顗的大营，接管了投降的十万名士卒，又派遣沈攸之等人率军追赶袁顗。袁顗逃到鹊头，与鹊头的守军头领薛伯珍以及自己带领的几千人一起逃走，准备逃往寻阳。夜间，停留在山间，宰杀马匹以慰劳随行的将士，袁顗回过头来对薛伯珍说：“我并非不能以死殉国，只是想一旦到达寻阳，向主子当面请罪之后，再自刎而死也不算晚。”于是慷慨陈词，并叱令左右寻找出兵时刘子勋授予他的旌节，而此时已经没有人听从他。等到天明，薛伯珍请求袁顗屏退其他人，要求与他单独商议事情，薛伯珍趁机砍下袁顗的人头，然后带着人头投奔担任钱溪马军主的襄阳人俞湛之。俞湛之便趁机砍下薛伯珍的人头，连同袁顗的人头一起送到建安王刘休仁那里作为自己的功劳。

刘胡率领两万人向寻阳进发，到了寻阳之后，他欺骗晋安王刘子勋说：“袁顗已经向建康军投降，浓湖的军队已经全部溃散，只剩下我自己率领着这支军队逃了回来。现在应该赶快做好安排，为最后一战做好准备。我也要留在湓城坚守，立誓战死，绝对没有二心。”然而却连夜沿着江岸逃往沔口。

邓琬听说豫州刺史刘胡已经逃走，忧惧惶恐却无计可施，他召唤担任中书舍人的褚灵嗣等人商议对策，大家都不知道该怎么办才好。张悦谎称自己有病，招呼邓琬到自己的帐中商议事情，他事先命令左右武士埋伏在军帐后面，并告诫他们说：“如果听见我说要酒，你们就赶紧出来动手。”邓琬来到张悦的营帐，张悦说：“你首先倡议拥戴晋安王刘子勋称帝，如今事情已经非常紧急，你打算怎么办?”邓琬说：“我正打算杀掉晋安王刘子勋，封闭府库，向建康朝廷请罪。”张悦说：“现在难道可以出卖晋安王殿下以求得自己的活命吗?!”于是大声呼喊“拿酒来”。张悦的儿子张洵提刀从帐后冲出来斩杀了邓琬。担任中书舍人的潘欣之听说邓琬被张悦杀死，立即率军赶到。张悦派人对潘欣之说：“邓琬谋反，现在已经被我斩首。”潘欣之于是返回。张悦抓到邓琬的儿子，也一同杀死。张悦独自乘坐一艘小船携带邓琬的人头飞速地顺流而下，到建安王刘休仁那里请求投降。

寻阳立即大乱。司徒中兵参军蔡那的儿子蔡道渊在寻阳被囚禁在制作兵器的作坊里，他挣脱了身上的锁链进入寻阳城，逮住晋安王刘子勋，把刘子勋囚禁起来。沈攸之等各路人马到达寻阳，斩杀了晋安王刘子勋，把刘子勋的人头送往京师建康，当时刘子勋年仅十一岁。

初，邓琬遣临川内史[594]张淹自鄱阳峤道[595]入三吴[596]，军于上饶[597]，闻刘胡败，军副鄱阳太守费畔斩淹以降。淹，畅[598]之子也。

废帝之世，衣冠[599]惧祸，咸欲远出[600]，至是流离外难[601]，百不一存，众乃服蔡兴宗之先见[602]。

九月壬辰[603]，以山阳王休祐为荆州刺史。

癸巳[604]，解严[605]，大赦。

庚子[606]，司徒休仁至寻阳，遣吴喜、张兴世向荆州[607]，沈怀明向郢州[608]，刘亮及宁朔将军南阳张敬兒向雍州[609]，孙超之向湘州[610]，沈思仁、任农夫向豫章[611]，平定余寇。

刘胡逃至石城[612]，捕得，斩之。郢州行事[613]张沈变形为沙门[614]，潜走，追获，杀之。荆州行事刘道宪闻浓湖平，散兵，遣使归罪[615]。荆州治中宗景[616]等勒兵入城[617]，杀道宪，执临海王子顼以降。孔道存[618]知寻阳已平，遣使请降。寻闻柳世隆、刘亮当至，众悉逃溃[48]，道存及三子皆自杀。上以何慧文才兼将吏[619]，使吴喜宣旨赦之。慧文曰："既陷逆节[620]，手害忠义[621]，何面见天下之士[622]！"遂自杀。安陆王子绥、临海王子顼、邵陵王子元并赐死[623]，刘顺及余党在荆州者[624]皆伏诛。诏追赠诸死节之臣，及封赏有功者各有差。

己酉[625]，魏初立郡学，置博士、助教[626]、生员[627]，从中书令高允、相州刺史李䜣之请也。䜣，崇[628]之子也。

上既诛晋安王子勋等，待世祖诸子犹如平日。司徒休仁还自寻阳，言于上曰："松滋侯兄弟尚在，将来非社稷计[629]，宜早为之所[630]。"冬，十月乙卯[631]，松滋侯子房、永嘉王子仁、始安王子真、淮南王子孟、南平王子产、庐陵王子舆、子趋、子期、东平王子嗣、子悦并赐死[632]，及镇北谘议参军路休之[633]、司徒从事中郎路茂之、兖州刺史刘祗、中书舍人严龙皆坐诛。世祖二十八子于此尽矣。祗，义欣[634]之子也。

当初，邓琬派遣担任临川内史的张淹从鄱阳郡的郡治经由山路进入三吴地区，驻扎在上饶县，当听到刘胡兵败的消息之后，担任军副的鄱阳太守费晔立即杀死张淹向建康军投降。张淹，是张畅的儿子。

宋废帝刘子业执政期间，官僚士大夫因为惧怕灾祸，全都想远远地离开京城。到现在，逃到外地避难的那些官绅又遭遇了战乱，流离失所，一百个人中很难有一个人能够活下来，众人这才感到蔡兴宗确实有先见之明。

九月初八日壬辰，宋明帝任命山阳王刘休祐为荆州刺史。

初九日癸巳，宋国解除全国的紧急军事状态，实行大赦。

九月十六日庚子，担任司徒的建安王刘休仁到达寻阳，他派遣建武将军吴喜、龙骧将军张兴世进攻荆州，派建威将军沈怀明进攻郢州，派镇东中兵参军刘亮和担任宁朔将军的南阳郡人张敬兒进攻雍州，派孙超之进攻湘州，派沈思仁、强弩将军任农夫进攻豫章，分头去平定残余的贼寇。

刘胡从寻阳逃往沔口途中经过石城县的时候，被人抓获、斩首。担任郢州行事的张沈化装成和尚，偷偷逃走，被追兵赶上杀死。担任荆州行事的刘道宪听说驻扎在浓湖的寻阳军已经被建康军消灭，便遣散士兵，派使者向建康朝廷请罪。担任荆州治中的宗景等人率军进入江陵城，杀死荆州行事刘道宪，逮捕了临海王刘子顼，然后向建康朝廷投降。孔道存知道寻阳的刘子勋政权已经被消灭，也派使者向朝廷请求投降。不久听说柳世隆、刘亮即将率军到达，孔道存的部众立即溃逃而去，孔道存和他的三个儿子全都自杀而死。宋明帝认为何慧文既有将才，又有担任行政长官的才能，于是就派遣建武将军吴喜去宣布皇帝的旨意，赦免了何慧文。何慧文说："我既然陷入叛逆，已经失掉臣节，又亲手杀死了衡阳内史王应之这样的忠义之士，我还有什么脸面再见天下之人！"于是自杀而死。安陆王刘子绥、临海王刘子顼、邵陵王刘子元全都被赐死，建武司马刘顺及其余党凡是在荆州的全被杀死。宋明帝下诏，追赠那些为朝廷死难的守节之臣，对平乱有功人员则根据他们功劳的大小给予不同等次的封赠和奖赏。

九月二十五日己酉，魏国开始设立郡学，并为学校设置博士、助教、生员，这是因为听从中书令高允、相州刺史李䜣的建议而采取的措施。李䜣，是李崇的儿子。

宋明帝诛杀晋安王刘子勋等人之后，对待宋世祖刘骏的其他几个儿子还和平常一样。担任司徒的建安王刘休仁从寻阳回到京师建康，他对宋明帝说："松滋侯刘子房兄弟还活着，将来长大之后恐怕对国家的安定不利，应当及早给他们安排一个地方。"冬季，十月初一日乙卯，宋明帝把松滋侯刘子房、永嘉王刘子仁、始安王刘子真、淮南王刘子孟、南平王刘子产、庐陵王刘子舆、刘子趋、刘子期、东平王刘子嗣、刘子悦全部杀死，就连担任镇北谘议参军的路休之、担任司徒从事中郎的路茂之、兖州刺史刘祗、中书舍人严龙都因为受到牵连而遭到诛杀。世祖刘骏的二十八个儿子到现在已经全部死光了。刘祗，是刘义欣的儿子。

刘勔围寿阳，垣闳攻合肥，俱未下。勔患之，召诸将会议。马队主[635]王广之曰："得将军所乘马[636]，判能平合肥[637]。"幢主皇甫肃怒曰："广之敢夺节下[638]马，可斩！"勔笑曰："观其意，必能立功。"即推鞍下马与之。广之往攻合肥，三日，克之，薛道标突围奔淮西归常珍奇。勔擢广之为军主。广之谓肃曰："节下若从卿言，何以平贼？卿不赏才[639]，乃至于此！"肃有学术[640]，及勔卒，更依广之[641]，广之荐于齐世祖为东海太守[642]。

沈灵宝[643]自庐江引兵攻晋熙[644]，晋熙太守阎湛之弃城走。

徐州刺史薛安都、益州刺史萧惠开、梁州刺史柳元怙、兖州刺史毕众敬、豫章太守殷孚、汝南太守常珍奇，并遣使乞降。上以南方已平，欲示威淮北，乙亥[645]，命镇军将军张永、中领军沈攸之将甲士五万迎薛安都[646]。蔡兴宗曰："安都归顺，此诚非虚[647]，正须单使尺书[648]。今以重兵迎之，势必疑惧，或能[649]招引北虏[650]，为患方深[651]。若以叛臣罪重，不可不诛，则向之所宥[652]亦已多矣。况安都外据大镇[653]，密迩边陲[654]，地险兵强，攻围难克[655]，考之国计[656]，尤宜驯养[657]；如其外叛，将为朝廷旰食之忧[658]。"上不从，谓征北司马行南徐州事[659]萧道成曰："吾今因此[660]北讨，卿意以为何如？"对曰："安都狡猾有余，今以兵逼之，恐非国之利。"上曰："诸军猛锐，何往不克？卿勿多言！"安都闻大兵北上，惧，遣使乞降于魏，常珍奇[661]亦以悬瓠降魏，皆请兵自救。

戊寅[662]，立皇子昱[663]为太子。

薛安都以其子为质于魏[664]。魏遣镇东大将军代人尉元[665]、镇东将军魏郡孔伯恭[666]等帅骑一万出东道，救彭城；镇西大将军西河公石[667]、都督荆豫南雍州诸军事张穷奇出西道，救悬瓠。以安都为都督徐兖[49]等五州诸军事、镇南大将军、徐州刺史、河东公，常珍奇为平南将军、豫州刺史、河内公。

刘勔率军攻打寿阳，垣闳率军攻打合肥，都没有攻克。刘勔非常忧虑，便召集诸将一同商议对策。骑兵部队的统领王广之说：“将军如果能把您乘坐的战马赏给我，我一定能够攻下合肥。”担任幢主的皇甫肃大怒，说：“王广之竟敢夺取将军的战马，应当把他的人头砍下来！”刘勔笑着说：“看他的意思，一定能够立功。”立即将马鞍放在马身上把马交给了王广之。王广之跨上刘勔的战马率领军队进攻合肥，只用三天的时间，就攻下了合肥，薛道标突出包围逃往淮西投奔汝南太守常珍奇。刘勔提拔王广之为军主。王广之对皇甫肃说：“将军如果听从你的话，我怎么能够平定得了贼寇呢？你不能识别人才，竟然到了这样的程度！”皇甫肃很有学问，后来刘勔去世，皇甫肃改属于王广之，王广之把皇甫肃推荐给齐世祖萧道成，萧道成任命皇甫肃为东海太守。

沈灵宝从庐江率军进攻晋熙郡，担任晋熙太守的阎湛之弃城逃走。

徐州刺史薛安都、益州刺史萧惠开、梁州刺史柳元怙、兖州刺史毕众敬、豫章太守殷孚、汝南太守常珍奇，全都派遣使者到建康向朝廷请求投降。宋明帝因为南方各郡已经平定，就想向淮北地区示威，十月二十一日乙亥，命令镇军将军张永、中领军沈攸之率领五万全副武装的士兵去接受薛安都的投降。尚书左仆射蔡兴宗说：“薛安都现在向朝廷请求投降，确实是出于真心而并非虚心假意，只需要派一个使者带着一封书信前去就足够了。现在却派重兵前去迎接，势必引起薛安都的怀疑和恐惧，还有可能会导致薛安都向北投降魏国，然后引领魏军南下侵扰，那样一来，今后的麻烦可就大了。如果认为叛臣薛安都的罪恶深重，不能不将他消灭，那么过去所赦免的叛臣已经很多了。再说薛安都正在徐州这样的大州担任刺史、督军，徐州又紧靠着边境，那里地势险要，兵力强盛，无论是进攻还是包围都很难取胜，从国家的安危大计考虑，尤其需要对他实行招安、抚慰的策略，如果他外逃投降魏国，将会给朝廷造成连吃饭都不得安宁的忧患。”宋明帝没有采纳蔡兴宗的建议，他对担任征北司马兼代理南徐州刺史职务的萧道成说：“我现在想趁南方已经平定的有利时机向北讨伐薛安都，你认为怎么样？”萧道成回答说：“薛安都性情非常狡猾，现在如果用大军逼迫他，恐怕对国家不利。”宋明帝说：“朝廷诸军勇猛精锐，何往而不胜？你不用再说什么了！”薛安都听说朝廷派大军北上，感到非常恐惧，就派使者到魏国请求投降，汝南太守常珍奇也献出悬瓠投降了魏国，他们全都向魏国请求出兵相救。

十月二十四日戊寅，宋明帝封皇子刘昱为皇太子。

薛安都把自己的儿子送到魏国充当人质，魏国派遣担任镇东大将军的代郡人尉元、担任镇东将军的魏郡人孔伯恭等人率领一万骑兵从东路出发救援彭城的薛安都，派担任镇西大将军的西河公拓跋石，担任都督荆州、豫州、南雍州诸军事的张穷奇从西路出发，救援悬瓠的常珍奇。魏国任命薛安都为都督徐州、兖州等五州诸军事，镇南大将军，徐州刺史，河东公；任命常珍奇为平南将军、豫州刺史、河内公。

兖州刺史申纂[668]诈降于魏，尉元受之而阴为之备。魏师至无盐[669]，纂闭门拒守。

薛安都之召魏兵也，毕众敬[670]不与之同[671]，遣使来请降[672]，上以众敬为兖州刺史。众敬子元宾在建康，先坐他罪诛[673]。众敬闻之，怒，拔刀斫柱曰："吾皓首唯一子，不能全，安用独生[674]！"

十一月壬子[675]，魏师至瑕丘[676]，众敬请降于魏。尉元遣部将先据其城，众敬悔恨，数日不食。元长驱而进，十二月己未[677]，军于秺[678]。

西河公石至上蔡[679]，常珍奇帅文武出迎。石欲顿军汝北[680]，未即入城[681]，中书博士郑羲[682]曰："今珍奇虽来，意未可量[683]。不如直入其城，夺其管籥[684]，据有府库，制其腹心[685]，策之全者也。"石遂策马入城，因置酒嬉戏。羲曰："观珍奇之色甚不平，不可不为之备。"乃严兵设备。其夕，珍奇使人烧府屋[686]，欲为变，以石有备而止。羲，豁[687]之曾孙也。

淮西七郡[688]民多不愿属魏，连营南奔[689]。魏遣建安王陆馛[690]宣慰新附[691]，民有陷军为奴婢者，馛悉免之，新民乃悦。

乙丑[692]，诏坐依附寻阳削官爵禁锢者[693]，皆从原荡[694]，随才铨用[695]。

刘勔围寿阳，自首春至于末冬，内攻外御[696]，战无不捷，以宽厚得将士心。寻阳既平，上使中书为诏[697]谕殷琰[698]，蔡兴宗曰："天下既定，是琰思过之日。陛下宜赐手诏数行[699]以相慰引[700]。今直中书为诏[701]，彼必疑谓非真[702]，非所以速清方难[703]也。"不从。琰得诏，谓刘勔诈为之，不敢降。杜叔宝闭绝寻阳败问[704]，有传者即杀之，守备益固。凡有降者，

宋国担任兖州刺史的申纂向魏国诈降，魏国镇东大将军尉元表面上接受了申纂的投降，而暗中却对他严加防备。魏军到达申纂所在的无盐县，申纂紧闭城门坚守，拒绝尉元入城。

在薛安都投降魏国并招请魏国出兵这件事上，毕众敬与薛安都的意见不一致，毕众敬派使者到朝廷请求投降，宋明帝任命毕众敬为兖州刺史。毕众敬的儿子毕元宾在建康，在此之前因为犯了别的罪而被诛杀。毕众敬听到这个消息，立即勃然大怒，他拔出佩刀就向柱子上砍去，说："我现在连头发都白了，却连唯一的儿子都不能保全，我一个人还活着做什么！"

十一月二十九日壬子，魏军到达瑕丘，毕众敬向魏军请求投降。魏国镇东大将军尉元派部将首先占据毕众敬的城池，毕众敬此时悔恨交加，一连几天不吃不喝。而尉元则率领魏军长驱而入，十二月初六日己未，驻扎在秺县。

西河公拓跋石率领魏军到达上蔡县，常珍奇率领属下的文官武将出城迎接。拓跋石想把大军驻扎在汝水以北，所以没有立即进入悬瓠城，拓跋石的僚属、担任中书博士的郑羲说："如今常珍奇虽然出城前来迎接，但他内心是否真的愿意归降魏国还不好估计。不如径直进入悬瓠城，接管他的守城任务，夺取他的府库，控制住他的要害部门，这才是万全之策。"拓跋石听从了郑羲的建议，于是策马入城，并摆设酒宴招待常珍奇，与他一起嬉戏。郑羲说："我观察常珍奇的神色，觉得他很有些愤愤不平之气，不能不预先做好防备。"于是，部署军队严加戒备。当天晚上，常珍奇果然派人烧毁刺史衙门和官舍，准备发动变乱，因为拓跋石已经有了准备才没有采取行动。郑羲，是郑豁的曾孙。

淮河西北侧的汝南、新蔡、汝阳、汝阴、陈郡、南顿、颍川七个郡的百姓大多不愿意归属魏国，他们成群结队地向南逃亡。魏军派遣建安王陆馛向这些新归附地区的民众进行宣传和抚慰，宋民中有陷入军中被强迫充当奴婢的，陆馛就把他们全部释放回家，新归附的宋民这才高兴起来。

十二月十二日乙丑，宋明帝下诏，凡是因为拥戴寻阳刘子勋为帝而获罪被削去官爵或者被禁止做官的人，一律原谅，并按照他们的才能选拔任用。

辅国将军刘勔率军围攻寿阳，从开春一直到冬末，无论是攻打被包围的寿阳，还是阻击、抵抗外部赶来增援寿阳的军队，全都战无不胜，因为刘勔待人宽大仁厚，因而深得民心。寻阳平定之后，宋明帝让中书省替自己起草一份诏书，劝说殷琰向朝廷投降，尚书左仆射蔡兴宗说："天下已经平定，正是殷琰思考自己过错的时候。陛下应当亲笔书写几行诏书给殷琰以安其心，引导他归顺。现在如果只让中书省给他发一封诏书，他一定怀疑诏书不是说真话，这恐怕不是快速平定一方战乱的好办法。"宋明帝没有采纳蔡兴宗的意见。殷琰接到中书省下发的诏书之后，果然怀疑这封诏书是刘勔所伪造，因而不敢投降。杜叔宝封锁了寻阳刘子勋政权已经灭亡的消息，有谁传播这个消息他就把谁杀死，因而寿阳城的防守戒备更加牢固。凡是有向朝廷投降的人，

上辄送寿阳城下，使与城中人语，由是众情离沮[705]。

琰欲请降于魏，主簿谯郡夏侯详[706]说琰曰：“今日之举[707]，本效忠节[708]。若社稷有奉[709]，便当归身朝廷，何可北面左衽[710]乎？且今魏军近在淮次[711]，官军[712]未测吾之去就[713]，若遣[50]使归款[714]，必厚相慰纳[715]，岂止免罪而已。”琰乃使详出见刘勔。详说勔曰：“今城中士民知困而犹固守者，畏将军之诛，皆欲自归于魏。愿将军缓而赦之[716]，则莫不相帅而至[717]矣。”勔许诺，使详至城下，呼城中人，谕以勔意。丙寅[718]，琰帅将佐面缚出降[719]，勔悉加慰抚，不戮一人。入城，约勒[720]将士，士民赀财，秋毫无所失，寿阳人大悦。魏兵至师水[721]，将救寿阳，闻琰已降，乃掠义阳[722]数千人而去。久之，琰复仕至少府[723]而卒。

萧惠开在益州多任刑诛[724]，蜀人猜怨。闻费欣寿败没，程法度不得前，于是晋原一郡反[725]，诸郡皆应之，合兵围成都。城中东兵[726]不过[51]二千，惠开悉遣蜀人出，独与东兵拒守。蜀人闻寻阳已平，争欲屠城，众至十余万人。惠开每遣兵出战，未尝不捷。

上遣其弟惠基自陆道使成都，赦惠开罪。惠基至涪[727]，蜀人遏留惠基，不听进[728]。惠基帅部曲击之，斩其渠帅[729]，然后得前。惠开奉旨归降，城围得解。

上遣惠开宗人宝首[730]自水道慰劳益州。宝首欲以平蜀为己功，更奖说[731]蜀人使攻惠开。于是处处蜂起，凡诸离散者一时还合[732]，与宝首进逼成都，众号二十万。惠开欲击之，将佐皆曰：“今慰劳使至而拒之，何以自明？”惠开曰：“今表启路绝[733]，不战则何以得通使京师？”

宋明帝就把他们送到寿阳城下，让他们向城中的人喊话、通报外面的消息，城中守军才开始沮丧起来，出现离散的迹象。

殷琰准备向魏军请求投降，担任主簿的谯郡人夏侯详劝阻殷琰说："我们今天所以要拥戴晋安王刘子勋为皇帝，本来是为了表现我们对国家的忠诚与气节。如今国家的社稷坛已经有了祭祀的主人，我们就应当归顺朝廷，怎么能够朝着北面的魏国俯首称臣而改穿左边开襟的胡服呢？况且如今魏军近在淮河边上，朝廷的军队还不知道我们想要投降魏国，如果派使者把我们的诚意报告给朝廷，朝廷必然会真诚地安慰、接纳我们，又岂止是赦免我们的罪过呢。"于是殷琰便派夏侯详出城去面见刘勔。夏侯详对刘勔说："现在寿阳城中的军民明明知道守住寿阳城是很困难的，然而还在顽强地坚守，是因为惧怕投降后将军会把他们杀掉，他们都准备投降魏军。希望将军一方面别再急着攻城，一方面赦免寿阳过去的反抗朝廷之罪，那么就没有人不相互跟随着投奔到你这里来了。"刘勔答应了夏侯详的要求，并派夏侯详到寿阳城下，向城中的人喊话，把刘勔的意思告诉他们。十二月十三日丙寅，殷琰率领属下的将佐反绑着双手出城投降，刘勔对他们一一慰问和安抚，没有杀死一个人。刘勔率军进入寿阳城之后，严格约束属下的将士，士民的财产因此没有丝毫损失，寿阳的百姓非常高兴。魏军抵达师水，准备救援寿阳，听说殷琰已经投降刘勔，就从义阳郡劫掠了几千人之后离去。过了很久，殷琰又在刘彧的朝廷做官，一直做到九卿一级的少府才去世。

担任益州刺史的萧惠开在益州刑罚酷刻，杀人太多，蜀地的人对他充满猜忌和怨恨。百姓听说巴郡太守费欣寿已经全军覆没，程法度前进受阻，于是晋原郡全郡的人都起来造反，其他各郡也都起来响应，各郡的兵力会合在一起围攻成都。成都城中跟随萧惠开从东方来的军队不过两千人，萧惠开把成都城中的蜀地人全都赶出城外，只留下东部随行的军队据守成都。蜀地人听说寻阳的刘子勋政权已经灭亡，就都争先恐后地想要屠灭成都城，聚集的人众多达十几万人。而萧惠开每次派兵出城作战，却从来没有失败过。

宋明帝派遣萧惠开的弟弟萧惠基从陆路出使成都，赦免萧惠开的罪过。萧惠基到达涪县的时候，被蜀地人截住，他们不让萧惠基继续前进。萧惠基率领自己的私人部队袭击这些蜀地人，杀死了他们的大头领，然后才得以继续前进。萧惠开遵从宋明帝的旨意归降了朝廷，围困成都的军民才解围散去。

宋明帝派遣萧惠开的族人萧宝首从水路去慰劳益州的军民。萧宝首想把平定蜀地叛乱的功劳据为己有，他重又鼓动怂恿蜀地人，让他们攻击萧惠开。于是各处纷纷起兵，那些刚刚撤离包围成都的人又重新聚合在一起，与薛宝首一道进逼成都，人众号称有二十万。萧惠开准备出城迎击，他手下的将佐都劝阻他说："如今朝廷派来慰劳的使者刚到我们就抵抗他们，怎么能够表明我们投降朝廷的诚意呢？"萧惠开说："如今向皇帝上表说明情况的道路已经被阻断，不通过战斗我们怎么能够打通使者前往京城

乃遣宋宁太守㉞萧惠训等将万兵与战，大破之，生擒宝首，囚于成都，遣使言状。上使执送宝首㉟，召惠开还建康。既至[52]，上问以举兵状。惠开曰："臣唯知逆顺㊱，不识天命㊲；且非臣不乱，非臣不平。㊳"上释之。

是岁，侨立兖州，治淮阴㊴；徐州治钟离㊵；青、冀二州共一刺史，治郁洲㊶。郁洲在海中，周数百里，累石为城，高八九尺，虚置郡县，荒民无几。

张永、沈攸之进兵逼彭城，军于下磕㊷，分遣羽林监㊸王穆之将卒五千守辎重于武原㊹。

魏尉元至彭城，薛安都出迎。元遣李璨与安都先入城，收其管籥，别遣孔伯恭以精甲二千安抚内外，然后入。其夜，张永攻南门，不克而退。

元不礼于薛安都，安都悔降，复谋叛魏，元知[53]之㊺，不果发㊻。安都重赂元等，委罪于女壻裴祖隆而杀之。元使李璨[54]与安都守彭城，自将兵击张永，绝其粮道，又破王穆之于武原。穆之帅余众就永，元进攻之。

【段旨】

以上为第三段，写宋明帝刘彧泰始二年（公元四六六年）七至十二月六个月的大事。主要写了宋明帝的朝廷军与寻阳军相持于浓湖，朝廷将张兴世率军从下游冲过浓湖，占据了寻阳将袁颉、刘胡等上游的钱溪，袁颉、刘胡的后勤供应被切断，刘胡派军攻钱溪，以及派沈仲玉到南陵取粮，均被张兴世等击败。写了刘胡见取胜无望，遂弃袁颉而逃；袁颉见景惶恐，亦弃军逃跑，中途被杀，浓湖的寻阳军营遂被沈攸之等占据，纳降卒十余万；刘胡逃至寻阳，又偷偷上逃至石城，被朝廷军捕杀。写了邓琬在寻阳忧惶无策，欲杀其主刘子勋投降朝廷，结果被其部下张悦杀死。写了寻阳大乱，被囚禁的蔡那之子蔡道渊乘机袭捕刘子勋，继而沈攸之进驻寻阳，杀刘子勋，寻阳政权遂灭；接着荆州的宗景杀荆州行事刘道宪，的道路呢?”于是派遣担任宋宁太守的萧惠训等人率领一万军队迎战萧宝首，把萧宝首打得大败，活捉萧宝首，囚禁在成都城内，然后派使者向朝廷详细奏明情况。宋明帝让萧惠开派人把萧宝首押解到建康，同时召萧惠开回建康。萧惠开回到建康后，宋明帝向萧惠开询问当初起兵反抗朝廷的原因。萧惠开回答说:“我当初只知道皇帝死了，就应该拥戴皇帝的儿子做皇帝，所以认为拥戴晋安王刘子勋做皇帝是正义的，而不知道陛下是奉天命而为帝，况且乱因我而起，也因我而平息。”宋明帝释放了萧惠开。

这一年，宋国设置侨兖州，治所设在淮阴；徐州的治所设在钟离县；青州、冀州共任用一名刺史，治所设在郁洲。郁洲在大海当中，周围几百里，用石头建造了城墙，城墙高八九尺，只在名义上虚设郡县，由于地处荒凉，并没有几个居民。

镇军将军张永、中领军沈攸之率领五万军队进兵逼近彭城，驻扎在下磕，另外派担任羽林监的王穆之率领五千士兵在武原县守卫辎重。

魏国镇东大将军尉元率领魏军到达彭城，徐州刺史薛安都亲自出城迎接。尉元派遣李璨先与薛安都一同入城，接收薛安都交出的锁钥，另外派遣镇东将军孔伯恭率领两千精兵安抚彭城内外的军民百姓，然后才进入彭城。当天夜间，宋国的镇军将军张永率军攻打彭城的南门，没有攻克，遂率军退去。

魏国的镇东大将军尉元对投降的徐州刺史薛安都很无礼，薛安都对自己投降魏国感到很悔恨，于是又阴谋背叛魏国，尉元知道了薛安都的筹谋，薛安都才没有发动兵变。薛安都用重金贿赂尉元等人，把准备背叛魏国的罪名推卸到自己的女婿裴祖隆身上而将裴祖隆杀死。尉元让李璨与薛安都一同守卫彭城，自己则亲自率领魏军进攻宋国的镇军将军张永，他截断张永运粮的道路，又在武原县打败了王穆之。王穆之率领残余的士兵向张永靠拢，尉元则继续率军对其发动进攻。

执其主子刘子项以降朝廷军；湘州行事何慧文兵败不屈而死；孝武帝刘骏之子刘子绥、刘子项、刘子元以及刘顺等皆为刘彧所杀，荆、湘地区平定。写了益州刺史萧惠开据城为刘子勋政权坚守，益州之民攻之不下，刘彧朝廷遣使赦其罪，萧惠开归顺朝廷，益州平定。写了朝廷将刘勔攻寿阳，与殷琰相持经时，殷琰之主簿劝殷琰接受朝廷劝谕，殷琰遂率部投降，刘勔应时厚抚之，寿阳民大悦。写了徐州刺史薛安都、兖州刺史毕众敬、汝南太守常珍奇等见寻阳已被削平，遂率众归降朝廷，刘彧见他处皆平，欲趁势向北部州郡示威，派沈攸之、张永率大军北上，于是薛安都、常珍奇等恐为其所灭，遂皆转而以徐州、汝南降魏。写了魏主以拓跋石、尉元统兵救薛安都于徐州、救常珍奇于悬瓠，于是青州、兖州、徐州、豫州等大片领土皆入于魏。此外还写了魏国以源贺为太尉，魏国建立太学等。

【注释】

⑩七月丁酉：七月十二。㊆以僧嗣为北秦州刺史、武都王：本句的主语是刘彧朝廷。武都是郡名，郡治在今甘肃成县的西北侧。㊆张兴世：孝武帝刘骏的旧部，后来在保卫刘彧朝廷的战斗中有大功。传见《宋书》卷五十。㊆持之有余：在与敌相持方面有长处。㊆制之不足：如果想克敌制胜则明显力不从心。㊆潜出其上：偷偷地绕到他们的后方。上，上游，亦即寻阳军的后方。㊆因险而壁：寻找险要之处，扎下营盘。㊆见利而动：窥测有利时机骚扰其后方。㊆首尾周遑：两头照顾不暇。周遑，意同“张皇”，惶恐不安。㊆进退疑阻：进退都不得劲，都有牵挂。㊆中流既梗：长江中的运输一旦令其受阻。中流，江中、江上。梗，不通。㊆钱溪：又称梅根港，即今安徽池州市贵池区东北长江的支流梅根河。㊆去大军不远：距离我军大部队的驻扎之地不是很远。去，距离。㊆下临洄洑：再往下走就是漩涡众多之处。胡三省曰：“漩流曰洄，伏流曰洑。”洑，暗流。㊆船下必来泊岸：上游下来的船到此必然要靠岸略做休息。㊆横浦：江边的港湾名。浦，水边的陆地。㊆冲要：要冲；必经之地。㊆莫出于此：没有比它更重要的了。出，超过。㊆来助殷琰：胡三省曰，“庞孟虬自义阳来援寿阳”。㊆兴世之行：指“潜出其上”，袭据钱溪的军事行动。㊆必不可辍：绝对不能放弃。辍，中止、放弃。㊆溯流稍上：逆流而上，前进了一段。㊆寻复退归：没过多久，又退回到原来的地点。㊆如是者累日：像这样上上下下地折腾了好多天。㊆何物人：是个什么样子的人，意即也不是长着三头六臂。㊆欲轻据我上：想轻而易举地驻兵到我的上头去。㊆值便风：趁着顺风。㊆渡湖、白：冲过湖口、白水口。㊆过鹊尾：也冲过两岸驻有重兵的鹊尾渡口。㊆翼之而进：在河岸上与之相傍并行而进。翼，在其左右、在其旁边。㊿戊戌夕：七月十三的傍晚。㊿宿景洪浦：停宿在景洪浦。景洪浦的具体方位不详，总之是在当时的钱溪下游，今安徽池州市贵池区以下的长江边上。㊿径趣钱溪：直奔钱溪。趣，意思同“趋”。㊿己亥：七月十四。㊿进据之：前进占领了钱溪。㊿庚子：七月十五。㊿水步二十六军：水军、步军共二十六股。㊿贼来尚远：敌兵离我们的距离还远。㊿气盛而矢骤：敌兵的士气旺盛，射出的箭也密集。骤，急促、密集。㊿骤既易尽：箭射得急，便容易用尽。㊿治城：修城；加固城墙。㊿转近：越来越近。㊿更攻：再次攻击。㊿欲分其势：想分散寻阳方面对钱溪的攻势。㊿辛丑：七月十六。㊿皮舰：用牛皮包蒙遮以防箭石的战船。㊿铁马：披着铁甲的战马。㊿未至钱溪数十里：行至离钱溪还有几十里的时候。㊿遽追之：立即派人来叫他们回去。遽，急、立即。㊿传唱：彼此大声吆喝。㊿勒军中：命令全军。勒，约束。㊿示浓湖：让浓湖的寻阳军观看。㊿引归：引军返回营地。㊿山阳：郡名，郡治即今江苏淮安。㊿程天祚：当时任山阳太守，此前曾宣布拥戴刘子勋称帝。㊿蓼潭：水泊名，在今河南固始东南。㊿杀汝阴太守裴季：裴季于本年二月以合肥降刘勔。㊿阆：垣阆，刘宋名将垣护之的堂弟。传见《宋书》卷五

十。528 辛亥：七月二十六。529 北豫州：州治寿春，即今安徽寿县。530 闭门自守：崔道固在本年正月宣布拥戴刘子勋为帝，据历阳以守之。531 甲寅：七月二十九日。532 开门出降：开寿阳城门出降。胡三省曰："死虎师溃，皇甫道烈盖奔还寿阳。"〖按〗"死虎"即死虎塘，一名宛唐，在今安徽寿县东南四十里。533 浓湖军：驻扎在浓湖的袁颉、刘胡的军队。534 鹊头内路：胡三省曰，"鹊头在江中，江水分流，故有内路外路。"船行附南岸称内路，船行附北岸称外路。535 少习步战：从小熟悉的是在陆地上作战。536 未闲水斗：不熟悉在船上作战。闲，通"娴"，熟练。537 恒在数万人中：总在千军万马中冲杀。538 正在三十人中：一个人顶多不过指挥三十人。539 自当走：他自己就会逃去。540 军于梅根：在梅根河边扎下营寨。〖按〗梅根在钱溪的上方。541 别将：不是他自己编制内的其他下级将领。542 驰还：逃回浓湖的袁颉大军。543 不可猝攻：不是一下子就能攻下的。猝，突然、一下子。544 未足为损：不算什么损失。545 南陵、大雷：南陵戍、大雷戍。南陵戍在今安徽芜湖市繁昌区西北的长江边，大雷戍在今安徽潜山西南的长江边，是历来的驻兵之处。546 共遏其上：共同控制住了张兴世的上游去路。547 断其下流：截断了张兴世回下游去的通路。548 已堕围中：张兴世已经落进了我们的包围之中。549 粮运鲠塞：运粮的通道已被截断。鲠塞，如鱼刺之卡了喉咙。550 当如此何：当奈此何，意即对此该怎么办。551 何以不得：怎么就不能。552 安北府司马：安北将军袁颉部下的司马官。司马在军中主管司法。553 步趣南陵：步行前往南陵戍。554 钱布数十舫：钱财布匹装满了几十条船的船舱。舫，有舱的船。555 竖榜为城：在船的四周竖起木板，做成围墙的样子。556 规欲突过：计划就是从江心一直冲过去。规，计划、打算。突，冲。557 贵口：古城名，即今安徽池州市贵池区西北。558 遣间信报胡：派秘密使者前往报告刘胡。间信，秘密使者。559 悉虏其资实：将沈仲玉所押送的粮食物资全部缴获。560 来降：来向沈攸之的大营投降。561 镇东中兵参军：镇东将军的中兵参军。562 不能制：不能打退；不能抵抗。563 何由得活：那人还怎么能活下去？564 阴谋遁去：心里琢磨如何逃走。遁，逃。565 己卯：八月二十四。566 兼下大雷余运：并顺带把大雷戍剩余的漕运物资取回来。567 悉选马配之：全部给他配备骑兵。568 委颉去：抛弃袁颉，自己逃走。569 径趣梅根：直奔梅根找他派出的陈庆。570 办船：准备船只。571 悉发南陵诸军：全部集合起南陵戍的所有军队。572 今年为少子所误：句中"年"字似应作"乃"，《宋书·袁颉传》也作"年"，没有道理。乃，竟、竟然。"年""乃"声音相近。573 飞燕：取名以形容其奔跑之快。574 因亦走：于是也偷偷地逃掉了。因，于是。575 庚辰：八月二十五。576 戍主：军事据点的头领。577 偕去：一起逃跑。578 谢罪主上：向主子当面请罪。579 索节：寻找出兵时刘子勋授予他的旌节。索，寻找、讨要。节，古代帝王授予大臣或使者的一种信物，一起证明作用，二表现其身份高贵。580 诈：欺骗。581 帅所领独返：率领着我的部下逃了回来。582 宜速处分：应赶紧做出安排、决定。583 为一战之资：为最后一战做好准备。584 当停据湓城：我也要在湓城停留下来。湓城，指当时的寻阳，今之江西九江。585 誓死不贰：立誓战死，再没有其他心思。586 江外：

江水的外侧。587 夜趣沔口：连夜逃到汉口。沔口，沔水入长江之口；沔水也称汉水，沔口即今武汉三镇之汉口。588 以谢罪：以此向刘彧政权请罪。589 子洵：张悦之子张洵。590 枭戮：这里指斩首。枭，指悬首高竿。戮，杀死。591 赍琬首：带着邓琬的人头。592 被系作部：被关押在制作兵器的部门。作部，作坊，制造器械的手工工场。593 传首建康：通过驿站将刘子勋的人头送到建康朝廷。594 临川内史：临川郡的郡治在今江西抚州西侧。因此郡是诸侯王的封地，故其行政长官称内史。595 自鄱阳峤道：从鄱阳郡的郡治经由山路。刘宋时代的鄱阳郡治广晋，在今江西鄱阳之正北方、景德镇之西北方。596 三吴：指吴兴、义兴、吴郡，泛指建康城以东的诸郡县。597 上饶：县名，即今江西上饶，当时属于鄱阳郡。598 畅：张畅，刘宋文帝时期的名臣，在魏主拓跋焘大军南侵时，张畅为将、为使都有绝好的表现。传见《宋书》卷五十九。599 衣冠：指官僚士大夫一类的人。600 咸欲远出：都想离开建康城。601 流离外难：原在京城因害怕白色恐怖而逃到外地的官绅，现又遭遇外地的战乱。602 蔡兴宗之先见：见本书上卷泰始元年蔡兴宗与袁顗说的所谓“若内难得弭，外衅未必可量”。603 九月壬辰：九月初八。604 癸巳：九月初九。605 解严：解除全国的紧急军事状态。606 庚子：九月十六。607 荆州：州治江陵，今湖北荆州，辖今湖北的西北部地区。608 郢州：州治江夏，今湖北武汉，辖今湖北的南部地区。609 雍州：州治襄阳，今湖北襄阳，辖今湖北北部和与之邻近的河南南部地区。610 湘州：州治即今湖南长沙，辖今湖南的大部地区。611 豫章：今江西南昌，当时为豫章郡的郡治所在地。612 石城：县名，即今湖北钟祥。613 郢州行事：代理郢州刺史事务的长官，此时为张沈，乃刘子勋政权所委任。614 变形为沙门：化装成和尚。615 归罪：向刘彧政权认罪。616 荆州治中宗景：刘子勋政权任命的荆州刺史的僚属姓宗名景。治中是官名，刺史的僚属，协助刺史处理一应众事。617 入城：进入荆州州治，即江陵城。618 孔道存：刘子勋政权所任命的雍州行事。619 才兼将吏：既有将才，又有行政长官之才。620 既陷逆节：指参与了拥戴刘子勋的军事活动。621 手害忠义：指杀死衡阳内史王应之。622 何面见天下之士：说话如此，实乃不肯向刘彧政权低头。胡三省曰：“史言何慧文不肯苟活。”623 并赐死：安陆王刘子绥被杀时年十一岁；临海王刘子顼被杀时年十一岁；邵陵王刘子元被杀时年九岁。前面晋安王刘子勋被杀时亦十一岁，是其众兄弟中最年长的。624 刘顺及余党在荆州者：胡三省曰，“刘顺从死虎奔淮西，又自淮西奔荆州”。刘顺在宛唐与刘彧政权的将领刘勔、吕安国、黄回等作战失败后，逃到荆州。625 己酉：九月二十五。626 博士、助教：都是太学里的教官名，正式教一门儒家经典课的教官称作博士，不能独立开课，只能做辅助工作的称为助教。627 生员：在太学里受教的学生。628 崇：李崇，原是北燕冯跋的部下，拓跋焘伐燕，李崇归魏，遂在魏国为官。传见《魏书》卷四十六。魏国又有名将李崇，与此非一人。629 将来非社稷计：日后对国家的安定不利。630 宜早为之所：应该及早给他们找一个合适的地方，意即处死他们。631 十月乙卯：十月初一。632 并赐死：全都把他们杀死。〖按〗上述松滋侯刘子房、永嘉王刘子仁、始安王刘子真、淮南王刘子孟、南平王刘子产、庐陵王刘子舆、东平王刘子嗣，还有尚未被封王的刘子趋、刘子期、刘子悦，都是孝武帝刘骏的儿子，见于《宋书》卷八十。这些孩子被杀时，最大的十岁，最小的四岁。㉝路休之：与下文所说的路茂之，都是孝武帝刘骏之母路太后的侄子。㉞义欣：刘义欣，高祖刘裕之弟刘道怜的儿子，文帝刘义隆的堂兄弟。传见于《宋书》卷五十一。㉟马队主：骑兵部队的统领。马队主不是官名，此指其职务。㊱得将军所乘马：如果您能把您的坐骑赐给我。㊲判能平合肥：我一定能攻下合肥。㊳节下：对刘勔的敬称。当时刘勔任辅国将军，似乎还应有"假节"或"持节"的称号，因为此后不久就加之为"使持节"了。见《宋书·刘勔传》。㊴不赏才：不能识别人才。赏，识、分辨。㊵有学术：有知识、有学问。㊶更依广之：改属于王广之，为其部下。㊷荐于齐世祖为东海太守：把皇甫肃推荐给萧道成，萧道成任之为东海太守。这是后话，一并说在了这里。萧道成当前是刘宋的将领，日后篡宋建齐后，被称为齐世祖。东海郡的郡治即今江苏涟水。㊸沈灵宝：时为刘彧政权的庐江太守，庐江郡的郡治在今安徽庐江西南。㊹晋熙：郡名，郡治即今安徽潜山。㊺乙亥：十月二十一。㊻迎薛安都：接受其投降，接管其军队，并接之进京。实际是想消灭他。㊼此诚非虚：是真心投降，不是虚心假意。㊽单使尺书：一个使者带一封信，以表示对他深信不疑。㊾或能：还有可能。㊿招引北虏：如果薛安都怀疑朝廷要消灭他，他就会投降魏国，与魏国结成联盟。(651)为患方深：那今后的麻烦可就大啦。(652)向之所宥：过去所赦免的叛臣。向，过去。宥，宽饶。(653)外据大镇：在外地任大州刺史、大州的督军。(654)密迩边陲：紧靠着国境线。边陲，边境。(655)攻围难克：要想包围徐州、攻下徐州，那都是很难的。(656)考之国计：从国家的安危大计做考虑。(657)尤宜驯养：特别应该实行招安抚慰的政策。驯养，像对待牛马一样，给它吃的，招引它归属于己。(658)旰食之忧：不能按时吃饭的大麻烦。旰食，指忙得不能按时吃饭。(659)征北司马行南徐州事：既任征北将军的司马，又代理南徐州刺史的职务。南徐州的州治在今江苏镇江。(660)因此：指南方已平，趁此向北方的州郡示威。(661)常珍奇：与薛安都等一同推戴刘子勋为帝，占据悬瓠以抗刘彧的朝廷军。传见《魏书》卷六十一。(662)戊寅：十月二十四。(663)皇子昱：刘昱，即历史上所说的宋后废帝，为萧道成所灭者。事见《宋书》卷九。〖按〗相传明帝刘彧不能生子，此刘昱者，乃刘彧令其宫妾与外人相通，怀孕生子，而令皇后养大者。(664)为质于魏：送到魏国做人质，以换取魏兵的救援。(665)尉元：魏国拓跋焘以来的名将。传见《魏书》卷五十。(666)孔伯恭：魏国名将，与皮豹子、封敕文等齐名。传见《魏书》卷五十一。(667)西河公石：拓跋石，魏平文帝拓跋郁律的玄孙，曾随拓跋焘南征至瓜步。传见《魏书》卷十四。(668)申纂：原是刘宋的东平太守，不随薛安都拥立刘子勋而单独坚守，后被刘彧授为兖州刺史。传见《魏书》卷六十一。(669)无盐：县名，在今山东东平东南，当时为申纂的东平郡治所在地。(670)毕众敬：原为刘宋的泰山太守，后随薛安都拥戴刘子勋为帝，被薛安都任为行兖州事。传见《魏书》卷六十一。(671)不与之同：不赞成薛安都的降魏。(672)来请降：来向刘彧朝廷请降。(673)先坐他罪诛：在此之前因犯别的罪被刘彧政权杀了。㊿674 安用独生：我一个人活着还有何用。675 十一月壬子：十一月二十九。676 瑕丘：古城名，在今山东济宁市兖州区之东北侧，当时为兖州的州治所在地，毕众敬任兖州刺史，在此驻守。677 己未：十二月初六。678 秺：古县名，县治在今山东成武西北。679 上蔡：县名，在今河南上蔡西南。东距常珍奇所据的悬瓠不远，在常珍奇的管辖区内。680 汝北：汝水之北。681 未即入城：未进悬瓠城。悬瓠城在汝水之南。682 郑羲：拓跋石的僚属，原在朝任中书博士之职。传见《魏书》卷五十六。683 意未可量：其内心是否真的归魏不好估计。684 夺其管籥：接管他的守城任务。管籥，锁城门用的钥匙。685 制其腹心：控制住他的要害部门。686 府屋：刺史的衙门、官舍。悬瓠是新蔡、汝南二州刺史的州治所在地，即今河南汝南。687 豁：郑豁，曾在后燕慕容垂的部下为官。传见《魏书》卷五十六。688 淮西七郡：淮河西北侧的七个郡，指汝南、新蔡、汝阳、汝阴、陈郡、南顿、颍川。689 连营南奔：成群结队地向南逃。当时社会动乱，许多平民也结成半军事状态的堡坞，故用“连营”以称整个村落、部落。690 陆馛：魏国名臣陆俟之子，陆丽之兄。传见《魏书》卷四十。691 宣慰新附：向这些新归降地区的民众宣传抚慰。692 乙丑：十二月十二。693 坐依附寻阳削官爵禁锢者：凡是因拥戴刘子勋为帝而被削去官爵或是被禁止做官的人。禁锢，指因犯罪而被禁止进入官场。694 皆从原荡：一律给予原谅、赦免。荡，涤除其污瑕，允许其弃旧图新。695 随才铨用：按照其才干选拔任用。铨，选拔。696 内攻外御：既要攻打被包围之寿阳，又要拦截、抵抗外来的增援者。御，抵抗。697 使中书为诏：让中书省代皇帝起草一份诏书。中书，即中书省，主管为皇帝起草政令的部门，其长官曰中书令，位同丞相。698 谕殷琰：劝告殷琰，令其投降。〖按〗在此之前，殷琰已经想要投降，只因部下的意见不一，故而一直未能行动。699 手诏数行：亲笔写一封几行字的信。700 以相慰引：以安其心，以为之引路。701 今直中书为诏：现在如果只是让中书省给他发一封诏书。702 彼必疑谓非真：他们一定会怀疑诏书不是说真话。703 非所以速清方难：不是快速地平定一方战乱的办法。704 闭绝寻阳败问：封锁刘子勋政权已被平定的消息。败问，失败的消息。问，这里通“闻”。705 众情离沮：人心沮丧、涣散。706 主簿谯郡夏侯详：殷琰手下的主簿官谯郡人姓夏侯名详。主簿，将军或刺史手下的文秘官员。谯郡的郡治即今安徽亳州。707 今日之举：指拥戴刘子勋为皇帝。708 本效忠节：本来是要表现我们对国家的忠心与气节。709 社稷有奉：国家的社稷坛有人祭祀，代指国家已经有了皇帝。只有皇帝才有主持祭祀社稷坛的资格。710 何可北面左衽：怎么能向着北边的少数民族俯首称臣呢？左衽，指胡服，这里代指古代的少数民族。711 淮次：淮水边上，指魏国西河公拓跋石的军队近在汝南。712 官军：指朝廷军。713 未测吾之去就：还不知道我们想北投魏国。714 遣使归款：派出使团把我们的诚意报告给朝廷。715 必厚相慰纳：朝廷必然会真诚地安慰、接待我们。716 缓而赦之：一方面别再急着攻城，一方面又宣告赦免寿阳过去的反朝廷之罪。717 相帅而至：相互结伴而来。相帅，通“相率”，相互招呼、相互跟从。718 丙寅：十二月十三。719 面缚出降：自缚双手，出城投降。面缚，两手反绑在背后而脸向前，表示请罪。720 约勒：约束。721 师水：

一作沸水，即今河南南部淮河的支流狮河。㉒义阳：郡名，郡治即今河南信阳。㉓复仕至少府：又在刘彧朝廷做官做到九卿一级的少府。少府是为皇帝的私家理财，并为宫廷制造所需一切器物的官员。㉔多任刑诛：刑罚酷刻，杀人过多。㉕晋原一郡反：晋原郡一个郡的人都造反了。晋原郡治在今四川崇州西北的怀远镇。㉖东兵：随刺史萧惠开由东方来的军队。㉗涪：县名，县治在今四川绵阳东。㉘不听进：不让萧惠基继续前进。㉙渠帅：魁首；大头领。㉚惠开宗人宝首：萧惠开同族人萧宝首。㉛更奖说：重又鼓励怂恿。㉜一时还合：一时之间重又集合起来。㉝表启路绝：向朝廷说明情况的道路已经被阻断。㉞宋宁太守：胡三省引沈约曰，“文帝元嘉十年，免吴营，侨立宋宁郡，寄治成都”。㉟执送宝首：押解萧宝首到建康。㊱唯知逆顺：当初只知道拥戴刘子勋是正义的。逆，指叔起夺侄之位。顺，指父死立其子。㊲不识天命：不知陛下您是奉天命而为帝。㊳非臣不乱二句：乱因我而起，也因我而平息。意思是我虽有过，但也有功。㊴治淮阴：以淮阴县为兖州的州治所在地，因原来的州治瑕丘已落魏人之手。当时的淮阴县已成为今江苏淮安市淮阴区。㊵徐州治钟离：以钟离县为徐州的州治所在地，因原来的州治彭城已落魏人之手。当时的钟离县在今安徽凤阳东。㊶郁洲：古代海边的小洲名，在今江苏连云港东。㊷下磕：古城名，在今江苏徐州东南。㊸羽林监：军官名，宫廷宿卫部队的监军。㊹武原：县名，县治在今江苏邳州西北的泇口。㊺元知之：尉元知道了薛安都的筹谋。㊻不果发：薛安都未能发动兵变。

【校记】

[43] 裴季：原作“裴季之”。据章钰校，甲十一行本、乙十一行本皆无“之”字，今据删。[44] 少子：原作“小子”。据章钰校，甲十一行本、乙十一行本皆作“少子”，今据改。[45] 出：原无此字。据章钰校，甲十一行本、乙十一行本、孔天胤本皆有此字，张敦仁《通鉴刊本识误》同，今据补。[46] 马：原无此字。据章钰校，甲十一行本、乙十一行本、孔天胤本皆有此字，张瑛《通鉴校勘记》同，今据补。[47] 等：原无此字。据章钰校，甲十一行本、乙十一行本、孔天胤本皆有此字，今据补。[48] 众悉逃溃：原无此四字。据章钰校，甲十一行本、乙十一行本、孔天胤本皆有此四字，张敦仁《通鉴刊本识误》、张瑛《通鉴校勘记》同，今据补。[49] 兖：原作“雍”。据章钰校，甲十一行本、乙十一行本皆作“兖”，张敦仁《通鉴刊本识误》同，今据改。[50] 遣：原作“建”。胡三省注云：“‘建’当作‘遣’。”据章钰校，乙十一行本作“遣”，张敦仁《通鉴刊本识误》同，今据改。[51] 过：原作“满”。据章钰校，甲十一行本、乙十一行本、孔天胤本皆作“过”，今据改。[52] 既至：原无此二字。据章钰校，甲十一行本、乙十一行本、孔天胤本皆有此二字，张敦仁《通鉴刊本识误》同，今据补。[53] 知：原作“和”。严衍《通鉴补》改作“知”，今据以校正。[54] 李璨：原作“李珠”。据章钰校，甲十一行本、乙十一行本、孔天胤本皆作“李璨”，张瑛《通鉴校勘记》同，今据改。

【研析】

本卷写了宋明帝泰始二年（公元四六六年）一年间刘宋与北魏的大事，说是大事，其实就是写了宋国刘子勋与刘彧争夺皇帝位这一件事。宋废帝刘子业残暴不仁，天下起兵而讨之，是应该的；刘子业身边的人发动政变将其杀死，也应该看作义举；刘彧是刘子业的叔叔，之前受尽刘子业的凌辱，最后能活下来是很侥幸的。也正由于他被关押在宫廷，故而杀死刘子业的人就近与刘彧联系，并拥立刘彧做了皇帝，这也是很顺理成章的事，没有什么不可以。但在刘子业的众多弟兄中，首先应该轮到的是刘子勋，他是孝武帝的第三子。本着老皇帝死后首先应该考虑立其子为接班人的传统，刘子业被杀后，许多人起而拥戴刘子勋，这也是很正常的事情。故而连刘彧身边的大臣蔡兴宗面对已经做了皇帝的刘彧都说："您的做皇帝与晋安王刘子勋，'逆之与顺，臣无以辨'。"说"无以辨"其实还是一种客气的说法，更明确一点的说法应该是："您做皇帝是可以的，但是刘子勋更有理由。"

不过话又说回来，依据当时的具体情势而论，还是刘彧更合适一些，因为刘子勋的众多弟兄都年纪太小了，最大的刘子勋，年方十一岁，而且是虚岁，其他十岁、八岁、四岁不等。本着"国家多事，宜立长君"的原则，立子勋兄弟是难以使政局稳定的。更何况这些小诸侯王的身边都围绕着一批野心家，诸如邓琬、张悦等，他们哪一个是省油的灯呢？他们不过是以拥立刘子勋为名罢了，其实是想发展自己的势力。试以袁颉而论，身统十万大军，几次小败之后，竟弃军单身逃走，有一点对刘子勋的忠心吗？再看刘子勋身边的决策大臣邓琬，当听到前线失败的消息时，他所想的就是杀掉刘子勋，带着刘子勋的人头去向朝廷投降。而寻阳集团中的另一个决策人张悦，则是听到邓琬如此打算，便立即组织人杀了邓琬，带着邓琬的人头去向朝廷请功了。可怜的是孝武帝的二十多个儿子，白白地给野心家们当了一阵子旗号，随即便被宋明帝刘彧通通杀光了。

一心忠于刘子勋而不怀他念的人不是没有，但不多，他们是孔觊、傅灵越、何慧文等人。孔觊当时任寻阳王长史，兼行会稽郡事，当东方数郡被刘彧的将领打败，孔觊被王晏捉到时，王晏曾想救孔觊，"晏谓之曰：'此事孔璪所为，无预卿事，可作首辞，当相为申上。'觊曰：'江东处分，莫不由身，委罪求活，便是君辈行意耳。'"于是引颈受诛，义无反顾。傅灵越原任太原太守，响应徐州刺史薛安都的号召，起兵拥戴刘子勋为帝，当傅灵越被刘彧的将领刘勔所缚时，刘勔责问傅灵越为何发动叛乱，"灵越曰：'九州唱义，岂独在我！薛公不能专任智勇，委付子侄，此其所以败也。人生归于一死，实无面求活。'勔送诣建康。上欲赦之，灵越辞终不改，乃杀之"。何慧文原任湘州刺史，在与刘彧的将领作战中英勇顽强，只身搏斗，在身中八创的情况下，杀死了衡阳内史王应之。当何慧文兵败被俘时，"上以何慧文才兼将吏，使吴喜宣旨赦之。慧文曰：'既陷逆节，手害忠义，何面见天下之士！'遂自杀"。胡三省注《通鉴》至此特别标出曰："史言何慧文不肯苟活。"可见这些人物是被写史者与历代读史者敬佩的。

刘子勋的起兵讨伐刘子业，是在朝廷发生政变，刘彧被政变者拥立为帝之前，天下各州郡拥戴刘子勋的势力又如此之多，地区如此之广，史文称"四方贡计皆归寻阳，朝廷所保，唯丹杨、淮南等数郡，其间诸县或应子勋"。当时东方反朝廷诸郡的军队甚至率先打到永世、延陵，也就是今天的江苏溧阳、丹阳等一带地区，距离建康城不过百里之遥。为什么后来竟失败得如此之快，如此之惨？有如下一些原因。一是各地一哄而起，没有统一的协调指挥，各部缺少相互支援。东方数郡孤军深入，暴露过早。二是寻阳方面的高层过于腐朽怯懦，如位高权大的雍州刺史袁颉，竟是一个极其腐朽空疏的荒唐贵族，与东晋时代的谢万之流毫无二致：他"本无将略，性又怯桡，在军中未尝戎服，语不及战陈，唯赋诗谈义而已，不复抚接诸将。刘胡每论事，酬对甚简，由此大失人情，胡常切齿恚恨。胡以南运米未至，军士匮乏，就颉借襄阳之资，颉不许，曰：'都下两宅未成，方应经理。'"刘子勋身边的决策人物邓琬更是一个比袁颉还要贪婪自私的家伙，他"鄙暗贪吝，既执大权，父子卖官鬻爵，使婢仆出市道贩卖；酣歌博弈，日夜不休；大自矜遇，宾客到门，历旬不得前。内事悉委褚灵嗣等三人，群小横恣，竞为威福。于是士民愤怨，内外离心"。这样的人怎么能主持大事，尤其是怎么能统兵作战呢？他们都不是抓紧时机干大事，而是在千钧一发的时刻还在千方百计为个人谋取蝇头小利，而危难一旦来到时，或者是弃军而逃，或者是准备卖主求活。这些人的所作所为，简直是一场荒诞卑污的闹剧。这些人死有余辜，而跟着受罪的是那些下层的军民，以及刘子勋兄弟那一群孩子。明代袁俊德《通鉴纲目发明》说："子勋前书'举兵'者，子业无道，故子勋不以'反'书也。湘东既继大统，则是'社稷已有奉，人民已有主'矣，子勋便当返旆还州，告谕诸郡以国已有君之意，如是则宗庙重安，境内无虑，岂不休哉？不是之思，遂乃正号称尊，则是志在争帝，非复前此避祸之意也。"说得很好，但这是十一岁的孩子能做主的吗？第三是刘彧的朝廷军中的确有几名有智谋、有勇气的杰出将领，他们是征东的吴喜、任农夫，征西的沈攸之、张兴世，以及在江北作战的刘勔等。史文描写沈攸之为团结诸路军协调作战而屈己推奉江方兴，与张兴世有勇有谋地冲过浓湖、上占钱溪的一战，都可谓有声有色，不要因为生逢乱世就低估他们行为的卓荦与光辉。

读过这一卷，令人为之遗憾不已的是刘宋的名将薛安都。薛安都与柳元景在宋文帝北伐的过程中都是别路失败，而独有他们这一路获得胜利的名将，其中描写薛安都的事迹尤为精彩，详见本书前文《宋纪七》的文帝元嘉二十七年。遗憾的是柳元景竟在本书上卷被废帝刘子业杀死，而薛安都则由于效忠于孝武帝而坚决地拥戴晋安王刘子勋。在袁颢、邓琬被杀，寻阳失败后，薛安都与周边州郡都宣告归顺刘彧王朝。令人可恨的是刘彧不自量力，还非要出兵北讨，于是薛安都等一些沿边州郡遂一起转而投降了魏国，从而使今之山东、河南，以及江苏、安徽北部的大片领土落入拓跋氏政权管辖下。薛安都等人的行动是让写史者感到遗憾的。《通鉴》本卷写了夏侯详的一段故事。夏侯详是寿阳守将殷琰的僚属，当殷琰看到其他各路反朝廷的军队相继失败后，准备率寿阳请降于魏，其主簿夏侯详劝他说："今日之举，本效忠节。若社稷有奉，便当归身朝廷，何可北面左衽乎？且今魏军近在淮次，官军未测吾之去就，若遣使归款，必厚相慰纳，岂止免罪而已。"于是殷琰便归降了刘勔，得到朝廷的厚待。王夫之《读通鉴论》盛赞夏侯详说："自宋以来，贞人志士之言绝于天下，夏侯详者名不显于当时，而能昌言以救殷琰之失，殆跫然空谷之足音矣。殷琰在寿阳，畏明帝之诛己，欲降拓跋氏，详曰：'今日之事，本效忠节，何可北面左衽乎？'至哉言乎！司马楚之、王琳而知此，不为千载之罪人矣。"话是好话，但也总得本国有一个可以让人活下去的朝廷政权。殷琰本来就与朝廷暗中联络，降后可以安然无事；薛安都归降刘彧，能保证起码的人身安全吗？沈庆之、柳元景都被这个政权杀掉了，更何况起兵反过它的名将薛安都呢？辛弃疾在一首《贺新郎》词中写到李陵投降匈奴后送别苏武时心中的苦楚，说："啼鸟还知如许恨，料不啼清泪长啼血！"人生真是难哪！

卷第一百三十二　宋纪十四

起强圉协洽（丁未，公元四六七年），尽上章阉茂（庚戌，公元四七〇年），凡四年。

【题解】

本卷写宋明帝泰始三年（公元四六七年）至泰始六年共四年间刘宋与北魏等国的大事。主要写了宋将张永、沈攸之见魏军已进驻彭城，遂率军南退，被魏将尉元、薛安都等追击，大破于吕梁之东，枕尸六十余里，淮北四州与豫州之淮西诸郡遂尽入魏人之手。写了沈文秀、崔道固为青、冀之人所攻，乞降于魏，并攻为朝廷据守之明僧暠，朝廷遣刘怀珍浮海救之，刘怀珍有勇有谋，进击获胜，沈文秀、崔道固又乞降归宋，二人遂又为刘宋据守青、冀二州。写了魏将慕容白曜用郦范之谋先破杀宋将申纂于无盐，又获肥城、垣苗、麋沟，齐地大震。写了宋明帝刘彧强令沈攸之二次进攻彭城，结果又惨败于尉元的部将孔伯恭，还屯淮阴。写了魏将尉元以书说谕王玄载，轻取下邳，魏将孔伯恭等继续攻取宿豫、淮阳，宋将皆弃城逃去。写了魏将尉元取得团城，又取兖州、兰陵，魏将慕容白曜

【原文】

太宗明皇帝中

泰始三年（丁未，公元四六七年）

春，正月，张永等弃城夜遁[①]。会[②]天大雪，泗水冰合[③]，永等弃船步走，士卒冻死者太半[④]，手足断者什七八[⑤]。尉元邀其前[⑥]，薛安都乘其后[⑦]，大破永等于吕梁之东[⑧]，死者以万数[⑨]，枕尸六十余里[⑩]，委弃[⑪]军资器械不可胜计[⑫]。永足指亦堕[⑬]，与沈攸之仅以身免[⑭]，梁、南秦[⑮]二州刺史垣恭祖[⑯]等为魏所虏。上闻之，召蔡兴宗，以败书[⑰]示之曰："我愧卿甚[⑱]！"永降号左将军[⑲]，攸之免官，以贞阳公领职[⑳]，

说降崔道固、刘休宾，取得历城、梁邹。写了宋派沈文静率军救青州，被魏军围杀于不其城。写了魏将慕容白曜围攻青州，沈文秀坚守三年，青州被魏军攻克，从此青、冀地区尽入于魏；慕容白曜对青、冀一带抚御有方，新没之民遂皆安于魏。写了魏之冯太后还政于其子拓跋弘，拓跋弘勤于政事，颇有作为。写了柔然部真可汗侵魏，魏主拓跋弘用张白泽之议数道北伐柔然，大破柔然于武川。写了魏主拓跋弘挟旧怨杀名将慕容白曜，又因内部矛盾杀旧臣李顺之子李敷、李奕兄弟诸人。此外还写了宋明帝刘彧杀其弟庐江王刘祎，其兄刘休仁因位尊权大，亦招致刘彧怀疑而对之不满，以及宋将萧道成在军中日久，势力日大，刘彧召之入朝，萧道成制造边境紧张，以求继续屯驻于淮阴等。

【语译】

太宗明皇帝中

泰始三年（丁未，公元四六七年）

春季，正月，宋国的镇军将军张永等人抵挡不住魏国镇东大将军尉元的进攻，遂抛弃下磕城连夜逃走。正赶上天降大雪，气温骤降，泗水河上结满了冰，船只无法航行，张永等人只得抛弃战船徒步逃走，士卒在逃跑的路上被冻死一大半，被冻掉手脚的占了十分之七八。尉元率领军队在前方堵截，薛安都率军从后面追击，在吕县泗水桥东，将张永等所率领的宋军打得大败，宋军损失好几万人，在其边战边逃所经过的六十里路上，到处尸横遍野，丢弃的军用物资、器械多得无法计算。张永的脚趾头也被冻掉了，他与中领军沈攸之勉强地单身逃脱，其余的则没有人生还，担任梁、南秦二州刺史的垣恭祖等人被魏军俘虏。宋明帝刘彧听到这个消息后，马上召见担任尚书左仆射的蔡兴宗，把北方送来的有关张永等人失败的书信拿给蔡兴宗看，宋明帝对蔡兴宗说："我在你面前感到非常的惭愧！"张永因为战败被降职为左将军，沈攸之被免去一切职务，以贞阳公的身份仍然主管原来的军政事务，回到淮阴县驻扎。宋国从此失去淮河以

还屯淮阴㉑。由是失淮北四州㉒及豫州淮西之地㉓。

裴子野㉔论曰："昔齐桓㉕矜于葵丘而九国叛㉖，曹公㉗不礼张松而天下分㉘。一失豪厘，其差远矣。㉙太宗之初㉚，威令所被㉛，不满百里，卒有离心㉜，士无固色㉝，而能开诚心，布款实，㉞莫不感恩服德，致命效死㉟，故西摧北荡㊱，寓内褰开㊲。既而六军献捷㊳，方隅束手㊴，天子欲贾其余威㊵，师出无名，长淮以北，倏忽为戎㊶。惜乎！若以向之虚怀㊷，不骄不伐㊸，则三叛㊹奚为而起㊺哉！高祖㊻虮虱生介胄㊼，经启疆埸㊽，后之子孙，日蹙百里㊾。播获堂构，岂云易哉！㊿"

魏尉元以彭城兵荒之后，公私困竭，请发冀、相、济、兖(51)四州粟，取张永所弃船九百艘，沿清运载(52)，以赈新民(53)，魏朝从之。

魏东平王道符(54)反于长安，杀副将(55)驸马都尉万古真等。丙午(56)，司空和其奴(57)等将殿中兵讨之。丁未(58)，道符司马段太阳攻道符，斩之。以安西将军陆真(59)为长安镇将以抚之。道符，翰之子也。

闰月，魏以顿丘王李峻(60)为太宰。

北的青州、冀州、徐州、兖州四个州以及豫州管辖之下的淮河以西的土地。

裴子野评论说：“春秋时代的齐桓公自从称霸之后，因为自己功高权重，遂在葵丘召集诸侯会盟的时候流露出有轻视天下诸侯之意而导致九个诸侯国的背叛，东汉末年的曹操因为对益州牧刘璋所派遣的使者张松傲慢无礼而最终未能完成统一天下的大业，导致魏、蜀、吴三国鼎立。如果在事情开始的时候考虑得有一点不周到，其结果就会与最初的设想相差很远。宋明帝即位初年，对国内所能实现统治的地方，方圆不足一百里，士卒都有叛变之心，而官僚士大夫也没有为刘彧政权进行坚守的意思，在那时，宋明帝因为能够对天下人做出一副诚心诚意、推心置腹的姿态，所以从上到下没有人不对宋明帝感恩戴德，愿意为他舍命效忠，所以才能向西打败袁顗、邓琬，灭掉以晋安王刘子勋为名义建立的寻阳政权，向北打败都督豫、司二州诸军事、豫州刺史的殷琰，平定了寿阳、合肥，将笼罩在整个国家上空的黑云驱散。不久朝廷的军队纷纷向中央报捷，曾经一度背叛朝廷的州郡也都纷纷归降朝廷，此时的宋明帝便要向长淮以北地区逞威风、炫耀自己的武力，然而实属师出无名，最终导致徐州刺史薛安都、汝南太守常珍奇投降了魏国，转眼之间，长江、淮河以北的广大地区就成了戎狄的国土而不再属于宋国所有。实在是太可惜了！如果宋明帝还能像当初那样虚怀若谷地礼贤下士，不骄傲，不夸耀，那么徐州刺史薛安都、兖州刺史毕众敬、汝南太守常珍奇这三个人怎么会又起来背叛朝廷投降魏国呢！宋高祖刘裕由于连续作战，头盔和铠甲都长满虱子，南征北战开拓了疆土，而他的后世子孙却每天都要丧失上百里的国土。做子孙的要想继承父祖开创的基业，哪是一件容易的事呢！”

魏国镇东大将军尉元因为彭城经过兵荒马乱之后，无论是官府还是民间都十分贫困，财用已经枯竭，于是请求魏国朝廷从冀州、相州、济州、兖州四州的国库中调拨粮食，利用宋国镇军将军张永所抛弃的九百艘战船沿着清水河向彭城运送粮食，赈济那些新近归顺魏国的徐州百姓，魏国朝廷同意了尉元的请求。

魏国的东平王拓跋道符在长安发动叛乱，杀害了镇守长安的副将、担任驸马都尉的万古真等人。正月二十四日丙午，魏国担任司空的和其奴等人率领朝廷的禁卫军讨伐发动叛乱的东平王拓跋道符。二十五日丁未，在东平王拓跋道符属下担任司马的段太阳率众进攻东平王拓跋道符，将拓跋道符杀死。魏国朝廷任命担任安西将军的陆真为长安镇将以安抚长安的军民。拓跋道符，是拓跋翰的儿子。

闰正月，魏国任命顿丘王李峻为太宰。

沈文秀、崔道固为土人[61]所攻，遣使乞降于魏，且请兵自救。

二月，魏西河公石自悬瓠引兵攻汝阴太守张超[62]，不克，退屯陈项[63]，议还长社[64]，待秋击之。郑羲[65]曰："张超蚁聚穷命[66]，粮食已尽，不降当走[67]，可翘足而待也。今弃之远去，超修城浚隍[68]，积薪储谷，更来[69]恐难图矣。"石不从，遂还长社。

初，寻阳既平，帝遣沈文秀弟文炳以诏书谕文秀[70]，又遣辅国将军刘怀珍[71]将马步三千人与文炳偕行[72]。未至，值张永等败退，怀珍还镇山阳[73]。文秀攻青州刺史明僧暠[74]，帝使怀珍帅龙骧将军王广之[75]将五百骑、步卒二千人浮海[76]救之，至东海[77]，僧暠已退保东莱[78]。怀珍进据朐城[79]，众心凶惧[80]，欲且保郁洲[81]，怀珍曰："文秀欲以青州归索虏[82]，计齐之士民[83]，安肯甘心左衽邪[84]？今扬兵直前[85]，宣布威德，诸城可飞书而下[86]，奈何[87]守此不进，自为沮挠[88]乎！"遂进，至黔陬[89]。文秀所署[90]高密、平昌[91]二郡太守弃城走，怀珍送致文炳[92]，达朝廷意[93]，文秀犹不降。百姓闻怀珍至，皆喜。文秀所署长广[94]太守刘桃根将数千人戍不其城[95]，怀珍军于洋水[96]，众谓且宜坚壁伺隙[97]，怀珍曰："今众少粮竭，悬军深入[98]，正当以精兵速进，掩[99]其不备耳。"乃遣王广之将百骑袭不其城，拔之。文秀闻诸城皆败，乃遣使请降，帝复以为青州刺史。崔道固亦请降，复以为冀州刺史。怀珍引还。

魏济阴王小新成[100]卒。

沈攸之之自彭城还[101]也，留长水校尉王玄载[102]守下邳[103]，积射将军

沈文秀、崔道固因为受到当地土著的围攻，遂派遣使者到魏国请求投降，并且请求魏国发兵救援。

二月，魏国的西河公拓跋石率领军队从悬瓠出发攻打汝阴太守张超，没有取得胜利，遂撤退到陈郡的郡治项县驻扎，并商议返回魏国的长社县，等到秋天再率军来进攻张超。郑羲建议说："张超的部众就像蚂蚁一样聚集在一起，已经到了穷途末路，而且他们的粮食已经耗尽，摆在他们面前的只有一条路可走，不投降就只有逃走，我们只须跷起脚来等待。如果我们抛弃这个机会返回远处的长社县屯扎，张超就会利用这个机会加固城墙，深挖护城河，积蓄柴草，储存粮食，我们秋天再来进攻的时候恐怕就很难取胜了。"西河公拓跋石没有听从郑羲的劝告，就率领军队返回长社县驻扎。

当初，寻阳的刘子勋政权被灭亡之后，宋明帝派遣青州刺史沈文秀的弟弟沈文炳携带诏书去劝说沈文秀，又派遣担任辅国将军的刘怀珍率领三千骑兵、步兵与沈文炳一同前往青州。还没等他们到达沈文秀那里，就遇到张永等人兵败撤退，刘怀珍遂返回山阳郡镇守。沈文秀率军进攻青州刺史明僧暠，宋明帝派遣刘怀珍率领龙骧将军王广之以及五百骑兵、两千步兵乘船从海路北上去援救明僧暠，刘怀珍等人到达东海郡时，明僧暠已经撤退到东莱郡坚守。刘怀珍于是进军占据朐城县，军心十分惶恐不安，都想暂且撤退到郁洲驻守，刘怀珍劝导他们说："沈文秀想把青州贡献给魏国，向魏国投降，我们想一想齐地的百姓，怎么肯心甘情愿地投降魏国，去穿左边开襟的鲜卑人的衣服呢？如果我们挥动手中的兵器，奋勇直前，向他们宣传朝廷的威势和恩德，向各敌占区发一道檄文，就可以使那里的百姓反正过来，怎么能驻守在这里不向前进军，把自己搞得军心涣散，不敢前进呢?!"刘怀珍等遂率领军队继续前进，到达黔陬县。沈文秀所任命的高密郡、平昌郡二郡太守弃城逃走，刘怀珍将沈文炳送到青州刺史沈文秀的军中，沈文炳向沈文秀传达了朝廷的旨意，沈文秀还是不肯向朝廷投降。青州的百姓听说辅国将军刘怀珍率领朝廷军到来的消息，都非常欢喜。沈文秀所任命的长广郡太守刘桃根正率领数千人驻守在不其城，刘怀珍将军队驻扎在洋水一带，他属下的将佐都认为应该暂且扎营坚守以等待有利时机，刘怀珍说："如今我们的军队人数既少，粮食又已经消耗光了，远离根据地且深入敌境，形势十分危急，正应当趁他们还没有防备的时候，派精兵迅速前进，打他们一个措手不及才是上策。"于是就派遣王广之率领一百名骑兵袭击不其城，很快就将不其城攻克。沈文秀听说辖区内的各城都已失败，这才派遣使者向朝廷请求投降，宋明帝仍然任命沈文秀为青州刺史。冀州刺史崔道固也向朝廷请求投降，宋明帝重新任命崔道固为冀州刺史。刘怀珍率领军队胜利班师。

魏国的济阴王拓跋小新成去世。

贞阳公沈攸之从彭城被魏军打败之后返回京师建康的时候，留下担任长水校尉

沈韶守宿豫[104]，睢陵、淮阳[105]皆留兵戍之。玄载，玄谟之从弟[106]也。时东平太守申纂[107]守无盐[108]，幽州刺史刘休宾[109]守梁邹[110]，并州刺史清河房崇吉[111]守升城[112]，辅国将军清河张谠[113]守团城[114]，及兖州刺史王整、兰陵[115]太守桓忻，肥城、糜沟、垣苗[116]等戍皆不附于魏。休宾，乘民[117]之兄子也。

魏遣平东将军长孙陵[118]等将兵赴青州，征南大将军慕容白曜[119]将骑五万为之继援。白曜，燕太祖[120]之玄孙也。白曜至无盐，欲攻之，将佐皆以为攻具未备，不宜遽进[121]。左司马范阳郦范[122]曰："今轻军远袭，深入敌境，岂宜淹缓[123]？且申纂必谓我军来速，不暇攻围，[124]将不为备[125]。今若出其不意，可一鼓而克[126]。"白曜曰："司马策是[127]也。"乃引兵伪退，申纂不复设备。白曜夜中部分[128]，三月甲寅旦[129]，攻城，食时克之[130]。纂走，追擒，杀之。白曜欲尽以无盐人为军赏[131]，郦范曰："齐，形胜之地[132]，宜远为经略[133]。今王师[134]始入其境，人心未洽[135]，连城相望，咸有拒守之志，苟非以德信怀之[136]，未易平也。"白曜曰："善！"皆免之[137]。

白曜将攻肥城，郦范曰："肥城虽小，攻之引日[138]。胜之不能益军势[139]，不胜足以挫军威。彼[140]见无盐之破，死伤涂地[141]，不敢不惧。若飞书告谕[142]，纵使不降，亦当逃散。"白曜从之，肥城果溃，获粟三十万斛[143]。白曜谓范曰："此行得卿，三齐[144]不足定[145]也。"遂取垣苗、糜沟二戍，一旬中[146]连拔四城，威震齐土。

丙子[147]，以尚书左仆射蔡兴宗为郢州[148]刺史。

房崇吉守升城，胜兵者[149]不过七百人。慕容白曜筑长围[150]以攻之，

的王玄载守卫下邳，担任积射将军的沈韶守卫宿豫县，此外在睢陵县、淮阳县都留下军队进行防守。王玄载，是王玄谟的堂弟。当时担任东平郡太守的申纂镇守无盐县，担任幽州刺史的刘休宾镇守梁邹县，担任并州刺史的清河郡人房崇吉守卫升城，担任辅国将军的清河郡人张谠守卫团城，此外还有担任兖州刺史的王整、担任兰陵郡太守的桓忻，以及肥城、糜沟、垣苗等处的宋国守军都没有归降魏国。刘休宾，是刘乘民哥哥的儿子。

魏国派遣担任平东将军的长孙陵等人率领魏军赶往青州，派遣担任征南大将军的慕容白曜率领五万骑兵作为后续的增援部队。慕容白曜，是燕太祖慕容皝的玄孙。慕容白曜率领这五万骑兵到达无盐县，准备进攻宋国镇守无盐县的东平郡太守申纂，而手下的将佐却都认为攻城的器械还没有准备好，不能贸然进军攻打无盐。担任左司马的范阳人郦范则说："如今我们轻装前进，经过长途跋涉来袭击敌人，现在已经深入敌境，怎么能在中途逗留而延缓战机呢？况且申纂必定认为我军迅速到来是为了攻占土地，而无暇顾及攻打城邑，必将不做防备。如果我军出其不意，可以一举攻克无盐县。"慕容白曜说："左司马郦范的分析是对的。"于是慕容白曜率领军队假装后退，申纂果然不再防备。慕容白曜在半夜起床，进行调兵遣将，三月初三日甲寅的天亮时分，开始攻打无盐县城，等到该开饭的时候就攻下了无盐。东平太守申纂弃城逃走，被魏军追上擒获，杀死。慕容白曜想把攻占的无盐县城中所有百姓全部分给作战有功的人员作为奖励，郦范劝阻说："齐地是一个地理条件非常优越，而且文化发达、人才荟萃的地方，应当从长远利益来考虑如何治理这块土地。如今我们这支王者之师刚刚进入宋国的境内，这里的民心还没有安定下来，与我们相处得还不融洽，这里的城池一个连接着一个，相互之间都可以望得见，他们全都据守城池，不肯归顺，如果我们不能用仁义、恩惠、诚信去感化他们，恐怕他们的反抗就不容易平息。"慕容白曜听了郦范的意见，说："你说得有道理！"这才饶过无盐县城的百姓。

慕容白曜准备进攻肥城，郦范说："肥城虽然很小，但要攻下也需要耗费时日。而且即使攻克肥城也不能壮大我军的声威，如果不能攻克，却可以使我军的声威受到挫折。肥城、糜沟等据点的宋军看到无盐城被攻破之时，死伤的人遍地都是，他们不能不感到恐惧。如果我们用箭把文告射入城中劝谕城中的百姓，即使他们不投降，也一定会四散逃走。"慕容白曜听从了郦范的建议，肥城果然崩溃，魏军缴获了三十万斛的粮食。慕容白曜对郦范说："这次出兵作战有你在旁边出谋划策，三齐之地会很容易被平定。"魏军遂乘胜进攻垣苗、糜沟二处的军事据点，十天之内连续攻下四座城池，魏军的声威震慑了三齐大地。

三月二十五日丙子，宋明帝任命担任尚书左仆射的蔡兴宗为郢州刺史。

并州刺史房崇吉防守升城，能够拿得动兵器守卫升城的士兵还不到七百人。慕容

自二月至于夏四月，乃克之。白曜忿其不降，欲尽坑[151]城中人，参军事[152]昌黎韩麒麟[153]谏曰：“今勍敌[154]在前而坑其民，自此以东，诸城人自为守，不可克也。师老[155]粮尽，外寇乘之[156]，此危道[157]也。”白曜乃慰抚其民，各使复业。

崇吉脱身走。崇吉母傅氏，申纂妻贾氏，与济州刺史卢度世[158]有中表亲[159]，然已疏远。及为魏所虏，度世奉事甚恭，赡给[160]优厚。度世闺门之内[161]，和而有礼。虽世有屯夷[162]，家有贫富，百口怡怡[163]，丰俭同之。

崔道固闭门拒魏[164]，沈文秀遣使迎降于魏，请兵援接[165]。白曜欲遣兵赴之，郦范曰：“文秀室家坟墓皆在江南，拥兵数万，城固甲坚，强则拒战，屈[166]则遁去。我师未逼其城，无朝夕之急，何所畏忌而遽求援军！且观其使者，视下而色愧[167]，语烦而志怯[168]，此必挟诈以诱我[169]，不可从也。不若先取历城，克盘阳[170]，下梁邹，平乐陵[171]，然后按兵徐进，不患其不服也。”白曜曰：“崔道固等兵力单弱，不敢出战，吾通行无碍，直抵东阳[172]。彼自知必亡，故望风求服，夫又何疑！”范曰：“历城兵多粮足，非朝夕可拔。文秀坐据东阳，为诸城根本[173]。今多遣兵则无以攻历城，少遣兵则不足以制东阳。若进为文秀所拒，退为诸城所邀[174]，腹背受敌，必无全理[175]。愿更审计[176]，无堕贼彀中[177]。”白曜乃止。文秀果不降。

魏尉元上表称：“彭城贼之要藩[178]，不有[179]重兵积粟，则不可固守。若资储既广[180]，虽刘彧师徒悉起[181]，不敢窥淮北之地[182]。”又言：“若贼向彭城，必由清泗[183]过宿豫，历下邳[184]；趋青州[185]，亦由下邳、沂水[186]经

白曜在升城的外围修筑起一道围墙将升城围困起来攻打，从二月一直围攻到夏季四月，才攻下升城。慕容白曜对升城不肯投降感到非常愤恨，就想把升城中所有的人全部活埋，担任参军事的昌黎人韩麒麟劝阻慕容白曜说："如今前面还有更强大的敌人，而我们却在这里活埋全城的百姓，那么从这里往东的各处城池，必定人人加强防守，不可能再被我军攻克。我军长时间出征在外，将士疲惫厌战，粮食消耗殆尽，宋国的军队如果趁机进攻我们，后果将不堪设想，这是一种很危险的做法。"慕容白曜听了韩麒麟的意见之后，便亲自去慰问、安抚升城的百姓，让他们恢复各自的职业。

房崇吉在升城被魏军攻破之时脱身逃走。房崇吉的母亲傅氏、东平太守申纂的妻子贾氏，都与担任魏国济州刺史的卢度世是中表亲戚，然而血缘关系已经很疏远了。等到傅氏、贾氏被魏军俘虏之后，卢度世对待他们非常恭敬，供给他们的衣食所需都很优厚。卢度世的家庭内部都很和睦而且对人有礼。虽然遭遇的世道有艰难有太平，家道有贫穷有富足，而这个百口之家仍然能够和睦相处，其乐融融，苦乐共同承担。

宋国冀州刺史崔道固紧闭冀州城门，抵抗魏军的入侵，而青州刺史沈文秀则派遣使者向魏军投降，并请求魏国派兵到青州来迎接。魏国征南大将军慕容白曜准备派兵前往青州接应沈文秀，左司马郦范说："沈文秀的家属以及祖坟都在江南，手中又掌握着好几万军队，青州城城墙坚固，铠甲精良，兵力强盛就据城固守，形势不利则可以撤退逃走。我军还没有逼近他的城下，早晚之间还没有危机降临在他的头上，他畏惧什么而急于要请求我军接应他呢！而且我观察他的使者，说话的时候眼睛不敢正视人，像是内心有愧的样子，言语啰唆而内心胆怯，这一定是想用奸诈的计谋来引诱我们上当受骗，我们不能轻信他的话。我们现在不如先攻取历城，攻占盘阳城，夺取梁邹城，平定乐陵城，然后整肃军队慢慢前进，不怕沈文秀不投降我们。"慕容白曜说："崔道固等人兵力单薄，力量弱小，不敢出城作战，我军可以通行无阻，直抵东阳城下。沈文秀知道自己一定会被灭亡，所以才望风请降，我们又何必怀疑他呢！"郦范说："历城的守军兵多粮足，不是一朝一夕就能将其攻破。沈文秀坐镇东阳城，是周围其他诸城守军的主心骨。如果我们多派军队去攻取东阳城，就没有足够的兵力去进攻历城，少派军队则不足以制服东阳城的守军。如果我们进攻东阳城的军队受到沈文秀的阻击，想撤退时又遭到其他各城宋军的拦截，我军就会腹背受敌，必定使我们难以保全。希望你再认真、慎重地考虑考虑，不要中了敌人的诡计。"慕容白曜这才没有对东阳城采取行动。而青州刺史沈文秀果然不是真心投降魏国。

魏国镇东大将军尉元给魏国朝廷上表说："彭城曾经是宋国的边疆大州，如果没有重兵把守和充足的粮食储备，就不可能长期坚守。如果我国在彭城驻军与物资储备都十分充实，即使刘彧出动全部的军队，也不敢窥视淮河以北的徐州、兖州、豫州等地。"尉元又说："如果宋军要攻打彭城，必然会由泗水一带通过宿豫，经过下邳；如果宋军要进攻青州，也需要从下邳出发沿着沂水北上经过东安郡。这几个地方，

东安[187]；此数者，皆为贼用师之要[188]。今若先定下邳、平宿豫、镇淮阳[189]、戍东安，则青、冀诸镇[190]可不攻而克[191]。若四城不服[192]，青、冀虽拔，百姓狼顾[193]，犹怀侥幸之心[194]。臣愚以为，宜释青、冀之师[195]，先定东南之地[196]，断刘彧北顾之意[197]，绝愚民[198]南望之心。夏水虽盛，无津途可由[199]，冬路虽通[200]，无高城可固[201]。如此，则淮北自举，暂劳永逸[202]。兵贵神速，久则生变，若天雨既降，彼或因水通，运粮益众[203]，规为进取[204]，恐近淮之民翻然改图[205]，青、冀二州猝未可拔[206]也。"

五月壬戌[207]，以太子詹事袁粲[208]为尚书右仆射[209]。

沈攸之自送运米至下邳[210]，魏人遣清泗间人诈攸之[211]云："薛安都欲降[212]，求军迎接。"军副吴喜[213]请遣千人赴之，攸之不许。既而[214]来者益多[215]，喜固请不已[216]，攸之乃集来者告之曰："君诸人[217]既有诚心[218]，若能与薛徐州子弟俱来[219]者，皆即假君以本乡县[220]，唯意所欲[221]。如其不尔[222]，无为空劳往还。"自是[223]一去不返。攸之使军主[224]彭城陈显达[225]将千人助戍下邳而还。

【段旨】

以上为第一段，写宋明帝泰始三年（公元四六七年）上半年的大事。主要写了魏将尉元等继续进攻宋将张永，张永、沈攸之弃下磕城（今江苏徐州东南）夜遁，尉元、薛安都追击大破张永、沈攸之于吕梁之东，枕尸六十余里，淮北四州与豫州之淮西诸郡尽入魏人之手；写了沈文秀、崔道固为青、冀之人所攻，乞降于魏，并攻为朝廷据守之明僧暠，朝廷遣刘怀珍浮海救之，刘怀珍有勇有谋，进

都是贼军用兵作战的必经之地。如果我们先平定了下邳、宿豫，镇守淮阳郡，防守东安，那么青州、冀州等州郡的首府就陷入孤立无援的境地，可以不攻自破。如果我们不能首先攻克下邳、宿豫、淮阳、东安这四个城，即使攻占了青州、冀州，那里的百姓也不会真心归顺，而是四处观望，心存侥幸，盼望着被宋军解救过去。我虽然愚钝，但我以为应当放开青州、冀州的这两股敌兵不打，先解决东南方向的下邳、宿豫、淮阳、东安等城镇，断绝刘彧想出兵解救北方这些州郡的想法，断绝青州、冀州那些平民百姓盼望回归南方的念头。要让他们认识到：夏天雨水虽然大，却没有水路、陆路可以通行；冬天河水结冰，宋军即使可以到达下邳、宿豫、淮阳、东安等地，但没有城堡可以作为依托，仍然难以立足。这样的话，淮北地区自然会被我们长期占有，花费短时间的辛苦而换来永久性的安逸。兵贵神速，时间一长，形势就会发生变化，如果天降大雨，他们因为河道畅通，就可能利用船只运送粮食、增派士兵来支援彭城，进一步谋划收复被我军占领的失地，到那时恐怕淮河一带的百姓就会改变服从魏国之心，青州、冀州二州就不是短时间内所能攻克的了。”

五月十二日壬戌，宋明帝任命担任太子詹事的袁粲为尚书右仆射。

贞阳公沈攸之亲自押送军粮沿着泗水抵达下邳，魏国人派遣泗水一带的居民欺骗沈攸之说：“薛安都想要归降，请求将军派兵前去迎接。”担任副统领的吴喜请求沈攸之派遣一千人前往彭城迎接薛安都，沈攸之不同意。后来，通风报信的人越来越多，吴喜坚决要求沈攸之派遣军队去迎接薛安都，沈攸之于是将那些通风报信的人召集起来，告诉他们说：“你们这些人既然有归降朝廷的这份真诚之心，如果能够带着徐州刺史薛安都的子弟一起来，我就立即任命你们为本地区的县令或县长之职，想要哪个县，我就给你们哪个县。如果做不到的话，你们就不必再这样徒劳无益地跑来跑去了。”从这次谈话以后，那些前来报信的人就一去不复返了。沈攸之派遣一支军队的头领彭城人陈显达率领一千人协助守卫下邳而后返回。

击获胜，沈文秀、崔道固乞降，朝廷仍以之为青、冀二州刺史；写了魏将慕容白曜攻青州，用郦范谋先破杀宋将申纂于无盐，又获肥城、垣苗、麋沟，齐地大震，沈文秀诈降，魏将郦范料事精审，沈文秀谋未得逞；写了魏将尉元上书魏主论平定青、冀与淮北之策，建议先取下邳、宿豫、淮阳、东安四城，以及沈攸之运米并派兵增戍下邳等。

【注释】

① 弃城夜遁：张永当时驻军于下礚城，在今江苏徐州东南。② 会：正赶上。③ 泗水冰合：泗水上结满了冰。泗水从山东泗水流来，中经曲阜、兖州、徐州，南流入淮水。④ 太半：一大半；四分之三。⑤ 什七八：十分之七八。⑥ 邀其前：从前方拦住其退路。邀，拦截。⑦ 乘其后：从后面追击。⑧ 吕梁之东：吕县的泗水桥东。吕，古县名，南朝宋置，旧址在今徐州南泗水的故道北岸。梁，桥。胡三省引《水经注》曰："泗水自彭城东南过吕县南，泗水之上有石梁焉，故曰'吕梁'。"⑨ 以万数：用万来计算，意即好几万。⑩ 枕尸六十余里：在其边战边逃所经过的六十来里地上，到处尸横遍野。枕尸，横尸。枕，相互枕藉，极言其多。⑪ 委弃：抛弃；丢弃。⑫ 不可胜计：没法计算。胜，能。⑬ 足指亦堕：脚趾头也冻掉了。⑭ 仅以身免：勉强地单身逃脱，其他人一无所回。⑮ 梁、南秦：刘宋的二州名，由一个刺史统辖，州治即今陕西汉中。⑯ 垣恭祖：刘宋名将垣护之的儿子，时为梁、南秦二州刺史。传见《宋书》卷五十。⑰ 败书：北方送来的失败消息。⑱ 我愧卿甚：当宋明帝刘彧派张永等率大军北迎薛安都等人时，蔡兴宗曾劝阻说："安都归顺，此诚非虚，正须单使尺书。今以重兵迎之，势必疑惧；或能招引北虏，为患方深……如其外叛，将为朝廷旰食之忧。"刘彧不从，今果招致惨败。事见本书上卷之末。⑲ 永降号左将军：张永此前为镇军将军，青、冀二州刺史，左将军的地位在镇军将军之下。⑳ 以贞阳公领职：免除沈攸之的一切职务，只以贞阳公的爵位仍主管原有的军政事务。沈攸之此前的职务是前将军，封贞阳县公。㉑ 淮阴：县名，即今江苏淮安之淮阴区。㉒ 淮北四州：胡三省以为应指青州、冀州、徐州、兖州。㉓ 豫州淮西之地：胡三省以为应指汝南、新蔡、谯、梁、陈、南顿、颍川、汝阳、汝阴诸郡。㉔ 裴子野：南朝梁代的史学家、文学家，著有《宋略》二十卷。全书已散佚，仅存若干片段。事迹见《梁书》卷三十。㉕ 齐桓：指春秋时代的齐桓公，公元前六八五至前六四三年在位，为春秋五霸的第一位霸主。事迹详见《左传》或《史记·齐太公世家》。㉖ 矜于葵丘而九国叛：据《史记·齐太公世家》，齐桓公在称霸以后，因功高权重，在葵丘召集诸侯会盟时有轻天下诸侯之意，于是"诸侯多有叛者"。周天子的代表宰孔对晋侯说"桓公骄矣"。《春秋公羊传》更有所谓"葵丘之会，桓公震而矜之，叛者九国"云云。矜，骄傲、傲慢。㉗ 曹公：指东汉末年的曹操。事迹见《三国志·魏书·武帝纪》。㉘ 不礼张松而天下分：曹操赶走刘备占领荆州后，益州的军阀刘璋派其别驾张松向曹操表示归顺之意。由于曹操态度傲慢，厌恶张松的其貌不扬，未能给予充分的礼遇，于是张松对曹操不满，回益州后劝说刘璋与曹操断绝来往而结盟于刘备，从而招致日后益州被刘备占据。事见《三国志·蜀书·刘二牧传》及本书卷第六十五建安十三年。天下分，指曹操未能统一天下，而导致魏、蜀、吴三国鼎立。㉙ 一失豪厘二句：通常所说的"失之毫厘，差之千里"，意思是开头考虑得有一点不周到，而给后来造成的结果就大大的不同了。豪，

通“毫”。㉚太宗之初：指宋明帝刘彧初即位时，即泰始元年（公元四六五年）末与泰始二年初。㉛威令所被：对国内所能实现统治的地方。被，覆盖、管辖。㉜离心：叛变之心。㉝固色：为刘彧政权坚守的样子。㉞开诚心二句：指刘彧朝廷能对天下人做出一种诚心诚意、推心置腹的姿态。款实，诚心诚意。㉟致命效死：献出生命，不怕牺牲。“致命”与“效死”意思相同。致，献出。效，交出。指吴喜、殷孝祖等。㊱西摧北荡：指向西打败袁颉、邓琬，灭掉了寻阳政权；向北打败殷琰，平定了寿阳、合肥。㊲寓内褰开：笼罩在国家上空的黑云被驱散。寓内，六合之内、整个国家的上空。褰开，拉开、拉开大幕。㊳六军献捷：朝廷的军队纷纷向中央报捷。六军，西周时期周天子有六军，大国诸侯顶多可以有二军、三军。故通常用“六军”代指朝廷军队。㊴方隅束手：一度背叛朝廷的州郡纷纷归降朝廷。方隅，指四方的州郡。束手，指束手归降。如薛安都、常珍奇等。㊵贾其余威：逞其威风，炫耀其武力。《左传》成公二年齐国猛将高固有所谓“欲勇者贾余余勇”，本是一种炫耀的意思。贾，买。当下青年还有所谓“借给我个胆子”，大意相同。㊶倏忽为戎：一下子都落入鲜卑人之手，指薛安都、常珍奇等投降魏国。戎，古指少数民族。这里代指魏国。㊷向之虚怀：以前那种虚怀若谷地礼贤下士。即前文之“开诚心，布款实”云云。㊸不骄不伐：不骄傲，不夸耀。伐，显示、夸耀。㊹三叛：指薛安都、毕众敬、常珍奇。㊺奚为而起：怎么会又起来背叛了朝廷呢。㊻高祖：以称宋武帝刘裕。㊼虮虱生介胄：铠甲、头盔里长满了虱子，极言其军旅生活之艰苦。虮，虱子的卵。介胄，即甲胄。铠甲和头盔。曹操乐府诗有所谓“铠甲生虮虱，万姓以死亡”，皆言征战生活之艰苦。㊽经启疆埸：在战场上开疆辟土。经启，经营、开拓。㊾日蹙百里：每天都要丧失上百里的国土。蹙，缩小、减少。《诗经·召旻》有所谓“昔先王受命，有如召公，日辟国百里；今也日蹙国百里”，皆言其后代子孙之不成材。㊿播获堂构二句：做子孙的要想继承父祖的基业，这哪里是一件容易的事情。《尚书·大诰》载：“若考作室，既厎法，厥子乃弗肯堂，矧肯构？厥父菑，厥子乃弗肯播，矧肯获？”大意是说其父为盖房子而买了宅地，画出蓝图，但做儿子的竟连堂基都不肯打，更不用说在上面盖房了；又如其父开垦出了土地，而其子竟连播种都不想干，更不用说收获了。故后世遂以“播获堂构”以比喻后代儿孙之继承父祖辈基业的态度。51冀、相、济、兖：当时魏国的四个州名。冀州的州治即今河北衡水市冀州区；相州的州治即今河北临漳西南的邺城镇；济州的州治卢县，在今山东东阿西北；兖州的州治瑕丘，在今山东济宁市兖州区的西北侧。52沿清运载：沿着清水向彭城运送粮食。清水是当时河北山东邻近地区的河水名，这里是指冀州、相州的粮食先经过清水，再转入泗水送达彭城。53新民：新归顺魏国的徐州之民。54东平王道符：拓跋道符，魏东平王翰之子，承袭父爵为东平王。传见《魏书》卷十八。55副将：镇守长安的副军政长官。其正长官即东平王拓跋道符。56丙午：正月二十四。57和其奴：魏大臣，此时任司空之职。传见《魏书》卷四十四。58丁未：正月二十五。59陆真：拓跋焘以来的魏国名将，因功赐爵河南公。传见《魏书》卷三十。⑥⓪ 顿丘王李峻：魏大臣，文成元皇后李氏之兄，被封为顿丘王。传见《魏书》卷八十三上。⑥① 土人：当地人。这里指青、冀二州的人。⑥② 汝阴太守张超：据司马光《通鉴考异》，此张超即《宋书》卷八《明帝纪》中提到的张景远。《宋书》《魏书》均无传。汝阴郡的郡治即今安徽阜阳，当时属于刘宋。⑥③ 陈项：陈郡的郡治项县，故址在今河南项城东北。⑥④ 长社：魏县名，县治在今河南长葛西。⑥⑤ 郑羲：魏国的有才智之臣，但为人贪黩。传见《魏书》卷五十六。⑥⑥ 蚁聚穷命：像蚂蚁一样聚集在一起，形容其聚于弹丸之地而苟延残喘。⑥⑦ 不降当走：不投降就只有逃跑。⑥⑧ 修城浚隍：增修城墙，深挖护城河。浚，疏通、深挖。隍，护城河。⑥⑨ 更来：二次再来。⑦⓪ 谕文秀：劝说沈文秀。谕，为之分析、对其劝说。⑦① 刘怀珍：先为宋将，萧道成建立齐朝后，又为齐将。传见《南齐书》卷二十八。⑦② 偕行：一起相伴而行。⑦③ 山阳：郡名，郡治即今江苏淮安。⑦④ 明僧暠：原为刘彧朝廷的散骑常侍，因起兵攻沈文秀，被刘彧任为青州刺史。事见本书上卷之泰始二年四月。青州的州治即今山东青州。⑦⑤ 王广之：宋、齐两朝的将领，此时为刘宋的龙骧将军。传见《南齐书》卷二十九。⑦⑥ 浮海：乘船由海路，即出长江口沿海边北上。⑦⑦ 东海：郡名，郡治在今山东郯城北。⑦⑧ 东莱：郡名，郡治即今山东莱州。⑦⑨ 朐城：县名，县治在今江苏连云港西南的锦屏山（古代叫朐山）侧。⑧⓪ 凶惧:恐惧、骚动。⑧① 且保郁洲：暂且退到郁洲驻守。郁洲，古代海边的洲名，在今江苏连云港市海州区东与陆地相隔不远的大海中。⑧② 以青州归索虏：带着青州投降魏国。索虏，南北朝时南朝对魏国的辱称，乃因鲜卑人习惯留辫子而云然。⑧③ 计齐之士民：我们想一想齐地的百姓。计，设想、推想。齐，古代指今山东半岛一带地区。⑧④ 安肯甘心左衽邪：怎么会甘心投降鲜卑人呢。左衽，古代某些少数民族的服装，前襟向左掩，与中原一带人民的右衽相反。⑧⑤ 扬兵直前：挥舞着武器，奋勇前进。扬，挥舞。⑧⑥ 飞书而下：一道檄文发出去，敌区的军民百姓就可以立即反正过来。⑧⑦ 奈何：怎么能。⑧⑧ 自为沮挠：自己把自己搞得军心涣散、停止不前。沮，涣散、瓦解。挠，曲、受阻。⑧⑨ 黔陬：古县名，县治即今山东胶州。⑨⓪ 署：委任；委派。⑨① 高密、平昌：二郡名，高密郡的郡治在今山东高密西南，平昌郡的郡治在今山东安丘西南。⑨② 送致文炳：将沈文炳送到沈文秀军中。⑨③ 达朝廷意：向沈文秀传达了朝廷的意思。⑨④ 长广：郡名，郡治在今山东青岛市崂山区北。⑨⑤ 戍不其城：戍，驻守。不其，县名，县治在今山东青岛市崂山区西北。⑨⑥ 军于洋水：驻扎在洋水一带。洋水，今称弥河，源出山东临朐南的沂山西麓，向北流经山东临朐、寿光入海。⑨⑦ 且宜坚壁伺隙：应该暂且扎营坚守以等待时机。⑨⑧ 悬军深入：远离根据地的深入敌境。⑨⑨ 掩：袭击。⑩⓪ 济阴王小新成：北魏景穆帝拓跋晃的第四子。传见《魏书》卷十九上。因其长兄阳平王名叫“新成”，故此行四者乃称曰“小新成”以区别之。⑩① 自彭城还：自彭城被魏人打败而还。据《宋书》本传，沈攸之等此败甚惨，“为虏所乘，又值寒雪，士众堕指十二三”。⑩② 王玄载：字彦休，王玄谟的堂弟，泰始初为长水校尉，后为益州刺史。入齐后为左民尚书。传见《南齐书》卷二十七。⑩③ 下邳：郡名，郡治在今江苏邳州南之古邳镇。⑭宿豫：县名，县治在今江苏宿迁东南。⑮睢陵、淮阳：二县名，睢陵县的县治即今江苏睢宁，淮阳县的县治在今江苏淮安之淮阴区西南，当时也是淮阳郡的郡治所在地。⑯从弟：堂弟。⑰申纂：申锺的曾孙，刘宋的将领，官至兖州刺史，被魏军打败擒杀。传见《魏书》卷六十一。⑱无盐：当时为东平郡的郡治所在地，故址在今山东东平东。⑲刘休宾：曾被刘彧王朝任为辅国将军、幽州刺史，后降魏。传见《魏书》卷四十三。⑳梁邹：古县名，县治即今山东邹平。当时为刘宋王朝幽州刺史的驻地。⑪房崇吉：刘彧王朝的并州刺史，战败后投降北魏。传见《魏书》卷四十三。⑫升城：古城名，在今山东济南市长清区西南，当时为刘宋并州刺史的驻兵之地。⑬张谠：刘彧王朝的辅国将军，后投降北魏。传见《魏书》卷六十一。⑭团城：古城名，旧址在今山东沂水。⑮兰陵：郡名，郡治在今山东枣庄市峄城区。⑯肥城、麋沟、垣苗：都是当时的军事据点名，肥城的故址即今山东肥城，麋沟、垣苗约在今山东肥城或济南市长清区境。⑰乘民：刘乘民，原为刘宋王朝的高阳、勃海二郡太守，驻兵于临济城（今山东高青东南），当刘彧政权十分孤立时，是宣告忠于朝廷的武装势力之一。事见本书上卷之上年四月。⑱长孙陵：北魏大将长孙肥之子。传见《北史》卷二十二。⑲慕容白曜：东晋时燕人慕容元真的玄孙，魏主拓跋弘即位初期，与拓跋乙浑共掌魏国大政。传见《魏书》卷五十。⑳燕太祖：慕容皝，字符真，前燕政权的奠基者，其子慕容儁称帝后，追尊之为燕太祖。传见《晋书》卷一百九。㉑不宜遽进：不能贸然进军。遽，突然、立刻。㉒郦范：拓跋焘以来的魏国老臣，古地理学家郦道元之父。随慕容白曜出兵三齐，立有大功，被任青州刺史。传见《魏书》卷四十二。㉓淹缓：中途逗留，行动迟缓。淹，逗留、停留。㉔必谓我军来速二句：胡三省曰，“师速而疾者，略也；略，谓略地也，无暇于攻城围邑”。㉕将不为备：胡三省曰，“白曜以形形申纂，故料其不为备也”。㉖一鼓而克：一举攻下，不劳再举。古语有所谓“一鼓作气，再而衰，三而竭”，此处指“一举”。㉗司马策是：左司马郦范的预测是正确的。策，预测、估计。㉘夜中部分：半夜起床，调兵遣将。部分，调动、派遣、部署、安排。㉙三月甲寅旦：三月初三的早晨。旦，平明、天亮。㉚食时克之：等到该开饭的时候敌人就被打败了。食时，约当现在的上午九十点钟。古人一日两餐，第一顿在日出之后、中午之前，故通常称这段时间为“食时”。克之，敌城被攻下。〖按〗慕容白曜之破申纂，恰如韩信之破陈余。见《史记·淮阴侯列传》。㉛尽以无盐人为军赏：把所攻占的整个无盐县城的百姓都分给作战的有功人员做奖励。㉜形胜之地：既地理条件优越，又文化发达、人才荟萃。㉝宜远为经略：应该做长远考虑。经略，经营、治理。㉞王师：王者之师，这里是魏人自称其本国的军队。㉟未洽：未安定，未服帖。洽，和谐、融洽。㊱苟非以德信怀之：如果我们不是用仁义德惠的办法感化他们。苟，如果、一旦。㊲皆免之：都把他们饶过了。㊳引日：花费时间。引，延、拖长。㊴益军势：壮大我军的声势。㊵彼：指肥城、麋沟、垣苗等据点的敌军。㊶涂地：满地；遍地。㊷飞书告谕：发文告晓谕、告知。飞书，发出文告。⑭³斛：容量单位，通常以十斗为一斛，意同一石。⑭⁴三齐：指今山东半岛的古齐国地区，因在秦楚之际这一带曾出现过齐、胶东、济北三个国家，故云。⑭⁵不足定：很容易被平定。不足，不费力。⑭⁶一旬中：十天之内。古称十天为一旬。⑭⁷丙子：三月二十五。⑭⁸郢州：州治江夏，即今湖北武汉的江夏区。⑭⁹胜兵者：刚能拿起武器的人，极言其年幼。⑮⁰筑长围：在敌方的城池之外筑起一道围墙将该城围困起来，斩断其城内与外部的联络。⑮¹尽坑：全部活埋。⑮²参军事：官名，即通常所说的参军，也就是现在的参谋。⑮³韩麒麟：魏国境内的汉族人，被任为伏波将军。传见《魏书》卷六十。⑮⁴勍敌：强敌。勍，强健。⑮⁵师老：军队疲倦厌战。⑮⁶外寇乘之：敌军趁势攻击我们。外寇，这里当指刘宋的军队。乘，趁机。⑮⁷危道：危险的做法。⑮⁸济州刺史卢度世：卢度世是卢玄之子，晋代卢谌的后人，在魏国为官。传见《魏书》卷四十七。据《魏书》，卢度世当时为齐州刺史，《北史》作济州刺史。齐州的州治历城，即今山东济南；济州的州治卢县，在今山东聊城东南。⑮⁹中表亲：是表兄弟、表姐妹的亲戚关系。⑯⁰赡给：供给衣食之需。⑯¹闺门之内：家庭的内部。闺，内宅的门户。⑯²世有屯夷：世道有艰难、有太平。屯是《周易》中的卦名，代表艰难的卦象，通常用以代指社会人生的艰难、不顺。夷，平、太平、顺利。⑯³怡怡：和顺、快乐的样子。⑯⁴闭门拒魏：紧闭冀州城门，不许魏人进城。〖按〗崔道固所据守的冀州实际是在历城，今山东济南。⑯⁵请兵援接：请求魏国派兵到青州来迎接。⑯⁶屈：力屈，指兵力受挫或不利之时。⑯⁷视下而色愧：说话时眼睛不敢正视人，像是内心有愧。⑯⁸语烦而志怯：语言啰唆而内心怯懦。⑯⁹此必挟诈以诱我：这必然是想用奸计来引诱我们上钩。挟诈，耍阴谋。胡三省曰：“春秋之时，诸侯交兵，谋人之军师者，多能以此觇敌，郦范亦祖其智耳。”〖按〗《左传》写秦穆公设谋派丕郑入晋行诈，以图晋人出晋惠公以入重耳，丕郑入晋后重赂吕省、郄称、冀芮三人，三人曰：“币厚言甘，此必丕郑卖我于秦。”郦范之言即效此。见《左传》鲁僖公九年与《史记·晋世家》。⑰⁰盘阳：这里指盘阳城，旧址在今山东淄博市西南的淄川区一带。⑰¹乐陵：郡名，郡治在今山东高青东。⑰²东阳：此指东阳城，古代的战略要地，即今山东青州，当时沈文秀占据着。⑰³为诸城根本：是周围其他为刘宋据守之城的主心骨。⑰⁴所邀：所袭击；所拦截。⑰⁵必无全理：肯定使我们难以保全。⑰⁶愿更审计：希望您能再认真考虑。审计，周密、慎重地考虑。⑰⁷无堕贼彀中：不要落入敌人的圈套。彀中，射程之内的区域。⑰⁸贼之要藩：曾经是刘宋王朝的边疆大州。藩，篱笆。古代用以代称诸侯国，诸侯国是中央天子的屏藩。晋代以来用以称各州刺史，因为他们位高权重，有如古代的诸侯。⑰⁹不有：如果没有。不，无。⑱⁰资储既广：魏国在徐州的驻军与物资一样充实。⑱¹师徒悉起：出动其全国军队。⑱²淮北之地：指新被魏军攻占的徐州、兖州、豫州等广大地区。⑱³清泗：泗水。当时的泗水有时称清水，有时称清泗。⑱⁴历下邳：经过下邳郡。当时的下邳在彭城之东。宿豫、下邳、彭城都在泗水边上。⑱⁵趋青州：如果刘宋军队要进攻青州。趋，奔向。⑱⑥ 沂水：河水名，源出山东沂源，南流经今临沂，再南流至当时的下邳入泗水。⑱⑦ 东安：魏郡名，郡治团城，即今山东沂水。⑱⑧ 用师之要：用兵作战的必经之地。⑱⑨ 淮阳：郡名，郡治即今睢宁，在当时睢水之滨，东近泗水，宿豫在其东南，下邳在其正北。⑲⓪ 青、冀诸镇：青州、冀州等州郡的首埠，即州治、郡治所在地。⑲① 可不攻而克：因为宿豫、下邳、淮阳、东安这几个军事要点都在青州、冀州的南方，在它们与刘宋都城建康相联络的交通要道泗水、沂水之上，只要占据这几个军事要点，则青、冀诸州都将陷于孤立无援。⑲② 不服：不首先攻克；不首先占领。⑲③ 狼顾：四处观望，做各种准备的样子。⑲④ 怀侥幸之心：指盼着被刘宋军队解救过去。⑲⑤ 释青、冀之师：放开青、冀二州的这两股敌兵不打。⑲⑥ 先定东南之地：先解决东南方的下邳、宿豫、淮阳、东安等城镇。⑲⑦ 北顾之意：想解救北方这些州郡的想法。⑲⑧ 愚民：指青、冀等州的百姓。⑲⑨ 无津途可由：无路可通，因中途的许多城镇都已被魏军攻占。津途，渡口与水路、旱路。⑳⓪ 冬路虽通：指河水结冰，障碍减少。⑳① 无高城可固：指宋军即使可以到达下邳、宿豫这些地区，但没有城堡依托，仍难以立足。固，坚守。⑳② 暂劳永逸：花短时间的辛苦，而获得永久性的安逸。⑳③ 运粮益众：指增兵运粮地支援彭城。⑳④ 规为进取：再谋划进一步有所发展，指收复已被魏军占领的失地。规，计划、打算。⑳⑤ 翻然改图：指改变服从魏国之心，另谋南返刘宋之想。⑳⑥ 猝未可拔：未可猝拔，不是短时间所能攻克的了。猝，急、仓促。⑳⑦ 五月壬戌：五月十二。⑳⑧ 袁粲：原名愍孙，后改为粲，袁淑之侄，刘宋的节烈之臣。传见《宋书》卷八十九。⑳⑨ 尚书右仆射：尚书省的副长官，有左右二人，位同副丞相。㉑⓪ 自送运米至下邳：亲自押送支援青、冀诸地的军粮沿泗水抵达下邳。㉑① 诈攸之：欺骗沈攸之。㉑② 欲降：想要归降于沈攸之。㉑③ 军副吴喜：军副是该军队的副统领，主官是沈攸之。军副不是正式的军官名，只表示其在军中的地位与权柄。吴喜是刘彧朝廷的功臣，在刘彧极度艰难的时刻挺身而出，在平定东方数郡的战斗中有大功。传见《宋书》卷八十三。㉑④ 既而：接着。㉑⑤ 来者益多：魏人派来送假情报的人越来越多。㉑⑥ 固请不已：坚持要求派兵往迎薛安都。㉑⑦ 君诸人：你们大家。㉑⑧ 既有诚心：既然有归降朝廷的真诚之心。㉑⑨ 若能与薛徐州子弟俱来：谁要是能够与薛安都的子弟一起前来。意即请薛安都派出一个儿子或兄弟前来做人质。薛徐州，对薛安都的敬称，因薛安都当时任徐州刺史。㉒⓪ 皆即假君以本乡县：全都立即任命你们为本地区的县令或县长之职。假，加、任命。本乡县，本地区的一官之长。㉒① 唯意所欲：想要哪个县，就给你们哪个县。㉒② 如其不尔：如果你们做不到，意即如果薛安都不派出人质。不尔，不如此。㉒③ 自是：从此，自打这次谈话以后。㉒④ 军主：一支军队的主官。不是正式的官名，其地位高低随其所统领的人数多少而不同。㉒⑤ 陈显达：仕宋曾为濮阳太守、广州刺史，后入齐，官至太尉。传见《南史》卷四十五、《南齐书》卷二十六。

【原文】

薛安都子伯令[1]亡命㉖梁、雍之间㉗，聚党数千人，攻陷郡县。秋，七月，雍州刺史巴陵王休若㉘遣南阳太守张敬兒㉙等击斩之。

上复遣中领军㉚沈攸之等击彭城。攸之以为清泗方涸㉛，粮运不继，固执㉜以为不可。使者七返，上怒，强遣之。八月壬寅㉝，以攸之行南兖州刺史㉞，将兵北出，使行徐州事㉟萧道成将千人镇淮阴㊱。道成收养豪俊，宾客始盛。

魏之入彭城也，垣崇祖㊲将部曲㊳奔朐山㊴，据之，遣使来降㊵，萧道成以为朐山戍主㊶。朐山滨[2]海孤绝㊷，人情未安，崇祖浮舟水侧㊸，欲有急则逃入海。魏东徐州㊹刺史成固公㊺戍圂城㊻，崇祖部将有罪，亡降魏。成固公遣步骑二万袭朐山，去城二十里。崇祖方出送客，城中人惊惧，皆下船欲去。崇祖还，谓腹心曰："虏非有宿谋㊼，承叛者之言㊽而来耳，易诳㊾也。今得百余人还㊿，事必济(51)矣。但人情一骇，不可敛集，卿等可亟去此一里外(52)，大呼而来，云(53)：'艾塘义人已得破虏(54)，须戍军速往，相助逐之。(55)'"舟中人果喜，争上岸，崇祖引入，据城。(56)遣羸弱入岛(57)，人持两炬火(58)，登山鼓噪，魏参骑(59)以为军备甚盛，乃退。上以崇祖为北琅邪、兰陵(60)二郡太守。

垣崇祖(61)亦自彭城奔朐山(62)，以奉使不效(63)，畏罪不敢出，往依萧道成于淮阴。荣祖少学骑射，或谓之曰："武事可畏(64)，何不学书？"荣祖曰："昔曹公父子(65)上马横槊(66)，下马谈咏(67)，此于天下(68)，可不负饮食(69)矣。君辈(70)无自全之伎(71)，何异犬羊(72)乎！"刘善明(73)从弟僧副(74)将

【语译】

薛安都的儿子薛伯令潜逃到梁州、雍州一带，聚集几千名党徒，攻陷郡县。

秋季，七月，宋国担任雍州刺史的巴陵王刘休若派遣担任南阳太守的张敬兒等人斩杀了薛伯令。

宋明帝刘彧又派遣中领军沈攸之等人率军进攻彭城。沈攸之因为泗水河干枯无水，恐怕粮食运输跟不上，所以坚持认为不可以进攻彭城。宋明帝派遣的使者往返七次，沈攸之都坚持己见，宋明帝于是大怒，强迫沈攸之率军出征。八月二十三日壬寅，宋明帝任命沈攸之为代理南兖州刺史，率领军队北上进攻彭城，令代理徐州刺史职务的萧道成率领一千人镇守淮阴。萧道成收养、结交豪强俊杰，宾客开始兴盛起来。

魏军进入彭城的时候，垣崇祖率领自己的部下逃往朐山城据守，他派遣使者来向宋国朝廷投降，萧道成遂任命垣崇祖为朐山守军的统领。朐山靠近大海，形势孤立，与周围隔绝，因此人心不安，垣崇祖遂在水边准备了一些船只，准备遇到危急情况时就逃入大海。魏国担任东徐州刺史的成固公戍守圂城，垣崇祖的一个部将因为犯了罪，就从朐山城逃出投降了魏军。成固公派遣两万名步兵、骑兵袭击朐山，距离朐山只有二十里。恰好此时垣崇祖出城送别客人，朐山城中的守军得知魏军来袭的消息后都非常惊惶恐惧，于是都下到船中准备逃走。垣崇祖回到城中后对他的心腹们说："魏国的贼敌并非按照预定的谋略前来攻打，无非是听信了那个叛逃人的话才临时决定来进攻我们，很容易让他们上当受骗。如果我们能够招呼到一百个上船欲逃的人回来，大事就一定能够成功。只是由于受到惊吓，人心已乱，不可能再让他们集结起来了，你们这些人赶快到距离朐山城一里以外的地方，一边向城里跑来，一边高喊说：'艾塘据点的义士们已经打败了魏军，希望我们戍守朐山城的人赶紧前去帮助他们一同追击逃跑的敌人。'"船中那些准备逃跑的人听到喊声果然喜出望外，全都争着上岸，垣崇祖把他们接入城中，据城坚守，一面派遣老弱病残进入海岛，每个人手举两支火把，登上山去擂鼓呐喊，虚张声势，魏军中负责担任巡逻侦察的骑兵遂以为朐山城中的宋国守军势力强盛，准备充足，于是就撤退了。宋明帝任命垣崇祖为北琅邪郡、兰陵郡二郡的太守。

垣崇祖此时也从彭城逃奔朐山，垣崇祖因为未能说服徐州刺史薛安都改变立场拥戴宋明帝，惧怕遭到惩处而不敢返回京师建康，于是就到淮阴去依附于萧道成。垣崇祖年纪很小的时候就开始学习骑马射箭，有人对他说："舞刀弄枪是件很可怕的事情，容易丢掉性命，你为什么不去读书？"垣崇祖回答说："过去曹操与他的儿子曹丕兄弟跨上马挥动兵器能征战、厮杀，下了马能清谈、能写诗作赋，能这样活在世上过一辈子，才算是没有白吃饭。像你们这些人连保全自己的本领都没有，与那些只能等着受人宰割的犬羊有什么区别呢！"刘善明的堂弟刘僧副此时正率领着属下的

部曲二千人避魏居海岛，道成亦召而抚之[275]。

魏于天宫寺[276]作大像，高四十三尺，用铜十万斤，黄金六百斤。

魏尉元遣孔伯恭[277]帅步骑一万拒沈攸之，又以攸之前败[278]所丧士卒瘃堕膝行者[279]悉还攸之，以沮其气[280]。上[281]寻悔遣攸之等[282]，复召使还。攸之至焦墟[283]，去下邳五十余里，陈显达引兵迎攸之至睢清口[284]，伯恭击破之。攸之引兵退，伯恭追击之，攸之大败，龙骧将军姜产之[285]等战没[286]。攸之创重[287]，入保[288]显达营。丁酉[289]夜，众溃，攸之轻骑南走[290]，委弃军资器械以万计，还屯淮阴。

尉元以书谕徐州刺史王玄载[291]，玄载弃下邳走，魏以陇西辛绍先[292]为下邳太守。绍先不尚苛察[293]，务举大纲[294]，教民治生御寇[295]而已，由是下邳安之[296]。

孔伯恭进攻宿豫，宿豫戍将鲁僧遵亦弃城走。魏将孔太恒[3]等将千骑南攻淮阳，淮阳太守崔武仲焚城走。

慕容白曜进屯瑕丘[297]。崔道固之未降[298]也，绥边将军房法寿[299]为王玄邈[300]司马，屡破道固军，历城人[301]畏之。及道固降[302]，皆罢兵。道固畏法寿扇动百姓[303]，迫遣法寿使还建康[304]。会从弟崇吉自升城来，以母、妻为魏所获，谋于法寿[305]。法寿雅不欲南行[306]，怨道固迫之。时道固遣兼治中房灵宾[307]督清河、广川[308]二郡事，戍盘阳[4]，法寿乃与崇吉谋袭盘阳，据之，降于慕容白曜，以赎崇吉母、妻[309]。道固遣兵攻之，白曜自瑕丘遣将军长孙观[310]救盘阳，道固兵退。白曜表[311]冠军将军韩麒麟与法寿对为冀州刺史[312]，以法寿从弟灵民、思顺、灵悦、伯怜、两千人为躲避魏军而居住在一个海岛上，萧道成也把他们召集到自己的部下，加以善待。

魏国在天宫寺铸造了一尊大佛像，佛像高达四十三尺，用了十万斤铜，六百斤黄金。

魏国镇东大将军尉元派遣镇东将军孔伯恭率领一万名步兵、骑兵抵抗沈攸之，他们还把沈攸之在泰始三年与魏军作战失败时因为天气严寒冻掉脚趾而被俘虏、现在只能用膝盖爬行的人全部送还给沈攸之，用以瓦解沈攸之军队的士气。没过多久，宋明帝就对派遣沈攸之等人率军北上进攻彭城之事感到后悔，于是又派遣使者把沈攸之等召回。沈攸之抵达焦墟，这里距离下邳城还有五十多里，陈显达率领军队迎接沈攸之，到睢清口时，被孔伯恭率领的魏军打败。沈攸之率领军队撤退，孔伯恭则率领魏军随后追击，把沈攸之的军队打得大败，龙骧将军姜产之等战死于疆场。沈攸之也在战斗中身负重伤，逃入陈显达的军营。八月十八日丁酉夜间，沈攸之所率领的宋军全部溃败，沈攸之抛下军队，只带着身边的一些人轻装向南逃走，被抛弃的军用物资、器械数以万计，沈攸之逃回到淮阴驻扎。

魏国镇东大将军尉元写信给宋国戍守下邳的代理徐州刺史王玄载，劝王玄载投降魏国，王玄载抛弃下邳逃走，魏国任命陇西人辛绍先为下邳太守。辛绍先为政执法不苛求细节，而是善于抓主要问题，治理百姓只抓发展生产、搞好生活与抵御贼寇入侵两大项，因此下邳的人都安心于他的统治。

魏国镇东将军孔伯恭率军进攻宿豫，宋国的宿豫守将鲁僧遵也弃城逃走。魏国的将领孔太恒等人率领一千骑兵向南进攻淮阳，宋国的淮阳太守崔武仲在淮阳城内放了一把火之后也弃城逃走。

魏国征南大将军慕容白曜率领大军进驻瑕丘县。宋国冀州刺史崔道固在向宋明帝投降之前，绥边将军房法寿还在王玄邈的属下担任司马，房法寿曾经多次率军打败冀州刺史崔道固的军队，因此驻守历城的崔道固的军队非常惧怕房法寿。后来崔道固向宋明帝投降，双方这才停止作战。崔道固惧怕房法寿会煽动百姓反对他，于是就强行打发房法寿返回京师建康。恰遇房法寿的堂弟并州刺史房崇吉从升城来到魏郡，他因为自己的母亲、妻子都被魏军俘虏，所以来找房法寿商量办法。房法寿本来就不愿意向南到京师建康去，正在怨恨崔道固逼迫自己。当时崔道固派遣兼任治中的房灵宾去监督清河、广川二郡的事务，就驻守在盘阳城，房法寿于是与房崇吉密谋袭击房灵宾，占据盘阳城，投降了魏国的征南大将军慕容白曜，以赎回房崇吉的母亲和妻子。崔道固派遣军队进攻占据盘阳城的房法寿、房崇吉，慕容白曜也从瑕丘派遣将军长孙观率军前来救援盘阳，崔道固看见有魏军来救，于是率军退走。慕容白曜向魏国朝廷上表举荐担任冠军将军的韩麒麟与房法寿两人同时担任冀州刺史，举荐房法寿的堂弟房灵民、房思顺、房灵悦、房伯怜、房伯玉、房叔玉、房思安、

伯玉、叔玉、思安、幼安等八人皆为郡守[313]。

白曜自瑕丘引兵攻崔道固于历城，遣平东将军长孙陵等攻沈文秀于东阳。道固拒守不降，白曜筑长围守之。陵等至东阳，文秀请降，陵等入其西郭[314]，纵士卒暴掠[315]。文秀悔怒，闭城拒守，击陵等，破之。陵等退屯清西[316]，屡进攻城，不克。

癸卯[317]，大赦[318]。

戊申[319]，魏主李夫人[320]生子宏[321]。夫人，惠[322]之女也。冯太后[323]自抚养宏[324]。顷之[325]，还政于魏主[326]。魏主始亲国事，勤于为治，赏罚严明，拔清节[327]，黜贪污，于是魏之牧守[328]始有以廉洁著闻者[329]。

太中大夫徐爰[330]，自太祖时用事[331]，素不礼于上[332]。上衔之[333]，诏数[334]其奸佞之罪，徙交州[335]。

冬，十月辛巳[336]，诏徙义阳王昶为晋熙王[337]，使员外郎李丰以金千两赎昶于魏[338]。魏人弗许，使昶与上书[339]，为兄弟之仪[340]。上责其不称臣，不答。魏主复使昶与上书，昶辞曰："臣本实彧兄，未经为臣[341]。若改前书[342]，事为二敬[343]；苟或不改[344]，彼所不纳[345]。臣不敢奉诏[346]。"乃止。魏人爱重昶，凡三尚公主[347]。

十一月乙卯[348]，分徐州置东徐州[349]，以辅国将军张谠为刺史[350]。

十二月庚戌[351]，以幽州刺史刘休宾为兖州刺史[352]。休宾之妻，崔邪利[353]之女也，生子文晔[354]，与邪利皆没于魏[355]。慕容白曜将其妻、子[356]至梁邹城下示之，休宾密遣主簿尹文达至历城见白曜，且视其妻、子。休宾欲降，而兄子闻慰[357]不可。白曜使人至城下呼曰："刘休宾数

房幼安等八人分别担任清河、济南、平原、广川、河间、高阳、乐陵、高密郡太守。

魏国征南大将军慕容白曜率领军队从瑕丘出发前往历城攻打冀州刺史崔道固，派遣平东将军长孙陵等人率领军队前往东阳攻打青州刺史沈文秀。崔道固坚守历城坚决不肯向魏军投降，慕容白曜就在历城周围修筑起一道围墙把崔道固围困起来。长孙陵等人率领军队来到东阳城，青州刺史沈文秀向魏军请求投降，长孙陵率军进入东阳城西面的外城，放纵士兵大肆抢掠。沈文秀又是悔恨又是愤怒，于是关闭城门据守，并出兵攻打长孙陵等，把长孙陵所率领的魏军打得大败。长孙陵等人退出东阳外城，屯扎在清水之西，长孙陵虽然多次率军攻打东阳城，但都没有攻克。

八月二十四日癸卯，宋国实行大赦。

二十九日戊申，魏国献文帝拓跋弘的李夫人生了个儿子，取名叫拓跋宏。李夫人，是青州刺史李惠的女儿。冯太后亲自抚养拓跋宏。不久，冯太后把朝政大权交还给献文帝拓跋弘执掌。拓跋弘开始亲自处理朝政，他勤于政事，赏罚严明，提拔清正廉洁、有高尚操守的人，罢黜贪污腐败的官员，于是魏国的州刺史和郡太守这两级位高权重的地方官员中开始出现以廉洁奉公而著称的人。

宋国担任太中大夫的徐爰，从宋太祖刘义隆做皇帝时就开始担任官职，那时的徐爰一向对还是皇子的刘彧没有礼貌。刘彧从那时起就对徐爰怀恨在心，此时便下诏一一列举徐爰的种种奸佞罪状，而后把他调离京城派到交州为官。

冬季，十月初三日辛巳，宋明帝下诏改封义阳王刘昶为晋熙王，派遣担任员外郎的李丰为使者携带千两黄金前往魏国想要赎回晋熙王刘昶。魏国人不同意宋国赎回刘昶，而是让刘昶给宋明帝写信，刘昶在书信中对宋明帝以兄弟的身份相称。宋明帝责怪刘昶不向自己称臣，所以没有给予答复。魏国皇帝拓跋弘又让刘昶给宋明帝写信，刘昶推辞说："我本来是刘彧的哥哥，从来没有做过他的臣子。如果改变上一次书信的写法和称呼，就等于让我既称臣于魏，又称臣于宋；如果还按照上次书信的写法和称呼，刘彧又不肯接受。所以我不能奉行陛下的诏令。"魏主拓跋弘遂不再坚持让刘昶给宋明帝写信。魏国人非常喜爱、敬重刘昶，刘昶先后三次娶魏国的公主为妻。

十一月初八日乙卯，宋国在其境内划分出一部分地盘，设置为东徐州，任命辅国将军张谠为东徐州刺史。

十二月庚戌日，宋明帝任命担任幽州刺史的刘休宾为兖州刺史。刘休宾的妻子是原鲁郡太守崔邪利的女儿，她为刘休宾生的儿子名叫刘文晔，他们与崔邪利一起全都沦陷在魏国。魏国征南大将军慕容白曜带着刘休宾的妻子和儿子刘文晔来到梁邹城下让刘休宾看，刘休宾于是秘密地派遣担任主簿的尹文达到历城去面见慕容白曜，并且替他看望妻儿。刘休宾准备投降魏国，而刘休宾的侄子刘闻慰却不同意降魏。慕容白曜派人到梁邹城下高声喊话，说："刘休宾已经多次派人来见尚书右仆射

遣人来见仆射[358]约降，何故违期不至！”由是城中皆知之，共禁制[359]休宾不得降，魏兵围之。

魏西河公石复攻汝阴[360]，汝阴有备，无功而还。常珍奇虽降于魏，实怀贰心[361]，刘勔[362]复以书招之。会西河公石攻汝阴，珍奇乘虚烧劫悬瓠[363]，驱掠上蔡、安成、平舆[364]三县民，屯于灌水[365]。

【段旨】

以上为第二段，写宋明帝泰始三年（公元四六七年）下半年的大事。主要写了宋明帝刘彧强令沈攸之二次进攻彭城，结果又被尉元的部将孔伯恭惨败，还屯淮阴；写了薛安都部将垣崇祖逃出彭城，占据朐山，回降于刘彧王朝，刘宋以垣崇祖为北琅邪、兰陵二郡太守；写了魏将尉元以书吓退王玄载，轻取下邳，魏将孔伯恭等继续攻取宿豫、淮阳，宋将皆弃城逃去；写了宋将房法寿、房崇吉等以盘阳城降慕容白曜，白曜任命房氏众人皆为郡守；写了慕容白曜攻历城的崔道固与青州的沈文秀，皆屡攻不克，慕容白曜又欲招降梁邹的守将刘休宾，刘休宾欲降而未果；写了魏将拓跋石攻宋之汝阴，太守张超坚守不下，前已降魏的常珍奇受宋将刘勔招抚，趁机烧劫悬瓠，驱掠邻近之县民屯于灌水；此外还写了宋将萧道成屯兵淮阴，垣崇祖、刘僧副等皆归之，萧氏的势力日益强大，以及魏人颇重前已降魏之刘义隆子刘昶，刘昶在魏三尚魏公主，又魏之冯太后还政于其子拓跋弘，拓跋弘勤于政事，颇有作为等。

【注释】

㉖亡命：改换名姓，化装潜逃。㉗梁、雍之间：梁州的州治即今陕西汉中，辖境为今陕西之西南部一带地区，雍州的州治即今湖北襄阳市襄州区，辖境为今河南西南部与湖北北部一带地区。㉘休若：刘休若，刘义隆之子，宋明帝刘彧之弟。被封为巴陵王，此时任雍州刺史。传见《宋书》卷七十二。㉙张敬兒：泰始初为南阳太守，后入齐为萧氏重臣。传见《南史》卷四十五。㉚中领军：统领朝廷禁兵，官位三品。㉛涸：干枯无水。㉜固执：坚持；坚决主张。㉝八月壬寅：八月二十三。㉞行南兖州刺史：代理南兖州刺史。南兖州的州治在今江苏扬州西北。㉟行徐州事：代理徐州刺史的职权。〖按〗此徐州侨治钟离，故城在今安徽凤阳东北。因本来的徐州已为魏国占据。㊱淮阴：郡名，

慕容白曜，已经约定投降魏国，为什么违背期限不来投降呢?!”因此城中的人都知道了刘休宾准备投降的事，于是大家一同控制了刘休宾，不许他投降魏国，魏军遂围困了梁邹城。

魏国的西河公拓跋石又率领军队进攻汝阴，因为镇守汝阴的宋军已经有了准备，所以拓跋石仍然无功而返。汝南太守常珍奇虽然投降了魏国，其实他心里还是想回归宋国，刘勔又给常珍奇写信召他回归宋国。恰好遇上西河公拓跋石进攻汝阴，常珍奇遂乘这个机会放火烧毁悬瓠城，劫掠一番之后，便驱赶、劫持着上蔡县、安成县、平舆县三个县的百姓，屯驻在灌水岸边。

郡治在今江苏淮安之淮阴区西南。㉗垣崇祖：刘宋名将垣护之之侄。传见《南史》卷二十五。㉘将部曲：率领部下。部、曲，都是古代的军队编制名，一个将军统领若干部，部的长官称校尉，一个校尉统领若干曲，曲的长官称军候。南朝也以“部曲”称当时世家豪族或某将领的私人武装。㉙朐山：山名，即今江苏连云港西南的锦屏山，又名马耳峰。㉚来降：来向朝廷军投降。垣崇祖为薛安都之将，前此已随薛安都降魏。㉛戍主：军事据点的统领。戍，军事据点。㉜滨海孤绝：靠近大海，形势孤立。㉝浮舟水侧：在水边上准备着一些船只。㉞东徐州：魏州名，州治即今山东沂水。㉟成固公：魏将的封爵名，姓拓跋，名字不详，封地为成固县，在今陕西汉中东。㊱团城：古城名，故址当在今山东沂水县境。㊲虏非有宿谋：魏虏成固公并非按其预定的谋略。虏，对敌方的蔑称。宿，久于其事。㊳承叛者之言：无非是听信了我们叛徒的话而来的。承，接受、听信。㊴易诳：容易哄骗。㊵今得百余人还：只要我们能招呼百数个上船欲跑的人回来。㊶事必济：大事一定能成功，指让魏人成固公上当。㊷亟去此一里外：赶紧到离城一里多地之外。亟，急、赶紧。㊸大呼而来二句：一边向城里跑来，一边高喊着说。㊹艾塘义人已得破虏：艾塘据点的义士们已经打败魏军。艾塘，刘宋的军事据点名，在今江苏东海西北。胡三省曰：“宋人谓起兵拒魏者为义人。”㊺须戍军速往，相助逐之：希望我们的驻军赶紧前去帮着他们一起追赶逃跑之敌。㊻引入二句：把他们接入城内，守好城池。引，迎接。㊼遣羸弱入岛：派一些老弱残兵登上海岛。㊽人持两炬火：每个人手举两个火炬。人，每个人。㊾参骑：探马；侦察骑兵。㊿北琅邪、兰陵：二郡名，北琅邪郡的郡治在今山东临沂东南，兰陵郡的郡治在今山东滕州东南。(261)垣崇祖：垣崇祖堂兄，垣护之的儿子。泰始二年（公元四六六年）正月奉命到徐州劝说薛安都反正归南，事未成，被扣留在徐州。事详见《南齐书》卷二十八。(262)自彭城奔朐山：逃出彭城往归垣崇祖。(263)奉使不效：指前往劝说薛安都反正未成。(264)武事可畏：舞刀弄枪的生涯，容易牺牲性命。(265)曹公父子：指曹操及魏文帝曹丕兄弟。(266)上马横槊：上了马能征战、厮

杀。槊，长矛，此处泛指兵器。㉖㉗下马谈咏：下了马能清谈、能写作诗赋。谈，清谈《周易》《老》《庄》，东晋以来贵族文人的一种癖好。咏，吟咏、吟诗作赋。㉖㉘此于天下：能这样地过一辈子、生活在世上。㉖㉙可不负饮食：才能算是没有白吃饭。㉗⓪君辈：像你们这些人。㉗①无自全之伎：没有自我保护的本领。㉗②何异犬羊：与到了时候只能等着被宰割的牲畜有什么区别。㉗③刘善明：刘宋名将刘怀珍的族弟，于天下州郡纷纷反对刘彧政权之时，刘善明偏能起兵拥护朝廷，深得刘彧赏知。传见《南史》卷四十九。㉗④僧副：刘善明的堂弟，自刘宋之末即归附于萧道成。事见《南史》卷四十九。㉗⑤召而抚之：请到部下，加以善待。㉗⑥天宫寺：佛教的寺庙名，在当时的魏都平城，今山西大同东北。㉗⑦孔伯恭：北魏将领。事详《魏书》卷五十一。据本传，前文尉元、薛安都大破刘宋张永、沈攸之军队时，孔伯恭也是参与者之一。㉗⑧前败：本卷前文所叙本年正月张永、沈攸之被尉元、薛安都打败一事。㉗⑨瘃堕膝行者：因严寒冻掉脚趾，只能跪地前行的刘宋的俘虏兵。瘃堕，因严寒冻掉脚趾。瘃，冻疮。这里作动词用。㉘⓪以沮其气：以瓦解宋军的士气。沮，涣散、瓦解。㉘①上：指宋明帝刘彧。㉘②寻悔遣攸之等：很快就后悔派沈攸之等二次率军北出。㉘③焦墟：地名，又叫焦墟曲，在今江苏骆马湖西南岸的皂河一带。㉘④睢清口：睢水与泗水的汇合之地，在今江苏宿迁西南。清，指泗水。㉘⑤姜产之：宋将，被任为龙骧将军。㉘⑥战没：战死于疆场。㉘⑦创重：伤势严重。创，兵器造成的伤口。㉘⑧入保：逃进。㉘⑨丁酉：八月十八。㉙⓪轻骑南走：抛下军队，只带着身边的人逃走。㉙①徐州刺史王玄载：胡三省曰，“沈攸之留王玄载戍下邳，因领徐州刺史”。㉙②辛绍先：西凉的节义之臣辛渊的儿子，拓跋焘平凉州，辛绍先降于魏，因为魏将。传见《魏书》卷四十五。㉙③不尚苛察：为政执法不苛求细节。㉙④务举大纲：只抓主要问题。㉙⑤教民治生御寇：治理百姓只着重生产生活与抵抗敌军进攻两大项。治生，谋生、发展生产。㉙⑥下邳安之：下邳人都服从他的管理。㉙⑦瑕丘：古县名，故址在今山东济宁市兖州区北侧，当时为兖州的州治所在地。㉙⑧未降：指未归降刘彧政权。㉙⑨房法寿：房崇吉的堂兄弟，在天下纷纷反对刘彧之时，起兵拥护刘彧政权，被授为魏郡太守。事详《魏书》卷四十三。㉚⓪王玄邈：宋将王玄谟的堂兄弟，在宋时曾为青州刺史，是拥护刘彧政权的武装势力。传见《南史》卷十六。㉚①历城人：此指崔道固的军队，时崔道固任冀州刺史，驻兵历城。㉚②道固降：指归降刘彧朝廷。㉚③畏法寿扇动百姓：时房法寿任魏郡太守，而崔道固任冀州刺史，房法寿是崔道固的下属。㉚④使还建康：打发他离开魏郡。㉚⑤谋于法寿：向房法寿讨主意。㉚⑥雅不欲南行：本来就不愿意到京城建康去。雅，平素、本来。㉚⑦治中房灵宾：崔道固的僚属房灵宾。治中，官名，州刺史的僚属。房灵宾，房法寿之远房堂兄弟。传见《魏书》卷四十三。㉚⑧清河、广川：冀州治下的二郡名，此清河亦叫东清河，郡治即下文所说的盘阳城，也称贝丘，在今山东淄博南，广川郡的郡治在今山东邹平东北。㉚⑨以赎崇吉母、妻：时崇吉母、妻为魏人所俘，今房法寿、房崇吉二人据盘阳以城降魏，请魏人归母、妻于崇吉。㉛⓪长孙观：魏国名将长孙道生之孙。传见

《魏书》卷二十五。㉛表：给魏国朝廷上表推荐。㉜对为冀州刺史：两人同时任冀州刺史。对，两人共任一职。㉝以法寿从弟灵民句：八人分别为清河、济南、平原、广川、河间、高阳、乐陵、高密之太守。见《魏书》卷四十三。㉞西郭：西面的外城。㉟纵士卒暴掠：放任士兵大肆抢掠。㊱清西：清水之西。㊲癸卯：八月二十四。㊳大赦：此指刘宋政权实行大赦。㊴戊申：八月二十九。㊵魏主李夫人：魏主献文帝拓跋弘的皇后李氏。传见《魏书》卷十三。㊶子宏：后来的北魏孝文帝拓跋宏，公元四七一至四九九年在位。传见《魏书》卷七。㊷惠：李惠，曾为青州刺史，有惠政，被冯太后杀死。传见《魏书》卷八十三上。㊸冯太后：魏主拓跋弘之母，文成皇帝拓跋濬的皇后。传见《魏书》卷十三。㊹自抚养宏：魏国的章程是，皇后生了太子，皇后照例被杀死，故太子例皆被其他女人抚养大，此子被祖母亲养，足见其对孙子的重视。㊺顷之：不久。㊻还政于魏主：冯太后颇具政治才能，曾两次临朝听政。第一次从天安元年（公元四六六年）到皇兴元年（公元四六七年），共两年多时间，是代其儿子拓跋弘执政，拓跋弘当时十二岁。九年后又杀其子拓跋弘，代其孙拓跋宏临朝执政，这是后话。㊼拔清节：提拔清正廉洁、有操守的人。㊽牧守：指州刺史与郡太守两级位高权重的地方官。牧，州牧，即刺史。㊾始有以廉洁著闻者：言外之意是在此之前的魏国官吏个个都是贪污犯。㊿太中大夫徐爰：一个几乎与整个刘宋王朝相终始的佞幸之臣，从晋末为刘裕所知，历经刘宋的七代皇帝，以善迎合而永保官位。传见《宋书》卷九十四。徐爰到刘彧为帝时任太中大夫之职。太中大夫是皇帝身边的侍从官员，地位清显。(331)自太祖时用事：从刘义隆做皇帝时徐爰就在朝廷掌权。太祖，宋文帝刘义隆的庙号，公元四二四至四五二年在位。(332)素不礼于上：在那时徐爰一向对皇子刘彧没有礼貌。上，指现任的皇帝刘彧。(333)上衔之：刘彧从那时就对徐爰怀恨在心。(334)诏数：下诏书一一列举。(335)徙交州：改派到交州为官。徙，迁、流放。交州，州治龙编，在今越南河内东北。(336)十月辛巳：十月初三。(337)徙义阳王昶为晋熙王：宋明帝刘彧改封义阳王刘昶为晋熙王。义阳王刘昶是宋文帝刘义隆的第九子。元嘉二十二年（公元四四五年）被封义阳王，景和元年（公元四六五年）被前废帝刘子业逼反，兵败后北投魏国。事见《宋书》卷七十二。义阳、晋熙都是郡名，义阳郡的郡治即今河南信阳，晋熙郡的郡治即今安徽潜山。(338)赎昶于魏：想用钱把刘昶从魏国赎回来。(339)与上书：给刘彧写信。(340)为兄弟之仪：以兄弟的身份相称。按亲缘关系，刘昶行九，刘彧行十一。刘昶是刘彧之兄。(341)未经为臣：从来没有做过他的臣子。(342)若改前书：如果改变上次信的写法，意即称他为帝。(343)事为二敌：这就等于让我承认有两个皇帝。既称臣于魏，又称臣于宋。(344)苟或不改：如果还按着上次信的写法。(345)彼所不纳：那又是他所不能接受的。(346)臣不敢奉诏：我没法再写了。(347)凡三尚公主：前后曾三次娶魏国皇帝的女儿为妻。尚，高攀，娶的敬称。(348)十一月乙卯：十一月初八。(349)分徐州置东徐州：这句话的主语是刘彧王朝。因徐州已被魏国占领，而刘宋还希望名义上有一个徐州的建制，故而在其辖境内另割别的地盘立了一个东徐州，州治在今安徽凤阳东北。㉟⓪以辅国将军张说为刺史：胡三省曰，“张说时守团城，就置东徐州，以刺史命之”。㉟①十二月庚戌：十二月戊寅朔，无庚戌。《宋书·明帝纪》云：“十二月庚辰，以宁朔将军刘休宾为兖州刺史。”当是。庚辰，十二月初三。㉟②为兖州刺史：胡三省曰，“时兖州之境已没于魏，刘休宾守梁邹，就以刺史命之”。〖按〗刘休宾当时所据的梁邹，即今山东邹平。㉟③崔邪利：本宋将，元嘉末为鲁郡太守，治邹山。元嘉二十七年（公元四五〇年）魏攻宋至邹山，崔邪利被俘降魏。事详《魏书》卷二十四。㉟④文晔：刘文晔，在魏官至高阳太守。传见《魏书》卷四十三。㉟⑤皆没于魏：都一起沦陷在了魏国。没，沦陷。㉟⑥将其妻、子：带着刘休宾的妻室儿女。㉟⑦闻慰：刘闻慰，刘休宾之侄。㉟⑧仆射：指慕容白曜，白曜时为尚书右仆射。㉟⑨禁制：控制、禁止。㊱⓪复攻汝阴：今年二月拓跋石曾攻汝阴，不克而退。汝阴的守将是其太守张超。见本卷前文。汝阴的郡治即今安徽阜阳。㊱①怀贰心：仍想回归刘宋。常珍奇降魏又对魏不满事，见本书上卷。㊱②刘勔：

【原文】

四年（戊申，公元四六八年）

春，正月己未[366]，上祀南郊[367]，大赦。

魏汝阳司马[368]赵怀仁帅众寇武津[369]，豫州刺史刘勔遣龙骧将军申元德击破之，又斩魏于都公阏于拔[370]于汝阳台[371]东，获运车[372]千三百乘[373]。魏复寇义阳[374]，勔使司徒参军孙昙瓘[375]击破之。

淮西民[376]贾元友上书，陈伐魏取陈、蔡[377]之策，上以其书示刘勔。勔上言：“元友称‘虏主幼弱，内外多难，天亡有期’。臣以为虏自去冬蹈藉王土[378]，磐据数郡[379]，百姓残亡；今春以来，连城围逼[380]，国家未能复境[381]，何暇灭虏！元友所陈，率多[382]夸诞狂谋，皆非[5]实，言之甚易，行之甚难。臣窃寻[383]元嘉以来[384]，伧荒远人[385]，多干国议[386]，负檐[6]归阙[387]，皆劝讨虏[388]。从来信纳[389]，皆贻后悔[390]。境上之人[391]，唯视强弱[392]。王师至彼[393]，必壶浆候涂[394]；裁见退军[395]，便抄截蜂起[396]。

宋臣，官至中领军、守尚书右仆射。此时为都督豫、司二州诸军事、征虏将军、豫州刺史。传见《宋书》卷八十六。㊹悬瓠：古城名，即今河南汝南，当时为汝南、新蔡二郡的郡治所在地。㊺上蔡、安成、平舆：三县名，当时的上蔡即今河南汝南，当时的安成县在今河南正阳东北，当时的平舆县在今河南平舆西南。㊻灌水：也叫灌河，在今河南东南部。源出大别山，东北流到固始蒋家集与史河汇流后，在三河尖入淮河。

【校记】

［1］伯令：原作“令伯”。据章钰校，甲十一行本、乙十一行本、孔天胤本二字皆互乙，今据改。［2］滨：原作“濒”。据章钰校，甲十一行本、乙十一行本皆作“滨”，今据改。［3］孔太恒：原作“孔大恒”。据章钰校，甲十一行本、乙十一行本皆作“孔太恒”，今据改。［4］盘阳：原误作“磐阳”。严衍《通鉴补》改作“盘阳”，今据以校正。

【语译】

四年（戊申，公元四六八年）

春季，正月十三日己未，宋明帝刘彧到京师建康的南郊举行祭天活动，大赦天下。

魏国担任汝阳郡司马的赵怀仁率领部众入侵宋国的武津县，宋国担任豫州刺史的刘勔派遣龙骧将军申元德打败赵怀仁的入侵，又在汝阳台以东斩杀了魏国的于都公阏于拔，缴获魏军一千三百辆装满货物的运输车辆。魏军又入侵宋国的义阳郡，刘勔派遣担任司徒参军的孙昙瓘打败了魏军的入侵。

淮西地区的士民贾元友给宋明帝上书，进献讨伐魏国、收复淮西地区陈县、上蔡县的计策，宋明帝把贾元友的奏疏拿给刘勔看。刘勔上书说：“贾元友所说的‘魏国皇帝年纪幼小，治理国家的能力很弱，而且魏国内外多难，上天灭亡它的日期已经到来’。我认为魏国自从去年冬天以来屡屡侵犯我国的疆土，抢占了我们好几个郡，百姓遭到摧残，伤亡很大；今年春天以来，一连串的城池又遭到魏军的围攻逼迫，我们还未能收复失地，恢复原来的边境，哪里还有时间顾得上灭亡胡虏呢！贾元友所陈述的，大体上都是一些华而不实、荒诞狂妄的主张，全都不合实际，说起来很容易，真正做起来很困难。我私下里寻思，自从元嘉年间的北伐失败以来，那些从边远北方过来的见识浅陋的人，都想来干预国家大事，他们背着包袱、挑着行李来到宫门之下，都鼓动朝廷出兵讨伐北方的魏国。以往凡是相信并采纳他们意见的人，都给自己留下了莫大的悔恨。居住在边境上的人，都是看着哪方的兵力强盛就拥护哪方。朝廷的军队一旦到了那里，他们必定会箪食壶浆地在路边等候迎接，而一旦看到我们打了败仗，部队刚刚向后撤退，他们就一哄而起，对朝廷的军队进

此前后所见，明验非一[397]也。”上乃止。

魏尉元遣使说[398]东徐州刺史张谠，谠以团城降魏。魏以中书侍郎高闾[399]与谠对为东徐州刺史[400]，李璨[401]与毕众敬[402]对为东兖州[403]刺史。元又说兖州刺史王整、兰陵太守桓忻，整、忻皆降于魏。魏以元为开府仪同三司，都督徐、南北兖[404]三州诸军事，徐州刺史，镇彭城。召薛安都、毕众敬入朝，至平城，魏以上客待之，群从[405]皆封侯，赐第宅，资给[406]甚厚。

慕容白曜围历城经年，二月庚寅[407]，拔其东郭。癸巳[408]，崔道固面缚[409]出降。白曜遣道固之子景业与刘文晔同至梁邹，刘休宾亦出降。白曜送道固、休宾及其僚属于平城。

辛丑[410]，以前龙骧将军常珍奇为都督司、北豫二州诸军事，司州刺史[411]。魏西河公石攻之，珍奇单骑奔寿阳。

乙巳[412]，车骑大将军、曲江庄公王玄谟[413]卒。

三月，魏慕容白曜进围东阳。

上以崔道固兄子僧祐为辅国将军，将兵数千从海道救历城。至不其[414]，闻历城已没，遂降于魏。

交州刺史刘牧[415]卒。州人李长仁杀牧北来部曲，据州反，自称刺史。

广州刺史羊希[416]使晋康[417]太守沛郡刘思道伐俚[418]。思道违节度失利[419]，希遣收之[420]，思道帅所领攻州，希兵败而死。龙骧将军陈伯绍将兵伐俚，还击思道，擒斩之。希，玄保[421]之兄子也。

夏，四月己卯[422]，复减[423]郡县田租之半。

徙东海王祎[424]为庐江王[425]，山阳王休祐[426]为晋平王[427]。上以废帝谓祎为驴王[428]，故以庐江封之[429]。

刘勔败魏兵于许昌[430]。

魏以南郡公李惠为征南大将军、仪同三司、都督关右[431]诸军事、雍州[432]刺史，进爵为王。

行攻击劫夺。这些前前后后所发生的事情都是我们亲眼所见亲耳所闻，有鲜明教训的已经不止一次。”宋明帝这才没有采纳贾元友的建议。

魏国镇东大将军尉元派使者前往劝降东徐州刺史张谠，张谠遂献出自己负责守卫的团城投降了魏国。魏国朝廷任命担任中书侍郎的高闾与张谠两个人同时担任东徐州刺史，任命李璨与毕众敬两个人同时担任东兖州刺史。尉元又派人劝说兖州刺史王整、兰陵太守桓忻投降，于是王整、桓忻也都投降了魏国。魏国朝廷任命尉元为开府仪同三司，都督徐州、南兖州、北兖州三州诸军事，徐州刺史，镇守彭城。魏国朝廷征召宋国降将薛安都、毕众敬入朝，他们到达魏国的都城平城之后，魏国人把他们全都当作上等客人对待，那些跟随他们到平城的人都封了侯，赏赐给他们府第、宅院，供给、赏赐他们的东西很丰厚。

魏国征南大将军慕容白曜率军把历城围困了一年多，二月十四日庚寅，慕容白曜攻陷了历城的东郭。十七日癸巳，崔道固反绑着双手出城向魏军投降。慕容白曜派遣崔道固的儿子崔景业与刘文晔一同来到梁邹城下，于是刘休宾也出城向魏军投降。慕容白曜把崔道固、刘休宾以及他们的僚属全都送往魏国的都城平城。

二月二十五日辛丑，宋明帝任命曾担任龙骧将军的常珍奇为都督司州、北豫州二州诸军事，司州刺史。魏国的西河公拓跋石率领魏军进攻常珍奇，常珍奇作战失败，单枪匹马逃往寿阳。

二十九日乙巳，宋国担任车骑大将军的曲江庄公王玄谟去世。

三月，魏国征南大将军慕容白曜率领魏军进兵围困了东阳城。

宋明帝任命崔道固哥哥的儿子崔僧祐为辅国将军，派他率领几千人乘船从海路去解救历城。当他们到达不其城的时候，听说历城已经被魏军攻陷，于是也投降了魏国。

宋国担任交州刺史的刘牧去世。交州人李长仁杀死刘牧从北方带来的部众，占据交州背叛了朝廷，自称交州刺史。

宋国担任广州刺史的羊希派担任晋康太守的沛郡人刘思道讨伐当时的少数民族俚族人。刘思道因为违背羊希的指挥调度而导致作战失败，羊希派人去逮捕刘思道，刘思道于是便率领自己的部下进攻广州，羊希兵败被杀。龙骧将军陈伯绍也率军讨伐俚族人，他得知刘思道叛变，遂率领所部还击刘思道，将刘思道活捉并斩首。羊希，是羊玄保哥哥的儿子。

夏季，四月初四日己卯，宋明帝再一次减征各郡县一半的田租。

宋明帝改封东海王刘祎为庐江王，改封山阳王刘休祐为晋平王。宋明帝因为废帝刘子业曾经称刘祎为驴王，所以把庐江封给刘祎。

宋国的豫州刺史刘勔在许昌打败了魏军。

魏国任命南郡公李惠为征南大将军、开府仪同三司、都督关右诸军事、雍州刺史，晋封为王爵。

五月乙卯[433]，魏主畋于崞山[434]，遂如繁畤[435]。辛酉[436]，还宫。

六月，魏以昌黎王冯熙[437]为太傅。熙，太后之兄也。

秋，七月庚申[438]，以骁骑将军萧道成为南兖州[439]刺史。

八月戊子[440]，以南康相刘勃为交州刺史。

上以沈文秀之弟征北中兵参军文静[441]为辅国将军，统高密等五郡[442]军事，自海道救东阳。至不其城，为魏所断，因保城自固[443]。魏人攻之，不克。辛卯[444]，分青州置东青州[445]，以文静为刺史。

九月辛亥[446]，魏立皇叔桢[447]为南安王，长寿为城阳王，太洛为章武王，休为安定王。

冬，十月癸酉朔[448]，日有食之。发诸州兵北伐[449]。

十一月，李长仁遣使请降，自贬行州事[450]，许之。

十二月，魏人拔不其城，杀沈文静，入东阳西郭[451]。

义嘉之乱[452]，巫师请发修宁陵[453]，戮玄宫[454]为厌胜[455]。是岁，改葬昭太后[456]。

先是[457]，中书侍郎、舍人[458]皆以名流[459]为之，太祖始用寒士秋当[460]，世祖犹杂选士庶[461]，巢尚之、戴法兴[462]皆用事。及上即位，尽用左右细人[463]，游击将军阮佃夫[464]、中书通事舍人王道隆[465]、员外散骑侍郎杨运长[466]等，并参预政事，权亚人主[467]，巢、戴所不及也。佃夫尤恣横，人有顺迕，祸福立至。[468]大纳货赂，所饷减二百匹绢[469]，则不报书[470]。园宅饮馔，过于诸王；妓乐服饰，宫掖不如[471]也。朝士贵贱，莫不自结[472]。仆隶[473]皆不次除官[474]，捉车人[475]至虎贲中郎将[476]，马士[477]至员外郎[478]。

五月十一日乙卯，魏国献文帝拓跋弘在崞山打猎，又从崞山前往繁畤郡进行巡视。十七日辛酉，返回平城的皇宫。

六月，魏国朝廷任命昌黎王冯熙为太傅。冯熙，是冯太后的哥哥。

秋季，七月十六日庚申，宋明帝任命担任骁骑将军的萧道成为南兖州刺史。

八月十五日戊子，宋明帝任命担任南康相的刘勃为交州刺史。

宋明帝任命青州刺史沈文秀的弟弟、担任征北中兵参军的沈文静为辅国将军，统领高密等五郡军事，率军队走海路前往救援东阳城。沈文静率军到达不其城时，被魏军截断了前往东阳的通道，因无法继续前进，遂依托不其城自守。魏军进攻不其城，没有攻克。八月十八日辛卯，宋国把青州划分出一部分另行设置为东青州，任命沈文静为东青州刺史。

九月初八日辛亥，魏国朝廷封献文帝拓跋弘的叔叔拓跋桢为南安王，拓跋长寿为城阳王，拓跋太洛为章武王，拓跋休为安定王。

冬季，十月初一日癸酉，发生日食。宋明帝调集了各州的军队北伐魏国。

十一月，李长仁派使者向朝廷请求投降，主动撤销自称的交州刺史职务，宋明帝遂同意李长仁投降。

十二月，魏军攻克不其城，杀死沈文静，攻入东阳城的西外城。

宋晋安王刘子勋在长史邓琬等人的拥戴下在寻阳称帝反抗刘彧建立的朝廷，并改年号为义嘉的时候，巫师建议宋明帝派人挖掘埋葬着刘子勋祖母路太后的修宁陵，破坏路太后的墓穴与棺木，并将路太后陈尸示众，企图用这种迷信手段平息刘子勋的反叛。这一年，宋明帝下令修复路太后的陵墓，将路太后重新安葬。

先前，南朝的中书侍郎、舍人，都由士族出身的名门之后来担任，从宋太祖刘义隆开始，任用出身寒门的秋当来担任此职，宋世祖刘骏在位时期则是对出身士族和出身寒门的人士兼收并蓄，出身士族的巢尚之、出身寒门的戴法兴都受到重用，掌握着朝廷大权。等到宋明帝登上皇帝宝座之后，所任用的都是他身边那些出身卑微的人，担任游击将军的阮佃夫、担任中书通事舍人的王道隆、担任员外散骑侍郎的杨运长等人全都参与朝政，他们手中的权力仅比宋明帝刘彧差一点，就连巢尚之、戴法兴这样的人都比不上他们。游击将军阮佃夫尤其恣意蛮横，顺从他的人立即就能封官晋爵，违背他的人立即就能招致杀身之祸。阮佃夫还大肆收受贿赂，进贡送礼的数量如果少于二百匹绢，他就连信都不回一封。他所拥有的园田、宅院，享用的饮食、菜肴，其奢华程度超过了那些亲王；歌伎乐队的服饰，就是皇宫之中也比不上他家的气派。朝中的士大夫无论地位尊贵还是低下，没有不争着去巴结他的。他家的奴仆都能不按正常的次序授予官职，就连赶车的车夫都能做到虎贲中郎将，马夫也能官至员外散骑侍郎。

五年（己酉，公元四六九年）

春，正月癸亥[479]，上耕籍田[480]，大赦。

沈文秀守东阳，魏人围之三年[481]，外无救援，士卒昼夜拒战，甲胄生虮虱，无离叛之志。乙丑[482]，魏人拔东阳[483]，文秀解戎服，正衣冠，取所持节[484]坐斋内[485]。魏兵交至[486]，问："沈文秀何在？"文秀厉声曰："身是[487]！"魏人执之，去其衣，缚送慕容白曜，使之拜。文秀曰："各两国大臣，何拜之有！"白曜还其衣，为之设馔[488]，锁送平城。魏主数其罪[489]而宥之[490]，待为下客，给恶衣疏食[491]；既而重其不屈[492]，稍嘉礼之[493]，拜外都下大夫[494]。于是青、冀之地尽入于魏矣。

戊辰[495]，魏平昌宣王和其奴[496]卒。

二月己卯[497]，魏以慕容白曜为都督青、齐[498]、东徐三州诸军事，征南大将军，开府仪同三司，青州刺史，进爵济南王。白曜抚御[499]有方，东人安之[500]。

魏自天安[501]以来，比岁[502]旱饥，重以[503]青、徐用兵，山东之民疲于赋役[504]。显祖[505]命因民贫富为三等输租之法[506]，等为三品[507]：上三品[508]输平城[509]，中输他州[510]，下输本州[511]。又，魏旧制：常赋之外，有杂调十五[512]，至是悉罢之[513]，由是民稍赡给[514]。

河东柳欣慰等谋反，欲立太尉庐江王祎。祎自以于帝为兄[515]，而帝及诸兄弟皆轻之[516]，遂与欣慰等通谋相酬和[517]。征北谘议参军杜幼文[518]告之，丙申[519]，诏降祎为车骑将军、开府仪同三司、南豫州刺史，出镇宣城[520]，帝遣腹心杨运长领兵防卫。欣慰等并伏诛。

五年（己酉，公元四六九年）

春季，正月二十二日癸亥，宋明帝亲自到专门预备给皇帝用来做耕种表演的那块土地上做耕种表演，大赦天下。

宋国的青州刺史沈文秀负责镇守东阳，魏军把沈文秀围困了长达三年，在没有任何外援的情况下，守城的士卒不分白天黑夜地坚守城池，与攻城的魏军作战，身上穿的铠甲、头上戴的头盔里都生满了虱子，却仍然没有人产生背叛的念头。正月二十四日乙丑，魏军攻克东阳城，沈文秀看到城池已经被魏军攻陷，遂脱下军服，整理了自己的衣冠，取出朝廷赐予他的旌节，端坐在书斋之内。魏军蜂拥而至，问："沈文秀在哪里?"沈文秀严厉地回答说："我就是沈文秀!"魏军遂逮捕了他，他们脱去沈文秀身上的衣服，把他捆绑起来押送到征南大将军慕容白曜的面前，并让他向慕容白曜跪拜。沈文秀拒绝说："我们分别是宋国和魏国的大臣，我怎么会向他跪拜!"慕容白曜把衣服归还给沈文秀，还为沈文秀安排了酒饭，然后给沈文秀戴上枷锁，押送到平城。魏国献文帝拓跋弘指责了沈文秀此前既然已经派使者向魏国投降，请求魏国出兵迎接，后来又坚守城池抗拒魏军的罪过，而后又宽恕了他，把他作为下等的宾客看待，提供给他的是粗劣的衣服和食物，再后来又敬重他有气节、不屈服的精神，渐渐地赞许他，对他以礼相待，并任命他为外都下大夫。于是青州、冀州的土地全部并入了魏国的版图。

正月二十七日戊辰，魏国的平昌宣王和其奴去世。

二月初九日己卯，魏献文帝任命征南大将军慕容白曜为都督青州、齐州、东徐州三州诸军事，征南大将军，开府仪同三司，青州刺史，晋封为济南王。慕容白曜安抚、治理地方很有一套办法，所以新归附的青州、冀州地区的民众全都服从了他的统治。

魏国自从献文帝登基、改年号为天安以来，连年遭受旱灾、饥荒，再加上军队在青州、徐州一带与宋军作战，山东的百姓被沉重的赋税徭役弄得筋疲力尽。魏显祖拓跋弘便根据百姓的贫富不同而实行上中下三个等级的缴纳租税的方法，又把每一个等级划分成三品：属于上三品的百姓要把所缴纳的租税运送到都城平城，属于中三品的百姓要把所缴纳的租税运送到其他州的州治所在地，属于下三品的百姓则只需把缴纳的租税输送到本州的州治所在地。再有，按照魏国旧有的制度，在正常的赋税之外，还有各种名目的苛捐杂税十五项，从现在开始全部废除，从此百姓的生活逐渐宽裕起来。

宋国的河东郡人柳欣慰等人起兵谋反，准备拥戴担任太尉的庐江王刘祎为皇帝。庐江王刘祎认为自己是宋明帝刘彧的哥哥，而宋明帝以及其他的兄弟却都瞧不起自己，于是就与柳欣慰等人串通谋划，彼此书信往来。担任征北谘议参军的杜幼文向朝廷告发了他们的阴谋，二月二十六日丙申，宋明帝下诏，贬庐江王刘祎为车骑将军、开府仪同三司、南豫州刺史，让他离开京城去镇守宣城，宋明帝派遣自己的心腹杨运长率领军队对刘祎进行监视和防卫。而柳欣慰等人则全部被诛杀。

三月，魏人寇汝阴[521]，太守杨文苌击却之。

夏，四月丙申[522]，魏大赦。

五月，魏徙青、齐民于平城，置升城、历城民望[523]于桑乾[524]，立平齐郡以居之[525]；自余悉为奴婢，分赐百官。

魏沙门统昙曜[526]奏："平齐户[527]及诸民有能岁输谷六十斛入僧曹[528]者，即为僧祇户[529]，粟为僧祇粟[530]，遇凶岁，赈给饥民。"又请"民犯重罪及官奴，以为佛图户[531]，以供诸寺洒扫"。魏主并许之。于是僧祇户、粟及寺户遍于州镇矣[532]。

六月，魏立皇子宏为太子。

癸酉[533]，以左卫将军沈攸之为郢州刺史。

上又令有司奏庐江王祎忿怼[534]有怨言，请穷治[535]，不许。丁丑[536]，免祎官爵，遣大鸿胪持节奉诏[537]责祎，因逼令自杀，子辅国将军充明废徙新安[538]。

冬，十月丁卯朔[539]，日有食之。

魏顿丘王李峻[540]卒。

十一月丁未[541]，魏复遣使来修和亲[542]，自是信使岁通[543]。

闰月戊子[544]，以辅师将军[545]孟阳为兖州刺史，始治淮阴[546]。

十二月戊戌[547]，司徒建安王休仁[548]解扬州[549]。休仁年与上邻亚[550]，素相友爱，景和[551]之世，上赖其力以脱祸[552]。及泰始初，四方兵起，休仁亲当矢石[553]，克成大功，任总百揆[554]，亲寄甚隆[555]。由是朝野辐凑[556]，上渐不悦。休仁悟其旨，故表解扬州[557]。己未[558]，以桂阳王休范[559]为扬州刺史。

三月，魏军进犯宋国的汝阴郡，担任汝阴郡太守的杨文苌率军击退了魏军的入侵。

夏季，四月二十七日丙申，魏国实行大赦。

五月，魏国把青州、齐州的百姓迁徙到魏国的都城平城，把升城、历城中那些在百姓中有一定威望、有一定影响力的人物另行安置在桑乾郡，从桑乾郡划出一块地盘，设置为平齐郡，让他们居住，其他的百姓则全部沦为奴婢，被分别赏赐给魏国的文武官员。

魏国负责统领僧尼的官员昙曜给朝廷上奏章说："平齐郡中的住户以及平齐郡中的各类百姓如果有人每年缴纳给管辖寺院的部门六十斛谷物，就可以成为僧官管辖下的户口，受僧曹的统领，他们缴纳的粮食将成为僧官管理的粮食，受僧曹调配，遇到灾荒年景，就拿出来赈济灾民。"又请求"让那些犯有重大罪行的人以及官奴，成为寺院管辖的民户，负责给各寺院打扫卫生"。魏献文帝对他的请求全部予以批准。于是各州与各军镇到处都有受僧官管辖、向僧曹缴纳粮食的僧祇户和接受寺院管辖的佛图户了。

六月，魏国献文帝立皇子拓跋宏为皇太子。

初五日癸酉，宋明帝任命担任左卫将军的沈攸之为郢州刺史。

宋明帝又下令让有关部门上奏指控庐江王刘祎对朝廷心怀怨恨不满，口出怨言，请求朝廷严加追究，宋明帝故意摆出一副姿态不予批准。六月初九日丁丑，宋明帝免除刘祎所担任的官爵，派遣大鸿胪手持皇帝赐予的符节代表皇帝前往刘祎所在的宣城去责备刘祎，并逼迫刘祎自杀，刘祎的儿子、担任辅国将军的刘充明被免官后流放到新安郡。

冬季，十月初一日丁卯，发生日食。

魏国顿丘王李峻去世。

十一月十一日丁未，魏国又派遣使者来到宋国重提和亲，恢复两国间的友好关系，从此以后两国每年都派使者互相往来。

闰十一月二十二日戊子，宋明帝任命担任辅师将军的孟阳为兖州刺史，开始把兖州的州治改在淮阴。

十二月初三日戊戌，担任司徒的建安王刘休仁被解除扬州刺史的职务。刘休仁与宋明帝刘彧的年龄接近而略小，一向互相友爱，宋废帝刘子业在位的景和年间，宋明帝依靠刘休仁的帮助才得以摆脱灾祸。等到宋明帝登基改年号为泰始的初年，四方叛军蜂拥而起，刘休仁在率领军队讨伐叛军时，不顾生死，亲自冒着被箭雨滚石击中的危险指挥作战，终于建立了很大的功勋，成为群臣之首，文武百官都对他唯命是从，宋明帝对他宠信无比。于是不论是在朝的还是在野的人都来趋附在他的门下，宋明帝因此渐渐地不高兴起来。刘休仁觉察到了宋明帝对自己的不满，所以上表要求辞去扬州刺史的职务。二十四日己未，宋明帝任命桂阳王刘休范为扬州刺史。

分荆州之巴东、建平[560]，益州之巴西、梓潼[561]郡，置三巴校尉[562]，治白帝[563]。先是，三峡蛮、獠[564]岁为抄暴[565]，故立府[566]以镇之。上以司徒参军东莞孙谦[567]为巴东、建平二郡太守，谦将之官，敕募千人自随，谦曰："蛮夷不宾[568]，盖待之失节[569]耳，何烦兵役以为国费！"固辞不受。至郡，开布[570]恩信，蛮、獠翕然怀之[571]，竞饷金宝[572]，谦皆慰谕[573]，不受。

临海贼帅[574]田流自称东海王，剽掠海盐[575]，杀鄞令[576]，东土大震。

六年（庚戌，公元四七〇年）

春，正月乙亥[577]，初制[578]间二年一祭南郊[579]，间一年一祭明堂[580]。

二月壬寅[581]，以司徒休仁为太尉，领司徒[582]，固辞。

癸丑[583]，纳江智渊[584]孙女为太子妃。甲寅[585]，大赦。令百官皆献物，始兴太守孙奉伯止献琴、书，上大怒，封药赐死，既而原之[586]。

魏以东郡王陆定国[587]为司空。定国，丽之子也。

魏主遣征西大将军上党王长孙观[588]击吐谷浑[589]。

夏，四月辛丑[590]，魏大赦。

戊申[591]，魏长孙观与吐谷浑王拾寅[592]战于曼头山[593]，拾寅败走，遣别驾康盘龙[594]入贡，魏主囚之。

癸亥[595]，立皇子燮[596]为晋熙王，奉晋熙王昶后[597]。

五月，魏立皇弟长乐[598]为建昌王。

六月癸卯[599]，以江州刺史王景文[600]为尚书左仆射[601]、扬州刺史，以尚书仆射袁粲为右仆射[602]。

上宫中大宴，裸妇人而观之，王后以扇障面[603]。上怒曰："外舍寒乞[604]！今共为乐，何独不视？"后曰："为乐之事，其方自多，岂有姑

宋国把荆州的巴东郡、建平郡，益州的巴西郡、梓潼郡划分出来，设置三巴校尉，治所设在白帝城。先前，三峡一带的蛮族人、獠族人每年都要出山抢掠沿江的商旅与民户，严重危害当地的治安，所以朝廷设立了三巴校尉府以镇服他们。宋明帝任命担任司徒参军的东莞人孙谦为巴东郡、建平郡二郡太守，孙谦即将前往赴任之时，宋明帝让他自行招募一千人跟随前去赴任，孙谦说："蛮夷不服从管辖，主要是因为朝廷对待他们的政策有失误，何必非要劳师动众、花费国家的资财!"因而坚决推辞，没有接受宋明帝要他招募军队以自随的命令。孙谦到达任所后，开诚布公，广泛推行德政，坚守诚信，那些蛮族人、獠族人就像风吹草偃一样很快就安静下来，他们对新来的太守孙谦心怀感激，争先恐后地给他赠送金银珠宝，孙谦对他们都用好言安慰，讲清道理，而对他们所赠送的财宝一点儿也没有接受。

临海郡的贼寇首领田流自称东海王，率众洗劫海盐县，杀死了鄞县县令，宋国东部的人大为惊骇、恐惧。

六年（庚戌，公元四七〇年）

春季，正月初十日乙亥，宋朝首次规定每隔两年的冬至日在南郊举行一次祭天活动，每隔一年在明堂举行一次祭祀上帝与祖先的活动。

二月初八日壬寅，宋明帝任命担任司徒的建安王刘休仁为太尉，兼任司徒，刘休仁坚决推辞，没有接受任命。

二月十九日癸丑，宋明帝为皇太子刘昱娶了江智渊的孙女为太子妃。二十日甲寅，实行大赦。宋明帝命令文武百官都要向宫廷贡献物品，担任始兴太守的孙奉伯只贡献了琴和书，宋明帝不禁大怒，马上派使者携带密封的毒药赏赐给孙奉伯，令孙奉伯自杀，随后又赦免了他。

魏国任命东郡王陆定国为司空。陆定国，是陆丽的儿子。

魏国献文帝派遣担任征西大将军的上党王长孙观率领军队去袭击吐谷浑。

夏季，四月初八日辛丑，魏国实行大赦。

十五日戊申，魏国的征西大将军、上党王长孙观率领魏军在曼头山与吐谷浑王拾寅交战，拾寅战败逃走，吐谷浑王派遣担任别驾的康盘龙到魏国进贡，魏国献文帝囚禁了康盘龙。

三十日癸亥，宋明帝封皇子刘燮为晋熙王，过继给晋熙王刘昶做后嗣。

五月，魏国献文帝封自己的弟弟拓跋长乐为建昌王。

六月十一日癸卯，宋明帝任命担任江州刺史的王景文为尚书左仆射、扬州刺史，任命担任尚书仆射的袁粲为尚书右仆射。

宋明帝在皇宫中大摆宴席，让宫女脱光衣服供他观看，王后因为不忍目睹，遂用扇子挡住了自己的脸。宋明帝大怒说："你的娘家贫寒鄙陋，没见过世面！如今大家共同取乐，为什么就你一个人不看?"王后说："取乐的办法很多，岂有不分长辈小辈，

姊妹集[605]而裸妇人以为笑！外舍之乐[606]，雅异于此[607]！”上大怒，遣后起[608]。后兄景文闻之曰：“后在家劣弱[609]，今段[610]遂能刚正如此！”

南兖州刺史萧道成在军中久[611]，民间或言道成有异相[612]，当为天子。上疑之，征为黄门侍郎[613]、越骑校尉[614]。道成惧，不欲内迁，而无计得留。冠军参军广陵荀伯玉[615]劝道成遣数十骑入魏境，安置标榜[616]，魏果遣游骑[617]数百履行境上[618]。道成以闻[619]，上使道成复本任[620]。秋，九月，命道成迁镇淮阴[621]。以侍中，中领军刘勔为都督南徐、兖等五州诸军事，镇广陵。

戊寅[622]，立总明观[623]，置祭酒[624]一人，儒、玄、文、史学士各十人[625]。

柔然部真可汗[626]侵魏，魏主引群臣议之。尚书右仆射南平公目辰[627]曰：“若车驾亲征，京师危惧，不如持重固守。虏悬军深入[628]，粮运无继，不久自退。遣将追击，破之必矣。”给事中张白泽[629]曰：“蠢尔荒愚[630]，轻犯王略[631]，若銮舆[632]亲行，必望麾崩散[633]，岂可坐而纵敌[634]？以万乘之尊，婴城自守[635]，非所以威服四夷[636]也。”魏主从之。白泽，衮[637]之孙也。

魏主使京兆王子推[638]等督诸军出西道，任城王云等督诸军出东道，汝阴王天赐[7]等督诸军为前锋，陇西王源贺[639]等督诸军为后继，镇西将军吕罗汉[640]等掌留台事[641]。诸将会魏主于女水[642]之滨，与柔然战，柔然大败。乘胜逐北，斩首五万级，降者万余人，获戎马器械不可胜计。旬有九日[643]，往返六千余里，改女水曰武川。司徒东安王刘尼[644]坐昏醉，军陈[645]不整，免官。壬申[646]，还至平城。

是时，魏百官不给禄[647]，少能以廉白自立[648]者。魏主诏：“吏受所监临[649]羊一口、酒一斛者，死；与者[650]以从坐论[651]；有能纠告[652]尚书[653]已

所有的女人全都聚在一起观看光着身子的宫女取乐的呢！我娘家取乐的方法和你这里根本不同，比你这里文雅得多！”宋明帝刘彧非常恼怒，喝令王后马上离开。王后的哥哥王景文听到这个消息说：“王后在没有出嫁的时候性格懦弱、胆小怕事，这一回竟然能够如此的刚烈、正直不阿！”

在宋国担任南兖州刺史的萧道成在军中掌握军权已经很久，民间甚至有人传说萧道成的长相非同寻常，应该做皇帝。宋明帝因此对萧道成产生怀疑，遂征调萧道成回到朝廷担任黄门侍郎、越骑校尉。萧道成很害怕，不想回京任职，却又没有办法使自己留下不走。担任冠军参军的广陵人荀伯玉劝说萧道成派遣几十名骑兵进入魏国的境内，故意做出一种有所图谋的样子，魏国果然派遣了几百名骑兵到边境一带流动巡逻。萧道成便把边境上有魏军出没的情况奏报给宋明帝，宋明帝于是又让萧道成回到原来的岗位。秋季，九月，宋明帝命令萧道成迁到淮阴镇守。宋明帝任命担任侍中、中领军的刘勔为都督南徐州、兖州等五州诸军事，镇守广陵。

九月十七日戊寅，宋国设立了主管搜集与整理书籍的机关总明观，内设祭酒一名，儒学、玄学、文学、史学学士各十名。

柔然的受罗部真可汗率军进犯魏国，魏国献文帝召集群臣商议对策。担任尚书右仆射的南平公拓跋目辰说：“如果皇帝陛下御驾亲征，必定使京师之人感到形势危急，人心恐慌，不如稳住阵脚进行坚守。柔然的军队离开自己的根据地深入我国境内，粮食供应接续不上，不久就会自动退军。到那时再派遣将领率军追击，一定能够将柔然军打败。”担任给事中的张白泽说：“柔然人是一群荒诞愚昧的野人，竟然敢轻举妄动来侵犯天子的疆土，如果皇帝陛下亲自率军出征，他们一看见您的指挥大旗就会立即崩溃、逃散，岂能坐在这里眼看着敌人，让他逃走？一个拥有万乘兵车的皇帝，却消极地防守孤城，这可不是施展神威、征服敌人的做法。”献文帝听从了张白泽的建议，决定御驾亲征。张白泽，是张衮的孙子。

魏献文帝让京兆王拓跋子推等人统领各军从西路进军，令任城王拓跋云等统领各军从东路进军，派汝阴王拓跋赐等人统领各军作为前锋，派陇西王源贺等人统领各军作为后续部队，令镇西将军吕罗汉等人留守京城，负责掌管、处理朝廷的军政大事。诸路将领全都到女水边和献文帝会师，然后与柔然军展开决战，柔然被打得大败。魏军乘胜追击败逃的柔然军，斩获五万颗首级，向魏军投降的柔然人有一万多，魏军所缴获的战马、军用器械不可胜数。魏军在十九天里往返六千多里，献文帝改女水为武川。担任司徒的东安王刘尼因为醉酒误事，致使军队的行列不整齐而被免去官职。九月十一日壬申，献文帝返回魏国的都城平城。

当时，魏国的文武百官都不发给俸禄，因此很少有人能够做到廉洁自立。献文帝下诏说：“官吏如果接受所管辖部门或区域的官民所赠送的一只羊、一斛酒，一律处死；给他送东西的人按照参与犯罪或受牵连犯罪论处；有人能够查出、举报尚

下罪状者，随所纠官轻重授之。”张白泽谏曰：“昔周之下士[654]，尚有代耕之禄[655]。今皇朝[656]贵臣，服勤无报[657]，若使受礼者刑身[658]，纠之者代职[659]，臣恐奸人窥望[660]，忠臣懈节[661]，如此而求事简民安，不亦难乎！请依律令旧法，仍班禄[662]以酬廉吏。”魏主乃为之罢新法[663]。

冬，十月辛卯[664]，诏以世祖继体[665]，陷宪无遗[666]，以皇子智随[667]为世祖子[668]，立为武陵王[669]。

初，魏乙浑专政[670]，慕容白曜颇附之。魏主追以为憾[671]，遂称白曜谋反，诛之，及其弟如意。

初，魏南部尚书李敷[672]，仪曹尚书李䜣[673]，少相亲善，与中书侍郎卢度世[674]皆以才能为世祖、显祖所宠任，参豫机密，出纳诏命[675]。其后䜣出为相州[676]刺史，受纳货赂，为人所告，敷掩蔽[677]之。显祖闻之，槛车征䜣[678]，案验[679]服罪，当死[680]。是时敷弟奕[681]得幸于冯太后，帝意已疏之[682]。有司以中旨[683]讽䜣告敷兄弟阴事[684],可以得免[685]。䜣谓其婿裴攸曰：“吾与敷族世[686]虽远，恩逾同生[687]，今在事[688]劝吾为此，吾情所不忍。每引簪自刺，解带自绞[689]，终不得死。且吾安能知其阴事，将若之何?”攸曰：“何为为人死也[690]？有冯阐者，先为敷所败[691]，其家深怨之。今询其弟[692]，敷之阴事可得也。”䜣从之。又赵郡范檦条列敷兄弟事状凡三十余条，有司以闻[693]。帝大怒，诛敷兄弟。䜣得减死[694]，鞭髡配役[695]。未几，复为太仓尚书[696]，摄南部事[697]。敷，顺之子也。

魏阳平王新成[698]卒。

是岁，命龙骧将军义兴周山图[699]将兵屯浃口[700]讨田流[701]，平之。

书以下官员所犯罪行的，根据他举报的官员所担任职务的大小授予举报人同等的官职。”张白泽谏阻献文帝说：“过去周朝最低级的官员，都享受足以代替其耕作所收获的俸禄。如今我朝就连最尊贵的大臣，他们忠于王事，勤勤恳恳出了很多力却没有得到一点俸禄作为报偿，如果让接受礼物的人都受到惩罚，而让检举的人来代替他们的职务，我担心那些奸佞小人都会往这方面打主意，从而使那些忠于国是的人感到灰心丧气，用这样的办法来求得政令简便易行、百姓生活安定，岂不是很困难吗?！请求陛下依照旧有的法律法令，仍然按照官员的等级发给俸禄，以酬劳那些廉洁的官吏。”献文帝于是撤销了鼓励举报官员收受礼物的新法令。

冬季，十月初一日辛卯，宋明帝下诏，因为宋世祖刘骏的子嗣触犯了国法而全都被杀，宋明帝把自己的儿子刘智随过继给世祖刘骏做儿子，封刘智随为武陵王。

当初，魏国的乙浑专擅朝政，慕容白曜曾经依附于他。献文帝每当回想起来就感到很愤恨，于是就诬陷慕容白曜谋反，而把慕容白曜和他的弟弟慕容如意杀死。

当初，魏国担任南部尚书的李敷与担任仪曹尚书的李䜣，从小关系就很亲密友善，他们与担任中书侍郎的卢度世都因为才能出众而受到魏世祖拓跋焘、魏显祖拓跋弘的宠爱与信任，参与讨论国家机密，负责宣示皇帝的诏命，并向皇帝报告下面的意见。后来李䜣离开朝廷到相州担任刺史，他在刺史任上收受贿赂，被人检举告发，李敷为他掩盖、包庇。显祖拓跋弘听说后，就用囚车把李䜣押解到朝廷，经过查办、取证，李䜣对自己所犯的罪行供认不讳，因此被判处死刑。这时，李敷的弟弟李奕正受到冯太后的宠信，显祖拓跋弘已经有意在疏远李奕。有关部门的官员把皇帝的意思暗示给李䜣，让李䜣揭发李敷、李奕兄弟不可告人的秘密之事，这样做李䜣就可以免死。李䜣对自己的女婿裴攸说：“我与李敷在家族的血缘关系上虽然已经很远，但我们之间的感情却比亲生兄弟还要亲，如今管事的人劝我揭发李敷的隐私，从内心来说我实在不忍心那样去做。我曾经多次用簪子刺向自己的咽喉，解下带子上吊自缢，却都没有死成。再说李敷所干的不可告人的秘事我又怎么会知道呢，你说我该怎么办呢?”裴攸说：“怎么能为了别人而牺牲自己呢？有一个名叫冯阐的人，先前是被李敷整垮的，冯阐的家人非常怨恨李敷。如今我们向冯阐的弟弟打听，就可以获知李敷暗中做下的不可告人的坏事了。”李䜣听从了裴攸的意见。又有赵郡人范檦一条一条地列举了李敷兄弟的三十多条罪状，有关部门的官员把这些情况报告了魏献文帝。献文帝大怒，立即诛杀了李敷兄弟。李䜣因为检举有功而被从宽发落，免于一死，改判为鞭打、剃发和流放到边远地方服劳役。不久，献文帝又任命李䜣为太仓尚书，并代理南部尚书的事务。李敷，是李顺的儿子。

魏国的阳平王拓跋新成去世。

这一年，宋明帝命令担任龙骧将军的义兴郡人周山图率领军队驻扎浃口，讨伐田流，很快就平息了田流的叛乱。

柔然攻于阗[702]，于阗遣使者素目伽奉表诣魏求救。魏主命公卿议之，皆曰："于阗去京师[703]几万里[704]，蠕蠕[705]唯习野掠[706]，不能攻城；若其可攻[707]，寻已亡矣[708]。虽欲遣师，势无所及。"魏主以议[709]示使者，使者亦以为然。乃诏之曰："朕应急救诸军以拯汝难，但去汝遐阻[710]，必不能救当时之急。汝宜知之！朕今练甲养士，一二岁间，当躬[711]帅猛将，为汝除患。汝其[712]谨修警候[713]，以待大举[714]！"

【段旨】

以上为第三段，写宋明帝泰始四年（公元四六八年）至泰始六年共三年间的大事。主要写了宋刘勔击破进攻汝阳、义阳之魏军；写了淮西民贾元友向刘彧朝廷上书，鼓动伐魏讨陈、蔡，刘勔痛驳其浮言惑众；写了魏将尉元取得团城，又取兖州、兰陵，魏将慕容白曜说降崔道固、刘休宾，取得历城、梁邹；写了宋派沈文静率军救青州，被魏军围杀于不其城；写了魏将慕容白曜围攻青州，沈文秀坚守三年，青州被攻克，青、冀地区遂尽入于魏，慕容白曜对青、冀一带抚御有方，新没之民遂皆安于魏；写了柔然侵魏，魏主拓跋弘数次北伐柔然，大破柔然于武川；写了魏主拓跋弘挟旧怨杀名将慕容白曜，又因内部矛盾杀旧臣李顺之子李敷、李奕兄弟诸人；此外还写了宋明帝刘彧杀其弟庐江王刘祎，其兄刘休仁因位尊权大，亦招致刘彧怀疑而对其不满，以及宋将萧道成在军中日久，势力日大，刘彧召之入朝，萧道成制造边境紧张，以求继续屯驻于淮阴等。

【注释】

[366]正月己未：正月十三。[367]上祀南郊：宋明帝刘彧在南郊祭天。[368]汝阳司马：胡三省曰，"汝阳郡司马也"。[369]武津：宋县名，县治即今河南上蔡。[370]于都公阏于拔：姓阏于，名拔，被封为于都公。[371]汝阳台：亦名章华台，在今河南汝南县东。[372]运车：满装货物的运输之车。[373]千三百乘：一千三百辆。古称一车四马曰"一乘"。[374]义阳：郡名，郡治即今河南信阳。[375]孙昙瓘：胡三省曰："台瓘当作昙瓘。"《宋书》卷八十六《刘勔传》作"昙瓘"，当是。[376]淮西民：淮西地区的士民。淮西指今皖北豫西的淮河北岸一带地区。[377]陈、蔡：春秋时诸侯国名，陈国的都城即今河南周口市淮阳区，蔡国的都城即今河南上蔡。都在通常所说的淮西地区。[378]蹈藉王土：侵犯刘宋王朝的国土。蹈藉，践踏，这里指侵犯。王土，天子的国土，这里是敬指刘宋的领土。[379]磐据数郡：占去了我们的

柔然出兵攻打地处西域的于阗国，于阗国派素目伽为使者携带着表章到魏国求救。魏国献文帝命令公卿大臣商讨是否出兵援救于阗，大臣们都说："于阗国距离魏国的都城平城差不多有一万里，柔然人只习惯于在原野上作战、抢掠，而不能攻打城池，如果柔然人能够攻城，于阗国很快也就灭亡了。即使我们想派遣军队前往于阗国救援，恐怕也来不及。"魏献文帝把群臣商议的意见拿给于阗国的使者素目伽看，素目伽也认为魏国大臣们说得对。于是魏献文帝下诏说："我要赶紧命令各军去拯救于阗国的灾难，但我们魏国距离你们于阗国路途遥远，而且道路十分难走，必然不能解救于阗国当前所遭遇的危急。这一点你们应该清楚！现在我就命令工匠们努力制造盔甲，将帅们加紧训练士兵，在一两年之内，我要亲自率领精兵猛将为你们于阗国扫除灾祸。你们要认真地做好各种侦察与准备工作，等待我们对柔然人的大举讨伐，为你们报仇雪恨！"

几个郡。实则岂止几个郡。㊳⓪连城围逼：一连串的城池受到魏国的攻逼。㊳①未能复境：还未能收复失地，回到原来的边境。㊳②率多：大体上都是。率，一般地、大体上。㊳③窃寻：暗想；心里寻思。㊳④元嘉以来：从元嘉时代的北伐失败以来。元嘉，是宋文帝刘义隆的年号，在刘义隆在位时期曾发动过两次北伐，皆以可耻的失败而告终。㊳⑤伧荒远人：住在边远地区的浅陋之人。伧荒，当时南方贵族对北方逃到南方来的人的蔑称，犹今所谓"土老帽""土豹子"。㊳⑥多干国议：都想来干预国家大事。㊳⑦负檐归阙：背着包袱、挑着行李地来到宫门之下。负，肩挑、背负。檐，担子。阙，宫门两侧的高台，通常指宫门。㊳⑧皆劝讨虏：都鼓动国家讨伐北虏。虏，对魏国的蔑称。㊳⑨从来信纳：凡是相信、采纳了他们说法的人。㊴⓪皆贻后悔：都给自己留下了莫大的悔恨。㊴①境上之人：住在边境上的居民。㊴②唯视强弱：都是看着哪边的兵力强盛就拥护哪边。㊴③王师至彼：我们国家的大军一旦开拔到那里。㊴④必壶浆候涂：他们必然箪食壶浆地在路边等候欢迎我们。候涂，在路边等候欢迎。涂，通"途"。㊴⑤裁见退军：刚一见我们军队向后撤退。裁，通"才"，刚刚。退军，婉言刘宋军队的失败。㊴⑥抄截蜂起：立刻一哄而起，对我军攻击掠夺。㊴⑦明验非一：有鲜明教训的不止一次。验，证据、教训。㊴⑧说：劝说。㊴⑨高闾：魏国的名臣，冯太后时代，曾与高允并掌大政。传见《魏书》卷五十四。㊵⓪对为东徐州刺史：同时并任东徐州刺史。㊵①李璨：魏国名臣李灵之侄，曾佐魏将尉元大败宋将张永。传见《魏书》卷四十九。㊵②毕众敬：先与薛安都共反刘彧，后转投魏国。传见《魏书》卷六十一。㊵③东兖州：此为北魏所置，州治瑕丘，在今山东济宁市兖州区之北侧。㊵④南北兖：北魏因王整新降，又分兖州为南兖、北兖二州，州治都在瑕丘。㊵⑤群从：所有跟随到平城的人。㊵⑥资给：供给；赏赐的东西。㊵⑦二月庚寅：二月十四。㊵⑧癸巳：二月十

七。㊾面缚：背缚双手，身前只见其面。㊿辛丑：二月二十五。411司州刺史：刘宋的司州州治悬瓠，即今河南汝南县。412乙巳：二月二十九。413曲江庄公王玄谟：王玄谟是刘宋有名无实的腐败将领，元嘉北伐失败的罪魁。传见《宋书》卷七十六。王玄谟被封为曲江县公，庄是其谥。414不其：县名，在今山东青岛北，当时为长广郡的郡治所在地。415刘牧：葛晓音曰，"《南齐书·东南夷传》作'张牧'"。416羊希：羊玄保之侄，泰始三年（公元四六七年）出任广州刺史。事详《宋书》卷五十四。417晋康：郡名，郡治在今广东德庆东。418俚：当时的少数民族名，也叫"俚子""俚人"。主要分布在今广东西南沿海及广西东南部等地。419违节度失利：因违背刺史羊希的指挥调度而招致失败。420遣收之：派人拘捕他。421玄保：羊玄保，自刘裕时为宋臣，历文帝、孝武帝，官光禄大夫。传见《宋书》卷五十四。422四月己卯：四月初四。423复减：再一次减征各郡各县的田租。424东海王祎：刘祎，刘义隆的第八子，人品最劣。传见《宋书》卷七十九。425庐江王：封地庐江郡，郡治即今安徽舒城。426山阳王休祐：刘义隆的第十三子，性情恶劣。传见《宋书》卷七十二。427晋平王：封地晋平郡，郡治不详。428上以废帝谓祎为驴王：废帝称刘祎为"驴王"事见本书《宋纪十二》泰始元年十一月。429故以庐江封之：因"庐"与"驴"二字音近。430许昌：县名，县治在今河南许昌东。431关右：函谷关以西，指今陕西中部一带地区。432雍州：魏国的雍州州治长安，在今陕西西安的西北侧。433五月乙卯：五月十一。434畋于崞山：在崞山一带打猎。崞山在今山西浑源西北。435如繁畤：前往繁畤郡。繁畤郡的郡治在今山西繁峙东北，浑源西南。436辛酉：五月十七。437冯熙：北魏大臣，冯太后之兄。先后曾任侍中、太师、中书监、内都大官。传见《魏书》卷八十三。438七月庚申：七月十六。439南兖州：州治广陵。440八月戊子：八月十五。441文静：沈文静，沈文秀之弟，时为征北将军的中兵参军。事见《宋书》卷八十八。442高密等五郡：五郡指高密、平昌、长广、东海、东莞。高密郡的郡治在今山东潍坊东。443保城自固：依托不其城以自守。444辛卯：八月十八。445东青州：州治即沈文静当时所据的不其城，在今山东青岛北，当时也是长广郡的郡治所在地。446九月辛亥：九月初八。447皇叔桢：拓跋桢，魏景穆帝拓跋晃之子，文成帝拓跋濬之弟，现任魏主拓跋弘之叔。传见《魏书》卷十九下。以下拓跋长寿、拓跋太洛、拓跋休亦皆拓跋晃之子、拓跋濬之弟，其传亦均见《魏书》卷十九下。448十月癸酉朔：十月初一是癸酉日。449发诸州兵北伐：此句的主语是宋文帝刘彧。450自贬行州事：撤销了自称的交州刺史职务。行州事，代理该州刺史的职务。行，代理。451入东阳西郭：攻入沈文秀所守的东阳城的西外城。当时的青州州治名叫东阳，即今山东青州。452义嘉之乱：指公元四六六年晋安王刘子勋起兵讨伐前废帝刘子业，在长史邓琬等拥戴下即皇帝位于寻阳（今江西九江），改元义嘉事。453请发修宁陵：建议刘彧发掘孝武帝刘骏之母路太后的陵墓，以破坏其孙刘子勋的风水。修宁陵，路太后的陵墓。454戮玄宫：破坏路太后的陵墓与棺木。这是对死者的极大侮辱，有些巫师也企图以这种手段对死者的后人构成某种不利。戮，陈尸示众。玄宫，墓穴。㊺㊿厌胜：用迷信手段，亦即所谓妖术置人于不利。456改葬昭太后：宋明帝刘彧在天下人纷纷拥戴刘子勋时，曾杀害路太后，又发掘了路太后的陵墓。至此已过三年，刘子勋的事情也久已平息。刘彧又担心路太后的阴灵对他不利，故又下令修复路太后的陵墓。457先是：写史的常用语，作为追述旧事的前导，这里指元嘉以前。458中书侍郎、舍人：都是中书省里的官员。中书侍郎是中书令的副职，位同副宰相；中书舍人也叫中书通事舍人，掌管诏令的传送。459名流：指士族出身的名门之后。460太祖始用寒士秋当：从宋文帝刘义隆开始，任用了寒门出身的人士姓秋名当。寒士，一般家庭出身的人，即所谓庶族。寒士不是穷人，只是非世家豪族而已。461世祖犹杂选士庶：孝武帝在位时是士族与庶族兼收并用。462巢尚之、戴法兴：孝武帝刘骏在位期间的两个当权人物。巢尚之出身士族，官至中书通事舍人、中书侍郎、黄门侍郎；戴法兴出身于贫苦人家，做过买卖，也官至中书通事舍人、给事中等。二人之传皆见于《宋书》卷九十四。463细人：小人，指出身卑微的人。464阮佃夫：先为小吏，又为废帝身边的用人，因谋杀废帝，推立刘彧之功，被刘彧封侯，任之为龙骧将军。465王道隆：先为刘彧任典签，后为中书通事舍人。466杨运长：先在刘彧属下任小吏，后为散骑侍郎、龙骧将军。以上阮佃夫、王道隆、杨运长，三人之传皆见于《宋书》卷九十四。467权亚人主：权力仅比皇帝差一点。468人有顺迕二句：顺者得福，逆者得祸，效果昭然。迕，逆、不顺服。469所饷减二百匹绢：进贡送礼的数量少于二百匹绢。饷，进贡。减，少于。470不报书：不写回信；不打收条。471宫掖不如：皇宫里的气派也比不上他。472莫不自结：没有一个不去巴结他。473仆隶：阮佃夫家中的奴仆。474不次除官：不按正常的次序授予官职，都能破格飞升。除官，任命为官。475捉车人：赶车的车夫。476虎贲中郎将：皇帝的侍卫长官。477马士：马夫。478员外郎：这里指员外散骑侍郎，皇帝的侍从官员。479正月癸亥：正月二十二。480上耕籍田：宋明帝刘彧亲自到特定的地块上进行耕种表演。其所以做如此表演，是为了显示皇帝重视农业，以为天下人做榜样。籍田，皇帝亲自耕种的示范田。481魏人围之三年：泰始三年，魏始攻文秀，至此时，首尾涉三年。482乙丑：正月二十四。483魏人拔东阳：胡三省曰，“史言沈文秀善守，以援兵不接而没”。484所持节：刘宋皇帝所赐，用以表示身份、权威的信物。节，指旌节，以竹竿为之，以旄牛尾为之饰，三重。485斋内：读书或休闲之室内。486交至：多人先后并至。487身是：我就是。身，犹言“我”，以称自己。488设馔：安排酒饭。馔，饭食。489数其罪：胡三省曰，“以文秀既迎降，复拒守也”。490宥之：宽恕了他。491疏食：粗劣的饭食。492重其不屈：敬重他的有气节、不屈服。493稍嘉礼之：渐渐地赞许他，对他以礼相待了。稍，渐、逐渐。494外都下大夫：外都大官的僚属。外都大官是分掌京城以外地区司法问题的长官。495戊辰：正月二十七。496平昌宣王和其奴：和其奴是魏国名将，被封为平昌王，宣是其谥。传见《魏书》卷四十四。497二月己卯：二月初九。498齐：魏州名，州治在今山东济南。499抚御：安抚、驾驭，即今所谓管理。500东人安之：东人，指当时的青、冀二州，即今山东一带的人，因其在魏国都城的大东方，故称之“东人”。胡三省曰：“荀卿有言：兼并易也，坚凝之难。魏并青、徐，淮北四州之民未忘宋也，惟其抚御有方，民安其生，不复引领南望矣。《书》云：‘抚我则后，虐我则仇。’信哉！”㉛天安：魏国献文帝拓跋弘的第一个年号（公元四六六至四六七年）。㉜比岁：连年。比，挨近、并列。㉝重以：再加上。㉞疲于赋役：被赋税徭役弄得筋疲力尽。胡三省曰：“师之所聚，荆棘生焉；大兵之后，必有凶年，岂谓是耶？”㉟显祖：指献文帝拓跋弘。㊱因民贫富为三等输租之法：根据百姓的贫富不同而实行上中下三等的交租办法。输租，交纳租税。㊲等为三品：把交税的百姓分为上中下三个等级，即富裕户、中等户、贫困户三类。㊳上三品：富裕户里头的三类，即上上、上中、上下。㊴输平城：都把应交的东西运送到国都平城，即今山西大同。㊵中输他州：中等三类户，把租税运送到其他州治所在地。㊶下输本州：下等三类户的租税，运送到本州的州治所在地。㊷杂调十五：各种名目的苛捐杂税共有十五项。㊸至是悉罢之：从现在开始一律废除。罢，停止、废除。㊹稍赡给：渐渐宽裕起来。㊺于帝为兄：是宋明帝刘彧之兄。刘祎行八，刘彧行十一。㊻皆轻之：大家都瞧不起他。㊼相酬和：彼此书信来往，有问有答。㊽杜幼文：西晋名将杜预的后代，刘宋政权著名地方官杜骥之子，为人贪鄙，时任征北将军的参谋。传见《宋书》卷六十五。㊾丙申：二月二十六。㊿宣城：郡名，郡治即今安徽宣城。(521)汝阴：郡名，郡治即今安徽阜阳。(522)四月丙申：四月二十七。(523)升城、历城民望：两城百姓中有威望的人物。升城旧址在今山东长清西南。(524)桑乾：魏郡名，郡治在今山西山阴东，地处桑干水之畔。(525)立平齐郡以居之：意思是在桑乾郡里划出一块地盘，称之为平齐郡，让“升城、历城民望”居住在这里，以示优宠。(526)沙门统昙曜：统辖僧尼的僧官名叫昙曜。(527)平齐户：平齐郡里的住户。其地位类似农奴，被强迫垦殖耕作，不许自由迁徙。(528)入僧曹：交纳给管辖寺院的机关。僧曹，国家政府的一个职权部门，主管僧尼及佛教寺庙等事。(529)僧祇户：僧官管辖的户口，受僧曹统领。(530)僧祇粟：僧官管理的粮食，受僧曹调配。(531)佛图户：亦名寺户，寺院管辖的民户，地位比僧祇户低。(532)遍于州镇矣：各州与各军镇到处都有很多僧祇户、佛图户。王夫之曰：“拓跋氏置僧祇户、佛图户，夺国之民，而委赋役于贫弱之农民，其主倡之，州镇因而效之，遍天下以为民害，读杨衒之《伽蓝记》穷奢竞靡，而拓跋氏以亡。”(533)癸酉：六月初五。(534)忿怼：对朝廷怨恨不满。(535)请穷治：请求朝廷对刘祎严加追究。(536)丁丑：六月初九。(537)持节奉诏：手执旌节，以皇帝的口气。(538)废徙新安：撤去官爵，流放到新安郡。新安郡的郡治在今浙江淳安西。(539)十月丁卯朔：十月初一是丁卯日。(540)李峻：文成帝拓跋濬的元皇后李氏之兄。传见《魏书》卷八十三上。(541)十一月丁未：十一月十一。(542)来修和亲：重提和亲之好。修，恢复。(543)信使岁通：每年都派使者相互往来。胡三省曰：“自元嘉之末，南北不复通好。帝即位之三年、四年，再遣聘使。是岁，魏使来，复通好。”(544)闰月戊子：闰十一月二十二。(545)辅师将军：原来的辅国将军，自今年改称。(546)始治淮阴：兖州原来的州治是瑕丘，在今山东济宁市兖

州区的北侧。现因瑕丘已落入魏国境内，故将兖州的州治改在淮阴，即江苏淮安之淮阴区。㊼十二月戊戌：十二月初三。㊽休仁：刘休仁，刘义隆的第十二子。传见《宋书》卷七十二。㊾解扬州：解除扬州刺史的职务。㊿与上邻亚：与明帝刘彧的年龄接近而略小。〖按〗刘彧行十一，刘休仁行十二，刘彧只比刘休仁大三岁。551景和：宋前废帝刘子业的年号（公元四六五年）。552上赖其力以脱祸：事见本书卷第一百三十泰始元年。553亲当矢石：犹今所谓亲自冒着枪林弹雨。554任总百揆：为群臣之首，朝廷百官都对他唯命是从。百揆，百官。555亲寄甚隆：宠信无比。亲，宠信。寄，依赖。556朝野辐凑：不论在朝的还是在野的，都趋附于他的门下。辐凑，如车轮的辐条归总于车毂。557表解扬州：上书辞去扬州刺史职务。558己未：十二月二十四。559休范：刘休范，刘义隆的第十八子。传见《宋书》卷七十九。560巴东、建平：二郡名，巴东郡的郡治在今重庆市奉节县，建平郡的郡治即今重庆市巫山县。561巴西、梓潼：二郡名，两个郡的郡治都在涪县，今四川绵阳东北，两个郡由一个太守管辖。562三巴校尉：军政长官名，因其管辖巴西、巴郡、巴东广大地区而得名。563白帝：古城名，在今重庆市奉节县东。564三峡蛮、獠：三峡地区的少数民族名。565岁为抄暴：每年都出山抢掠沿江的商旅与民户。岁，年年。566立府：设立三巴校尉府。567孙谦：东莞郡（郡治即今山东莒县）人，时任司徒刘休仁的参军。传见《梁书》卷五十三。568不宾：不服管辖。宾，归服。569待之失节：国家对待他们的政策有失误。失节，章法、次序有失误。570开布：讲清楚并贯彻执行。571翕然怀之：像风吹草偃一样安静下来，并对政府很感谢。怀，思念、感谢。572竞饷金宝：争先恐后向他赠送财宝。573慰谕：好言安慰，讲清道理。574临海贼帅：临海郡的土匪头目。临海郡的郡治在今浙江临海东南。575剽掠海盐：抢劫海盐县。海盐县当时属会稽郡。576鄞令：鄞县县令。当时的鄞县在今浙江宁波南。577正月乙亥：正月初十。578初制：首次规定。579祭南郊：前文所说的“上祀南郊”，亦即历代皇帝所奉行的冬至日在都城的南郊祭天。580祭明堂：在明堂祭祀上帝与祖先。明堂，相传是古代帝王宣明政教、礼敬贤才的地方。581二月壬寅：二月初八。582领司徒：代理司徒之职。刘休仁已晋爵太尉，仍兼任司徒之职。领，兼任。583癸丑：二月十九。584江智渊：孝武帝刘骏的宠臣，官至尚书吏部郎。传见《宋书》卷五十九。585甲寅：二月二十。586既而原之：过后又饶了他。原，宽赦。587陆定国：魏国的元勋老臣陆俟之孙、陆丽之子。传见《魏书》卷四十。588长孙观：魏国大臣长孙道生之孙，袭其祖爵为上党王。传见《魏书》卷二十五。589吐谷浑：当时的少数民族名，聚居于今青海一带地区。590四月辛丑：四月初八。591戊申：四月十五。592吐谷浑王拾寅：树洛干之子，继慕利延后为吐谷浑王。传见《魏书》卷一百一。593曼头山：在今青海之东北部。594别驾康盘龙：康盘龙，在拾寅部下任别驾之职。别驾是官名，是州刺史的高级僚属，因其随刺史出行时能独自乘坐一辆车而得名。595癸亥：四月三十。596皇子燮：刘燮，宋文帝刘彧的第六子，后来官至司徒。传见《宋书》卷七十二。597奉晋熙王昶后：过继给晋熙王刘昶做后嗣。当时刘昶外逃在魏国。刘昶原被封为义阳王，今改封为晋熙王。⑱长乐：拓跋长乐，被封为建昌王。传见《魏书》卷二十。⑲六月癸卯：六月十一。⑳王景文（公元四一二至四七二年）：原名彧，自幼被刘裕赏识，文帝时已任州刺史，又能及早地拥护刘彧，故被刘彧倚任，王彧之妹即刘彧的皇后。传见《宋书》卷八十五。601尚书左仆射：尚书令的副职，位同副宰相。602袁粲为右仆射：袁粲原一人为仆射，今乃改仆射为左右二人，等于袁粲的地位下降。603以扇障面：表示不忍目睹。604外舍寒乞：娘家寒陋，没见过世面。外舍，指王皇后的娘家。寒乞，贫寒而孤陋寡闻。605姑姊妹集：大辈小辈的女人都在这里。姑，长辈女子。606外舍之乐：我们家里寻取快乐的方法。607雅异于此：和你这里根本不同。608遣后起：喝令她离开。609劣弱：软弱；胆小怕事。610今段：这一回；这一次。611在军中久：葛晓音曰，“据萧子显《南齐书·高帝纪》载，萧道成第一次奉宋文帝命领偏军讨沔北蛮是在元嘉十九年（公元四四二年），从那时到泰始六年（公元四七〇年）已有二十八年时间，所以这里说‘在军中久’”。612有异相：生有一副不同寻常的相貌。葛晓音曰：“据《南齐书·高帝纪》载，萧道成‘姿表英异，龙颡钟声，鳞文遍体’。”613黄门侍郎：皇帝的侍从官，官秩五品。614越骑校尉：军官名，官秩四品。615荀伯玉：冠军将军萧道成的僚属，此时为参军之职。传见《南齐书》卷三十一。616安置标榜：故意做出一种有所图谋的样子。617游骑：流动性骑兵，起侦察与消灭小股敌人之用。618履行境上：沿着边境巡行。619以闻：将边境的动态报告给宋明帝。620复本任：回到原来岗位。当时萧道成任南兖州刺史，镇广陵，今江苏扬州。621迁镇淮阴：胡三省曰，“三年（公元四六七年）八月，萧道成以行徐州事镇淮阴，以沈攸之北伐，使为后镇也。攸之北还，道成代为南兖州刺史，镇广陵，今复使迁镇淮阴”。622戊寅：九月十七。623总明观：搜集与整理书籍的机关。624祭酒：古代学官名，国家太学的总管。625儒、玄、文、史学士各十人：胡三省曰，“文帝元嘉十五年，立儒、玄、文、史四学，今置总明观祭酒以总之”。626柔然部真可汗：名叫予成，吐贺真之子，号称受罗部真可汗，公元四六四至四八四年在位。传见《魏书》卷一百三。627南平公目辰：拓跋目辰，魏桓帝拓跋猗㐌之后，官至司徒。传见《魏书》卷十四。628悬军深入：远离根据地而深入敌区。629张白泽：张衮之孙，本名钟葵，拓跋弘赐名白泽。官至殿中尚书。传见《魏书》卷二十四。630蠢尔荒愚：轻举妄动的一群边荒野种。蠢尔，蠢蠢欲动的样子。荒愚，荒诞愚昧。631轻犯王略：竟敢侵犯天子您的疆土。略，封疆。632銮舆：这里指献文帝拓跋弘的车驾。633望麾崩散：一看到您的大旗就会望风而散。麾，大将的指挥旗。634坐而纵敌：眼看着敌人让其逃走。635婴城自守：消极地防守孤城。婴城，四面守城。636非所以威服四夷：这不是施展神威、征服敌人的做法。637衮：张衮，拓跋珪时代的名将，在破柔然、破燕等战役中都有很好的谋略。传见《魏书》卷二十四。638京兆王子推：及下文的任城王云、汝阴王天赐均为魏景穆帝拓跋晃之子。传见《魏书》卷十九。639陇西王源贺：拓跋珪时代以来的老臣，累官至太尉。传见《魏书》卷四十一。640吕罗汉：拓跋焘时代以来的魏国名将，累官至内都大官。传见《魏书》卷五十一。641 掌留台事：留守京城，掌管、处理朝廷的军政大事。642 女水：河水名，在今内蒙古自治区武川县西南。643 旬有九日：十九天。644 刘尼：平定宗爱之乱，拥立文成帝有大功，被封为东安王，累官至司徒。传见《魏书》卷三十。645 军陈：军阵；军队的行列。陈，通“阵”。646 壬申：九月十一。647 不给禄：不发给俸禄。648 少能以廉白自立：胡三省曰，“前言魏主拔清节，黜贪污，魏之牧守始有以廉洁闻者；此言魏之百官少能以廉洁自立，盖法行于州郡，未行于朝廷也”。649 所监临：所管辖部门或地区的官民。650 与者：给他送东西的人。651 以从坐论：按照参与犯罪或受牵连犯罪论处。652 纠告：查出、举报。653 尚书：此指尚书令，位同宰相，国家的最高行政官。654 下士：低级官吏。古代天子、诸侯设士，分上士、中士、下士。655 代耕之禄：指官吏的俸禄。胡三省曰：“孟子曰：‘周室颁爵禄，下士与庶人在官者同禄，禄足以代其耕也。’”656 皇朝：敬指魏国朝廷。皇，盛明美好的意思。657 服勤无报：给国家出了许多力而没有一点补偿。658 刑身：其人受到惩罚。身，指受礼者。659 代职：代替他的职务。660 奸人窥望：坏人们都往这个方面打主意。窥望，找机会、钻空子。661 忠臣懈节：忠于国事的人感到丧气、灰心。662 班禄：发给俸禄。班，通“颁”，发放。663 罢新法：撤销了鼓励人举报官吏受礼的办法。664 辛卯：十月初一。665 世祖继体：宋孝武帝刘骏的子嗣。世祖，孝武帝刘骏的庙号。666 陷宪无遗：因触犯国法都被杀光了。〖按〗刘骏共有二十八个儿子，有些是因为被裹挟起兵反刘彧被杀，有些是被刘彧强加罪名杀害，年龄最大的是十一岁，最小的是四岁。667 智随：宋明帝刘彧的第九子，字仲敷。其名字史书记载不一，一作“赞”，一作“智赞”，一作“智随”。泰始六年生。传见《宋书》卷八十。668 为世祖子：过继给刘骏为后嗣，意思是让他这个哥哥不至于绝后，还有人给他祭祀烧香。669 立为武陵王：因刘骏在未做皇帝前是武陵王，故过继给他为后的刘智随接称武陵王。670 乙浑专政：事在魏主拓跋弘即位之初。见本书前文卷一百三十、一百三十一。671 追以为憾：回想起来心中就有气。追，回想。憾，恨。672 南部尚书李敷：李敷是魏国名臣李顺之子，曾事文成、献文二朝，此时任南部尚书。传见《魏书》卷三十六。萧子显曰：“魏初有殿中、乐部、驾部、南部、北部五尚书。”南部尚书主管南部边郡的事务。673 仪曹尚书李䜣：李䜣早年被拓跋焘、崔浩赏识，后又被拓跋弘宠信，此时任仪曹尚书。传见《魏书》卷四十六。仪曹尚书主管朝廷礼仪。674 卢度世：魏国名儒卢玄之子，曾任齐州刺史。传见《魏书》卷四十七。675 出纳诏命：负责宣示帝王的诏命，并向帝王报告下面的意见。676 相州：魏州名，州治邺城，即今河北临漳西南。677 掩蔽：掩盖、包庇。678 槛车征䜣：用囚车将李䜣押解到朝廷。槛车，像是装牛马一样囚禁犯人的有栅栏的车。这里用作动词，即用囚车。征，召、调。679 案验：查办、取证。680 当死：判处死刑。681 奕：李奕，官至散骑常侍、都官尚书。传见《魏书》卷三十六。682 帝意已疏之：拓跋弘已有疏远李奕的意思。683 有司以中旨：主管此事的官员把皇帝拓跋弘的意思。中旨，宫中皇帝的意思。684 讽䜣告敷兄弟阴事：示意李䜣，让李䜣告发李敷兄弟的阴谋。讽，用含蓄的话暗示。阴事，不可告人秘密之事。⑥⑤可以得免：可以免己之死。⑥⑥族世：在同一个家族中的血缘关系。⑥⑦恩逾同生：我们之间的关系比亲兄弟还要亲。⑥⑧在事：管事人，指上文的“有司”。⑥⑨自绞：自缢；上吊。⑥⑨⓪何为为人死也：怎么能为了别人而牺牲自己呢。也，通“耶”。反问语词。⑥⑨①为敷所败：是被李敷整垮的。⑥⑨②今询其弟：如果我们向冯阐的弟弟打听。⑥⑨③有司以闻：主管此事的官员把赵郡范某的条状上报给了皇帝。⑥⑨④减死：免其一死，从宽一等发落。⑥⑨⑤鞭髡配役：改判为鞭打、剃发和流放到边远地方服劳役。髡，古代一种剃去头发的刑罚。⑥⑨⑥太仓尚书：官名，管理国家粮仓的官。⑥⑨⑦摄南部事：代理南部尚书的事务。⑥⑨⑧阳平王新成：拓跋新成，魏景穆帝拓跋晃之子。传见《魏书》卷十九上。⑥⑨⑨周山图：刘宋将领，此时任龙骧将军。传见《南齐书》卷二十九。⑦⓪⓪浃口：当时的海防要地，故址在今浙江宁波市镇海区东南。⑦⓪①田流：当时镇海一带的变民首领，于上年杀鄞县令，自称将军。事见本卷前文。⑦⓪②于阗：古西域国名，都城在今新疆和田西南，当时属魏。⑦⓪③去京师：远离魏都平城。⑦⓪④几万里：差不多有万里之遥。几，近、差不多。《北史》曰：“于阗国去代九千八百里。”⑦⓪⑤蠕蠕：柔然。⑦⓪⑥野掠：在原野上作战与抢掠。⑦⓪⑦若其可攻：如果于阗的都城不能坚守。⑦⓪⑧寻已亡矣：很快也就亡国了。寻，不久。⑦⓪⑨以议：把群臣讨论的意见。⑦①⓪去汝遐阻：离你这里路途遥远，而且难走。阻，路途艰难。⑦①①躬：亲自。⑦①②汝其：请你；你要。其，语气词，表示祈请与命令的语气。⑦①③谨修警候：做好各种侦察与准备的工作。警，防备。候，侦察。⑦①④以待大举：以等待我们对柔然人的大举讨伐。

【校记】

［5］非：原作“无事”。据章钰校，甲十一行本、乙十一行本、孔天胤本皆作“非”，今据改。［6］檐：据章钰校，甲十一行本、乙十一行本皆作“担”。〖按〗二字通。［7］天赐：据章钰校，甲十一行本、乙十一行本、孔天胤本皆无“天”字，今据胡三省版作“天赐”。

【研析】

本卷写了宋明帝泰始三年（公元四六七年）至泰始六年共四年间刘宋与北魏的大事。其重大的事件是，宋国在拥戴刘子勋为帝、反对刘彧朝廷的地方势力被刘彧王朝逐次打败后，徐州刺史薛安都、兖州刺史毕众敬、冀州刺史崔道固、汝南太守常珍奇等都宣布放弃抵抗，愿归顺刘彧朝廷。这是多么好的广开天门、咸与维新、收合众望的大好形势！可是昏聩而又心胸狭隘的刘彧，竟欲乘着南方已平的有利形势而示威淮北，他派了张永、沈攸之率甲士五万北迎薛安都，分明是还要武力解决。尚书仆射蔡兴宗说：“安都归顺，此诚非虚，正须单使尺书。今以重兵迎之，势必疑惧，或能招引北虏，为患方深。”刘彧不听，结果招致薛安都、崔道固、常珍奇等人都率领各自的州郡纷纷北投魏国。魏国的大将尉元与慕容白曜统领大兵南下，张永与沈攸之的部队望风而退，被魏军追击，惨败，死者万数，枕尸六十余里，张永、沈攸之仅以身免。刘彧仍不死心，半年后，硬是逼着沈攸之二次进攻彭城，结果又被魏将孔伯恭等打败，沈攸之轻骑南走，委弃军资器械以万计。接着魏军又进攻历城、青州，崔道固、沈文秀或投降或被俘，于是在一年多的时间里，淮北的徐州、兖州、冀州、青州以及淮西豫州的汝南、新蔡、颍川、汝阴等郡，也就是今天的山东全省以及苏北、皖北与河南南部的大片地区，一齐落入魏人之手。这刘彧应该算是一个什么样的历史罪人！齐代的裴子野曾写《宋略》，对此评论说："太宗之初，威令所被，不满百里，卒有离心，士无固色，而能开诚心，布款实，莫不感恩服德，致命效死，故西摧北荡，寓内褰开。既而六军献捷，方隅束手，天子欲贾其余威，师出无名，长淮以北，倏忽为戎。惜乎！若以向之虚怀，不骄不伐，则三叛奚为而起哉！高祖虬虱生介胄，经启疆埸，后之子孙，日蹙百里。播获堂构，岂云易哉！"说得很带感情。

关于薛安都、常珍奇等人的北投魏国，难道是他们自愿的吗？不是，完全是被刘彧逼反的。清代王夫之《读通鉴论》对此评论说："杀机动于内，祸乱极于外。宋之季世，拓跋氏未有南侵之谋也，而淮西、淮北席卷而收之，薛安都一反面北向，风靡萍散而不可止，谓明帝不从蔡兴宗之言，以重兵迎薛安都而使疑惧，犹末论也。帝与子勋争立，而尽杀孝武二十八子，是石虎之所以歼其种类者，宋之不亡，幸耳；尚能抚有淮甸哉？二十八王，非皆挟争心者也。以子勋故，而迁愤怒以歼之，骨肉之恩，斩绝不恤，则夫淮、汝州郡应子勋而起者，虽剖心沥血以慰劳之，固将怀芒刺于寤寐，奚更待重兵之见胁乎？夫子业不道，而孝武恩在人心，人未忘也。子业死，明帝与子勋两俱有可立之势，而子勋兄弟为尤正，明帝据非所有，逞忮毒以殄懿亲，宁养假子而必绝刘氏之宗，明于义者去之若污，审于害者逃之若鹜，尚孰与守国而不亟飏以飞耶？"（被刘彧杀死的孝武帝二十八子，最大的是十一岁，最小的是四岁，别说有的根本没有反刘彧，即使是打着这些孩子的名义起兵反刘彧的武装势力，这些孩子能对他们负责任吗？可是他们都被杀光了！这就是宋明帝刘彧干的事！）

本卷还写了一段宋明帝花钱向魏国请求赎回刘昶的故事。刘昶是孝武帝刘骏之弟，是宋明帝刘彧之兄。在孝武帝在位时，刘昶与孝武帝闹矛盾，孝武帝要杀他，刘昶逃到了魏国。待至几年后刘彧做了皇帝，他派人出使魏国，想把刘昶赎回来。刘昶给刘彧写回信，是用了哥哥对弟弟说话的口气，刘彧看了不高兴，事情于是作罢。对于这件事情，读历史的人看法不一样。清代王夫之在《读通鉴论》里说："宋以金赎刘昶于拓跋氏，其情匿，其志憯（狠毒）矣。何言乎'其情匿'也？昶之北奔，畏孝武之疑忌而见杀也。明帝既杀孝武之子以泄其忿娼，恐人怀孝武之恩而致怨于己，故召回昶以暴孝武之过，曰‘彼欲灭兄弟而我复之’，托于昶以扬孝武之恶，怀匿故为之名也。何言乎‘其志惨’也？休仁者，亦其兄弟，所与争国而有功者也。疑忌既深，休仁自解扬州牧以免祸，而终不免于鸩。祎与休若、休祐无毫发之嫌，而先后被杀，所仅全者，庸劣之休范耳。昶才非休范之匹，又有拓跋氏之外援，畏其在外且挟强敌之势以入，争其养子，故召之归。使其返邪，鸩杀之祸必不在休仁兄弟之后。欲加之罪，而何患无辞乎？故曰‘其志惨’也。于是而魏人知之矣，昶亦知之矣，亢兄弟之词，而无归来之志，魏以全昶而昶以自全，灼见其恶而远之唯恐不夙，人其可以罔乎哉？论者乃曰：‘赎昶，义也。’亦尝见明帝灭绝天性之恶已著而不可掩者乎？”这段文字在探测与发掘刘彧的狼子野心上也很深刻。

本书从上卷开始写到了萧道成的起家。萧道成生于宋文帝元嘉四年（公元四二七年），十五岁率军平定汉水流域的蛮族，十七岁率军与魏兵作战，获得胜利。刘彧称帝之初，天下州郡多反之，而萧道成衷心拥护刘彧，为刘彧东征南讨，屡立战功。当薛安都与刘彧政权对抗时，萧道成曾多次与之接战。当张永、沈攸之为魏军所破时，萧道成为南兖州刺史，驻军淮阴，势力已经相当强大，尤其是他所统领的这一支军队还从来没有遭受过外敌的严重打击。宋明帝刘彧开始对他不放心，下旨把他调回朝廷，改授他职。萧道成不干，其僚属荀伯玉“劝道成遣数十骑入魏境，安置标榜，魏果遣游骑数百履行境上。道成以闻，上使道成复本任”。故意制造出一点小小的边境紧张，于是就让朝廷再也不能轻易地调他离任了。王夫之《读通鉴论》对此说：“无可信之边将者国必危，掩败以为功，匿寇而不闻，一危也；贪权固位，怀忧疑以避害，无寇而自张之，以自重于外，二危也。二者均足以危国，而张虚寇以怙权者尤为烈焉。宋明帝欲除萧道成，荀伯玉为之谋，使轻骑挑魏之游兵，而遽以警闻，由是而道成终据兖州以立篡弑之基。”《通鉴》的这段故事表现了宋明帝刘彧之愚与萧道成之奸，皆深刻精警，发人深思，历代边将以这种伎俩专位固权的比比皆是。

卷第一百三十三　宋纪十五

起重光大渊献（辛亥，公元四七一年），尽旃蒙单阏（乙卯，公元四七五年），凡五年。

【题解】

本卷写宋明帝刘彧泰始七年（公元四七一年）至苍梧王刘昱元徽三年（公元四七五年）共五年间刘宋与北魏等国的大事。主要写了刘彧初即位时颇有一些善政，后来则日益猜忌残暴，先是杀了其叔晋平王刘休祐、建安王刘休仁、巴陵王刘休若，又杀了当年发动政变亲手杀死废帝刘子业、拥立刘彧为帝的寿寂之，又杀了在天下各州郡纷纷起兵拥戴刘子勋，刘彧政权处于非常危殆时刻，而独挺身而出，率军平定东方诸郡的大功臣吴喜，又担心自己死后王皇后辅幼子临朝时，其兄王景文会以国舅专权，而提前将王景文赐死；写了刘彧临死前任命刘勔、蔡兴宗、沈攸之、袁粲、褚渊等为顾命大臣，刘彧死后其子刘昱继位，袁粲等力改弊政，欲有作为，但不能抑制近习小人王道隆、阮佃夫之专权当道；写了刘宋的骨干之臣荆州刺史蔡兴宗死；写了宋将沈攸之自在郢州时即招降纳叛，改任荆州刺史后更积蓄力量，欲为变乱；写了江州刺史刘休范，愚蠢无能而又不自量力，典签许公舆为之谋主，在积蓄了一定力量后起兵进攻建康，建康的形势危急，在保卫京师的过程中萧道成一跃成为中心人物；写了朝廷将领黄回与张敬兒诈降刘

【原文】

太宗明皇帝下

泰始七年（辛亥，公元四七一年）

春，二月戊戌[①]，分交、广置越州[②]，治临漳[③]。

初，上为诸王[④]，宽和有令誉[⑤]，独为世祖[⑥]所亲。即位之初[⑦]，义嘉之党[⑧]多蒙全宥[⑨]，随才引用，有如旧臣。及晚年，更猜忌忍虐[⑩]，好鬼神，多忌讳[⑪]，言语、文书有“祸败”“凶丧”及疑似之言[⑫]应回

休范，骗得信任，乘机将刘休范杀死，刘休范的部将不知，仍苦战进攻不已，朝廷老将刘勔战死于秦淮河上，抚军长史褚澄开东府门迎降，中书舍人孙千龄开台城以降，朝廷紧急万分；写了忠臣袁粲坚贞与敌兵决战，陈显达、张敬兒、任农夫、周盘龙等猛烈出击，大破刘休范的部将杜黑骡、丁文豪等，又值刘休范已死的消息透露，进攻建康的军队遂告失败，而荆州刺史沈攸之也假惺惺地不受刘休范的拉拢，联合各路地方军援助朝廷，攻击江州，杀死刘休范之二子，江州遂告平定；写萧道成取得朝廷大权，任命张敬兒为雍州刺史，张敬兒假意向沈攸之讨好，做好了朝廷与雍州内外夹击沈攸之的准备；写了魏主拓跋弘厌弃尘事，禅帝位于其子拓跋宏，但作为太上皇的拓跋弘退而不休，他改革法制，规定“罪止一人，废除门、房之诛”，强调依法办事，强调各级政府、各曹官长的责任心，不得为疑奏，大刑多令覆鞫，以及为发展农业而禁杀牛马，他还下令郡县长官使同部之内贫富相通，家有兼牛者与无牛者通借互助以发展生产，又鼓励郡县长官积极做好工作，并有严格的奖励办法，从而魏国政治一片勃勃生机等。

【语译】

太宗明皇帝下

泰始七年（辛亥，公元四七一年）

春季，二月初十日戊戌，宋国分别从交州、广州划分出一部分地盘设置为越州，治所设在临漳县。

当初，宋明帝刘彧还是一个诸侯王的时候，待人宽厚、和气，有很美好的声誉，宋世祖刘骏唯独对他特别亲近。宋明帝刚刚登上皇帝宝座的时候，那些拥戴晋安王刘子勋在寻阳称帝的人们有很多都得到刘彧政权的宽赦而获得安全，宋明帝还根据他们的才能加以录用，对待他们就像对待自己的旧臣一样。然而到了晚年的时候，他变得好猜疑、好嫉妒、残忍暴虐起来，既迷信鬼神，又有好多不愿意听到的言语或不愿意看到的行为表现，无论是言谈话语还是书面文字当中，有关“祸败”“凶丧”

避者数百千品⑬，有犯必加罪戮。改“弱”字为“𢏗”⑭，以其似“祸”字故也。左右忤意⑮，往往有刳斫⑯者。

时淮、泗用兵⑰，府藏空竭，内外百官，并断俸禄。而上[1]奢费过度⑱，每所造器用⑲，必为正御、副御、次副⑳各三十枚㉑。嬖幸㉒用事㉓，货赂公行。

上素无子㉔，密取诸王姬㉕有孕者内宫中㉖，生男则杀其母，使宠姬子之㉗。至是寝疾㉘，以太子幼弱，深忌诸弟。南徐州刺史晋平剌王休祐㉙，前镇江陵㉚，贪虐无度，上不使之镇㉛，留之建康，遣上佐㉜行府州事㉝。休祐性刚狠㉞，前后忤上非一㉟，上积不能平㊱，且虑将来难制，欲方便除之㊲。甲寅㊳，休祐从上㊴于岩山射雉㊵，左右从者并在仗后㊶。日欲暗㊷，上遣左右寿寂之㊸等数人，逼休祐令坠马，因共殴，拉杀㊹之，传呼“骠骑㊺落马！”上阳惊㊻，遣御医络驿就视㊼，比其左右至㊽，休祐已绝㊾，去车轮，舆还第㊿。追赠司空，葬之如礼(51)。

建康民间讹言(52)，荆州刺史巴陵王休若(53)有至贵之相(54)，上以此言报之(55)，休若忧惧。戊午(56)，以休若代休祐为南徐州刺史。休若腹心将佐皆谓休若还朝，必不免祸，中兵参军京兆王敬先(57)说休若曰：“今主上弥留(58)，政成省阁(59)，群竖恟恟(60)，欲悉去宗支(61)以便其私。殿下声著海内，受诏入朝，必往而不返。荆州带甲(62)十余万，地方数千里，

或是与这类差不多的言辞应当回避的就有好几百种乃至上千种，有谁触犯这些忌讳就一定会遭到惩罚甚至被处死。因为“蜗”字的形状与“祸”字相似，所以就把“蜗”字的写法改成“𧊒”。身边的臣属一旦不合明帝的心意，往往会遭到开膛破腹、剁成碎块的刑罚。

当时宋国的军队在淮河与泗水流域与魏国的军队和投降魏国的州郡作战，由于连年征战，致使国家府库财物枯竭，朝廷内外的文武官员，连俸禄也停止了发放。然而宋明帝在宫廷之中仍然过着奢侈靡费的生活，毫无节制，每次为他制作宫中用品，一定要制作出三套：一套是给皇帝用的，一套是给皇帝备用的，另一套还是给皇帝备用的，而且每种都要做三十件。被宋明帝极度宠爱的那些亲近小人掌握着宋国的权柄，因而贿赂之风盛行。

宋明帝一直没有儿子，于是就秘密地把诸兄弟家中已经怀孕的姬妾收入自己的皇宫之中，生下男孩就把孩子的母亲杀掉，而把孩子交给最宠爱的姬妾当作自己的儿子抚养。宋明帝现在已经卧病不起，因为皇太子年幼体弱，因而对自己所有的弟弟都非常猜忌。担任南徐州刺史的晋平剌王刘休祐，以前曾经担任过荆州刺史，镇守江陵，因为刘休祐极度的贪婪暴虐，所以宋明帝没有让刘休祐到南徐州的治所上任，而是把他留在京师建康，只派刘休祐的高级僚属代理他去管理南徐州都督府、刺史府的事务。刘休祐的性情刚烈凶狠，他前后不止一次冒犯了宋明帝，因此宋明帝心里对刘休祐越来越不能容忍，而且宋明帝也担心将来难以控制他，所以就想找个合适的机会把刘休祐除掉。二月二十六日甲寅，刘休祐陪同宋明帝在岩山射野鸡，宋明帝身边的侍从人员都在皇帝仪仗队的后边。天光渐渐地黑了下来，宋明帝派遣自己的心腹寿寂之等几个人，将刘休祐逼落马下，于是一起殴打刘休祐，拉扯其肢体，使刘休祐丧命，然后大声传呼：“骠骑大将军从马上摔下来了！”宋明帝假装吃惊的样子，赶紧派御医一波接一波地前来诊治，等到刘休祐的部属赶到跟前时，刘休祐早已经断了气，于是就用一辆摘去车轮的车厢把刘休祐的尸体抬回了家。宋明帝追赠刘休祐为司空，并依照应有的规格埋葬了刘休祐。

在宋国的京师建康城内，民间流传着一种说法，说担任荆州刺史的巴陵王刘休若有真龙天子的长相，宋明帝就把这样的传言转告给了刘休若，刘休若听到后感到非常的忧虑和恐惧。二月三十日戊午，宋明帝任命刘休若接替刘休祐为南徐州刺史。刘休若的心腹将佐都认为如果刘休若回到朝中，一定不能避免灾祸，担任中兵参军的京兆人王敬先于是劝阻刘休若说：“如今皇帝正在弥留之际，未来的国家大事都决定于皇帝身边那几个身处高位的亲近之臣，那群小人全都气势汹汹、张牙舞爪，正准备铲除皇室的一切亲属，以实现他们的私人目的。殿下的名声与威望早已经传播于四海之内，如果现在接受诏命入朝，一定会遭到暗算，有去无回。荆州拥有数万

上可以匡天子[63]，除奸臣；下可以保境土，全一身；孰与[64]赐剑邸第[65]，使臣妾饮泣[66]而不敢葬[67]乎？”休若素谨畏[68]，伪许之[69]。敬先出，使人执之[70]，以白于上而诛之[71]。

三月辛酉[72]，魏假员外散骑常侍[73]邢祐[74]来聘[75]。

魏主使殿中尚书胡莫寒[76]简西部敕勒[77]为殿中武士。莫寒大纳货赂，众怒，杀莫寒及高平假镇将奚陵[78]。夏，四月，诸部敕勒皆叛[79]，魏主使汝阴王天赐[80]将兵讨之，以给事中[81]罗云为前锋。敕勒诈降，袭云，杀之，天赐仅以身免[82]。

晋平剌王既死，建安王休仁益不自安。上与嬖臣杨运长[83]等为身后之计，运长等亦虑上晏驾[84]后，休仁秉政，己辈不得专权，弥赞成之[85]。上疾尝暴甚[86]，内外莫不属意于休仁[87]，主书[88]以下皆往东府[89]访休仁所亲信，豫自结纳[90]，其或在直不得出者[91]，皆恐惧。上闻，愈恶之。五月戊午[92]，召休仁入见，既而[93]谓曰：“今夕停尚书下省宿[94]，明可早来。”其夜，遣人赍药[95]赐死。休仁骂曰：“上得天下，谁之力邪？孝武以诛锄兄弟[96]，子孙灭绝[97]，今复为尔[98]，宋祚其得[2]久乎[99]？”上虑[100]有变，力疾[101]乘舆出端门[102]，休仁死，乃入。下诏称：“休仁规结禁兵[103]，谋为乱逆，朕未忍明法[104]，申诏诘厉[105]。休仁惭恩惧罪[106]，遽自引决[107]。可宥其二子[108]，降为始安县王[109]，听其子伯融袭封[110]。”

上虑人情不悦，乃与诸大臣及方镇诏[111]，称：“休仁与休祐深相亲

披甲的将士，数千里的土地，对上可以护卫、辅佐皇帝，铲除奸臣，对下可以保住境内的土地，保全自己的身家性命，这与赐以尚方宝剑，逼令在家自杀，使属下的男男女女只能暗暗哭泣而连丧事都不敢正大光明地办理相比，哪个更好些呢？”刘休若一向胆小怕事，便假装同意了王敬先的建议。等到王敬先出去之后，刘休若立即派人逮捕王敬先，并把王敬先劝他不要受诏入朝的事情报告给了宋明帝，而后就把王敬先杀掉了。

三月初三日辛酉，魏国派遣临时代理员外散骑常侍的邢祐到宋国友好访问。

魏献文帝拓跋弘派担任殿中尚书的胡莫寒从西部地区的敕勒族中选拔一批勇士担任殿中武士。胡莫寒趁机大肆收受贿赂，因而引起敕勒人的愤怒，杀死了胡莫寒以及担任高平军镇的临时统领奚陵。夏季，四月，不仅西部敕勒人，就连其他地区的敕勒人也一同发动叛变，魏献文帝派遣汝阴王拓跋天赐率军前去镇压敕勒人的叛乱，任命担任给事中的罗云为前锋。敕勒人使用诈降计，袭击魏国罗云所率领的先锋部队，杀死罗云，拓跋天赐全军覆没，只有他一个人逃回了平城。

宋国自从晋平剌王刘休祐死了之后，建安王刘休仁越加感到自己的安全没有保证。宋明帝与他的亲信杨运长等人一起为自己死后的国家大事做安排，杨运长等人也担心宋明帝去世之后，担任司徒的建安王刘休仁一旦掌握朝政大权，他们这一帮人就不能再专擅朝政，所以就越加怂恿宋明帝为自己的身后之事做好打算，及早除掉刘休仁。宋明帝曾经有一次疾病突然加重，朝廷内外没有一个人不真心拥护刘休仁，希望由他来主管朝廷大政，主书以下的官员全都前往丞相府去拜访刘休仁所亲信的人，提前与刘休仁的部属们搞好关系，为自己准备后路，那些因为在朝廷值班而没有时间去拉关系的人，都非常恐惧。宋明帝听说这种情况之后，就更加憎恶刘休仁。五月初一日戊午，宋明帝召刘休仁入宫，过了一会儿，他对刘休仁说：“今天夜里你就暂且住宿在尚书省，明天可以早些来。”当天夜里，宋明帝派人拿着毒药到尚书省，逼迫刘休仁喝下毒药自杀。刘休仁大声谩骂说：“刘彧得到天下做了皇帝，是靠了谁的力量啊？孝武帝刘骏因为杀戮自己的亲生兄弟，所以他的儿孙全部被杀光，落了个断子绝孙，如今刘彧又做出杀戮兄弟的事情，宋国的统治可以长久得了吗？”宋明帝担心发生政变，遂勉强支撑着病体坐车子来到宫门以外，当他得知刘休仁已死的消息后，才进入皇宫。刘彧下诏说：“刘休仁图谋勾结禁卫部队，阴谋发动叛乱，我不忍心公开地将他绳之以法，就下了一道诏书严厉地训斥他、责问他。刘休仁惭愧自己辜负了皇帝的厚恩，又害怕自己罪孽深重，于是就突然自杀了。可以饶恕他的两个儿子，把刘休仁的封爵由建安郡王降为始安县王，让他的儿子刘伯融继承他的始安县王爵位。”

宋明帝担心人们对他处死刘休仁一事心怀不满，于是下诏书给朝中的文武大臣以及各地区的军政长官，他在诏书中说：“建安王刘休仁与晋平剌王刘休祐相互间紧

结[112]，语休祐云：'汝但作佞[113]，此法自足安身，我从来颇得此力[114]。'休祐之陨[115]，本欲为民除患，而休仁从此日生娆惧[116]。吾每呼令入省[117]，便入辞杨太妃[118]。吾春中多与之射雉，或[119]阴雨不出，休仁辄语左右云：'我已复得今一日[120]。'休仁既经南讨[121]，与宿卫将帅[122]经习狎共事[123]。吾前者积日失适[124]，休仁出入殿省[125]，无不和颜厚相抚劳[126]。如其意趣，人莫能测。[127]事不获已[128]，反覆思惟，不得不有近日处分[129]。恐当不必即解[130]，故相报知。"

上与休仁素厚[131]，虽杀之，每谓人曰："我与建安[132]年时相邻[133]，少便款狎[134]，景和、泰始之间[135]，勋诚实重[136]。事计交切[137]，不得不相除，痛念之至，不能自已[138]。"因流涕不自胜。

初，上在藩[139]与褚渊[140]以风素相善[141]，及即位，深相委仗[142]。上寝疾，渊为吴郡[143]太守，急召之。既至，入见，上流涕曰："吾近危笃[144]，故召卿，欲使著黄𦅾[145]耳。"黄𦅾者，乳母服也。上与渊谋诛建安王休仁，渊以为不可，上怒曰："卿痴人[146]！不足与计事[147]！"渊惧而从命。复以渊为吏部尚书[148]。庚午[149]，以尚书右仆射袁粲为尚书令，褚渊为左仆射[150]。

上恶太子屯骑校尉寿寂之勇健[151]，会有司奏寂之擅杀逻将[152][3]，徙越州[153]，于道杀之。

丙戌[154]，追废晋平王休祐为庶人。

巴陵王休若至京口[155]，闻建安王死，益惧。上以休若和厚[156]，能谐缉物情[157]，恐将来倾夺幼主[158]，欲遣使杀之，虑不奉诏[159]，欲征入朝，又恐猜骇[160]。六月丁酉[161]，以江州刺史桂阳王休范为南徐州刺史，以休若

密勾结，刘休仁对刘休祐说：‘你尽管向皇上花言巧语地献媚讨好，这个办法完全可以使你保全自家的生命安全，我一向使用这种办法，使自己获利不少。’刘休祐的死，本来是想为民除害，而刘休仁内心的恐惧不安却从此越来越严重。我每次召他到朝廷来，他都要进宫去和他的生母杨太妃告别一番，总是怀疑我要害死他。我在春天的时候多次与刘休仁外出射野鸡，有时候遇上阴天下雨不能外出，刘休仁就对他的左右亲信说：‘我又多活了一天。’刘休仁曾经亲自率领十万大军，冒着矢石，南讨在寻阳称帝的刘子勋政权的叛军，他在这次战争中与那些守卫宫廷的将帅曾经很亲密地一道共事。我此前长时间身体欠安，刘休仁出入宫廷，每次都对我身边那些负责警卫的将帅们和颜悦色，一一地深加慰问。他究竟安的是什么心，让人无法预测。我实在是没有别的办法，我经过反复考虑，不得不做出前几天那样的处置。我担心你们不一定能够立刻明白我为什么要这样做，所以才下诏书使你们明白知晓。”

宋明帝一向与刘休仁感情深厚，虽然杀死了刘休仁，却常常对别人说：“我与建安王刘休仁年岁差不多，从小就推心置腹，相互亲近，从废帝刘子业的景和到泰始年间，刘休仁确实为朝廷立下了不朽的功勋。这次他的谋反实在是关系到国家的命运，才不得不把他除掉，对他的深刻怀念，使我无法控制自己内心的痛苦。”于是痛哭流涕，一副完全无法控制自己感情的样子。

当初，宋明帝还是湘东王的时候，因为与褚渊在性情爱好等方面意趣相投而关系很好，等到即位做了皇帝，便对褚渊深加依靠和重用。宋明帝病重时，褚渊正在吴郡太守任上，于是赶紧把褚渊召回京师建康。褚渊回到建康后，入宫朝见宋明帝，宋明帝流着眼泪对褚渊说：“我近来病情严重，看来快要死了，之所以把你从吴郡召回来，是想让你穿着黄纙辅佐幼主。”黄纙，是乳母穿的衣服。宋明帝与褚渊谋划诛杀建安王刘休仁，褚渊认为不能那样做，宋明帝非常生气地说：“你简直就是一个不明事理的傻子！不值得与你商议大事！”褚渊很恐惧，便服从了宋明帝的命令。宋明帝又任命褚渊为吏部尚书。五月十三日庚午，宋明帝任命担任尚书右仆射的袁粲为尚书令，任命褚渊为尚书左仆射。

宋明帝憎恶担任太子屯骑校尉的寿寂之的勇猛、敢作敢为，碰巧此时有关部门上奏举报寿寂之擅自作主杀死了负责巡逻的将官，宋明帝借此机会将寿寂之流放越州，并在流放越州的途中派人杀死了寿寂之。

五月二十九日丙戌，宋明帝废黜已故晋平王刘休祐的爵位，将刘休祐贬为平民。

宋国的巴陵王刘休若到达京口，听到建安王刘休仁已死的消息，心中更加恐惧。宋明帝认为刘休若为人平和、宽厚，能够协调各方面的复杂关系，恐怕将来会夺取小皇帝的权力和帝位，想派人去杀死刘休若，又担心刘休若不肯束手就擒，会举兵反抗，想征调刘休若入朝，又担心刘休若心存猜疑而惊惧出逃。六月初十日丁酉，宋明帝任命担任江州刺史的桂阳王刘休范为南徐州刺史，改任巴陵王刘休若为江州

为江州刺史[162]。手书殷勤[163]，召休若使赴七月七日宴[164]。

丁未[165]，魏主如河西。

秋，七月，巴陵哀王休若[166]至建康，乙丑[167]，赐死于第[168]，赠侍中、司空，复以桂阳王休范为江州刺史。时上诸弟俱尽，唯休范以人才凡劣[169]，不为上所忌，故得全。

沈约论曰："圣人立法垂制[170]，所以必称先王[171]，盖由[172]遗训余风[173]足以贻之来世[174]也。太祖[175]经国之义虽弘[176]，隆家之道不足[177]。彭城王[178]照不窥古[179]，徒见昆弟之义[180]，未识君臣之礼[181]，冀以家情行之国道[182]，主猜而犹犯[183]，恩薄而未悟[184]，致以呵训之微行[185]，遂成灭亲之大祸[186]。开端树隙，垂之后人。[187]太宗[188]因易隙之情[189]，据已行之典[190]，翦落洪枝[191]，不待顾虑[192]。既而本根无庇[193]，幼主孤立，神器[194]以势弱倾移[195]，灵命[196]随乐推回改[197]，斯盖履霜有渐，坚冰自至[198]，所由来[4]远矣[199]。"

裴子野论曰："夫噬虎之兽[200]，知爱己子；搏狸之鸟[201]，非护异巢[202]。太宗保字螟蛉[203]，剿拉同气[204]，既迷[205]在原之天属[206]，未识父子之自然[207]。宋德告终[208]，非天废也[209]。夫危亡之君，未尝不先弃本枝[210]，妪煦旁孽[211]；推诚嬖狎[212]，疾恶父兄[213]。前乘覆车[214]，后来

刺史。宋明帝给刘休若的亲笔信写得言辞恳切，要刘休若一定要来京师参加七月七日的宫廷宴会。

六月二十日丁未，魏国献文帝前往黄河以西一带地区进行巡视。

秋季，七月，巴陵哀王刘休若到达京师建康，初九日乙丑，宋明帝下诏令刘休若在自己的府第自杀，追赠他为侍中、司空，再次任命桂阳王刘休范为江州刺史。当时宋明帝的弟弟已经全部死光，只剩下为人平庸、没有出息的刘休范没有遭到宋明帝的猜忌，所以才保住了性命。

沈约评论说："圣人建立起法律制度，并使之流传后世，后代子孙所以经常引用先王的范例，以证明自己施为的合理性，就是因为先辈遗留的法则和他们办事的风度，有留给后代做参考的价值。宋太祖刘义隆治理国家的办法虽然还算有他的长处，但他管理家庭的能力明显不够。彭城王刘义康有聪明才智，却不懂得汲取古训，只看到兄弟之间的亲密关系，却没有注意到君臣之间的等级差别，他希望把家人之间的感情运用到治理国事上，做君主的已经对他产生猜忌，他还要去冒犯君主，君主对他已经没有好感而他还看不透，致使刘义康仅仅犯了一个只须加以训斥的微小过失，竟然闹成了杀害同胞手足的大事件。宋太祖刘义隆这种在兄弟之间闹矛盾、找碴儿的做法，给他的后代子孙开了头。宋太宗刘彧沿袭了先王这种兄弟之间容易产生矛盾、隔阂的思维方式，按照宋太祖刘义隆已经采取过的杀戮典故，大肆地砍伐树干上的枝枝杈杈，而不做任何考虑。后来做皇帝的、做太子的便失去了自己的保护者和支持者，终于陷入孤立无援的境地，国家政权、皇帝宝座由于势力太弱而被篡夺、被消灭，天命也就发生改变，随着众人的拥戴而实现了改朝换代，当踩到地上的霜，你就会知道冰天雪地的日子快要到来了，刘宋王朝灭亡的苗头，实际上很早以前就已经出现了。"

裴子野评论说："能够咬死老虎的猛兽，都知道爱护自己的兽崽；能够搏杀野猫的猛禽，也知护住自己的鸟巢。宋太宗刘彧能够抚育自己收养的孩子，却杀戮自己的同胞兄弟，他既不懂得亲兄弟之间所固有的那种患难与共的天性，又不懂得父子之间在遇到危难时自然而然产生的相互救援的本能。刘宋王朝的灭亡，并不是老天爷让它灭亡。灭亡国家的君主，都是先从剪除自己的同胞兄弟，去抚养别人家的孩子开始；他们对于自己身边的近习小人能够以诚相待，而对自己的父兄却嫉恶如仇。前边走的车子已经翻了，而后面的车子还在沿着这条旧路快马加鞭地向前赶。假如政权被自己兄弟夺去，你们共同的父亲、

并辔[215]。借使叔仲有国[216]，犹不失配天[217]；而他人入室[218]，将七庙绝祀[219]。曾是莫怀[220]，甘心揃落[221]。晋武[222]背文明之托[223]，而覆中州者贾后[224]；太祖弃初宁之誓[225]，而登合殿者元凶[226]。祸福无门，奚其豫择！[227]友于兄弟，不亦安乎！[228]”

丙寅[229]，魏主至阴山[230]。

初，吴喜之讨会稽[231]也，言于上曰：“得寻阳王子房及诸贼帅[232]，皆即于东戮之[233]。”既而生送子房[234]、释顾琛[235]等。上以其新立大功，不问，而心衔之[236]。及克荆州，剽掠[237]，赃以万计[238]。寿寂之死，喜为淮陵[239]太守、督豫州诸军事，闻之，内惧，启乞中散大夫[240]，上尤疑骇。或谮[241]萧道成在淮阴有贰心于魏[242]，上封银壶酒[243]，使喜自持赐道成。道成惧，欲逃，喜以情告道成[244]，且先为之饮，道成即饮之。喜还朝，保证道成[245]。或密以启上[246]，上以喜多计数[247]，素得人情[248]，恐其不能事幼主[249]，乃召喜入内殿，与共言谑甚款[250]，既出，赐以名馔[251]。寻赐死，然犹发诏赙赐[252]。

又与刘劢等诏曰：“吴喜轻狡万端[253]，苟取物情[254]。昔大明中[255]，黟、歙[256]有亡命数千人，攻县邑[257]，杀官长，刘子尚[258]遣三千精甲讨之，再往[259]失利。孝武以喜将数十人至县，说诱群贼，贼即归降。诡数幻

祖父，在新皇帝祭天时还会有享受配祭的地位，如果让外姓人篡夺了你的皇位、住进了你的宫廷，那你们家的祖庙就会被夷为平地。残暴的君主根本不考虑这一点，而是心甘情愿地让自己的国家彻底灭亡。晋武帝司马炎违背自己母亲文明太后的临终嘱托，杀死了自己的弟弟司马攸，而导致中原地区大乱，最后西晋被少数民族灭亡的罪魁祸首就是晋惠帝司马衷的皇后贾南风；宋太祖刘义隆违背自己在宋高祖刘裕的初宁陵前对姐姐所发的绝对不会杀死弟弟刘义康的誓言，然而进入合殿杀死宋太祖刘义隆的却是他立的皇太子元凶刘劭。祸福来去没有定数，谁也没有办法事先选择！如果能够加强兄弟之间的友好感情，那不就平安无事了吗?!"

七月初十日丙寅，魏国献文帝抵达阴山。

当初，吴喜率领建康的朝廷军讨伐担任会稽郡太守的寻阳王刘子房时，曾经对宋明帝说："等俘虏了寻阳王刘子房以及那些拥戴刘子勋、反对建康朝廷的各军事头领之后，都在东方把他们就地处死。"后来吴喜抓到刘子房，却没有在寻阳就地将刘子房处死，而是将刘子房活着押送到了京师建康，还饶恕了刘子房的部下顾琛等人，心存观望。宋明帝因为吴喜刚刚立了大功，所以当时没有深入追究，然而在宋明帝的心中却一直记恨着吴喜。等到吴喜率军攻克荆州之后，放纵士兵杀戮与抢劫百姓，贪污受贿的数量数以万计。太子屯骑校尉寿寂之被宋明帝诛杀的时候，吴喜正在担任淮陵太守、都督豫州诸军事，他听到寿寂之被诛杀的消息后，内心十分恐惧，就向宋明帝奏请改任自己为中散大夫，宋明帝对吴喜的请求感到非常疑虑和惊骇。这时有人在明帝面前进谗言，说萧道成在淮阴私通魏国，宋明帝于是就用银质酒壶装满毒酒，上加封条，派吴喜亲自拿着到淮阴赏赐给萧道成。萧道成怀疑酒内有毒而深感恐惧，准备逃跑，吴喜就把自己已经将酒换过的实情告诉萧道成，并且自己先端起酒来喝了一口，萧道成这才把吴喜递上的酒喝了下去。吴喜完成使命回到朝中，向宋明帝担保萧道成是忠于刘宋王室的。有人将吴喜把皇帝御赐的酒换掉以试萧道成的情况报告给宋明帝，宋明帝认为吴喜心眼多、有办法，一向受人拥护，所以担心吴喜不能够侍奉未来的小皇帝，于是就召吴喜进入内殿，与吴喜说说笑笑，很是推心置腹，吴喜出宫后，宋明帝又把名贵的饭食赏赐给他。但时隔不久，宋明帝就赐吴喜自杀，却又下诏书赏赐给吴喜家中许多钱物。

宋明帝又向刘劻等下诏说："吴喜轻狂、狡猾到了极点，变着法地收买人心。当初孝武帝大明年间，黟县、歙县有几千名亡命之徒进攻县城和县里的大乡镇，杀死官长，西阳王刘子尚派遣三千精兵去讨伐这些亡命之徒，先后两次派兵前往都被打败了。孝武帝派遣吴喜率领数十人到黟县、歙县去劝说、诱导那些贼人向官府投降，那些贼人立即就投降了官府。吴喜诡计多端，善于煽动、蛊惑人心，竟达到如此地步。

惑[260]，乃能如此。及泰始初东讨[261]，止有三百人，直造三吴[262]，凡再经薄战[263]，而自破冈[264]以东，至海十郡[265]，无不清荡[266]。百姓闻吴河东[267]来，便望风自退。若非积取三吴人情[268]，何以得弭伏如此[269]！寻喜心迹[270]，岂可奉守文之主[271]，遭国家可乘之会[272]邪！譬如饵药[273]，当人羸冷[274]，资散石以全身[275]。及热势发动[276]，去坚积[277]以止患，非忘其功[278]，势不获已[279]耳。"

戊寅[280]，以淮阴为北兖州[281]，征萧道成入朝。道成所亲[282]以朝廷方诛大臣，劝勿就征[283]，道成曰："诸卿殊不见事[284]！主上自以太子稚弱，翦除诸弟，何预他人[285]？今唯应速发[286]，淹留顾望[287]，必将见疑。且骨肉相残，自非灵长之祚[288]，祸难将兴[289]，方与卿等戮力耳[290]。"既至，拜散骑常侍、太子左卫率[291]。

八月丁亥[292]，魏主还平城[293]。

戊子[294]，以皇子跻[295]继江夏文献王义恭[296]。

庚寅[297]，上疾有间[298]，大赦。

戊戌[299]，立皇子凖[300]为安成王[301]，实桂阳王休范之子[302]也。

魏显祖[303]聪睿夙成[304]，刚毅有断，而好黄老、浮屠之学[305]，每引朝士及沙门[306]共谈玄理[307]，雅薄富贵[308]，常有遗世之心[309]。以叔父中都大官京兆王子推[310]沈雅[311]仁厚，素有时誉[312]，欲禅以帝位[313]。时太尉源贺[314]督诸军屯漠南[315]，驰传召之[316]。既至，会[317]公卿大议，皆莫敢先言。任城王云[318]，子推之弟也，对曰："陛下方隆太平[319]，临覆四海[320]，岂得上违宗庙[321]，下弃兆民[322]。且父子相传，其来久矣。陛下必欲委弃尘务[323]，则皇太子宜承正统。夫天下者，祖宗之天下，陛下若更授旁支[324]，

到了泰始初年，吴喜率领朝廷军到东部去讨伐会稽郡一带起兵反抗朝廷的叛军，手下也只有三百人，但他勇往直前，直捣东方的吴兴、吴郡、义兴三郡，经过几次激烈的短兵相接，从破冈渎以东，一直到海边的晋陵、义兴、吴郡、吴兴、南东海、会稽、东阳、临海、永嘉、新安十个郡，全部被吴喜扫平。那里的百姓听说吴喜到来，便望风而退，一点都不敢抵抗。如果不是他长期收买三吴的人心，三吴的百姓怎么能够如此地顺服他呢！细想吴喜的心思，怎么能够让他侍奉一个墨守成法的皇帝，再遇上国家让他有可乘之机呢！譬如有病吃药，当人体瘦弱、浑身发冷的时候，就要靠服用五石散来暖和身子、保住性命，等到浑身感到发热的时候，就应当去掉丹石一类坚硬而容易积于体内的药物，以防止这类药物对身体的危害，这并不是说这类药物没有功效，而是形势所迫，不得不这么做罢了。”

七月二十二日戊寅，宋国朝廷将淮阴作为北兖州州治所在地，同时征调南兖州刺史萧道成入朝。萧道成身边的亲信因为朝廷刚刚诛杀刘休祐、刘休若等大臣，所以都劝说萧道成不要接受皇帝的诏命返回朝廷，萧道成说：“你们这些人实在是看不清朝廷的形势！皇上正是因为皇太子幼小体弱，为了给太子扫除障碍，所以才除掉了自己的各位兄弟，这与外姓人有什么关系？现在唯一要做的是迅速出发，如果稍微有一点怠慢、观望，必然会遭到皇上的猜疑。况且皇室之间骨肉互相残杀，必然不是国家昌盛久安的好兆头，看来大乱、灾祸就要开始了，这可正是与你们大家共同奋斗、建功立业的好机会。”萧道成到达京城后，被任命为散骑常侍、太子左卫率。

八月初一日丁亥，魏国献文帝从阴山回到平城。

八月初二日戊子，宋明帝把皇子刘跻过继给江夏文献王刘义恭为后嗣。

初四日庚寅，宋明帝的病情有所好转，大赦天下。

十二日戊戌，宋明帝封皇子刘凖为安成王，刘凖实际上是桂阳王刘休范的儿子。

魏显祖拓跋弘的聪明睿智与生俱来，他为人刚毅而且有决断，却喜好黄帝、老子和佛教的学说，经常召朝中的官员和一些和尚一同讨论有关老庄、佛学等方面深微玄妙的道理，他一向鄙弃功名富贵，经常有抛弃尘世、出家当和尚或是寻仙访道的念头。拓跋弘因为自己的叔父担任中都大官的京兆王拓跋子推沉稳而有雅量，为人仁爱厚道，很受当时舆论的称赞，所以就想把皇帝之位让给他。当时担任太尉的陇西王源贺正率领各军驻守在大沙漠的南侧，拓跋弘派人通过驿站飞速地召源贺进京。源贺进京后，拓跋弘马上召集公卿大臣，把自己准备将皇位让给京兆王拓跋子推之事令诸大臣发表看法，大臣们都不敢首先发言。任城王拓跋云是京兆王拓跋子推的弟弟，他回答说：“陛下正在创建兴旺的太平盛世，统治天下，怎么能够辜负祖先传皇帝位给您的意愿，抛弃天下黎民百姓对您的一片拥戴之心呢。况且皇位父子相传，由来已久。陛下如果非要放弃管理国家的繁杂事务，那么就应该由皇太子来继承正统。天下，是祖宗打下来的天下，陛下如果把皇位传给嫡长子以外的其他支属，

恐非先圣之意。启㉕奸乱之心㉖，斯乃祸福之原，不可不慎也。”源贺曰：“陛下今欲禅位皇叔，臣恐紊乱昭穆㉗，后世必有逆祀㉘之讥。愿㉙深思任城之言。”东阳公丕㉚等曰：“皇太子虽圣德早彰㉛，然实冲幼㉜。陛下富于春秋㉝，始览万机㉞，奈何欲隆独善㉟，不以天下为心，其若宗庙何㊱？其若亿兆㊲何？”尚书陆馛㊳曰：“陛下若舍皇[5]太子，更议㊴诸王，臣请刎颈殿庭，不敢奉诏！”帝怒，变色，以问宦者选部尚书㊵酒泉赵黑㊶，黑曰：“臣以死奉戴皇太子，不知其他！”帝默然。时太子宏㊷生五年矣，帝以其幼，故欲传位子推。中书令高允㊸曰：“臣不敢多言，愿陛下上思宗庙托付之重，追念周公抱成王㊹之事。”帝乃曰：“然则㊺立太子，群公辅之，有何不可？”又曰：“陆馛，直臣也，必能保吾子。”乃以馛为太保㊻，与源贺持节奉皇帝玺绂㊼传位于太子。丙午㊽，高祖㊾即皇帝位，大赦，改元延兴㊿。

高祖幼有至性(351)，前年，显祖病痈(352)，高祖亲吮(353)。及受禅，悲泣不自胜。显祖问其故，对曰：“代亲之感(354)，内切于心(355)。”

丁未(356)，显祖下诏曰：“朕希心玄古(357)，志存澹泊(358)，爰命储宫(359)践升大位(360)。朕得优游恭己(361)，栖心浩然(362)。”

群臣奏曰：“昔汉高祖称皇帝，尊其父为太上皇，明不统天下(363)也。今皇帝幼冲，万机大政，犹宜陛下总之(364)。谨上尊号曰太上皇帝。”显祖从之。

己酉(365)，上皇徙居崇光宫，采椽不斫(366)，土阶而已(367)，国之大事咸以闻(368)。崇光宫在北苑(369)中，又建鹿野浮图(370)于苑中之西山，与禅僧(371)居之。

恐怕不符合先王圣君的意愿。这么做容易诱发奸诈叛逆之臣图谋篡位的野心，这是导致灾祸的根源，不能不慎重对待。”陇西王源贺接着说：“陛下现在想把皇位让给皇叔，我担心会因此而扰乱了宗庙中灵牌的昭穆次序，使太庙中灵牌的辈分次序颠倒，祭祀关系不顺，而遭到后世的讥讽。希望陛下认真地考虑任城王的意见。”东阳公拓跋丕等人都说：“皇太子拓跋宏的聪明才干和美好品德虽然早已显示出来，然而现在的年龄确实还太幼小。陛下正是年富力强的时候，而且刚从冯太后手中接过政权不久，为什么就想放弃政权，寻求独善其身，而不把天下放在心上，您将如何向祖宗交代？如何向亿兆百姓交代呢？”担任尚书的陆馛说：“陛下如果想要舍弃皇太子，另行考虑由其他的亲王来继承皇位，即使让我在殿庭之上刎颈而死，我也不敢接受皇帝的诏命！”魏献文帝不禁大怒，气得脸色都改变了，他又去询问担任选部尚书的宦官酒泉人赵黑，赵黑回答说：“我会拼死拥戴皇太子，而不知道其他！”魏献文帝听后默然无语。当时皇太子拓跋宏刚五岁，献文帝因为太子年幼，所以才想把皇位让给京兆王拓跋子推。担任中书令的高允说：“我不敢多说什么，只是希望陛下能够考虑祖宗托付给您的重任，追忆一下西周时期周公辅佐周成王治理国家的故事。”献文帝于是说：“既然如此，我就传位给皇太子，由你们这些大臣共同辅佐他，有什么不可以呢？”又说：“陆馛是一个忠诚正直的大臣，一定能够保护好我的儿子。”于是任命陆馛为太保，命他与源贺一起带着皇帝赐予的符节，捧着皇帝的印玺，把皇位传给了皇太子拓跋宏。八月二十日丙午，魏高祖拓跋宏即皇帝位，大赦天下，改年号为延兴。

魏高祖虽然年幼，却有着善良、孝顺、友爱的天性。前年，显祖拓跋弘身上长了毒疮，高祖亲自用嘴为父亲吸脓液。等到接受禅让当上魏国的皇帝，因为无法控制自己悲痛的心情而哭泣不已。显祖拓跋弘问他为什么如此悲伤，他回答说：“取代父亲职位的那种感受，使我心里悲痛极了。”

八月二十一日丁未，魏显祖下诏说：“我内心仰慕淳朴远古的道德与生活，一心想要过平平淡淡、与世无争的生活，所以让皇太子登上皇帝的宝座，我得以悠闲自得、无事一身轻地拱手而坐，神游于浩渺无垠的大自然之中。”

魏国的群臣向献文帝上奏说：“过去汉高祖刘邦称帝的时候，尊称他的父亲为太上皇，以此表明这个天下还不是他一个人说了算，在他的身后还有更高的权威在。如今皇帝年幼，朝廷的各种大政方针，陛下还应该大体上管着点。谨尊称陛下为太上皇帝。”显祖拓跋弘听从了群臣的这个建议。

八月二十三日己酉，魏国的太上皇帝拓跋弘移居到崇光宫，崇光宫是采用山木做椽子，而且不加任何的雕琢与修饰，门前的台阶也是用土夯成的，凡是有关国家的军政大事全都会报告给他知道。崇光宫建在平城城北的皇家苑囿之内，又在苑囿中的西山上建造了一座名叫鹿野浮图的佛塔，太上皇与和尚一起住在里面。

冬，十月，魏沃野、统万[372]二镇敕勒叛，遣太尉源贺帅众讨之，降二千余落，追击余党至枹罕、金城[373]，大破之，斩首八千余级，虏男女万余口，杂畜三万余头。诏贺都督三道诸军[374]，屯于漠南。

先是，魏每岁秋、冬发军，三道并出以备柔然，春中乃还。贺以为“往来疲劳，不可支久。请募诸州镇武健者三万余人，筑三城以处[375]之，使冬则讲武，春则耕种”。不从[376]。

庚寅[377]，魏以南安王桢[378]为都督凉州及西戎诸军事，领护西域校尉[379]，镇凉州[380]。

上命北琅邪、兰陵二郡太守垣崇祖[381]经略淮北[382]，崇祖自郁洲[383]将数百人入魏境七百里，据蒙山[384]。十一月，魏东兖州刺史于洛侯[385]击之，崇祖引还。

上以故第为湘宫寺[386]，备极壮丽，欲造十级浮图[387]而不能，乃分为二[388]。新安[389]太守巢尚之罢郡入见[390]，上谓曰：“卿至湘宫寺未？此是我大功德，用钱不少。”通直散骑侍郎[391]会稽虞愿[392]侍侧，曰：“此皆百姓卖儿贴妇钱[393]所为，佛若有知，当慈悲嗟愍[394]，罪高浮图[395]，何功德之有！”侍坐者失色。上怒，使人驱下殿。愿徐去[396]，无异容[397]。

上好围棋，棋甚拙，与第一品[398]彭城丞王抗围棋，抗每假借之[399]，曰：“皇帝飞棋[400]，臣抗不能断[401]。”上终不悟，好之愈笃[402]。愿又曰：“尧以此教丹朱[403]，非人主所宜好也。”上虽怒甚，以愿王国旧臣[404]，每优容[405]之。

王景文[406]常以盛满为忧[407]，屡辞位任，上不许。然中心[408]以景文外戚贵盛[409]，张永[410]累经军旅，疑其将来难信，乃自为谣言曰：“一士不可亲[411]，弓长射杀人[412]。”景文弥惧[413]，自表解扬州[414]，情甚切至[415]。

冬季，十月，魏国的沃野、统万两个军镇的敕勒人发动叛乱，朝廷派遣担任太尉的陇西王源贺率领军队去讨伐敕勒人的叛乱，降伏了两千多个部落，追击其他不肯归降的叛军余党到枹罕、金城一带，把敕勒叛军余党打得大败，斩杀八千多名敕勒人，俘虏一万多名敕勒族男女，还缴获了三万多头各种牲畜。朝廷下诏命令源贺都督三道诸军，驻扎在大沙漠以南。

先前，魏国在每年的秋、冬季节都要发动军队，从东、西、中三路出兵去防备北方柔然的侵扰，一直到仲春才撤回。源贺认为"军队每年这样长途跋涉，十分疲惫，不可能支持很久。因此请求朝廷从各州、各军镇招募三万多勇猛、强健的人，沿着边境修筑起三座城垒，令他们在那里驻兵防守，冬天就让他们演习武功、抵御敌人的入侵，春天则在那里耕田种地"。魏高祖拓跋宏没有采纳源贺的建议。

十月初五日庚寅，魏国朝廷任命南安王拓跋桢为都督凉州及西戎诸军事，兼任护西域校尉，镇守凉州。

宋明帝命令担任北琅邪、兰陵二郡太守的垣崇祖经营收复淮河以北地区，垣崇祖从郁洲率领数百人深入魏国境内七百多里，占据了蒙山。十一月，魏国担任东兖州刺史的于洛侯率领魏军进攻垣崇祖，垣崇祖率领军队退回到宋国境内。

宋明帝把自己为湘东王时所住的宅第改建为湘宫寺，建造得极其壮观华丽，还想建造一个十层的佛塔，因为无法实现，于是就建造了两座小一些的佛塔。担任新安太守的巢尚之在新安郡任满入京朝见宋明帝，宋明帝对巢尚之说："你去过湘宫寺了没有？这可是我很大的功德，花费了不少钱财。"当时担任通直散骑侍郎的会稽郡人虞愿正在宋明帝身边侍奉，他趁机劝谏说："这都是用百姓卖儿鬻女、典卖妇女所得的钱财建造起来的，如果佛祖有知的话，一定会以慈悲为怀，哀怜百姓，您的罪孽之大，比所修建的塔寺还要高，有什么功德可以夸耀呢！"在旁边侍奉的人听了虞愿的这番话都不禁大惊失色。宋明帝大怒，立即叫人把虞愿赶下宫殿。虞愿慢慢地离去，没有一点惶恐畏惧的样子。

宋明帝喜好下围棋，但是他的棋技非常低下，与第一等下棋高手担任彭城丞的王抗一起下围棋，王抗往往故意让着他，王抗说："陛下的下棋布子不拘常势，我无法切断陛下的棋势。"而宋明帝却始终听不出对方的话外之音，瘾头反而越来越大。通直散骑侍郎虞愿又来劝谏刘彧说："尧的儿子丹朱迷恋于下棋，尧警告他这是玩物丧志，所以这不是皇帝所应该喜好的。"宋明帝虽然非常恼怒，但因为虞愿是自己为湘东王时的旧臣，所以往往能够宽容、包涵他。

王景文经常因为自己的职位太高、权力太大而感到担忧，所以他多次要求辞去职位，宋明帝都没有批准。然而宋明帝的内心却认为王景文身为外戚，官高位显，左将军张永又屡次率军出征作战，便怀疑他们将来会对刘宋朝廷不忠诚，于是就自己编造谣言说："一士不可亲，弓长射杀人。"王景文更加恐惧，于是自己主动上书

诏报[416]曰："人居贵要，但问心若为耳[417]。大明之世[418]，巢、徐、二戴[419]，位不过执戟[420]，权亢人主[421]。今袁粲作仆射领选[422]，而人往往不知有粲[423]，粲迁为令[424]，居之不疑[425]。人情向粲[426]，淡然[427]亦复不改常日[428]。以此居贵位要任，当有致忧竞不[429]？夫贵高有危殆之惧[430]，卑贱有沟壑[6]之忧[431]，有心于避祸[432]，不如无心于任运[433]。存亡之要[434]，巨细一揆[435]耳。"

【段旨】

以上为第一段，写宋明帝刘彧泰始七年（公元四七一年）一年间的大事。主要写了宋明帝刘彧初即位时颇有一些善政，但后来则日益猜忌残暴，先杀了其叔晋平王刘休祐，又杀了对其夺得帝位有大功的建安王刘休仁，又杀了巴陵王刘休若。沈约《宋书》与裴子野《宋略》都对刘彧这种残酷剪除兄弟的行为做了批判。写了刘彧杀当年发动政变亲手杀死废帝刘子业，并立即拥立刘彧为帝的寿寂之，又杀了在天下各州郡纷纷起兵拥戴刘子勋、刘彧政权处于危殆，而独挺身而出，率军平定东方诸郡的大功臣吴喜，且假惺惺地下诏与诸将申说其杀掉吴喜的理由。历史家通过这些倒行逆施，揭示了刘彧政权所埋伏的种种矛盾的尖锐与激烈。刘彧还不顾疆域日小、民生交困，而点缀佛寺、大兴土木以自求多福，结果被虞愿痛斥。此外还写了魏主拓跋弘厌弃尘事，禅其帝位于其子拓跋宏，魏将源贺为其主平定了敕勒的叛乱，以及宋将萧道成机智巧妙地伪装自己，骗得宋明帝刘彧之信任，为其篡取宋氏政权埋下伏笔等。

【注释】

①二月戊戌：二月初十。②分交、广置越州：从交、广二州中各分出一块地盘合起来称作越州。交州的州治龙编，在今越南河内东北的天德江北岸，广州的州治即今广东广州。③治临漳：以临漳县为越州的州治所在地。临漳，亦作"临障"，即今广西合浦。④为诸王：还是一个诸侯王的时候。诸王，许多王中的一个。〖按〗刘彧在元嘉二十五年被封为淮阳王，元嘉二十九年又被改封为湘东王。⑤令誉：美好的声誉。令，美好。⑥世祖：宋孝武帝刘骏，庙号世祖，是刘彧之兄。刘骏行三，刘彧行十一。⑦即位之初：刘彧泰始元年，为公元四六五年。⑧义嘉之党：指泰始二年（公元四六六年）天下各州郡起兵拥护刘子勋为皇帝的人们。公元四六五年晋安王刘子勋起兵讨伐前废帝刘子业，第二年在长史邓琬等拥戴下即皇帝位于寻阳（今江西九江），年号义嘉。刘子勋在当

请求辞去扬州刺史的职务，言辞非常恳切。宋明帝下诏答复说："一个人居于尊贵显要的地位，只问他自己心里怎么想就可以了。孝武帝刘骏在位的大明年间，巢尚之、徐爰、戴法兴和戴明宝，官位只不过是个执戟郎，后来他们的权力却发展到比皇帝的权力还要大。如今袁粲担任尚书仆射，兼任选拔任用官员的吏部尚书，然而人们往往不知道有袁粲这么个人，袁粲被擢升为尚书令，让他干他就干，没有任何故作谦退、推辞不干的表示。当文武百官都拥护袁粲时，袁粲依然是一副淡泊平和的样子，表现得和过去没有什么两样。以这样的心态占据高位、掌握大权，还会产生像你这种忧心忡忡、战战兢兢的心理吗？官做大了之后心里就产生恐惧，担心自己遭祸，处在太卑贱的地位又担心自己死后没有人埋，与其每天总是担心害怕祸事临头，还不如抛开一切胡思乱想，来一个听天由命。人生在世的处事要诀，大事小事的道理都是一样的。"

时获得全国绝大多数州郡的响应，但时间不长就都被刘彧政权打败了。事见本书前文卷一百三十一。⑨ 多蒙全宥：很多人都得到刘彧政权的宽赦而获得安全。宥，宽饶。⑩ 更猜忌忍虐：遂变得好猜疑、好嫉妒，残忍暴虐。忍，心狠。⑪ 多忌讳：有很多不愿听到的言语或不愿看到的行为表现。⑫ 疑似之言：与"祸败""凶丧"意思差不多的词语。⑬ 数百千品：几百种乃至上千种。品，种、类。⑭ 改"騧"字为"驺"：把"騧"字改为"驺"字。騧，黑嘴的黄马。⑮ 忤意：不合他的心思，冒犯了他。忤，抵触、冒犯。⑯ 刳斫：刳指开膛、破腹。斫指剁成碎块。⑰ 淮、泗用兵：指刘彧政权在淮河与泗水流域与魏国和投降魏国的州郡作战，即本书前卷与上卷之所写。当时的徐州、兖州以及汝南、新蔡、义阳诸郡都在泗水与淮河流域。⑱ 奢费过度：指刘彧的宫廷生活仍毫无节制。⑲ 器用：指刘彧宫廷中所使用的东西。⑳ 正御、副御、次副：皇帝用的、准备给皇帝用的、更多一种准备给皇帝用的。㉑ 各三十枚：每种都做三十件。枚，一只、一件。㉒ 嬖幸：不正道的亲爱、宠幸。这里指被帝王极度宠爱的小人。㉓ 用事：掌权。㉔ 素无子：本来没有儿子。素，向来、本来。㉕ 诸王姬：诸兄弟家的姬妾。㉖ 内宫中：收纳在自己的宫廷里。㉗ 使宠姬子之：让受宠的妃嫔当作自己的孩子抚养起来。㉘ 寝疾：卧病。㉙ 南徐州刺史晋平剌王休祐：南徐州是刘宋境内的侨置州名，州治即今江苏镇江。晋平剌王，晋平王是刘休祐的封号，剌是刘休祐死后的谥。"剌"的意思是行为荒唐悖谬。㉚ 前镇江陵：刘休祐从宋明帝泰始二年（公元四六六年）九月到泰始五年闰十一月为荆州刺史，荆州的州治在今湖北江陵。㉛ 不使之镇：不让他到南徐州的州治去上任。㉜ 上佐：刘休祐的高级僚属，如别驾、司马、长史等。㉝ 行府州事：代理都督府、刺史府的一应大权。行，代理。㉞ 刚狠：刚烈、凶狠。㉟ 前后忤上非一：前后冒犯刘彧不止一回。㊱ 积不能平：越

来越不能容忍。平，克制、容忍。㊲欲方便除之：想找合适的机会杀掉他。㊳甲寅：二月二十六。㊴从上：陪着刘彧。㊵于岩山射雉：在岩山射野鸡。岩山，也叫龙山，在当时的建康（今江苏南京）城南，江宁城北。㊶并在仗后：都在皇帝仪仗队的后头。㊷日欲暗：天渐渐地黑下来。㊸寿寂之：宋明帝的心腹之臣，当年杀死废帝刘子业的政变即寿寂之等所为，刘彧为帝后，寿寂之官为屯骑校尉、南泰山太守。传见《宋书》卷九十四。㊹拉杀：拉扯其肢体使之毙命。㊺骠骑：指刘休祐。此时刘休祐为骠骑大将军。㊻阳惊：假装吃惊。阳，通"佯"。假装。㊼络驿就视：一波接一波地前来诊治。络驿，通"络绎"。接连不断的样子。㊽比其左右至：等刘休祐的部属来到跟前。㊾已绝：已经断气。㊿去车轮二句：用一辆摘去车轮的车厢把刘休祐抬回了家。51葬之如礼：按照应有的规格埋葬了刘休祐。52讹言：谣言；谣传。53休若：刘休若，刘义隆的第十九子，刘彧的小弟。传见《宋书》卷七十二。54至贵之相：有真龙天子的长相。至贵，富贵到极点。55上以此言报之：刘彧把这话转告给了刘休若。56戊午：二月三十。57王敬先：刘休若的僚属，时为中兵参军。58弥留：很快就要死亡之际。59政成省阁：未来的国家大事都决定于身处高位的几个人。省阁，指中书省、尚书省等中央办事机关，这里指皇帝的左右亲近之臣。60群竖恟恟：一群皇帝身边的近习小人都气势汹汹，张牙舞爪。恟恟，气焰凶盛的样子。61悉去宗支：全部赶走皇室的一切亲属，这里主要指宋明帝刘彧的弟兄。62带甲：披甲的将士，这里指军队。63匡天子：护卫、辅佐中央皇帝。匡，正、扶持、护卫。64孰与：看看哪个更好，意思是比较上文所说与下文之二事。上文指守好荆州，不去朝廷；下文指进朝后被人杀死。65赐剑邸第：赐以尚方宝剑，逼令在家自杀。邸第，王侯在京的府第。66臣妾饮泣：手下的男男女女，只能暗暗哭泣。67不敢葬：连丧事都不能正大光明地办。68素谨畏：一向胆小怕事。69伪许之：假装同意他的话。70使人执之：派人把王敬先拘捕起来。71白于上而诛之：将王敬先劝他不要受诏入朝的事报告了皇帝，而后将王敬先杀掉了。72三月辛酉：三月初三。73假员外散骑常侍：临时代理的员外散骑常侍。员外散骑常侍是皇帝身边的侍从官员。74邢祐：原任著作郎，因其出使临时授以员外散骑常侍之职。传见《魏书》卷六十五。75来聘：来刘宋友好访问。聘，国家之间的友好往来。76胡莫寒：拓跋莫寒，后来拓跋氏改用汉姓，拓跋莫寒一支改姓为胡。77简西部敕勒：从西部地区的敕勒民族中选拔一批勇士。简，挑选。敕勒，也称高车，魏国境内的少数民族名，自魏太武帝拓拔焘时代，归降于魏，附塞下而居。所谓"西部"，是指武周县（今山西左云）以西的长城以外地区。78高平假镇将奚陵：高平军镇的临时军事统领姓奚名陵。高平，军镇名，即今宁夏固原。假，代理。79诸部敕勒皆叛：不仅西部敕勒，其他地区的敕勒也一同发生叛变。80汝阴王天赐：拓跋天赐，北魏恭宗拓跋晃之子。传见《魏书》卷十九上。81给事中：皇帝的侍从官员，主管为皇帝出纳诏命等事务。82仅以身免：言其全军覆没，只有他一个人逃了回来。83杨运长：宋明帝刘彧的宠幸。传见《宋书》卷九十四。84晏驾：宫车没按时出来，婉称帝王之死。㉟弥赞成之：越发怂恿刘彧及早除掉刘休仁。弥，越发、更加。㊱尝暴甚：曾有一次病情突然变重。㊲莫不属意于休仁：没有一个不是希望让刘休仁主管朝廷大政。属意，归心、一致同意。㊳主书：官名，中书省的属官，掌管文书档案。㊴东府：丞相府，这里指刘休仁的办公机关之所在。㊵豫自结纳：提前与刘休仁的部属们搞好关系。结纳，结交、拉关系。㊶其或在直不得出者：有一些因在朝廷值班，没有工夫去拉关系的人。在直，值班、值勤。㊷戊午：五月初一。㊸既而：过了一会儿。㊹停尚书下省宿：你就住宿在尚书省里。㊺赍药：拿着毒药。赍，持、拿着。㊻诛锄兄弟：诛戮亲生兄弟。被孝武帝杀死的兄弟有南平王刘铄、竟陵王刘诞、海陵王刘休茂。㊼子孙灭绝：刘骏的所有儿子都在泰始的几年之间被刘彧杀光。㊽今复为尔：今天你又做这样的事情。尔，如此。㊾宋祚其得久乎：刘氏王朝的统治还能长久吗？祚，福，这里指皇位、统治权。⑩虑：担心。⑩力疾：勉强支撑着病体。⑩乘舆出端门：坐着车子到宫门外转了一圈，以显示他的身体还不错。端门，皇宫的最前门。⑩规结禁兵：谋划勾结禁卫部队。规，图谋。⑩未忍明法：不忍心公开地绳之以法。⑩申诏诘厉：下诏书严厉地训斥了他。诘厉，严厉地训斥、质问。⑩惭恩惧罪：惭愧辜负厚恩，害怕罪孽深重。⑩遽自引决：于是就突然自杀了。⑩宥其二子：饶恕他的两个儿子。⑩降为始安县王：将刘休仁的封爵由建安郡王降为始安县王。⑩听其子伯融袭封：让他的儿子刘伯融继承他的爵位为始安县王。听，许可、任凭。⑪与诸大臣及方镇诏：给朝廷百官和各地区的军政长官下诏书。方镇，掌握一方军政大权的长官，指各州的刺史与各镇的都督。⑫深相亲结：紧密勾结。⑬汝但作佞：你尽管向皇帝花言巧语地献媚讨好。佞，用好话取悦于人。⑭颇得此力：用此方法使自己获利不少。⑮陨：通“殒”，死。⑯日生娆惧：内心的恐惧不安越来越严重。娆，惊扰不安。⑰呼令入省：喊他到朝廷来。省，朝廷的主要部门名称，如中书省、尚书省等，这里指朝廷、宫廷。⑱便入辞杨太妃：就总是要去和他的生母告别一番，怀疑我要害死他。杨太妃，刘义隆的嫔妃，刘休仁的生母。⑲或：有时候。⑳我已复得今一日：我又多活了一天。㉑既经南讨：曾率军南讨刘子勋的叛军。指泰始二年刘休仁率兵十万，亲冒矢石，南拒寻阳之兵事。㉒宿卫将帅：守卫宫廷的禁兵将帅。㉓经习狎共事：曾经很亲密地一道共事。习狎，亲密得过度、不正常。㉔积日失适：长时间的身体欠安。㉕出入殿省：指有事进入宫廷。㉖无不和颜厚相抚劳：对我身边那些负责警卫的将帅都一一地深加慰问。㉗如其意趣二句：他究竟安的是什么心，让人无法理解。㉘事不获已：我实在是没有别的办法。㉙不得不有近日处分：不得不做出前几天那样的处置，指派人给他送毒药赐死。㉚恐当不必即解：我担心你们不一定立刻就能明白我为什么要这样做。㉛素厚：感情一直很好。㉜建安：指刘休仁。刘休仁生前被封为建安王。㉝年时相邻：年岁的大小相接近。〖按〗刘彧在兄弟中排行第十一，刘休仁排行第十二。㉞少便款狎：从小推心置腹，相互亲近。款，诚、以诚相待。狎，亲近。㉟景和、泰始之间：指从宋废帝向宋明帝过渡的这段时间里。景和，宋废帝刘子业的年号（公元四六五年七月到十一月)。宋废帝在公元四六五年正月称永光，七月改称景和，至十一月发生政变，刘子业被杀。⑬⑥勋诚实重：在帮助刘彧称帝上功劳确实很大。在当时一群小人政变杀了刘子业之后，是刘休仁挺身而出首先拥立刘彧为皇帝；接着在全国起兵拥戴刘子勋，反对刘彧的艰难时刻，刘休仁带兵出征，为刘彧扫平反对势力，又有很大功勋。⑬⑦事计交切：这次他的谋反实在是关系到国家命运。交切，太重要，涉及了根本问题。⑬⑧不能自已：无法克制自己内心的痛苦。⑬⑨上在藩：当刘彧还在为湘东王的时候。藩，以喻诸侯。⑭⓪褚渊：生于一个世代与刘氏皇室通婚的家庭，又较早地与刘彧搭上关系，后又很快地成了萧道成的部下。传见《齐书》卷二十三。⑭①以风素相善：因性情爱好相同而关系不错。风素，性情爱好。⑭②深相委仗：深深地依靠。委仗，委托、仰仗。⑭③吴郡：郡名，郡治即今江苏苏州。⑭④危笃：病情严重。⑭⑤欲使着黄㰑：想让你辅佐幼主。黄㰑，是乳母穿的衣服。想让你穿乳母的衣服，意即想托孤于你。⑭⑥卿痴人:你是个傻子。⑭⑦不足与计事：不值得与你商量大事。⑭⑧复以渊为吏部尚书：泰始初年褚渊曾任吏部尚书，后来出为吴郡太守，这次临终受命，又被任为吏部尚书。⑭⑨庚午：五月十三。⑮⓪左仆射：仆射是尚书令的副职，设左右二人，位同副丞相。⑮①勇健：勇猛敢为。当年就是寿寂之亲手杀了废帝刘子业。⑮②擅杀逻将：擅自做主地杀了负责巡逻的将官。⑮③徙越州：流放到越州。越州的州治合浦，在今广西合浦东北。⑮④丙戌：五月二十九。⑮⑤京口：古城名，即今江苏镇江，当时为南徐州的州治所在地，刘休若来此就南徐州刺史任。⑮⑥和厚：平和；宽厚。⑮⑦能谐缉物情：能协调各方面的关系，能统一社会舆论。谐缉，调和、统一。物情，人心。⑮⑧倾夺幼主：夺取小皇帝的权位。⑮⑨虑不奉诏：担心他不肯束手就擒，会举兵抵抗。⑯⓪猜骇：因猜疑而惊惧出逃。⑯①六月丁酉：六月初十。⑯②以江州刺史二句：把刘休范、刘休若的官职相互对调。⑯③手书殷勤：亲笔信写得诚实恳切。⑯④使赴七月七日宴：召刘休若进京参加七月初七的宫廷宴会。⑯⑤丁未：六月二十。⑯⑥巴陵哀王休若：刘休若的封号是巴陵王，哀字是谥。⑯⑦乙丑：七月初九。⑯⑧赐死于第：指刘休若在自己的宅邸中被赐死，当时二十四岁。⑯⑨凡劣：平庸；没出息。⑰⓪立法垂制：建立法度以流传后世。垂制，让制度为后世所沿用。⑰①所以必称先王：后代子孙之所以经常引用先王的范例，以证明自己所施为的合理。⑰②盖由：就是因为。⑰③遗训余风：先辈遗留的法则和他们办事的风度。⑰④足以贻之来世：有留给后代做参考的价值。贻，传给。⑰⑤太祖：指宋文帝刘义隆。⑰⑥经国之义虽弘：治理国家的办法虽然还算好。弘，宏大、有长处。⑰⑦隆家之道不足：管理家庭的能力较差。⑰⑧彭城王：指宋武帝刘裕的第四子刘义康，被封为彭城王。传见《宋书》卷六十八。⑰⑨照不窥古：有聪明才智而不知道吸取古训。照，光辉，以喻识见。窥，看、学习。⑱⓪徒见昆弟之义：只看到了兄弟之间的亲情关系。昆弟，兄弟。⑱①未识君臣之礼：没有注意君臣之间的等级差别。⑱②冀以家情行之国道：希望把家人之间的感情用到治理国事上。冀，希望。国道，治国之道。⑱③主猜而犹犯：做君主的已经对你产生了怀疑，你还要接着去冒犯他。猜，怀疑。⑱④恩薄而未悟：他对你已经没有好感而你还看不透。⑱⑤ 致以呵训之微行：致使只是一个应该加以训斥的小过失。⑱⑥ 遂成灭亲之大祸：竟然闹成了杀害同胞手足的大事件。胡三省曰："沈约言义康之罪，文帝当呵而训之，不当遂杀之也。"⑱⑦ 开端树隙二句：刘义隆这种在兄弟之间闹矛盾、找碴儿的做法，给他的后代子孙开了头。⑱⑧ 太宗：指宋明帝刘彧。⑱⑨ 因易隙之情：借着兄弟之间容易产生隔阂的这种思想基础。⑲⓪ 据已行之典：按照宋文帝已经采取的杀戮章程。⑲① 翦落洪枝：大肆砍伐树干上的枝枝杈杈。洪枝，大枝大杈。洪，大。古人常把太子比成树干，把其他兄弟比成树枝。如把树干上的枝杈都砍掉，这棵树也就不会有太多的活头了。⑲② 不待顾虑：不用任何考虑。极言其天良丧尽，铁石心肠。⑲③ 本根无庇：剩下做皇帝、做太子的一个人孤立无援。无庇，没有保护者、支持者。⑲④ 神器：这里指国家政权、皇位宝座。⑲⑤ 以势弱倾移：由于势力太弱而被篡夺、被消灭。⑲⑥ 灵命：天命，一个王朝的命运。⑲⑦ 随乐推回改：随着众人的拥戴而朝代改换。乐推，愉快地拥戴。⑲⑧ 履霜有渐二句：《周易·坤卦》有所谓"履霜坚冰至"，意思是说当踩到地上的霜，你就会知道冰天雪地的日子快要到来了。它要表达的道理是万事万物都有一个发展变化的过程，都是由小到大，越来越严重的。有渐，即逐渐发展。⑲⑨ 所由来远矣：是说刘宋王朝灭亡的苗头，是在很早以前就已出现了。〖按〗以上沈约所发的议论，见《宋书·明帝纪》的传论。⑳⓪ 噬虎之兽：能咬死老虎的猛兽。噬，咬。⑳① 搏狸之鸟：能与野猫搏斗的猛禽。狸，野猫。⑳② 非护异巢：也只是护住自己的巢。以上四句总言不管什么动物，对自己的后代都有一种关心爱护的本能。⑳③ 保字螟蛉：能抚育自己收养的孩子。保字，保护、养育。螟蛉，通常用以指收养的孩子。⑳④ 剿拉同气：杀戮自己的同胞兄弟。剿拉，剿灭、摧折。同气，同胞兄弟。⑳⑤ 迷：迷失；不懂。⑳⑥ 在原之天属：指亲兄弟之间的患难与共的固有天性。《诗经·常棣》有所谓"脊令在原，兄弟急难"。脊令是一种鸟，诗人用以起兴，以引出兄弟在同甘苦、共患难中誓死不分的天性。天属，天性如此。⑳⑦ 父子之自然：父子之间在遇到危难时自然而然地就有一种相互救援的本能。⑳⑧ 宋德告终：刘宋王朝的灭亡。宋德，犹言宋王朝的福禄。⑳⑨ 非天废也：不是老天爷让它灭亡，是他们自己把自己灭亡的。㉑⓪ 先弃本枝：先剪除自己的同胞兄弟，如曹丕、司马炎、刘骏、刘彧皆是也。㉑① 妪煦旁孽：抚养别人家的孩子。妪煦，慈心关爱。旁孽，姬妾生的孩子，这里指别人家的孩子。㉑② 推诚嬖狎：对身边的近习小人以诚相待。嬖狎，以不正当手段博得欢心重用的小人。㉑③ 疾恶父兄：对自己的父兄嫉恶如仇。㉑④ 前乘覆车：前面走的车子已经翻了。乘，一车四马，这里指车。㉑⑤ 后来并辔：后面的车子还在沿着旧路快马加鞭地向前赶。并辔，犹言齐驱，加足马力向前赶。以言其丝毫不接受前人的教训。㉑⑥ 借使叔仲有国：假如政权被自己兄弟篡去了。叔仲，老三、老二。有国，夺取了你的国家。㉑⑦ 不失配天：你们共同的父亲、祖父，在新皇帝祭天时还是会享受配祭的。㉑⑧ 他人入室：如果让外姓人篡取了你们的宫廷。㉑⑨ 将七庙绝祀：那你们家的祖庙就将被夷为平地了。七庙，七代祖先的灵牌。中间是开国的太祖，两边是六代的三昭三穆。㉒⓪ 曾是莫怀：残暴的昏君们根本不考虑这一点。曾，竟、根本。是，此、这一点。莫怀，不考虑、不顾及。㉑甘心揃落：心甘情愿地让自己国家彻底灭亡。揃落，陨落、灭亡。㉒晋武：晋武帝司马炎，司马懿之子，司马昭之孙。公元二六五至二九〇年在位。㉓背文明之托：违背其母文明太后的叮嘱。司马氏之所以能篡夺曹氏的政权，是司马懿、司马师、司马昭几代连续努力的结果。司马懿死后由其长子司马师掌权；司马师死后由其弟司马昭掌权。司马昭临死时有两个儿子，大儿子司马炎是他的接班人，二儿子司马攸过继在没有儿子的司马师门下。司马昭感到自己之所以能掌权都是接续了其兄司马师的基业，所以他曾想把过继给司马师的次子司马攸作为自己的接班人。由于其长子司马炎玩弄阴谋手段，最后还是从其父手中接取了权位。其母文明太后知道司马炎的狠毒，临死前请求司马炎好好对待他的弟弟，但司马炎最终还是将司马攸杀害了。事见《晋书》卷三十八。㉔覆中州者贾后：招致中原地区大乱，最后西晋被少数民族灭亡的罪魁是贾皇后。晋武帝的大儿子司马衷是个白痴，根本没有能力管理国事，但权臣贾充与其女硬是弄虚作假地欺骗司马炎，让司马炎把傻儿子立为接班人。司马炎一死，傻儿子上台，贾充之女做了皇后，操纵政权，先是引起“八王之乱”，紧接着少数民族入侵，西晋政权被灭，整个黄河流域落入少数民族之手。㉕太祖弃初宁之誓：指宋文帝刘义隆曾指着初宁陵对他的姐姐发誓，绝不会杀他的弟弟刘义康，但没过多久刘义隆还是把刘义康杀掉了。事见《宋书》卷六十八。弃，丢弃、抛开。初宁，刘义隆之父刘裕的陵墓。㉖登合殿者元凶：登上合殿杀死宋文帝刘义隆的是他的太子元凶刘劭。合殿，刘义隆被杀时所居住的殿名。元凶刘劭杀其父的过程详见《宋书》卷九十九与本书前文卷一百二十七。㉗祸福无门二句：祸福来去无定，谁也没法事先选择。㉘友于兄弟二句：如果能加强兄弟间的友好感情，那不就平安无事了吗？友于兄弟，加深兄弟之间的友爱之情。㉙丙寅：七月初十。㉚阴山：横亘在今内蒙古包头、呼和浩特以北的东西走向的大山，其地有魏国的行宫别馆，故魏主屡去其地。㉛吴喜之讨会稽：事在宋明帝泰始二年，见本书卷第一百三十一。吴喜是宋明帝在极其艰难情况下的忠实支持者与立有大功之名将。传见《宋书》卷八十三。会稽，郡名，郡治即今浙江绍兴。当时寻阳王刘子房为会稽太守，长史孔觊佐之拥戴刘子勋，起兵反对刘彧政权。㉜诸贼帅：指反对刘彧政权的各军事头领。㉝皆即于东戮之：都在东方把他们就地处死，不必押解到京城。东，这里指会稽郡，会稽郡的地理位置在建康的东南方。㉞生送子房：吴喜抓到刘子房并没有就地杀掉，而是将他活着送到京都建康。㉟释顾琛：宽恕了贼将顾琛。顾琛时为吴郡太守，是刘子房的部下。吴喜当时所以将刘子房押送建康，又宽释顾琛等，是出于观望形势，想为自己留条后路。㊱心衔之：心里记恨着他。衔，含，含恨在心。恨吴喜向反对派示意讨好。㊲剽掠：纵兵杀戮与抢夺百姓。㊳赃以万计：贪污受贿的数目很大，以万统计。㊴淮陵：郡名，郡治不详，当在今江苏境内。㊵启乞中散大夫：上书请求改任中散大夫。中散大夫是皇帝的侍从官员，属闲散官职。㊶或谮：有人在皇帝跟前说坏话。㊷有贰心于魏：私通魏国。贰，怀二心、脚踩两条船。㉔③封银壶酒：用银壶装满毒酒，上加封条。㉔④以情告道成：把实情告诉萧道成，说这壶酒已经换过了。㉔⑤保证道成：担保萧道成是忠于刘宋王朝的。保证，为之担保、为之证明。㉔⑥或密以启上：有人将吴喜换酒以试萧道成的情况报告刘彧。㉔⑦多计数：心眼多、有办法。㉔⑧素得人情：一向受人拥护。人情，人心。㉔⑨事幼主：侍候未来的小皇帝。事，为之做事。㉕⓪言谑甚款：说说笑笑，很是推心置腹。㉕①名馔：名贵的饭食。㉕②发诏赙赐：下诏书赏赐其家许多钱物。赙，向有丧事的人家赠送财物。㉕③轻狡万端：轻狂、狡猾到了极点。㉕④苟取物情：变着法地收买人心。㉕⑤昔大明中：当初孝武帝大明年间，即公元四五七至四六四年。㉕⑥黟、歙：二县名，都在今安徽南部新安江上游。㉕⑦县邑：县城和县里的大乡镇。㉕⑧刘子尚：孝武帝刘骏的第二子，当时被封为西阳王，后被刘彧杀死。传见《宋书》卷八十。西阳王的封地西阳郡离黟、歙二县不远，故派兵往讨之。㉕⑨再往：两次派兵前往。㉖⓪诡数幻惑：诡计多端，容易让人受骗上当。㉖①东讨：讨伐会稽一带的反刘彧政权之乱。㉖②直造三吴：直捣东方的吴兴、吴郡、义兴三郡。直造，直捣、直扫。极言进兵之勇决。三吴，统称吴兴、吴郡、义兴。三郡都在太湖周围。㉖③再经薄战：经过多次激烈冲杀。再，两次、多次。薄战，近战、激战。指短兵相接。㉖④破冈：破冈渎，秦淮河上游的运河名，旧址在今江苏句容东南。当时东方的反刘彧军已经打到这一带，离建康只有数百里之遥。㉖⑤至海十郡：从破冈渎向东直达海边的十个郡，指晋陵、义兴、吴郡、吴兴、南东海、会稽、东阳、临海、永嘉、新安。㉖⑥无不清荡：都被吴喜的军队扫平。㉖⑦吴河东：当时的百姓敬称吴喜。吴喜在孝武帝大明年间曾任河东太守。㉖⑧积取三吴人情：长期地收买三吴的人心。㉖⑨何以得弭伏如此：怎么能对他顺服到这种样子。弭伏，顺服、顺从。㉗⓪寻喜心迹：细想吴喜的心思。㉗①岂可奉守文之主：怎么能让他侍候一个不太英武的皇帝。守文之主，与英武的开国雄主相比而言，即遵守成法之君。言外之意是文弱、平和，手腕不够刚猛的意思。㉗②遭国家可乘之会：再遇上国家有让他可乘的机会。遭，遇、逢。㉗③饵药：有病吃药。㉗④羸冷：瘦弱怕冷。㉗⑤资散石以全身：就得靠吃五石散以暖和身子，维持生命。散石，即所谓五石散，当时贵族喜欢服用的一种养生药。㉗⑥热势发动：浑身发高烧，即所谓"散发"。㉗⑦去坚积：不能再用丹石一类坚硬易积于内的药物。例如五石散就是用石头、硫黄等研制而成。㉗⑧非忘其功：不是说它没有起过作用。既指五石散，也指吴喜。㉗⑨势不获已：形势所逼不得不这么干。〚按〛刘彧大段说吴喜之功，可谓句句是实，如果没有吴喜，不知当时的东方诸郡会产生什么结果。时至今日，这些反倒成了吴喜该死的罪名。《诗经·氓》曰："三岁为妇，靡室劳矣；夙兴夜寐，靡有朝矣；言既遂矣，至于暴矣！"欲加之罪，何患无辞？胡三省曰："用人如此，人不自保，其肯终为之用乎？"㉘⓪戊寅：七月二十二。㉘①以淮阴为北兖州：上一年任命萧道成为南兖州刺史，驻兵淮阴，今改淮阴为北兖州之州治，则萧道成无再留淮阴的理由，是为调萧道成进京所用的手段。㉘②道成所亲：萧道成身边的亲信。㉘③勿就征：不要听从刘彧的命令到朝廷去。㉘④殊不见事：实在是看不清朝廷的形势。殊，实在、特别。

不见事，看不清形势。㉟何预他人：与外姓人有何关涉。预，干涉、关系。㊱唯应速发：唯一要做的是迅速出发。㊲淹留顾望：稍微有点怠慢、观望。淹，逗留。㊳自非灵长之祚：当然不是国家昌盛长远的好兆头。祚，福。㊴祸难将兴：大事变就要临头了。㊵方与卿等勠力耳：这可正是与你们大家共同奋斗的好机会。胡三省曰："史言骨肉相残，则奸雄生心因之而起，为萧氏取宋张本。"㊶太子左卫率：太子警卫部队的长官。㊷八月丁亥：八月初一。㊸魏主还平城：由阴山还平城。㊹戊子：八月初二。㊺皇子跻：刘跻，刘彧的第八子。传见《宋书》卷九十。㊻继江夏文献王义恭：过继给江夏文献王义恭为后嗣。江夏王是文帝刘义隆之弟刘义恭的封号，文献是刘义恭的谥。刘义恭父子于永光元年（公元四六五年）被废帝刘子业杀死。㊼庚寅：八月初四。㊽上疾有间：刘彧的病情有所好转。㊾戊戌：八月十二。㊿皇子準：后来的宋顺帝，公元四七七至四七九年在位。传见《宋书》卷十。(301)安成王：封地安成郡，郡治即今江西安福。(302)桂阳王休范之子：刘彧将其叔刘休范的儿子弄进宫廷，假说是他的妃嫔所生。(303)魏显祖：魏献文帝拓跋弘，公元四六六至四七〇年在位。(304)聪睿夙成：聪明智慧与生俱来。(305)黄老、浮屠之学：道家和佛教的学问。黄老，道家学派的一个分支，以黄帝、老子相标榜，在战国与秦汉之际盛行一时。(306)沙门：和尚。(307)共谈玄理：共同讨论玄妙的道理，指佛学、老庄等形而上的微妙义理。(308)雅薄富贵：一向鄙弃功名富贵。雅，平素。薄，鄙视、看不起。(309)遗世之心：脱离尘世的想法，即想要出家当和尚或寻仙访道。(310)中都大官京兆王子推：拓跋子推，拓跋晃之子，拓跋濬之弟，被封为京兆王，当时任中都大官。传见《魏书》卷十九上。中都大官，掌管京城的纠察司法等事务。(311)沉雅：沉稳而有雅量。(312)素有时誉：很受当时舆论的称赞。(313)欲禅以帝位：想把皇帝之位让给他。禅，传，通常指将帝王之权位转让他人。(314)源贺：魏国的元勋老臣。传见《魏书》卷四十一。(315)漠南：蒙古大沙漠的南侧，在今内蒙古自治区境内。(316)驰传召之：通过驿站飞速地召他进京。传，驿车。(317)会：召集。(318)任城王云：拓跋云，拓跋晃之子，被封为任城王。传见《魏书》卷十九中。(319)方隆太平：正在创建兴旺太平盛世。隆，盛，这里用如动词。(320)临覆四海：统治天下。临，君临、居高临下。覆，覆盖、包有。二字都是"统治"的意思。(321)上违宗庙：辜负祖先传位于你为帝的意愿。(322)下弃兆民：抛弃了天下百姓对你的一片拥戴之心。(323)委弃尘务：想要放弃管理国家的繁杂事务。尘务，世俗的事务，指一切军政大权。(324)更授旁支：指传位于其叔。旁支，嫡长子以外的其他支属。(325)启：诱发。(326)奸乱之心：奸诈叛逆之臣图谋篡位的野心。(327)紊乱昭穆：搞乱了宗庙灵牌的昭穆次序。古代宗庙里供奉七代灵牌，开国始祖的灵牌居中，其他第二、四、六代的灵牌排列在左方，称作"昭"，第三、五、七代的灵牌排列在右方，称作"穆"，都是按照父子相承的顺序排下来的。如今拓跋弘想传位于其叔，故源贺说他"紊乱昭穆"。(328)逆祀：指太庙灵牌的辈分次序颠倒，祭祀关系不顺。胡三省曰："《春秋》：鲁庄公薨，子般弑，季友立闵公。闵公复弑，立僖公。闵公，弟也；僖公，兄也。及僖公薨，鲁人以先大后小为顺，遂跻僖公于闵公之上。仲尼以臧文仲不知者三，纵逆祀其一也。"(329)愿：

希望您。㉚东阳公丕：拓跋丕，魏烈帝拓跋翳槐之孙。以除掉乙浑之功，受到拓跋弘的信任。传见《魏书》卷十四。㉛早彰：早已显示出来。彰，显。㉜冲幼：年纪幼小。㉝富于春秋：年方鼎盛。春秋，这里指年龄。㉞始览万机：刚从冯太后手里接过政权不久。㉟欲隆独善：想放弃政权，寻求独善其身。㊱其若宗庙何：您怎么向祖宗交代呢。其若……何，如何对得起……，怎么向……交代。㊲亿兆：犹前所谓“兆民”。㊳陆馛：魏之元勋老臣陆俟之子，此时为魏之尚书令。传见《魏书》卷四十。㊴更议：另行考虑。更，改。㊵宦者选部尚书：太监身份的吏部尚书。选部，即后代的吏部，主管官员的选拔任命。㊶赵黑：魏国的宦官，累官至尚书左仆射。传见《魏书》卷九十四。㊷太子宏：后来汉化时改称元宏，即历史上的魏孝文帝，公元四七一至四九九年在位。传见《魏书》卷七上。㊸高允：拓跋焘以来的魏国名臣，汉族人。传见《魏书》卷四十八。㊹周公抱成王：周公是西周武王姬发之弟，武王死时，其子成王年幼，周公辅佐成王管理国家大事，平定管叔、蔡叔勾结殷纣王之子武庚禄父发动的叛乱，是古代辅佐幼主治理天下的名臣。事见《史记·周本纪》与《鲁周公世家》。㊺然则：既然如此，那么就……。胡三省曰：“高允之言婉而当，且发于众言交进之后，故转移上意为力差易。”㊻太保：官名，三公之一，负责辅导太子。㊼皇帝玺绂：皇帝的印玺。绂是系印的丝绦，通常与“印”字、“玺”字连用，指印玺。㊽丙午：八月二十。㊾高祖：拓跋宏，献文帝拓跋弘的长子。㊿延兴：北魏孝文帝元宏年号（公元四七一至四七六年），共六年。351至性：纯真的天性。通常指善良、孝顺、友爱、慈悲等。352病痈：长了毒疮。病，这里用作动词，相当于“患”。353亲吮：亲自用嘴为其父吸脓。354代亲之感：取代了父亲职务的那种感觉。355内切于心：心里悲痛极了。袁俊德曰：“宏是时方五岁，史称前年吮痈，当是三四岁事，即悲泣对问，亦非五岁儿所能办，不问可知其伪。”（《历史纲鉴补》）356丁未：八月二十一。357希心玄古：内心仰慕淳朴远古的道德与生活。玄古，清虚、古朴。358志存澹泊：一心想着平平淡淡，与世无争。359爰命储宫：于是让我的太子。爰，于是。储宫，宫中所储，指太子。360践升大位：登上宝座。361优游恭己：悠闲自得，无事一身轻。恭己，意同“拱己”。垂衣拱手而坐，清闲无事的样子。362栖心浩然：神游于浩渺的大自然之中，即今之所谓“天人合一”。363明不统天下：以表明这个天下还不是一个人说了算，背后还有更高的权威在。364犹宜陛下总之：还应该由您来大体上管着点。总，总管。365己酉：八月二十三。366采椽不斫：采来山木以为椽，而不加任何的雕琢与修饰，极言其所居屋舍之简陋。367土阶而已：台阶就是用土夯成的。368咸以闻：都报告给他知道。369北苑：平城城北的皇家园囿。370鹿野浮图：佛塔名。葛晓音曰：“佛教神话，说佛的前身是波罗痆斯国王。有林地养鹿，每日用一鹿供国王充膳。有一孕鹿将产子，鹿王菩萨告诉国王，愿意以自身替代。国王被菩萨的仁慈感动，把全部鹿群都放了，于是有了‘鹿野’之称。这里是借用这个故事为佛塔起名。浮图，佛塔的音译。”371禅僧：佛徒；和尚。372沃野、统万：魏国的两个军镇名。胡三省曰：“沃野，即汉朔方郡之沃野县也；统万，即赫连故都，魏以为镇，置镇将。”沃野县的故址在今内蒙古五原东北的乌加河北，统万城在今陕西榆林市横山区的西北方。[373]枹罕、金城：两座古城名，枹罕是当时河州的州治所在地，在今甘肃临夏东北，金城是当时金城郡的郡治所在地，在今甘肃兰州西北。[374]三道诸军：指皇兴四年（公元四七〇年）拓跋弘亲自率领东、西、中三道出兵北伐柔然时的三路军队。[375]处：驻兵防守。[376]不从：魏主拓跋宏没有采纳。[377]庚寅：十月初五。[378]南安王桢：拓跋桢，拓跋晃之子，拓跋濬之弟，被封为南安王。传见《魏书》卷十九中。[379]领护西域校尉：兼任护西域校尉。领，兼任。护西域校尉，监督西域校尉。西域校尉是管理今新疆地区各归化诸国事务的军政长官。其驻地即今新疆之若羌。[380]镇凉州：其军政首府即今甘肃武威，是当时凉州的州治所在地。[381]垣崇祖：刘宋名将垣护之之侄，先随薛安都降魏，后又返回刘宋，被任为北琅邪、兰陵二郡太守。传见《南齐书》卷二十五。[382]经略淮北：经营收复淮河以北。当时淮河以北都已沦入魏人之手。经略，经营、开拓。[383]郁洲：今江苏连云港市海州区东的海岛名，岛上也有小城曰郁洲。[384]蒙山：今山东中部的山名，主峰为龟蒙顶。[385]于洛侯：魏国著名的酷吏，此时任东兖州刺史。传见《魏书》卷八十九。[386]湘宫寺：宋明帝刘彧为湘东王时曾住的宅第，后来捐为佛寺，在当时的建康城内。[387]十级浮图：十层的佛塔。[388]乃分为二：于是改修成两个塔。[389]新安：郡名，郡治始新，在今浙江淳安西北。[390]罢郡入见：在新安郡任满进京拜见皇帝。[391]通直散骑侍郎：皇帝身边的侍从官名，主管传达诏命。[392]虞愿：刘宋的儒学之臣，清正廉洁有善政。传见《南齐书》卷五十三。[393]贴妇钱：穷困人家无以为生，主妇外出卖淫以补家用之不足，此所获之钱谓“贴妇钱”。贴，典卖。[394]嗟愍：哀怜。[395]罪高浮图：您的罪孽之大，比您修的塔寺还要高。[396]徐去：慢慢离去。[397]无异容：没有任何惶恐畏惧的样子。[398]第一品：最高级别的围棋高手。[399]假借之：让着他。[400]飞棋：婉言其随意下子，不顾棋理。[401]不能断：不能把您联络断开。断，围棋术语，切断其联络。[402]好之愈笃：瘾头越来越大。[403]尧以此教丹朱：就此语的意思而言，应该是尧的儿子丹朱迷恋于下棋，尧警告他这是玩物丧志，不是一个政治人物应该沉迷的。而张华《博物志》则云：“尧造围棋，以教子丹朱。或云舜以子商均愚，故作围棋以教之。其法非智者不能也。”这样就与下文虞愿之所谓“非人主所宜好”不合榫卯。[404]王国旧臣：刘彧为湘东王时，虞愿曾任湘东王常侍，是刘彧的侍从官员。[405]优容：宽容、包涵。[406]王景文：王彧，因与皇帝同名，故改以字行。[407]以盛满为忧：因官高权大感到害怕。[408]中心：内心。[409]外戚贵盛：王景文的妹妹是刘彧的皇后。[410]张永：刘彧时代的名将，在平定各州郡拥戴刘子勋、反对刘彧政权

【原文】

泰豫元年（壬子，公元四七二年）

春，正月甲寅朔[436]，上以疾久不平[437]，改元[438]。

的风浪里，立有大功。传见《宋书》卷五十三。㊶㊷一士不可亲：王景文不能亲近。一士是“王”字的拆写。㊶㊸弓长射杀人：张永将会射死人。弓长是“张”字的拆写。㊶㊹弥惧：更加恐惧。㊶㊺自表解扬州：自己上书请求辞去扬州刺史的职务。扬州因是国家都城所在的区域，故其刺史权大位高。㊶㊻切至：恳切；迫切。㊶㊼诏报：刘彧下诏答复他。㊶㊽心若为耳：心里是怎么想的；心里是想着干什么。若，如何。㊶㊾大明之世：孝武帝在位期间。大明是孝武帝刘骏的年号。㊶㊿巢、徐、二戴：巢尚之、徐爰、戴法兴、戴明宝，四人都是刘骏的宠幸之臣。⑳位不过执戟：极言他们原来的地位都很低。执戟，宫廷侍卫一样的低级侍从。㉑权亢人主：后来发展到比皇帝的权力还要大。亢，高出、高过。㉒作仆射领选：泰始三年袁粲由中书令转为尚书仆射，兼任吏部尚书。吏部也叫选部，掌管官吏的选拔任命。㉓往往不知有粲：极言其谨慎小心、不张扬、不招权纳贿。㉔迁为令：泰始七年袁粲升为尚书令，位同丞相。㉕居之不疑：让干就干，没有任何故作谦退、推说不行的样子。㉖人情向粲：当文武百官都拥护袁粲，众望所归时。㉗淡然：澹泊平和的样子。㉘亦复不改常日：仍然像过去的时候一样。㉙当有致忧竞不：还会产生你这种忧心忡忡、战战兢兢的心理吗？致，导致、产生。竞，胡三省以为当作“兢”。不，相当于“否”。㉚贵高有危殆之惧：官做大了担心遭祸。㉛卑贱有沟壑之忧：太卑贱了又担心死后没人埋。沟壑，古代指贫贱人的死。㉜有心于避祸：与其每天总担心害怕祸事临头。㉝无心于任运：抛开一切胡思乱想，来一个听天由命。就像陶渊明所说的“纵浪大化中，不喜亦不惧”，或俗话所说的“君子坦荡荡，小人长戚戚”。㉞存亡之要：人生在世的处世要诀。㉟巨细一揆：大事小事的道理都是一样的。

【校记】

［1］上：原无此字。据章钰校，甲十一行本、乙十一行本、孔天胤本皆有此字，张敦仁《通鉴刊本识误》同，今据补。［2］得：原作“能”。据章钰校，甲十一行本、乙十一行本、孔天胤本皆作“得”，今据改。［3］逻将：原作“逻尉”。据章钰校，甲十一行本、乙十一行本、孔天胤本皆作“逻将”，张敦仁《通鉴刊本识误》同，今据改。［4］来：据章钰校，甲十一行本、乙十一行本皆脱此字。［5］皇：原无此字。据章钰校，甲十一行本、乙十一行本、孔天胤本皆有此字，今据补。［6］沟壑：原作“填壑”。据章钰校，甲十一行本、乙十一行本、孔天胤本皆作“沟壑”，今据改。

【语译】

泰豫元年（壬子，公元四七二年）

春季，正月初一日甲寅，宋明帝刘彧因为疾病久久不能痊愈，所以将泰始八年改为泰豫元年。

戊午[439]，皇太子会四方朝贺者于东宫，并受贡计[440]。

大阳蛮酋桓诞[441]拥沔水以北[442]，滍、叶以南[443]八万余落降于魏，自云桓玄之子，亡匿蛮中，以智略为群蛮所宗[444]。魏以诞为征南将军、东荆州[445]刺史、襄阳王，听[446]自选郡县吏，使起部郎[447]京兆韦珍[448]与诞安集新民[449]，区置[450]诸事，皆得其所。

二月，柔然侵魏，上皇遣将击之，柔然走。东部敕勒叛奔柔然，上皇自将追之，至石碛[451]，不及而还。

上疾笃，虑晏驾之后，皇后临朝[452]，江安懿侯王景文[453]以元舅[454]之势，必为宰相，门族强盛，或有异图[455]。己未[456]，遣使赍药赐景文死，手敕[457]曰："与卿周旋[458]，欲全卿门户[459]，故有此处分[460]。"敕至，景文正与客棋，叩函看已[461]，复置局下[462]，神色不变，方与客思行争劫[463]。局竟[464]，敛子内奁毕[465]，徐曰："奉敕见赐以死[466]。"方以敕示客[467]。中直兵焦度[468]、赵智略[469]愤怒曰："大丈夫安能坐受死！州中[470]文武数百，足以一奋[471]。"景文，曰："知卿至心[472]。若见念[473]者，为我百口计[474]。"乃作墨启[475]答敕致谢[476]，饮药而卒。赠开府仪同三司[477]。

上梦有人告曰："豫章太守刘愔反。"既寤[478]，遣人就郡杀之。

魏显祖还平城[479]。

庚午[480]，魏主耕籍田[481]。

夏，四月，以垣崇祖行徐州事[482]，徙戍龙沮[483]。

己亥[484]，上大渐[485]，以江州刺史桂阳王休范为司空，又以尚书右仆射褚渊为护军将军，加中领军刘勔[486]右仆射，诏渊、勔与尚书令袁粲、荆州刺史蔡兴宗、郢州刺史沈攸之并受顾命[487]。褚渊素与萧道成善，引荐于上，诏又以道成为右卫将军，领卫尉[488]，与袁粲等共掌机事。

初五日戊午，皇太子刘昱在东宫接见四方朝贺的使者，并接受各州郡奉献给皇帝的贡品与各州郡上报朝廷的图籍和账簿。

大阳山一带的少数民族首领桓诞率领沔水以北、滍水与叶县以南的八万多个部落投降了魏国，桓诞自称是桓玄的儿子，逃亡进入大阳山的蛮人当中，因为有智谋，所以受到蛮人的尊敬和拥戴而成为大阳蛮的酋长。魏国朝廷任命桓诞为征南将军、东荆州刺史、襄阳王，听任桓诞在自己的辖区内自行选拔任用郡、县一级的官吏，并派遣担任起部郎的京兆人韦珍与桓诞一起去安抚、招集那些新归附魏国的南方之民，调配、安置的各种事务，都恰到好处。

二月，柔然人入侵魏国，太上皇拓跋弘派遣将领前去迎击，柔然退走。魏国东部的敕勒人发动叛乱，投奔了柔然，太上皇帝亲自率军追击敕勒叛军，一直追到石碛，没有追上，这才返回。

宋明帝的病情加重，他担心自己去世之后，王皇后会临朝称制，掌管国家大事，而江安懿侯王景文以未来皇帝舅父的身份与权势，一定会担任宰相，王氏家族势力强盛，或许会有篡夺皇位之事发生。三月初七日己未，宋明帝派使者携带毒药逼迫王景文自杀，在写给王景文的亲笔诏书中说："与你长期打交道，知道你的为人，我想保全你的全家老小，所以现在我要及早处置你。"诏书送达时，王景文正与客人下棋，他打开诏书看完之后，就把诏书放在棋盘底下，神色一点都没有改变，正思考着如何与对方一争高下。这盘棋下完，把棋子收拾起来装入棋盒之后，这才慢慢地说："我接到皇帝的诏书，皇帝要赐我一死。"说完便把诏书拿给客人看。担任中直兵的焦度、赵智略非常愤怒地说："大丈夫岂能坐等受死！扬州有好几百名文官武将，完全可以和他较量一下高低。"王景文说："我知道你对我是一片诚实之心。如果你真的怜惜我，就要为我全家的一百口人考虑。"于是亲笔给宋明帝写了一篇奏章，回答皇帝，向皇帝表示感谢，然后喝下了皇帝赐予的毒药而死。宋明帝追赠王景文为开府仪同三司。

宋明帝梦见有人告诉他说："豫章太守刘愔造反。"梦醒之后，立即派人到豫章郡杀死了刘愔。

魏显祖拓跋弘从石碛返回平城。

三月十八日庚午，魏国孝文帝拓跋宏到籍田耕种。

夏季，四月，宋明帝任命垣崇祖代理徐州事务，移兵到龙沮城驻守。

四月十七日己亥，宋明帝病势沉重，他任命担任江州刺史的桂阳王刘休范为司空，又任命担任尚书右仆射的褚渊为护军将军，加封中领军刘勔为右仆射，下诏命护军将军褚渊、尚书右仆射刘勔与尚书令袁粲、荆州刺史蔡兴宗、郢州刺史沈攸之一同接受皇帝临终前对后事的嘱托。褚渊一向与萧道成关系密切，于是就把萧道成推荐给了宋明帝，宋明帝又下诏任命萧道成为右卫将军，兼任卫尉，与尚书令袁粲

是夕，上殂[489]。庚子[490]，太子即皇帝位，大赦。时苍梧王[491]方十岁，袁粲、褚渊秉政，承太宗奢侈之后，务弘节俭[492]，欲救其弊，而阮佃夫、王道隆等用事，货赂公行，不能禁也。

乙巳[493]，以安成王準[494]为扬州刺史。

五月戊寅[495]，葬明皇帝于高宁陵[496]，庙号太宗。六月乙巳[497]，尊皇后曰皇太后[498]，立妃江氏[499]为皇后。

秋，七月，柔然部帅无卢真将三万骑寇魏敦煌[500]，镇将尉多侯[501]击走之。多侯，眷[502]之子也。又寇晋昌[503]，守将薛奴击走之。

戊午[504]，魏主如阴山。

戊辰[505]，尊帝母陈贵妃[506]为皇太妃，更以诸国太妃[507]为太姬[508]。

右军将军王道隆以蔡兴宗强直[509]，不欲使居上流[510]，闰月甲辰[511]，以兴宗为中书监[512]，更以沈攸之为都督荆、襄等八州诸军事，荆州刺史。兴宗辞中书监不拜[513]。王道隆每诣兴宗[514]，蹑履到前[515]，不敢就席[516]，良久去[517]，竟不呼坐[518]。

沈攸之自以材略过人，自至夏口[519]以来，阴蓄异志[520]。及徙荆州[521]，择郢州士马、器仗精者多以自随[522]。到官[523]，以讨蛮为名，大发兵力，招聚才勇，部勒严整[524]，常如敌至[525]。重赋敛以缮器甲，旧应供台者[526]皆割留之[527]，养马至二千余匹，治战舰近千艘，仓廪、府库莫不充积[528]。士子[529]、商旅过荆州者，多为所羁留；四方亡命，归之者皆蔽匿拥护[530]；所部[531]或有逃亡，无远近穷追，必得而止。举错专恣[532]，不复承用符敕[533]，朝廷疑而惮之[534]。为政刻暴，或鞭挞士大夫，上佐[535]以下，面加詈辱[536]。然吏事精明[537]，人不敢欺[538]，境内盗贼屏息[539]，夜户不闭。

攸之赕罚群蛮[540]太甚，又禁五溪鱼、盐[541]，蛮怨叛。酉溪蛮王田头

等人共同掌管朝廷的机要事务。当天晚上，宋明帝去世。十八日庚子，皇太子刘昱即皇帝位，大赦天下。当时后废帝即日后的苍梧王刘昱才十岁，袁粲、褚渊掌管朝政，他们在太宗刘彧大行奢侈之风之后，把提倡、弘扬节约俭朴作为当务之急，想以此来改变太宗时期的弊端，然而阮佃夫、王道隆等人手中依然掌握着一定的权力，所以贿赂公行，却无法禁止。

四月二十三日乙巳，宋国朝廷任命安成王刘凖为扬州刺史。

五月二十七日戊寅，宋国把明皇帝刘彧安葬在高宁陵，庙号太宗。六月二十四日乙巳，后废帝刘昱尊王皇后为皇太后，立太子妃江氏为皇后。

秋季，七月，柔然的部帅无卢真率领三万骑兵侵入魏国的敦煌，被魏国镇守敦煌的将领尉多侯击败、逃走。尉多侯，是尉眷的儿子。柔然的部帅无卢真又率领骑兵侵入晋昌郡，晋昌郡守将薛奴击退了柔然的入侵。

七月初七日戊午，魏国孝文帝前往阴山一带巡视。

十七日戊辰，宋国后废帝尊奉自己的生母陈贵妃为皇太妃，同时改称其他诸王的太妃为太姬。

宋国担任右军将军的王道隆因为荆州刺史蔡兴宗性格强硬正直，所以不愿意让蔡兴宗担任荆州刺史而占据建康城的上游，闰七月二十四日甲辰，任命蔡兴宗为中书监，改任郢州刺史沈攸之为都督荆、襄等八州诸军事，荆州刺史。蔡兴宗拒绝接受中书监的任命。王道隆每次去见蔡兴宗，都是轻手轻脚地走到蔡兴宗跟前，不敢就座，站了很久一直到离去，蔡兴宗始终不说一声“请坐”。

荆州刺史沈攸之自以为才能谋略超越常人，自从来到夏口任郢州刺史，心里就怀着不可告人的打算。等接到被改任荆州刺史的任命时，他就从郢州中挑选出那些强壮精良的士兵、战马、兵器，大多都被他带到了荆州。到达荆州任所后，又以讨伐蛮人为名，大量调集兵力，招募那些有才能的勇敢之士，部署得非常严密，经常像是大敌当前一样。他又加重征收赋税，用来打造武器、铠甲，过去那些应该向朝廷缴纳的各项财物都被他割取一部分或是全部扣留下来，所饲养的战马达到两千多匹，制造的战舰也接近一千艘，仓廪、府库中的积蓄都很充足。一些有文武才干，或是有身份地位的士大夫以及商旅，凡是从荆州经过，大多数都被沈攸之羁押扣留在荆州；四方的那些亡命之徒，凡是来投奔他的都被他藏匿保护起来；他的部下如果有人逃亡，无论逃得远近一定穷追不舍，必须得追回来才算罢休。沈攸之想干什么就干什么，不再听从朝廷的命令指挥，朝廷虽然对沈攸之很怀疑，然而又很惧怕他。沈攸之为政苛刻、残暴，有时竟然用鞭子抽打士大夫，对高级僚属以下的官员，也当面加以责骂和侮辱。然而对官场上的一套非常熟悉，谁都不敢欺骗他，就连荆州境内的盗贼也都销声匿迹，百姓家家夜不闭户。

沈攸之令少数民族出钱赎罪，赎罪的价格要得非常高，又禁止少数民族在五溪

拟[542]死，弟娄侯[543]篡立，其子田都走入獠[544]中。于是群蛮大乱，掠抄至武陵城[545]下。武陵内史萧嶷[546]遣队主[547]张英兒击破之，诛娄侯，立田都，群蛮乃定。嶷，赜[548]之弟也。

八月戊午[549]，乐安宣穆公蔡兴宗[550]卒。

九月辛巳[551]，魏主还平城[552]。

冬，十月，柔然侵魏，及五原[553]，十一月，上皇自将讨之。将度漠，柔然北走数千里，上皇乃还。

丁亥[554]，魏封上皇之弟略[555]为广川王[556]。

己亥[557]，以郢州刺史刘秉[558]为尚书左仆射。秉，道怜[559]之孙也，和弱无干能[560]，以宗室清令[561]，故袁、褚[562]引之。

中书通事舍人[563]阮佃夫加给事中[564]、辅国将军，权任转重。欲用其所亲吴郡张澹为武陵郡[565]，袁粲等皆不同[566]。佃夫称敕施行[567]，粲等不敢执[568]。

魏有司奏诸祠祀[569]合一千七十五所，岁用牲[570]七万五千五百。上皇恶其多杀，诏："自今非天地、宗庙、社稷，皆勿用牲[571]，荐以酒脯而已[572]。"

苍梧王[573]上

元徽元年[574]（癸丑，公元四七三年）

春，正月戊寅朔[575]，改元[576]，大赦[577]。

庚辰[578]，魏员外散骑常侍崔演来聘[579]。

戊戌[580]，魏上皇还至云中[581]。

癸丑[582]，魏诏守令[583]劝课农事[584]，同部之内[585]，贫富相通[586]，家有兼牛[587]，通借无者[588]。若不从诏，一门终身不仕[589]。

戊午[590]，魏上皇至平城[591]。

甲戌[592]，魏诏："县令能静一县劫盗[593]者，兼治二县[594]，即食其禄[595]；能静二县者，兼治三县，三年迁为郡守。二千石能静二郡上至三郡亦

捕鱼、制盐，那里的少数民族因此怨声载道，纷纷起兵叛变。酉溪流域的少数民族首领田头拟去世，田头拟的弟弟田娄侯篡夺了王位，田头拟的儿子田都逃入獠族人当中躲藏。于是那些少数民族纷纷叛乱，到处抢掠，一直抢掠到武陵城下。担任武陵内史的萧嶷派队主张英兒率军击败了少数民族的叛乱，杀死田娄侯，立田都为蛮王，那些少数民族才安定下来。萧嶷，是萧赜的弟弟。

八月初八日戊午，宋国的乐安宣穆公蔡兴宗去世。

九月初二日辛巳，魏国孝文帝从阴山返回到平城。

冬季，十月，柔然人侵扰魏国，已经到达五原郡，十一月，魏国的太上皇帝拓跋弘亲自率军讨伐柔然。魏军准备横渡大漠去消灭柔然，柔然人得知消息后向北迁徙了几千里，太上皇于是撤军而回。

十一月初九日丁亥，魏国孝文帝封太上皇拓跋弘的弟弟拓跋略为广川王。

十一月二十一日己亥，宋国朝廷任命担任郢州刺史的刘秉为尚书左仆射。刘秉，是刘道怜的孙子，为人平和懦弱，没有什么才干，因为他是宗室成员，而且有很好的声誉，所以尚书令袁粲、护军将军褚渊推荐他担任尚书左仆射。

宋国朝廷加授担任中书通事舍人的阮佃夫为给事中、辅国将军，他的权势越来越大。阮佃夫想任用他所亲近的吴郡人张澹为武陵郡太守，袁粲等人都不赞成。阮佃夫就以皇帝的名义强制执行，袁粲等人因而不敢再坚持自己的意见。

魏国的有关部门向朝廷奏报：全国各地总计有一千零七十五处各种祭祀的场所，每年为了祭祀需要宰杀七万五千五百头牲畜。太上皇帝拓跋弘认为宰杀的牲畜太多，于是下诏说："从今以后除非是祭祀天地、宗庙、社稷，其他祭祀都不许再宰杀牲畜作为祭品，只要用一些酒水和干肉作供品就可以了。"

苍梧王上

元徽元年（癸丑，公元四七三年）

春季，正月初一日戊寅，宋国改年号为元徽元年，大赦天下。

初三日庚辰，魏国派遣担任员外散骑常侍的崔演为使者到宋国友好访问。

二十一日戊戌，魏国的太上皇帝拓跋弘从北伐柔然的大漠边缘返回云中郡。

二月初六日癸丑，魏国朝廷下令给各郡的太守与各县的县令，要他们鼓励、督促所管辖区域内的百姓积极从事农业生产，同一个管辖区域内，穷人与富人之间要互通有无，相互支援，凡是家中有两头及两头以上耕牛的，就要借一头耕牛给没有牛的家庭使用。如果不按照皇帝的诏令去做，有牛的人家一辈子不许进入官场。

十一日戊午，魏国的太上皇帝从云中回到平城。

二月二十七日甲戌，魏国朝廷下诏说："凡是能够把一个县治理得没有土匪盗贼的县令，就让他同时治理两个县，享受两个县令的俸禄；能够同时把两个县治理得很好，境内没有劫匪盗贼的县令，就让他同时治理三个县，三年任期满后就擢升他为郡太守；凡是享受二千石俸禄的官员，如果能够把两个郡甚至三个郡同时治理得

如之，三年迁为刺史。”

桂阳王休范，素凡讷[596]，少知解[597]，不为诸兄所齿遇[598]，物情亦不向之[599]，故太宗之末得免于祸。及帝即位，年在冲幼，素族[600]秉政，近习[601]用权。休范自谓尊亲莫二[602]，应入为宰辅[603]，既不如志[604]，怨愤颇甚。典签[605]新蔡许公舆为之谋主[606]，令休范折节下士[607]，厚相资给[608]，于是远近赴之[609]，岁中万计[610]，收养勇士，缮治器械。朝廷知其有异志，亦阴为之备[611]。会夏口阙镇[612]，朝廷以其地居寻阳上流[613]，欲使腹心居之。二月乙亥[614]，以晋熙王燮[615]为郢州刺史。燮始四岁，以黄门郎王奂[616]为长史，行府州事[617]，配以资力[618]，使镇夏口。复恐其过寻阳为休范所劫留[619]，使自太洑径去[620]。休范闻之，大怒，密与许公舆谋袭建康，表治城隍[621][7]，多解材板而蓄之[622]。奂，景文之兄子也。

吐谷浑王拾寅[623]寇魏浇河[624]，夏，四月戊申[625]，魏以司空长孙观[626]为大都督，发兵讨之。

魏以孔子二十八世孙乘为崇圣大夫[627]，给十户以供洒扫[628]。

秋，七月，魏诏“河南六州[629]之民，户收绢一匹，绵一斤，租三十石”。乙亥[630]，魏主如阴山。

八月庚申[631]，魏上皇如河西[632]。

长孙观入吐谷浑境，刍其秋稼[633]。吐谷浑王拾寅窘急[634]请降，遣子斤入侍[635]。自是岁修职贡[636]。

九月辛巳[637]，上皇还平城[638]。

遣使如魏[639]。

冬，十月癸酉[640]，割南兖、豫州之境置徐州[641]，治钟离[642]。

没有土匪盗贼，也比照对待县令的办法实行，满三年后擢升其为州刺史。”

宋国的桂阳王刘休范一向平庸、不善言辞，也没有什么知识、见解，所以一直不被他的哥哥们当作兄弟看待，社会舆论也不向着他，所以刘休范在宋太宗刘彧晚年大肆杀害自己兄弟时得以免于灾祸。等到后废帝刘昱即位当了皇帝，由于年龄很小，而且是由出身门庭地位不高的袁粲、褚渊等掌管朝政，皇帝身边受宠幸的奸佞小人阮佃夫、王道隆、杨运长等也掌握大权。刘休范遂以为自己所处的权位之尊和与皇帝血缘关系之亲是没有人能比的，自己应该进入朝廷担任宰相，然而刘休范却没能如愿以偿，于是非常愤怒、怨恨。担任典签的新蔡人许公舆是刘休范的智囊人物，他劝说刘休范要礼贤下士，对待士人要舍得花钱，给他们优厚的待遇。于是远近的士人都争相前来投奔刘休范，一年之中就有上万人前来投奔他，刘休范于是招纳、蓄养勇士，打造兵器。朝廷知道刘休范已经有了政治野心，准备篡夺皇位，于是也暗中做好对付刘休范的准备。碰巧赶上夏口地区的军政长官出现空缺，朝廷因为夏口位居江州刺史刘休范所在的寻阳的上游，是战略要地，就准备派遣心腹大臣去担任郢州刺史。二月二十八日乙亥，朝廷任命晋熙王刘燮为郢州刺史。当时刘燮只有四岁，遂任命担任黄门郎的王奂担任郢州长史，代替刘燮行使都督府与郢州刺史的一切权力，朝廷还给他配备了充足的资财与人力，派他镇守夏口。朝廷又担心刘燮前往郢州赴任途中经过寻阳时被刘休范扣留，于是就让刘燮他们经由太洑绕过寻阳直奔夏口而去。刘休范听到这个消息，不禁大怒，于是秘密地与许公舆商议出兵袭击建康，他给朝廷上表说寻阳需要加固城墙、深挖护城河，于是便以此名义，大量往寻阳城内运送木板储存起来，以备日后造船、袭击建康之用。王奂，是王景文的侄子。

吐谷浑王拾寅出兵入侵魏国的浇河郡，夏季，四月初二日戊申，魏国任命担任司空的长孙观为大都督，发兵讨伐吐谷浑。

魏国封孔子的第二十八代孙孔乘为崇圣大夫，还给孔乘拨了十户人家，免去他们应该上缴给国家的赋税，把这份钱粮用作给孔子管理坟墓的开销。

秋季，七月，魏国皇帝下诏：“黄河以南六个州的居民，每户要向国家缴纳一匹绢，一斤绵，三十石粮食。”初一日乙亥，魏国孝文帝前往阴山一带巡视。

八月十六日庚申，魏国的太上皇帝前往黄河以西地区视察。

魏国大都督长孙观率领魏军进入吐谷浑境内，收割了吐谷浑农田里的秋天庄稼作为饲料。吐谷浑王拾寅在形势紧迫的情况下，向魏军请求投降，他派自己的儿子斤到魏国做人质。从此，吐谷浑按照藩属国的惯例每年向魏国进贡。

九月初八日辛巳，魏国太上皇帝从河西地区返回平城。

宋国派遣使者到魏国回访。

冬季，十月三十日癸酉，宋国将南兖州、豫州境内的部分土地划分出来设置为徐州，徐州州治设在钟离县。

魏上皇将入寇[643]，诏州郡之民十丁取一以充行[644]，户收租五十石以备军粮。

魏武都氐[645]反，攻仇池[646]，诏长孙观回师讨之。

武都王杨僧嗣[647]卒于葭芦，从弟文度自立为武兴王[648]，遣使降魏，魏以文度为武兴镇将[649]。

十一月丁丑[650]，尚书令袁粲以母忧去职[651]。

癸巳[652]，魏上皇南巡至怀州[653]。枋头[654]镇将代人薛虎子[655]，先为冯太后[656]所黜，为门士[657]。时山东饥，盗贼竞起，相州[658]民孙诲等五百人称虎子在镇，境内清晏[659]，乞还虎子[660]。上皇复以虎子为枋头镇将，即日之官[661]，数州[662]盗贼皆息。

十二月癸卯朔[663]，日有食之。

乙巳[664]，江州刺史桂阳王休范进位太尉[665]。

诏起袁粲[666]，以卫军将军摄职[667]，粲固辞。

壬子[668]，柔然侵魏，柔玄镇二部敕勒[669]应之。

魏州镇十一水旱[670]，相州民饿死者二千八百余人。

是岁，魏妖人[671]刘举聚众自称天子，齐州刺史武昌王平原[672]讨斩之。平原，提[673]之子也。

【段旨】

以上为第二段，写宋明帝泰豫元年（公元四七二年）与苍梧王元徽元年（公元四七三年）共两年间的大事。主要写了桓玄之子桓诞率大阳蛮投降魏国，魏人安置之使各得其所；写了宋明帝刘彧担心自己死后王皇后辅幼子临朝时，王景文会以国舅怙权，而提前赐王景文死；写了刘彧临终任命刘勔、蔡兴宗、沈攸之、袁粲、褚渊等为顾命大臣，刘彧死，其子刘昱继位，袁粲、褚渊等力改弊政，又引宗室刘秉为尚书左仆射，欲有作为，但数人不能制近习小人王道隆、阮佃夫之专权当道；写了刘宋的骨干之臣荆州刺史蔡兴宗被免去刺史，调回京城，不久病死；写了宋将沈魏国太上皇帝即将发兵入侵宋国，他下诏给各州郡的百姓：每十名青壮年男子，要抽取一人入伍，参加南征宋国的军队，还要向每户收缴五十石粮食准备作为军粮之用。

魏国武都郡境内的氐族人发动叛乱，进攻仇池，魏国朝廷下诏，命令大都督长孙观从吐谷浑境内撤回，前往武都郡讨伐氐族人的叛乱。

武都王杨僧嗣在葭芦城去世，他的堂弟杨文度自立为武兴王，并派使者投降魏国，魏国任命杨文度为武兴镇将。

十一月初四日丁丑，宋国担任尚书令的袁粲因为母亲去世在家守孝而辞去辅政大臣的职务。

十一月二十日癸巳，魏国的太上皇南巡到达怀州。镇守枋头的统兵将领是代郡的薛虎子，早先因为得罪了冯太后而被贬去官职，成为一名守门的卫士。当时山东境内发生饥荒，盗贼趁机蜂拥而起，相州的百姓孙诲等五百人联名上书，称赞薛虎子担任枋头镇将的时候境内政治清平、社会安宁，请求太上皇恢复薛虎子枋头镇将的职务。太上皇帝于是重新任命薛虎子为枋头镇将，当天就要走马上任，枋头周围几个州内的盗贼全都销声匿迹。

十二月初一日癸卯，发生日食。

初三日乙巳，宋国担任江州刺史的桂阳王刘休范被提升为太尉。

宋国后废帝刘昱下诏，让在家为母亲守孝的尚书令袁粲终止守孝，以卫军将军的头衔兼管国家大事，袁粲坚决推辞了。

十二月初十日壬子，柔然发兵进犯魏国，柔玄镇境内有两个部落的敕勒人起兵响应柔然。

魏国各州、镇有十分之一的地区遭受旱涝灾害，仅相州一个州就饿死了二千八百多人。

这一年，魏国境内以妖言惑众的刘举聚集起徒众自称天子，担任齐州刺史的武昌王拓跋平原率军前去讨伐，斩杀了刘举。拓跋平原，是拓跋提的儿子。

攸之自在郢州招降纳叛，后改任荆州刺史更积蓄力量，欲为变乱；写了江州刺史刘休范愚蠢无能而又不自量力，典签许公舆为之谋主，收养勇士，拉帮结派，贮集木材，心存不轨，朝廷亦潜为之备，以王奂辅晋熙王刘燮上镇郢州，居江州上流以控扼之；写了魏国统治集团励精图治，下令郡县长官使同部之内贫富相通，家有兼牛者与无牛者通借互助以发展生产，又鼓励郡县长官积极做好工作，有严格的奖励办法；写了吐谷浑侵魏，被魏将长孙观讨平，吐谷浑重向魏国进贡；写了魏将薛虎子为枋头镇将，邻近数州的盗贼为之销声匿迹，以及拓跋弘虽退为上皇，但仍为国家东征西战，并非如前文所说之欲退出政坛，息心林下，魏国政治一派勃勃生机等。

【注释】

㊱正月甲寅朔：正月初一是甲寅日。㊲不平：不好；不痊愈。㊳改元：将泰始八年改称泰豫元年。㊴戊午：正月初五。㊵受贡计：接受各州郡奉献给皇帝的贡品与各州郡上报中央的图籍与账簿。计，账簿，各地方政府应向中央政权缴纳的税赋与钱粮。㊶大阳蛮酋桓诞：大阳山一带的少数民族头领姓桓名诞。大阳蛮是生活在今湖北北部、河南南部山区的少数民族。旧时今湖北京山北部有大阳山，南朝宋又置大阳戍于今湖北蕲春西北，大阳蛮或即由此得名。酋，酋长、头领。桓诞，东晋末年的乱臣桓玄之子，桓玄被杀后，桓诞逃入大阳蛮中，因有谋略，遂成为大阳蛮的酋长。事迹见《魏书》卷一百一。㊷沔水以北：汉水以北，指今湖北之北部地区。汉水的上游称沔水。㊸滍、叶以南：滍水与叶县以南，指今河南之西南部。滍水即今河南鲁山、叶县境内的沙河。当时的叶县在今河南叶县的西南方。㊹所宗：所尊敬、所服从，愿归其统领。㊺东荆州：州治即今河南泌阳。㊻听：听任；任其自便。㊼起部郎：主管建造的官员。起部，即后来的所谓工部，是朝廷主管建造的部门。㊽韦珍：魏国将领，因功晋爵霸城侯，官至镇远将军。传见《魏书》卷四十五。㊾安集新民：安抚、招集新归顺魏国的南方之民。㊿区置：调配、安置。(451)石碛：水草很少的沙石相间之地。在今内蒙古四子王旗与察哈尔右翼后旗的北部一带地区。(452)皇后临朝：皇后掌管国家大事。此皇后指明恭王皇后，王景文之妹。传见《宋书》卷四十一。(453)江安懿侯王景文：江安侯是王景文的封号，懿字是谥。(454)元舅：未来皇帝的大舅。(455)或有异图：或许有篡夺皇位之事。(456)己未：三月初七。(457)手敕：也叫手诏，皇帝亲自写的诏书。(458)周旋：与你长期打交道，知道你的为人。(459)欲全卿门户：想保全你的一家老小，不让他们因你日后叛逆而连累灭门。(460)故有此处分：所以我现在及早将你处死。处分，决定。(461)叩函看已：打开诏书看完后。叩，启、打开。已，完毕。(462)复置局下：放在棋盘底下。(463)方与客思行争劫：正在思考要与对方打劫。打劫是围棋术语，也叫“劫争”。(464)局竟：这盘棋下完后。(465)敛子内奁毕：收拾棋子把棋子装入盒子后。敛，收拾。内奁，装进盒子里。(466)奉敕见赐以死：接到皇帝命令他要赐我一死。(467)以敕示客：把皇帝下的命令给客人看。(468)中直兵焦度：亲兵小队的头领姓焦名度，刘宋将领，曾任游击将军。传见《南齐书》卷三十。(469)赵智略：事迹不详。(470)州中：此指扬州刺史的部下，王景文时为扬州刺史。(471)足以一奋：完全可以和他较量一下高低。一奋，一拼。(472)至心：诚实之心。(473)若见念：如果真的怜惜我。念，因感恩而同情、怜惜。(474)为我百口计：就为我的全家做打算吧。意即如我反抗则将带累满门被抄斩。(475)墨启：写给皇帝的亲笔手书。(476)答敕致谢：回答皇上，向皇上表示感谢。(477)开府仪同三司：加官名，可以开府自辟僚佐，可以享用国家三公的仪仗队。三司，司徒、司马、司空，即通常所谓三公。(478)既寤：睡醒以后。(479)魏显祖还平城：由石碛返回平城。(480)庚午：三月十八。(481)耕籍田：耕种籍田以表示重农、劝农。籍田，皇帝亲自耕种的示范

田。㊽行徐州事：代理徐州刺史。⑬徙戍龙沮：移兵到龙沮城驻守，即以龙沮为其徐州刺史的临时州治，其地在今江苏连云港市海州区西南。㊽己亥：四月十七。㊽大渐：病势沉重。⑯刘勔：刘彧时代的名将，在平定拥戴刘子勋的势力中立有大功。传见《宋书》卷八十六。㊽受顾命：接受皇帝临死前对后事的嘱托。㊽领卫尉：兼任卫尉之职。卫尉，官名，统领禁兵以守卫宫门，职务重要。㊽上殂：刘彧死，是年三十四岁。⑩庚子：四月十八。㊽苍梧王：此时的小皇帝刘昱，公元四六三至四七七年在位。宋明帝的长子，穷凶好杀，荒淫无度。被废后降为苍梧王。传见《宋书》卷九。㊽务弘节俭：厉行节约俭朴。弘，扩大、提倡。㊽乙巳：四月二十三。⑭安成王凖：刘凖，名义上是刘彧之子，其实乃刘彧之叔桂阳王刘休范的儿子。㊽五月戊寅：五月二十七。⑯高宁陵：在今江苏南京市江宁区幕府山麓。⑰六月乙巳：六月二十四。㊽皇太后：王景文之妹。传见《宋书》卷四十一。㊾江氏：江智渊的孙女。传见《宋书》卷四十一。江智渊是孝武帝时的儒雅之臣。传见《宋书》卷五十九。⑩敦煌：魏国军镇名，首府即今甘肃敦煌。⑩尉多侯：魏国名将尉古真的侄孙，尉眷之子，当时任敦煌镇将。传见《魏书》卷二十六。⑩眷：尉眷，魏国名将，在征讨柔然、赫连昌、吐谷浑诸部的战斗中功勋卓著，晋爵渔阳公。传见《魏书》卷二十六。⑩晋昌：郡名，郡治在今甘肃瓜州东南。⑩戊午：七月初七。⑩戊辰：七月十七。⑩帝母陈贵妃：刘昱的生母陈妙登，建康市的屠家女。传见《宋书》卷四十一。⑩诸国太妃：其他诸王的太妃，亦即其他诸王的生母，在明帝时为一般嫔妃者。⑩太姬：比太妃低一等。⑩强直：强硬正直。⑩居上流：任荆州刺史，荆州在建康城的上游。⑪闰月甲辰：闰七月二十四。⑫中书监：中书省的首席长官，中书令是其副职。权位虽然很高，但不像荆州刺史那样威胁朝廷。⑬不拜：不接受中书监的任命。⑭每诣兴宗：每次去见蔡兴宗。诣，到。⑮蹑履到前：轻手轻脚走到蔡兴宗跟前。蹑履，小心走路的样子。⑯不敢就席：不敢就座。⑰良久去：过了好长时间才离去。⑱竟不呼坐：蔡兴宗根本就不说一声“请坐”，极言蔡兴宗对王道隆的鄙视。⑲至夏口：到夏口来任郢州刺史。夏口即今汉口，因处于汉水（当年也称夏水）与长江的汇口而得名。当时为郢州的州治所在地。沈攸之从泰始五年来任郢州刺史。⑳阴蓄异志：心里怀着一种不可告人的打算。㉑及徙荆州：等接到改任荆州刺史的任命时。㉒多以自随：大都把他们带到了荆州。㉓到官：到达荆州刺史任上之后。㉔部勒严整：部署得非常严密。㉕常如敌至：经常像是处于战争状态。㉖旧应供台者：原来应向朝廷交纳的各种东西。㉗皆割留之：或者割取一部分，或者全部扣留。㉘充积：都堆积得满满的。㉙士子：一些有文武才干，或一些有身份地位的人。㉚蔽匿拥护：掩藏；庇护。㉛所部：他所管辖的人。㉜举错专恣：想干什么就干什么。举错，通“举措”，干什么与不干什么。㉝不复承用符敕：不再听从朝廷的命令指挥。胡三省曰：“台省所下者为符；出命经中书、门下者为敕。”㉞疑而惮之：怀疑他而且惧怕他。㉟上佐：高级僚属。刺史手下的高级僚属有别驾、长史、司马等。㊱面加詈辱：当面辱骂。詈，骂。㊲吏事精明：对官场上的一套非常熟悉。㊳人不敢欺：谁也不能欺骗他。㊴屏息：销声匿迹。㊵赕罚群蛮：令少数民族出钱赎罪。胡三省引何承天《纂文》曰："赕，蛮夷赎罪货也。"㊶禁五溪鱼、盐：禁止在五溪捕鱼制盐。五溪指今湖南西部、贵州东部的五条溪水，即巫溪、武溪、沅溪、酉溪、辰溪。当时这一带是少数民族居住的地方。㊷酉溪蛮王田头拟：酉溪流域的少数民族头领名叫田头拟。酉溪即今湘西的酉水，源出四川东南部的酉阳土家族苗族自治县，东入湖南，再东南流入沅江。㊸弟娄侯：田头拟之弟名叫娄侯。㊹獠：当时的少数民族名，今名仡佬族。㊺武陵城：旧址在今湖南常德西。㊻武陵内史萧嶷：萧道成的第二子，此时任刘宋的武陵内史。传见《南齐书》卷二十二。武陵内史是武陵王国的行政长官，位同郡太守。㊼队主：一支部队的主官，不是固定的官名。㊽赜：萧赜，萧道成的长子，即后来的齐武帝，公元四八三至四九三年在位。传见《南齐书》卷三。㊾八月戊午：八月初八。㊿乐安宣穆公蔡兴宗：蔡兴宗的封号是乐安公，乐安是封地名，即乐安县。宣穆是谥。551九月辛巳：九月初二。552魏主还平城：自阴山返回平城。553五原：古郡名，郡治在今内蒙古包头西北。554丁亥：十一月初九。555略：拓跋略，拓跋弘之弟，时为魏之中都大官。传见《魏书》卷二十。556为广川王：封地广川郡，郡治在今河北枣强东北。557己亥：十一月二十一。558刘秉：刘宋的宗室临川王刘义庆之侄。传见《宋书》卷五十一。559道怜：刘道怜，宋武帝刘裕之弟，被封为长沙王。传见《宋书》卷五十一。560无干能：没有办事能力。561清令：清静、美好。令，善。《宋书》本传称："时宗室虽多，才能甚寡。秉少自砥束，甚得朝野之誉。"562袁、褚：袁粲与褚渊，都是当时的辅政大臣。563中书通事舍人：中书省的普通官员，主管中书省与皇帝之间的传达禀报，并直接参与政务的处理。564加给事中：又增加任命为给事中。给事中，官名，侍从于皇帝左右，主管献纳得失，驳正文书。565为武陵郡：任以为武陵内史。566皆不同：都不同意阮佃夫的提议。567称敕施行：以皇帝的名义强制执行。敕，皇帝的旨意。568不敢执：不敢坚持自己的意见。569诸祠祀：各种祭祀的场所。570岁用牲：每年为做供品所要宰杀的牲畜。571皆勿用牲：不再用新宰杀的牲畜做供品。572荐以酒脯而已：就用一些酒水与干肉做供品就行了。荐，上供、用……做供品。脯，干肉。573苍梧王：宋明帝刘彧的长子，现任的皇帝刘昱。因其日后被废为苍梧王，故写史者自始就以"苍梧王"相称。574元徽元年：公元四七三年。元徽，苍梧王刘昱的年号。古代老皇帝死，小皇帝随即继位称帝，但当年仍用其父的年号，转年之后，始用新皇帝的年号。575正月戊寅朔：正月初一是戊寅日。576改元：改用新的年号，即改称今年为元徽元年。577大赦：新皇帝上台伊始，往往有这种动作，表示一种咸与维新的气象，目的是为收买人心。578庚辰：正月初三。579来聘：来刘宋王朝做友好访问。聘，指同等国家间的友好礼节性往来。580戊戌：正月二十一。581还至云中：从北伐柔然的大漠边缘返回云中郡。云中郡的郡治盛乐，在今内蒙古和林格尔北。582癸丑：二月初六。583魏诏守令：魏主下令给各郡的太守与各县的县令。584劝课农事：都要鼓励、督促所管辖区域的百姓积极从事农业生产。劝，鼓励。

课，督促、检查。585同部之内：同一个管辖区内，如一县之内、一郡之内。586贫富相通：穷人与富人相互支援、相互救济。587家有兼牛：一个家庭养有两头以上的牛。588通借无者：就要把牛借给没有牛的人家用。589终身不仕：一辈子不许进入官场。590戊午：二月十一。591至平城：指从云中回到平城。592甲戌：二月二十七。593能静一县劫盗：能使整个县里没有土匪盗贼。594兼治二县：就让他同时管理两个县。595即食其禄：就享有两个县令的俸禄。596素凡讷：一向平庸，不善言辞。597少知解：没有什么知识、见解。598不为诸兄所齿遇：不被哥哥们看得起。所齿遇，看作同一类人。齿，同类。599物情亦不向之：整个社会也没有人向着他。物情，人心。600素族：门庭地位不高的人，这里指袁粲、褚渊。素族，与豪门士族相比而言。601近习：皇帝身边受宠的阴险小人，这里指阮佃夫、王道隆、杨运长。602尊亲莫二：所处的权位之尊和与皇帝的血缘关系之亲，天下无与伦比。当时刘休范既是皇帝刘昱的叔父，又身任骠骑大将军、江州刺史，加司空、侍中之职。莫二，再也找不到第二个。603入为宰辅：进朝任宰相。604不如志：未能实现愿望。605典签：州刺史与督军属下握权的大吏。原是文书、书记员一类的小吏，因刘宋出任刺史的亲王都年龄甚小，所以此职的权力日益扩大，成为与长史、别驾一样的高级僚属。606为之谋主：成为刘休范身边的智囊人物。607折节下士：礼贤下士。折节，放下架子，虚心向人请教。608厚相资给：舍得花钱，给他们以优厚待遇。609远近赴之：各地的人都去投奔他。610岁中万计：一年之中就有上万的人前去投奔他。611阴为之备：暗中注意防备他。612夏口阙镇：夏口地区的军政长官一时缺岗。因夏口是郢州刺史的驻地，故这里指郢州刺史告缺。613居寻阳上流：位居江州刺史刘休范的上流。寻阳，即今江西九江，当时为江州的州治所在地。614二月乙亥：二月二十八。615晋熙王燮：宋明帝的第六子刘燮，当时的皇帝刘昱之弟。传见《宋书》卷九十。616王奂：刘宋官僚王球的后代，先曾任中书郎、黄门郎。传见《南齐书》卷四十九。黄门郎，即黄门侍郎，门下省的副长官。617行府州事：代理都督府与郢州刺史的一切权力。行，代理。618配以资力：为之配备充足的资财与人力。619所劫留：所扣留，不让他去夏口上任。620使自太洑径去：不让他从水路经由寻阳，而让他经由太洑绕过寻阳直奔夏口。太洑，即太子洑，地名，旧址在今湖北黄梅南。胡三省曰："此盖即刘胡自江外趣沔口之路。"621表治城湟：报告朝廷说寻阳需要修城与深挖护城河。湟，湟池、护城河。622而蓄之：贮存这些木板以备日后造船，以袭建康之用。623拾寅：吐谷浑王树洛干的儿子，继其叔慕利延为吐谷浑王，既受北朝封爵，又受南朝封爵。传见《魏书》卷一百一。624浇河：魏郡名，郡治在今青海贵德西南。625四月戊申：四月初二。626长孙观：姓长孙名观，魏国名将长孙道生之孙。传见《魏书》卷二十五。627崇圣大夫：为了尊崇孔子而取的官名。崇圣，尊崇圣人。628给十户以供洒扫：给孔乘派出十户人家，免去他们应给国家上缴的赋税，把这份钱粮用作给孔子管理坟墓的开销。洒扫，指管理与祭祀坟墓。629河南六州：胡三省曰，"青、徐、兖、豫、齐、东徐也"。630乙亥：七月初一。631八月庚申：八月十六。632如河西：到黄河以西地区视察、游历。如，往。633 刍其秋稼：将其秋天的庄稼收割作为饲料。刍，饲料，这里用为动词。634 窘急：处境艰难急迫。635 遣子斤入侍：派他的儿子斤到魏国做人质。入侍，到魏国来侍候皇帝，当人质的婉转说法。636 岁修职贡：每年向魏国进贡。修，执行。职，也是贡的意思。637 九月辛巳：九月初八。638 还平城：由河西返回平城。639 遣使如魏：宋帝刘昱派使者到魏国做礼节性访问。640 十月癸酉：十月三十。641 割南兖、豫州之境置徐州：把南兖州和豫州管辖的地盘各割出一块，合起来建立为徐州。意即在今之安徽境内又设立一个名叫徐州的侨置郡。当时的南兖州州治广陵，即今江苏扬州；当时的豫州州治寿春，即今安徽寿县。642 治钟离：以钟离县为新设徐州的州治所在地。当时的钟离县在今安徽凤阳东北。643 将入寇：准备南攻刘宋。644 充行：入伍，参加南伐的军队。645 武都氐：武都郡的少数民族。武都郡的郡治在今甘肃陇南市武都区东南。氐，当时的少数民族名，居住在今陕西、甘肃、四川三省的交界地区。646 仇池：魏郡名，郡治骆谷镇，在今甘肃成县西，西和县南。647 武都王杨僧嗣：这一带氐族世袭头领杨氏的后代，当时的氐王杨元和投降了魏国，率其部下入魏；杨元和的叔父杨僧嗣遂自称氐王，割据于葭芦城。葭芦城的旧址在今甘肃陇南市武都区东南。648 武兴王：据武兴县自称为王，武兴县的县治即今陕西略阳。649 武兴镇将：在武兴县设立军镇，以杨文度为统兵将领。650 十一月丁丑：十一月初四。651 以母忧去职：因母亲去世在家守孝而辞去辅政大臣之职。652 癸巳：十一月二十。653 怀州：州治即今河南沁阳。654 枋头：古地名，故址即今河南浚县城西的东、西二枋城。当时的枋头地处黄河北侧，地势相当重要。655 薛虎子：

【原文】

二年（甲寅，公元四七四年）

春，正月丁丑[674]，魏太尉源贺以疾罢[675]。

二月甲辰[676]，魏上皇还平城[677]。

三月丁亥[678]，魏员外散骑常侍许赤虎[679]来聘。

夏，五月壬午[680]，桂阳王休范反。掠民船，使军队称力请受[681]，付以材板，合手装治[682]，数日即办[683]。丙戌[684]，休范率众二万、骑五百发寻阳，昼夜取道[685]，以书与诸执政[686]，称："杨运长、王道隆蛊惑先帝，使建安、巴陵二王[687]无罪被戮，望执录二竖[688]，以谢冤魂[689]。"

魏国的名臣薛达头之子，曾为杨头镇将。传见《魏书》卷四十四。⑯冯太后：拓跋弘之母，一个很有政治才干的女性。传见《魏书》卷十三。⑰门士：守门的卫士。⑱相州：魏国的州名，州治邺城，在今河北临漳西南。⑲清晏：政治清平，社会安宁。晏，安宁。⑳乞还虎子：请求让虎子回来重担此任。㉑之官：前往上任。㉒数州：杨头周围的冀、相、怀等州。㉓十二月癸卯朔：十二月初一是癸卯日。㉔乙巳：十二月初三。㉕进位太尉：太尉在三公中权位最高。刘休范在此之前为司空。㉖起袁粲：让袁粲中止为母在家守孝，出来官复原职。㉗以卫军将军摄职：以卫军将军的头衔兼管朝廷政事。卫军将军的地位在侍中、尚书令等职之上，故称"摄职"。摄，兼任。㉘壬子：十二月初十。㉙柔玄镇二部敕勒：柔玄镇两个部落的敕勒人。柔玄镇是魏国在北方设立的六镇之一，其军镇所在地在今河北尚义西。㉚十一水旱：十分之一的地区遭受旱涝灾害。㉛魏妖人：魏郡的兴妖作乱分子。魏郡的郡治在邺城，今河北临漳西南。㉜武昌王平原：拓跋平原，道武帝拓跋珪的曾孙，此时任齐州刺史。传见《魏书》卷十六。齐州的州治即今山东济南。㉝提：拓跋提，拓跋珪的孙子，初封颍川王，后改封武昌王，先后曾任平原镇都大将、统万镇都大将。传见《魏书》卷十六。

【校记】

［7］湟：原作"隍"。据章钰校，甲十一行本、乙十一行本皆作"湟"，今据改。

【语译】

二年（甲寅，公元四七四年）

春季，正月初五日丁丑，魏国担任太尉的源贺因为有病而被免去太尉的职务。

二月初三日甲辰，魏国的太上皇拓跋弘从怀州回到平城。

三月十六日丁亥，魏国派担任员外散骑常侍的许赤虎为使者到宋国进行友好访问。

夏季，五月十二日壬午，宋国的桂阳王刘休范起兵造反。他们一方面掠夺民船，一方面让军队根据各部门人力的多少、技术力量的强弱提出可以接受的造船任务，然后发给板材，让众人齐心合力地装配、打造船只，几天工夫就完成了造船任务。十六日丙戌，刘休范率领二万部众、五百名骑兵从寻阳出发，昼夜兼程向建康进发，刘休范给朝廷的各位执政大臣写信说："杨运长、王道隆蛊惑先帝刘彧，致使建安王刘休仁、巴陵王刘休若二位亲王无罪被杀，希望朝廷逮捕这两个小人，以安慰那些屈死者的冤魂。"

庚寅[690]，大雷戍主[691]杜道欣驰下告变[692]，朝廷惶骇。护军[693]褚渊、征北将军张永、领军[694]刘勔、仆射刘秉、右卫将军[695]萧道成、游击将军戴明宝、骁骑将军阮佃夫、右军将军王道隆、中书舍人孙千龄、员外郎杨运长集中书省计事，莫有言者。道成曰："昔上流谋逆[696]，皆因淹缓[697]致败，休范必远惩前失[698]，轻兵急下，乘我无备。今应变之术，不宜远出，若偏师失律[699]，则大沮众心[700]。宜顿新亭[701]、白下[702]，坚守宫城、东府[703]、石头[704]，以待贼至。千里孤军，后无委积[705]，求战不得，自然瓦解。我请顿新亭以当其锋，征北[706]守白下，领军[707]屯宣阳门为诸军节度[708]。诸贵[709]安坐殿中，不须竞出，我自破贼必矣。"因索笔下议[710]，众并注"同"[711]。孙千龄阴[712]与休范通谋，独曰："宜依旧遣军据梁山[713]。"道成正色[714]曰："贼今已近，梁山岂可得至[715]？新亭既是兵冲[716]，所欲以死报国耳。常时[717]乃可屈曲相从[718]，今不得也！"坐起[719]，道成顾谓刘勔曰："领军已同鄙议，不可改易！"袁粲闻难，扶曳[720]入殿，即日，内外戒严[721]。

道成将前锋兵出屯新亭，张永屯白下，前南兖州刺史沈怀明[722]戍石头，袁粲、褚渊入卫殿省。时仓猝不暇授甲[723]，开南、北二武库，随将士意所取。

萧道成至新亭，治城垒未毕，辛卯[724]，休范前军已至新林[725]。道成方解衣高卧以安众心，徐索白虎幡[726]，登西垣[727]，使宁朔将军高道庆[728]、羽林监陈显达[729]、员外郎王敬则[730]帅舟师与休范战，颇有杀获。壬辰[731]，休范自新林舍舟步上，其将丁文豪请休范直攻台城[732]。休范遣文豪别将兵[733]趣台城[734]，自以大众攻新亭垒。道成率将士悉力拒战，自巳

五月二十日庚寅，大雷要塞的驻军头领杜道欣飞马向下游的建康朝廷报告刘休范起兵叛乱的紧急情况，朝中的大臣都感到十分的震惊和恐惧。护军将军褚渊、征北将军张永、领军将军刘勔、尚书左仆射刘秉、右卫将军萧道成、游击将军戴明宝、骁骑将军阮佃夫、右军将军王道隆、中书舍人孙千龄、员外郎杨运长都集中在中书省商议对策，却一直没有人说话。萧道成说:“过去建康上游的刘义宣在荆州起兵反抗朝廷，后来的刘子勋在江州起兵反抗朝廷，他们都因为行动迟缓而最终导致失败，刘休范必定是汲取了他们失败的教训，所以才率领轻装部队，顺流急速而下，想要趁朝廷没有防备的时候打我们一个措手不及。如今应对桂阳王变乱的最好办法，就是不要派军队远出迎战，如果我们有一支部队遭受失败，就会动摇整个朝野的人心、瓦解我们的士气。现在朝廷应该把军队屯扎在新亭、白下，同时派兵坚守宫城、东府、石头城，等待贼军的到来。他们远行千里孤军作战，后方没有充足的军需储备，求战不能，自然会瓦解。我请求率军驻扎在新亭抵挡他的前锋部队，征北将军张永负责率军守卫白下，领军将军刘勔率军驻扎在宣阳门，负责对各路兵马进行统一协调、调配。其他各位尊贵的大臣就请安坐在宫殿之中，没有必要竞相出征，我们一定能够打败贼军，请各位静候佳音。”于是索取笔墨，提笔写下防守建康城的提议，众大臣都在萧道成的提议书上签上“赞同”的字样。中书舍人孙千龄其实暗地里已经与刘休范通谋，所以只有他提出反对意见说:“应当按照以往的作战方式派遣军队去据守梁山。”萧道成严肃地说:“如今贼军已经逼近建康城，我军现在哪里还来得及去防守梁山？新亭就是贼军的必经之地，我所以请求去防守新亭，就是想要以死报效国家。如果是在平时我可以委屈自己听从你们的意见，现在却不能!”说完便从座位上站起来，萧道成看着刘勔说:“领军将军已经同意我的意见，请你不要再改变主意!”袁粲听到桂阳王刘休范率军杀向建康的消息，就让人搀扶着入宫，当天，全国上下进入紧急军事状态。

右卫将军萧道成率领前锋部队离开京城到新亭屯扎，征北将军张永率领军队屯扎在白下，曾经担任过南兖州刺史的沈怀明率军守卫石头城，尚书令袁粲、护军将军褚渊进入宫城守卫。由于当时事出仓促，都没有来得及按照次序办理手续，就打开了南、北二个武器库，任凭将士随意领取兵器、铠甲。

萧道成率军赶到新亭，所修筑的城垒还没有完工，五月二十一日辛卯，刘休范的先头部队已经到达新林浦。当时萧道成刚脱下衣服卧床休息以稳定军心，听到贼军到达新林浦的消息后，便不慌不忙地取来画有白虎的旗帜，然后登上西侧的城墙眺望敌情，他派遣担任宁朔将军的高道庆、担任羽林监的陈显达、担任员外郎的王敬则率领水军船队迎战刘休范的叛军，消灭了不少叛军。二十二日壬辰，刘休范从新林浦弃船上岸，从陆路步行杀向建康，他的部将丁文豪请求刘休范直接进攻台城。刘休范遂派遣丁文豪单独率领一支部队杀向台城，而刘休范则亲自率领大军进攻进驻新亭的萧道成的营垒。萧道成率领全部将士拼死抵抗，从上午十时左右一直拼杀

至午[735]，外势愈盛[736]，众皆失色。道成曰："贼虽多而乱，寻当破[737]矣。"

休范白服[738]，乘肩舆[739]，自登城南临沧观[740]，以数十人自卫。屯骑校尉黄回[741]与越骑校尉张敬兒[742]谋诈降以取之，回谓敬兒曰："卿可取之，我誓不杀诸王。"敬兒以白道成，道成曰："卿能办事[743]，当以本州相赏[744]。"乃与回出城南[745]，放仗走[746]，大呼称降。休范喜，召至舆侧。回阳致道成密意[747]，休范信之，以二子德宣、德嗣付道成为质[748]。二子至，道成即斩之。休范置回、敬兒于左右，所亲李恒、锺爽谏，不听。时休范日饮醇酒，回见休范无备，目敬兒[749]。敬兒夺休范防身刀，斩休范首，左右皆散走，敬兒驰马持首归新亭。

道成遣队主陈灵宝送休范首还台[750]。灵宝道逢休范兵，弃首于水，挺身得达[751]，唱云"已平"[752]，而无以为验[753]，众莫之信。休范将士亦不之知[754]，其将杜黑骡攻新亭甚急。萧道成在射堂[755]，司空主簿萧惠朗[756]帅敢死士数十人突入东门，至射堂下。道成上马，帅麾下搏战，惠朗乃退，道成复得保城[757]。惠朗，惠开[758]之弟也，其姊为休范妃。惠朗兄黄门郎惠明，时为道成军副[759]，在城内，了不自疑[760]。

道成与黑骡拒战，自晡达旦[761]，矢石不息。其夜大雨，鼓叫[762]不复相闻。将士积日[763]不得寝食，军中马夜惊，城内乱走。道成秉烛正坐，厉声呵之，如是者数四[764]。

丁文豪破台军于皂荚桥[765]，直至朱雀桁[766]南，杜黑骡亦舍新亭北趣朱雀桁。右军将军王道隆将羽林精兵在朱雀门内，急召鄱阳忠昭公刘

到中午十二时，刘休范的军队越来越多，攻势越来越猛，众将士全都大惊失色。萧道成说：“贼军数量虽多然而秩序混乱，用不了多久我们就能将他们打败。”

刘休范身穿白色衣服，乘坐着肩舆，亲自登上城南的临沧观，身边只带着几十人的一个卫队。担任屯骑校尉的黄回与担任越骑校尉的张敬兒商议用诈降计去杀死刘休范，黄回对张敬兒说：“你可以动手杀死刘休范，我曾经发下誓言，绝不诛杀诸王。”张敬兒把自己的诈降计划报告给萧道成，萧道成说：“你如果能够把事情办成功，我就派你到你的老家去当雍州刺史。”于是张敬兒就与黄回一起出城来到城南，然后命令士兵放下兵器向南逃走，口里大声呼喊着投降。刘休范一看非常高兴，就把他们召到自己的肩舆前。黄回假装把萧道成准备投降的情况对刘休范述说了一遍，刘休范果然相信了他们，于是就把自己的两个儿子刘德宣、刘德嗣交给萧道成做人质。刘德宣、刘德嗣到达萧道成的军营，萧道成立即就把他们杀死了。刘休范把黄回、张敬兒安置在自己的身边，刘休范的亲信李恒、锺爽极力进行劝谏，刘休范都没有听从。当时刘休范每天都要饮用美酒，黄回看见刘休范毫无防备，就用眼睛示意张敬兒赶紧动手。张敬兒立即扑上去夺下刘休范防身用的佩刀，砍下了刘休范的人头，刘休范的左右侍从全都四散逃走，张敬兒手持刘休范的人头飞马跑向新亭萧道成的营垒。

萧道成派遣担任一支小部队头领的陈灵宝把刘休范的人头送往朝廷，向朝廷报喜。不料陈灵宝在路上遇到刘休范的军队，他就把刘休范的人头抛入水中，摆脱刘休范军队的追杀，只身回到朝廷，他向朝中的大臣们大声报告说“刘休范已经被杀死了”，然而没有什么凭据，所以众人都不相信。而此时刘休范属下的将士也不知道刘休范已经被杀，刘休范的部将杜黑骡对新亭发起猛烈的进攻。萧道成在射堂指挥，在刘休范手下担任司空主簿的萧惠朗率领几十名敢死队冲入新亭城的东门，已经攻到射堂之下。萧道成立即飞身上马，率领自己的属下与萧惠朗奋力搏斗，萧惠朗这才率军退走，萧道成重新守住了新亭。萧惠朗，是萧惠开的弟弟，萧惠朗的姐姐是桂阳王刘休范的王妃。萧惠朗的哥哥、担任黄门郎的萧惠明，当时正在萧道成手下担任军副，就驻扎在新亭城内，他一点也没有因为自己弟弟是刘休范的属下而怀疑萧道成会因此而不信任自己。

萧道成亲自率军抵抗杜黑骡的进攻，从前一天下午四时左右一直激战到第二天早晨，流箭飞石始终就没有停止过。当天夜里，天降大雨，互相之间已经听不到对方的战鼓声和呐喊声。将士们已经一连几天没有得到休息和饮食，军中的战马突然夜惊，在城内狂奔乱跑。萧道成手持火烛正襟危坐，厉声呵斥以维持秩序，已经这样一连呵斥了好几次。

刘休范的部将丁文豪在皂荚桥打败了朝廷的军队，一直推进到建康城南门外面的朱雀桥南边，杜黑骡也舍弃进攻新亭，向北赶往朱雀桥。右军将军王道隆一面率领羽林军的精兵在朱雀门内加强防守，一面紧急派人到石头城征调担任领军将军的

勔[767]于石头。勔至，命撤桁[768]以折[769]南军之势。道隆怒曰："贼至，但当急击，宁可开桁自弱邪！"勔不敢复言。道隆趣[770]勔进战，勔渡桁南，战败而死。黑骡等乘胜渡淮[771]，道隆弃众走还台，黑骡兵追杀之。黄门侍郎王蕴[772]重伤，踣于御沟之侧[773]，或[774]扶之以免。蕴，景文之兄子也。于是中外[775]大震，道路皆云"台城已陷"。白下、石头之众皆溃，张永、沈怀明逃还。宫中传[776]新亭亦陷，太后执帝手泣曰："天下败矣！"

先是[777]，月犯右执法[778]，太白犯上将[779]，或劝刘勔解职[780]。勔曰："吾执心行己[781]，无愧幽明[782]，若灾眚必至[783]，避岂得免！"勔晚年颇慕高尚[784]，立园宅，名为东山，遗落世务[785]，罢遣部曲[786]。萧道成谓勔曰："将军受顾命，辅幼主，当此艰难之日，而深尚从容[787]，废省羽翼[788]，一朝事至，悔可追乎！"勔不从而败[789]。

甲午[790]，抚军长史褚澄[791]开东府门纳南军[792]，拥安成王準[793]据东府，称桂阳王教[794]曰："安成王，吾子也，勿得侵犯[795]。"澄，渊之弟也。杜黑骡径进至杜姥宅[796]，中书舍人孙千龄开承明门[797]出降，宫省恇扰[798]。时府藏已竭，皇太后、太妃剔取[799]宫中金银器物以充赏，众莫有斗志。

俄而丁文豪之众知休范已死，稍欲退散。文豪厉声曰："我独不能定天下邪！"许公舆诈称桂阳王在新亭，士民惶惑，诣萧道成垒[800]投刺[801]者以千数。道成得，皆焚之，登北城[802]谓曰："刘休范父子昨已就戮，尸在南冈[803]下。身是萧平南[804]，诸君谛视之[805]。名刺皆已焚，勿忧惧也。"

道成遣陈显达、张敬兒及辅师将军任农夫[806]、马军主[807]东平周盘龙[808]等将兵自石头济淮，从承明门入卫宫省。袁粲慷慨谓诸将曰："今

鄱阳忠昭公刘勔率军撤回建康增援。刘勔急忙率军赶回建康，他下令将士拆除朱雀门外的浮桥，以减弱贼军的攻势。王道隆看见刘勔如此处置，不禁怒气冲冲地说："贼军已经攻到跟前，我们应当加紧迎头痛击，岂能拆毁浮桥，向贼军示弱呢！"刘勔不敢再说什么。王道隆催促刘勔率军上前迎战贼军，刘勔率军渡过朱雀桁浮桥来到城南，战败而死。杜黑骡等人则乘胜渡过秦淮河，王道隆抛下众人独自逃回台城，被杜黑骡的士兵追上杀死。黄门侍郎王蕴身负重伤，摔倒在护城河旁边，因为有人搀扶着他才幸免于难。王蕴，是王景文哥哥的儿子。此时宫廷内外人心惶惶，路上的人都传说"台城已经被贼军攻陷"。白下、石头城的守军立时全部溃散，征北将军张永、前兖州刺史沈怀明逃回朝廷。从宫中又传出新亭已经陷落的消息，王太后拉着后废帝刘昱的手哭着说："我们的天下已经败亡了！"

在此之前，月亮运行到右执法星的区域，太白星运行到上将星的区域，曾经有人劝说领军将军刘勔辞去现任的职务。刘勔说："我凭良心做人，无愧于天地鬼神、天下苍生，如果灾难一定要降临的话，即使躲避难道就能够免祸吗?!"刘勔到了晚年非常羡慕脱离尘世的平淡生活，于是修建了田园住宅，取名为东山，他避开世俗的官场斗争，遣散了门下的私人军队以及奴仆。萧道成对刘勔说："将军接受了先帝的遗命，肩负着辅佐幼主的重任，在国家正在遭遇艰难的时刻，而你却追求那种自由自在的生活，去掉了自己身边的护卫人员，一旦有紧急事情发生，后悔还来得及吗?!"刘勔没有听从萧道成的忠告，终于受制于小人王道隆，遭其逼迫而死。

五月二十四日甲午，担任抚军长史的褚澄打开了东府的大门，将刘休范的叛军放进东府，拥戴安成王刘準占据东府，并以桂阳王刘休范的口吻发布文告说："安成王刘準，是我桂阳王刘休范的儿子，不要把他当成刘彧的儿子与其他人一样处置。"褚澄，是褚渊的弟弟。杜黑骡径直攻入东府南掖门外的杜姥宅，中书舍人孙千龄也打开承明门出来向叛军投降，皇宫之内以及朝廷之上的所有人全都惊慌失措。当时朝廷的府库里已经一无所有，皇太后、太妃就从宫中挑选出一些金银器物作为奖赏，然而众人已经全都没有了斗志。

不久，刘休范的部将丁文豪等知道了刘休范已经被杀死的消息，于是逐渐有人想要退却逃走。丁文豪厉声说："难道我就不能独自安定天下吗?!"许公舆谎称桂阳王刘休范就在新亭，士民惶惑不安，遂错把新亭萧道成的营垒当成刘休范的营垒，于是前来投递名帖以求接纳的有上千人。萧道成收到名帖之后，立即全部焚毁，他登上北城宣布说："刘休范父子昨日就已经被杀死了，他们的尸体就在南冈之下。我是平南将军萧道成，请各位仔细看清楚了。你们投递的名帖都已经被我焚毁，你们不要因此而感到惊慌恐惧。"

萧道成派遣羽林监陈显达、越骑校尉张敬兒以及辅师将军任农夫、骑兵统领东平人周盘龙等人率军从石头城渡过秦淮河，从承明门进入皇宫守卫宫廷。尚书令袁

寇贼已逼而众情离沮[809]，孤子[810]受先帝付托[811]，不能绥靖[8]国家[812]，请与诸君同死社稷[813]！”被甲上马，将驱之。于是陈显达等引兵出战，大破杜黑骡于杜姥宅，飞矢贯[814]显达目。丙申[815]，张敬兒等又破黑骡等于宣阳门，斩黑骡及丁文豪，进克东府，余党悉平。萧道成振旅[816]还建康，百姓缘道聚观，曰：“全[817]国家者此公也！”道成与袁粲、褚渊、刘秉皆上表引咎解职，不许。丁酉[818]，解严[819]，大赦。

柔然遣使来聘。

六月庚子[820]，以平南将军萧道成为中领军、南兖州刺史，留卫建康，与袁粲、褚渊、刘秉更日入直决事[821]，号为四贵。

桂阳王休范之反也，使道士陈公昭作《天公书》[822]，题云“沈丞相”[823]，付荆州刺史沈攸之门者[824]。攸之不开视，推得公昭[825]，送之朝廷。及休范反，攸之谓僚佐曰：“桂阳必声言我与之同[826]。若不颠沛勤王[827]，必增朝野之惑[828]。”乃与南徐州刺史建平王景素[829]、郢州刺史晋熙王燮、湘州刺史王僧虔[830]、雍州刺史张兴世[831]同举兵讨休范。休范留中兵参军毛惠连等守寻阳，燮遣中兵参军冯景祖袭之。癸卯[832]，惠连等开门请降，杀休范二子，诸镇皆罢兵。景素，宏[833]之子也。

乙卯[834]，魏诏曰：“下民凶戾[835]，不顾亲戚，一人为恶，殃及阖门[836]。朕为民父母，深所愍悼[837]。自今非谋反大逆外叛，罪止其身[838]。”于是始罢[839]门、房之诛[840]。

魏显祖勤于为治，赏罚严明，慎择牧守[841]，进廉退贪。诸曹疑事[842]，旧多奏决[843]，又口传诏敕，或致矫擅[844]。上皇命事无大小，皆据律正名[845]，不得为疑奏[846]。合则制可[847]，违则弹诘[848]，尽用墨诏[849]，由是

粲慷慨地对诸将说：“如今寇贼已经逼近皇城而诸位却人心离散、情绪沮丧，我接受先帝临终的托付，如果不能平定国家的危难，就让我与各位一同为保卫国家而战死吧！”说完披上铠甲翻身上马，准备率领诸将去抵抗叛军。于是羽林监陈显达等人率军出城作战，在杜姥宅把杜黑骡的叛军打得大败，流矢射中陈显达的眼睛。五月二十六日丙申，越骑校尉张敬兒等人在宣阳门再次打败杜黑骡，斩杀杜黑骡和丁文豪，进军收复了东府，其余的叛军余党全部被平定。萧道成整顿部队返回建康城，百姓聚集在道路两旁观看萧道成，都说：“保全国家的人就是这位将军啊！”萧道成与袁粲、褚渊、刘秉全都上表给后废帝刘昱，请求引咎辞职，刘昱没有批准。二十七日丁酉，解除紧急军事状态，大赦天下。

柔然派使者到宋国进行友好访问。

六月初一日庚子，宋国后废帝任命平南将军萧道成为中领军、南兖州刺史，留在京城负责守卫，与尚书令袁粲、护军将军褚渊、尚书左仆射刘秉每日轮流入官值班处理国家大事，时人称他们为“四贵”。

桂阳王刘休范准备谋反的时候，曾经让道士陈公昭写了一封《天公书》，上面题写着“沈丞相”，派人交给了荆州刺史沈攸之的守门人。沈攸之并没有打开观看，他查清楚此书是陈公昭所写，便派人抓获了陈公昭，并将陈公昭押送给朝廷处理。等到刘休范起兵造反，沈攸之对属下的僚属们说：“桂阳王刘休范必然公开宣扬我和他是同路人。如果我们现在不赶紧出兵积极援助朝廷，必然会增加朝野对我们荆州的怀疑。”于是与担任南徐州刺史的建平王刘景素、担任郢州刺史的晋熙王刘燮、担任湘州刺史的王僧虔、担任雍州刺史的张兴世一同起兵讨伐桂阳王刘休范。刘休范留下担任中兵参军的毛惠连等人守卫自己的老巢寻阳，晋熙王刘燮派遣担任中兵参军的冯景祖袭击寻阳。六月初四日癸卯，毛惠连等人打开寻阳城门请求投降，冯景祖诛杀了刘休范的两个儿子，各军镇于是全部罢兵撤回原地。刘景素，是刘宏的儿子。

六月十六日乙卯，魏国朝廷下诏说：“小民凶残暴戾，并不顾念家人亲戚，然而一个人作奸犯科，就要殃及全家，我作为百姓的父母，对受到株连的家属深表同情和哀悼。自今以后，除非是犯了谋反、大逆不道或是叛国投敌之罪，其余的只对罪犯本人治罪，不再株连他们的亲属。”魏国从此废止了灭全家、灭一支的刑罚。

魏显祖拓跋弘勤于治理国家，赏罚严明，谨慎地挑选、任命各州刺史和各郡太守，为官清廉的就提升其官职，为人贪婪的就罢黜其官职。朝廷各部门遇到不好解决的疑难问题，以前大多数都奏请皇帝做最后的裁决，再有就是口头传达皇帝诏令，有时会被篡改或被加入个人成分，因而出现了假托皇帝诏命与个人专断等情况。太上皇帝拓跋弘命令：今后事情无论大小，都要依据法律法规定出所犯的罪名，不能将许多悬而未决的问题都推给皇帝裁决。皇帝看着合乎法律法规的就批示一个“可”字，皇帝看着不合法律法规的就提出批评、质问，全都亲笔做出批示而不再派人口

事皆精审。尤重[850]刑罚，大刑[851]多令覆鞫[852]，或囚系积年[853]。群臣颇以为言[854]，上皇曰：“滞狱[855]诚非善治，不犹愈于仓猝而滥[856]乎？夫人幽苦[857]则思善，故智者以囹圄为福堂[858]，朕特苦之[859]，欲其改悔而加矜恕[860]尔。”由是囚系虽滞，而所刑多得其宜。又以赦令长奸[861]，故自延兴[862]以后，不复有赦[863]。

秋，七月庚辰[864]，立皇弟友[865]为邵陵王[866]。

乙酉[867]，加荆州刺史沈攸之开府仪同三司，攸之固辞。执政欲征攸之[868]而惮于发命[869]，乃以太后令遣中使[870]谓曰：“公久劳于外，宜还京师。任寄实重[871]，未欲轻之[872]，进退可否，在公所择。”攸之曰：“臣无廊庙之资[873]，居中[874]实非其才。至于扑讨蛮、蜑[875]，克清江、汉[876]，不敢有辞。虽自上如此[877]，去留伏听朝旨。”乃止。

癸巳[878]，柔然寇魏敦煌，尉多侯击破之。尚书奏：“敦煌僻远，介居[879]西、北二[9]强寇[880]之间，恐不能自固，请内徙就凉州[881]。”群臣集议，皆以为然。给事中昌黎韩秀[882]独以为：“敦煌之置，为日已久。虽逼强寇，人习战斗，纵有草窃[883]，不为大害。循常置戍[884]，足以自全，而能隔阂西、北二虏[885]，使不得相通。今徙就凉州，不唯[886]有蹙国[887]之名，且姑臧去敦煌[888]千有余里，防逻甚难[889]，二虏必有交通窥闚[890]之志。若骚动凉州，则关中不得安枕。又，士民或安土重迁[891]，招引外寇，为国深患，不可不虑也。”乃止。

九月丁酉[892]，以尚书令袁粲为中书监、领司徒，加褚渊尚书令，刘秉丹杨尹。粲固辞，求反居墓所[893]，不许。

传诏敕，因此诉讼案件都能够得到精确的审理。魏显祖尤其重视刑罚，凡是重刑犯，多数情况下都下令进行复审，有的犯人因此被关押多年。群臣对这种做法很有意见，太上皇说：“使监狱中积压着一些没有处理的犯人确实不是一件好事情，但这与仓促结案、乱判滥杀而造成很多冤假错案相比不是好多了吗？人受了囚禁之苦就会想着向善，所以有智慧的人都把牢狱看作转祸为福的善地，我之所以特意多关押他们一段时间，让他们多吃一些苦，是想等他们有了悔改之心后宽恕他们。”从此以后，对囚犯关押的时间虽然较长，但对他们的处罚大多都很恰当。太上皇又认为国家经常发布大赦令容易使罪犯存在侥幸心理，所以自从延兴以后，不再颁布大赦令。

秋季，七月十一日庚辰，宋国后废帝封自己的弟弟刘友为邵陵王。

七月十六日乙酉，宋国朝廷加授担任荆州刺史的沈攸之开府仪同三司，沈攸之坚决推辞了。朝中执政的大臣想把沈攸之调回朝廷却又不敢签发命令，于是就以王太后的命令从宫廷中派出使者到荆州对沈攸之说：“你长期在外任职很辛劳，现在应该回到京师任职。朝廷对你的委任是很崇高的，不会对你有任何降低，是愿意留在荆州还是愿意返回朝廷，听凭你自己选择。”沈攸之回答说：“我没有在朝廷担任辅政大臣的才干，在朝廷任职我实在不能胜任。至于朝廷命我去捕讨蛮人、蜑人等少数民族的叛乱，维持长江、汉水一带的安宁，我不敢有一点的推辞。虽然我自己的愿望如此，但我的去留仍然听从朝廷的旨意。”于是征调沈攸之回朝任职的建议就此作罢。

七月二十四日癸巳，柔然人入侵魏国的敦煌，敦煌守将尉多侯率军击退了柔然人的入侵。魏国的尚书向朝廷奏报说：“敦煌位置偏僻，距离遥远，被夹在西边的吐谷浑、北边的柔然两个强寇之间，恐怕仅凭那里的力量不能够进行自保，请把敦煌一带的百姓全部向东迁移到凉州地区。”群臣聚集在一起对此事进行商讨，都认为尚书的建议很有道理。唯独担任给事中的昌黎人韩秀不以为然，他认为：“敦煌的设置，由来已久。虽然逼近强寇，然而那里的人们已经习惯了战斗，纵然有些小股草寇的入侵，并不能构成大的危害。按照常规在那里设置一些驻兵据点，完全可以守住敦煌，而且敦煌又能割断西边吐谷浑和北边柔然两个强敌之间的联系，使他们不能互相勾结在一起。如果把敦煌的人全都迁移到凉州，不仅要背负使国家疆土减少的恶名，而且姑臧距离敦煌一千多里，敦煌的居民向东迁移途中的防御、保卫工作都很困难，柔然和吐谷浑两个强敌必然会互相勾结，伺机而动，觊觎我国的领土。如果因此而引起凉州骚动，那么关中地区就不能安枕无忧。再有，百姓或许留恋本土，不愿意搬迁，如果强行令他们搬迁，他们就有可能招致外寇，成为国家长期的大患，对这些情况不能不加以考虑。”群臣于是否决了尚书提出的放弃敦煌、将敦煌的百姓迁移到凉州的建议。

九月二十九日丁酉，宋国后废帝任命担任尚书令的袁粲为中书监兼任司徒，加授担任护军将军的褚渊为尚书令，尚书左仆射刘秉为丹杨尹。袁粲坚决推辞，请求允许自己回到母亲的墓旁为母亲守孝，宋后废帝没有批准。

渊以褚澄为吴郡[894]太守，司徒左长史[895]萧惠明言于朝[896]曰："褚澄开门纳贼，更[897]为股肱大郡[898]，王蕴力战几死[899]，弃而不收[900]，赏罚如此，何忧不乱[901]！"渊甚惭。冬，十月庚申[902]，以侍中王蕴为湘州刺史[903]。

十一月丙戌[904]，帝加元服[905]，大赦。

十二月癸亥[906]，立皇弟跻[907]为江夏王[908]，赞[909]为武陵王[910]。

是岁，魏建安贞王陆馛[911]卒。

三年（乙卯，公元四七五年）

春，正月辛巳[912]，帝祀南郊、明堂。

萧道成以襄阳重镇[913]，张敬兒人位俱轻[914]，不欲使居之[915]，而敬兒求之不已，谓道成曰："沈攸之在荆州，公知其欲何所作[916]；不出敬兒[917]，以表里制之[918]，恐非公之利。"道成笑而无言。三月己巳[919]，以骁骑将军张敬兒为都督雍、梁[920]二州诸军事，雍州刺史。

沈攸之闻敬兒上[921]，恐其见袭，阴为之备。敬兒既至[922]，奉事攸之[923]，亲敬甚至[924]，动辄咨禀[925]，信馈[926]不绝。攸之谓[10]为诚然[927]，酬报款厚[928]。累书[929]欲因游猎会境上[930]，敬兒报以为[931]"心期有在[932]，影迹不宜过敦[933]"。攸之益信之。敬兒得其事迹，皆密白道成。道成与攸之书，问："张雍州[934]迁代之日[935]，将欲谁拟[936]？"攸之即以示敬兒[937]，欲以间之[938]。

夏，五月丙午[939]，魏主使员外散骑常侍许赤虎来聘。

丁未[940]，魏主如武州山[941]。辛酉[942]，如车轮山[943]。

六月庚午[944]，魏初禁杀牛马[945]。

袁粲、褚渊皆固让新官。秋，七月庚戌[946]，复以粲为尚书令，八月庚子[947]，加护军将军褚渊中书监。

冬，十二月丙寅[948]，魏徙建昌王长乐[949]为安乐王[950]。

己丑[951]，魏城阳王长寿[952]卒。

尚书令褚渊任命褚澄为吴郡太守，担任司徒左长史的萧惠明在朝中公开指责褚渊说："褚澄打开城门接纳贼寇，向贼寇投降，现在却任命他担任对国家兴亡有重大关系的吴郡太守，侍中王蕴拼死作战几乎战死，却被扔在一边无人理睬，如此赏罚不明，何愁天下不乱！"褚渊对自己的决定感到非常惭愧。冬季，十月二十三日庚申，任命侍中王蕴为湘州刺史。

十一月十九日丙戌，宋国为后废帝刘昱举行加冠典礼，大赦天下。

十二月二十七日癸亥，宋后废帝封自己的弟弟刘跻为江夏王，封刘赞为武陵王。

这一年，魏国的建安贞王陆馛去世。

三年（乙卯，公元四七五年）

春季，正月十五日辛巳，宋后废帝到南郊、明堂举行祭天活动。

萧道成认为雍州刺史的驻地襄阳既邻近魏国，又处于荆州的上游，形势至关重要，而骁骑将军张敬兒个人的声望与现在的地位都太低，虽然在张敬兒设谋诈降杀死刘休范时，萧道成曾经许诺任命他为雍州刺史，而现在却不想兑现承诺，张敬兒却不断要求萧道成履行承诺，他对萧道成说："荆州刺史沈攸之在荆州，他准备干什么您是知道的；您不让我张敬兒出任雍州刺史，与您在朝中互相呼应以控制沈攸之，恐怕这样做的后果会对您不利。"萧道成笑而不答。三月初四日己巳，任命骁骑将军张敬兒为都督雍、梁二州诸军事，雍州刺史。

荆州刺史沈攸之听说张敬兒将沿着水路逆流而上，恐怕遭到他的袭击，于是便暗中做好防备。张敬兒到达襄阳任所后，对待沈攸之，就像下属对待自己的上司一样，礼貌很周到，遇到什么事情都向沈攸之请示、禀报，问候和馈赠接连不断。沈攸之认为张敬兒的确是真心实意地亲近自己，因而回报张敬兒的也很诚恳丰厚。沈攸之多次写信给张敬兒，想找个打猎的机会在双方的边界上会个面，张敬兒回复说："大家都这么想就很好了，在行动上却不应该过于亲密。"沈攸之越加信任张敬兒。张敬兒探知沈攸之的行动迹象，都秘密地报告给萧道成。萧道成写信给沈攸之，询问沈攸之说："雍州刺史张敬兒调任的时候，你希望谁来接替他？"沈攸之立即把萧道成写给自己的书信拿给张敬兒看，想以此离间张敬兒和萧道成的关系。

夏季，五月十二日丙午，魏国孝文帝拓跋宏派遣担任员外散骑常侍的许赤虎为使者到宋国进行友好访问。

十三日丁未，魏国孝文帝前往武州山。二十七日辛酉，又从武州山前往车轮山。

六月初七日庚午，魏国首次禁止宰杀牛马。

宋国的袁粲、褚渊都坚决推辞新近授予的官职。秋季，七月十七日庚戌，重新任命袁粲为尚书令，八月庚子日，加授担任护军将军的褚渊为中书监。

冬季，十二月初六日丙寅，魏国孝文帝改封建昌王拓跋长乐为安乐王。

二十九日己丑，魏国的城阳王拓跋长寿去世。

南徐州刺史建平王景素，孝友清令[953]，服用俭素[954]，又好文学，礼接士大夫[955]，由是有美誉，太宗特爱之，异其礼秩[956]。时太祖诸子俱尽[957]，诸孙唯景素为长。帝凶狂失德[958]，朝野皆属意于景素[959]。帝外家陈氏[960]深恶之，杨运长、阮佃夫等欲专权势，不利立长君[961]，亦欲除之。其腹心将佐[962]多劝景素举兵，镇军参军济阳江淹[963]独谏之，景素不悦。是岁，防阁将军王季符[964]得罪于景素，单骑亡奔[965]建康，告景素谋反。运长等即欲发兵讨之，袁粲、萧道成以为不可，景素亦遣世子延龄[966]诣阙自陈[967]。乃徙[968]季符于梁州，夺[969]景素征北将军[970]、开府仪同三司。

【段旨】

以上为第三段，写刘宋苍梧王刘昱元徽二年（公元四七四年）、三年共两年间的大事。主要写了宋桂阳王刘休范发动叛乱，进攻建康，建康的形势危急，朝廷执政数人商讨保卫京师，萧道成成为中心人物；写了朝廷将领黄回与张敬兒诈降刘休范，骗得信任，乘机将刘休范杀死，但因送首级的人中途遇敌将而首级丢失，朝廷方无法确认，刘休范的部将不知，故仍苦战进攻不已；写了近习佞幸王道隆迫使老将刘勔过秦淮河作战，刘勔战死，褚渊之弟褚澄开东府门迎降，中书舍人孙千龄又开台城以降，朝廷乱成一片；写了袁粲带头与敌兵决战，陈显达、张敬兒、任农夫、周盘龙等猛烈出击，大破刘休范的部将杜黑骡、丁文豪等，又值刘休范已死的消息传播，进攻建康之兵遂告全部失败；写了荆州刺史沈攸之假惺惺地不受刘休范的拉拢，联合南徐州刺史刘景素、湘州刺史王僧虔、雍州刺史张兴世等起兵援助朝廷，攻击江州，杀死刘休范之二子，江州遂告平定；写了朝廷知沈攸之据荆州欲谋不轨，欲调沈攸之进京，沈攸之婉言拒绝，朝廷遂不敢再动；写了萧道成任张敬兒为雍州刺史，张敬兒假意向沈攸之讨好，准备内外夹击沈攸之；写了魏之上皇拓跋弘改革法制，规定“罪止一人”，“废除门、房之诛”，废除大赦之令，强调依法办事，加强各级政府、各曹官长的责任心，不得为疑奏，大刑多令覆鞫，皇帝亦不再“口传诏敕”，以及为发展农业而禁杀牛马等；此外还写了柔然侵魏敦煌，有人建议将敦煌之民东迁凉州，给事中韩秀极言其不可，可谓一字千金；写了褚渊欲升任开城门迎降的褚澄为吴郡太守，被给事中萧惠明痛斥等。

宋国担任南徐州刺史的建平王刘景素，孝敬父母，友爱兄弟，秉性平易自然，衣着与日常生活都很节俭朴素，又喜好文学，对士大夫以礼相待，因而享有很好的声誉，宋太宗刘彧特别喜爱他，给予他的礼遇与官阶俸禄都与别的子弟不同。当时宋太祖刘义隆的儿子已经没有活在世上的了，在他的孙子辈中只有刘景素年纪最大。宋明帝刘彧凶残狂妄，没有道德，朝廷内外都把希望寄托在刘景素的身上。宋后废帝刘昱的外祖母家陈氏因此而非常憎恨刘景素，员外郎杨运长、骁骑将军阮佃夫等人都想专擅朝政，认为拥立年长的人为皇帝对自己不利，因而也想除掉刘景素。刘景素的心腹将佐中有许多人都劝说刘景素起兵夺取皇帝宝座，只有担任镇军参军的济阳郡人江淹劝刘景素不要举兵造反，刘景素因此很不高兴。当年，担任防阁将军的王季符得罪了刘景素，便单枪匹马逃到京师建康，向朝廷告发刘景素想要谋反。杨运长等人立即就要发兵讨伐刘景素，尚书令袁粲、萧道成认为不可以，刘景素也派自己的嫡长子刘延龄到朝廷说明情况。朝廷于是把王季符流放到梁州，同时也削去刘景素征北将军、开府仪同三司的职位。

【注释】

⑥⑦④丁丑：正月初五。⑥⑦⑤以疾罢：因病而免去其太尉之职。⑥⑦⑥二月甲辰：二月初三。⑥⑦⑦还平城：自怀州返回平城。⑥⑦⑧三月丁亥：三月十六。⑥⑦⑨许赤虎：多涉经史，有辩才，多次出使刘宋。传见《魏书》卷四十六。⑥⑧⓪五月壬午：五月十二。⑥⑧①称力请受：根据本部门的人力多少、技术强弱提出可接受的造船任务。⑥⑧②合手装治：齐心合力地装配、打造船只。⑥⑧③数日即办：几天之内就完成了。办，完成。⑥⑧④丙戌：五月十六。⑥⑧⑤昼夜取道：日夜兼程。⑥⑧⑥以书与诸执政：给朝廷的各位执政大臣写信。⑥⑧⑦建安、巴陵二王：指刘休仁和刘休若。⑥⑧⑧执录二竖：逮捕这两个小人。执，拘捕。录，收押。竖，竖子、小子。古代的骂人语。⑥⑧⑨以谢冤魂：以安慰那些屈死者。⑥⑨⓪庚寅：五月二十。⑥⑨①大雷戍主：大雷要塞的驻军头领。大雷，当时的重要据点，在今安徽望江的长江边。戍主，据点、要塞的驻军头领。⑥⑨②驰下告变：飞马向下游的建康城报告紧急情况。⑥⑨③护军：护军将军，与侍中、尚书令同一等级。⑥⑨④领军：领军将军，与护军将军级别相同。⑥⑨⑤右卫将军：宫廷禁卫军的统领之一。⑥⑨⑥昔上流谋逆：指元嘉三十年（公元四五三年）刘义宣在荆州起兵反对宋孝武帝刘骏，和刘子勋泰始元年（公元四六五年）在江州的起兵反对宋明帝刘彧。因荆州和江州均在建康之西，地处长江的上游，所以这里说“上流”。⑥⑨⑦淹缓：行动迟缓。淹，滞留。〖按〗当时西军的将领臧质、刘胡等都曾提出长驱以取建康的动议，可惜均未被迂腐的主帅采纳。⑥⑨⑧远惩前失：吸取前人失败的教训。惩，接受教训。⑥⑨⑨若偏师失律：如果我们有一支小部队遭受失败。失律，不守约束，这里指失利。⑦⓪⓪大沮众心：

对整个朝野人心士气的影响都将是惨重的。沮，动摇、瓦解。⑦01 宜顿新亭：应把重兵驻扎在新亭。顿，驻扎。新亭，当时建康城周边的军事及交通重地，故址在今江苏南京城南。⑦02 白下：亦名白石陂，时为建康城外的滨江要地，旧址在今江苏南京的金川门外。⑦03 东府：也叫东城，是当时建康城东侧的小城，东晋时会稽王司马道子为朝廷首相时居住于此。称为东府，即相府之意。⑦04 石头：石头城，当时建康城重要的屯兵与防守之地，故址在今江苏南京的西北部，即今之石头城公园。⑦05 委积：指粮食草料等军需储备。⑦06 征北：指征北将军张永。⑦07 领军：指领军将军刘勔。⑦08 为诸军节度：对各路兵马进行统一协调、调配。⑦09 诸贵：其他各位贵人。指萧道成、张永、刘勔以外的其他朝廷权贵，如刘秉、褚渊等。⑦10 索笔下议：提笔写下防守建康城的提议。⑦11 众并注“同”：大家都在萧道成的建议书上画押赞同。⑦12 阴：暗中；私下。⑦13 梁山：天门山，在今安徽当涂与和县之间。分东西两山，隔江相对，当时为防守建康城（今江苏南京）的西部要塞。⑦14 正色：面色严厉的样子。⑦15 梁山岂可得至：我们还来得及去防守梁山吗？⑦16 兵冲：敌军的必经之地。⑦17 常时：平常的时候。⑦18 可屈曲相从：我可以委屈自己听你们的。⑦19 坐起：从座位上站起来。⑦20 扶曳：被人搀扶着。因袁粲正为母亲居丧毁瘠，所以被人搀扶。“扶曳入殿”表现了袁粲的识大局，不以己私而害公。⑦21 内外戒严：全国上下进入紧急军事状态。⑦22 沈怀明：刘宋王朝的名将沈庆之之侄，在为宋明帝刘彧平定反对势力中卓有战功，曾任南兖州刺史。传见《宋书》卷七十七。⑦23 不暇授甲：来不及按次序、按手续地分发盔甲。⑦24 辛卯：五月二十一。⑦25 新林：也叫新林浦，旧址在今江苏南京西南，亦即新亭的南方。⑦26 徐索白虎幡：慢慢地取来白虎幡。白虎幡是一种画有白虎的旗帜，用以督战和传布朝廷政令。这两句是描写萧道成镇定自若的神态。⑦27 登西垣：登上西侧的城墙，以眺望敌兵。⑦28 高道庆：在帮助刘彧稳定政权的战斗中成长起来的将领。传见《宋书》卷八十三。⑦29 陈显达：原为宋将张永的部下，后随萧道成守建康城有功，遂成为萧氏的开国元勋。传见《南齐书》卷二十六。⑦30 王敬则：原为宋将刘怀珍的部下，后随萧道成守建康城有功，遂成为萧氏的开国元勋。传见《南齐书》卷二十六。⑦31 壬辰：五月二十二。⑦32 台城：建康城的主体部分，是当时皇宫与中央政权办公机构的所在地，旧址在今江苏南京鸡鸣山南的干河以北。⑦33 别将兵：单独带领一支部队。⑦34 趣台城：奔向台城。趣，奔向、扑向。⑦35 自巳至午：从上午十点左右一直打到中午十二点左右。古代记时称上午九点到十一点为巳时，上午十一点至下午一点为午时。⑦36 外势愈盛：刘休范的军队越来越多。⑦37 寻当破：很快就要失败。寻，不久。⑦38 白服：贵族文人的休闲打扮，与周围身披铠甲的将士标新立异。⑦39 肩舆：犹今四川之所谓滑竿，或者皇帝在宫廷中所乘坐的辇。⑦40 临沧观：胡三省曰，“临沧观在劳山上，江宁县南十五里，亦曰劳劳亭”。⑦41 黄回：帮助刘彧稳定政权的名将，因战功累迁至龙骧将军。传见《宋书》卷八十三。⑦42 张敬兒：帮助刘彧稳定政权的名将，曾任宁朔将军、越骑校尉。传见《南齐书》卷二十五。⑦43 卿能办事：如果你能办成此事，即以诈降的手段把刘休范杀死。⑭当以本州相赏：让你到老家所在的雍州去当刺史。张敬兒是南阳人，南阳当时属雍州。雍州的州治即今湖北襄阳市襄州区。⑮出城南：出建康城南行。⑯放仗走：放下兵器向南逃走。仗，兵器的统称。⑰阳致道成密意：假装把萧道成想要投降的意思说了一遍。阳，通“佯”。假装。⑱付道成为质：交给萧道成做人质。⑲目敬兒：给张敬兒使眼色。㊿送休范首还台：把刘休范的首级送到朝廷，向朝廷报喜。51挺身得达：单身逃脱，到达朝廷。52唱云“已平”：大声报告说“敌首已死，叛乱已平”。53无以为验：没有办法证明。54不之知：不知道刘休范已被杀死这件事。55射堂：练习射箭的地方。56司空主簿萧惠朗：司空刘休范属下的主簿官萧惠朗。主簿是刺史或诸王属下的高级僚属，有如今之秘书长。萧惠朗是刘宋名将萧思话的第三子。传见《南齐书》卷四十六。57复得保城：重新据城而守。58惠开：萧思话之子，曾任益州、广州刺史。传见《宋书》卷八十七。59军副：军中的副统帅。60了不自疑：一点也不因为自己有个弟弟是刘休范的属下而怀疑萧道成是否信任自己。61自晡达旦：从前一天下午四点左右一直打到第二天早晨。古代记时以下午三点到五点为晡。旦，天明。62鼓叫：鼓声与士兵们的呐喊声。63积日：一连几天。64如是者数四：这样地一连呵止过好多次。65皂荚桥：桥名，在新亭之北。66朱雀桁：当时的浮桥名，也称“朱雀桥”，在当时建康城的南门朱雀门外的秦淮河上，今江苏南京的镇淮桥稍东。六朝时为建康城南的门户。桁，通“航”，浮桥。67鄱阳忠昭公刘勔：刘勔是协助刘彧讨平反对势力的重要将领之一，被封为鄱阳公，忠昭是其死后的谥。传见《宋书》卷八十六。68撤桁：将浮桥拆除。69折：减轻；减少。70趣：催促。71渡淮：渡过秦淮河。72王蕴：王景文之侄，此时任黄门郎。传见《宋书》卷八十五。73踣于御沟之侧：摔倒在宫门前的护城河边。踣，摔倒。御沟，环绕皇宫的小河。74或：有人。75中外：这里指宫廷内外。76宫中传：从宫里向外传出。77先是：在此之前。写史用语，倒插追叙此前的事情。78月犯右执法：月亮运行到右执法的区域。右执法是星名，胡三省曰，“太微南蕃中二星曰端门，东曰左执法，西曰右执法”。79太白犯上将：太白星运行到上将星的区域。太白，即金星，也称启明星。上将，胡三省曰，“太微东蕃四星，其北曰上将；西蕃四星，南第一星亦曰上将”。〖按〗以上二句是古人附会刘勔之死上应天象。80解职：辞去领军将军的职务。81执心行己：葛晓音曰，“等于说凭良心作人”。行己，为人、立身。82无愧幽明：上对得起天地鬼神，下对得起天下苍生。幽指鬼神，明指人世。83若灾眚必至：如果灾难必然临头。灾眚，天降的灾难。84慕高尚：追求出世，不以人间富贵系心。85遗落世务：抛开世俗的官场斗争。86罢遣部曲：把自己门下军队、奴仆等都打发走。部曲，这里指豪门大族的私人军队以及佃户奴仆等。87深尚从容：追求自由自在。88废省羽翼：去掉身边的护卫人员，如上面提到的部曲一类。89勔不从而败：刘勔不听萧道成的劝告，故受制于小人王道隆等，为其所迫而死。90甲午：五月二十四。91褚澄：褚渊同父异母弟，宋文帝刘义隆的女婿，此时为右军将军。传见《南齐书》卷二十三。92纳南军：放刘休范的军队进了东府。⑬安成王準：刘準，名义上是刘彧之子，实乃刘休范之子被抱持入宫者。⑭称桂阳王教：以桂阳王刘休范的口吻发布文告说。教，古代的一种文体名，指诸侯或王公大臣下达的命令或发布的文告。⑮勿得侵犯：不要把他当成刘彧的儿子与其他人同样处置。⑯杜姥宅：晋成帝杜皇后之母裴氏所立，在东府的南掖门外。⑰承明门：台城的城门。⑱宫省恇扰：皇帝的宫廷与中央的官署全都一片恐慌惊扰。⑲刜取：挑选。⑳诣萧道成垒：到萧道成的防御工事。㉑投刺：递交名片以求接见容纳。㉒北城：新亭北面的防御工事。㉓南冈：崂山的山岗，因在新亭城南，故名。㉔身是萧平南：本人就是平南将军萧道成。身，当时说话人的自称。㉕诸君谛视之：请你们认清楚。意即我说话是算数的。谛视，仔细看。㉖任农夫：与吴喜、黄回等同为帮助刘彧稳定政权的功臣，此时任辅师将军。传见《宋书》卷八十三。㉗马军主：骑兵统领。㉘周盘龙：因参加维护刘彧政权的战斗而被任为龙骧将军，后随萧道成驻守新亭，因成为萧氏嫡系。传见《南齐书》卷二十九。㉙众情离沮：人心离散。沮，瓦解、涣散。㉚孤子：袁粲自称。当时袁粲正居母丧，故称自己为“孤子”。㉛付托：委托；托付。㉜绥靖国家：平定国家的危难。㉝同死社稷：一同为保卫国家而战死。社稷，国家祭祀土神的坛台，通常代称国家。㉞贯：穿，这里指射中。㉟丙申：五月二十六。㊱振旅：整军列队，高唱凯歌。㊲全：保卫；保全。㊳丁酉：五月二十七。㊴解严：解除军事紧急状态。㊵庚子：六月初一。㊶更日入直决事：每日轮流进宫值班处理国家大事。直，通“值”。㊷《天公书》：上帝下达的命令。大意应是说刘休范乃应上帝之命为皇帝，命沈攸之为丞相，等等。㊸题云“沈丞相”：上帝下此书与沈攸之丞相。㊹付荆州刺史沈攸之门者：交给了沈攸之的看门人。亦如《史记》所记有神人交书与秦始皇的使者云云。㊺推得公昭：查清并抓到了陈公昭。㊻声言我与之同：公开宣扬我和他是一路的。㊼若不颠沛勤王：如不赶紧积极地援助朝廷。颠沛，不顾艰难险阻地为王事奔走。勤王，出兵援救王朝。㊽必增朝野之惑：必然要增加朝野对我们荆州的怀疑。㊾建平王景素：刘景素，宋文帝刘义隆之孙，建平王刘宏之子。传见《宋书》卷七十二。㊿王僧虔：晋朝的大贵族王珣之孙，宋文帝的大权臣王弘之侄，王僧绰之弟，后又成为齐代的显贵。传见《南齐书》卷三十三。(831)张兴世：随沈攸之共同抗击寻阳军，大破刘胡的杰出将领，此时任雍州刺史。传见《宋书》卷五十。(832)癸卯：六月初四。(833)宏：刘宏，字休度，宋文帝的第七子，曾任中书监、尚书令。传见《宋书》卷七十二。(834)乙卯：六月十六。(835)凶戾：凶残；暴戾。(836)阖门：满门；全家。(837)愍悼：同情；哀伤。(838)罪止其身：只给罪犯本人治罪，不株连其他亲属。(839)始罢：从此废止。(840)门房之诛：胡三省曰，“门诛者，诛其一门；房诛者，诛其一房。时河北大族如崔如李，子孙分派，各自为房”。门，全家。房，大家庭中的一个分支。(841)慎择牧守：谨慎地挑选、任命各州刺史与各郡太守。州刺史也称“牧”。(842)诸曹疑事：中央各办事机构遇有不好解决的问题。诸曹，各部门，如尚书省的各部。(843)奏决：奏请皇帝做最后裁决。(844)或致矫擅：在传达皇帝命令时篡改或加入了个人成分，形成了假托皇命与个人专断。⑻⑷⑸ 据律正名：依据法律法规定出所犯的罪名。正名，让罪名与所犯的科条完全对应。⑻⑷⑹ 不得为疑奏：不能再把许多悬而未决的问题推给皇帝。意即都要提出解决问题的办法与处理意见。⑻⑷⑺ 合则制可：皇帝看着合适就批示一个“可”字。⑻⑷⑻ 违则弹诘：皇帝看着不合适就提出质问。弹诘，提出批评或质问。⑻⑷⑼ 尽用墨诏：皇帝都亲笔做出批示。改变以前的派人口传诏敕。⑻⑸⑽ 重：重视；严加把关。⑻⑸⑴ 大刑：重刑，即死刑。⑻⑸⑵ 覆鞫：复审；复查。⑻⑸⑶ 或囚系积年：有的犯人被关押多年。⑻⑸⑷ 颇以为言：对此很有些意见。⑻⑸⑸ 滞狱：狱中积压着一些没有处理的犯人。⑻⑸⑹ 愈于仓猝而滥：不是比仓促定罪造成很多冤假错案要好吗？⑻⑸⑺ 幽苦：下狱受苦。⑻⑸⑻ 以囹圄为福堂：把牢狱看成转祸为福的善地。⑻⑸⑼ 朕特苦之：我之所以多关押他们一段时间。⑻⑹⑽ 欲其改悔而加矜恕：是想等他们有了悔悟之心而后宽恕他们。矜恕，宽饶。⑻⑹⑴ 赦令长奸：大赦的命令容易助长坏人。⑻⑹⑵ 延兴：北魏孝文帝拓跋宏的年号（公元四七一至四七六年），共六年。⑻⑹⑶ 不复有赦：不再颁行大赦令。⑻⑹⑷ 七月庚辰：七月十一。⑻⑹⑸ 皇弟友：刘友，宋明帝的第七子。传见《宋书》卷九十。⑻⑹⑹ 为邵陵王：封地邵陵郡，郡治即今湖南邵阳。刘友此时年方五岁。⑻⑹⑺ 乙酉：七月十六。⑻⑹⑻ 欲征攸之：想把沈攸之调回朝廷。⑻⑹⑼ 惮于发命：不敢签发命令，担心他一见调令便立即造反。⑻⑺⑽ 中使：从宫廷中派出的使者，多由宦官充任。如此则中书、尚书等部门可以不担责任。⑻⑺⑴ 任寄实重：来朝后对你的委任是很崇高的。⑻⑺⑵ 未欲轻之：不会对你有任何降低。⑻⑺⑶ 无廊庙之资：没有担任辅政大臣的才干。廊庙，朝廊与宗庙，都是帝王与大臣议论政事的地方，这里代指朝廷。⑻⑺⑷ 居中：在朝廷任职。⑻⑺⑸ 扑讨蛮、蜑：捕讨少数蛮夷的叛乱。蛮、蜑，蛮是对江南少数民族的泛称，蜑是南方沿海的少数人群，以舟为家，以取海物为业，有所谓“鱼蜑”“蚝蜑”“木蜑”等。今香港等地民间仍有“蜑民”“蜑户”。⑻⑺⑹ 克清江、汉：维持长江、汉水一带的安宁。⑻⑺⑺ 自上如此：我自己的愿望是这样。⑻⑺⑻ 癸巳：七月二十四。⑻⑺⑼ 介居：被夹在……之间居住。介，夹、夹在。⑻⑻⑽ 西北二强寇：胡三省曰，“西，谓吐谷浑；北，柔然也”。⑻⑻⑴ 内徙就凉州：把敦煌一带的居民都东迁到凉州地区来。凉州的州治姑臧，即今甘肃武威。⑻⑻⑵ 韩秀：祖辈曾在前燕为官，后归拓跋氏。拓跋弘在位时韩秀曾佐慕容白曜军事，此时任给事中。传见《魏书》卷四十二。⑻⑻⑶ 草窃：对小股敌兵的蔑称，犹言“小毛贼”。⑻⑻⑷ 循常置戍：按常规在那里设立一些驻兵据点。⑻⑻⑸ 而能隔阂西、北二虏：而且能把吐谷浑与柔然两股敌人分隔开。⑻⑻⑹ 不唯：不仅。⑻⑻⑺ 蹙国：使国家的疆土减少。蹙，缩小。⑻⑻⑻ 姑臧去敦煌：姑臧距离敦煌。去，距离、中间相隔。⑻⑻⑼ 防逻甚难：指敦煌居民向姑臧东迁中的防御、保卫工作很难做好。防逻，防守、巡逻。⑻⑼⑽ 交通窥闟：相互勾结，伺机而动。⑻⑼⑴ 安土重迁：留恋本土，不愿搬家。重迁，不愿搬迁。重，难。⑻⑼⑵ 九月丁酉：九月二十九。⑻⑼⑶ 反居墓所：回家为其母守墓。⑻⑼⑷ 吴郡：郡治即今苏州。⑻⑼⑸ 司徒左长史：司徒袁粲的高级僚属。长史，诸史之长。⑻⑼⑹ 言于朝：在朝堂上公开发言。⑻⑼⑺ 更：反而；却。⑻⑼⑻ 股肱大郡：对国家兴亡有重大关系的要害地区。股肱，有如国家的大腿、胳膊。⑻⑼⑼ 几死：差点死掉。⑼⑽⑽ 弃而不收：扔在一边没有过问。⑨⓪① 何忧不乱：国家怎么会不乱套。⑨⓪② 十月庚申：十月二十三。⑨⓪③ 湘州刺史：湘州的州治临湘，即今湖南长沙。⑨⓪④ 十一月丙戌：十一月十九。⑨⓪⑤ 帝加元服：皇帝行加冠礼，表示已经是成人。元服，帽子。〖按〗此时的小皇帝实际只有十二岁。⑨⓪⑥ 十二月癸亥：十二月二十七。⑨⓪⑦ 皇弟跻：刘跻，宋明帝刘彧的第八子。传见《宋书》卷九十。⑨⓪⑧ 江夏王：封地江夏郡，郡治即今武汉之汉口区。⑨⓪⑨ 赞：刘赞，宋明帝的第九子，过继给孝武帝刘骏为后。传见《宋书》卷八十。⑨①⓪ 武陵王：封地武陵郡，郡治即今湖南常德。⑨①① 建安贞王陆馛：陆馛是魏国名臣陆俟之子，陆丽之兄，被封为建安王，贞是其死后的谥。传见《魏书》卷四十。⑨①② 正月辛巳：正月十五。⑨①③ 襄阳重镇：襄阳是雍州刺史的驻地，既邻近魏国，又处于荆州的汉水上游，形势至关重要。当时的襄阳即今湖北襄阳市襄州区。⑨①④ 人位俱轻：个人的名望与现处的地位都太低。张敬兒当时任宁朔将军、越骑校尉，居第四品。⑨①⑤ 不欲使居之：张敬兒设谋诈降刘休范时，萧道成曾许诺倘谋杀刘休范成功，即任以为雍州刺史。今乃事后又欲反悔。⑨①⑥ 公知其欲何所作：您是知道他想要干什么的。意即想要造反。⑨①⑦ 不出敬兒：你不让我张敬兒出任雍州刺史。⑨①⑧ 以表里制之：指萧道成在朝内，张敬兒在荆州上游的雍州，内外前后以控制之。⑨①⑨ 三月己巳：三月初四。⑨②⓪ 雍、梁：二州名，雍州的州治襄阳，梁州的州治即今陕西汉中。⑨②① 上：沿水路逆流而上。⑨②② 既至：指到达襄阳后。⑨②③ 奉事攸之：像下属一样对待沈攸之。⑨②④ 亲敬甚至：礼貌很到家。⑨②⑤ 动辄咨禀：遇到什么事情都向沈攸之征询、禀报。⑨②⑥ 信馈：问候与送礼。馈，赠送。⑨②⑦ 诚然：内心就是如此。⑨②⑧ 酬报款厚：回报张敬兒也很诚恳丰厚。酬，回报。⑨②⑨ 累书：多次写信说。⑨③⓪ 欲因游猎会境上：想找个打猎的机会在双方的边界上会个面。因，趁着。⑨③① 报以为：回信认为。⑨③② 心期有在：大家都这么想就很好了。⑨③③ 影迹不宜过敦：行动上的来往不宜过于亲密。胡三省曰："谓动则有影，行则有迹，人将窥见之也。敦，厚也。"⑨③④ 张雍州：敬称张敬兒。⑨③⑤ 迁代之日：调任的时候。⑨③⑥ 将欲谁拟：你希望考虑谁。谁拟，拟谁、希望谁来接任。⑨③⑦ 即以示敬兒：把萧道成的来信给张敬兒看。⑨③⑧ 欲以间之：想以此离间张敬兒与萧道成的关系。⑨③⑨ 五月丙午：五月十二。⑨④⓪ 丁未：五月十三。⑨④① 武州山：亦作"武周山"，在今山西大同西北。⑨④② 辛酉：五月二十七。⑨④③ 车轮山：山名，在今山西原平西北。⑨④④ 六月庚午：六月初七。⑨④⑤ 初禁杀牛马：因重视发展农业故也。胡三省曰："魏兴于北荒，畜牧蕃庶，杀之者不禁，今始禁之。"⑨④⑥ 七月庚戌：七月十七。⑨④⑦ 八月庚子：葛晓音曰，"本月癸亥朔，无庚子日。初三（〖按〗应为初八）为庚午，'庚子'恐是'庚午'之误"。当是。⑨④⑧ 十二月丙寅：十二月初六。⑨④⑨ 建昌王长乐：拓跋长乐，文成帝拓跋濬之子，拓跋弘之弟。传见《魏书》卷二十。⑨⑤⓪ 为安乐王：封地安乐郡，郡治在今北京市密云区东北。⑨⑤① 己丑：十二月二十九。⑨⑤② 长寿：拓跋长寿，拓跋晃之子，拓跋弘之叔。传见《魏书》卷十九下。⑨⑤③ 孝友清令：对父母孝顺，对兄弟友爱，秉性平易自然。⑨⑤④ 服用俭素：生活俭朴。服用，衣着与生活用度。⑨⑤⑤ 礼接士大夫：对士大夫以礼相待。⑨⑤⑥ 异其礼秩：在给予他的礼敬与官阶俸

禄上，都与别的子弟不同。957 太祖诸子俱尽：刘义隆的儿子们或死或被杀，都已经没有了。958 帝凶狂失德：明帝刘彧又凶残没有道德。959 皆属意于景素：都把希望寄托在景素的身上。属意，归心、寄望。960 外家陈氏：指宋明帝陈贵妃（刘昱的生母）的伯父陈照宗、叔父陈佛念和哥哥陈敬元等。陈照宗时为中书通事舍人，陈佛念时为步兵校尉，陈敬元为通直郎。961 不利立长君：感到立长君对他们的专权不利。962 其腹心将佐：刘景素身边的心腹僚属。963 镇军参军济阳江淹：江淹是当时著名的文学家，济阳郡人，写有《别赋》《恨赋》等。此时任镇军将军刘景素的参军，后又成为齐、梁两代的词臣。传见《梁书》卷十四。镇军参军，胡三省曰："景素时以镇北将军镇京口，'镇军'当作'镇北'。"964 防阁将军王季符：当时刘景素身边的侍卫官员。防阁将军，主管护卫宫殿的卫队长官。965 亡奔：逃向。966 世子延龄：刘景素的太子刘延龄。世子，义同"太子"，帝王的继承人。967 诣阙自陈：到朝廷说明情况。阙，宫门两侧的高台，通常指朝廷。968 徙：迁；流放。969 夺：削去；罢免。970 征北将军：胡三省曰，"'征北'亦当作'镇北'"。《宋书》卷七十二作"镇北"。

【校记】

［8］绥靖：原作"绥静"。据章钰校，甲十一行本、乙十一行本、孔天胤本皆作"绥靖"，今据改。［9］二：原无此字。据章钰校，孔天胤本有此字，今据补。［10］谓：原作"以"。据章钰校，甲十一行本、乙十一行本、孔天胤本皆作"谓"，今据改。

【研析】

本卷写宋明帝刘彧泰始七年（公元四七一年）至苍梧王刘昱元徽三年（公元四七五年）共五年间刘宋与北魏的大事。在这五年里，历史家所集中叙述的是刘宋王朝中的内乱，其主要问题是宋明帝末年的凶狠杀戮，先是杀了其叔晋平王刘休祐、建安王刘休仁、巴陵王刘休若，而这其中的刘休仁是给刘彧夺得皇帝位帮过大忙、立过重大功劳的。接着刘彧又杀了当年发动政变亲手杀死废帝刘子业并转身拥立刘彧为帝的寿寂之，又杀了在天下各州郡纷纷起兵拥戴刘子勋，刘彧政权处于危殆，而独挺身而出，率军平定东方诸郡的大功臣吴喜。寿寂之与吴喜原来的地位都不高，但对刘彧能否夺得皇帝位与能否巩固皇帝位都是起了关键作用的。最后他又担心自己死后王皇后辅幼子临朝时，王皇后的兄长王景文可能会专权篡位，于是又防患于未然地提前将王景文杀死了。作品写王景文被杀的情景非常细致生动，明代袁黄说："景文处死不乱如此，若畀以托孤之任，岂不愈于道成？乃反疑而杀之，何耶？书官书爵，可哀也矣。苏东坡曰：'死生亦大矣，而景文安之，岂贪权窃国者乎？'明帝可谓不知人者矣。"岂止是"不知人"，简直是自剪羽翼、自毁城垣，而又开门揖盗、引狼入室。

刘彧临死之前任命刘勔、蔡兴宗、沈攸之、袁粲、褚渊等为顾命大臣，蔡兴宗与沈攸之当时都在外任州刺史，刘勔当时虽在京城，但解散部曲，一味谦退，而实际在朝掌权的是袁粲和褚渊。褚渊还不满足，又推荐引进了萧道成。后来蔡兴宗死，袁粲、褚渊又引进了刘秉。在这套班子里，有文才武略的自然是萧道成。褚渊是站在萧道成一方的自不必说，至于别人，漫说是袁粲、刘秉，即使蔡兴宗活着，他能斗得过萧道成吗？清代王夫之曾评论蔡兴宗、袁粲等人说："以刚决为嫌，以深谋为讳，自孝建以来士大夫酿成雍容观变之习，蔡兴宗已启其源，而流不可止也。故兴宗之死，无可为宋惜者。兴宗存，则为袁为刘，否则为谢朏而已。史称粲'简淡平素，无经世材'，非无材也，狎于全身避咎之术，以逃猜主之鼎镬，气已茶而不可复张，宋末之人才，大抵然也。"于是朝权一下子全部落入萧道成之手，事情就这么简单。当刘休范的叛乱被平定后，"萧道成振旅还建康，百姓缘道聚观，曰：'全国家者此公也！'"这当然就是萧氏史官的手笔了，还有什么疑问吗？

刘休范是因为他太无能、太卑劣所以才没被刘彧杀死，但就是这样一个人居然还想造反，又居然把朝军打得如此狼狈，张敬兒、萧道成是胜利了，但胜利得如此突然、如此侥幸，简直像一场闹剧，而光天化日下又的确如此。王夫之说："刘休范以庸劣而免于忮主之杀，乃乘君死国乱之际而求干天位；张敬兒以一健卒入二万人之中斩其首无卫之者，此其为独夫也奚疑？然且几陷建业、为天子，甚哉，晋宋之末天子之易为，而人思为之，何足谓为大宝哉，草芥而已矣。天子如草芥而人思为之：为之不克，而为独夫以死者，休范也；为之克，而终为天子者，萧道成也。以小慧小才言之，则道成愈于休范也远矣；以君天下言之，则休范、道成一也，皆独夫也。道成弑君，张敬兒取白帽加其首，曰：'事宜及热。'为道成之腹心者，敬兒之流，一休范之许公舆、丁文豪也。褚渊虽贵而无称于宋，止此三数人，而掇宋之宗社如一羽，授之道成，而道成居之以安。无他，唯天子之如草芥而人可为之者也。"但不论如何说，萧道成在当时无疑还是这群人中的佼佼者，论其才力、论其谋略、论其勇敢，都比那些光说不练的家伙出色得多。试想，在刘休范进攻建康这个战役中，如果没有萧道成与张敬兒，不是让刘休范那样的人也就做上了皇帝吗？由于张敬兒等人的出身地位太低，于是王夫之言里言外对之深责不已，其实这大可不必。当年陈涉说得好："帝王将相宁有种乎？"关键还得看他们胜利之后都干了些什么。有些话，我们只能留到下一卷里再说了。

本卷写了魏主拓跋弘因企慕浮屠、黄老，不愿系心于尘凡庶务，于是先想让位于其弟，后在群臣的请求下，遂传帝位于其年方五岁的儿子拓跋宏，自己退居为太上皇。但拓跋弘退位后，却又名退而实不退，他率领军队东征西战，又大张旗鼓地改良法制、吏制，发展农业生产，乃至想缩小贫富差别等。这到底是怎么一回事？有人说，拓跋弘的退位是被冯太后逼迫的结果，从前后的事实来看也不像。清代王

夫之《读通鉴论》说："赵武灵王授位于子而自称主父，废长立少，恐其不安于位也。拓跋弘授位于子，而自称太上皇帝，子幼而恐为人所篡夺也。宗爱弑两君，而濬几不立；乙浑专杀无君，弘几死其手。故年甫二十急欲树宏于大位，以素统臣民，而己镇抚之。犹恐人心之二也，故先逊位于子推，使群臣争之，而又阳怒以试之，故子推之弟力争以为子推辞，而陆馛、源贺、高允皆犯颜以谏而不避其怒。其怒也，乃其所深喜者也。其退居而事佛老，犹武灵之自将以征伐，皆托也，不欲明示其授子之意旨，而以此为辞也。此二主者，皆强智有余，事功自喜，岂惮劳而授国政者乎？弘好黄老，而得老氏之术，其欲逊位子推也，老氏'欲取固与'之术也。其托于清谧，而匿其建立嗣子之旨也，老氏守兑之术也。所欲立者非不正，而诡道行之，巧笼宗室大臣之心，亦狡矣哉！"其说甚辩，其理也甚合，但仍不可解的是何必如此匆忙？再过十年十五年，拓跋弘也不过三十、三十五，拓跋宏也不过十五、二十，到那时再行禅让，有何不可？为什么要急匆匆"有名无实"地走这一步？其中又似乎的确还有没弄清楚的隐情。下卷一开头即述及，拓跋弘不久被冯太后鸩杀。明代尹遂昌说："古人兢兢业业，一日万机，岂因厌逸乐而好勤劳哉？所居天位，所治天职，祖宗基业之托付，海宇民物之归仰，宵衣旰食，犹惧弗胜，乌有辱居人上而厌弃尘劳者哉？必若清虚恬淡，盍亦择贤而用，委任责成，总其大纲，抑或庶几。况嗣子方稚，乃欲委而去之何耶？异时鸩毒潜行，其身不保，亦以大权去手，莫能致诘故耳，尚谁咎哉？虽然，魏主屏去声色，超然物外，其与奢侈纵欲，相去何止千百？然而不享乔松之寿，反贻杀身之祸，然则浮屠、黄老之学果何益哉？"袁俊德说："溺黄老、浮屠之说，而以大位委之冲幼，卒致鸩弑垂帘，祸不旋踵，岂非自贻伊戚？"这些都没有触及事物的症结。

卷第一百三十四　宋纪十六

起柔兆执徐（丙辰，公元四七六年），尽著雍敦牂（戊午，公元四七八年），凡三年。

【题解】

本卷写了苍梧王刘昱元徽四年（公元四七六年）至宋顺帝昇明二年（公元四七八年）共三年间刘宋与北魏等国的大事。主要写了宋建平王南徐州刺史刘景素起兵谋废皇帝刘昱，最后被萧道成派出的任农夫、段佛荣等大破于京口，刘景素等被杀；写了沈攸之闻刘景素之变，抽回讨三峡叛蛮之兵以赴建康，建平太守刘道欣疑沈攸之心怀叵测，截江阻其东下，被沈攸之、刘攘兵攻杀；写了刘宋皇帝刘昱性情乖张，肆意凶杀，结果被萧道成收买的刘昱身边的用人杨玉夫、杨万年等刺杀，萧道成夺得大权后，改立安成王刘準为傀儡，是谓宋顺帝，从此萧道成“兼总军国，布置心膂，与夺自专”；写了沈攸之假托奉皇太后诏，发兵东下以讨萧道成，萧道成命令柳世隆行郢州刺史，驻守郢城；写了袁粲、刘秉、黄回等谋划布置，准备在石头城起兵攻杀萧道成，被褚渊向萧道成告密；写了袁粲起事之日刘秉内心恇扰，不能自持，过早采取行动，结果使袁粲与萧氏势力作战失败，父子被杀；写了沈攸之率军东下，尽锐攻郢城，柳世隆乘间屡破之，三月

【原文】

苍梧王下

元徽四年（丙辰，公元四七六年）

春，正月己亥①，帝耕籍田②，大赦。

二月，魏司空东郡王陆定国③坐恃恩不法④，免官爵为兵。

魏冯太后⑤内行不正⑥，以李奕之死⑦怨显祖，密行鸩毒⑧，夏，六月辛未⑨，显祖殂⑩。壬申⑪，大赦，改元承明⑫。葬显祖于金陵⑬，谥曰献文皇帝。

不能克，沈攸之又派兵一度攻得武昌、西阳二郡，后被朝廷方面的将领击败；写了沈攸之攻郢城之军日益涣散，部下刘攘兵又率部投降柳世隆，沈攸之见前途无望，只好收合散卒返回江陵；写了雍州刺史张敬兒闻沈攸之东下，发兵南袭江陵，杀死了沈攸之的诸子孙，江陵遂告平定，沈攸之在返回江陵的途中闻知江陵失陷，逃至华容县自杀，荆州的叛乱遂告平定；写了萧道成于乱定后，任用王僧虔、王延之、褚渊、柳世隆、王俭等人组建起新班底，自己又都督十六州，其子萧赜、萧嶷、萧映、萧晃等分别掌控一切重要部门，同时又杀了异己的任候伯、黄回；写了萧道成见时机已到，急于篡取帝位，王俭乃自告奋勇为之出谋划策，萧道成遂被授予殊礼，使之“剑履上殿，入朝不趋，赞拜不名”，大大跨进了一步；此外还写了魏国的冯太后鸩杀魏显祖拓跋弘，重新临朝称制，以及冯太后为报旧怨而杀了李䜣，又夷灭李惠十余家等。

【语译】

苍梧王下

元徽四年（丙辰，公元四七六年）

春季，正月初九日己亥，宋国皇帝刘昱亲自到籍田做耕作示范，大赦天下。

二月，魏国担任司空的东郡王陆定国依仗着受到皇帝的恩宠而违法乱纪，被免去官爵，发配到军队中充当士兵。

魏国的冯太后在后宫乱搞男女关系，品行不端，因为自己的男宠李奕被魏显祖拓跋弘杀死，因而对魏显祖拓跋弘充满怨恨，于是便暗中在拓跋弘的酒中下了毒，夏季，六月十三日辛未，魏显祖拓跋弘被毒死。十四日壬申，魏国实行大赦，改年号为承明。把显祖拓跋弘安葬在金陵，谥号为献文皇帝。

魏大司马、大将军代人万安国⑭坐矫诏杀神部长奚买奴⑮，赐死。

戊寅⑯，魏以征西大将军、安乐王长乐⑰为太尉，尚书左仆射、宜都王目辰⑱为司徒，南部尚书李䜣⑲为司空。尊皇太后曰太皇太后，复临朝称制⑳。以冯熙㉑为侍中、太师、中书监。熙自以外戚，固辞内任㉒，乃除都督、洛州㉓刺史，侍中、太师如故。

显祖神主㉔祔太庙㉕，有司奏庙中执事之官，请依故事皆赐爵㉖。秘书令广平程骏㉗上言："建侯裂地㉘，帝王所重，或以亲贤㉙，或因功伐㉚，未闻神主祔庙而百司㉛受封者也。皇家故事㉜，盖一时之恩㉝，岂可为长世之法乎？"太后善而从之，谓群臣曰："凡议事，当依古典正言㉞，岂得但修故事㉟而已[1]？"赐骏衣一袭㊱，帛二百匹。

太后性聪察㊲，知书计㊳，晓政事，被服俭素㊴，膳羞㊵减于故事什七八㊶，而猜忍㊷多权数㊸。高祖㊹性至孝，能承颜顺志㊺，事无大小，皆仰成于太后㊻。太后往往专决，不复关白于帝㊼。所幸宦者高平王琚㊽，安定张祐、杞嶷㊾，冯翊王遇㊿，略阳[51]苻承祖，高阳王质[52]，皆依势用事。祐官至尚书左仆射，爵新平王；琚官至征南将军，爵高平王；嶷等官亦至侍中、吏部尚书、刺史，爵为公、侯。赏赐巨万，赐铁券[53]，许以不死。又，太卜令姑臧王叡[54]得幸于太后，超迁至侍中、吏部尚书，爵太原公。秘书令李冲[55]，虽以才进，亦由私宠，赏赐皆不可胜纪[56]。又外礼人望[57]东阳王丕[58]、游明根[59]等，皆极其优厚，每褒

魏国担任大司马、大将军的代郡人万安国因为假托皇帝诏命杀死担任神部长的奚买奴而获罪，被赐自杀。

六月二十日戊寅，魏国任命担任征西大将军的安乐王拓跋长乐为太尉，任命担任尚书左仆射的宜都王拓跋目辰为司徒，任命担任南部尚书的李䜣为司空。尊称冯太后为太皇太后，太皇太后冯氏再次代替皇帝行使权力，以皇帝的口气颁布命令。她任命自己的哥哥冯熙为侍中、太师、中书监。冯熙因为自己是皇亲国戚，所以坚决推辞到朝廷中担任职务，太皇太后冯氏于是又任命冯熙为都督、洛州刺史，仍旧保留侍中、太师的职位。

魏显祖拓跋弘的牌位被供入太庙，与列祖列宗排列在一起享受后人的祭祀，有关部门奏请朝廷，请求依照以往的先例，对在太庙中担任执事的官员每人都提高等级。担任秘书令的广平郡人程骏上书反对说："封某人为侯爵，并给他们划定封地，是帝王最重视的大事，那些被封侯的人有的因为是皇帝的亲戚，而且本人又是具有才能的贤人，有的人是因为他为国家立过功勋，却从来没有听说过皇帝的牌位被供入太庙享受祭祀而在太庙中担任执事的官员因此而受到封赏爵位的。如果说过去皇帝做事有过什么先例，那也不过是一种临时的恩典，岂能作为永久的办法去执行呢?"太皇太后很赞成程骏的意见，便依从了他，太皇太后对群臣说："凡是议论事情，都要依照古代典章法式中的正确言论，怎么能亦步亦趋地光是模仿古代的先例呢?"赏赐给程骏一套衣服、二百匹帛。

魏国的太皇太后冯氏生性聪敏、有智慧，不受人蒙蔽，懂得文字与财务运算，又懂得如何处理政务，衣着穿戴都很节俭朴素，在膳食方面，比过去帝王的用度减少了十分之七八，然而她为人残忍、狠毒，有招数、有手段。魏高祖拓跋宏生性最为孝顺，一举一动全都看着祖母太皇太后的脸色，顺着祖母太皇太后的意思，事情无论大小，一切都按照太皇太后的意见办。太皇太后往往独断专行，遇事便不再与魏高祖拓跋宏打招呼。太皇太后冯氏所宠信的宦官高平郡人王琚、安定郡人张祐与杞嶷、冯翊郡人王遇、略阳郡人苻承祖、高阳郡人王质，都倚仗着太皇太后的权势而参与朝政。张祐的职位竟然升到尚书左仆射，被封为新平王；王琚的职位升至征南将军，被封为高平王；杞嶷等人的职位也都到了侍中、吏部尚书、刺史，有的被封为公爵，有的被封为侯爵。赏赐给他们的钱物多达数万，还赏赐给他们丹书铁券，许诺不论犯了什么罪，都会赦免他们不死。还有，担任太卜令的姑臧人王叡因为受到冯太后的宠幸，竟然被越级提拔为侍中、吏部尚书，封为太原公。担任秘书令的李冲，虽然是依靠自己的才能得到晋升，但也是由于他私下里深受冯太后宠爱，冯太后给这些人的赏赐多得无法计算。冯太后还在表面上对那些在社会上有声望的人显得很尊重，例如对东阳王拓跋丕、游明根等人，都以优礼相待，赏赐给他们的钱物也很丰厚，在每次褒奖赏赐王叡等人的时候，其中也一定包括拓跋丕、游明根等

赏叡等，辄以丕等参之[60]，以示不私。丕，烈帝[61]之玄孙。冲，宝[62]之子也。

太后自以失行[63]，畏人议己，群下语言小涉疑忌[64]，辄杀之。然所宠幸左右，苟有小过，必加笞棰[65]，或至百余。而无宿憾[66]，寻[67]复待之如初，或因此更富贵。故左右虽被罚，终无离心。

乙亥[68]，加萧道成尚书左仆射，刘秉中书令。

杨运长、阮佃夫等忌建平王景素[69]益甚，景素乃与录事参军陈郡殷沵、中兵参军略阳垣庆延、参军沈颙、左暄等谋为自全之计。遣人往来建康，要结[70]才力之士，冠军将军黄回[71]、游击将军高道庆[72]、辅国将军曹欣之[73]、前军将军韩道清、长水校尉郭兰之、羽林监垣祗祖[74]，皆阴与通谋，武人不得志者，无不归之。时帝好独出游走郊野，欣之谋据石头城[75]，伺帝出作乱。道清、兰之欲说萧道成因帝夜出，执帝迎景素，道成不从者[76]，即图之[77]。景素每禁使缓之。杨、阮微闻其事，遣伧人[78]周天赐伪投景素，劝令举兵。景素知之，斩天赐首送台[79]。

秋，七月，祗祖率数百人自建康奔京口[80]，云京师已溃乱，劝令速入。景素信之，戊子[81]，据京口起兵，士民赴之者以千数。杨、阮闻祗祖叛走，即命纂严[82]。己丑[83]，遣骁骑将军任农夫[84]、领军将军黄回、左军将军兰陵李安民[85]将步军，右军将军张保将水军，以讨之。辛卯[86]，又命南豫州刺史段佛荣为都统[87]。萧道成知黄回有异志，故使安民、佛荣与之偕行。回私戒[88]其士卒："道逢京口兵，勿得战。"道成屯玄武湖[89]，冠军将军萧赜[90]镇东府[91]。

始安王伯融[92]，都乡侯伯猷[93]，皆建安王休仁[94]之子也，杨、阮忌其年长[95]，悉称诏赐死[96]。

人在内，以此来表示自己不是出于私心。拓跋丕，是烈帝拓跋翳槐的玄孙。李冲，是李宝的儿子。

魏国的太皇太后冯氏知道自己在品行上有过失，所以特别惧怕别人议论自己，群臣在言语中稍微有一点让冯太后感到怀疑或是令她觉得其中有讽刺之意，就立即被她处死。对身边那些受她宠信的人，如果稍有过失，也一定要用鞭子、棍子狠狠地抽打他们，有时候甚至会抽打一百多下。然而冯太后对人没有隔夜的仇恨，很快就依然像以前那样对待他们，有时那些人反而因为受到责打而更加富贵。所以左右的侍从人员虽然被她责打，他们却始终对冯太后没有二心。

六月十七日乙亥，宋后废帝刘昱加授萧道成为尚书左仆射，加授刘秉为中书令。

担任员外郎的杨运长、骁骑将军的阮佃夫等人对担任南徐州刺史的建平王刘景素更加忌恨，于是刘景素遂与担任录事参军的陈郡人殷沵、担任中兵参军的略阳人垣庆延、担任参军的沈颙和左暄等人谋划自我保全的办法。刘景素派人往来于建康，邀请、结交那些有才能、有实力的人士，于是担任冠军将军的黄回、担任游击将军的高道庆、担任辅国将军的曹欣之、担任前军将军的韩道清、担任长水校尉的郭兰之、担任羽林监的垣祇祖，都暗中与刘景素串通一气、互通消息，那些不得志的武人，全都归附了刘景素。当时后废帝喜好独自外出到郊野游逛，曹欣之遂打算占据石头城，准备等待后废帝外出的机会起兵作乱。韩道清、郭兰之想劝说萧道成趁皇帝刘昱夜间出宫闲游的时候，把刘昱抓捕起来，迎接刘景素回来做皇帝，如果萧道成不同意这样做，那就设法把萧道成除掉。而刘景素往往对他们加以禁止，让他们暂缓行动。员外郎杨运长、骁骑将军阮佃夫对他们的行为有所耳闻，就派来自北方的周天赐假装投奔刘景素，劝说刘景素起兵。刘景素得知实情后，就砍下周天赐的人头送往朝廷。

秋季，七月，担任羽林监的垣祇祖率领数百人从建康前往京口投奔建平王刘景素，声称京师已经崩溃陷入混乱，劝说刘景素迅速入京。刘景素相信了垣祇祖的话，初一日戊子，刘景素以京口为根据地起兵谋反，前往京口投奔他的士民有上千人。杨运长、阮佃夫听说垣祇祖已经叛变逃走，立即命令集合部队，宣布戒严。初二日己丑，建康朝廷派遣担任骁骑将军的任农夫、担任领军将军的黄回、担任左军将军的兰陵人李安民率领步兵，担任右军将军的张保率领水军，水陆并进讨伐刘景素。初四日辛卯，建康朝廷又任命担任南豫州刺史的段佛荣为都统。萧道成知道领军将军黄回对朝廷怀有二心，所以才派李安民、段佛荣与黄回同行。黄回私下里告诫自己的部下说："路上如果遇到京口的军队，不准与他们交战。"萧道成率领军队屯扎在玄武湖，萧道成的长子、担任冠军将军的萧赜率军镇守东府。

始安王刘伯融、都乡侯刘伯猷，都是建安王刘休仁的儿子，杨运长、阮佃夫忌恨他们逐渐长大，就假托皇帝刘昱的命令逼他们自杀了。

景素欲断竹里[97]以拒台军。垣庆延、垣祗祖、沈颙皆曰："今天时旱热，台军远来疲困，引之使至[98]，以逸待劳，可一战而克。"殷沵等固争[99]，不能得。农夫等既至，纵火烧市邑[100]。庆延等各相顾望[101]，莫有斗志。景素本乏威略，恇扰[102]不知所为。黄回迫于段佛荣[103]，且见京口军弱，遂不发[104]。

张保泊西渚[105]，景素左右勇士数十人，自相要结[106]，进击水军。甲午[107]，张保败死，而诸将不相应赴[108]，复为台军所破。台军既薄城下[109]，颙先帅众走，祗祖次之，其余诸军相继奔退，独左暄与台军力战于万岁楼[110]下，而所配[111]兵力甚弱，不能敌而散。乙未[112]，拔京口。黄回军先入，自以有誓不杀诸王，乃以景素让殿中将军张倪奴。倪奴擒景素，斩之，并其三子，同党垣祗祖等数十人皆伏诛。萧道成释黄回、高道庆不问，抚之如旧[113]。是日，解严[114]。丙申[115]，大赦。

初[116]，巴东、建平蛮反[117]，沈攸之[118]遣军讨之。及景素反，攸之急追峡中军[119]以赴建康[120]。巴东太守刘攘兵、建平太守刘道欣疑攸之有异谋，勒兵断峡[121]，不听军下[122]。攘兵子天赐为荆州西曹[123]，攸之遣天赐往谕[124]之。攘兵知景素实反，乃释甲谢愆[125]，攸之待之如故。刘道欣坚守建平，攘兵譬说不回[126]，乃与伐蛮军攻斩之。

甲辰[127]，魏主追尊其母李贵人曰思皇后[128]。

八月丁卯[129]，立皇弟翙[130]为南阳王[131]，嵩为新兴王[132]，禧为始建王[133]。

庚午[134]，以给事黄门侍郎阮佃夫为南豫州[135]刺史，留镇京师。

刘景素准备占据竹里，以阻挡朝廷军对京口的进攻。中兵参军垣庆延、羽林监垣祗祖、参军沈颙都说："如今天气干旱炎热，朝廷的军队远道而来已经十分疲劳困乏，放他们到京口城下，我们以逸待劳，可以一战而获全胜。"录事参军殷沵等人坚决反对，却无法使他们改变主意。骁骑将军任农夫等人率领朝廷军抵达京口，纵火焚烧了京口城外的城镇、街道。而此时的垣庆延等人却彼此观望，谁也不肯出击，没有一点斗志。刘景素本来就缺乏威严和军事战略才能，此时更是惊慌失措，不知如何是好。领军将军黄回受到段佛荣的牵制、监督，而且看到京口军队势力弱小，于是便没有发动支援京口的起义。

右军将军张保率领水军停泊在西渚，刘景素身边的几十名勇士挺身而出，自动组织起来，向张保所率领的水军发起攻击。七月初七日甲午，张保战败被杀死，而京口刘景素属下的诸将却没有人率军赶去接应、增援，所以又被朝廷的军队打败。朝廷的军队已经逼近京口城下，参军沈颙首先率军逃走，羽林监垣祗祖紧随其后，其余各军便也相继奔逃溃退，只有参军左暄率领军队与朝廷军在万岁楼下拼命厮杀，然而分配给他的兵力非常弱小，根本抵抗不住朝廷军的进攻，遂很快便溃散了。初八日乙未，朝廷的军队攻下了京口。领军将军黄回率军首先进入京口，自以为曾经发誓绝不亲手杀害宋室亲王，于是就把擒获刘景素的机会留给了担任殿中将军的张倪奴。张倪奴擒获刘景素，就把刘景素及其三个儿子全部杀死了，刘景素的同党垣祗祖等数十人全部被诛杀。尚书左仆射萧道成没有追究黄回、高道庆，仍然像以前一样对待他们。当天，朝廷便解除了军事紧急状态。初九日丙申，实行大赦。

当初，宋国管辖之下的巴东郡、建平郡境内的少数民族发动叛乱，担任荆州刺史的沈攸之派军队前往巴东、建平去平定叛乱。等到建平王刘景素起兵造反，沈攸之急忙撤回已经进入三峡讨伐巴东、建平蛮人叛乱的军队，然后率领这支军队奔赴建康。巴东太守刘攘兵、建平太守刘道欣怀疑沈攸之这一行动含有阴谋，就率领军队截断了三峡的江面，不允许沈攸之讨伐叛乱的军队撤回东下。刘攘兵的儿子刘天赐正在荆州刺史府担任西曹掾，沈攸之便派遣刘天赐前往巴东向他的父亲刘攘兵说明情况。刘攘兵得知刘景素此时确实已经起兵造反，这才撤开断峡的军队，并向沈攸之表示歉意，沈攸之对待刘攘兵依然如故。建平太守刘道欣仍然坚守建平郡，拒不撤兵放沈攸之的军队通过三峡，刘攘兵劝说无效，于是就与沈攸之讨伐蛮族人叛乱的军队联合起来攻打刘道欣，把刘道欣杀死。

七月十七日甲辰，魏孝文帝拓跋宏追尊自己的生母李贵人为思皇后。

八月初十日丁卯，宋后废帝封自己的弟弟刘翙为南阳王，刘嵩为新兴王，刘禧为始建王。

十三日庚午，宋后废帝任命担任给事黄门侍郎的阮佃夫为南豫州刺史，仍然留在京师镇守。

九月戊子㊱，赐骁骑将军高道庆死㊲。

冬，十月辛酉㊳，以吏部尚书王僧虔㊴为尚书右[2]仆射。

十一月戊子㊵，魏以太尉、安乐王长乐为定州㊶刺史，司空李䜣为徐州刺史。

【段旨】

以上为第一段，写苍梧王刘昱元徽四年（公元四七六年）一年间的大事。写魏国冯太后鸩杀魏显祖拓跋弘，重新临朝称制，并叙述冯太后的为人与为政特点；写了宋建平王南徐州刺史刘景素起兵谋废皇帝刘昱，朝廷文武一度纷纷归之，最后被萧道成派出的任农夫、段佛荣、张倪奴等打败于京口，刘景素等被杀；写了沈攸之闻刘景素之变，抽回讨三峡叛蛮之兵以赴建康，建平太守刘道欣疑其心怀叵测，截江以阻其下，被沈攸之、刘攘兵攻杀等。

【注释】

①正月己亥：正月初九。②帝耕籍田：苍梧王亲自到籍田做耕种示范。籍田，皇帝亲自耕种的示范田，以此表示国家的重农与劝农。③陆定国：魏国的功勋老臣陆俟之孙，陆丽之子。继其父爵为东郡王。传见《魏书》卷四十。④恃恩不法：依仗着受皇帝的恩宠而违法横行。⑤魏冯太后：文成帝拓跋濬之妃，献文帝拓跋弘之养母，孝文帝拓跋宏之养祖母。传见《魏书》卷十三。⑥内行不正：指男女关系混乱。内行，在家里的品行。⑦李奕之死：李奕是拓跋焘时代的大臣李顺之子，冯太后的男宠，于公元四七〇年被拓跋弘杀死。传见《魏书》卷三十六。⑧鸩毒：以毒酒害人。⑨六月辛未：六月十三。⑩显祖殂：拓跋弘被毒死，时年二十三岁。司马光《通鉴考异》曰："元行冲《后魏国典》云：'太后伏壮士于禁中，太上入谒，遂崩。'〖按〗事若如此，安得不彰？而中外恬然不以为怪，又孝文终不之知？按《后魏书》及《北史》皆无杀事。而《天象志》云'显文暴崩'，盖实有鸩毒之祸。今从之。"⑪壬申：六月十四。⑫改元承明：北魏孝文帝拓跋宏的第一个年号为延兴（公元四七一至四七六年），承明是其第二个年号，只一年，即公元四七六年。⑬金陵：魏国皇帝称其事先为自己营造待用的坟墓曰"金陵"，在古盛乐城西北，即今内蒙古自治区和林格尔的西北方。北魏的道武、明元、太武、文成、献文等皇帝均埋葬于此。⑭万安国：万振之子，万振娶魏国公主，生安国；安国又娶魏国公主，深受献文帝拓跋弘恩宠，超拜大司马、大将军，封安城王。传见《魏书》卷三十四。⑮神部长奚买奴：神部长是当时的"八部大人"之一，名叫奚买奴。当时魏国沿

九月初二日戊子，宋朝廷因为骁骑将军高道庆曾经响应建平王刘景素起兵，于是赐高道庆自杀而死。

冬季，十月初五日辛酉，宋朝廷任命担任吏部尚书的王僧虔为尚书右仆射。

十一月初三日戊子，魏国孝文帝任命担任太尉的安乐王拓跋长乐为定州刺史，任命担任司空的李䜣为徐州刺史。

用鲜卑族原有的部族制度，先设北部大人、南部大人统率各部族。后续设四部，又扩充为八部。⑯戊寅：六月二十。⑰安乐王长乐：拓跋长乐，文成帝拓跋濬之子，被封为安乐王，此时任征西将军。传见《魏书》卷二十。⑱宜都王目辰：拓跋翳槐的后代，有功于拓跋焘时期，又坚请立拓跋宏为帝。传见《魏书》卷十四。⑲南部尚书李䜣：南部尚书即南部大人，李䜣自拓跋焘时代即受重视，拓跋弘时因牵害李敷，受拓跋弘宠用，曾以司仓尚书摄南部事，后又为南部尚书。传见《魏书》卷四十六。⑳复临朝称制：称制，以皇帝的口气颁布命令。胡三省曰："魏高宗之殂，显祖方年十二，冯太后临朝称制，时宋太宗泰始二年（公元四六六年）也。至次年，太后归政。今既鸩显祖，而高祖尚幼，故复临朝。"㉑冯熙：冯太后之兄，先世在燕国为官，燕灭入魏。传见《魏书》卷八十三上。㉒内任：在朝内为官。㉓洛州：魏州名，州治上洛，即今陕西商洛市商州区。㉔显祖神主：拓跋弘的灵牌。㉕祔太庙：供入太庙，与先辈的列祖列宗排列在一起。祔，供入以享受祭祀。㉖依故事皆赐爵：按照以往的先例都给提高一下级别。故事，先例、往常的做法。㉗广平程骏：广平郡人姓程名骏，此时任秘书令。传见《魏书》卷六十。广平郡的郡治曲梁，在今河北曲周东北。㉘建侯裂地：封某人为侯爵，给他们划定领地。侯爵的领地通常为一个县。㉙或以亲贤：这些被封侯的人有的因为是皇帝的亲戚，而其本人又是贤士。㉚或因功伐：或者因为这些人是为国家立过功勋。胡三省曰："以劳定国曰功，积功曰伐。"㉛百司：群吏，指有关的办事人员。㉜皇家故事：如果说过去帝王做事有过什么先例。㉝盖一时之恩：那也不过是一种临时的赏赐。㉞古典正言：古代那些正确的言论。㉟岂得但修故事：怎么能亦步亦趋地光是模仿先例呢。胡三省曰："修，当作'循'。"㊱赐骏衣一袭：赐给程骏一套衣服。一袭，一套、一身。㊲聪察：聪敏、有智慧，不受人蒙蔽。㊳知书计：懂得文字与财务运算。㊴被服俭素：衣着穿戴节俭朴素。被，通"披"。穿戴。㊵膳羞：饭食；伙食。㊶减于故事什七八：比过去帝王的用度减少了十分之七八。㊷猜忍：残忍；狠毒。㊸多权数：有招数；有手段。㊹高祖：现任小皇帝拓跋宏，死后的庙号才称高祖。㊺承颜顺志：一举一动全都看着冯太后的脸色，顺着冯太后的心思。㊻皆仰成于太后：一切都按照冯太后的主意办。㊼不复关白于帝：不再通知魏主拓跋宏。关白，禀告、告知。这里即通知、打招呼。㊽高平王琚：高平人

王琚。高平是郡名，郡治即今宁夏固原。㊾安定张祐、杞嶷：安定郡人张祐与杞嶷。安定是郡名，郡治即今甘肃泾川。㊿冯翊王遇：冯翊郡人王遇。冯翊郡的郡治高陆，即今陕西西安市高陵区。51略阳：魏郡名，郡治陇城，在今甘肃秦安东北，庄浪南。52高阳王质：高阳郡人王质。高阳郡的郡治在今河北高阳东。〖按〗以上王琚、张祐、杞嶷、王遇、苻承祖、王质诸人皆见《魏书》卷九十四。53铁券：又叫"丹书铁券"，或"铁券丹书"，古代帝王颁赐给受宠之臣，作为他享有某种特权的一种凭信。上面有用朱笔写的誓词，所以有时也简称"丹书"。54姑臧王叡：姑臧人王叡，曾任尚书令，晋爵中山王。传见《魏书》卷九十三。姑臧，即今甘肃武威。55李冲：甘肃陇西人，官至尚书仆射，封清渊县开国侯。传见《魏书》卷五十三。56不可胜纪：没法计算。纪，这里通"计"。57人望：社会上有声望的人。58东阳王丕：拓跋丕，拓跋翳槐的后代。59游明根：拓跋弘、冯太后、拓跋宏时代的儒雅之臣。传见《魏书》卷五十五。60以丕等参之：让拓跋丕、游明根也跟着得些赏赐。参之，夹在里头。61烈帝：拓跋翳槐，平文帝郁律的长子。传见《魏书》卷一。62宝：李宝，字怀素，曾任内都大官、镇北将军，封敦煌公。传见《魏书》卷三十九。63失行：品行有过失。64小涉疑忌：稍微有一点让冯太后怀疑或是觉得其言语有讽刺之意。65笞棰：用鞭子、棍子抽打。66无宿憾：不记仇，不把别人的过恶记恨在心。宿憾，让怨恨过夜。憾，恨。67寻：很快。68乙亥：六月十七。69景素：刘景素，宋文帝刘义隆之孙，建平王刘宏之子，当时任南徐州刺史，受朝野所爱戴。传见《宋书》卷七十二。70要结：邀请、结交。71黄回：明帝时期的名将，参加平定刘子勋的势力，稳定明帝政权有功。传见《宋书》卷八十三。72高道庆：刘宋末期的将领，参加平定刘休范的叛乱有功。传见《宋书》卷八十三。73曹欣之：刘宋末期的将领，参加平定刘休范的叛乱有功，官任骁骑将军。传见《宋书》卷八十三。74垣祗祖：刘宋名将垣护之的后代，时为羽林监，宫廷守卫部队的长官。75石头城：故址在今江苏南京清凉山一带，当时建康城西侧的长江边，是当时建康城的防守要地。今南京修有石头城公园。76道成不从者：如果萧道成不同意这么做。77即图之：那就设法除掉萧道成。78伧人：来自北方的人。胡三省曰："江东人谓楚人别种为伧，亦谓西北人为伧。"伧，犹今所谓"土豹子""乡巴佬"。79送台：送到朝廷。当时刘景素为南徐州刺史，州治京口，即今江苏镇江。台，台省，朝廷办事机构，这里指朝廷。80奔京口：到京口投奔刘景素。京口在东晋、南朝时为长江下游的军事重镇和首都建康的北侧门户。81戊子：七月初一。82纂严：集合军队，宣布戒严。纂，集合。83己丑：七月初二。84任农夫：刘宋后期的著名将领，平定刘子勋的势力，稳定明帝政权有功。传见《宋书》卷八十三。85李安民：刘宋时期的著名将领，先是在打败刘子勋、沈攸之的反朝廷军中有功，后又在打败刘休范的反朝廷军中有功。传见《南齐书》卷二十七。86辛卯：七月初四。87都统：官名，犹如后代所说的总指挥、总司令，以协调各路兵马。88戒：这里通"诫"，嘱咐、告诫。89玄武湖：当时亦称"练湖"，在当时建康城北、今南京城东北的玄武门外。⑨⓪ 萧赜：萧道成的长子，历史上所说的齐武帝，在刘宋末年为冠军将军。传见《南齐书》卷三。⑨① 镇东府：驻兵于东府。东府是当时建康城东侧的小城名，东晋末年司马道子为丞相时曾住在这里作威作福，时称“东府”。东府是与西侧的皇城、皇宫相对而言。⑨② 伯融：刘伯融，始安王刘休仁之长子。其父死后，继其父为始安王。传见《宋书》卷七十二。⑨③ 伯猷：刘伯猷，刘伯融之弟，先过继于江夏王刘伯禽为后，继位江夏王，后被降为都乡侯。传见《宋书》卷七十二。⑨④ 建安王休仁：宋文帝刘义隆的第十二子，被封为建安郡王。刘休仁在帮助宋明帝刘彧夺得帝位，并打败刘子勋势力维持宋明帝政权的稳定立有大功。宋明帝临死前担心刘休仁的存在对其年幼的儿子不利，故强加罪名将其杀死，并将其降为始安县王。传见《宋书》卷七十二。⑨⑤ 忌其年长：据《宋书》卷七十二，伯融、伯猷兄弟被害时，一为十九岁，一为十一岁。所谓“年长”，是见其年龄渐大，已有自己的认识力、判断力。⑨⑥ 称诏赐死：假托皇帝刘昱的命令逼其自杀。⑨⑦ 断竹里：占据竹里，以阻挡朝廷军对京口的进攻。竹里是当时的军事要地，在今江苏句容城北，当时江乘县东的长江南岸，地处于从建康到京口的中间地区。⑨⑧ 引之使至：放他们到京口的跟前。⑨⑨ 固争：坚持主张“断竹里”。⑩⓪ 烧市邑：焚烧京口的城外的街道、城堡。邑，城镇。⑩① 各相顾望：彼此观望，谁也不肯出击。⑩② 恇扰：惊慌失措。恇，恐慌。扰，内心无主，不知所措。⑩③ 迫于段佛荣：被段佛荣牵制、监督。⑩④ 遂不发：于是没有发动支援京口的起义。⑩⑤ 西渚：渡口名，在当时京口的城西。⑩⑥ 自相要结：自己挺身而出，团聚一起。⑩⑦ 甲午：七月初七。⑩⑧ 不相应赴：没有人赶去支援。⑩⑨ 薄城下：逼近京口城下。薄，意思同“迫”。逼近。⑪⓪ 万岁楼：应在今之江苏镇江市内，具体地址不详。⑪① 所配：所率领。配，拨给、分配给。⑪② 乙未：七月初八。⑪③ 抚之如旧：胡三省曰，“抚之以安反侧，事定之后绝不能容之”。⑪④ 解严：解除军事紧急状态。⑪⑤ 丙申：七月初九。⑪⑥ 初：在此之前，历史家追述史事的前置语。⑪⑦ 巴东、建平蛮反：巴东、建平二郡的少数民族发动叛乱。巴东郡的郡治在今重庆市奉节县，建平郡的郡治在今重庆市巫山县，二郡同属荆州刺史管辖。⑪⑧ 沈攸之：刘宋后期的重要军阀之一，先在平定刘子勋势力的战争中有大功，后又从上游配合朝廷夹击刘休范军。此时任荆州刺史。传见《宋书》卷七十四。⑪⑨ 急追峡中军：迅速撤回了进入三峡讨伐巴东、建平叛变蛮夷的军队。追，追回、撤回。⑫⓪ 以赴建康：带领此兵赶往建康。究竟是勤王呢，还是趁机颠覆朝廷？其心莫测。⑫① 勒兵断峡：率领军队，截断了三峡的江面。⑫② 不听军下：不允许沈攸之的讨蛮军队撤回东下。听，听任、允许。⑫③ 荆州西曹：荆州刺史府的高级僚属。西曹，也称西曹掾，当时朝廷三公以及地方军阀的高级僚佐，分东西二曹，分掌府中诸事。⑫④ 往谕：前去说明情况。应是说此行为讨伐刘景素之叛乱云云。⑫⑤ 释甲谢愆：撤开了断峡的军队，向沈攸之表示歉意。⑫⑥ 譬说不回：劝说无效。不因刘攘兵的劝说而改变主意，即坚决不让沈攸之的军队通过三峡。⑫⑦ 甲辰：七月十七。⑫⑧ 思皇后：思字是谥。《谥法解》：“道德纯一曰思；大省兆民曰思；外内思索曰思；追悔前过曰思。”这里是取其第一义。⑫⑨ 八月丁卯：八月初十。⑬⓪皇弟翙：刘翙，连同下文的刘嵩、刘禧，均为宋明帝之子。传见《宋书》卷九十。⑬①南阳王：封地南阳郡，郡治即今河南南阳。⑬②新兴王：封地新兴郡，郡治在今湖北荆州市沙市区东北侧。⑬③始建王：封地始建郡，郡治的所在地不详。⑬④庚午：八月十三。⑬⑤南豫州：州治在今安徽当涂。⑬⑥九月戊子：九月初二。⑬⑦赐骁骑将军高道庆死：以其曾响应刘景素之起事故也。⑬⑧十月辛酉：十月初五。⑬⑨王僧虔：宋文帝时代的名臣王昙首之子，王僧绰之弟，王弘之侄，东晋的权贵王珣之孙。是当时著名的权贵，也是著名的文学家。传见《南齐书》卷三十三、《魏书》卷二十。⑭⓪十一月戊子：十一月初三。⑭①定州：魏州名，州治即今河北定州。

【原文】

顺皇帝

昇明元年（丁巳，公元四七七年）

春，正月乙酉朔[142]，魏改元太和[143]。

己酉[144]，略阳民[145]王元寿聚众五千余家，自称冲天王。二月辛未[146]，魏秦、益[147]二州刺史尉洛侯击破之。

三月庚子[148]，魏以东阳王丕[149]为司徒。

夏，四月丁卯[150]，魏主如白登[151]。壬申[152]，如崞山[153]。

初，苍梧王在东宫[154]，好缘漆帐竿[155]，去地丈余[156]。喜怒乖节[157]，主帅[158]不能禁。太宗屡敕陈太妃[159]痛捶[160]之。及即帝位，内畏太后、太妃，外惮诸大臣，未敢纵逸[161]。自加元服[162]，内外稍无以制[163]，数出游行。始出宫，犹整仪卫[164]。俄而[165]弃车骑[166]，帅左右数人，或出郊野，或入市廛[167]。太妃每乘青犊车[168]，随相检摄[169]。既而轻骑远走一二十里，太妃不复能追，仪卫亦惧祸不敢追寻，唯整部伍别在一处，瞻望而已。

【校记】

［1］已：原无此字。据章钰校，甲十一行本、乙十一行本、孔天胤本皆有此字，张敦仁《通鉴刊本识误》、熊罗宿《胡刻资治通鉴校字记》同，今据补。［2］右：原作“左”。据章钰校，甲十一行本、乙十一行本、孔天胤本皆作“右”，今据改。〖按〗《南史·后废帝纪》作“右”。

【语译】

顺皇帝

昇明元年（丁巳，公元四七七年）

春季，正月初一日乙酉，魏国改年号为太和元年。

正月二十五日己酉，魏国境内的略阳郡百姓王元寿聚集起五千多户居民起兵造反，自称冲天王。二月十七日辛未，魏国担任秦州、益州二州刺史的尉洛侯率领军队将王元寿击败。

三月十七日庚子，魏国孝文帝拓跋宏任命东阳王拓跋丕为司徒。

夏季，四月十四日丁卯，魏国孝文帝前往白登山。十九日壬申，又从白登山前往崞山。

当初，宋国的苍梧王刘昱在东宫当太子的时候，就喜好攀爬用油漆刷过的竹竿进行游戏，他可以爬到离开地面一丈多高。而且刘昱喜怒无常，没个分寸，即使是在东宫内担任侍卫、侍从头领的人也禁止不了他。宋太宗刘彧曾经多次命令苍梧王的母亲陈太妃用鞭子、木杖狠狠地抽打他。在刘昱即皇帝位的初期，由于他对内惧怕太后、太妃，对外惧怕朝廷中的诸位大臣，还不敢过分放纵自己任意胡为。自从举行过加冠礼以后，宫内宫外就渐渐地无法管制他了，他多次出宫四处游荡。刚开始出宫的时候，还带着整齐的仪仗队和卫队。但过不了多久，他就抛开仪仗队和卫队，只带领着身边的几个人，或者离开京城到荒郊野外疯耍，或者进入市场闲逛。陈太妃往往乘坐着一辆青色篷盖的牛车，装成平民人家的样子，跟随在刘昱的后边进行监管和约束。然而不一会儿的工夫刘昱的轻骑兵就跑出了一二十里，陈太妃无法再追赶他，刘昱的仪仗队和卫队也因为害怕大祸临头而不敢再继续追寻，只好把队伍排列整齐站在一处远远地瞻望罢了。

初，太宗[170]尝以陈太妃赐嬖人李道兒[171]，已复迎还[172]，生帝[173]。故帝每微行[174]，自称“刘统[175]”，或称“李将军[176]”。常著小裤衫[177]，营署巷陌[178]，无不贯穿。或夜宿客舍，或昼卧道傍，排突厮养[179]，与之交易[180]，或遭慢辱[181]，悦而受之。凡诸鄙事[182]，裁衣、作帽，过目则能。未尝吹篪[183]，执管便韵[184]。及京口既平[185]，骄恣尤甚，无日不出，夕去晨返，晨出暮归。从者并执铤矛[186]，行人男女及犬马牛驴，逢无免者。民间扰惧，商贩皆息[187]，门户昼闭，行人殆绝[188]。针、椎[189]、凿、锯，不离左右，小有忤意[190]，即加屠剖，一日不杀，则惨然[191]不乐。殿省[192]忧惶，食息不保[193]。阮佃夫与直阁将军申伯宗等，谋因帝出江乘[194]射雉，称太后令，唤队仗还，闭城门，遣人执帝废之，立安成王準[195]。事觉，甲戌[196]，帝收佃夫等杀之。

太后数训戒帝，帝不悦。会端午，太后赐帝毛扇[197]。帝嫌其不华，令太医煮药，欲鸩[198]太后。左右止之曰：“若行此事，官便应作孝子[199]，岂复得出入狡狯[200]？”帝曰：“汝语大有理！”乃止。

六月甲戌[201]，有告散骑常侍杜幼文、司徒左长史沈勃[202]、游击将军孙超之与阮佃夫同谋者，帝登[203]帅卫士，自掩[204]三家，悉诛之。刳解脔割[205]，婴孩不免。沈勃时居丧在庐[206]，左右未至，帝挥刀独前。勃知不免，手搏帝耳，唾骂之曰：“汝罪逾桀、纣[207]，屠戮无日[208]！”遂死。是日，大赦。

当初，宋太宗刘彧曾经把陈太妃赏赐给自己的男宠李道兒，过了一段时间又把陈太妃接回宫中，遂生下了现在的小皇帝刘昱。所以小皇帝刘昱每次化装成平民模样出宫的时候，就自称“刘统”，或自称“李将军”。他经常身穿套裤和短袖单衣，到军营、官署以及寻常的大街小巷乱窜，无处不去。有时候整夜不归，就在客店里住宿，有时候大白天躺在道边，与那些社会底层的市民混在一起推挤拉扯，和他们讨价还价地做买卖，有时候遭到那些人的谩骂和侮辱，他也很高兴地接受了，毫不在意。凡是贵族所不屑一顾的那些下等手艺，比如裁制衣服、缝制帽子，刘昱过目就会。刘昱从来没有吹过篪，但他拿起篪管就能吹出好听的声音。等到京口建平王刘景素发动的叛乱被平定之后，刘昱更加骄横恣肆，没有一天不出宫游逛，有时候是晚上出宫，早晨回宫，有时候是早晨出宫，傍晚才回宫。跟随刘昱的侍从每人手中都提着短矛，路上的行人无论是男是女还是犬马牛驴，只要遇到刘昱这帮人，就没有一个能够幸免。民间受到如此骚扰，百姓都恐惧不安，店铺也因此而全部停业，即使是在大白天，各家各户也都是关门闭户，路上几乎见不到行人的影子。钳子、铁锤、凿子、锯子，不离刘昱左右，稍微有点不合心意，刘昱就立即加以屠杀剖宰，一天不杀戮，就会垂头丧气，心中闷闷不乐。整个朝廷上下都为此感到惶恐不安，人人都觉得吃了这顿不知道是否还能吃到下顿饭，睡了今晚不知道是否还能睡明晚。担任南豫州刺史的阮佃夫和担任直阁将军的申伯宗等人密谋趁着小皇帝刘昱外出到江乘县射猎野鸡的时候，假称皇太后的命令，召回跟随刘昱的仪仗队和卫队，然后关闭城门，派人将刘昱逮捕起来把他废掉，然后拥戴安成王刘凖做皇帝。不料事情走漏了风声，四月二十一日甲戌，刘昱下令逮捕阮佃夫等人，把他们全部杀死。

皇太后多次教训、劝诫小皇帝刘昱，刘昱很不高兴。正赶上过端午节，皇太后赏赐给刘昱一柄用羽毛编织的扇子。刘昱嫌弃这把羽毛扇不华丽，就命令太医给皇太后熬药，想在药里下毒毒死皇太后。刘昱身边的侍从劝阻他说：“如果陛下果真毒死了皇太后，陛下就要去做孝子为皇太后服丧守灵了，到那时还能再随便出入皇宫去自由地玩耍吗？”刘昱说：“你说的话很有道理！”这才打消了毒死皇太后的念头。

六月二十二日甲戌，有人向刘昱告发担任散骑常侍的杜幼文、担任司徒左长史的沈勃、担任游击将军的孙超之曾经与阮佃夫一同谋划废立皇帝之事，刘昱立即率领宫中的卫士，亲自去袭捕杜幼文、沈勃、孙超之三家，把这三家不分男女老幼全部诛杀个干干净净。还残忍地把尸体剖腹、肢解，剁成小碎块，就连刚出生的婴孩也未能幸免。当时司徒左长史沈勃正在小棚子里为长辈守孝，刘昱率领的侍卫还没有到达小棚子，身为皇帝的刘昱竟然亲自挥舞着刀独自逼近沈勃面前。沈勃知道自己已经无法躲避灾祸，于是就动手扇了小皇帝刘昱一个耳光，唾骂他说：“你的罪恶比桀、纣还严重，你被人杀戮的日子已经不远了！”沈勃遂被杀死。当天，宋国实行大赦。

帝尝直入领军府[209]。时盛热，萧道成昼卧裸袒[210]。帝立道成于室内[211]，画腹为的[212]，自引满[213]，将射之。道成敛版[214]曰："老臣无罪。"左右王天恩曰："领军[215]腹大，是佳射堋[216]，一箭便死，后无复射，不如以骲箭[217]射之。"帝乃更以[218]骲箭射，正中其齐[219]。投弓大笑曰："此手何如?"帝忌道成威名，尝自磨铤[220]，曰："明日杀萧道成。"陈太妃骂之曰："萧道成有功于国，若害之，谁复为汝尽力邪?"帝乃止[221]。

道成忧惧，密与袁粲、褚渊谋废立。粲曰："主上幼年，微过易改。伊、霍之事[222]，非季世所行[223]，纵使功成，亦终无全地[224]。"渊默然。领军功曹[225]丹阳纪僧真[226]言于道成曰："今朝廷[227]猖狂，人不自保，天下之望[228]，不在袁、褚，明公[229]岂得坐受夷灭？存亡之机，仰希熟虑[230]。"道成然之。

或劝道成奔广陵[231]起兵。道成世子赜，时为晋熙王长史[232]，行郢州事[233]，欲使赜将郢州兵东下会京口。道成密遣所亲刘僧副告其从兄行青、冀二州刺史刘善明[234]曰："人多见劝北固广陵[235]，恐未为长算。今秋风行起[236]，卿若能与垣东海[237]微共动虏[238]，则我诸计可立[239]。"亦告东海太守垣荣祖[240]。善明曰："宋氏将亡，愚智共知。北虏若动，反为公患[241]。公神武高世[242]，唯当静以待之，因机奋发，功业自定，不可远去根本[243]，自贻猖蹶[244]。"荣祖亦曰："领府[245]去台百步，公走，人岂不知？若单骑轻行，广陵人闭门不受，公欲何之？公今动足下床[246]，恐即有叩台门[247]者，公事去矣[248]。"纪僧真曰："主上虽无道，国家累世之基

刘昱曾经直接闯入中领军萧道成的领军官署。由于当时天气炎热，萧道成大白天正在赤身裸体地躺卧在床上。刘昱让萧道成在屋子里站好，然后在萧道成的肚皮上画了一个圆圈作为射箭的箭靶，然后亲自拉开弓，就要向萧道成的肚皮射去。萧道成手持手板，拱着手恭恭敬敬地说："老臣我无罪。"萧道成的随从王天恩说："领军将军的肚子肥大，的确是块很好的箭靶，但是如果一箭把领军将军射死了，以后就再也找不到这样好的箭靶了，不如用兽骨箭头的箭射他。"刘昱于是便改用兽骨箭头的箭向萧道成的肚皮射去，正好射中了萧道成的肚脐。刘昱扔下手里的弓大笑着说："我的射箭技术怎么样？"刘昱忌恨萧道成的威名，他曾经亲手磨砺短矛，说："明天我就去杀死萧道成。"陈太妃责骂刘昱说："萧道成对国家有功劳，如果你害死了他，还有谁肯为你效力呢？"刘昱这才作罢。

萧道成感到非常忧虑和恐惧，便与尚书令袁粲、中书监褚渊密谋废掉刘昱，另立新君。袁粲说："皇上目前还很年幼，即使有些小过错也容易改正。商朝初期的伊尹、西汉后期的霍光所做的废掉现任帝王，另外选立一个帝王的事情，不是我们这些身处末世的人所能干得了的，纵然能够废立成功，我们这些当事人最终也不会有好下场。"褚渊默然无语。在中领军萧道成属下担任功曹的丹阳人纪僧真对萧道成说："如今的刘昱行为猖狂，人人自危，都感到朝不保夕，朝野所仰望、所期待的人物，并不在袁粲、褚渊身上，明公您怎能坐等着被杀戮、被灭族？现在正是生死存亡的紧要关头，希望您能够认真考虑。"萧道成认为纪僧真的意见是对的。

有人劝说萧道成投奔广陵，在那里起兵。萧道成的嫡长子萧赜，当时在晋熙王刘燮手下担任长史，代理郢州刺史的职务，萧道承想让萧赜率领郢州的军队顺江东下到京口会合。萧道成秘密派遣自己的亲信刘僧副，让他告诉他的堂兄代理青、冀二州刺史的刘善明，萧道成说："很多人都劝我北上加强广陵地区的防守，我认为这恐怕不是为长远打算的好办法。如今秋风即将刮起，你如果能够与担任东海太守的垣荣祖一起在边境上设法挑起一点与魏国边境的摩擦，那么我的所有计划就可以实现了。"萧道成把自己的打算也同时告诉了东海太守垣荣祖。刘善明接到萧道成捎来的口信之后立即回复说："刘氏所建立的宋国即将灭亡，这一点，无论是愚蠢的人还是聪明的人都看得很清楚。如果我们与北方的魏国人挑起事端，反而会为您造成很多的麻烦。您的英明神武盖世无双，目前只需安静地等待时机，抓住机会后再奋袂而起，功业自然能够成功，您不可以远离京城之地去北方讨伐强大的魏国，弄不好还可能遭受军事上的失败。"垣荣祖也劝阻萧道成说："您所在的领军府距离朝廷只有百步之遥，您如果一走，别人岂能不知道？如果您单人独骑轻装前往广陵，广陵人关闭城门不接纳您入城，您准备再到什么地方去？恐怕您刚一下床想往外走，立即就会有人去敲开朝廷的大门向朝廷报告您的动向，那时您的计划就泡汤了。"担任领军功曹的纪僧真说："如今的小皇帝虽然浑暴无德，然而刘氏几代人建立起来的国家

犹为安固。公百口，北度[249]必不得俱[250]。纵得广陵城，天子居深宫，施号令，目公为逆[251]，何以避之？此非万全策也。”道成族弟镇军长史顺之[252]及次子骠骑从事中郎嶷[253]，皆以为：“帝好单行道路，于此立计[254]，易以成功。外州起兵，鲜有克捷[255]，徒先人受祸[256]耳。”道成乃止。

东中郎司马[257]、行会稽郡事李安民欲奉江夏王跻[258]起兵于东方[259]，道成止之。

越骑校尉王敬则[260]潜自结[261]于道成，夜著青衣，扶匐道路[262]，为道成听察帝之往来[263]。道成命敬则阴结帝左右杨玉夫、杨万年、陈奉伯等二[3]十五人于殿中，诇伺机便[264]。

秋，七月丁亥[265]夜，帝微行至领军府门。左右曰：“一府皆眠，何不缘墙入[266]？”帝曰：“我今夕欲于一处作适[267]，宜待明夕。”员外郎桓康[268]等于道成门间[269]听闻之。

戊子[270]，帝乘露车[271]，与左右于台冈[272]赌跳[273]，仍往青园尼寺[274]。晚，至新安寺[275]偷狗，就昙度道人[276]煮之。饮酒醉，还仁寿殿寝。杨玉夫常得帝意，至是忽憎之，见辄切齿[277]曰：“明日当杀小子取肝肺！”是夜，令玉夫伺织女渡河[278]，曰：“见当报我[279]，不见，将杀汝！”时帝出入无常，省内诸阁[280]，夜皆不闭，厢下[281]畏相逢值[282]，无敢出者，宿卫[283]并逃避，内外莫相禁摄[284]。是夕，王敬则出外。玉夫伺帝熟寝，与杨万年取帝防身刀[285]刎之[286]。敕厢下奏伎陈奉伯[287]袖其首[288]，依常行法[289]，称敕开承明门[290]出，以首与敬则。敬则驰诣[291]领军府，叩门大呼，萧道成虑苍梧王诳之[292]，不敢开门。敬则于墙上投其首，道成洗视，

政权基础还很稳固。您的家人有一百多口，您如果离开建康，渡江北上广陵，肯定没法全部带走。纵然能够到达广陵城，小皇帝居住在深宫之中，他向全国发布号令，把您看作逆贼，说您是谋反，您如何能够躲避被讨伐的命运呢？北上广陵不是万全之策。”萧道成的族弟担任镇军长史的萧顺之，以及萧道成的二儿子担任骠骑从事中郎的萧嶷全都认为：“小皇帝刘昱喜好独自在路上闲逛，在这方面打刘昱的主意，恐怕很容易获得成功。在外州起兵造反，很难获得成功，只会白白地付出牺牲，还没有来得及杀别人，自己就先被别人杀掉了。”萧道成于是放弃了前往广陵聚众起兵反抗朝廷的打算。

在东中郎将刘跻属下担任司马并代理会稽郡太守职务的李安民准备拥戴江夏王刘跻在会稽郡起兵讨伐小皇帝刘昱，帮助萧道成行废立之事，萧道成阻止了他。

担任越骑校尉的王敬则暗中投靠、交好萧道成，他在夜间身穿黑色的衣服，趴伏在街道上，为萧道成观察刘昱的行动规律。萧道成命令王敬则暗中结交刘昱身边的侍从杨玉夫、杨万年、陈奉伯等二十五人，刺探便于下手的机会。

秋季，七月初六日丁亥的夜间，刘昱身穿平民的衣服来到领军府的门前。左右的侍从说：“整个领军府的人全都睡着了，我们何不翻墙进去杀死萧道成呢？”刘昱说：“我今天晚上准备到另外一处地方开心地玩一玩，等明天晚上再来这里杀死萧道成吧。”担任员外郎的桓康等人在萧道成的领军府门缝里把他们的谈话内容听得一清二楚。

七月初七日戊子，刘昱乘坐一辆敞篷车子，与左右侍从在台城的来冈比赛看谁跳得高，然后就去了青园尼寺继续玩耍。到了晚上，又到新安寺去偷狗，然后拿到昙度道人那里煮狗肉吃。刘昱喝醉酒之后回到仁寿殿睡觉。他以前对身边的侍从杨玉夫一直很满意，现在却一下子憎恨起杨玉夫来，他一看见杨玉夫就恨得咬牙切齿地说：“明天我就杀了你这小子，挖出你的肝肺！”当天夜里，刘昱命令杨玉夫在外面盯着看天上的织女星渡过天河与牛郎会面，他对杨玉夫说：“你看见织女渡过天河就赶紧来报告我，要是你看不见，我就把你杀了！”当时刘昱出入宫廷根本就没有规律，宫廷内的各处小门在夜间都不关闭，在正房两边侧室中值班的人都害怕碰到皇帝刘昱，所以没有人敢出来走动，就连值勤守夜的警卫人员也都躲得远远的，宫内宫外的侍从与警卫人员对有人出入皇宫谁也不去管。当天晚上，王敬则外出离开了宫廷。杨玉夫等到刘昱熟睡之后，就与杨万年一起取出刘昱防身用的刀割下了刘昱的人头。命令正在正殿两侧乐队里服务的乐工陈奉伯把刘昱的人头藏在衣袖里，依照平常刘昱微服出行的做法，口称奉皇帝的命令叫开承明门走出皇宫，把刘昱的人头交给了王敬则。王敬则飞马赶到领军府，一边叩门一边大声呼叫，萧道成怀疑是苍梧王刘昱来骗他开门，因而不敢开门。王敬则就从墙上把刘昱的人头扔进府中，萧道成洗去人头上的血迹看清楚确实是刘昱的人头，于是穿上军服骑上马离开领军府，

乃戎服乘马而出，敬则、桓康等皆从入宫。至承明门，诈为行还[293]。敬则恐内人觇见[294]，以刀环塞窐孔[295]，呼门甚急，门开而入。他夕，苍梧王每开门，门者震慑[296]，不敢仰视，至是弗之疑。道成入殿，殿中惊怖，既而闻苍梧王死，咸称万岁。

己丑旦[297]，道成戎服出殿庭槐树下，以太后令召袁粲、褚渊、刘秉入会议[298]。道成谓秉曰："此使君家事[299]，何以断之[300]？"秉未答。道成须髯尽张[301]，目光如电。秉曰："尚书众事，可以见付，[302]军旅处分[303]，一委领军[304]。"道成次让袁粲[305]，粲亦不敢当。王敬则拔白刃，在床侧跳跃曰[306]："天下事皆应关萧公[307]！敢有开一言[308]者，血染敬则刀!"仍手取白纱帽[309]加道成首，令即位[310]，曰："今日谁敢复动？事须及热[311]！"道成正色呵之曰："卿都自不解[312]！"粲欲有言，敬则叱之，乃止。褚渊曰："非萧公无以了此[313]。"手取事授道成[314]。道成曰："相与不肯[315]，我安得辞？"乃下议[316]，备法驾[317]诣东城[318]迎立安成王。于是长刀遮粲、秉等[319]，各失色而去[320]。秉出，于路逢从弟韫[321]，韫开车[322]迎问曰："今日之事，当归兄邪[323]？"秉曰："吾等已让领军矣。"韫拊膺[324]曰："兄肉中讵有血邪[325]？今年族[326]矣!"

是日，以太后令，数[327]苍梧王罪恶，曰："吾密令萧领军潜运明略[328]。安成王凖，宜临万国[329]。"追封昱为苍梧王[330]。仪卫[331]至东府门，安成王令门者勿开[332]，以待袁司徒。粲至，王乃入居朝堂[333]。壬辰[334]，王即皇帝位，时年十一，改元[335]，大赦[336]。葬苍梧王于郊坛[337]西。

魏京兆康王子推[338]卒。

越骑校尉王敬则、员外郎桓康等人都跟随着萧道成入宫。他们来到承明门，假称是皇帝外出归来。王敬则担心皇宫里的人窥见真相，就用刀环堵住大门上往外窥望的小孔，呼叫赶紧开门，大门打开后他们便一拥而入。往常晚间，苍梧王刘昱每次从外面回来叫门的时候，守门的人都很惊慌、恐惧，从来不敢仰头观看，所以现在也没有怀疑进来的人不是皇帝刘昱。萧道成进入殿中，殿中的官员非常惊恐，接着又听说苍梧王刘昱已死，于是全都高呼万岁。

七月初八日己丑的早晨，萧道成身穿戎服走出宫殿来到庭中的槐树下边，用皇太后的名义召请袁粲、褚渊、刘秉入宫一起商议国家大事。萧道成对刘秉说："这是你们刘姓的家事，你打算怎样安排呢?"刘秉没有立即回答。萧道成由于情绪激愤，就连胡须全都竖了起来，目光就像闪电一样。刘秉说："有关朝廷的行政事务，都可以交付给我处理，有关军事方面的安排调动，就全部委托给中领军您负责。"萧道成假意推让袁粲担任第一执政官，袁粲也不敢担当如此重任。越骑校尉王敬则拔出闪着白光的利剑，在萧道成所坐椅子旁边跳着脚说："天下所有的事情都应该禀告萧大人！如果有人胆敢说一个不字，就让他的血染红我王敬则的钢刀!"于是拿出一顶尊贵的白纱帽戴在萧道成的头上，怂恿萧道成自己做皇帝，王敬则说："今日谁敢再轻举妄动？现在要趁热打铁，一步到位!"萧道成态度严肃地呵斥王敬则说："你完全不明白这里头的事情!"袁粲此时刚想要说点什么，王敬则大声地呵斥他，袁粲因此也就不再说话。褚渊说："除非是萧大人，谁也无法了结此事。"褚渊于是取出所需用的一切东西全都交给萧道成。萧道成说："既然你们大家都不肯担负如此重任，我岂能推辞?"于是立即做出决定，备好皇帝乘坐的次等车驾前往东府去迎接安成王刘凖，拥戴刘凖做皇帝。那些手执长刀的武士围住袁粲、刘秉等人，不准他们一同前去，袁粲、刘秉等吓得面无人色，仓皇离开皇宫。刘秉出宫之后，在路上遇到自己的堂弟刘韫，刘韫打开车门迎着刘秉问："今天发生的事情，朝廷大政是不是归到哥哥的名下了?"刘秉说："我等已经把朝廷大政让给中领军萧道成了。"刘韫用手狠狠地捶击着自己的胸部，非常痛心地说："哥哥的身体中难道就没有一点血性吗？今年我们就要被灭族了!"

同一天，萧道成以皇太后的名义发布命令，一条条地列举了苍梧王刘昱的种种罪恶，说："我秘密命令中领军萧道成暗中运用智谋除掉刘昱。安成王刘凖，应当继承皇位君临天下。"追封刘昱为苍梧王。仪仗队和卫士来到东府门，安成王刘凖命令守门的人不要打开府门，要等到司徒袁粲到来之后再开门。袁粲来到之后，安成王刘凖才进入皇帝接受百官参拜的朝堂。七月十一日壬辰，安成王刘凖即皇帝位，当时年仅十一岁，于是改年号为昇明元年，实行大赦。把苍梧王刘昱埋葬在当时皇帝在南郊祭天的坛台西边。

魏国的京兆康王拓跋子推去世。

甲午[339]，萧道成出镇东府[340]。丙申[341]，以道成为司空、录尚书事[342]、骠骑大将军；袁粲迁中书监[343]；褚渊加开府仪同三司[344]；刘秉迁尚书令[345]，加中领军；以晋熙王燮为扬州刺史[346]。刘秉始谓尚书万机，本以宗室居之，则天下无变。既而萧道成兼总军国[347]，布置心膂[348]，与夺自专[349]，褚渊素相凭附[350]，秉与袁粲阁手仰成[351]矣。辛丑[352]，以尚书右仆射王僧虔为仆射[353]。丙午[354]，以武陵王赞为郢州刺史[355]，萧道成改领南徐州刺史[356]。

八月壬子[357]，魏大赦。

癸亥[358]，诏袁粲镇石头[359]。粲性冲静[360]，每有朝命[361]，常固辞，逼切不得已，乃就职。至是知萧道成有不臣之志[362]，阴欲图之，实时顺命[363]。

初，太宗使陈昭华[364]母养顺帝，戊辰[365]，尊昭华为皇太妃。

丙子[366]，魏诏曰："工商皂隶[367]，各有厥分[368]，而有司纵滥[369]，或染流俗[370]。自今户内有役[371][4]者，唯止本部丞[372]；若有勋劳者，不从此制。"

萧道成固让司空，庚辰[373]，以为骠骑大将军、开府仪同三司。

九月乙酉[374]，魏更定[375]律令。

戊申[376]，封杨玉夫等二十五人为侯、伯、子、男。

冬，十月，氐帅杨文度[377]遣其弟文弘袭魏仇池[378]，陷之。

初，魏徐州刺史李䜣，事显祖为仓部尚书[379]，信用卢奴令[380]范檦。䜣弟左将军瑛谏曰："檦能降人以色[381]，假人以财[382]，轻德义而重势利，听其言也甘[383]，察其行也贼[384]，不早绝之，后悔无及。"䜣不从，腹心之事，皆以语檦。

七月十三日甲午，萧道成离开皇宫之后便把自己的办事机构迁到东府。十五日丙申，朝廷任命萧道成为司空、录尚书事、骠骑大将军；袁粲升任为中书监；加授护军将军褚渊为开府仪同三司；刘秉升为尚书令，加授中领军；任命晋熙王刘燮为扬州刺史。刘秉开始的时候还认为尚书令总理万机，本来应该由宗室成员担任，如此的话政权就会稳固。然而后来竟然由萧道成担任骠骑大将军总管军务，又以录尚书事总管全国政务，安插自己的亲信、骨干，想给谁权力就给谁权力，想夺回谁的权力就夺回谁的权力，都由他一人说了算，褚渊向来依附于萧道成，刘秉与袁粲则成了政治摆设，一切全都要按照萧道成预定的方针政策办事。二十日辛丑，朝廷任命担任尚书右仆射的王僧虔为尚书仆射。二十五日丙午，任命武陵王刘赞为郢州刺史，改任萧道成兼任南徐州刺史。

八月初一日壬子，魏国实行大赦。

八月十二日癸亥，宋顺帝刘凖下诏，命令中书监袁粲统兵去驻守石头城。袁粲性情恬淡平和，不贪恋权位，每当朝廷对自己有新的任命，他经常是坚决辞让，在确实辞让不掉的情况下，出于迫不得已才肯就职。到现在，袁粲知道萧道成有阴谋篡权夺位的野心，于是就暗中准备除掉萧道成，所以袁粲这次一反常态，立即接受了朝廷派他统兵驻守石头城的任命。

当初，宋太宗刘彧让自己的宠妃陈昭华抚养顺帝刘凖，八月十七日戊辰，顺帝尊奉陈昭华为皇太妃。

八月二十五日丙子，魏国皇帝拓跋宏下诏说："工匠、商人，或是衙门里的差役，都有固定的身份和职业，而有关部门的官员对他们不加限制，任凭改变行业，有的人竟然混入了上流社会。从今以后，凡是家族中有从事低级差役的人，最高只能在本行业中担任副职；如果是为国家建立了特殊功勋的人，则不在这个限制之内。"

萧道成坚决辞让司空一职，八月二十九日庚辰，任命萧道成为骠骑大将军、开府仪同三司。

九月初五日乙酉，魏国开始对原有的律令进行修订。

二十八日戊申，宋国朝廷分别封杨玉夫等二十五人为侯爵、伯爵、子爵和男爵。

冬季，十月，氐族人首领杨文度派遣自己的弟弟杨文弘率军袭击魏国统辖下的仇池郡，顺利占领了仇池。

当初，魏国担任徐州刺史的李䜣，在魏显祖拓跋弘时期曾经担任仓部尚书，他非常信任担任卢奴县县令的范檦。李䜣的弟弟担任左将军的李瑛劝谏李䜣说："范檦能够对人低声下气，给人钱财以收买人心，轻视道德信义而看重势利，说话好听得像蜜一样甘甜、悦耳，而做出事来却非常残忍凶狠，你不尽早与他断绝交往，恐怕将来后悔莫及。"李䜣没有听从李瑛的忠告，他把所有的心里话全都说给范檦听。

尚书赵黑，与䜣皆有宠于显祖，对掌选部㉟。䜣以其私㊱用人为方州㊲，黑对显祖发㊳之，由是有隙㊴。顷之，䜣发黑前为监藏㊵，盗用官物，黑坐黜为门士㊶。黑恨之，寝食为之衰少。逾年㊷，复入为侍中、尚书左仆射，领选㊸。

及显祖殂，黑白冯太后㊹，称䜣专恣，出为徐州㊺。范檦知太后怨䜣㊻，乃告䜣谋外叛㊼。太后征䜣至平城问状，䜣对无之。太后引檦使证之，䜣谓檦曰："汝今诬我，我复何言？然汝受我恩如此之厚，乃忍为尔乎㊽？"檦曰："檦受公恩，何如公受李敷恩㊾？公忍[5]之于敷，檦何为不忍于公？"䜣慨然叹曰："吾不用璞言，悔之何及！"赵黑复于中㊿构成其罪(401)，丙子(402)，诛䜣及其子令和、令度，黑然后寝食如故(403)。

【段旨】

以上为第二段，写宋顺帝刘凖昇明元年（公元四七七年）正月至十月共十个月间的大事。主要写了宋国皇帝刘昱的性情乖张，纵情游荡，肆意凶杀，甚至欲鸩杀其母，阮佃夫欲行废立，事泄被刘昱杀死；写了刘昱想杀萧道成，萧道成图谋废立，袁粲反对，萧道成又想派人挑起北部边境摩擦，自己乘机在广陵武装起事，后从其心腹的出谋划策，改为在京城等候时机；写了王敬则化装为乞丐窥探刘昱的出行规律，萧道成收买了刘昱身边的用人，伺机动手；写了杨玉夫、杨万年等刺杀皇帝刘昱，王敬则送其首与萧道成，萧道成进入宫殿夺得大权，改立安成王刘凖为傀儡，从此萧道成"兼总军国，布置心膂，与夺自专"；写了袁粲等人失去一切权力，不满萧道成如此专断，阴欲寻机图之；此外还写了魏臣李䜣信任卢奴令范檦，其弟劝李䜣勿与范檦来往，李䜣不听，结果在赵黑、范檦等人的诬陷下被冯太后杀死等。

【注释】

⑭②正月乙酉朔：正月初一是乙酉日。⑭③改元太和：在此之前魏国孝文帝拓跋宏的第二个年号承明，今又改为太和。太和是拓跋宏的第三个年号（公元四七七至四九九年），共二十三年。⑭④己酉：正月二十五。⑭⑤略阳民：略阳郡的百姓。魏国略阳郡的郡治陇城，

魏国担任尚书的赵黑与李䜣都很受魏显祖拓跋弘的宠信，两人共同掌管选任官员的事务。李䜣总是出于私心地任用人担任大州的刺史，赵黑遂向魏显祖揭发了李䜣的行为，因此李䜣与赵黑之间产生了矛盾。不久，李䜣出于报复的心理，在魏显祖面前揭发了赵黑以前在担任监藏官的时候，曾经偷盗公家财物的事实，赵黑因此获罪被贬为守门人。赵黑因为痛恨李䜣，以致睡不稳觉、吃不下饭。过了一年，赵黑再次被起用，入朝当了侍中、尚书左仆射，兼任选部的事务。

等到魏显祖去世之后，赵黑便向冯太后禀报，说李䜣专揽朝政，为所欲为，于是冯太后把李䜣调出京城去担任徐州刺史。范檦知道冯太后怨恨李䜣，于是就在冯太后面前诬告李䜣正在阴谋策划叛国投敌。冯太后把李䜣召回平城询问，李䜣回答并无此事。冯太后叫出范檦，让他当面与李䜣对证，李䜣对范檦说："你现在诬陷我，我还有什么话好说？然而你受我如此厚恩，怎么竟然忍心对我做这样的事情呢？"范檦说："我接受您的恩惠，怎么比得上您接受李敷的恩惠深厚呢？您忍心对李敷这样做，我为什么就不能忍心对您这样做呢？"李䜣慨然长叹了一声说："我当初没有听从李璞的劝告，现在后悔也来不及了！"赵黑又在宫中将李䜣阴谋叛国投敌的罪名坐实，十月二十六日丙子，冯太后下令诛杀李䜣和他的儿子李令和、李令度，赵黑这才像过去一样吃得下、睡得着。

在今甘肃庄浪南。⑭⑥二月辛未：二月十七。⑭⑦秦、益：魏国的二州名，秦州的州治上邽，即今甘肃天水，益州的州治在今陕西略阳。⑭⑧三月庚子：三月十七。⑭⑨东阳王丕：拓跋丕，时任征西大将军、雍州刺史。⑮⓪四月丁卯：四月十四。⑮①白登：山名，在今山西大同东北，此处有魏国的离宫。⑮②壬申：四月十九。⑮③崞山：在今山西浑源西北，此处有魏国帝王的陵墓。⑮④在东宫：言其为太子时。⑮⑤缘漆帐竿：类似现在的杂技表演，平地立起一根竿子，艺人空手向上爬，并做种种动作。缘，爬、攀援。漆帐竿，用漆刷过的一种光滑竹竿。⑮⑥去地丈余：可以爬到离开地面一丈多高。⑮⑦乖节：反常、失控，没个分寸。⑮⑧主帅：侍卫、侍从人员的头领。胡三省曰："谓东宫斋内主帅也。"⑮⑨陈太妃：宋明帝刘彧的嫔妃，苍梧王刘昱的生母。苍梧王即位后，尊封为皇太妃。传见《宋书》卷四十一。⑯⓪痛捶：狠打。捶，用鞭、杖抽打。⑯①纵逸：放纵自己。逸，放纵。⑯②加元服：行加冠礼，表示已到成年人。元服，帽子。元，头、脑袋。⑯③稍无以制：渐渐地就没法管了。稍，逐渐、越来越。⑯④犹整仪卫：还带着整齐的仪仗和卫队。⑯⑤俄而：过一会儿。⑯⑥弃车骑：把仪仗队和卫队都扔下不管。⑯⑦市廛：市场。⑯⑧青犊车：青色篷盖的牛车，装成平民人家的模样。⑯⑨检摄：监管、约束。⑰⓪太宗：指宋明帝刘彧。太宗是他的庙号。⑰①嬖人李道兒：刘彧的男宠名李道兒。嬖人，男宠，以色事人的男人。李道兒

曾任中书通事舍人、给事中。传见《宋书》卷九十四。⑰已复迎还：过了一段时间，意思是见其怀孕后，又把她接了回来。已，既、不久。⑰生帝：生下了现任的小皇帝刘昱。〖按〗类似这种言语，显然是萧道成为剪灭刘氏而进行的编造。⑰微行：不使人知道其原有身份的化装出行。⑰刘统：隐藏的含义是姓刘的统治天下的人。⑰李将军：含义是自己承认是李道儿的儿子。⑰著小裤衫：身穿套裤和短袖单衣。著，身穿。小裤衫，套裤和短袖单衣。⑰营署巷陌：军营、官署以及寻常的大街小巷。⑰排突厮养：和那些下等市民混在一起推挤拉扯。排突，推挤拉扯。厮养，养马的奴隶，这里泛指下层人。⑱与之交易：和他们讨价还价地做买卖。⑱慢辱：谩骂、侮辱。⑱鄙事：贵族所不屑一顾的下等手艺。⑱篪：古代用竹制作的一种管乐器。⑱执管便韵：拿过来就能吹出好听的声音。韵，指乐音，与“噪音”相对文。⑱京口既平：指刘景素的叛乱被平定。⑱并执铤矛：都手提着短矛。⑱皆息：全部停业。⑱殆绝：几乎断绝。殆，几乎、差不多。⑱针、椎：钳子与铁锤。针，通“钳”。⑲小有忤意：稍微有点不合心思。忤，抵触。⑲惨然：失落、丧气的样子。⑲殿省：殿上、省中，泛指整个朝廷上下。⑲食息不保：吃了这顿不知是否还能吃下顿，睡了今晚不知是否还能睡明晚。息，睡眠。⑲江乘：古县名，县治在今江苏南京东北的长江南岸。⑲安成王準：刘準，明帝刘彧的第三子，刘昱之弟，亦即历史上的宋顺帝。传见《宋书》卷十。⑲甲戌：四月二十一。⑲太后赐帝毛扇：司马光《通鉴考异》曰，“《宋略》作‘太妃赐’，今从《宋书》。”毛扇，羽毛编织的扇子。⑲鸩：毒鸟名，相传用鸩鸟羽毛蘸过的酒可以毒死人。这里指用毒酒杀人。⑲官便应作孝子：如果毒死了母亲，那你就得去做孝子服丧守灵了。官，也称“官家”，当时对皇帝的敬称。⑳岂复得出入狡狯：还能够出来进去地自由玩耍吗？胡三省曰：“江南谓小儿戏为狡狯。”⑳六月甲戌：六月二十二。⑳沈勃：文帝时代的名臣沈演之之子，好为文章，善弹琴、围棋，轻薄逐利。泰始中官给事中，后为司徒左长史。传见《宋书》卷六十三。⑳登：登时；立即。⑳自掩：亲自袭捕。⑳刳解脔割：剖腹、肢解、剁成碎块。脔，肉块。⑳居丧在庐：正在小棚子里为长辈守孝。庐，也称“倚庐”，古人服丧时所住的小棚子。胡三省曰：“礼，居丧者，居倚庐，寝苫枕块。孟康注曰：‘倚庐，倚墙至地而为之，无楣柱。’”⑳罪逾桀、纣：你的罪恶比桀、纣还要严重。逾，超过。⑳屠戮无日：你被人杀死的日子已经不远了。无日，没有几天。⑳领军府：领军将军办公的官署。领军将军也称中领军，是朝廷羽林军的统帅，当时萧道成任此职。㉑裸袒：赤身露体。㉑立道成于室内：让萧道成在屋子里站着。㉑画腹为的：在萧道成的肚皮上画一个射靶。的，箭靶。㉑自引满：亲自拉开弓。㉑敛版：拱手持手版，一副恭敬的样子。版，也称笏板，大臣上朝时所持的手版，上记发言的要点。㉑领军：以称萧道成。以官衔称人表示尊敬。㉑是佳射埔：的确是块很好的箭靶。射埔，也作“射棚”，即射靶。㉑骲箭：以兽骨做箭头的箭，这里实际指没有箭头的箭。胡三省曰：“余谓骨镞亦能害人，况以之射人腹乎？盖当时所谓‘骲箭’者，必非骨镞。”㉑更以：改用。㉑齐：通“脐”。肚脐。㉒⓪磨铤：磨短矛。铤，短矛。㉒①帝乃止：似此等事应皆萧道成所捏造。㉒②伊、霍之事：废掉现任的帝王，另选立一个帝王的故事。伊，指伊尹，商朝初期的大臣。商汤死后，其孙太甲无道，伊尹放太甲于桐。三年后，太甲改过，伊尹将其接回重新为帝。事见《史记·殷本纪》。霍，指霍光，西汉后期的权臣。昭帝死后无子，霍光迎立武帝之孙昌邑王刘贺为帝。刘贺荒淫无道，霍光等将其废掉，改立了武帝的曾孙刘询为帝。事见《汉书·霍光传》。㉒③非季世所行：不是我们后人所能干得了的。季世，末世、道德衰败之世。㉒④终无全地：我们这些当事人也不会有好下场。如宋初徐羡之、傅亮、谢晦等之杀刘义符、改立刘义隆，事情成功，但徐、傅诸人皆被杀光，就是最近的事例。㉒⑤领军功曹：中领军萧道成的僚属，掌管记录、考察军中将士的功劳。㉒⑥纪僧真：萧道成的心腹，历任建康令、游击将军、司农卿、庐陵内史等。传见《南齐书》卷五十六。㉒⑦朝廷：隐指皇帝刘昱。㉒⑧天下之望：朝野所仰望、所期待的人物。㉒⑨明公：敬称萧道成。㉓⓪仰希熟虑：希望您能认真考虑。仰，表示恭敬的副词。㉓①广陵：郡名，郡治即今江苏扬州。㉓②晋熙王长史：晋熙王属下的当权人物。晋熙王是宋明帝的第六子刘燮。长史是三公、诸王属下的诸史之长，握有实权。㉓③行郢州事：代理郢州刺史的职务。行，代理。以低级别代理高职务叫“行”。㉓④刘善明：刘宋后期的将领，萧道成的忠实部下，时任青、冀二州刺史。传见《南齐书》卷二十八。㉓⑤见劝北固广陵：劝我加强广陵地区的防守，意即据广陵发动政变。当时萧道成兼任南兖州刺史，南兖州的州治就在广陵。㉓⑥秋风行起：秋天即将到来。行起，将起。“秋风行起”是北方民族向南方政权发动进攻的良好时机。㉓⑦垣东海：下文所说的垣荣祖，时为东海太守。传见《南齐书》卷二十八。当时东海郡的郡治涟口，即今江苏涟水。㉓⑧微共动虏：设法挑起一点与魏国的边境摩擦。㉓⑨我诸计可立：我的一切计划就都可以实现了。因为北方的边境矛盾一起，萧道成就有了调集军队的借口。㉔⓪亦告东海太守垣荣祖：也把同样的意思告知了垣荣祖。㉔①反为公患：反而给您造成很多麻烦。㉔②神武高世：神奇英武盖世无双。高世，高出一切世人。㉔③远去根本：远离京城地北讨强虏。㉔④自贻猖蹶：弄不好还可能遭受军事上的失败。猖蹶，这里指跌倒、失败。㉔⑤领府：上文所说的“领军府”。㉔⑥动足下床：言其刚想向外走。㉔⑦叩台门：去向朝廷报告您的动向。㉔⑧公事去矣：您的大计划就泡汤了。㉔⑨北度：指离开建康，渡江北去广陵。度，通“渡”。㉕⓪必不得俱：肯定是没法全部带走。㉕①目公为逆：把您看作叛逆、造反。㉕②镇军长史顺之：萧顺之，时为镇军将军萧道成的长史。当时萧道成既为中领军，又为镇军将军。萧顺之是齐武帝萧衍之父。㉕③骠骑从事中郎嶷：萧嶷，时为骠骑将军的从事中郎。从事中郎是将军的高级僚属。㉕④于此立计：在京城采取手段。㉕⑤鲜有克捷：难以获得成功。鲜，少。㉕⑥徒先人受祸：白白地牺牲，还没有杀别人，就先被别人杀掉了。㉕⑦东中郎司马：东中郎将刘跻的司马。㉕⑧江夏王跻：刘跻，宋明帝刘彧的第八子，过继给刘义恭为后嗣，继刘义恭之位号为江夏王。时年八岁，为东中郎将，驻兵会稽（今浙江绍兴），大权在李安民之手。㉕⑨起兵于东方：起兵会稽以讨伐皇帝刘昱，助萧道成行废立之事。㉖⓪王敬则：刘宋末期的将领，萧道成的心腹，时任越骑校尉，是护卫宫廷的将官。传见《南齐书》卷二十六。㉖①潜自结：暗中投靠、交好。㉖②扶匐道路：趴伏在街道之上。扶匐，通“匍匐”，爬行。㉖③听察帝之往来：观察皇帝刘昱行动规律。㉖④诇伺机便：刺探下手的机会。诇，刺探、侦察。㉖⑤七月丁亥：七月初六。㉖⑥缘墙入：翻墙进去杀萧道成。㉖⑦作适：开心地玩玩。胡三省曰：“适意作戏，谓之作适。”㉖⑧员外郎桓康：桓康是刘宋末年的猛将，曾大破魏军，对萧道成之子萧赜有救命之恩，为萧道成的心腹之一，此时为员外郎。传见《南齐书》卷三十。员外郎，也称员外散骑侍郎，是皇帝身边的侍从官员。㉖⑨门间：门缝里头。㉗⓪戊子：七月初七。㉗①露车：没有篷盖帷帐的车。㉗②台冈：地名。胡三省曰：“即台城之来冈。”㉗③赌跳：比赛看谁跳得高。㉗④仍往青园尼寺：而后就去了一座名叫青园的尼姑庵。仍，通“乃”。下文王敬则“仍手取白纱帽加道成首”云云，“仍”字亦通“乃”。㉗⑤新安寺：胡三省曰，“孝武宠姬殷贵妃死，为之立寺，贵妃子子鸾封新安王，故以‘新安’为寺名。”㉗⑥昙度道人：一个名叫昙度的和尚。道人，得道之人，这里是对和尚的敬称。㉗⑦见辄切齿：一见杨玉夫就恨得咬牙切齿。辄，就。㉗⑧伺织女渡河：盯着看织女过天河与牛郎见面。胡三省引《续齐谐记》曰：“桂阳成武丁有仙道，谓其弟曰：‘七月七日，织女当渡河。’弟问曰：‘织女何事渡河？’答曰：‘织女暂诣牵牛。’人至今云织女嫁牵牛也。”又引崔寔《四民月令》曰：“或云见天汉中奕奕有正白气，光耀五色，以此为征应。”㉗⑨见当报我：你看到织女过河的时候赶紧报告我知道。㉘⓪省内诸阁：宫廷内的各处小门。㉘①厢下：葛晓音曰，“正房两边的侧室，这里指在两厢的当值人员。”㉘②畏相逢值：害怕碰见皇帝刘昱。㉘③宿卫：值勤守夜的警卫人员。㉘④内外莫相禁摄：宫里、宫外的警卫侍从人员谁也不管谁。禁摄，禁止、制约。㉘⑤防身刀：也叫“千牛刀”，取其锋利，解千牛而其刃若新出于硎之意。语出《庄子·养生主》。㉘⑥刎之：割下他的头颅。㉘⑦敕厢下奏伎陈奉伯：命令一个名叫陈奉伯的在正殿两侧乐队里服务的乐工。奏伎，这里指乐工。㉘⑧袖其首：袖子里藏着皇帝刘昱的人头。㉘⑨常行法：平时刘昱微服出行的做法。㉙⓪承明门：当时皇宫的正门。㉙①驰诣：飞快地送到。㉙②虑苍梧王诳之：担心是皇帝刘昱来骗他开门。㉙③诈为行还：假称是皇帝外出归来。㉙④觇见：窥见。㉙⑤窒孔：隔门窥望的小洞，犹今时之“门镜”。㉙⑥震慑：惊恐；恐惧。㉙⑦己丑旦：七月初八的早晨。㉙⑧入会议：进宫一起商量。㉙⑨此使君家事：这是你们老刘家的事情。刘秉是宋武帝刘裕的侄孙，所以萧道成对之说“你们老刘家”。使君，汉以来对州郡长官的敬称，刘秉时为丹杨尹，故以官号称之为“使君”。㉚⓪何以断之：你打算怎样安排，指权力的分配。㉚①须髯尽张：胡子都竖起来，言其激昂动怒的神态。人对嘴下所生曰须，对两颊所生曰髯。㉚②尚书众事二句：有关朝廷的行政事务，可以交付于我。尚书，尚书省，相当于现在的行政院。㉚③军旅处分：军事方面的安排调动。处分，安排、调动。㉚④一委领军：全部交给中领军您。㉚⑤次让袁粲：假意地推让说应让袁粲为第一执政官。㉚⑥在床侧跳跃曰：在萧道成所坐椅子旁边跳着脚说。床，也称胡床，当时人所坐的椅子。㉗皆应关萧公：都必须禀告萧大人。关，禀告、请示。㉘开一言：指发表任何不同意见。㉙白纱帽：一种表示尊贵的帽子。胡三省曰："以白纱者，曰高顶帽。皇太子在上省则乌纱；在永福则白纱。"意思是皇太子在皇帝跟前戴乌纱帽，在自己的宫里就戴白纱帽。㉚令即位：怂恿他自己做皇帝。㉛事须及热：意指要趁热打铁，一步到位。㉜都自不解：完全不明白这里头的事情。意即要讲策略、讲手段。当初曹丕、司马炎、刘裕都是怎么表演的，难道你们不知道吗？㉝非萧公无以了此：除了萧大人，谁也办不成这件事。了，胜任、办好。㉞手取事授道成：此处"事"字明显语病。如曰"取白纱帽""取皇帝符玺"皆可，而此曰"取事"，"事"究为何物？胡三省注有所谓"褚渊手取其事以授道成"，"其事"又为何物？皆不可晓。㉟相与不肯：你们既然都不肯担负重任。相与，彼此。㊱乃下议：于是做出决定。㊲法驾：皇帝乘坐的次等车驾。《史记·孝文本纪》之《索隐》引《汉官仪》云："天子卤簿有大驾、法驾。大驾，公卿奉引，大将军参乘，属车八十一乘；法驾，公卿不在卤簿中，唯京兆尹、执金吾、长安令奉引，侍中参乘，属车三十六乘。"㊳诣东城：到东府。当时安成王刘準任扬州刺史，其州治即在东城。㊴长刀遮粲、秉等：手执长刀的武士簇拥、环围着袁粲、刘秉等人。遮，环绕。㊵各失色而去：胡三省曰，"观史所书，会议之际，道成目光如电，须髯尽张；王敬则拔白刃跳跃；继又以长刀遮粲、秉等，事势可知矣。粲、秉于此时声其弑君之罪，以身死之，犹不愧于仇牧；何待至石头耶？"㊶韫：刘韫，平刘子勋之乱有功，官至中领军。传见《宋书》卷五十一。㊷开车：开启车门。㊸当归兄邪：朝廷大政归到您名下了吗？㊹拊膺：以手捶胸，表示痛心、遗憾的样子。㊺肉中讵有血邪：你还算是个有血性的人吗？讵，岂、岂能。㊻族：灭族，整个家族被杀光。㊼数：列举其罪以谴责之。㊽潜运明略：暗中运用智谋。㊾宜临万国：应该君临天下，也就是应该做皇帝。㊿追封昱为苍梧王：废去其皇帝的称号，降以为苍梧王。(331)仪卫：迎接新皇帝的仪仗队和卫队。(332)令门者勿开：以不辨其真假，不识其用心故也。(333)入居朝堂：进入百官的参拜皇帝之处。胡三省曰："史言袁粲为一时所倚重。"(334)壬辰：七月十一。(335)改元：改元徽五年为昇明元年。(336)大赦：大赦天下，以示与天下"咸与维新"，一切重新开始。新皇帝上台大体都有这一套。(337)郊坛：当时皇帝在南郊祭天的坛台，类似今北京之天坛。胡三省曰："南郊坛在台城南巳地，世祖大明三年移南郊坛于牛头山以正阳位。"(338)京兆康王子推：拓跋子推，景穆王拓跋晃之子，显文帝拓跋弘之叔，被封为京兆王，康是其死后的谥。传见《魏书》卷十九上。(339)甲午：七月十三。(340)出镇东府：把他的办事机构迁到了东府。东府从东晋开始就是操纵国家大政的权臣居住的地方。(341)丙申：七月十五。(342)录尚书事：兼管尚书省的一切事务。录，总管、兼管。(343)中书监：中书省的最高长官。中书省是给皇帝起草政令的机关。(344)加开府仪同三司：除其原有的官职照常外，再增授开府仪同三司。但这只是一个加官名，没有实权，但有很高的荣誉、地位，享用三司一级的仪仗队。(345)迁尚书令：刘秉原为中书令，今乃改为尚书令，尚书省的最高长官。(346)晋熙王燮为扬州刺史：实则是萧道成的儿子萧赜当权，因晋熙王燮年幼，萧赜为其长史故也。㊼兼总军国：既任骠骑大将军总管军务，又以录尚书事总管全国政务。㊽心膂：心脏与脊骨，这里以喻亲信、骨干。㊾与夺自专：想给谁权力就给谁权力，想夺回谁的权力就夺回谁的权力。㊿素相凭附：历来依附萧道成。凭，依赖、依靠。[351]阁手仰成：指成了摆设，一切都听萧道成的。阁手，拱手而无可作为。仰成，按人家制定的方针政策照办。[352]辛丑：七月二十。[353]王僧虔为仆射：王僧虔原为尚书右仆射，当时是尚书仆射设左右二人；今任王僧虔为尚书仆射，是现在已改尚书仆射只设一人。[354]丙午：七月二十五。[355]郢州刺史：郢州的州治夏口，即今湖北武汉市汉阳区。[356]改领南徐州刺史：萧道成此前除有朝官外，尚兼任南兖州刺史。今则除有新任的朝官外，尚改兼南徐州刺史。领，兼任。以高级别兼低职务叫"领"。南徐州的州治即今江苏镇江。[357]八月壬子：八月初一。[358]癸亥：八月十二。[359]镇石头：统兵驻守石头城。石头城在当时的建康城西侧，是防守建康城的军事要地。这一定是刘秉等人的主意。[360]冲静：恬淡和平，不贪权位。[361]朝命：朝廷有新的任命。[362]不臣之志：阴谋称帝的想法。[363]实时顺命：立刻就接受了"镇石头"的任命。[364]陈昭华：名法容，宋明帝的宠妃，宋顺帝刘準的养母。传见《宋书》卷四十一。昭华是嫔妃的封号名，各个时代的名号不一，刘宋时期还有所谓昭仪、昭容等。[365]戊辰：八月十七。[366]丙子：八月二十五。[367]工商皂隶：工匠、商人，或是衙门里的差役。皂隶，旧时官府里的低级仆役人员。[368]各有厥分：都有固定的身份，意思是说他们都是很卑贱的。[369]有司纵滥：负责该项工作的有关官员对他们不加限制，任凭他们跳槽、改行。[370]或染流俗：有的竟然进入上流社会。流俗，《魏书》《北史》作"清流"，指士族社会，然通观上下文，知这里主要是指较高级别的官位。[371]户内有役：凡是家族中有从事低级差役的人。[372]唯止本部丞：只能在本行业内担任副职。丞，长官的副手，如市令下有市丞，仓令下有仓丞。[373]庚辰：八月二十九。[374]九月乙酉：九月初五。[375]更定：改定；修改。[376]戊申：九月二十八。[377]杨文度：当时仇池（今甘肃成县西）一带的氐族首领，

【原文】

十一月癸未[404]，魏征西将军皮欢喜[405]等三将军率众四万击杨文弘。

丁亥[406]，魏怀州民伊祁苟[407]自称尧后[408]，聚众于重山[409]作乱，洛州[410]刺史冯熙讨灭之。冯太后欲尽诛阖城之民[411]，雍州[412]刺史张白泽谏曰："凶渠[413]逆党，尽已枭夷[414]。城中岂无忠良仁信之士，奈何不问白黑，一切诛之？"乃止。

自晋朝以来世代统领该地区的氐人，依违于北方政权与南朝政权之间。泰豫元年被刘宋封为武都王。传见《宋书》卷九十八。㊳㊆ 仇池：魏郡名，郡治在今甘肃成县西北。㊳㊇ 仓部尚书：也叫太仓尚书，掌管粮食的保存与发放之事。㊳㊈ 卢奴令：卢奴县的县令。当时的卢奴县即今河北定州。㊳㊉ 降人以色：能对人低声下气。㊳㊁ 假人以财：指给人钱财，收买人心。㊳㊂ 其言也甘：话说得好听，讨人喜欢。甘，甜蜜、悦耳。㊳㊃ 其行也贼：做出事来残忍凶狠。贼，残忍。㊳㊄ 对掌选部：共同掌管选任官员的事务。选部，即日后的吏部。㊳㊅ 以其私：出于私心，从个人私利出发。㊳㊆ 用人为方州：任命人为大州刺史。方州，方伯、大州之长，即当时的州刺史。胡三省曰："古者八州八伯，谓之方伯。后世遂以州刺史为方州。"㊳㊇ 发：举报；揭发。㊳㊈ 有隙：有矛盾；有过节。㊳㊉ 监藏：看管仓库的官。藏，仓库。㊳㊀ 黜为门士：贬做了守门人。㊳㊁ 逾年：过了一年。㊳㊂ 领选：兼管选部的事务。㊳㊃ 白冯太后：对冯太后进言。㊳㊄ 出为徐州：赶出朝廷，派到徐州任刺史。㊳㊅ 太后怨䜣：因为李䜣检举冯太后的男宠李奕，致使李奕被显祖拓跋弘杀死。事见本书卷第一百三十二泰始六年。㊳㊆ 谋外叛：阴谋策划向国外叛逃。㊳㊇ 乃忍为尔乎：竟然忍心做这种事呢。忍，忍心，下得了狠心。尔，这种、这样的。㊳㊈ 公受李敷恩：李䜣为相州刺史时曾因受贿犯罪，李敷为之做过掩护。㊴㊀ 于中：在宫中，在冯太后身边。㊴㊀ 构成其罪：将其罪名做扎实。构，罗织、锻炼。㊴㊁ 丙子：十月二十六。㊴㊂ 寝食如故：这才吃得下、睡得香了。

【校记】

［3］二：原作"一"。张敦仁《通鉴刊本识误》认为当作"二"，今据改。〖按〗《通鉴纪事本末》卷二十、《南齐书·高祖纪》皆作"二"。［4］役：原作"工役"。据章钰校，甲十一行本、乙十一行本、孔天胤本皆无"工"字，今据删。［5］忍：原作"忍为"。据章钰校，甲十一行本、乙十一行本皆无"为"字，今据删。

【语译】

十一月初三日癸未，魏国的征西将军皮欢喜等三位将军率领四万魏军进击杨文弘。

十一月初七日丁亥，魏国怀州的百姓伊祁苟自称古代帝王唐尧伊祁氏的后裔，在重山聚众起兵造反，魏国担任洛州刺史的冯熙率军前往重山进行讨伐，把伊祁苟的叛军彻底消灭。冯太后想把叛军占据过的重山城里所有百姓全部杀光，担任雍州刺史的张白泽劝阻冯太后说："叛军的大头目以及他的党羽，现在已经全部被诛灭。难道重山城中就没有忠良仁义的人士吗？为什么不问青红皂白，就要全部杀光呢？"冯太后这才没有下达诛灭全城的命令。

十二月，魏皮欢喜军至建安[415]，杨文弘弃城走[416]。

初，沈攸之与萧道成于大明、景和[417]之间同直殿省[418]，深相亲善，道成女为攸之子中书侍郎文和妇。攸之在荆州，直阁将军高道庆，家在华容[419]，假还[420]，过江陵[421]，与攸之争戏槊[422]。驰还建康，言攸之反状已成，请以三千人袭之。执政皆以为不可，道成仍保证其不然[423]。杨运长等恶攸之，密与道庆谋遣刺客杀攸之，不克[424]。会苍梧王遇弑，主簿宗俨之、功曹臧寅劝攸之因此起兵。攸之以其长子元琰在建康为司徒左长史[425]，故未发。寅，凝之[426]之子也。

时杨运长等已不在内[427]，萧道成遣元琰以苍梧王刳斫之具[428]示攸之。攸之以道成名位素出己下[429]，一旦专制朝权，心不平，谓元琰曰："吾宁为王陵[430][6]死，不为贾充[431]生。"然亦未暇举兵。乃上表称庆[432]，因留元琰。

雍州刺史张敬兒[433]，素与攸之司马刘攘兵善，疑攸之将起事，密以问攘兵。攘兵无所言，寄敬兒马镫[7]一只[434]，敬兒乃为之备。

攸之有素书[435]十数行，常韬在裲裆角[436]，云是明帝与己约誓[437]。攸之将举兵，其妾崔氏谏曰："官[438]年已老，那不为百口计[439]？"攸之指裲裆角示之，且称太后使[440]至，赐攸之烛，割之[441]，得太后手令云："社稷之事，一以委公[442]。"于是勒兵移檄[443]，遣使邀张敬兒及豫州[444]刺史刘怀珍、梁州[445]刺史梓潼[446]范柏年、司州[447]刺史姚道和、湘州行事[448]庾佩玉、巴陵内史[449]王文和同举兵。敬兒、怀珍、文和并斩其使，

十二月，魏国的征西将军皮欢喜等率领魏军到达建安城，杨文弘弃城逃走。

当初，宋国担任荆州刺史的沈攸之与萧道成在宋孝武帝大明年间和前废帝刘子业景和年间曾经一起在朝廷担任禁军头领，负责殿省的安全保卫工作，两个人的关系非常亲近友善，萧道成还把自己的女儿嫁给沈攸之担任中书侍郎的儿子沈文和做媳妇。沈攸之在荆州担任刺史，担任直阁将军的高道庆家在华容县，高道庆休假回华容老家时，绕道江陵拜访荆州刺史沈攸之，在与沈攸之一起玩握槊的赌博游戏时发生争执。高道庆遂飞速地返回建康城，向朝廷报告说沈攸之已经准备好起兵谋反，请求允许自己率领三千名士兵去袭击沈攸之。朝廷中的执政大臣都认为不可以这样做，而萧道成仍然担保沈攸之一定不会起兵谋反。员外郎杨运长等人因为一向憎恶沈攸之，就与高道庆一道密谋，派遣刺客前往江陵去刺杀沈攸之，结果没有成功。恰逢苍梧王刘昱被杀身亡，担任主簿的宗俨之、担任功曹的臧寅遂劝说沈攸之趁机起兵。沈攸之因为自己的长子沈元琰还在建康城内担任司徒左长史，所以没有起兵。臧寅，是臧凝之的儿子。

当时杨运长等人已经不在朝中任职，萧道成便派沈元琰携带苍梧王刘昱用来杀人剖腹的刑具前往江陵让沈攸之观看。沈攸之因为萧道成的名望、地位一向处在自己之下，却一日之内专擅了朝廷大权，心里便感到很不平衡，他对沈元琰说：“我宁愿像曹魏末期担任太尉的王陵那样准备为讨伐逆贼司马氏而死，也不会像贾充那样为了自己能活着而帮助司马昭杀死魏国的皇帝曹髦。”然而他顾不上起兵讨伐萧道成。于是只好上表祝贺萧道成拥立新皇帝刘凖登基成功，却趁机把自己的儿子沈元琰留在了江陵。

宋国担任雍州刺史的张敬兒，一向与在沈攸之属下担任司马的刘攘兵关系密切，他怀疑沈攸之将要发兵起事，就秘密地询问刘攘兵。刘攘兵不置可否，只是给张敬兒寄去一只马镫，张敬兒领悟了刘攘兵的意思，于是便暗中做好了防范沈攸之起兵的准备。

荆州刺史沈攸之有一份写在白绢上、有十多行文字的文件，经常保存在防身马甲的衣角上，说是宋明帝刘彧与自己单独约定的誓言。沈攸之准备起兵反对萧道成，他的小妾崔氏劝阻他说：“官人现在已经老了，怎能不为全家这一百口人的安危做长远考虑呢？”沈攸之用手指了指护身马甲的衣角让崔氏看，并且声称皇太后已经派来使者，让使者赏赐给沈攸之一支蜡烛，沈攸之剖开蜡烛，得到了皇太后的手令，手令写道：“有关国家社稷安危的大事，就全部委托给您了。”于是沈攸之立即调集兵马，并向全国各地发布了声讨萧道成的檄文，一面派遣使者邀请担任雍州刺史的张敬兒以及担任豫州刺史的刘怀珍、担任梁州刺史的梓潼郡人范柏年、担任司州刺史的姚道和、担任湘州行事的庾佩玉、担任巴陵内史的王文和一同起兵。张敬兒、刘怀珍、王文和都把沈攸之派来的使者杀掉，然后飞速地写好奏章将沈攸之起兵谋反

驰表以闻[450]，文和寻弃郡[451][8]奔夏口，柏年、道和、佩玉皆怀两端[452]。道和，后秦高祖[453]之孙也。

辛酉[454]，攸之遣辅国将军孙同等相继东下[455]。攸之遗道成书，以为："少帝[456]昏狂，宜与诸公密议，共白太后，下令废之。奈何交结左右，亲行弑逆，乃至不殡[457]，流虫在户[458]？凡在臣下，谁不惋骇[459]？又，移易朝旧[460]，布置亲党，宫阁管籥[461]，悉关家人[462]。吾不知子孟[463]、孔明[464]遗训[465]固如此乎？足下既有贼宋[466]之心，吾宁敢捐[467]包胥之节[468]邪？"朝廷闻之，恼惧。

丁卯[469]，道成入守朝堂，命侍中萧嶷代镇东府，抚军行参军萧映[470]镇京口。映，嶷之弟也。戊辰[471]，内外纂严。己巳[472]，以郢州刺史武陵王赞为荆州刺史[473]。庚午[474]，以右卫将军黄回为郢州刺史[475]，督前锋诸军以讨攸之。

初，道成以世子赜为晋熙王燮长史，行郢州事，修治器械以备攸之。及征燮为扬州[476]，以赜为左卫将军[477]，与燮俱下[478]。刘怀珍言于道成曰："夏口冲要[479]，宜得其人[480]。"道成与赜书曰："汝既入朝，当须文武兼资[481]与汝意合者，委以后事。"赜乃荐燮司马柳世隆[482]自代。道成以世隆为武陵王赞长史，行郢州事。赜将行，谓世隆曰："攸之一旦为变，焚夏口舟舰，沿流而东，不可制也。若得攸之留攻郢城[483]，必未能猝拔[484]。君为其内，我为其外，破之必矣。"及攸之起兵，赜行至寻阳，未得朝廷处分[485]，众欲倍道[486]趋建康，赜曰："寻阳[487]地居中流[488]，密迩畿甸[489]。若留屯湓口[490]，内藩朝廷[491]，外援夏首[492]，保据形胜[493]，控制西南，今日会此[494]，天所置也。"或以为湓口城小难固，左中郎将周

的情况报告给朝廷，不久，巴陵内史王文和扔下巴陵郡跑到夏口，梁州刺史范柏年、司州刺史姚道和、湘州行事庾佩玉都采取了两头观望，脚踩两条船的态度。姚道和，是后秦高祖姚兴的孙子。

十二月十二日辛酉，荆州刺史沈攸之派遣担任辅国将军的孙同等人相继率领军队沿着长江东下，直趋建康。沈攸之在送给萧道成的书信中说："少帝刘昱昏庸狂妄，您就应当与各位大臣秘密进行协商，然后把协商的结果共同禀报给皇太后，由皇太后下令废掉少帝刘昱，另立一个新皇帝。为什么您却结交少帝身边的左右侍从，亲自做出弑杀皇帝的叛逆之事，而且又不及时将少帝收殓停灵，致使少帝的尸体上生满蛆虫，蛆虫都爬出门户？凡是做臣子的，谁不为此而感到惋惜、惊骇？再有，你擅自更换朝廷旧臣的官职，安插自己的亲信、党羽，各处宫殿门户的钥匙全都交给你们一家人的手里。我不知道霍光、诸葛亮留给后人的做法难道就是这个样子吗？你既然有残害刘宋王朝、篡夺皇帝之位的野心，我又怎么敢抛弃战国时期楚国的申包胥哭秦庭，向秦国求救兵以救其国家社稷的节操呢？"朝廷听到沈攸之起兵的消息，全都惊惶恐惧起来。

十二月十八日丁卯，萧道成亲自进入朝堂防守，他命令担任侍中的萧嶷代替自己防守东府，派担任抚军行参军的萧映率军去镇守京口。萧映，是萧嶷的弟弟。十九日戊辰，宫廷内外宣布戒严。二十日己巳，任命担任郢州刺史的武陵王刘赞为荆州刺史，罢免了沈攸之荆州刺史的职务。二十一日庚午，任命担任右卫将军的黄回为郢州刺史，统领前锋各军讨伐沈攸之。

当初，萧道成派自己的嫡长子萧赜为晋熙王刘燮担任长史，代替刘燮管理郢州的事务，他在郢州打造兵器、修缮器械以防备沈攸之起兵谋乱。等到朝廷征调晋熙王刘燮进京担任扬州刺史的时候，便任命萧赜为左卫将军，与晋熙王刘燮一起沿长江东下进入建康。豫州刺史刘怀珍对萧道成说："夏口地处咽喉要道，应当选派合适的人去镇守夏口。"萧道成遂写信给萧赜说："你既然已经进入京师建康，就应当选择一位文武兼备而且与你情投意合的人，把你离开夏口之后的事务委托给他。"萧赜遂推荐在刘燮属下担任司马的柳世隆接替自己的职务。萧道成任命柳世隆为武陵王刘赞的长史，代理郢州事务。萧赜在临走之前对柳世隆说："沈攸之一旦起兵叛乱，烧毁夏口所有的舟舰，然后沿长江顺流东下的话，就不可能再控制他。如果能够把沈攸之牵制过来，使他停留下来进攻郢州城，郢州城未必能马上被攻克。你在郢州城内，我在郢州城外，对沈攸之展开内外夹击，一定能够打败沈攸之。"等到沈攸之起兵之时，萧赜刚到达寻阳，没有继续接到其父萧道成的指示，随行的众人都想要日夜兼程奔往建康，萧赜说："寻阳正处在从郢州到建康的半路上，紧挨着京师建康。如果我们留下来屯扎在湓口城，对内可以作为一道屏障保卫朝廷，向西可以支援夏口，占据有利的地理形势，控制西南一带，今天我们正好来到这里，这是上天有意把我们安置在这里啊。"有人认为湓口城太小，难以坚守，担任左中郎将的周山

山图[495]曰："今据中流，为四方势援，不可以小事[496]难之。苟众心齐一，江山皆城隍[497]也。"庚午[498]，赜奉燮[499]镇湓口，赜悉以事委山图。山图断取行旅船板[500]以造楼橹[501]，立水栅[502]，旬日皆办[503]。道成闻之，喜曰："赜真我子也！"以赜为西讨都督，赜启[504]山图为军副。时江州刺史邵陵王友镇寻阳，赜以为寻阳城不足固[505]，表移友同镇湓口，留江州别驾[506]豫章胡谐之[507]守寻阳。

湘州刺史王蕴[508]遭母丧罢归[509]，至巴陵[510]，与沈攸之深相结[511]。时攸之未举兵，蕴过郢州，欲因萧赜出吊[512]作难[513]，据郢城。赜知之，不出。还，至东府，又欲因萧道成出吊作难，道成又不出。蕴乃与袁粲、刘秉密谋诛道成，将帅黄回、任候伯、孙昙瓘、王宜兴、卜伯兴等皆与通谋。伯兴，天与[514]之子也。

道成初闻攸之事起，自往诣粲，粲辞不见。通直郎[515]袁达谓粲："不宜示异同[516]。"粲曰："彼若以主幼时艰，与桂阳时不异[517]，劫我入台[518]，我何辞以拒之？一朝同止[519]，欲异得乎[520]？"道成乃召褚渊，与之连席[521]，每事必引渊共之[522]。时刘韫[523]为领军将军，入直门下省[524]，卜伯兴为直阁[525]，黄回等诸将皆出屯新亭[526]。

初，褚渊为卫将军[527]，遭母忧去职[528]，朝廷敦迫[529]，不起。粲素有重名，自往譬说[530]，渊乃从之。及粲为尚书令，遭母忧，渊譬说恳至[531]，粲遂不起[532]，渊由是恨之[533]。及沈攸之事起，道成与渊议之，渊曰："西夏衅难[534]，事必无成，公当先备其内[535]耳。"粲谋既定，将以告渊，众谓渊与道成素善，不可告。粲曰："渊与彼虽善，岂容大作同异[536]？

图说:“如今我们占据长江中游，形成声援四方之势，不能因为城小这一小小的不利条件而产生畏难情绪。如果我们众人齐心协力，这里的长江与群山就会成为我们坚固的城墙和护城河。”十二月二十一日庚午，萧赜拥护着晋熙王刘燮镇守湓口城，萧赜把所有的事务全部委托给周山图负责。周山图于是下令封锁长江，截夺江上往来的船只，拆下船上的木板打造瞭望敌军行动或用来攻城的吊车，又在江水中遍插用来阻挡敌兵前进的木栅栏，不到十天各项备战工作就全部做好了。萧道成听说之后，非常高兴地说:“萧赜不愧是我的儿子!”于是任命萧赜为西讨都督，萧赜请求朝廷任命周山图为西讨军队的副职。当时担任江州刺史的邵陵王刘友正在镇守寻阳城，萧赜认为寻阳不值得让邵陵王刘友坚守，就上表请求朝廷让刘友到湓口城与自己一同防守，留下担任江州别驾的豫章郡人胡谐之镇守寻阳城。

担任湘州刺史的王蕴因为母亲去世而罢职奉母丧回归建康，途中经过巴陵郡时，与沈攸之建立了紧密的联盟。当时沈攸之还没有起兵，王蕴经过郢州时，想趁萧赜出城吊唁的机会发难举事，杀死萧赜，占领郢州城。萧赜得知这一消息后，便没有出城吊唁。王蕴回到京师，到达东府时，又想趁萧道成出来吊唁的机会发难，杀死萧道成，而萧道成也没有出来吊唁。于是王蕴便与中书监袁粲、尚书令兼任中领军刘秉密谋诛杀萧道成，将帅黄回、任候伯、孙昙瓘、王宜兴、卜伯兴等人都参与了此谋。卜伯兴，是卜天与的儿子。

萧道成最初听到沈攸之起兵的消息，就亲自去拜访袁粲，袁粲拒绝不见。担任通直散骑侍郎的袁达对袁粲说:“你现在还不能表现出与他的对立。”袁粲说:“如果他以主上年幼、时局艰难为理由，像当年桂阳王刘休范一样谋反篡权，胁迫我进入朝堂，逼着我和他一起干，我用什么话来拒绝他?一旦与他同起同坐，再想和他坚持不同意见还有用吗?”萧道成于是将褚渊召来，与褚渊座位挨在一起，不论遇到什么事情一定要拉上褚渊共同处理。当时刘韫担任领军将军，到门下省值班，卜伯兴担任直阁，率领卫队侍从在皇帝身边值勤，黄回等诸将都率领军队出了京城驻守在新亭。

当初，褚渊担任卫将军的时候，因为母亲去世需要为母亲守丧而辞去官职，朝廷催促、逼迫他复职上班，褚渊坚决地拒绝了。袁粲一向享有很高的声望，他便亲自到褚渊的家里宽解、劝说，褚渊听从了袁粲的劝告，这才复职上班。等到袁粲做了尚书令，也遭遇母亲去世而辞职回家为母亲守孝，褚渊对袁粲百般进行劝说，言辞恳切到了极点，而袁粲始终没有出来复职，褚渊因为这个原因而对袁粲充满怨恨。等到沈攸之起兵反抗萧道成的时候，萧道成遂与褚渊商议，褚渊说:“西方沈攸之发动叛乱挑起事端，其目的一定不会达到，您应当首先防备京城内部的人密谋作乱。”袁粲谋划诛杀萧道成的计划已经确定下来，就准备通知褚渊，众人都说褚渊与萧道成关系密切，不可以将诛杀萧道成的事情让他知道。袁粲说:“褚渊虽然与萧道成关系密切，

今若不告，事定便应除之。”乃以谋告渊，渊即以告道成。

道成亦先闻其谋，遣军主苏烈[537]、薛渊[538]、太原王天生[539]将兵助粲守石头。薛渊固辞，道成强之。渊不得已，涕泣拜辞。道成曰：“卿近在石头，日夕去来[540]，何悲如是，且又何辞？”渊曰：“不审[541]公能保袁公共为一家[542]否？今渊往，与之同[543]则负公[544]，不同则立受祸，何得不悲？”道成曰：“所以遣卿，正为能尽临事之宜[545]，使我无西顾之忧[546]耳。但当努力，无所多言。”渊，安都之从子也。道成又以骁骑将军王敬则为直阁，与伯兴共总[547]禁兵。

粲谋矫太后令[548]，使韫、伯兴帅宿卫兵攻道成于朝堂，回等帅所领为应。刘秉、任候伯等并赴石头[549]，本期[550]壬申夜发[551]，秉恇扰[552]不知所为，晡后[553]即束装。临去，啜羹[554]，写胸上[555]，手振[556]不自禁。未暗[557]，载妇女，尽室[558]奔石头，部曲[559]数百，赫奕[560]满道。既至，见粲，粲惊曰：“何事遽来[561]？今败矣[562]！”秉曰：“得见公，万死何恨[563]？”孙昙瓘[564]闻之，亦奔石头。丹阳丞王逊[565]等走告道成，事乃大露。逊，僧绰[566]之子也。

道成密使人告王敬则，时阁[567]已闭，敬则欲开阁出，卜伯兴严兵为备[568]，敬则乃锯所止屋壁[569]得出，至中书省收韫。韫已成严[570]，列烛自照。见敬则猝至[571]，惊起迎之，曰：“兄何能夜顾[572]？”敬则呵之曰：“小子那敢作贼[573]！”韫抱敬则，敬则拳殴其颊，仆地[574]而杀之，又杀伯兴。苏烈等据仓城[575]拒粲。王蕴闻秉已走，叹曰：“事不成矣！”

难道目前的形势会使他公然地和我们对抗吗？如果现在不告诉他，一旦我们除掉了萧道成就应当把他也杀掉。”于是就把准备除掉萧道成的密谋告诉了褚渊，褚渊立即报告给了萧道成。

萧道成此前也听说了袁粲他们的阴谋，于是派遣担任一支军队头领的苏烈、薛渊和太原人王天生率领军队协助袁粲防守石头城。薛渊坚决推辞，萧道成却强迫薛渊必须得去。薛渊在迫不得已的情况下，痛哭流涕地向萧道成跪拜辞行。萧道成不解地说：“你在石头城，与京城近在咫尺，早上去，晚上就可以回来，为什么这样悲伤，又为什么向我跪拜辞别呢？”薛渊说：“我不知道您能不能保证与袁粲共同为一个主子效力。现在前往石头城，如果我与袁粲同心协力防守石头城就辜负了您，如果不与袁粲同心协力进行防守，立即就会遭受杀头之祸，我怎么能不悲伤呢？”萧道成说：“我之所以派你前去，正是因为你遇到事情能保证该怎么做就怎么做，使我对石头城一带没有后顾之忧。你只要努力去做就行了，不要再多说什么了。”薛渊，是薛安都的侄子。萧道成又任命担任骁骑将军的王敬则为直阁，与担任直阁的卜伯兴共同统领禁卫军。

袁粲阴谋盗用皇太后的名义，命令领军将军刘韫、直阁卜伯兴率领宿卫宫廷的士兵前往朝堂进攻萧道成，令驻守新亭的黄回等人率领手下的军队作为接应。尚书令兼任中领军刘秉、将帅任候伯等人全都临时到石头城避难，本来约定好在十二月二十三日壬申的夜间动手，刘秉内心动荡不安，不知该做什么好，于是在下午四五点钟的时候就开始整理行装。临离开的时候，喝了点汤，竟然把汤洒在自己的胸脯上，两手颤抖得无法控制。天还没有黑下来，刘秉就用车拉着家中的妇女，全家人一起奔向石头城，几百名私家的兵丁、仆役、荫户等跟在后面，浩浩荡荡布满了道路。他们来到石头城，见到袁粲，袁粲吃惊地问：“为什么这么早就来了？如此一来我们的事情算是彻底完蛋了！”刘秉说：“我能够见到你，就是死一万次又有什么遗憾呢？”将帅孙昙瓘听到消息之后，也奔向石头城。担任丹阳丞的王逊等人赶紧跑去报告萧道成，于是事情完全暴露出来。王逊，是王僧绰的儿子。

萧道成秘密派人去通知王敬则，当时皇宫的内宫门已经关闭，王敬则想打开内宫门出来，而担任直阁的卜伯兴已经严密地把守住内宫之门，不让人出入，王敬则就用锯子锯开自己所处屋子的墙壁才得以出宫，他来到中书省收捕领军将军刘韫。刘韫此时已经披挂整齐，只等约定的时间一到便立即动手，他点起一排蜡烛为自己照明。看见王敬则突然到来，他感到非常吃惊，急忙起身迎接，对王敬则说：“兄长为何半夜三更到我这里来？”王敬则大声呵斥他说：“你小子竟敢造反！”刘韫扑向王敬则将王敬则死死抱住，王敬则便用拳头狠狠地殴打刘韫的脸部，把刘韫打倒在地上，然后杀死了刘韫，王敬则又杀死了卜伯兴。苏烈等人凭借着石头城的仓门抵抗袁粲。王蕴听说刘秉已经离开建康城逃走，遂叹息了一声说：“事情成功不了了！”

狼狈[576]帅部曲数百向石头。本期开南门[577]，时暗夜，薛渊据门射之。蕴谓粲已败[578]，即散走。

道成遣军主会稽戴僧静[579]帅数百人向石头助烈等，自仓门得入，与之并力攻粲。孙昙瓘骁勇善战，台军[580]死者百余人。王天生殊死战，故得相持，自亥至丑[581]。戴僧静分兵攻府西门[582]，焚之。粲与秉在城东门，见火起，欲还赴府。秉与二子俣、陔逾城走[583]。粲下城，列烛自照，谓其子最曰："本知一木不能止大厦之崩，但以名义至此[584]耳。"僧静乘暗逾城独进[585]，最觉有异人[586]，以身卫粲，僧静直前斫之。粲谓最曰："我不失忠臣，汝不失孝子！"遂父子俱死。百姓哀，为[9]之谣曰："可怜石头城，宁为袁粲死，不作褚渊生！"刘秉父子走至额檐湖[587]，追执，斩之。任候伯等并乘船赴石头，既至，台军已集，不得入，乃驰还[588]。

黄回严兵[589]，期诘旦[590]帅所领从御道[591]直向台门[592]攻道成。闻事泄，不敢发。道成抚之如旧。王蕴、孙昙瓘皆逃窜，先捕得蕴，斩之，其余粲党皆无所问。

粲典签莫嗣祖为粲、秉宣通[593]密谋，道成召诘之，曰："袁粲谋反，何不启闻？"嗣祖曰："小人无识，但知报恩，何敢泄其大事？今袁公已死，义不求生。"蕴嬖人[594]张承伯藏匿蕴，道成并赦而用之[595]。

粲简淡平素[596]，而无经世[597]之才，好饮酒，善[10]吟讽[598]。身居剧任[599]，不肯当事[600]，主事[601]每往谘决[602]，或高咏对之[603]。闲居高卧，门无杂宾[604]，物情不接[605]，故及于败。

裴子野论曰："袁景倩[606]，民望国华[607]，受付托[608]之重。智[609]不

便匆匆忙忙地率领着几百名私家兵丁、仆役等奔向石头城。本来约定有人打开南门放他们进城，由于当时是月黑天，薛渊凭借着仓门向他放箭。王蕴便误以为袁粲已经失败，遂立即四散逃走。

萧道成派遣一支军队的头领会稽人戴僧静率领数百人前往石头城援助苏烈等人，他们从仓门进入城中与苏烈会合，两人齐心协力全力攻击袁粲。由于孙昙瓘骁勇善战，萧道成的朝廷军死了一百多人。王天生拼力死战，所以才能够与袁粲军相持，从晚上十点一直坚持到深夜两点，戴僧静分出一部分兵力进攻石头城内驻军军府的西门，并放火焚毁了西门。当时袁粲与刘秉都在石头城的东门，袁粲望见府西门火起，就想赶回军府救援。而刘秉与他的两个儿子刘俣、刘陔却翻城而下，向城外逃走了。袁粲走下城东门，点燃蜡烛照着自己，对自己的儿子袁最说："本来就知道一根木头不能阻止大厦的崩塌，只不过是既然做了这个官，就要尽自己的一份责任罢了。"戴僧静乘着黑夜的掩护独自翻越城墙进入石头城内，暗中摸索前进，袁最发觉有敌人上来，就用自己的身体护卫袁粲，戴僧静径直对着他们向前砍去。袁粲对袁最说："我不失为忠臣，你不失为孝子！"于是父子一同被杀死。百姓都很同情袁粲父子，为他们编造了一首民谣说："可怜石头城，宁为袁粲死，不作褚渊生！"刘秉父子逃到额檐湖，被萧道成的军队追上，抓获，杀死。任候伯等人全都乘船奔赴石头城，等他们赶到石头城的时候，萧道成的朝廷军已经集结，因而无法入城，于是又奔回了建康城。

黄回全副武装，紧急待命，等候第二天一早便率领手下的军队沿着御道直接向朝廷的正门前进攻击萧道成。因为听说事情已经泄露出去，便没敢采取行动。萧道成仍然像以前一样安抚了黄回。王蕴、孙昙瓘都已经逃窜，萧道成首先捕获王蕴，把王蕴杀死，对袁粲的其他党羽则全部不再予以追究。

在袁粲手下担任典签的莫嗣祖在袁粲、刘秉之间负责往来传递消息，沟通密谋，萧道成把莫嗣祖召来责问他说："袁粲谋反，你为什么不向我报告？"莫嗣祖回答说："我不知道别的，只知道有恩报恩，我怎么敢泄露他的大事呢？如今袁公已经死了，从道义上来说我不求活命。"深受湘州刺史王蕴恩宠的张承伯将王蕴藏匿起来，萧道成不仅将莫嗣祖和张承伯全都赦免，而且还任用了他们。

袁粲生活俭朴，淡泊名利，为人平和，但缺乏治理国家的才能，他喜好饮酒，擅长吟咏诗赋。位居任务艰巨的崇高职位，却又不肯做决定、拿主意，尚书省各部门的主管官员每次向他请示处理意见，他有时竟然对他们高声吟诵诗书，而对他们的请示不置可否。袁粲在家闲居的时候，高卧不起，门前没有闲杂的来客，不接触、不了解世道人情，所以最终导致失败。

裴子野评论说："袁粲，是百姓所仰望的，是国家的精英，接受了宋明帝刘彧

足以除奸，权[610]不足以处变[611]，萧条散落[612]，危而不扶[613]。及九鼎既轻[614]，三才将换[615]，区区斗城[616]之里，出万死而不辞，盖蹈匹夫之节[617]而无栋梁之具[618]矣。”

甲戌[619]，大赦[620]。

乙亥[621]，以尚书仆射王僧虔为左仆射[622]，新除[623]中书令王延之[624]为右仆射，度支尚书张岱[625]为吏部尚书，吏部尚书王奂[626]为丹杨尹。延之，裕[627]之孙也。

刘秉弟遐为吴郡太守。司徒右长史张瓌[628]，永之子也，遭父丧在吴，家素豪盛[629]，萧道成使瓌伺间取遐[630]。会遐召瓌诣府[631]，瓌帅部曲十余人直入斋[632]中，执遐，斩之，郡中莫敢动。道成闻之，以告瓌从父领军冲[633]，冲曰：“瓌以百口一掷[634]，出手得卢[635]矣。”道成即以瓌为吴郡太守。

道成移屯阅武堂[636]，犹以重兵付黄回使西上[637]，而配以腹心[638]。回素与王宜兴不协，恐宜兴反告其谋[639]，闰月辛巳[640]，因事收宜兴，斩之。诸将皆言回握强兵必反，宁朔将军桓康请独往刺之，道成曰：“卿等何疑？彼无能为也。”

沈攸之遣中兵参军孙同等五将以三万人为前驱，司马刘攘兵等五将以二万人次之。又遣中兵参军王灵秀等四将分兵出夏口，据鲁山。[641]癸巳[642]，攸之至夏口，自恃兵强，有骄色。以郢城[643]弱小，不足攻，云“欲问讯安西”[644]，暂泊黄金浦[645]，遣人告柳世隆曰：“被太后令[646]，当暂还都。卿既相与奉国[647]，想得此意[648]。”世隆曰：“东下之师，久承声问[649]。郢城小镇，自守而已。”宗俨之劝攸之攻郢城，臧寅以为：“郢城兵虽少而地险，攻守势异[650]，非旬日可拔[651]。若不时举[652]，挫锐损威。

的临终嘱托，担负着辅佐幼主的重任。然而他的智慧、谋略不足以铲除奸佞，临时应变的能力不足以应对突发的事变，吊儿郎当，松松垮垮，国家社稷已经很危险了，还不认真地加以扶持。等到临朝的皇帝已经没有了威望和权柄，新旧王朝已经到了更换、接替的时候，他却在一个斗大的石头城内，出生入死而不推辞，表现出的是一个普通人的刚烈气节，而没有那种大人物干大事的本领和才干。”

十二月二十五日甲戌，宋国实行大赦。

十二月二十六日乙亥，宋国萧道成任命尚书仆射王僧虔为左仆射，新任命的中书令王延之为右仆射，任命担任度支尚书的张岱为吏部尚书，将担任吏部尚书的王奂改任为丹杨尹。王延之，是王裕的孙子。

刘秉的弟弟刘遐担任吴郡太守。担任司徒右长史的张瓌，是张永的儿子，因为父亲张永去世而在吴郡家中为父亲守丧，张瓌的家族一向势力强大，萧道成指使张瓌寻找机会除掉吴郡太守刘遐。碰巧刘遐请张瓌到自己的太守府有事相商，张瓌于是率领着十几名家丁径直进入刘遐的书斋，逮捕了刘遐，把刘遐杀死，吴郡之中没有一个人敢进行反抗。萧道成听到张瓌已经成功地除掉吴郡太守刘遐的消息之后，就将此事告诉了张瓌的叔父、担任领军将军的张冲，张冲说：“张瓌以全家上百口人的性命做赌注，一出手就赢了个大满贯。”萧道成立即任命张瓌为吴郡太守。

萧道成把自己的指挥部迁到阅武堂，仍然把一支大军交给黄回率领，让他沿江西上以抵抗沈攸之的叛军，同时把自己的心腹将领王宜兴派去监视与防备黄回。黄回一向与王宜兴不和睦，担心王宜兴会告发他想要袭杀萧道成之谋，遂在闰十二月初二日辛巳，找个事由把王宜兴抓起来杀死了。诸将领都说黄回手握强兵必定会造反，担任宁朔将军的桓康向萧道成请求独自前去刺杀黄回，萧道成说：“你们这些人何必如此多疑？他不会有什么作为。”

荆州刺史沈攸之派遣担任中兵参军的孙同等五位将领率领三万军队为前锋，担任司马的刘攘兵等五位将领率领两万军队紧随其后。又派遣担任中兵参军的王灵秀等四位将领分别出兵经由夏口，占据鲁山。闰十二月十四日癸巳，沈攸之到达夏口，倚仗着自己兵强马壮，脸上便带有一种骄傲之色。沈攸之认为郢城弱小，不值得进攻，他扬言说：“想向安西将军武陵王的司马柳世隆表示问候。”遂暂时停泊在黄金浦，沈攸之派人告诉柳世隆说：“我接到皇太后的命令，应当暂时回到都城。您与我共同忠于国家、拥戴皇帝，想必应该明白我此次前去要做什么。”柳世隆回复说：“你率领军队沿江东下建康，对于此事我早就得知消息了。郢城只是一个小城镇，我在此只是自守而已。”担任主簿的宗俨之劝说沈攸之进攻郢城，担任功曹的臧寅认为：“郢城的兵力虽少，然而地势险要，易守难攻，不是十天半月就能够攻下的。如果不能及时攻下郢城，就会挫伤我军的锐气，损害我军的军威。如果顺流而下长驱直入，

今顺流长驱，计日可捷。既倾根本⑬，则[11]郢城岂能自固?”攸之从其计，欲留偏师⑭守郢城⑮，自将大众东下。乙未⑯，将发，柳世隆遣人于西渚⑰挑战，前军中兵参军焦度⑱于城楼上肆言骂攸之，且秽辱⑲之。攸之怒，改计攻城，令诸军登岸烧郭邑，筑长围，昼夜攻战。世隆随宜拒应⑳，攸之不能克。

道成命吴兴㉑太守沈文季㉒[12]督吴、钱唐㉓军事。文季收攸之弟新安太守登之㉔，诛其宗族㉕。

乙未㉖，以后军将军杨运长为宣城太守。于是太宗嬖臣无在禁省㉗者矣。

沈约论曰:“夫人君南面㉘，九重奥绝㉙，陪奉朝夕㉚，义隔卿士㉛，阶闼之任㉜，宜有司存㉝。既而恩以狎生㉞，信由恩固㉟，无可惮之姿㊱，有易亲之色㊲。孝建、泰始㊳，主威独运㊴，而刑政纠杂㊵，理难遍通㊶，耳目所寄㊷，事归近习㊸。及㊹觇欢愠㊺，候惨舒㊻，动中主情㊼，举无谬旨㊽。人主谓其㊾身卑位薄，以为权不得重㊿，曾不知51鼠凭社贵52，狐借虎威，外无逼主之嫌53，内有专用之效54，势倾天下55，未之或悟56。及太宗晚运57，虑经盛衰58，权幸之徒59，慑惮宗戚60，欲使幼主孤立，永窃国权，构造同异61，兴树祸隙62，帝弟宗王63，相继屠剿64。宝祚夙倾65，实由于此矣。”

辛丑66，尚书左丞济阳江谧67建议假萧道成黄钺68，从之。

取得胜利便指日可待。一旦我们攻下建康城，那么小小的一个郢城柳世隆又岂能守得住?”沈攸之听从了臧寅的意见，就想留下一支小股军队围困郢城，自己则亲率大军东下攻打建康。十六日乙未，沈攸之正准备率军出发，柳世隆却派人在西渚向他挑战，担任前军中兵参军的焦度站在城楼上肆意地用污秽的话语辱骂沈攸之。沈攸之听到后不禁大怒，立即改变计划，开始攻击郢城，他命令各军弃船登岸焚烧郢城周围的城邑村镇，修筑起长长的围障把郢城围住，不分白天黑夜地攻打。柳世隆随其所宜地抵抗、回应，沈攸之无法攻下郢城。

萧道成命令吴兴太守沈文季为吴郡、钱唐郡的军事长官。沈文季逮捕沈攸之的弟弟担任新安太守的沈登之，诛灭了沈登之的所有族人。

闰十二月十六日乙未，宋朝廷任命担任后军将军的杨运长为宣城太守。至此，宋太宗刘彧的宠臣已经没有在宫廷与朝廷各部门中任职的了。

沈约评论说:“作为一个皇帝，在朝堂之上面南而坐统治着天下，却又居住在门户重重的深宫里，过着远离人世、与社会隔绝的生活，整天侍奉、陪伴在皇帝身边的那些人，他们的工作性质与朝廷百官是不同的，对于这些宫廷服务人员的任命，本来应当由相关部门进行管理。可是，皇帝因为与他们接触多了，就会对他们格外喜爱，从而就容易产生信任，又因为他们在皇帝面前绝对不会表现出令人畏忌的面容，所表现出的永远是一副招人喜爱、亲近的笑脸。宋孝武帝刘骏、宋明帝刘彧，虽然专制独裁，一切都由他们一个人说了算，然而刑罚与政令杂乱繁多，事实上他们一个人也很难做到什么都懂，于是皇帝所见所闻的情报来源，就全都靠着左右的这些宠信人员了。一旦这些身边的宠臣看清了皇帝的喜悦与恼怒，探准了皇帝的难过与舒心，于是便一举一动都能符合皇帝的心意，举止行动都不违背皇帝的心意。皇帝因为认为他们地位卑微，身份低贱，就会认为他们手中的权力不大，殊不知老鼠一旦钻进神龛，它的身份就不同了，狐狸可以借助于老虎的威风，表面看他们没有凌驾于皇帝之上的嫌疑，实际上却有独揽大权的效果，他们已经把统治天下的权力转移到自己的手中，而皇帝自己还没有觉察。等宋太宗刘彧到了晚年，经历了许多的事变起伏，他身边那些受宠幸的小人，害怕刘氏皇室与外戚位高权重，就想方设法使年幼的小皇帝处于孤立无援的境地，自己好永远窃取国家大权，于是他们就编造出种种事端，屡次造成灾难，于是刘彧的弟弟以及宗室诸王，便逐个遭到杀戮。王朝短命，实际上就是因为这个缘故了。”

闰十二月二十二日辛丑，宋国担任尚书左丞的济阳郡人江谧建议朝廷授予萧道成黄钺，使他享有讨伐叛乱、诛除不服的生杀之权，皇帝刘準批准了江谧的建议。

加北秦州刺史武都王杨文度都督北秦、雍二州诸军事，以龙骧将军杨文弘为略阳太守。壬寅[709]，魏皮欢喜拔葭芦[710]，斩文度。魏以杨难当族弟广香[711]为阴平公、葭芦戍主，仍[712]诏欢喜筑骆谷城[713]。文弘奉表谢罪于魏，遣子苟奴入侍[714]。魏以文弘为南秦州[715]刺史、武都王。

乙巳[716]，萧道成出顿新亭[717]，谓骠骑参军江淹[718]曰："天下纷纷[719]，君谓何如[720]？"淹曰："成败在德，不在众寡[721]。公雄武有奇略，一胜也；宽容而仁恕，二胜也；贤能毕力[722]，三胜也；民望所归，四胜也；奉天子[723]以伐叛逆，五胜也。彼[724]志锐而器小[725]，一败也；有威而无恩[726]，二败也；士卒解体[727]，三败也；搢绅不怀[728]，四败也；悬兵数千里[729]而无同恶相济[730]，五败也。虽豺狼十万，终为我获。"道成笑曰："君谈过矣[731]。"南徐州行事刘善明言于道成曰："攸之收众聚骑，造舟治械，苞藏祸心[732]，于今十年[733]。性既险躁[734]，才非持重，而起逆累旬[735]，迟回不进[736]。一则暗于兵机[737]，二则人情离怨[738]，三则有掣肘之患[739]，四则天夺其魄[740]。本虑[741]其剽勇轻速[742]，掩袭未备[743]，决于一战[744]。今六师齐奋[745]，诸侯同举[746]，此笼中之鸟耳。"萧赜问攸之[747]于周山图，山图曰："攸之相与邻乡[748]，数共征伐[749]，颇悉[750]其为[13]人，性度险刻[751]，士心不附。今顿兵坚城[752]之下，适所以为[753]离散之渐[754]耳。"

宋国朝廷加授担任北秦州刺史的武都王杨文度为都督北秦、雍二州诸军事，任命龙骧将军杨文弘为略阳太守。闰十二月二十三日壬寅，魏国征西将军皮欢喜率领魏军攻克葭芦城，杀死了杨文度。魏国任命杨难当的族弟杨广香为阴平公、葭芦戍主，于是魏国孝文帝拓跋宏下诏，令皮欢喜修建骆谷城。杨文弘向魏国上表请罪，并派自己的儿子杨苟奴到魏国去做人质。魏国朝廷遂任命杨文弘为南秦州刺史、武都王。

闰十二月二十六日乙巳，萧道成将自己的指挥部移驻于新亭，他对担任骠骑参军的江淹说："天下纷纷攘攘，动荡不安，您以为前途如何？"江淹回答说："事情的成败取决于是否实行了德政，而不在于眼下人数的多少。您英雄勇武有奇谋伟略，这是第一条可以取胜的条件；您为人宽容而又仁爱，这是第二条可以取胜的条件；那些贤者、能者都愿意为您效力，这是第三条可以取胜的条件；民心早已归向于您，这是第四条可以取胜的条件；您打着为皇帝讨伐叛逆的旗号，名正言顺，这是第五条可以取胜的条件。掀起叛乱的沈攸之内心急躁而目的卑微，这是他第一个可以导致失败的因素；只靠威胁而没有人对他感恩，这是他第二个可以导致失败的因素；军心涣散，这是第三个可以导致失败的因素；有社会影响力的人物没有人倾向于他，这是第四个可以导致失败的因素；远离根据地数千里孤军深入而没有人与他相互支援，这是第五个可以导致失败的因素。虽然他拥有十万豺狼一样的军队，终究会被我们擒获。"萧道成笑着说："您把我说得过于好了。"担任南徐州行事的刘善明对萧道成说："沈攸之招募军队，征集战马，制造舟舰，打造器械，怀着一颗企图谋反的狼子野心，到现在已经十年了。他的性情既阴险又暴躁，而所担负的又不是主持宗庙祭祀的重任，发动叛逆已经几十天了，却被牵制在郢城迟迟不能前进。这一是因为他军事谋略不高，二是因为军心散乱对他心怀不满，三是在他的阵营内部有不同意见，使其力量分散，四是有一种神秘的力量消融了他的气魄。我本来还担心他会不顾一切地飞速前进，直取京师建康，趁朝廷还没有做好准备之时突然向我们发动袭击，逼着我们在很不利的形势下与他进行决战。如今朝廷的大军一同出兵，各州郡的勤王之师也全部来到，沈攸之已经成了笼中之鸟。"萧赜向周山图询问沈攸之的前景如何，周山图说："沈攸之的家乡与我家乡的住地相邻近，我们又曾经多次一同出兵打仗，所以我很熟悉他的为人，他性情阴险，度量狭隘，不得军心。如今他被牵制在不可攻克的郢城之下，正是他的军队分崩离析的开始。"

【段旨】

以上为第三段，写宋顺帝昇明元年（公元四七七年）十一月、十二月共两个月间的大事。主要写了萧道成派沈攸之的儿子沈元琰送苍梧王做恶之具到荆州，沈攸之假意向萧道成敷衍，而留其子不使返；雍州刺史张敬兒知沈攸之将反，暗中备之。写了沈攸之假托奉皇太后诏，勒兵移檄天下，各州郡有依有违。写了沈攸之发兵东下，萧道成布置心腹，控制各要害，命名将柳世隆行郢州刺史，驻守郢城。写了湘州刺史王蕴奉母丧回建康，途中与沈攸之相结，欲乘寻阳之萧赜、建康之萧道成出吊以杀之，皆未果。写了袁粲、刘秉、黄回等谋划布置，准备在石头城起兵以攻杀萧道成，谋毕通知褚渊，而褚渊立即向萧道成做了报告。写了袁粲起事之日刘秉内心恇扰，不能自持，过早地采取行动，于是闹得路人皆知，结果袁粲在石头城与萧氏势力作战失败，父子被杀，刘秉张皇逃窜被追杀，建康城方面的讨萧势力遂被萧道成平息。而萧道成又能在事后不杀莫嗣祖、张承伯、王蕴，又能对"粲党皆无所问"，表现得颇有政治胸襟，为众人所不及；萧道成知道黄回与袁粲是一党，但因黄回尚未公开助袁，故涵容之，令其率军西上以阻沈攸之，表现了萧道成的权术高明。写了沈攸之率军东下至郢城，被郢州刺史柳世隆等牢牢牵制，几十天内未能东进。写了萧道成的亲信江淹、萧赜的部下周山图皆预言沈攸之必败等。

【注释】

㊿404十一月癸未：十一月初三。405皮欢喜：也作"皮喜"，北魏名将皮豹子之孙，官至散骑常侍、安南将军、豫州刺史。传见《魏书》卷五十一。406丁亥：十一月初七。407怀州民伊祁苟：怀州的百姓姓伊祁名苟。怀州的州治即今河南沁阳。408自称尧后：自称是唐尧的后代。胡三省曰："尧伊祁氏，故云然。"409重山：山名，在今河南辉县西北。410洛州：州治即今河南洛阳。411阖城之民：全城的百姓。阖，门，城门以内，即全城。412雍州：州治长安，在今陕西西安的西北部。413凶渠：罪恶的大头目。渠，帅、头目。414枭夷：诛灭。枭，悬首示众。夷，杀光。415建安：古城名，旧址在今甘肃成县北，在当时仇池郡的城北一百二十里。416弃城走：两个月前杨文弘占据了仇池郡城，今弃城逃走。417大明、景和：大明是宋孝武帝刘骏的年号（公元四五七至四六四年），共八年；景和是宋前废帝刘子业的年号（公元四六五年），仅一年。418同直殿省：一起在朝廷任禁军头领，负责保卫工作。直，通"值"，值班，值勤。殿省，宫殿与尚书省、门下省等，泛指朝廷。沈攸之当时曾任左卫将军、太子中庶子；萧道成为直阁中书舍人、后军将军。419华容：县名，在今湖北监利北，当时属于荆州管辖。与现今湖南的华容相距很远。420假还：休假还华容老家。421过江陵：绕道江陵拜访沈攸之。江陵是当时荆州的州

治所在地，即今湖北荆州的荆州区。㊷争戏槊：因赌博游戏发生争执。槊，古代的一种博戏，也叫“握槊”“双陆”。〖按〗此处理解为比试武艺亦可，《南齐书·高帝纪上》有“于听事前合马槊，道庆槊中破攸之马鞍”云云。⑬不然：不会造反。⑭不克：行刺未成。⑮司徒左长史：司徒袁粲的高级僚属，为诸史之长，握有实权。⑯凝之：臧凝之，文帝时为尚书右丞，很受文帝赏识。传见《宋书》卷五十五。⑰不在内：指不在朝廷内任职，当时杨运长被任为宁朔将军、宣城太守。⑱刳斫之具：剖人之腹与把人剁成碎块所用的刀斧之类。刳，剖、刮。斫，砍、剁。⑲素出己下：一向处于自己之下。出，处于。⑳王陵：王凌，曹魏末期的名臣，官至太尉，统兵镇淮南。对司马懿父子不满，谋欲讨杀之。司马懿领兵至淮南，王凌知大事不成，饮药自杀。传见《三国志》卷二十八与本书卷第七十五。㉑贾充：魏晋之交的权臣，司马氏的亲信，帮着司马昭杀了魏国的皇帝曹髦。传见《晋书》卷四十与本书卷第七十七。㉒称庆：祝贺萧道成的拥立新皇帝刘準成功，朝廷又获安定。㉓张敬兒：刘宋末期的猛将，刘休范之反朝廷，张敬兒以诈降袭杀之，被萧道成任为雍州刺史，驻兵襄阳。传见《南齐书》卷二十五。㉔寄敬兒马橙一只：赠予敬兒战场上有用之物，以暗示沈攸之即将起兵。马橙，即马镫。㉕素书：写在白绢上的文字。㉖韬在裲裆角：保存在防身马甲的衣角上。韬，藏、保存。裲裆，马甲，金属制作的防身背心。㉗与己约誓：与自己单独约定的誓言。古今阴谋家都会玩弄这一套把戏。㉘官：官人，主子。胡三省曰：“宋齐之间，义从私属以至婢仆，率呼其主为官。”㉙那不为百口计：怎能不为全家百口的安危做长远考虑？因为造反不成就是灭门之罪。㊵太后使：宋明帝刘彧的遗孀王太后派人前来。㊶割之：将蜡烛剖开。㊷一以委公：就全委托给您了。㊸勒兵移檄：调集兵马，向全国各地发布公告。勒，调集、掌控。檄，檄文，说明某种缘由，或是声讨某人某事的公告。㊹豫州：刘宋的豫州州治在今安徽寿县。㊺梁州：刘宋梁州的州治即今陕西汉中。㊻梓潼：郡名，郡治即今四川绵阳。㊼司州：刘宋的司州州治悬瓠，即今河南汝南。㊽湘州行事：湘州的代理刺史。因当时的湘州刺史是年幼的南阳王刘翙，由庾佩玉代理其行使职权。湘州的州治即今湖南长沙。㊾巴陵内史：巴陵王国的行政长官，职位如同郡太守。巴陵郡的郡治即今湖南岳阳。㊿驰表以闻：飞快地写奏章报告朝廷。㊺弃郡：扔下巴陵郡。㊻怀两端：两头观望，脚踩两条船。㊼后秦高祖：姚兴，姚苌之子，十六国时后秦的国君，庙号高祖。传见《晋书》卷一百十七、一百十八。㊽辛酉：十二月十二。㊾东下：自长江沿江东下，直趋建康。㊿少帝：指被废的苍梧王刘昱。㊼不殡：不收殓停灵。㊽流虫在户：极言其暴尸之惨相。《史记·齐世家》写齐桓公死后无人收殓有所谓“尸虫出于户”，此用其语。㊾惋骇：惋惜；惊讶。㊿移易朝旧：更换朝廷旧臣的官职。㊻宫阁管籥：各个宫殿门户的钥匙，代指朝廷各部门的重要职务。㊼悉关家人：全都交给你们一家人的手里。关，交付。㊽子孟：指西汉昭帝时的大臣霍光，字子孟，受汉武帝的托付，辅佐昭帝临朝。㊾孔明：诸葛亮，字孔明，受昭烈帝刘备的托付，辅佐后主刘禅为帝。㊿遗训：留给后人的遗言，这里指他们辅佐皇帝的做法。㊻贼宋：残害刘宋王朝，这里指篡夺皇帝位。贼，残害。㊼宁敢捐：怎么敢不效法，这里是用调侃语。㊽包胥之节：申包胥哭秦庭，向秦国求救兵以救其国家社稷的气节。据《史记·伍子胥列传》，春秋末期楚昭王十年（公元前五〇六年），伍子胥为报父兄之仇，引吴兵攻破楚国都城，申包胥跑到秦国求救，在秦国宫廷痛哭七天七夜，终于感动秦哀公发兵救楚，赶走吴国军队，重建了楚国。㊾丁卯：十二月十八。㊿萧映：萧道成的第三子，此时任南阳王刘翙的僚属，抚军将军的试用参军。传见《南齐书》卷三十五。⑪戊辰：十二月十九。⑫己巳：十二月二十。⑬武陵王赞为荆州刺史：罢去沈攸之的荆州刺史，改以武陵王刘赞充任之。⑭庚午：十二月二十一。⑮黄回为郢州刺史：以接替武陵王刘赞。⑯征燮为扬州：调晋熙王刘燮进京任扬州刺史，扬州的州治在建康城内，故用“征”字。⑰左卫将军:禁卫军的大头目之一。⑱与燮俱下：与刘燮一起沿江东下入建康。⑲冲要：咽喉要道。⑳宜得其人：应该选择合适的，也就是忠于我们的人接替。㉑文武兼资：文武兼备。资，具有。㉒柳世隆：刘宋名将柳元景之侄，后成为萧氏的亲信。传见《南齐书》卷二十四。㉓留攻郢城：你等坚守郢城，死死地拖住他，让他不能东下。郢城，郢州的州城，即夏口，今之湖北武汉市汉阳区。㉔未能猝拔：不能短时内攻下。猝，突然。㉕未得朝廷处分：没有继续接到其父萧道成的指示。处分，布置、安排。㉖倍道:加快前进的速度，即所谓“日夜兼程”。㉗寻阳：今江西九江，当时江州的州治所在地。㉘地居中流：正处在郢州到建康的半路上。㉙密迩畿甸：紧紧挨着建康城。畿甸，京城的郊区，这里指京城。㊾留屯湓口：在寻阳一带驻扎下来。湓口，古城名，在当时寻阳城的东北部，地处鄱阳湖与长江的汇口。㊾内藩朝廷：向东可以屏蔽朝廷。藩，篱笆，这里用为动词。㊾外援夏首：向西可以支援夏口。夏首，即夏口。㊾保据形胜：占据有利的地理形势。㊾会此：正好来到这个地方。㊾周山图：刘宋末期的将领，后成为萧道成的亲信。传见《南齐书》卷二十九。㊾小事：小小的不利条件。㊾江山皆城隍：这里的群山与大江都将成为我们的坚城与护城河。隍，护城河。㊾庚午：十二月二十一。㊾奉燮：拥戴刘燮。刘燮当时名义上是扬州刺史，小皇帝的弟弟，是一面对萧氏很有用的旗帜。㊿断取行旅船板：截夺江上往来的船只，拆其木板以充军用。501楼橹：古代军中用于眺望敌军行动或用以攻城的吊车。502水栅：编插在水中，用以阻止敌兵前进的木栏、竹栏。503旬日皆办：不到十天就全都做好了，极言其聪明能干。504启：请求朝廷任命。505不足固：不值得加固，不值得让邵陵王刘友在那里坚守。506江州别驾：江州刺史的高级僚属。别驾是官名，因其陪刺史出行时能别乘一辆车，故称别驾。507胡谐之：宋末时为邵陵王刘友的僚属，后成为萧氏的亲信。传见《南齐书》卷三十七。508王蕴：王彧之侄。王彧字景文，以字行，宋明帝刘彧的王皇后之兄。王蕴是宋末名将，在讨灭刘休范的叛乱中有大功，被任为湘州刺史。传见《南齐书》卷二十三。509罢归：罢职奉母丧回建康。510巴陵：郡名，郡治即今湖南岳阳，上属于郢州。511深相结：建立了紧密的联盟。胡三省曰：“巴陵距江陵四百余里，盖使命往来，深相结也。”⑫因萧赜出吊：借着萧赜出吊王蕴母丧的机会。因，趁、借着。⑬作难：发难举事，指借机杀死萧赜。⑭天与：卜天与，元嘉中为广威将军，元凶刘劭作乱，卜天与战死，宋孝武帝即位后，谥曰壮侯。传见《宋书》卷九十一。⑮通直郎：胡三省曰：“通直散骑侍郎也。”皇帝的侍从官员。⑯不宜示异同：不应该表现出与他对立。⑰与桂阳时不异：像当初桂阳王刘休范一样地谋反篡权。⑱劫我入台：胁迫我进入朝堂，意即把我拉在他身边，逼着我和他一起干。⑲一朝同止：一旦与他同起同坐。⑳欲异得乎：再想坚持不同意见还有用吗？㉑连席：并坐，座位挨在一起。㉒每事必引渊共之：不论决定什么事，都一定拉上褚渊共同处理，共同发表一致的意见。㉓刘韫：宋高祖刘裕的侄孙，刘秉的堂兄弟，时为领军将军，统领宫廷卫队。传见《宋书》卷五十一。胡三省曰：“果如袁粲所料。”㉔入直门下省：到门下省值班。㉕直阁：官名，率领卫队侍从在皇帝身边值勤。㉖出屯新亭：以预防京城以外的军队来攻。㉗卫将军：宫廷卫戍军队的统帅，官秩二品。㉘遭母忧去职：因为母守丧而辞去官职。母忧，为母守丧。当时为父母之丧而辞去官职是官场的通例，以表示守孝道。㉙敦迫：催促、逼迫其复职上班，以显示国家对他的需要。㉚譬说：宽解、劝说。㉛恳至：恳切极了。至，到顶、到家。㉜遂不起：始终没有出来。遂，一直、到底。㉝由是恨之：因为袁粲太不给褚渊面子，太让褚渊下不了台，而且也让社会觉得还是袁粲讲孝道，不重官位。㉞西夏衅难：西方沈攸之的叛乱。西夏，葛晓音曰：“指荆州，因湖北中部有夏水，流经荆州，附近地邑在战国时多以‘夏’命名；又在建康之西，故称西夏。”衅难，见隙挑起的祸端。㉟先备其内：防备京城内部，指袁粲、刘秉等人。㊱岂容大作同异：岂能和我们公然对抗。大作，强烈地表现、公开地反对。㊲军主苏烈：军主，一支军队的头领，犹如今之所谓部队长。苏烈，原是刘宋名将张永的部下，后成为萧氏的亲信。传见《南齐书》卷二十八。㊳薛渊：刘宋名将薛安都之侄，薛安都北投魏国后，薛渊遂投入萧道成部下。传见《南齐书》卷三十。㊴太原王天生：太原人，姓王名天生。㊵日夕去来：早晨去了天黑就能回来。㊶不审：不知道；不清楚。㊷共为一家：共同为一个主子效力。㊸与之同：与他同心协力。㊹负公：对不起您。㊺能尽临事之宜：能保证该怎么做就怎么做。㊻西顾之忧：对石头城一带，也就是对袁粲等人的担心。石头城在台城之西，所以说“西顾之忧”。㊼共总：共同统领。总，管理、统率。㊽矫太后令：假传王太后的命令。矫，假、盗用。㊾并赴石头：都临时到石头城避难。㊿本期：本来约定好。551壬申夜发：十二月二十三的夜间动手。发，举事，指进攻萧道成。552恇扰：内心动荡不安。553晡后：下午四五点钟。晡，申时，下午的三点到五点。554啜羹：喝汤。555写胸上：把汤洒到自己的胸膛上。写，泄、洒。556手振：双手颤抖，哆嗦。557未暗：天还不黑。558尽室：全家。559部曲：私家的兵丁、仆役、荫户等。560赫奕：浩浩荡荡的样子。561何事遽来：为什么这么早就来了。何事，为什么。遽来，匆忙前来。562今败矣：我们的事情算是完蛋了。胡三省曰：“秉奔石头，则事大露，故云必败。”563何恨：无遗憾。564 孙昙瓘：刘宋末年的勇将，此时任宁朔将军、越州刺史。传见《宋书》卷八十三。565 丹阳丞王逊：王逊是南朝文学家、目录学家王俭之弟，此时任丹阳丞，萧氏的亲信。传见《南齐书》卷二十三。丹阳是建康所在的县名，县治在建康城内。566 僧绰：王僧绰，刘宋名臣王昙首的儿子，宋文帝刘义隆的女婿，被元凶刘劭杀死。传见《宋书》卷七十一。567 阁：皇帝住宿的内宫之门。当时王敬则任直阁，统亲兵在皇帝住宿之处值勤。568 严兵为备：严密地把守内宫之门，实即看管住王敬则，不使其外出。569 锯所止屋壁：锯开他办公屋子的墙壁。所止，所处。570 已成严：已经披挂整齐，做好动手的准备。严，整、整装。571 猝至：突然来到。572 何能夜顾：因何半夜三更地到我这里来。573 小子那敢作贼：你小子竟敢造反。574 仆地：刘韫摔倒在地。575 据仓城：凭借着石头城的仓门。576 狼狈：匆匆忙忙的样子。王蕴原来也在建康城内。577 本期开南门：原定计划是有人开南门放他们进城。578 谓粲已败：误以为袁粲已经失败。579 戴僧静：原是宋将沈文季的部下，沦于魏国占领区，后逃回淮阴，遂成为萧道成的嫡系部属。传见《南齐书》卷三十。580 台军：萧道成一方的军队。581 自亥至丑：从晚上十点前后一直打到半夜两点前后。亥，晚上九点到十一点。丑，半夜一点到三点。582 府西门：石头城内驻军的军府西门。府，军府，袁粲石头城驻军的指挥部。583 逾城走：翻城而下，向城外逃走。584 但以名义至此：只不过是既然做了这个官，就要尽自己的责任罢了。585 逾城独进：翻墙进入石头城，暗中摸索前进。586 最觉有异人：袁最察觉有敌人。异人，不是自己一方的人。587 额檐湖：湖水名，具体方位不详。588 乃驰还：又回到建康城。589 严兵：全副武装，紧急待命。590 期诘旦：等候第二天一早。期，等待。诘旦，明天一早。591 御道：皇帝车驾所通行的大道。592 台门：朝廷的正门。593 宣通：传递、沟通。594 嬖人：受恩宠的用人，通常指男宠。595 并赦而用之：胡三省曰，“史言萧道成能弃怨录才”。596 简淡平素：不拘小节，平易近人。597 经世：治理国家。598 善吟讽：擅长吟咏诗赋。吟讽，吟咏、诵读。599 剧任：任务艰巨的崇高职位。600 当事：作决定；拿主意。601 主事：尚书省各部门的主管官员，犹如后世的各部尚书。602 每往谘决：每次向袁粲请示处理意见。袁粲当时任尚书令，故各部的主事都要向他请示报告。603 或高咏对之：有时竟对之吟咏诗书，对请示不置可否。604 门无杂宾：门前没有更多的来客。605 物情不接：不接触、不了解世道人情。606 袁景倩：袁粲，字景倩。607 民望国华：万民所仰望，国家之精英。望，仰望、倾心，表示信赖、仰仗的心情。608 受付托：接受老皇帝的临终嘱托。609 智：智慧；谋略。610 权：与“经”相对而言，临时应变的能力。611 处变：应对突发事变的能力。612 萧条散落：吊儿郎当，松松垮垮。613 危而不扶：国家社稷已经很危险了，还不认真地加以扶持。〖按〗《论语·季氏》载：“陈力就列，不能者止。危而不持，颠而不扶，则将焉用彼相矣？”614 九鼎既轻：指临朝的皇帝没有威望权柄。九鼎，相传是大禹时所铸，后代王朝视之为传国之宝。这里代指掌管国家大权的皇帝。615 三才将换：天、地、人三者的地位、关系将要重新排列，以喻新旧王朝到了更换、接替的时刻。616 区区斗城：在一个斗大的小城里。

斗城，极言其城池之小。此指袁粲最后依据石头城想干一番事业。⑰ 蹈匹夫之节：表现出一个普通人的刚烈气节。蹈，实践、体现。匹夫，普通人，与王侯将相对比而言。⑱ 无栋梁之具：没有那种大人物干大事的本领与才干。栋梁，以喻三公九卿、王侯将相。以上评论见裴子野所著《宋略》。胡三省曰："裴子野之论，有《春秋》责备贤者之意，故《通鉴》取之。"⑲ 甲戌：十二月二十五。⑳ 大赦：大赦天下，以表示"咸与维新"，一切从头开始之意。这是历代新皇帝上台，或是刚消灭一股巨大反对势力之后的收买人心之举。㉑ 乙亥：十二月二十六。㉒ 王僧虔为左仆射：在此之前王僧虔为尚书仆射，时尚书仆射仅设一人；今欲削减其权，故又增设为左右二人。㉓ 新除：新任命的。除，选任。旧注多从"除旧布新"立意，不合情理。㉔ 王延之：宋明帝时先后为诸王僚属，又为右仆射，在萧、刘两派势力中持中间立场。传见《南齐书》卷三十二。㉕ 度支尚书张岱：度支尚书是主管国家钱粮的官员。张岱是刘宋后期的贤能之吏，曾任益州刺史、吏部尚书等职，颇受萧氏宠信。传见《南齐书》卷三十二。㉖ 王奂：刘宋的著名官僚王球之侄，在刘宋末年曾任祠部尚书、吏部郎，深受萧氏的信任。传见《南齐书》卷四十九。㉗ 裕：王裕，刘宋文帝时曾任尚书令。传见《宋书》卷六十六。㉘ 张瓌：刘宋时期的名将张永之子，张永曾历事文帝、孝武帝、明帝三朝。张瓌在刘宋末年任吏部尚书、司徒左长史，为萧氏亲信。入齐后官至给事中、光禄大夫。传见《南齐书》卷二十四。㉙ 家素豪盛：据《南齐书》本传，张瓌家有张永旧时部曲数百人。㉚ 伺间取遐：找机会刺杀刘遐。㉛ 召瓌诣府：请张瓌到太守府有事相商。当时刘遐聚众三千人，与沈攸之相呼应。㉜ 斋：可供休息、读书、怡养的小室。㉝ 领军冲：张冲，刘宋末曾任郢州刺史、征虏将军。传见《南齐书》卷四十九。葛晓音曰："《南齐书》本传和《南史》只说张冲为'左军将军'，没说曾为'领军将军'。'领军'疑当作'左军'。"葛说是。㉞ 以百口一掷：拿着全家的性命做赌注。百口，代称全家。一掷，一次赌博。㉟ 出手得卢：一把获胜。古时樗蒲戏一掷五子皆黑称为"卢"，为最胜彩。㊱ 移屯阅武堂：将自己的指挥部迁移到阅武堂。阅武堂是朝廷检阅军队的地方。㊲ 使西上：让他沿江西上以抵抗沈攸之的叛军。㊳ 配以腹心：安排萧氏的心腹以监视与防备黄回。㊴ 反告其谋：转而告发黄回的欲袭杀萧道成之谋。㊵ 闰月辛巳：闰十二月初二。㊶ 出夏口二句：经由汉水与长江的汇口，占据鲁山。鲁山是今武汉西的小山名。㊷ 癸巳：闰十二月十四。㊸ 郢城：今武汉三镇的汉口。当时郢州的州治所在地。㊹ 云"欲问讯安西"：扬言为向武陵王安西将军的司马柳世隆表示问候之意。此时柳世隆正以萧氏的心腹行郢州刺史事，镇守郢城。㊺ 暂泊黄金浦：临时在黄金浦停留下来。胡三省曰："黄金浦在鹦鹉洲上，相传以为吴将黄盖曾屯兵于此，得名。"鹦鹉洲在今湖北武汉西南的长江中。㊻ 被太后令：接到王太后的命令。被，接受、得到。㊼ 相与奉国：彼此共同忠于国家，拥戴皇帝。㊽ 想得此意：应该明白我这次前去是做什么。㊾ 久承声问：好久以前就听到你们将要东下的消息了。声问，音讯。问，这里通"闻"。㊿ 攻守势异：易守难攻。势异，形势不同。651 非旬日可拔：不是十天半个月就能攻下的。⑥52不时举：不能及时攻下。举，拔、攻下。⑥53既倾根本：一旦攻下建康城，灭掉朝廷政权。倾，颠覆。根本，朝廷政权。⑥54留偏师：留下一支小军队。⑥55守郢城：围困郢城。守，围困。⑥56乙未：闰十二月十六。⑥57西渚：当时鹦鹉洲的西渚。渚，水中的小岛。⑥58前军中兵参军焦度：焦度是刘宋后期的名将，氐族人，先曾在颜师伯、刘子勋、王景文帐下服务，后为武陵王、前军将军刘赞的中兵参军。传见《南齐书》卷三十。⑥59秽辱：用污秽的话语辱骂。《南齐书》本传称焦度"肆言骂辱攸之，至自发露形体秽辱之"，目的就是激怒沈攸之使之攻城，将其拖在郢州。⑥60随宜拒应：随其所宜地进行抵抗、回应。⑥61吴兴：郡名，郡治即今浙江湖州。⑥62沈文季：刘宋名将沈庆之之子，刘宋末年为吴兴太守。传见《南齐书》卷四十四。⑥63吴、钱唐：二郡名，吴郡的郡治即今江苏苏州，钱唐郡的郡治即今浙江杭州。⑥64新安太守登之：沈登之，时任新安太守。新安郡的郡治始新，在今浙江淳安西北。⑥65诛其宗族：葛晓音曰，"前废帝景和中沈攸之曾受命送药赐沈庆之死，故沈文季此时因以报父仇。"⑥66乙未：闰十二月十六。⑥67禁省：指宫廷与朝廷各部门。⑥68人君南面：作为一个统治者统治天下。南面，指居皇帝之位。⑥69九重奥绝：住在门户重重的深宫里。九重，极言宫禁门户之深。奥绝，远离人世，与社会隔绝。⑥70陪奉朝夕：整天侍候陪伴在皇帝身边的那些人。⑥71义隔卿士：他们的工作性质与朝廷百官是不同的。义隔，性质不同。卿士，指文武百官，因他们的级别有公、卿、大夫、士之分。⑥72阶闼之任：这些宫廷服务人员的任命。阶闼，台阶与门户，服务人员经常活动的地方。⑥73宜有司存：应当由一定的部门管理。⑥74恩以狎生：接触多了就产生喜爱。恩，喜爱。狎，亲近。⑥75信由恩固：喜爱多了就容易信任。⑥76无可惮之姿：他们在皇帝面前绝不会表现出令人畏忌的面容。惮，畏忌。⑥77有易亲之色：他们表现出的永远是一副招人喜爱亲近的笑脸。⑥78孝建、泰始：孝建是宋孝武帝刘骏的第一个年号（公元四五四至四五六年），这里指宋孝武帝刘骏。泰始是宋明帝刘彧的第一个年号（公元四六五至四七一年），这里指宋明帝刘彧。⑥79主威独运：专制独裁，一切由他一个人说了算。⑥80刑政纠杂：刑罚与政令杂乱繁多。⑥81理难遍通：事实上他一个人也不可能什么都懂。⑥82耳目所寄：于是皇帝所见所闻的知识来源。寄，托、依靠。⑥83事归近习：一切都靠着左右的这些宠信人员了。近习，皇帝身边各种受宠的小人。⑥84及：一旦；等到。⑥85觇欢愠：看清了皇帝的喜悦或恼怒。觇，窥测。欢愠，喜悦或恼怒。⑥86候惨舒：探准了皇帝的难过与舒心。候，探查。惨舒，难过与舒心。⑥87动中主情：一举一动都能符合主子的心意。中，合乎。情，心理。⑥88举无谬旨：一举一动都不违背主子的欢心。谬，违背。旨，心意。⑥89谓其：以为他们。⑥90以为权不得重：以为他们的权力不大。⑥91曾不知：殊不知。曾，竟、居然。⑥92鼠凭社贵：老鼠一旦钻进神龛，它的身份可就不同了。社，社树、土地庙。祭祀土神的地方。老鼠钻进神龛，你既不能打砸，也不能焚烧，很难下手。⑥93外无逼主之嫌：表面看他们没有凌驾于皇帝之上的嫌疑。嫌，形迹。⑥94内有专用之效：实际上他们有独揽大权的效果。⑥95势倾天下：他们已经把统治天下之权移入自己之手。⑥⑨⑥未之或悟：帝王自己还没有觉察。悟，明白、觉察。⑥⑨⑦太宗晚运：明帝刘彧的晚年。晚运，晚年的情况。⑥⑨⑧虑经盛衰：字略不顺，疑“虑”字应作“屡”。大意谓刘彧经历了许多事变起伏。⑥⑨⑨权幸之徒：皇帝身边的宠幸小人，指杨运长、王道隆、阮佃夫等。⑦⓪⓪慑惮宗戚：害怕刘氏皇室与外戚位高权重。⑦⓪①构造同异：编造出种种事端。同异，种种说法。⑦⓪②兴树祸隙：屡次地造成灾难。⑦⓪③帝弟宗王：皇帝之弟，宗室之王，指刘休祐、刘休若、刘休仁等，都是明帝刘彧之弟，刘休祐为晋平王、刘休若为巴陵王、刘休仁为始安王。⑦⓪④相继屠劓：逐个被杀。⑦⓪⑤宝祚夙倾：王朝短命。祚，福、国运。夙倾，早早地垮台。⑦⓪⑥辛丑：闰十二月二十二。⑦⓪⑦济阳江谧：济阳郡人姓江名谧。济阳郡的郡治在今山东菏泽市定陶区西北。江谧在刘宋末年曾任长沙内史、行湘州事，为萧道成的亲信。传见《南齐书》卷三十一。⑦⓪⑧假萧道成黄钺：授予萧道成黄钺。假，加、授予。黄钺，皇帝授予大臣的一种信物，让他享有讨伐叛乱、诛除不服的生杀之权。⑦⓪⑨壬寅：闰十二月二十三。⑦①⓪葭芦：古城名，旧址在今甘肃陇南东南的白龙江东侧。⑦①①杨难当族弟广香：杨难当的族弟杨广香。杨难当是刘宋文帝时期的氐族首领，曾向刘宋称藩。事见《魏书》卷一百一。⑦①②仍：通“乃”，于是。⑦①③骆谷城：古城名，在今甘肃成县西方西汉水的东北侧。当时为仇池郡的郡治所在地。⑦①④入侍：到魏国做人质。⑦①⑤南秦州：魏国南秦州的州治即当时的骆谷城。⑦①⑥乙巳：闰十二月二十六。⑦①⑦出顿新亭：将其指挥部移驻于新亭。新亭在当时建康城西南的长江边，当时沈攸之在上游造反，萧道成移指挥部于新亭，有加强京城防卫，声援沿江朝廷诸镇的意义。出顿，离开宫廷，驻扎到城外。顿，驻、驻扎。⑦①⑧骠骑参军江淹：江淹是当时著名的诗人、辞赋家，名作有《恨赋》《别赋》等，当时任骠骑将军萧道成的参军。传见《南史》卷五十九。⑦①⑨天下纷纷：天下局势纷纷攘攘。纷纷，杂乱的样子。⑦②⓪君谓何如：您估计前途如何。谓，以为。⑦②①不在众寡：不决定在眼下的人数多少。⑦②②贤能毕力：贤能之人都愿为您尽力。⑦②③奉天子：打着为皇帝讨伐叛乱的旗号。奉，捧、凭借着。⑦②④彼：指沈攸之等掀起叛乱的人。⑦②⑤志锐而器小：内心急躁而目的卑微。器，度量、目的。⑦②⑥有威而无恩：只靠威胁而无人对之感恩。⑦②⑦士卒解体：军心涣散。⑦②⑧搢绅不怀：有社会影响力的人物没有人倾向于他。怀，思念、归心。⑦②⑨悬兵数千里：远离根据地数千里地孤军深入。⑦③⓪无同恶相济：没人与他相互支援。同恶相济，为打击共同的憎恨而相互配合。恶，憎恨。济，救援。⑦③①君谈过矣：您把我说得过于好啦。⑦③②苞藏祸心：怀着一颗企图造反的狼子野心。苞，通“包”，深藏。⑦③③于今十年：到现在已经十年啦。〖按〗此十年是从宋明帝泰始三年（公元四六七年）沈攸之北收失地被魏人打得大败后，先被任为郢州刺史，后又转为荆州刺史的十来年。⑦③④险躁：阴险、暴躁。⑦③⑤起逆累旬：发动叛逆已经几十天。⑦③⑥迟回不进：被牵制在郢城而停滞不前。迟，停留。⑦③⑦暗于兵机：军事谋略不高明。暗，不明、不懂。兵机，用兵的谋略。机，关键、诀窍。⑦③⑧人情离怨：人心散乱而不满。⑦③⑨掣肘之患：其阵营内部有不同意见，使其力量分散。掣肘，犹言“扯后腿”，受牵制不能向前。⑦④⓪天夺其魄：一种神秘的力量消融了他的气魄、胆略，该发挥的没有得到发挥。㊻741 本虑：我们本来担心的……。742 剽勇轻速：不顾一切地飞速前进，直取京城。743 掩袭未备：趁朝廷尚未做好准备而突然发动袭击。掩袭，乘其不备而突然袭击。744 决于一战：逼着我们在很不利的形势下与之决战。745 今六师齐奋：如今朝廷的大军共同出兵。六军，指朝廷方面的军队。周朝时只有天子才能有六军的建制，诸侯国只能有一军、二军、三军。746 诸侯同举：各州郡的勤王之师也全部来到。诸侯，当时指各州的刺史。747 问攸之：问沈攸之的前景如何。748 相与邻乡：家乡的住地相邻近。沈攸之吴兴人，周山图义兴人，吴兴、义兴两郡相邻。749 数共征伐：又多次一起出兵打仗。数，多次。750 颇悉：很了解；很熟悉。751 性度险刻：性情阴险，度量狭隘。刻，薄，这里指狭隘。752 顿兵坚城：被牵制在不可攻克的郢城之下。753 适所以为：正好成为。754 离散之渐：是他军队分崩离析的开始。渐，开始、开端。

【原文】

二年（戊午，公元四七八年）

春，正月己酉朔[755]，百官戎服[756]入朝。

沈攸之尽锐[757]攻郢城，柳世隆乘间[758]屡破之。萧赜遣军主桓敬等八军[759]据西塞[760]，为世隆声援。

攸之获郢府法曹[761]南乡范云[762]，使送书入城，饷[763]武陵王赞犊一羫[764]，柳世隆鱼三十尾[765]，皆去其首。城中欲杀之，云曰："老母弱弟，悬命沈氏[766]，若违其命，祸必及亲，今日就戮[767]，甘心如荠[768]。"乃赦之。

攸之遣其将皇甫仲贤[769]向武昌[770]，中兵参军公孙方平[771]向西阳[772]。武昌太守臧涣降于攸之，西阳太守王毓奔湓城。方平据西阳，豫州刺史刘怀珍[773]遣建宁[774]太守张谟等将万人击之，辛酉[775]，方平败走。平西将军黄回等军至西阳，溯流[776]而进。

攸之素失人情[777]，但劫以威力[778]。初发江陵，已有逃者，及攻郢城，

【校记】

［6］王陵：原作“王凌”。据章钰校，甲十一行本、乙十一行本皆作“王陵”，今据改。〖按〗《通鉴纪事本末》卷二十、《通鉴纲目》卷二十七皆作“王陵”。［7］橙：原作“镫”。据章钰校，甲十一行本、乙十一行本、孔天胤本皆作“橙”，今据改。〖按〗《通鉴纪事本末》卷二十作“橙”。［8］郡：原误作“州”。胡三省注云：“巴陵，非州也。‘州’当作‘郡’。”严衍《通鉴补》改作“郡”，今据以校正。［9］为：原无此字。据章钰校，甲十一行本、乙十一行本、孔天胤本皆有此字，今据补。［10］善：原作“喜”。据章钰校，甲十一行本、乙十一行本皆作“善”，今据改。〖按〗《通鉴纪事本末》卷二十作“善”。［11］则：原无此字。据章钰校，甲十一行本、乙十一行本、孔天胤本皆有此字，今据补。［12］文季：原作“文秀”。张敦仁《通鉴刊本识误》认为当作“文季”，《南齐书》卷四十四亦作“文季”，当是，今从改。下同。［13］为：原无此字。据章钰校，甲十一行本、乙十一行本、孔天胤本皆有此字，今据补。

【语译】

二年（戊午，公元四七八年）

春季，正月初一日己酉，宋国的文武百官全都身穿军服入朝朝贺。

沈攸之投入全部精锐部队攻打郢州城，柳世隆利用一切机会寻找沈攸之的薄弱环节，多次击败沈攸之的进攻。萧赜派遣军主桓敬等八支小分队占据西塞山，为柳世隆做声援。

沈攸之抓获了在郢州刺史府担任法曹的南乡郡人范云，让范云携带一封书信进入郢州城中，同时还携带送给武陵王刘赞的一头杀死的小牛，送给柳世隆的三十条死鱼，这头死牛犊和三十条死鱼全部被砍去了脑袋。郢州城中的人想杀死范云，范云说：“我那年老的母亲和幼小弟弟的性命都掌握在沈攸之手中，我如果违背了沈攸之的命令，灾祸必定会降落到我的亲人身上，现在我已经回到郢州城，你们就是杀死我，我心里都像吃了甜菜一样高兴。”柳世隆遂赦免了他。

沈攸之派遣他的部将皇甫仲贤率领军队进攻武昌，派遣中兵参军公孙方平率领军队进攻西阳城。担任武昌太守的臧涣投降了沈攸之，担任西阳太守的王毓则丢下西阳城逃往湓城。公孙方平于是占据了西阳城，豫州刺史刘怀珍派遣建宁太守张谟等人率领一万人攻击公孙方平，正月十三日辛酉，公孙方平战败逃走。平西将军黄回等人率军抵达西阳城，然后逆流而上。

沈攸之向来不得民心，人们只不过因为惧怕他的威势才不得不跟着他走。所以

三十余日不拔，逃者稍多[779]。攸之日夕[780]乘马历营抚慰[781]，而去者不息[782]。攸之大怒，召诸军主[783]曰："我被太后令，建义下都[784]。大事若克[785]，白纱帽共著[786]耳。如其不振[787]，朝廷自诛我百口[788]，不关余人[789]。比军人叛散[790]，皆卿等不以为意[791]。我亦不能问叛身[792]，自今军中有叛者，军主任其罪。"于是一人叛，遣人追之，亦去不返，莫敢发觉[793]，咸有异计[794]。

刘攘兵射书入城请降，柳世隆开门纳之。丁卯[795]夜，攘兵烧营而去。军中见火起，争弃甲走，将帅不能禁。攸之闻之，怒，衔须咀之[796]，收[797]攘兵兄子天赐、女婿张平虏，斩之。向旦[798]，攸之帅众过江[799]，至鲁山，军遂大散，诸将皆走。臧寅曰："幸其成而弃其败[800]，吾不忍为也!"乃投水死。攸之犹有数十骑自随，宣令军中曰："荆州城中大有钱[801]，可相与[802]还取以为资粮[803]。"郢城未有追军，而散军畏蛮抄[804]，更相聚结[805]，可[806]二万人，随攸之还江陵。

张敬兒既斩攸之使者，即勒兵，侦攸之下[807]，遂袭江陵[808]。攸之使子元琰与兼长史江乂、别驾傅宣共守江陵城。敬兒至沙桥[809]，观望未进。城中夜闻鹤唳[810]，谓为军来，乂、宣开门出走，吏民崩溃。元琰奔宠洲[811]，为人所杀。敬兒至江陵，诛攸之二子、四孙[812]。

攸之将至江陵百余里，闻城已为敬兒所据，士卒随之者皆散。攸之无所归，与其子文和走至华容界，皆缢于栎林。己巳[813]，村民斩首送江陵。敬兒擎之以楯[814]，覆以青伞，徇诸市郭[815]，乃送建康。敬兒诛攸

刚从江陵出发的时候就开始有人逃走，等到进攻郢州城的时候，攻打了三十多天都没有将郢州城攻克，逃走的人渐渐地越来越多。沈攸之每天早晚都骑着马挨着营盘一个一个地进行勉励和安慰，即便这样开小差的人仍然不断。沈攸之于是大怒，他把各支军队的统领召集起来说："我接受皇太后的命令，所以才竖起义旗，到下游的都城去干一件大事。如果大事一旦成功，我们大家就可以一起戴上白纱帽去做大官。如果不能成功，朝廷只不过诛杀我这全家一百口，与你们大家也没有关系。在此之前的这种士兵开小差现象，都是因为你们这些将领在管理上不上心造成的。我也不可能挨个去查问那些逃跑的人，从今以后军队中如果再有开小差的人，你们这些军队的统领要代替他们承担罪责。"于是发现有一个人开小差，就马上派人去追，而去追的人也就趁机一去不复返了，对此谁也不敢声张，谁也不敢去报告，每个人的心中都另有打算。

担任司马的刘攘兵把书信射入郢州城内请求投降，柳世隆打开城门接纳了刘攘兵。正月十九日丁卯夜间，刘攘兵烧毁营盘然后离去。沈攸之的军中看见火起，全都争先恐后地丢弃盔甲逃走，将帅根本无法阻止。沈攸之得知这个消息，不禁勃然大怒，气得他直咬自己的胡须，他逮捕了刘攘兵哥哥的儿子刘天赐、女婿张平虏，把他们全部斩首。天将蒙蒙亮的时候，沈攸之率领众军由长江东岸渡过长江，到达西岸鲁山的时候，军队遂四散而去，诸将领也全都逃走。功曹臧寅说："原先是希望成功而跟随人家，一旦看到要失败了就转头抛弃人家，这样的事情我不忍心去做！"于是投江而死。还有几十名骑兵跟随沈攸之，沈攸之在军中宣布说："荆州城中有大量的钱财，我们可以一道回去取出来作为继续活动的资本。"郢州城没有人出来追赶，而沈攸之手下那些溃散的士兵害怕遭到山区蛮族人的劫掠，于是就又重新集结在一起，大约有两万人，跟随沈攸之返回江陵。

雍州刺史张敬兒斩杀了沈攸之派来的使者之后，立即调集军队，当他探听到沈攸之已经率领大军沿长江东下的消息，就从襄阳发兵南下，去偷袭沈攸之的老巢江陵。沈攸之派自己的儿子沈元琰与兼任长史的江乂、担任别驾的傅宣共同防守江陵城。张敬兒率军到达沙桥，便采取观望的态度，没有继续向江陵进发。江陵城中的军民在夜间听到鹤的鸣叫声，就以为是朝廷的军队杀进来了，江乂、傅宣打开江陵城门逃走，其他的官吏和百姓立即像山崩一样四散溃逃。沈元琰投奔宠洲，被人杀死。张敬兒此时率军进抵江陵，他诛杀了沈攸之的两个儿子、四个孙子。

沈攸之率领败军返回到距离江陵还有一百多里的时候，听到江陵城已经被雍州刺史张敬兒占据的消息，那些跟随沈攸之准备返回江陵的士兵马上全都四散而去。沈攸之此时已经是走投无路，就与他的儿子沈文和一起逃到华容县界，父子两人在栎树林中自缢而死。正月二十一日己巳，附近的村民砍下沈攸之父子的人头送往江陵。雍州刺史张敬兒把沈攸之父子的人头用盾牌托着，上边用青伞罩着，在江陵城内的街道与城外的四周巡行示众，之后才把沈攸之的人头送往京师建康。张敬兒诛

之亲党，收其财物数十万，皆以入私[816]。

初，仓曹参军[817]金城边荣[818]，为府录事[819]所辱，攸之为荣鞭杀录事。及敬兒将至，荣为留府司马[820]，或说之使诣敬兒降[821]，荣曰："受沈公厚恩，共如此大事，一朝缓急[822]，便易本心[823]，吾不能也。"城溃，军士执以见敬兒，敬兒曰："边公何不早来？"荣曰："沈公见留守城[824]，不忍委去[825]，本不祈生[826]，何须见问？"敬兒曰："死何难得！"命斩之，荣欢笑而去。荣客太山程邕之[827]抱荣曰："与边公周游[828]，不忍见边公死，乞先见杀[829]。"兵人[830]不得行戮，以白敬兒。敬兒曰："求死甚易，何为不许[831]？"先杀邕之，然后及荣，军人莫不垂泣[832]。孙同、宗俨之等皆伏诛。

丙子[833]，解严[834]，以侍中柳世隆为尚书右仆射，萧道成还镇东府。丁丑[835]，以左[14]卫将军萧赜为江州刺史，侍中萧嶷为中领军。二月庚辰[836]，以尚书左仆射王僧虔为尚书令，右仆射王延之为左仆射。癸未[837]，加萧道成太尉、都督南徐等十六州[838]诸军事，以卫将军褚渊为中书监、司空。道成表送黄钺[839]。

吏部郎王俭[840]，僧绰之子也，神彩渊旷[841]，好学博闻，少有宰相之志，时论[842]亦推许[843]之。道成以俭为太尉右长史，待遇隆密[844]，事无大小专委之。

丁亥[845]，魏主如代汤泉[846]。癸卯[847]，还。

宕昌王弥机[848]初立。三月丙子[849]，魏遣使拜弥机征南大将军，梁、益二州牧，河南公，宕昌王。

黄回不乐在郢州[850]，固求南兖，遂帅部曲辄还[851]。辛卯[852]，改都督南兖等五州[853]诸军事、南兖州刺史[854]。

初，王蕴去湘州[855]，湘州刺史南阳王翙[856]未之镇[857]，长沙内史[858]庾佩玉行府事[859]。翙先遣中兵参军韩幼宗将兵戍湘州，与佩玉不相能[860]。

杀沈攸之的亲信党羽，收缴了沈攸之几十万的财物，全部归入私囊。

当初，在沈攸之属下担任仓曹参军的金城人边荣，曾经遭到沈攸之荆州刺史府里一个担任录事的官员侮辱，沈攸之为了边荣就用鞭子抽死了那个录事。等到雍州刺史张敬兒率领军队即将到达江陵的时候，边荣正担任沈攸之留守江陵城的司马，有人劝说边荣向张敬兒投降，边荣说：“我受了沈公厚恩，与他共同参与如此重大的事情，一旦形势危急，便改变原来的立场而另谋出路，我不能那样做。”江陵城溃败之后，张敬兒的士兵把边荣捉住押送到张敬兒的面前，张敬兒说：“边先生为什么不早点前来投降？”边荣回答说：“沈公留下我守卫江陵城，我不忍心抛下江陵城自己离去，本来我就没准备祈求活命，你何必还要多问？”张敬兒说：“你想死还不容易吗！”于是下令将边荣斩首，边荣含笑而去。边荣的门客太山郡人程邕之抱住边荣说：“我长期跟随在边先生左右，不忍心看见边先生去死，请先把我杀了吧。”刽子手无法行刑，就把这个情况报告了张敬兒。张敬兒说：“求死很容易，怎么会不允许？”刽子手于是先杀死程邕之，然后又杀死边荣，旁边的军士全被感动得流下了眼泪。孙同、宗俨之等人也都被张敬兒诛杀。

正月二十八日丙子，朝廷解除了紧急军事状态，任命担任侍中的柳世隆为尚书右仆射，萧道成仍旧回到东府镇守。二十九日丁丑，朝廷任命担任左卫将军的萧赜为江州刺史，任命担任侍中的萧嶷为中领军。二月初二日庚辰，朝廷任命担任尚书左仆射的王僧虔为尚书令，任命担任尚书右仆射的王延之担任尚书左仆射。初五日癸未，加授萧道成为太尉、都督南徐州等十六州诸军事，任命担任卫将军的褚渊为中书监、司空。萧道成上表将黄钺奉还朝廷。

宋国担任吏部郎的王俭是王僧绰的儿子，神采奕奕而又深沉旷达，好学不倦，知识渊博，青少年时期就有担任宰相的远大志向，当时的社会舆论也很推崇他、认可他。萧道成任命王俭为太尉右长史，职位很高，两个人之间的关系非常亲密，事情无论大小，萧道成全都专门委托给王俭负责办理。

二月初九日丁亥，魏国的孝文帝拓跋宏前往代郡的汤泉。二十五日癸卯，从汤泉返回平城。

宕昌地区的羌族首领弥机刚刚继承宕昌王王位。三月二十九日丙子，魏国朝廷派遣使者前往宕昌任命弥机为征南大将军，梁、益二州牧，河南公，宕昌王。

黄回不愿意留在郢州为官，坚决请求担任南兖州刺史，他不等朝廷任命，就自己带着部下从郢州返回京师。辛卯日，朝廷改任黄回为都督南兖州等五州诸军事、南兖州刺史。

当初，湘州刺史王蕴因为母丧而离开湘州之后，被任命为湘州刺史的南阳王刘翙没有前往湘州赴任，于是便由担任长沙内史的庾佩玉权且代理湘州刺史的职权。南阳王刘翙先派遣担任中兵参军的韩幼宗率领军队去戍守湘州，韩幼宗与庾佩玉合不来。

及沈攸之反，两人互相疑，佩玉袭杀幼宗。黄回至郢州，遣辅国将军任候伯行湘州事，候伯辄杀佩玉[861]，冀以自免[862]。湘州刺史吕安国[863]之镇，萧道成使安国诛候伯[864]。

夏，四月甲申[865]，魏主如崞山。丁亥[866]，还。

萧道成以黄回终为祸乱，回有部曲数千人，欲遣收[867]，恐为乱。辛卯[868]，召回入东府。至，停外斋[869]，使桓康将数十人，数回罪[870]而杀之，并其子竟陵相僧念[871]。

甲午[872]，以淮南、宣城[873]二郡太守萧映[874]行南兖州事，仍以其弟晃代之[875]。

五月，魏禁皇族、贵戚及士民之家不顾氏族[876]，下与非类婚偶[877]，犯者以违制论[878]。

魏主与太后临虎圈[879]，有虎逸[880]，登阁道[881]，几至御座[882]，侍卫皆惊靡[883]。吏部尚书王叡执戟御[884]之，太后称以为忠，亲任愈重。

六月丁酉[885]，以辅国将军杨文弘为北秦州刺史、武都王。[886]

庚子[887]，魏皇叔若[888]卒。

萧道成以大明[889]以来，公私奢侈，秋，八月，奏罢御府[890]，省二尚方雕饰器玩[891]。辛卯[892]，又奏禁民间华伪杂物[893]，凡十七条。

乙未[894]，以萧赜为领军将军，萧嶷为江州刺史。

九月乙巳朔[895]，日有食之。

萧道成欲引时贤[896]参赞大业[897]，夜，召骠骑长史谢朏[898]，屏人与语[899]，久之，朏无言。唯二小儿捉烛[900]，道成虑朏难之[901]，仍取烛遣儿[902]，朏又无言，道成乃呼左右[903]。朏，庄[904]之子也。

等到沈攸之起兵造反的时候，韩幼宗与庾佩玉又互相怀疑，庾佩玉便对韩幼宗发动突然袭击，把韩幼宗杀死。黄回率军到达郢州时，派遣担任辅国将军的任候伯代理湘州刺史的职权，任候伯以擅自诛杀大臣的罪名，把庾佩玉杀死，希望通过这些活动来掩盖自己当初参与袁粲、刘秉密谋诛杀萧道成的行为。萧道成重又任命吕安国为湘州刺史，吕安国到任之后，萧道成便命令吕安国诛杀了任候伯。

夏季，四月初七日甲申，魏国的孝文帝前往崞山。初十日丁亥，从崞山返回京城平城。

萧道成认为黄回终究是个祸患，黄回手下有好几千私人武装，萧道成想派人逮捕黄回，又恐怕因此而引发他们作乱。四月十四日辛卯，萧道成召请黄回前来东府。黄回来到东府之后，萧道成让黄回在外面的小阁等候，然后派宁朔将军桓康带着几十个人逮捕了黄回，逐条列举黄回的罪行之后把他杀死，同时杀死的还有黄回的儿子担任竟陵国相的黄僧念。

四月十七日甲午，宋国朝廷任命担任淮南、宣城二郡太守的萧映为代理南兖州刺史，而任命萧映的弟弟萧晃接替萧映担任淮南、宣城二郡太守。

五月，魏国朝廷下令禁止皇族、贵戚以及官僚士大夫之家不顾自己家族的高贵，而与下等的、与自己不属同一个社会阶层的人家结为婚姻，凡是违反这一规定的一律按照违反皇帝命令进行惩处。

魏国孝文帝与冯太后一起从高处向下观看虎圈里的老虎，有一只老虎突然从虎圈里跑出来，蹿上空中的通道，差一点就到了孝文帝的御座旁，皇帝身边的侍卫都被吓得跌倒在地上。只有担任吏部尚书的王叡拿起戟驱赶老虎护卫皇帝和太后，太后称赞王叡是个忠臣，因此对王叡更加信任和重用。

六月二十一日丁酉，宋国朝廷任命担任辅国将军的杨文弘为北秦州刺史、武都王。

二十四日庚子，魏国皇帝的叔叔拓跋若去世。

自从宋孝武帝大明年间以来，无论是官府还是民间奢侈浪费已经形成风气，秋季，八月，萧道成上奏请求撤销皇宫里的府库，关闭两个专门为宫廷制造各种工艺玩物的官署。十六日辛卯，萧道成又上奏请求禁止民间制造与生产生活无关的一切华而不实的东西，总计有十七条。

八月二十日乙未，宋国朝廷任命萧赜为领军将军，任命萧嶷为江州刺史。

九月初一日乙巳，发生日食。

萧道成想要引进当代的那些贤达之士来参与协助建立新王朝的宏大事业，夜里，萧道成将担任骠骑长史的谢朏召请到自己的家中，支开身边所有的闲杂人员，然后独自与谢朏密谈，过了很久，而谢朏却一句话都没说。当时屋子里只有两个童子在手持蜡烛为他们照明，萧道成以为谢朏当着两个孩子的面不好开口，于是就自己把蜡烛接过来，将两个小童支开，谢朏还是没有说话，萧道成于是招呼大家都进来。谢朏，是谢庄的儿子。

太尉右长史王俭知其指[905]，他日，请间言[906]于道成曰："功高不赏[907]，古今非一[908]。以公今日位地[909]，欲终北面[910]，可乎？"道成正色裁之[911]，而神采内和[912]。俭因曰[913]："俭蒙公殊眄[914][15]，所以吐所难吐[915]，何赐拒之深[916]？宋氏失德，非公岂复宁济[917]？但人情浇薄[918]，不能持久，公若小复推迁[919]，则人望去矣[920]。岂唯大业永沦[921]？七尺亦不可得保[922]。"道成曰："卿言不无理。"俭曰："公今名位，故是经常宰相[923]，宜礼绝群后[924]，微示变革[925]。当先令褚公知之，俭请衔命[926]。"道成曰："我当自往。"经少日[927]，道成自造褚渊[928]，款言移晷[929]。乃谓曰："我梦应得官[930]。"渊曰："今授始尔[931]，恐一二年间未容便移[932]，且吉梦未必应在旦夕[933]。"道成还，以告俭。俭曰："褚是未达理[934]耳。"俭乃唱议[935]加道成太傅[936]，假黄钺，使中书舍人虞整作诏[937]。

道成所亲任遐[938]曰："此大事，应报褚公。"道成曰："褚公不从，奈何？"遐曰："彦回[939]惜身保妻子[940]，非有奇才异节，遐能制之。"渊果无违异[941]。

丙午[942]，诏进[943]道成假黄钺、大都督中外诸军事[944]、太傅、领扬州牧，剑履上殿[945]，入朝不趋[946]，赞拜不名[947]，使持节[948]、太尉、骠骑大将军、录尚书、南徐州刺史如故。道成固辞殊礼[949]。

以扬州刺史晋熙王燮为司徒[950]。

戊申[951]，太傅道成以萧映为南兖州刺史。

冬，十月丁丑[952]，以萧晃为豫州刺史。

己卯[953]，获孙昙瓘[954]，杀之。

魏员外散骑常侍郑羲[955]来聘[956]。

壬寅[957]，立皇后谢氏[958]。后，庄之孙[959]也。

担任太尉右长史的王俭了解萧道成的心思，有一天，王俭找了一个没有别人在场的时候对萧道成说：“功劳大到没有办法再进行赏赐的情况，从古到今已经不止一次了。以您今天的地位和权位，想要一辈子向人称臣，这可能吗?”萧道成假意严肃地制止他说这样的话，而脸上却情不自禁地流露出一种舒服满意的神情。王俭接着又说：“我承蒙您的另眼相看、特殊优待，所以才敢说出别人所不敢说的话，您为什么要这么严厉地予以拒绝呢？宋朝皇帝失德，要不是您难道还能如此安稳地维持下去吗？但是人心好利多变，不能坚持长久，如果您再这样拖延下去而不立即采取行动，人们拥护您称帝的热情就要过去了，岂止是建立新王朝的大业将化为乌有，恐怕您连这七尺之躯也难以保全。”萧道成说：“你说的话不无道理。”王俭说：“如今您的名号地位，还是和平常的其他宰相没有差别，应该让您所受到的礼遇，与满朝文武百官有根本的不同，微微显露出一些改朝换代的迹象。这件事应当先让褚渊知道，请您派我去办这件事。”萧道成说：“我应当亲自去找他。”过了没几天，萧道成亲自到褚渊的府上进行拜访，两个人推心置腹地谈了好长时间。萧道成于是对褚渊说：“我做梦梦见自己应该得到皇位。”褚渊说：“现在您刚刚加授了太尉和都督南徐等十六州诸军事，恐怕一两年之内您还不能一下子就改朝换代做皇帝，况且好梦未必一定马上应验。”萧道成回府后，把和褚渊谈话的内容告诉了王俭。王俭说：“看来褚渊还是没有明白您的意思。”于是王俭公开带头提议加授萧道成为太傅，再次把黄钺赏赐给萧道成，令担任中书舍人的虞整马上替皇帝起草加封萧道成的诏书。

萧道成的亲信任遐说：“此等大事，应当报告给褚渊知道。”萧道成说：“万一褚渊不同意我们的做法，怎么办?”任遐说：“褚渊贪生怕死，只想保全自己的妻儿老小，并不是那种有奇才坚持操守的人，我能说服他。”褚渊果然不敢违背，不敢再有不同意见。

九月初二日丙午，宋顺帝刘凖下诏，给萧道成加授黄钺、大都督中外诸军事、太傅、兼任扬州牧，可以佩带宝剑、穿着鞋子走上金殿，进入朝堂的时候不必小步疾走，在叩见皇帝的时候，司仪只唱官衔，不唱他的名字，而且依然拥有使持节、太尉、骠骑大将军、录尚书、南徐州刺史等官衔和职权。萧道成坚决拒受加封给他的这些特殊礼敬。

宋国朝廷任命担任扬州刺史的晋熙王刘燮为司徒。

九月初四日戊申，太傅萧道成任命萧映为南兖州刺史。

冬季，十月初三日丁丑，萧道成任命萧晃为豫州刺史。

初五日己卯，抓获孙昙瓘，把孙昙瓘杀死。

魏国派遣担任员外散骑常侍的郑羲来到宋国进行友好访问。

二十八日壬寅，宋顺帝刘凖立谢梵境为皇后。谢皇后，是谢庄的孙女。

十一月癸亥[960]，临澧侯刘晃坐谋反，与其党皆伏诛。晃，秉之从子[961]也。

甲子[962]，徙南阳王翙为随郡[963]王。

魏冯太后忌青州刺史南郡王李惠[964]，诬云惠将南叛；十二月癸巳[965]，诛惠及妻并其子弟。太后以猜嫌所夷灭者十余家，而惠所历皆有善政，魏人尤冤惜之[966]。

尚书令王僧虔奏以“朝廷礼乐，多违正典[967]。大明中即以宫县合和鞞拂[968]，节数虽会[969]，虑乖雅体[970]。又，今之清商[971]，实由铜爵[972]，三祖风流[973]，遗音盈耳。京、洛相高[974]，江左弥贵[975]。中庸和雅[976]，莫近于斯[977]。而情变听移[978]，稍复销落[979]，十数年间，亡者将半[980]。民间竞造新声杂曲，烦淫无极[981]，宜命有司悉加补缀[982]”。朝廷从之。

是岁，魏怀州[983]刺史高允[984]以老疾告归乡里，寻复[985]以安车[986]征至平城，拜镇军大将军、中书监。固辞，不许。诏[16]乘车入殿，朝贺不拜。

【段旨】

以上为第四段，写宋顺帝昇明二年（公元四七八年）一年间的大事。主要写了宋国沈攸之尽锐攻郢城，柳世隆乘间屡破之，三月不能下；沈攸之又派兵一度攻得武昌、西阳二郡，后被刘方平的部将张谟击败。写了沈攸之攻郢城之军日益涣散，刘攘兵率部投降柳世隆，沈攸之见前途无望只好收聚散卒回江陵。写了雍州刺史张敬兒闻沈攸之东下，发兵南袭江陵，镇守江陵的沈攸之的儿子沈元琰等闻风溃走，被人杀死，张敬兒进江陵又杀了沈攸之的二子四孙，江陵遂告平定。写了沈攸之在返回江陵的途中闻江陵失陷，逃至华容县自杀，张敬兒取其首十一月二十日癸亥，宋国的临澧侯刘晃被指控犯有谋反罪，刘晃与他的同党全部被杀。刘晃，是刘秉的侄子。

二十一日甲子，宋国朝廷改封南阳王刘翙为随郡王。

魏国的冯太后怨恨担任青州刺史的南郡王李惠，便诬陷李惠准备叛国，向南逃奔宋国，十二月二十日癸巳，诛杀了李惠、李惠的妻子及其子弟。冯太后因为猜忌而族灭了十多家，而李惠在其任职的各地都有很好的政绩和声誉，魏国人对李惠的被杀感到冤枉，为其惋惜。

宋国担任尚书令的王僧虔上奏章给朝廷，他认为“朝廷使用的礼仪和音乐，大多不合古乐，不合儒家所讲的礼法规则。孝武帝大明年间就用庄严的皇家乐器为民间的情歌小调伴奏，节拍虽然也能与古乐合得上，细想起来还是与古雅的音乐不是一回事。再有，现在演奏的清商曲辞，实际上是从三国时期曹魏的铜雀台音乐演变而来的，魏太祖曹操、魏高祖曹丕、魏烈祖曹叡三人的音乐特征与欣赏习惯一直流传下来。接着以西京长安、东都洛阳为中心的西晋时代更加推崇、喜爱这种杂有民间特点的音乐，东晋以来人们就把这种音乐看得更为贵重。中正平和，浓淡相宜，不刚不柔，不卑不亢，没有比这种音乐更接近于完美的了。然而随着人们的感情变化，欣赏音乐的兴趣也随之改变，有些乐曲慢慢被淘汰、被遗弃，十几年的时间，丢失的就已经将近一半。于是民间便竞相制作出一些新的音乐杂曲，繁杂放纵而没有节制，现在应该命令有关部门全面地加以搜集补充”。朝廷批准了王僧虔的建议。

这一年，魏国担任怀州刺史的高允因为年老多病而辞职回到家乡养老，不久，朝廷又派人用安车把高允接回平城，任命他为镇军大将军、中书监。高允坚决推辞，朝廷不答应。皇帝下诏允许高允乘车进入宫殿，朝见皇帝的时候不用行跪拜礼。

徇于江陵后送至建康，又在江陵大诛沈氏亲党，没其财物入私。写了沈攸之的部将臧寅在攻郢城不下，众人溃败逃散时投水而死，江陵守将边荣兵败被俘，慷慨而死，与张敬兒的卑劣形成对照。写了萧道成于大乱平定后，任用王僧虔、王延之、褚渊、柳世隆、王俭等人组建起新班底，自己又都督十六州，其长子萧赜为领军将军，萧嶷为江州刺史，掌控起一切重要部门；萧道成见时机已到，又先后杀了任候伯、黄回。写了萧道成急于篡取帝位，嫌褚渊的安排步子太慢，王俭乃自告奋勇为之出谋划策，萧道成遂被授予殊礼，使之“剑履上殿，入朝不趋，赞拜不名”。此外还写了王僧虔的论乐，以及魏国冯太后的夷灭李惠等十余家，魏人皆冤惜之等。

【注释】

⑦55 正月己酉朔：正月初一是己酉日。⑦56 戎服：军服。“戎服入朝”者，时局动乱，情况紧急故也。⑦57 尽锐：使用一切精锐部队。⑦58 乘间：利用一切机会寻找其薄弱环节。间，空隙、漏洞。⑦59 八军：八支小分队。⑦60 西塞：长江边上的山名，在今湖北黄石东。胡三省引《土俗编》曰：“吴楚旧境，分界于此。”⑦61 郢府法曹：郢州刺史府的掌刑法狱讼之官。⑦62 南乡范云：南乡郡人姓范名云。南乡郡的郡治在今河南淅川南。范云是当时著名的诗人，为“竟陵八友”之一，此时为柳世隆的属下。传见《梁书》卷十三。⑦63 饷：赠送。⑦64 犊一羫：杀死的小牛一头。羫，通“腔”，骨体。⑦65 鱼三十尾：三十条死鱼。⑦66 悬命沈氏：性命掌握在沈攸之手中。⑦67 就戮：回来被你们杀死。⑦68 甘心如荠：心里像是吃甜菜一样高兴。荠，甜菜。《诗经·谷风》有所谓“谁谓荼苦，其甘如荠”，此用其语。⑦69 皇甫仲贤：姓皇甫，名仲贤。⑦70 武昌：郡名，郡治即今湖北鄂州，在当时郢城东南的长江南岸。⑦71 公孙方平：姓公孙，名方平。⑦72 西阳：古城名，旧址在今湖北黄冈东南，地处长江北岸，当时为西阳郡的郡治所在地。⑦73 豫州刺史刘怀珍：刘宋的豫州州治在今安徽寿县。刘怀珍是刘宋的名将，屡立大功于文帝、孝武帝、明帝三朝。传见《南齐书》卷二十七。⑦74 建宁：郡名，郡治在今湖北麻城西南，当时上属于豫州。⑦75 辛酉：正月十三。⑦76 溯流：逆水。⑦77 素失人情：向来不得人心。⑦78 但劫以威力：人们只不过是因为怕他才不得不跟着他而已。劫以威力，被他的武力胁迫。⑦79 稍多：渐渐地越来越多。⑦80 日夕：每天的白天晚上。⑦81 历营抚慰：挨着营盘一个一个地勉励安慰。⑦82 去者不息：开小差的还是照样不停。⑦83 诸军主：各支军队的部队长。军主，一支部队的统领。⑦84 建义下都：要到建康城去干大事。建义，发动起义。下都，下游的都城，指建康。⑦85 若克：一旦成功。⑦86 白纱帽共著：大家一起都戴白纱帽，意即都可以做大官。⑦87 如其不振：如果不成功。不振，不成。⑦88 自诛我百口：只不过是我的全家被杀。⑦89 不关余人：与你们大家也没有关系。⑦90 比军人叛散：在此以前的这种士兵开小差。比，此前、近来。⑦91 不以为意：不上心；不管理。⑦92 不能问叛身：不可能去挨个查问那些逃跑的人。⑦93 莫敢发觉：谁也不敢报告、声张。⑦94 咸有异计：每个人的心里都另有打算。⑦95 丁卯：正月十九。⑦96 衔须咀之：气得他咬自己的胡须。⑦97 收：拘捕；抓起。⑦98 向旦：天将亮时。⑦99 过江：由东岸渡江到西岸。⑧00 幸其成而弃其败：原先是希望成功而跟着人家，一旦看到失败就转头抛弃人家。⑧01 大有钱：有大量的钱财。⑧02 相与：彼此一道。⑧03 还取以为资粮：回去取出来作为继续活动的资本。⑧04 散军畏蛮抄：那些已经散伙的士兵害怕被山区的蛮族劫掠。⑧05 更相聚结：重新又集合在一起。⑧06 可：大约有。⑧07 侦攸之下：探听到沈攸之已率兵沿江东下。侦，探听。⑧08 遂袭江陵：遂从襄阳发兵南下，偷袭江陵。当时张敬兒任雍州刺史，雍州的州治在襄阳。⑧09 沙桥：葛晓音曰，“在今湖北江陵的东草市”。⑧10 鹤唳：鹤的鸣叫声。唳，禽鸟的鸣叫声。⑧11 宠洲：胡三省曰，“宠洲近乐乡”。

葛晓音曰："旧址在今湖北荆门市北。"〖按〗当时乐乡在今湖北荆门东北，为武宁郡的郡治所在地。⑫诛攸之二子、四孙：据《宋书·沈攸之传》，当时被张敬兒杀死的是沈攸之的第五子幼和、第六子灵和，与元琰之子法先、文和之子法征、幼和之子法茂，前已去世的攸之次子沈懿之子某某。⑬己巳：正月二十一。⑭擎之以楯：用盾牌托着。擎，举。楯，通"盾"，盾牌。⑮徇诸市郭：在江陵城内的街道与城外的四周巡行示众。徇，巡行示众。郭，外城。⑯入私：归入他的私囊。⑰仓曹参军：沈攸之属下的掌管粮秣的官员。⑱金城边荣：金城郡人姓边名荣。金城郡的郡治在今甘肃兰州的西北侧。⑲府录事：沈攸之荆州刺史府的文职官员。录事，职掌文书簿籍，考察官员善恶。⑳留府司马：留守江陵城的司马官。司马是将军、刺史的僚属，在军中掌管司法。㉑或说之使诣敬兒降：有人劝他向张敬兒投降。诣，到、向。㉒一朝缓急：一旦出了问题。缓急，偏义复词，这里指急，紧急，危急。㉓便易本心：就改变原来的打算，指改变立场，另谋出路。㉔见留守城：留我守江陵城。见留，被留下，"见"字表示一种对主子的敬重语气。㉕不忍委去：不忍心丢下城池，自己离开。㉖祈生：求生。祈，希求。㉗太山程邕之：泰山郡人姓程名邕之。太山，通"泰山"。泰山郡的郡治在今山东泰安东南。㉘与边公周游：长期跟随在边公左右。周游，交往、一起活动。㉙乞先见杀：请你们先把我杀了。㉚兵人：主管杀人的人，即刽子手。兵，用如动词，即杀。㉛何为不许：有什么不能答应他。㉜军人莫不垂泣：史家书此，一为表彰边荣的气节，二为鄙视张敬兒的全无心肝。胡三省曰："士为知己死，边荣、程邕之俱有焉。"㉝丙子：正月二十八。㉞解严：解除紧急军事状态。㉟丁丑：正月二十九。㊱二月庚辰：二月初二。㊲癸未：二月初五。㊳十六州：指南徐州、南兖州、徐州、兖州、青州、冀州、司州、豫州、荆州、雍州、襄州、郢州、梁州、益州、广州、越州。㊴表送黄钺：上表将黄钺送还朝廷。胡三省曰："上流已定，故表还黄钺。"㊵王俭：当时著名的文学家、目录学家，东晋的名臣王导的五世孙。刘宋时官至太尉右长史。后辅佐萧道成即位，礼仪诏策均出其手。历任侍中、尚书令、中书监等。传见《南齐书》卷二十三。㊶神彩渊旷：神采奕奕而又深沉旷达。㊷时论：当时的社会舆论。㊸推许：推崇、认可。㊹隆密：隆重、亲密。隆重指官大，亲密指相互感情。㊺丁亥：二月初九。㊻代汤泉：代郡的汤泉。胡三省引《魏土地记》曰："代城北九十里有桑乾城，城西渡桑干水，去城十里有温汤，疗疾有验。"当时代郡的郡治平城，即魏国的都城，在今山西大同的东北侧。㊼癸卯：二月二十五。㊽宕昌王弥机：宕昌地区的羌族首领名叫弥机。宕昌羌是众多羌族中的一支，当时活动在今甘肃东南部的宕昌一带地区。事详《魏书》卷一百一。弥机在其父弥治死后继其位，归附于魏国，魏孝文帝拓跋宏封之为宕昌王。㊾三月丙子：三月二十九。㊿不乐在郢州：黄回原被萧道成任命为郢州刺史，征讨沈攸之的前锋。军未至郢，沈攸之之乱已平。萧道成又欲使其加督郢州军事，留在郢州，黄回不愿意。(851)遂帅部曲辄还：他请求任南兖州刺史，但还没等朝廷任命，就自己带着部下由郢州返回。(852)辛卯：此语疑误。葛晓音曰："严校改'辛'为

‘己’。〖按〗三月以‘戊申’为朔，既无‘辛卯’，也无‘己卯’。又，《南齐书·高帝纪上》亦作‘辛卯’，故不详，待考。”⑧53 南兖等五州：指南兖州、徐州、兖州、青州、冀州。⑧54 南兖州刺史：南兖州州治广陵，即今江苏扬州。胡三省曰：“黄回，刃在其颈，乃辄东还，此送死也。”⑧55 王蕴去湘州：王蕴原为湘州刺史，因母丧而离开湘州刺史任。事见前文。⑧56 南阳王翙：刘翙，宋明帝刘彧之子，被任为湘州刺史。时年七岁。⑧57 未之镇：没有到达刺史与督军任所。⑧58 长沙内史：长沙王的内史，职同郡太守。⑧59 行府事：代理湘州刺史的职权。长沙内史与湘州刺史的驻地都在长沙，故令庾佩玉代理湘州刺史。⑧60 不相能：合不来；关系不好。⑧61 辄杀佩玉：以擅杀大臣的罪名，遂将庾佩玉杀死。辄，即、遂。⑧62 冀以自免：希望通过这些活动掩盖他当初欲反萧道成的行为。胡三省曰：“任候伯、黄回皆与袁、刘同谋。”⑧63 吕安国：宋明帝时期的将领，在平定拥戴刘子勋的叛乱中有功，后成为萧道成的亲信。传见《南齐书》卷二十九。现被萧道成任为湘州刺史。⑧64 使安国诛候伯：此前袁粲、刘秉谋诛萧道成时，黄回、任候伯皆与其谋。袁粲在石头城发动起事，黄回派任候伯率军入建康相助。结果未等到达，袁粲等已败，任候伯遂未发。萧道成知其意而未说破，直到此时方诛任候伯。⑧65 四月甲申：四月初七。⑧66 丁亥：四月初十。⑧67 遣收：派人逮捕。⑧68 辛卯：四月十四。⑧69 停外斋：让黄回在外面的小阁等候。斋，小阁、清静的小屋。⑧70 数回罪：逐条列举黄回之罪加以谴责。⑧71 竟陵相僧念：黄僧念，时为竟陵国相。竟陵国的都城即今湖北钟祥。国相是诸侯王国的行政长官，地位相当于郡太守。胡三省曰：“道成知黄回不附己，既使之讨景素，又使之讨沈攸之。二难既平，然后杀之。则足以知回于当时有干略，而道成智数又一时所不及也。”又曰：“道成翦除异己，至此尽矣。”⑧72 甲午：四月十七。⑧73 淮南、宣城：二郡名，淮南郡的郡治即今安徽当涂，宣城郡的郡治即今安徽宣城。⑧74 萧映：萧道成的第三子。传见《南齐书》卷三十五。⑧75 以其弟晃代之：让萧映之弟，也就是萧道成的第四子萧晃接替萧映任淮南、宣城二郡太守。萧晃的事迹见《南齐书》卷三十五。胡三省曰：“淮南、宣城逼近京邑，故道成不以授他人。”⑧76 不顾氏族：不顾自己家族的高贵。⑧77 下与非类婚偶：而与下等的不属同一个社会阶层的人家结为婚姻。非类，不属同一个社会阶层。⑧78 以违制论：按违反皇帝命令惩处。制，皇帝的命令。⑧79 临虎圈：从高处向下看虎圈里的老虎。临，以称尊贵者的角度来看。⑧80 逸：逃，从虎圈里跑了出来。⑧81 登阁道：蹿上了空中的通道。当时魏主与冯太后就从这上头观看。⑧82 几至御座：差点到了魏主的座位旁。⑧83 惊靡：惊慌、跌倒。⑧84 御：迎击；驱赶。⑧85 六月丁酉：六月二十一。⑧86 以辅国将军杨文弘句：此句的主语为刘宋朝廷。此前杨文弘归附于魏国，被魏国封为南秦州刺史、武都王；现在杨文弘又归附于刘宋，故刘宋又封之为北秦州刺史、武都王。杨文弘是两面讨好，都不得罪；魏、宋两国也都没有能力去实施管辖，能有个归附的名义也就行了。⑧87 庚子：六月二十四。⑧88 皇叔若：拓跋若，北魏文成皇帝拓跋濬的第五子，魏主拓跋宏的小叔，十六岁而亡。传见《魏书》卷二十。⑧89 大明：宋孝武帝刘骏年号（公元四五七至四六四年），共八年。⑳ 奏罢御府：请求撤销皇宫里的仓库。㉑ 省二尚方雕饰器玩：关闭两个专门为宫廷制造工艺玩物的官署。从汉朝以来，朝廷设有左、中、右三个尚方署，主管给宫廷制造刀剑以及各种工艺赏玩之物。今乃关闭其二。省，裁减。㉒ 辛卯：八月十六。㉓ 华伪杂物：指与生产生活无关的一切华而不实的东西，如供观赏、装饰用的工艺品之类。㉔ 乙未：八月二十。㉕ 九月乙巳朔：九月初一是乙巳日。㉖ 引时贤：吸引当代的贤达之士。㉗ 参赞大业：参与协助建立新王朝的宏大事业。㉘ 骠骑长史谢朏：骠骑长史是骠骑将军萧道成的高级僚属。谢朏是刘宋名臣谢弘微之孙，著名文学家谢庄之子。曾为袁粲的长史，又为萧道成的长史。传见《南史》卷二十、《梁书》卷十五。㉙ 屏人与语：支开无关的人，自己和他谈话。屏，通"摒"，支开。⑨⓪ 唯二小儿捉烛：这时屋里只有两个童子手执蜡烛。捉，手持、拿着。⑨⓪① 虑朏难之：心想大概是谢朏当着两个孩子不好开口。⑨⓪② 仍取烛遣儿：于是他自己将蜡烛接过来，将两个童子也支开。仍，通"乃"，于是。⑨⓪③ 乃呼左右：让大家都进来。意即不再向谢朏问话，不再难为他。⑨⓪④ 庄：谢庄，字希逸，南朝著名文学家，代表作有《月赋》，官至光禄大夫。传见《宋书》卷八十五。⑨⓪⑤ 知其指：明白萧道成的心思，即想要做皇帝。⑨⓪⑥ 请间言：请求个别接见。间，缝隙，没有别人在场的时刻。⑨⓪⑦ 功高不赏：功劳大到没法再进行赏赐的情况，意即只有实行篡位一条路可走。⑨⓪⑧ 古今非一：自古以来也不是一次了。⑨⓪⑨ 位地：地位、权位。⑨①⓪ 欲终北面：想一辈子向人称臣。北面，指面向北而立，与皇帝的面向南而坐对文。⑨①① 正色裁之：假意严肃地制止他说这种话。⑨①② 神采内和：面色上又显露出一种舒服满意的神情。⑨①③ 因曰：接着继续说。⑨①④ 殊眄：另眼相看，特殊优待。⑨①⑤ 吐所难吐：说出别人所不敢说的话。⑨①⑥ 何赐拒之深：为什么要这么严厉地予以拒绝呢。赐拒，予以拒绝。用"赐"字表示尊敬对方。⑨①⑦ 岂复宁济：难道还能安稳地维持下去。⑨①⑧ 人情浇薄：人心好利善变。浇薄，与纯厚相对，指好利多变。⑨①⑨ 小复推迁：再不立即行动。小，稍稍。推迁，拖延、迟疑。⑨②⓪ 人望去矣：人们拥护您称帝的热情就要过去啦。⑨②① 大业永沦：建立新王朝的大业化为乌有。永沦，永远消失。⑨②② 七尺亦不可得保：连自己的身家性命也难以保全。七尺，七尺之躯，这里指自身。⑨②③ 故是经常宰相：还与平常的其他宰相没有差别。经常，平常的、一般的。⑨②④ 宜礼绝群后：应该让您所受的礼遇，与满朝的文武百官有根本不同。群后，古代称诸侯为后，这里指百官、群臣。⑨②⑤ 微示变革：稍稍显示出一点改朝换代的意思。⑨②⑥ 俭请衔命：请您派我去办这件事。即去找褚渊，让褚渊采取相应的行动。衔命，受命、奉命。⑨②⑦ 经少日：没过几天。⑨②⑧ 自造褚渊：亲自到褚渊家。造，到。⑨②⑨ 款言移晷：推心置腹地谈了好长时间。款言，诚恳地谈话。移晷，日影移动，以言谈话的时间之长。晷，古代用观测日影以记时的一种装置。⑨③⓪ 应得官：应该得到皇位。古人称皇帝曰"官"，也称"官家"。⑨③① 今授始尔：现在刚开始运作，指刚刚加了太尉和都督南徐等十六州诸军事。⑨③② 未容便移：还不能一下子就篡位称帝。移，改朝换代。⑨③③ 未必应在旦夕：不一定马上就要应验。⑨③④ 未达理：没有明白您的意思。⑨③⑤ 唱议：公开带头提议。⑨③⑥ 太傅：古代的三公之一，名位在丞相之上。㉗作诏：替皇帝起草加封萧道成的诏书。㉘任遐：萧道成的亲信，后位至御史中丞、金紫光禄大夫。传见《南史》卷五十九。㉙彦回：褚渊，字彦回。㉚惜身保妻子：是个既贪生怕死，又顾恋家庭的人。㉛果无违异：果然是不敢违背，不敢再有不同意见。㉜丙午：九月初二。㉝诏进：皇帝下诏给萧道成加封。进，提升、加封。㉞大都督中外诸军事：总统京城内外全国军事的最高长官。大都督，犹言总司令、总指挥。㉟剑履上殿：可以佩带宝剑、穿着鞋子走上金殿。这是封建帝王赐给亲信大臣的一种特殊礼遇，一般大臣不许带剑，不许穿靴。不许穿靴也与古代是席地而坐有关。㊱不趋：不必小步疾行。趋，小步疾行，是封建时代臣子在君父面前走路的一种姿态。㊲赞拜不名：在叩见皇帝时，司仪的人只唱官衔，不唱他的名字，以表示对他的尊敬。赞，司仪唱名。㊳使持节：皇帝派将出征，特别表示尊宠的有三种称号，最高的是"使持节"，其次是"持节"，再次是"假节"。节指旌节，是皇帝授予大臣的一种表示身份的信物，此物以竹为之，以旄牛尾为之毦，三重。㊴固辞殊礼：坚决拒受这些特殊的礼敬，如"剑履上殿，入朝不趋，赞拜不名"等。㊵晋熙王燮为司徒：晋熙王刘燮当时不足十岁。㊶戊申：九月初四。㊷十月丁丑：十月初三。㊸己卯：十月初五。㊹获孙昙瓘：孙昙瓘随同袁粲等在石头城起兵讨萧道成，兵败逃匿，至此在秣陵县被捕获。当时的秣陵县在今之江苏南京的西南方。㊺郑羲：魏国的权谋之臣，佐元石两次皆有功，累官至中书令，加给事中，出为西兖州刺史。性吝啬，为政贪贿，"西门受羊酒，东门酤卖之"。传见《魏书》卷五十六。㊻来聘：来刘宋做友好访问。聘，国与国间的友好访问。㊼壬寅：十月二十八。㊽立皇后谢氏：宋顺帝立当时著名文学家谢庄的孙女谢梵境为皇后，时年不足十二岁。传见《宋书》卷四十一。㊾庄之孙：谢庄的孙女。㊿十一月癸亥：十一月二十。961秉之从子：刘晃是刘秉的侄子。从子，即侄子。962甲子：十一月二十一。963随郡：郡治即今湖北随县。964李惠：孝文帝拓跋宏的外祖父，魏之能臣，善决狱讼，曾任青州刺史，有惠政。传见《魏书》卷八十三上。965十二月癸巳：十二月二十。966冤惜之：对李惠被杀感到冤枉，为之惋惜。967多违正典：不合古乐，不合儒家所讲的礼法规则。968以宫县合和鞞拂：用庄严的皇家乐器为民间的情歌小调伴奏。宫县（通"悬"），指天子宫廷使用的乐器。据古制，天子宫悬，四面悬挂钟磬；诸侯曲悬，三面悬挂钟磬。合和，即今所谓伴奏。鞞拂，古代两种起自民间的舞蹈名。鞞舞，执鞞鼓而舞，舞时有歌。不知起于何时，汉代已有，用于燕享。汉代的鞞舞曲辞五篇，分别为《关东有贤女》《章和二年中》《乐长久》《四方皇》《殿前生桂树》，分明是民间乐府的题目。拂舞，相传出自江左，旧称吴舞，舞时以拂子为道具，更显然是民间音乐。969节数虽会：节拍虽然也能与古乐合得上。970虑乖雅体：细想起来还是与古雅的音乐不是一回事。971今之清商：现今演奏的清商曲辞。清商是由丝竹伴奏的一种倾向于抒情的音乐，宋郭茂倩《乐府诗集》中收有这类作品的歌词。它们是在继承汉代相和歌的基础上发展起来的一种新声。972实由铜爵：实际是从三国曹魏的铜爵台音乐演变而来。铜爵（雀）台是汉末建安十五年曹操在邺城（今河北临漳西南）建造的歌舞台榭，并自制乐府，被于管弦。⑨73 三祖风流：曹氏父子的音乐特征与欣赏习惯一直流传下来。三祖，指魏太祖曹操、魏高祖曹丕、魏烈祖曹叡。风流，流风余韵，指音乐特征与欣赏习惯。⑨74 京、洛相高：接着以西京长安与东都洛阳为中心的西晋时代更加推崇、喜爱这种杂有民间特点的音乐。京，长安。洛，洛阳。指曹魏与西晋王朝。高，崇尚、欣赏。⑨75 江左弥贵：东晋以来，人们就把这种音乐看得更为贵重。江左，即江东，指东晋与刘宋两个建都于建康的王朝。⑨76 中庸和雅：中正平和，浓淡相宜，不刚不柔，不亢不卑。⑨77 莫近于斯：没有比这种音乐更接近于完美了。斯，此，指晋宋时期的清商乐。⑨78 情变听移：随着人们的感情变化，欣赏音乐的兴趣也随之改变。⑨79 稍复销落：有些乐曲慢慢地被淘汰、被遗弃。⑨80 亡者将半：丢失的将近一半。⑨81 烦淫无极：繁杂放纵而没有节制。⑨82 悉加补缀：全部加以搜集补充。⑨83 怀州：魏州名，州治野王，即今河南沁阳。⑨84 高允：拓跋焘时代以来文化根基很深的魏国老臣。传见《魏书》卷四十八。⑨85 寻复：不久朝廷又。⑨86 安车：葛晓音曰，“用一马牵拉可以坐乘的车。古车一般是立乘，安车则是坐乘，所以高官告老或征召有重望的人，往往赐乘安车。”

【校记】

［14］左：原作“右”。据章钰校，甲十一行本、乙十一行本皆作“左”，张敦仁《通鉴刊本识误》同，今据改。［15］昞：原作“盼”。据章钰校，乙十一行本作“昞”，今据改。〖按〗《通鉴纲目》卷二十七、《南史·王俭传》皆作“昞”。［16］诏：原无此字。据章钰校，孔天胤本有此字，张敦仁《通鉴刊本识误》同，今据补。

【研析】

本卷写了苍梧王刘昱元徽四年（公元四七六年）至宋顺帝昇明二年（公元四七八年）共三年间刘宋与北魏的大事，其中最主要是写了刘宋的皇帝刘昱被萧道成的帮派势力杀死，维护刘氏正统的袁粲、刘秉、黄回等联合一批势力图谋起兵除掉萧道成，结果被褚渊告密，袁粲、刘秉、黄回等人的举事失败，先后被杀；荆州刺史沈攸之起兵讨伐萧道成，先被郢州刺史柳世隆牵制在郢州城，郢州城久攻不下，三个月后，沈攸之在其军队瓦解崩溃、逃回江陵的途中，又闻江陵守军已被雍州刺史张敬兒的军队消灭，于是沈攸之自缢而死，荆州之乱平；接着萧道成又进一步诛杀异己，分派诸子与亲信掌控一切要害部门，萧道成集一切大权于己手，向着最后的篡位称帝跨进了一大步，剩下的只是时间问题了。这里边应该提出讨论的有以下几点。

第一，史书把小皇帝刘昱写得很坏，其最大的罪恶是嗜杀成性，他“一日不杀，则惨然不乐”，建康城里的“行人男女及犬马牛驴，逢无免者”，他“针、椎、凿、锯，不离左右，小有忤意，即加屠剖”，更甚者是居然想杀身经百战，已经掌握全国军权的萧道成，想把萧道成的肚脐当靶心，想一箭射死他。请注意，刘昱被萧道成杀死的时候是虚岁十五，做皇帝的第一年是虚岁十岁。我想即使是牛魔王的儿子出世，也干不出书上所写的这一套。更为奇怪的是想杀萧道成，别人一劝，就又不杀了，又似乎刘昱对萧道成没有什么仇恨，纯粹是恶作剧而已，这不是分明找死呢？这些故事的可信程度究竟有多少？至于还说刘昱“好缘漆帐竿，去地丈余”，说他“裁衣、作帽，过目则能；未尝吹篪，执管便韵”。一个十来岁的孩子能如此多才多艺，即使不说他是“小神童”，但也总不至于就该十恶不赦，就该把他杀死吧？尤其可恶的是，萧氏势力又采用历代早已用滥的办法，就如同汉朝人说秦始皇是吕不韦的儿子，汉文帝说汉少帝不是刘盈的儿子，刘宋人说司马睿是牛某某的儿子一样，而诬说刘昱是李道兒的儿子，真是欲加之罪，何患无辞?！也许是写书的人本来就对萧道成有看法，就对小皇帝有同情，所以才把小皇帝的罪名写成了这种样子，以表示一种弦外之音吧！

第二，袁粲、刘秉、黄回等人痛恨萧道成这个狼子野心的窃国大盗，想要发难除掉他，用心也许可嘉，实则为时已晚，萧道成的势力已经太大，忠心于刘宋王朝的人已经所剩无几了。更何况袁粲也不过是一个虚浮的文人，既不掌兵权，又缺乏谋略，尽管他联络了黄回等几个将领，但他们地位太低，又不在朝廷掌权，别说他们还没有动手，就已经有人向萧道成告密，即使没人告密，他们这几个人也不是萧道成的对手。明代方孝孺说:“袁粲拒萧道成而不纳，结诸将欲谋诛之，劲气峻节可比汉王陵、王允，凛然有古豪杰风，视褚渊辈如狐鼠耳。其计之失在乎知人不审，而以谋语渊，乃渊负粲而败，非粲负社稷也。使天未遽绝宋，斩道成而夷其族，于粲何有哉？其不能成功者，以威权去己，而道成之势已盛而然，非粲过也。”这话未必。袁粲定计后把事情告知了褚渊，褚渊向萧道成告密，是他们失败的原因之一，但如果认为倘若无人告密，袁粲就能“斩道成而夷其族，于粲何有哉”，就似乎把袁粲估计过高了。裴子野《宋略》曾说袁粲“智不足以除奸，权不足以处变”，说他的这次起事被杀是“蹈匹夫之节而无栋梁之具”。措辞是严厉了些，但事实的确如此。所以后来司马光也说:“粲简淡平素，而无经世之才；好饮酒，喜吟讽，身居剧任，不肯当事；主事每往谘决，或高咏对之。闲居高卧，门无杂宾，物情不接，故及于败。”东晋以来的士族习气，居其位而不谋其政，优哉游哉，“萧条散落，危而不扶”。等到眼看国家就要完蛋了，才想孤注一掷，好处是落了个“死得其所”，令人敬佩，但于国于民，起不了任何作用，是早已注定了的。袁粲临死对其儿子说:“本知一木不能止大厦之崩，但以名义至此耳。”可见袁粲对于谋杀萧道成的成功本来就没抱太大的希望，只不过是身在其位，不得不如此作为而已。其心可悯！

第三，在京城起事的袁粲等人失败了，西方的沈攸之正沿江东下，继续讨伐萧

道成。对于沈攸之的举事，有人也看成和袁粲的行为相同，是忠于刘氏王朝，其实未必然。沈攸之曾为稳定刘彧政权大效犬马之劳，有目共睹，但若说他对刘彧其人，尤其是对刘彧的儿子刘昱还有什么耿耿忠心，就似乎太不了解沈攸之了。对此清代的王夫之分析说："粲与秉孤立，而思抗悍鸷多徒之萧道成，不爱死以报刘氏，则固无容深求者。粲闻道成废立之谋，而不能抗辞以拒之；秉以军旅一委道成，授之以篡逆之柄，姑置勿论。徒其决计以诛道成，幸而克矣，不知二子者何以处沈攸之，而终保宋祚也？攸之之欲为道成也非一日也。兵已顺流直下，如道成授首于内，则攸之歌舞而入，挟重兵，居大功，握安成于掌股，二子欲与异而固不能。委社稷于攸之，掷宗祊于道成，有以异乎？吾知二子者，歧路仓皇，欲如今日之捐生以报国，不可得已。"对沈攸之的分析很精彩。但我们这些事隔一千多年的读者，是不是也要跟着谴责萧道成与沈攸之，那就大可不必了。此前在分析晋末的形势时曾指出，东晋是个极其腐朽的王朝，到其后期尤其可恶，一群腐朽的王姓、谢姓、庾姓士族分子簇拥着一个白痴的皇帝，如果能有一个思路清晰、奋发有为的掌权人物能夺取这个政权、改造这个政权，不是一件很好的事情吗？陶侃、桓温本来有这种可能，可惜他们的思想束缚太多，没能做到，只有到刘裕出世才完成了这一场改朝换代。到刘宋末期，又是这种情景了。别说是刘彧已死，让十岁的儿子临朝；就连刘彧自己，也是一个昏庸残暴、令人憎恶的家伙，从来没有为国家民族、社会民生做过什么好事。对于这样的政权如果能有一个较为英明一点的人来夺取它、改变它，又有什么不可以？但可惜萧道成与沈攸之都不是陶侃、桓温，更不是曹操、刘裕，他们既没有给国家、给黎民百姓做过一丁点好事，也从没有日后能为国家民族、黎民百姓做一点好事的想法。赤裸裸地就是为了篡取皇帝之位，以满足个人富贵尊荣的欲望，如此而已。这种人就如同后代的袁世凯、张作霖、段祺瑞、吴佩孚，一群军阀而已，谁上台都一样。于是我们也就无话可说了。正如春秋时代的晏婴所说："君为社稷死则死之，为社稷亡则亡之。若为己死己亡，非其私昵，谁敢任之？"于是我们也就像看走马灯一样："泪也未能为之坠，心也不能为之悲，清风明月不用一钱买，玉山自倒非人推。"不必说他了。